LES «BOURGEOISIES»

MUNICIPALES ITALIENNES

AUX IIe ET Ier SIÈCLES AV. J.-C.

*Ouvrage publié grâce à la contribution
de la Direction Générale
des Relations Culturelles
du Ministère des
Relations Extérieures*

COLLOQUES INTERNATIONAUX
DU
CENTRE NATIONAL DE LA RECHERCHE SCIENTIFIQUE
N. 609
SCIENCES HUMAINES

LES « BOURGEOISIES »

MUNICIPALES ITALIENNES

AUX IIᵉ ET Iᵉʳ SIÈCLES ᴀᴠ. J.-C.

Centre Jean Bérard. Institut Français de Naples

7 - 10 décembre 1981

ÉDITIONS DU CENTRE NATIONAL
DE LA RECHERCHE SCIENTIFIQUE
15, Quai Anatole-France
75700 PARIS

BIBLIOTHÈQUE DE L'INSTITUT
FRANÇAIS DE NAPLES
Deuxième série - Volume VI
Publications du Centre Jean Bérard,
NAPLES

1983

Les Actes de ce volume sont le résultat concret de la rencontre des travaux concomitants et complémentaires de deux équipes, l'une française, l'E.R.A. 757 du C.N.R.S., dirigée par M. Cl. Nicolet, et l'autre italienne, de l'Université de Pérouse (Institut d'Histoire, dirigé par M. F. Coarelli; Institut d'Archéologie, dirigé par M. M. Torelli).

Par un parti-pris de non-conformisme à des schémas traditionnels, l'optique classique de la vision du monde romain a été renversée; il ne s'agit plus de regarder l'Italie à partir de Rome, mais au contraire de considérer Rome à travers l'Italie, plutôt à travers le regard des Italiens des «municipes». Le déroulement de ce colloque à Naples, au Centre Jean Bérard, et donc au coeur de cette Italie «périphérique», a voulu être un symbole de cette option.

Je voudrais qu'ici dans ces lignes tous ceux qui m'ont aidée dans la préparation et le déroulement du colloque, trouvent l'expression de ma profonde reconnaissance. En premier lieu, M. Cl. Nicolet qui, dès le moment où je lui ai exposé le projet d'une rencontre encore hypothétique m'a assurée de sa pleine collaboration et m'a aidée et guidée pour établir le plan du colloque; il a su susciter l'enthousiasme de toute son équipe qui a participé à des réunions préparatoires, qui est venue à Naples, a présenté des contributions et a animé les discussions; que lui-même et ses «élèves» acceptent mes remerciements.

C'est de mes conversations avec Filippo Coarelli et Mario Torelli qu'est née l'idée de ce colloque; leur aide amicale et généreuse a permis de donner en Italie au colloque l'ampleur que ces Actes reflètent; qu'ils en soient eux aussi remerciés.

Ma reconnaissance est aussi vive envers tous ceux qui ont permis au colloque d'exister: le Centre National de la Recherche Scientifique qui a financé en partie ce colloque et ces Actes; la Direction Générale des Relations Culturelles du Ministère des Relations Extérieures qui a permis, grâce à sa contribution financière complémentaire, la publication de ces Actes, et le Directeur de l'Institut Français de Naples, M. Jean Joinet, qui a mis, avec libéralité, à notre disposition les locaux de son établissement.

Un hommage particulier doit être rendu aux autorités locales de Naples et de la Campanie, sans lesquelles ce colloque n'aurait pu avoir lieu; c'est-à-dire l'Azienda Autonoma di Soggiorno Cura e Turismo de Naples, l'Ente Provinciale per il Turismo de Naples, la Regione Campania, l'Azienda Autonoma di Soggiorno Cura e Turismo de Pouzzoles; que tous les responsables de ces organismes acceptent, à travers ces quelques mots, la reconnaissance de ceux auxquels ils ont facilité le séjour.

Ma profonde gratitude va à l'équipe de techniciens et personnel administratif du Centre Jean Bérard (Maria Francesca Buonaiuto, Gaetano Imparato, Marina Pierobon) qui ont accepté un labeur harassant afin que le colloque se déroule sans problèmes. C'est encore grâce à la collaboration de Maria Francesca Buonaiuto et de Marina Pierobon que ces Actes, accompagnés d'un index, sortent de presse.

Mireille CÉBEILLAC-GERVASONI

À PROPOS DE LA VIE FINANCIÈRE À POUZZOLES: CLUVIUS ET VESTORIUS

Comme l'indique mon titre, je ne parlerai pas systématiquement de la vie financière à Pouzzoles; nous ne possédons d'ailleurs, à son sujet, que des indications fragmentaires. Je me iimiterai à quelques personnages de la prosopographie cicéronienne, qui jouent un rôle d'intermédiaires dans les opérations de crédit, et avant tout à Cluvius et à Vestorius.

Cet exposé est, après "Financiers de l'aristocratie à la fin de la République" (1) et "Brèves remarques sur la banque et le crédit au 1ᵉʳ s. av. J.-C." (2), le troisième d'une série que je consacre aux financiers n'appartenant pas aux métiers bancaires. Maintenant que j'ai presque fini de travailler sur ces métiers, mon objectif à moyen terme est de parvenir à une étude générale de ce que j'ai appelé les financiers des oligarchies. C'est-à-dire des financiers réalisant leurs opérations au service des oligarchies et le plus souvent en leur sein. Je définis, dans le présent exposé, la place qu'occupaient Cluvius et Vestorius parmi ces financiers; et je pose la question du rôle financier des oligarchies municipales et des notabilités proches de ces oligarchies (3).

Il s'est trouvé que F. Coarelli, au cours de son récent séjour à Paris, a abordé des thèmes proches du mien et a fourni une intéressante interprétation nouvelle sur les inscriptions relatives à N. Cluvius. Sur tel ou tel point précis, mon exposé est redevable à ses indications et aux discussions que son séjour a contribué à alimenter à Paris.

*

* *

Cluvius et Vestorius étaient indubitablement des hommes d'affaires importants et, quoiqu'ils ne fussent pas des banquiers de métier, ils possédaient une réelle compétence financière. Quant à Cluvius, cette compétence et l'importance de ses affaires sont indiquées par deux lettres de Cicéron, les deux seules où il soit question de lui, alors qu'il était encore en vie (4). Je reviendrai plus longuement sur l'une de ces deux lettres, qui date de mai 50; elle fait allusion, de façon métaphorique, aux activités financières de Cluvius et Vestorius, et n'a pas, jusqu'ici, été regardée d'assez près (5). Quant à Vestorius, Cicéron le présente en outre, à plusieurs reprises, comme un spécialiste du prêt, de l'argent et du gain, qui n'a de culture qu'arithmétique et dont la fréquentation, pour cette raison, ne lui est pas toujours agréable (6). Deux passages de Vitruve et de Pline l'Ancien nous informent que Vestorius a le premier fondé à Pouzzoles une fabrique de bleu égyptien et qu'il a élaboré une nouvelle variété de ce bleu, dénommée pour cette raison le *vestorianum* (7). La fouille de l'épave de Planier III,

---

(1) Dans *Le dernier siècle de la République Romaine et l'époque augustéenne* (ouvr. collect.), Strasbourg, éd. A.E.C.R., 1978, pp. 47-62.

(2) A paraître dans *Ann. dell'Ist. Ital. di Num.*, t. 28, 1981.

(3) J'entends par oligarchies l'ensemble des ordres privilégiés (Sénat, ordre équestre, oligarchies municipales) et par notabilités tous ceux qui, sans appartenir à ces ordres, en sont proches par les sources de revenus et le style de vie.

(4) *Ad. Att.*, 6, 2, 3; *ad Fam.*, 13, 56.

(5) *Ad. Att.*, 6, 2, 3.

(6) *Ad. Att.*, 4, 19, 1; 14, 12, 3; 14, 14, 1; 15, 4, 3.

(7) Vitr., 7, 11, 1; Pline, *N.H.*, 33, 162.

dont les résultats ont été très judicieusement interprétés par A. Tchernia (8), suggère qu'il était entrepreneur de commerce et peut-être qu'il possédait des bateaux.

Quoique Cluvius et Vestorius soient des hommes d'affaires et des financiers spécialisés, la quasi-totalité des lettres de Cicéron où il en est question nous les montrent sous un jour un peu différent et les services que Vestorius rend aux frères Cicéron ou à Atticus ne ressortissent pas à proprement parler à la technique financière.

Exception faite des deux lettres mentionnées ci-dessus (9), toutes celles qui concernent Cluvius (une bonne dizaine de lettres) sont postérieures à sa mort (survenue en 45 av. J.-C., dans les derniers jours de juillet ou dans les premiers jours d'août). Elles s'intéressent avant tout au sort de son patrimoine, puisque Cicéron compte au nombre de ses héritiers. A cette date, le patrimoine de Cluvius est, au moins en partie, foncier, et Cicéron n'hésite pas à garder pour lui les *horti cluviani* et les boutiques de location dont Cluvius était propriétaire à Pouzzoles.

En ce qui concerne Vestorius, les lettres de Cicéron attestent qu'il a rendu au sénateur les services suivants:

1. En 56 ou 55 av. J.-C., Cicéron faisait reconstruire sa maison du Palatin. Vestorius paraît lui avoir prêté de l'argent (10). Est-ce de l'acquittement de cette dette que parle Cicéron dans deux lettres de 50 et de 49 av. J.-C.? La chose est douteuse, mais l'existence du prêt paraît assurée (11).

2. En 45, Vestorius intervient dans deux affaires d'héritage. Presque contemporainement, à un ou deux mois près, Cicéron hérite d'une partie des biens de Brinnius et d'une partie des biens de Cluvius. Dans l'un et l'autre cas, il est question de biens immobiliers, dont une partie au moins est sise à Pouzzoles ou à proximité de Pouzzoles: les boutiques de Cluvius; les *horti Cluviani,* qui se trouvent dans le territoire de la cité de Pouzzoles; le *fundus Brinnianus.* Vestorius aide activement Cicéron au règlement de ces successions; il l'aide de trois manières.

Premièrement: au moment de la succession, il est censé l'informer des clauses du testament, de la procédure suivie pour l'acceptation de la succession, des problèmes posés par l'organisation de la vente aux enchères qui, dans l'un et l'autre cas, va avoir lieu pour faciliter le partage des biens entre les héritiers. Et Cicéron s'irrite parce qu'il juge que Vestorius remplit mal son office d'informateur. Lors de la succession de Cluvius, il le remplit moins bien que Plotius, l'informateur de Balbus (qui, lui, suit l'affaire de Rome pour le compte de César) (12). Or Plotius est un parfumeur, un *unguentarius.* C'est dire que les héritiers de Cluvius ne demandent pas à leurs informateurs locaux une très haute spécialisation financière.

Deuxième rôle de Vestorius. Quand la succession de Cluvius a été réglée et que Cicéron est devenu propriétaire des boutiques et des *horti cluviani,* Vestorius participe à l'entretien et à la gestion de ces biens patrimoniaux. Deux des boutiques croulent, les autres menacent ruine et les locataires ne veulent plus rester. C'est Vestorius qui, avec l'aide d'un architecte, Vettius Chrysippus, s'attelle aux plans de reconstruction et qui parviendra à ce qu'une fois reconstruites les dites boutiques fournissent des revenus annuels supérieurs à ce qu'elles fournissaient auparavant (13).

---

(8) A. Tchernia, *Premiers résultats des fouilles de juin 1968 sur l'épave III de Planier, Et. class.,* t. 3, 1968-1970, pp. 51-82; J. Andreau, *Financiers de l'aristocratie à la fin de la République,* pp. 58-59; et J.H. D'Arms, *Senator's involvement in commerce in the late Republic, M.A.A.R.,* t. 36, 1980, pp. 77-89.

(9) *Ad. Att.,* 6, 2, 3; *ad Fam.,* 13, 56.

(10) *Ad. Att.,* 4, 6, 4.

(11) *Ad. Att.,* 6, 8, 5 et 10, 13, 2.

(12) *Ad. Fam.,* 13, 46.

(13) *Ad. Att.,* 14, 9, 1; 14, 10, 3; 14, 11, 2 - Contrairement à ce que dit I. Shatzman, les *tabernae* sont des boutiques et non pas des immeubles à appartements. Même si des pauvres logent dans des *tabernae,* il est tout à fait injustifié de confondre *tabernae* et *insulae.*

Troisième rôle de Vestorius. Dans la succession de Brinnius, il est question d'un *fundus* qui a été vendu aux enchères. la vente a eu lieu à Pouzzoles ou dans la région. L'acheteur se nomme Hetereius et les vendeurs sont évidemment les héritiers. Vestorius sert d'intermédiaire juridique entre l'acheteur et ceux des vendeurs qui ne résident pas à proximité et se refusent, tels Cicéron, à se déplacer pour signer l'acte de vente. C'est Vestorius qui leur achète le *fundus* par l'intermédiaire d'un de ses esclaves, et il le revend à Hetereius (cela suppose donc qu'au moment de l'enchère il se soit présenté comme l'acheteur à la place d'Hetereius, ou qu'Hetereius ait été fictivement mandaté par lui pour acheter le *fundus* à son intention). Mais Vestorius ne paraît pas intervenir pour prêter de l'argent à Hetereius. Il joue en quelque sorte, à la suite de cette enchère, le rôle inverse de celui d'un *argentarius*. L'*argentarius* y est un intermédiaire de paiement, et y fournit un service de crédit; Vestorius, dans ce cas, joue un rôle d'intermédiaire, mais pour le transfert de propriété.

Ajoutons à tout cela quelques menus services, par exemple la transmission du courrier.

Les affaires auxquelles Cicéron et Atticus mêlent Vestorius ont rapport, certes, aux patrimoines et aux questions d'argent. Mais, somme toute, elles sont peu techniques et touchent plus au droit qu'à la finance. Pourquoi? Je l'expliquerais de deux manières.

1. La correspondance traite des affaires de Cicéron beaucoup plus que de celles d'Atticus, puisque les lettres d'Atticus ne nous sont pas parvenues et puisqu'Atticus s'était chargé des affaires de Cicéron, alors que l'inverse n'est pas vrai. Sans être parmi les chevaliers les plus rompus aux affaires financières, Atticus en brassait davantage que Cicéron. Il avait en Grèce et en Asie Mineure d'importants intérêts, fonciers et autres. Il s'était chargé des affaires de plusieurs sénateurs et chevaliers. Il entretenait donc avec Vestorius des rapports d'affaires plus réguliers et plus techniques que Cicéron; dans la correspondance, il apparaît toujours comme plus lié à Vestorius que Cicéron. Si nous possédions la correspondance d'Atticus en plus de celle de Cicéron, la compétence financière de Vestorius nous apparaîtrait davantage.

2. Les services financiers qu'un sénateur ou un chevalier avait besoin qu'on lui fournisse étaient la plupart du temps assez simples, même s'ils concernaient des sommes importantes. Ce qui intéresse Cicéron en Vestorius, ce n'est pas sa particulière compétence financière. C'est plutôt sa connaissance pratique du droit et des transactions courantes, c'est aussi le fait qu'il vive habituellement à Pouzzoles et y possède beaucoup de relations. Cicéron, à cette époque, passe à Arpinum ou à Tusculum la majeure partie de son temps. Pour accepter ces successions et entrer en leur possession, il a besoin de deux informateurs, l'un à Rome (c'est Atticus) et l'autre à Pouzzoles (Vestorius). De même, les intérêts de César absent sont défendus de Rome par Balbus qui dispose à Pouzzoles de la collaboration du nommé Plotius.

L'aide apportée par Vestorius était-elle rémunérée? Vue la façon dont est présenté le personnage et vues les relations (très peu intimes) qu'il entretenait avec Cicéron, je suis convaincu qu'elle l'était. Mais cela ne veut pas forcément dire qu'à chaque service rendu Vestorius ait touché de Cicéron une commission fixe ou proportionnelle aux sommes concernées. Il est impossible de dire de quelle manière il était rémunéré.

*

* *

Il me reste à parler des deux lettres qui témoignent de la véritable ampleur des affaires de Cluvius et de Vestorius. L'une de ces deux lettres, la plus importante à mes yeux, est métaphorique (14). Cicéron termine le *De Republica* et en fait lire le texte à Atticus qui lui adresse deux critiques d'ordre

---

(14) Cic., *ad. Att.,* 6, 2, 3.

11

géographique. D'une part, Cicéron a appelé Phliontiens les citoyens de Phlionte, alors que le terme correct est Phliasiens; Cicéron en convient, et assure qu'il s'agit d'un lapsus. D'autre part, il a écrit que toutes les *civitates* du Péloponnèse avaient accès à la mer. Atticus remarque que c'est faux, car le territoire des Phliasiens ne touche pas à la mer. Cicéron ne le conteste pas, mais invoque l'autorité de l'auteur grec Dicéarque qui l'a induit en erreur. Il n'avait aucune raison de douter de ce qu'affirmait Dicéarque et l'affranchi Denys avait autant de confiance en Dicéarque que Cicéron en Cluvius, ou qu'Atticus en Vestorius. Porquoi cette étrange allusion aux deux pouzzolans? On l'explique à juste titre par un jeu de mots entre Dicéarque et Dicaearchia, nom grec de Pouzzoles; Dicéarque fait penser à Dicaearchia qui, elle-même, évoque Cluvius et Vestorius. Et, comme ce sont des financiers, le passage est parsemé de termes financiers, en assez grand nombre pour qu'on ne puisse manquer de les apercevoir. *Tabulae*: les relevés ou les cartes de Dicéarque, mais aussi le livre de caisse où l'on note les encaissements et les débours. *Credere:* faire confiance, mais aussi prêter de l'argent. *Probatus,* δόκιμος: estimé, digne de confiance, mais aussi contrôlée, de bon aloi, en parlant d'une monnaie. *Nomina.* Etc.

Cette interprétation du passage n'est pas contestable, mais elle est insuffisante. Si elle explique la présence des termes financiers, elle ne rend pas compte de leur choix; or tel de ces mots à sens financier convient mal au thème géographique qui fait l'objet de la lettre; c'est le cas de *nomina.* Il faut donc chercher si l'ensemble du texte, outre sa signification géographique, n'en présente pas une seconde, financière celle-là.

La réponse est affirmative. Cette seconde signification se discerne à partir du verbe *credere*: la question, pour Cicéron, était de savoir s'il pouvait, aux deux sens de l'expression, "faire crédit" à Dicéarque. Ajouter foi à ce qu'écrivait Dicéarque - ou lui prêter de l'argent. Dicéarque avait de nombreuses créances sur les Grecs (*multa nomina*) et il prêtait son argent à bon escient, car il avait vécu dans le Péloponnèse et faisait des enquêtes sur ses futurs débiteurs avant de leur accorder un prêt (ἱστορικώτατος) (15). Malgré cela, Cicéron avait peine à se décider à prêter. il s'est mis en indivision avec Denys (*communicavi*) (16). Denys fut d'avis que Cicéron et lui pouvaient conclure le prêt, car il avait autant de confiance en Dicéarque que Cicéron en avait en Cluvius et Atticus en Vestorius. La dernière phrase du passage confirme la justesse de mon interprétation, car elle aussi présente un double sens. *Itaque istum ego locum totidem verbis a Dicaearcho transtuli.* La phrase signifie évidemment: "aussi ai-je traduit mot pour mot tout ce passage de Dicéarque". Mais *transferre* désigne à plusieurs reprises dans le *Digeste* un transfert d'argent, de créance ou de gage (17). Si le créancier change, une nouvelle créance est rédigée. Un nouveau contrat verbal, une nouvelle stipulation est conclue; or le mot *verbis,* employé par Cicéron, est précisément une des façons de désigner le contrat verbal. Quant à la construction *a Dicaearcho,* elle s'emploie couramment à propos du tiers qui acquitte une dette en lieu et place du débiteur original, ou à propos du créancier dont la créance est transférée à quelqu'un d'autre. Cette dernière phrase illustre donc la technique juridique et financière employée pour prêter de l'argent à Dicéarque. Dicéarque a en main des créances sur des Grecs. Denys et Cicéron lui versent de l'argent, en échange duquel il leur cède certaines de ses créances. Denys et Cicéron deviennent créanciers des Grecs; ce sont eux, désormais, qui supporteront le risque financier

---

(15) Plusieurs textes latins insistent sur le fait que le prêteur doit mener une enquête, pour s'assurer de l'honnêteté et de la solvabilité de son futur débiteur. Voir par exemple Sén., *De Ben.,* 1, 1, 2, qui emploie le verbe *inquirere.*

(16) L'indivision peut résulter de la volonté des parties, qui ont mis quelque chose en commun. Elle a, du point de vue des affaires, des effets voisins de ceux de la société mais en diffère du point de vue juridique. Voir M. Kaser, *Das römische Privatrecht,* I, 2, Munich, éd. C.H. Beck, 1971, pp. 590-592.

(17) *Dig.,* 32, 38 *pr.* (Scaev. *lib. XIX digg.*); 15, 3, 20, 1 (Scaev., *lib. I respp.*); 26, 7, 58, 4 (Scaev., *lib. XI digg.*); 44, 7, 44, 6 (Paul, *lib. LXXIV ad ed. praet.*); et surtout 46, 2, 14, 1 (Ulp., *lib. VII disput.*).

de l'opération. Dicéarque a été un intermédiaire de crédit, il leur a fourni des débiteurs qu'eux auraient eu du mal à découvrir par eux-mêmes; il les assiste peut-être de ses conseils. Mais il cesse d'être créancier. Il était donc important qu'ils eussent confiance, non seulement en sa bonne foi, mais encore en son jugement et en sa compétence.

La conclusion s'impose: Cicéron et Atticus pratiquent, ou ont pratiqué, l'un avec Cluvius, l'autre avec Vestorius, l'opération qui est suggérée métaphoriquement à propos de Dicéarque. Il est évidemment très difficile de savoir s'ils ont constamment de l'argent placé par l'intermédiaire de ces pouzzolans, ou si la chose ne s'est produite qu'à certaines époques bien précises. Pour Cicéron, on parviendrait à des présomptions si l'on étudiait de manière strictement chronologique, année par année, l'état de sa fortune et le développement de ses affaires privées; à ma connaissance, cela n'a jamais été fait de façon assez méthodique. D'ailleurs, je ne suis pas sûr que les sommes ainsi placées étaient nécessairement très importantes. Mais qu'en savons-nous? Ce qui reste de la correspondance d'Atticus et de Cicéron porterait à penser que les sommes placées par Atticus selon ce procédé étaient plus importantes que celles de Cicéron. Les créances qu'avait Atticus sur les Sicyoniens, dans les années 61 à 59, ou les intérêts qu'il possédait à Ephèse en 51 lui étaient-ils venus par l'entremise de Vestorius?

Autre corollaire de mon interprétation de la lettre *ad Att.*, 6, 2: si Cluvius et Vestorius y sont mis en parallèle (et c'est le seul texte dans lequel ils soient ainsi mis en parallèle), c'est parce qu'ils jouent l'un et l'autre ce rôle d'intermédiaires de crédit. Cela n'implique ni qu'ils aient pratiqué par ailleurs toutes les mêmes activités, ni qu'ils aient occupé la même place dans la hiérarchie des groupes et ordres sociaux. Mais cela implique qu'ils aient eu l'un et l'autre une forte compétence financière, qu'ils aient mené l'un et l'autre une activité financière spécialisée, auxquelles restaient étrangers un Cicéron ou même un Atticus. De tels indices, je conclus qu'Atticus ne faisait pas partie de la minorité la plus financière de l'ordre équestre. Comme à tout sénateur et tout chevalier responsable, il lui arrive de prêter de l'argent. Il prête une attention soutenue à son patrimoine, aux taux d'intérêt, aux paiements, etc. Il dispose de plus de temps qu'un sénateur pour le faire et cela le conduit à se charger en outre des affaires d'un Cicéron et de celles d'un certain nombre d'autres sénateurs et chevaliers. Mais son mode de vie et sa façon de gérer son patrimoine diffèrent de ceux des financiers de haut vol, un C. Rabirius Postumus ou même, probablement, un L. Egnatius Rufus. L'une des opérations qui révèle une spécialisation financière assez poussée est précisément l'entremise de crédit dont témoigne la lettre *ad Att.*, 6, 2.

Au moment même où il écrit cette lettre, Cicéron en écrit une autre au propréteur de la province d'Asie, Quintus Minucius Thermus, en faveur des intérêts qu'y possède Cluvius. Le pouzzolan avait prêté de l'argent à cinq cités d'Asie et au dénommé Philoclès d'Alabanda. Ce genre de prêts était pratiqué aussi par des sénateurs qui ne jouissaient et ne jouissent d'aucune réputation de financiers spécialisés, tels que Brutus. S'il révèle un certain sens de l'argent et de la gestion du patrimoine, ou même, dans certains cas, un désir forcené d'accroître son patrimoine, il ne suffit pas à montrer que le bailleur de fonds avait une particulière compétence financière. Mais la fin de la lettre fait allusion à Pompée, de façon telle qu'il est évident que les fonds prêtés par Cluvius lui appartiennent au moins en partie. Comme le passage métaphorique de *ad Att.*, 6, 2, cette fin de lettre révèle l'originalité du rôle d'un Cluvius (ou d'un Vestorius) par rapport à celui du sénateur ou du chevalier moyen.

Quand j'ai découvert la signification métaphorique de *ad Att.*, 6, 2, j'ai d'abord conclu à l'hypocrisie de Cicéron, qui se garde bien, dans la lettre à Quintus Minucius Thermus, de signaler que l'argent prêté par Cluvius était aussi le sien. Une telle hypocrisie n'eût eu, en soi, rien d'étonnant, car il était plus honorable et plus facile de recommander les intérêts de ses amis que les siens propres. Brutus ne dissimulait-il pas qu'il était le véritable créancier des Salaminiens de Chypre? Mais Brutus avait d'autres motifs précis de ne pas se dévoiler. Les intérêts qui étaient exigés des Salaminiens

13

étaient usuraires. Sa réputation d'intransigeance et d'austérité était en jeu. En outre, ayant accompagné son oncle Caton à Chypre en 58 av. J.-C., il était devenu avec lui le patron de la cité de Salamine.

A la réflexion, je suis sûr que dans le cas de Cicéron, il ne s'agit pas d'hypocrisie. Car si l'on tient à la procédure évoquée par *ad Att.*, 6, 2, les sommes prêtées par l'intermédiaire de Cluvius ne sont pas celles dont il est question dans la lettre de recommandation. Sinon, il y aurait eu transfert de créance et Cicéron serait officiellement devenu le créancier des débiteurs de Cluvius.

Arrivait-il que les latins, et en particulier Cicéron, fussent coupables d'hypocrisie? Oui, bien sûr. Mais expliquer par l'hypocrisie une apparente contradiction entre le discours tenu et l'action accomplie, entre la norme et la pratique, est le plus souvent une solution de facilité. C'est aussi une façon de ne pas tenir compte d'une partie de la documentation disponible, de faire fi de normes et de discours qui embarrassent parce qu'ils dépaysent, et d'expliquer la conduite des anciens à partir d'une logique qu'à tort ou à raison nous pensons être celle des sociétés modernes.

L'entremise de crédit peut prendre plusieurs formes. Dans la lettre *ad Att.*, 6, 2, l'intermédiaire cesse d'être créancier et ne court plus de risque financier. D'après les termes qu'emploie Cicéron, je supposerais que C. Rabirius Postumus procédait de la même manière quand il faisait participer ses amis à ses affaires (18).

L'intermédiaire, s'il consent que le bailleur ne supporte pas seul le risque financier, peut se porter créancier accessoire, *adstipulator*, à côté du bailleur. Il a ainsi sur la créance les mêmes droits que le créancier principal et court les mêmes risques que lui. C'est peut-être ce que faisait le père d'Auguste, au moins au début de sa carrière, avant qu'il n'entrât au Sénat. Ce n'était pas un *argentarius*, un banquier de métier. Mais il est possible qu'il ait eu des activités financières assez poussées, comme l'en accusaient les détracteurs de son fils. En tout cas, le mot *divisor*, qu'emploie Suétone à son propos, désigne une certaine catégorie d'intermédiaires de paiements et le mot *adstipulator*, qu'on trouve dans la lettre à Octavien du Pseudo-Cicéron, désigne cet intermédiaire de crédit qui se porte créancier accessoire à côté du créancier principal, le bailleur de fonds (19).

Dans d'autres cas, le bailleur de fonds conclut avec le ou les intermédiaires un contrat de mandat, si bien qu'ils sont officiellement les créanciers, bien que l'argent continue à appartenir au bailleur. Pour que les intermédiaires ne risquent pas de subir la perte financière d'une somme qui n'est pas à eux, une clause peut prévoir qu'ils fassent tous leurs efforts pour récupérer l'argent, mais que s'ils n'y parviennent pas, il n'en résultera pour eux aucune perte (sinon peut-être celle de la rétribution que devait leur verser le bailleur). Ainsi procède Brutus quand il prête aux Salaminiens de Chypre par l'entremise de Marcus Scaptius et Publius Matinius. Les seuls créanciers officiels sont Scaptius et Matinius et, jusqu'à ce que Brutus se dévoile, les Salaminiens et Cicéron ignorent que les sommes prêtées lui appartiennent, mais s'il intervient aussi violemment pour obtenir que les Salaminiens s'acquittent de leur dette et versent toute la somme qu'il désire leur voir verser, c'est parce que l'affaire est *periculo suo* (20).

Les liens qui unissaient Pompée à Cluvius étaient identiques à ceux qui unissaient Brutus à Scaptius et Matinius. Car Cluvius est le seul créancier connu des cités de Mylasa, d'Alabanda, de Bargylia, d'Héraclée, de Caunos et de Philoclès d'Alabanda. Sinon, Cicéron n'aurait pas besoin d'attendre la fin de la lettre pour y ajouter discrètement que Pompée était intéressé par les créances en

---

(18) Cic., *pro Rab. Post.*, 2, 4.

(19) Suét., *Aug.*, 3, 1: Ps. Cic., *ad Octav.*, 9.

(20) Cic., *ad Att.*, 5, 21, 10-13; 6, 1, 3-8; 6, 2, 7-9; 6, 3, 5-6. Je remercie vivement M. Humbert pour les informations qu'il m'a fournies sur les aspects juridiques de cette affaire.

question. Mais, si Pompée se sentait tellement concerné, s'il s'inquiétait encore plus que Cluvius, c'est qu'il était prévu qu'il supportât le risque financier, le *periculum*.

Enfin, il peut arriver que le bailleur prête tout simplement à l'intermédiaire une certaine somme d'argent, à charge pour lui de la placer à sa guise et de verser des intérêts. J'interprèterais ainsi les trois lettres de Cicéron où il est question des dettes de son frère Quintus en 49 av. J.-C. (21). Pour rembourser à Atticus ce qu'il lui doit, Quintus Cicéron cherche à encaisser de l'argent de Lucius Egnatius Rufus (*exigere*) et, d'autre part, à faire un emprunt (*versura*). Les deux opérations sont nettement distinguées dans la lettre de février 49, puisque les deux verbes sont reliés par la conjonction *aut*. Il est d'ailleurs difficile de conclure, comme on l'a fait pour confondre les deux opérations, qu'*exigere* veut dire ici "emprunter". Quintus a donc prêté de l'argent à Egnatius Rufus qui, lui aussi, joue un rôle d'intermédiaire de crédit et dont Cicéron recommande les intérêts asiatiques dans plusieurs lettres *ad Familiares* (22). Egnatius Rufus n'est pas en mesure de le lui reverser (quoiqu'il se soit peut-être engagé à rendre cet argent sur demande). Dans les deux autres lettres où il fait allusion à cette affaire, lettres qui datent de mai 49, Cicéron, pour une raison que nous ignorons, ne parle plus que d'emprunt (23).

Cluvius, Vestorius, L. Egnatius Rufus, C. Rabirius Postumus, éventuellement C. Octavius, son père ou un homonyme. Ces intermédiaires de crédit vivent en Italie. Ils sont souvent relayés à leur tour par d'autres intermédiaires résidant dans les provinces. Ces seconds intermédiaires, en règle générale, sont socialement moins importants que ceux d'Italie et leurs affaires, dans la majorité des cas, à l'époque cicéronienne, doivent se concentrer dans une région ou dans une province. L'argent des sénateurs pour se placer descend le long de l'échelle sociale. S'ils en ont l'occasion, les sénateurs s'adressent directement à ces intermédiaires des provinces; c'est ce qu'a fait Brutus et c'est ce qu'a fait aussi Caius Verres, qui a versé à Publius Tadius à Athènes et à Cnaeus et Quintus Curtius Postumus certaines des sommes qu'il avait extorquées aux provinciaux (24). Certains de ces intermédiaires provinciaux étaient-ils des banquiers de métier, *argentarii*? Ce n'est pas exclu, mais on ne peut jamais l'affirmer. Ainsi les deux Curtii étaient liés à Verres par une *ratio*; mais le mot désigne-t-il ici un véritable compte en banque, ou simplement une comptabilité, un ensemble d'opérations extérieures à la pratique du métier bancaire? Le texte ne permet pas d'en décider.

Certains de ces intermédiaires provinciaux empruntent de l'argent pour le placer et en toucher les intérêts. D'autres sont officiellement créanciers, mais sans que l'argent leur appartienne. D'autres encore ne sont que des *procuratores,* chargés des affaires du créancier qui réside en Italie. Certains sont les affranchis du créancier. Mais considérons les noms que fournit Cicéron dans la correspondance et notamment dans les lettres de recommandation. En Cilicie, Brutus passe par l'intermédiaire de Marcus Scaptius et Publius Matinius; en Cappadoce, de Lucius Gavius et d'un autre Marcus Scaptius. Verres s'adresse à P. Tadius et aux Curtii Postumi. Lucius Oppius s'occupe dans la province d'Asie des affaires de L. Egnatius Rufus. Seius s'occupe de celles d'Atticus. Quand celui qui réside dans la province n'est pas un affranchi du bailleur ou de l'intermédiaire italien, il est rare qu'il porte le même gentilice que lui. On voit combien il est discutable, à l'époque cicéronienne, de postuler que ceux qui portent le même gentilice ont toute chance d'entretenir des rapports d'affaires.

---

(21) *Ad. Att.*, 7, 18, 4; 10, 11, 2; 10, 15, 4.

(22) *Ad Fam.*, 13, 43; 44; 45; 47; 73; 74.

(23) *Ad Att.*, 10, 11, 2; 10, 15, 4. Voir *Financiers de l'aristocratie...*, pp. 57-58, où je parle brièvement du rôle d'intermédiaire financier joué par L. Egnatius Rufus, mais sans défendre explicitement cette interprétation (à mon sens, la plus rigoureuse, la moins contestable) du verbe *exigere* et de la conjonction *aut*. Je m'arrête davantage, dans *Financiers de l'aristocratie...*, sur les sommes qu'en 48 av. J.-C. Cicéron paraît avoir déposées chez Egnatius; je n'y reviens donc pas ici.

(24) Cic., 2 *Verr.* 1, 100 et 102.

L'étude de ces intermédiaires de crédit, et avant tout de ceux d'Italie, montre comment se constituent, au sein des oligarchies et pour les oligarchies (c'est-à-dire pour les sénateurs, les chevaliers et les oligarchies municipales), des spécialités financières plus ou moins floues, des opérations plus ou moins codifiées qui, du point de vue de leurs fonctions financières et économiques, sont la réplique des services bancaires proprement dits: du service de caisse, de l'acceptation de dépôts et de l'octroi de crédits. Mais les techniques ne sont pas les mêmes, les formes juridiques non plus, la clientèle non plus. L'opérateur n'a ni le même rang social, ni le même patrimoine, ni le même style de vie qu'un banquier de métier.

On ne connaît aucun *argentarius* qui ait travaillé à Pouzzoles à la fin de la République. Il y en avait pourtant, sans aucun doute possible; car, vers les mêmes années, un *argentarius* est attesté à Pompéi, L. Ceius Serapio. En cette fin de l'époque cicéronienne, les *argentarii* intervenaient couramment dans les ventes aux enchères, si couramment qu'on se demande si des enchères pouvaient désormais avoir lieu sans intervention de ces banquiers de métier. Après la mort de Brinnius et celle de Cluvius, des ventes aux enchères d'au moins une partie de leurs héritages ont eu lieu. Celle de la succession Brinnius a eu lieu à Pouzzoles, ou non loin de Pouzzoles. Gageons (en vertu de l'usage général) que des *argentarii* s'y trouvaient présents et fournissaient aux acheteurs un service de crédit. Cicéron achète à ses cohéritiers une partie des biens de Cluvius et notamment de ses *horti* (il paraît avoir obtenu, il est vrai, qu'ils soient exclus de la vente aux enchères). Un an plus tard, il doit encore de l'argent à son cohéritier T. Hordeonius. Mais il n'a pas été question d'emprunter de l'argent à l'*argentarius*. Les sommes eussent peut-être été trop importantes pour les disponibilités du banquier de métier et l'habitude sociale ne portait pas Cicéron à avoir recours à ses services (25).

*
* *

Que je revienne à Cluvius et Vestorius. L'argent de Pompée que Cluvius a placé a surtout été prêté à des cités de Carie. Ne sachant rien de Philoclès d'Alabanda, nous ignorons quel usage il a fait de la somme empruntée par lui. Faut-il conclure que les prêts accordés par les sénateurs et chevaliers sont toujours improductifs, qu'ils vont la plupart du temps à des cités, aux dettes fiscales desquelles ils remédient passagèrement? Je ne le crois pas. Certains indices montrent qu'une partie de ces fonds étaient placés dans des entreprises commerciales ou de fabrication. Hortensius entretenait des relations avec C. Avianius Flaccus, qui était engagé dans l'armement de navires, dans le commerce du blé ou dans les deux à la fois (26). Comme Atticus, le sénateur C. Sempronius Rufus en entretenait avec Vestorius et, quand il était à Pouzzoles, on ne pouvait traverser l'*emporium Puteolanorum* sans le voir (27). Etait-il lui-même commerçant ou armateur? A mon avis, non. Les preuves font défaut et je me sépare nettement, sur ce point, de mon ami J.H. D'Arms (28). Il est dangereux d'aller au-delà des textes, pour supposer que beaucoup de sénateurs étaient armateurs ou commerçants. Je ne vois pas pourquoi les sénateurs, qui ne cachaient guère leurs opérations de prêt, pourtant jugées immorales par le vieux Caton, eussent si attentivement dissimulé des opérations commerciales qu'un Caton ne tenait que pour très aléatoires (29). Mais je suis convaincu que C. Sempronius Rufus prêtait de l'argent à des

---

(25) Voir *ad Att.*, 13, 37; 13, 47; 16, 2, 1-2 et 16, 6, 3.
(26) J.H. D'Arms, *Romans on the bay of Naples*, Cambridge, Mass., Harvard Univ. Press, 1970, pp. 54 et 182.
(27) *Ad Fam.*, 8, 8, 1; *ad Att.*, 5, 2, 2; 6, 2, 10 et 14, 14, 2.
(28) Voir J.H. D'Arms, *Senators' involvement in commerce...*, *M.A.A.R.*, t. 36, 1980, pp. 77-89.
(29) Caton, *De Agr.*, *Praef.*, 1.

commerçants, comme le fait, près d'un siècle plus tard, dans les tablettes d'Agro Murécine, l'affranchi impérial Tiberius Julius Evenus.

En plus de sa fabrique de bleu, Vestorius était certainement engagé dans des entreprises commerciales, ou possédait des bateaux. La fouille de l'épave III de Planier le suggère. La lettre *ad Att.*, 6, 2 aussi, puisqu'à propos des *nomina* qu'avait en mains Dicéarque, elle fait allusion au goût qu'éprouvent les Grecs pour la mer. Enfin, les vraisemblances vont dans le même sens que les précédents indices. Des intermédiaires de crédit tels que Cluvius et Vestorius n'avaient d'intérêt pour des sénateurs ou des chevaliers que parce qu'ils disposaient de tout un réseau d'informations, qui débordait largement du cadre de l'Italie. Or, qui disposait de ce réseau d'informations, sinon ceux qui étaient mêlés d'assez près au commerce maritime? Un passage des *Verrines* évoque ces *mercatores, homines locupletes atque honesti* de Pouzzoles, qui, par leurs associés ou leurs affranchis, étaient informés de ce qui se passait en Sicile - en étaient d'autant mieux informés que leurs associés ou leurs affranchis comptaient, eux aussi, au nombre des victimes de Verres (30).

*

* *

En dehors des services locaux que, dans leur cité ou dans les alentours immédiats, ils pouvaient rendre aux sénateurs et chevaliers qui y avaient des biens ou des intérêts, les membres des oligarchies municipales jouaient-ils un rôle financier notable et spécifique en rapports plus ou moins étroits avec les sénateurs et chevaliers? La question concerne au premier chef le thème du congrès. La réponse qu'on lui apporte dépend en partie de l'idée qu'on se fait du rang social de Cluvius et Vestorius. Nous sommes nombreux à nous pencher sur leur cas, puisque F. Coarelli et D. Musti s'y intéressent et que J. D'Arms en eût parlé aussi s'il avait pu participer à ce colloque. Il y a plus de chasseurs que de gibier! Les certitudes sont rares; j'aimerais cependant faire les remarques suivantes.

Au moment de sa mort, en 45 av. J.-C., la valeur du patrimoine de Cluvius dépassait nettement le cens équestre, si l'on en juge par le revenu de ce dont Cicéron a hérité de lui (80.000 à 100.000 sesterces par an). Mais il n'était pas chevalier. S'il l'avait été, Cicéron n'eût pas manqué de le dire dans sa lettre de recommandation à Q. Minucius Thermus. Il ne peut donc être confondu avec le Cluvius auquel Cicéron écrit une lettre en 46 ou en 45, et qui était chargé d'assignations de terres en Gaule Cisalpine (31).

A sa mort, le patrimoine de Cluvius, tel que l'évoque Cicéron, est tout à fait semblable à ceux des membres des oligarchies, sénateurs, chevaliers, riches oligarques municipaux d'Italie: des terres et des résidences de campagne; une maison de ville à Pouzzoles; de l'argent liquide; de l'argent non-monnayé (probablement de l'argenterie); des immeubles de location (dans le cas de Cluvius, il s'agit de boutiques). Il ne manque que les créances, mais en admettant qu'il n'en ait plus eu en 45, on a vu qu'en 51 ou 50 elles ne lui faisaient pas défaut. Deux incertitudes demeurent. Quel était le dosage de ces diverses composantes? Quelle était l'importance des terres dans son patrimoine? Et, deuxième incertitude: Cicéron n'énumère pas tous les éléments de son patrimoine puisque, par exemple, il n'est pas question d'esclaves; qu'y avait-il parmi ce dont il ne parle pas? En 45, Cluvius possédait-il des bateaux, des entrepôts, des marchandises? ou non?

Deux inscriptions attestent qu'un pouzzolan nommé Numerius Cluvius Mani filius était, vers cette même époque, magistrat municipal à *Caudium* et à *Nola* (32). F. Münzer proposait de reconnaître en

---

(30) Cic., 2 *Verr.*, 5, 154.
(31) Cic., *ad. Fam.*, 13, 7.
(32) *CIL* X, 1572 et 1573.

JEAN ANDREAU

lui un parent et un associé en affaires de l'ami de Cicéron; F. Coarelli, qui fournit de ces inscriptions une séduisante interprétation nouvelle, n'exclut pas qu'il se confonde avec l'ami de Cicéron. Et en effet cette identification invérifiable n'est pas exclue, car le prénom de l'ami de Cicéron n'est indiqué qu'une fois dans la correspondance et de façon telle qu'il faut le tenir pour incertain (33).

En fonction de tous ces indices, j'aboutirais aux conclusions suivantes;

a. Cluvius n'a jamais été ni un *argentarius* ni un *nummularius*;

b. à une certaine époque de sa vie, il s'est consacré, en tant qu'entrepreneur, au commerce, ou à l'armement, ou aux deux à la fois;

c. en 45, au moment de sa mort, il fait partie de la dernière des trois catégories de négociants que distingue Cicéron dans le *De officiis* (34): ses gains commerciaux se sont transformés en possessions foncières. La manière même dont s'exprime Cicéron montre, en effet, que n'importe qui ne possédait pas n'importe quel type de patrimoine; le passage à la propriété foncière représentait, pour un homme de métier ou un négociant, un seuil social important;

d. dans les dernières années de sa vie, il continuait à prêter de l'argent à des commerçants (et à d'autres). Continuait-il aussi à se consacrer à des entreprises d'armement ou de négoce? Nous l'ignorons;

e. a-t-il jamais été membre de l'oligarchie municipale de Pouzzoles? Nous l'ignorons. Mais en 45, avec le patrimoine, le rang social et les relations que nous lui voyons, c'était certainement un notable important de Pouzzoles, très proche par son style de vie de l'oligarchie municipale.

Caius Vestorius, lui, n'est sûrement pas un chevalier et rien n'indique qu'il ait fait partie de l'oligarchie municipale de Pouzzoles. La façon dont Cicéron en parle le place, dans la hiérarchie des valeurs sociales, au-dessous de Cluvius — mais au-dessus de Vettienus, autre homme d'affaires de la prosopographie cicéronienne dans lequel je tendrais à reconnaître un *argentarius*. Homme d'affaires important, Vestorius ne se définit pas par une spécialité, par une branche d'activité — mais par le gain, le calcul, le désir de faire de tout un bénéfice. Cette fièvre des affaires peut s'appliquer à n'importe quoi: le prêt d'argent, la fabrication d'un colorant, l'immobilier, le grand commerce. La diversité des affaires qu'il mène le place aux antipodes des *argentarii* qui sont spécialisés dans le maniement de l'argent (sauf à pratiquer d'autres métiers en même temps que celui-là). Si, comme je le crois, il a des intérêts commerciaux, il fait partie de la seconde des trois catégories distinguées par Cicéron. Il est de ceux dont les affaires se sont transférées au port. Je le rangerais volontiers au nombre de ceux que j'ai appelés ailleurs, faute d'un mot plus satisfaisant, les "affairistes" (35). Il s'agit d'hommes qui auraient déjà assez de capitaux pour acheter des terres et mener une vie de propriétaire foncier, ne serait-ce que de second rang, mais qui préfèrent se lancer dans diverses affaires non-foncières, pour augmenter leur richesse. Ils sont aux portes de la propriété foncière et des oligarchies et ils guettent l'occasion, pour eux ou pour leurs enfants, de s'intégrer au monde des propriétaires fonciers, à un niveau de richesse qui réponde à leurs désirs.

*
* *

Ces remarques sur les intermédiaires de crédit nous apprennent-elles quelque chose sur le rôle financier de l'ensemble des oligarchies municipales italiennes? Oui. Elles nous apprennent que si les

(33) Cic., *ad Att.*, 6, 2, 3.
(34) Cic., *De off.*, 1, 42.
(35) Voir *Brèves remarques sur la banque et le crédit au Ier s. av. J.-C.*, à paraître dans *Ann. dell'Ist. Ital. di Num.*, t. 28, 1981.

18

membres de ces oligarchies, parfois très riches, prêtaient de l'argent, en plaçaient, localement ou ailleurs, ils ne comptaient guère au nombre des grands financiers spécialisés, à moins d'accéder à l'ordre équestre (et de faire partie de cette minorité de chevaliers qui se consacraient tout particulièrement à la finance publique ou privée) ou à moins de quitter leur cité pour se lancer dans des affaires aventureuses, par exemple dans une province. Pouzzoles constitue une exception. Dans les autres colonies et municipes, quelles que soient la prospérité et la circulation monétaire, le prêt d'argent fleurit probablement, mais sous ses formes les plus banales. Les affaires financières les plus élaborées du point de vue technique y sont pratiquées par des banquiers de métier.

Quand les sénateurs et chevaliers n'investissent pas dans l'exploitation agricole et ses activités annexes, ce n'est pas à ces banquiers de métier qu'ils ont recours, ni aux membres des oligarchies municipales. C'est à Rome ou à Pouzzoles que leur argent trouve preneur, pour se diriger ensuite vers les provinces.

Appendice - Deux articles récents sur Cluvius et Vestorius

V. Sirago a consacré deux articles récents à Cluvius et à Vestorius (36). Ce qu'il écrit ne me paraît pas toujours juste; j'indique brièvement les principaux points avec lesquels je me trouve en désaccord.

1. Selon V. Sirago, Cluvius et Vestorius sont des banquiers. S'il veut dire par là qu'il s'agissait d'*argentarii,* c'est une erreur — qu'avait déjà commise R. Annecchino (37). S'il veut dire qu'ils avaient une activité financière, il a raison. Mais la conception qu'il se fait des entreprises bancaires de Cluvius et Vestorius est anachronique; elle ne correspond ni aux *argentariae* des banquiers de métier, ni aux conditions de travail et d'activité des financiers des oligarchies. Il pense par exemple que Cluvius a accepté Pompée comme associé dans le capital de sa banque; que les sénateurs étaient souvent les propriétaires occultes et les plus grands actionnaires des grosses banques de Pouzzoles; que la banque de Cluvius avait son siège, ou au moins une succursale, à Rome. Rien de tout cela n'est soutenable.

2. Je ne crois pas que Vestorius ait été un ami intime de Cicéron, comme l'écrit Sirago.

3. L'interprétation que donne Sirago des diverses lettres relatives à Cluvius et Vestorius est souvent déconcertante.

Dans le différend qui a opposé C. Vestorius à C. Sempronius Rufus, Sirago pense que M. Caelius Rufus, le correspondant de Cicéron, était du côté de Sempronius; ce n'est pas l'interprétation habituellement admise; même si le texte est confus, elle mériterait d'être argumentée (38).

A propos des boutiques de Cluvius, Cicéron avance le chiffre de 80.000 sesterces (39). Selon Sirago, il s'agirait du montant des réparations faites; d'autres, par exemple D.R. Shackleton Bailey, y voient (avec raison, selon moi) le revenu que l'héritage de Cluvius a rapporté à Cicéron au cours de la première année. L'interprétation de Sirago mériterait d'être justifiée.

Sirago confond ces boutiques avec la *villa* de Cluvius, c'est-à-dire avec les *horti cluviani* et en conclut que cette *villa* était surtout une maison de rapport, avec des locataires. Aussi Octavien n'est-il peut-être pas venu voir Cicéron dans cette maison. Rien de tout cela n'est soutenable. Si les *horti*

---

(36) V.A. Sirago, *La banca di Cluvio Puteolano,* dans *Puteoli,* t. 1, 1977, pp. 50-61; et *La personalitá di Caio Vestorio,* dans *Puteoli,* 3, 1979, pp. 3-16.

(37) R. Annecchino, *Un antico banchiere puteolano, C. Vestorius, Boll. Flegreo di Storia e di Arte,* 1909, pp. 3-7. L'article de R. Annecchino est très mauvais; il ne mérite pas d'être lu.

(38) *Ad Fam.,* 8, 8, 1.

(39) *Ad Att.,* 14, 11, 2.

étaient une maison de rapport, ils ne porteraient pas ce nom, Cicéron n'y séjournerait pas et il n'en vanterait pas les charmes. César n'y aurait pas rendu visite à Cicéron à la fin de 45 av. J.-C. D'ailleurs, les boutiques de location ne se trouvaient probablement pas au même endroit que les *horti*: celles-là se trouvaient probablement dans le centre urbain de Pouzzoles, ceux-ci en dehors du centre urbain.

Commentant la *Vie d'Atticus* de Cornélius Népos, Sirago écrit qu'Atticus a reçu de son père un héritage de 2.000.000 sesterces, et qu'il a en outre amassé 10.000.000 sesterces par les affaires qu'il a menées. C'est faux: Cornélius Népos attribue l'accroissement du patrimoine d'Atticus à l'héritage de son oncle, qui a atteint 10.000.000 sesterces (40).

Dans la lettre qui concerne la vente du *fundus Brinnianus,* Sirago ne comprend pas le sens de l'expression *mancipio dare*; il confond à tort Hetereius avec l'esclave de Vestorius et prend cet esclave pour l'acheteur du *fundus,* alors qu'il ne jouait qu'un rôle d'intermédiaire (41).

JEAN ANDREAU

---

(40) Corn. Nep., *Att.*, 5, 2 et 14, 2.
(41) *Ad Att.*, 13, 52, 2.

LES PRODUCTEURS DE BIENS ARTISANAUX EN ITALIE
À LA FIN DE LA RÉPUBLIQUE

S'il devient relativement aisé de parler des *productions* artisanales de la fin de la République - malgré tant d'incertitudes qui subsistent encore, il s'agit, tous comptes faits, d'un domaine où l'on commence à disposer de bons points de repère -, il est autrement problématique de parler des *producteurs*: car nous sommes confrontés alors à des lacunes considérables des sources archéologiques, épigraphiques, littéraires.

— Sources archéologiques: par eux-mêmes, les objets, même non périssables, nous renseignent très mal, fussent-ils marqués (ce qui du reste est peu fréquent). Que doit-on déduire par exemple de timbres qui nous apprennent que Diana Tifatina, ou encore *Pupillus Agrippa* - Agrippa Postumus, alors âgé d'un an - «produisaient» des briques (1)?

— Sources épigraphiques (autres que les marques): on peut à peine compter sur l'épigraphie des *humiliores*, d'une part à cause de sa rareté (surtout pour l'époque que nous considérons), d'autre part parce qu'elle nous laisse ignorer en général la profession, ou le rôle, des personnages impliqués. L'épigraphie plus officielle, même lorsque par extraordinaire elle daigne traiter de questions techniques, est tout aussi décevante. Un document aussi exceptionnel que la *lex parieti faciendo* de Pouzzoles, qui nous apprend tout sur la façon dont doit être construit un mur, qui cite les magistrats et les garants qui président à cette opération, ne nous apprend rien en revanche sur l'entreprise et les ouvriers qui réaliseront le travail (2).

— Sources littéraires: la littérature d'époque romaine se complaît à décrire des curiosités naturelles et éventuellement techniques, ou, surtout, à énumérer les productions qui font la renommée d'une ville, d'une région. Mais elle ne dit mot des producteurs, sauf quelques cas exceptionnels que nous aurons l'occasion de mentionner (3).

Informations rares et imprécises, donc. *A fortiori* nous ne pouvons guère espérer les faire se recouper entre elles, se conforter et s'affiner mutuellement. Lorsque d'aventure cela semblerait possible, il faut déchanter rapidement. Ainsi, nous connaissons, aussi bien par la littérature que par l'archéologie, des productions de Calès à l'époque républicaine. Caton énumère quelques spécialités artisanales de cette ville au IIe s. av. n. è.: ce sont notamment des outils de fer, dont des *falces* (4). Et Horace confirme que les *falces* étaient bien une spécialité de Calès (5). Mais nous n'avons aucune trace archéologique identifiable de ces instruments. En revanche, aucun des textes que nous

---

(1) *CIL*, X, 8059, 1: *Diane Tifatine* sur un *signaculum*, rapporté avec vraisemblance à une tuilerie par J. Heurgon, *Capoue préromaine*, Paris, 1942, p. 300, et par A. De Franciscis, *Templum Dianae Tifatinae*, Caserte, 1956, p. 44. - Agrippa Postumus: cf. M. Steinby, *La produzione laterizia*, dans *Pompei 79* (F. Zevi, éd.), 1ère édition hors-commerce, Naples, 1979, p. 270; l'inscription est datée de 11 av. n. è.; Agrippa Postumus est né en 12.

(2) *CIL*, X, 1781.

(3) Mentionnons à titre d'exemple deux textes de Pline typiques à cet égard: *N.H.*, XXXV, 160, avec l'accent mis sur la notoriété apportée aux villes par certaines spécialités artisanales (*nobilitatem, nobilitantur*); et *N.H.*, XXXVI, 193, où la technique de fabrication du verre à Pouzzoles est indiquée de façon assez minutieuse, tandis que l'emploi systématique de formes passives ou impersonnelles (*teritur, miscetur, fit...*) rend l'opération rigoureusement anonyme. - L'exception la plus notable en ce domaine est celle de C. Vestorius (voir *infra*).

(4) Caton, *De agric.*, 135.

(5) Horace, *Odes*, I, 31, 9.

connaissons ne mentionne la céramique à reliefs calénienne (6), dont des trouvailles archéologiques et des marques de fabrique nous garantissent qu'elle a effectivement été fabriquée, au moins en partie, dans cette localité (7).

Ces difficultés d'information, qui grèvent si souvent l'étude de l'économie antique, s'accroissent si l'on veut: 1) s'intéresser spécifiquement à la production artisanale, et non à l'agriculture ou au commerce; 2) s'intéresser spécifiquement aux IIe et Ier siècles avant notre ère, et non pas à l'époque impériale, voire à la période «médio-républicaine»; 3) s'intéresser spécifiquement - répétons-le - aux producteurs plutôt qu'aux productions. Un simple coup d'oeil sur les traités habituels d'économie antique révèle pour la fin de la République romaine les lacunes béantes de la documentation habituellement utilisée et de la problématique habituellement adoptée. D'où la nécessité de tenir compte des moindres indices disponibles, dût-on courir le risque de les surinterpréter et de transformer des cas particuliers en règles générales.

* * *

I. — LA SITUATION AVANT LA DEUXIÈME GUERRE PUNIQUE

Un rappel préalable de la situation durant la période immédiatement antérieure à celle dont je dois principalement traiter est conseillé par deux considérations qui ne sont opposées qu'en apparence: 1) il permettra de faire ressortir par contraste une certaine spécificité de l'époque tardo-républicaine; 2) d'autre part, grâce aux indices mieux interprétables qu'offre la période médio-républicaine (je pense notamment aux marques), il nous éclairera sur certains modes de production qui très probablement subsistent aussi par la suite, quoique de façon pour ainsi dire souterraine et anonyme, à côté du mode de production esclavagiste qui les bat puissamment en brèche.

On connaît pour le IIIe siècle (et dans une moindre mesure pour le IVe siècle) un assez grand nombre de marques de fabrique, ou plus généralement de signatures, sur des produits artisanaux: céramique (vernis noir surtout, et accessoirement tuiles, briques et amphores), mais aussi métal (strigiles et autres objets (8)). Je n'évoquerai ici que pour mémoire le problème - considérable - de la signification d'une marque, dont on peut se demander si elle désigne le propriétaire de l'officine, son gérant, ou un ouvrier (et dans ce dernier cas, quel ouvrier parmi tous ceux qui interviennent dans le processus de fabrication) (9). Au-delà de ces inconnues, qui ne seront pas levées de sitôt, il reste possible de raisonner toutes choses égales par ailleurs.

(6) A moins de lui assimiler les *Calenae obbae* de Varron, *Menipp.* 114 Bücheler=116 Cèbe. Mais cela semble chronologiquement impossible.

(7) Un autre exemple de distorsion de nos sources est donné par les vases de bronze de Capoue, attestés par des textes et des marques, ignorés de l'épigraphie lapidaire. Cf. J.-P. Morel, *Aspects de l'artisanat dans la Grande Grèce romaine*, dans *La Magna Grecia nell'età romana (Atti del XV Convegno di Studi sulla Magna Grecia, Taranto, 1975)*, Naples, 1976 (1979), pp. 290-291.

(8) F. Coarelli, *Strigili da Palestrina*, dans *Roma medio-repubblicana, aspetti culturali di Roma e del Lazio nei secoli IV e III a.C.*, Rome, 1973, pp. 282-285. Voir aussi les divers exemples de cistes, de miroirs, d'ornements mentionnés ci-dessous.

(9) Sur ce problème, cf. B. Hofmann, *Essai sur les marques de fabrique à l'époque romaine=Revue internationale de la propriété industrielle et artistique*, Paris, mars 1965; G. Pucci, *La produzione della ceramica aretina. Note sull'«industria» nella prima età imperiale romana*, dans *DdA*, 7, 1973, 2-3, pp. 266 et 287-288; C. Bémont, *Le décor des vases sigillés*, dans *Les potiers gaulois (Les dossiers de l'Archéologie*, 6, sept.-oct. 1974), p. 75; F. Favory, *Le monde des potiers gallo-romains, ibid.*, p. 95; C. Pavolini, *Una produzione italica di lucerne: le Vogelkopflampen ad ansa trasversale*, dans *BCAR*, 85, 1976-77 (1980), pp. 54 et 71; A. Carandini, *Alcune forme bronzee conservate a Pompei e nel Museo Nazionale di Napoli*, dans *L'instrumentum domesticum di Ercolano e Pompei nella prima età imperiale (=Quaderni di Cultura Materiale*, 1), Rome, 1977, p. 168; Chr. Goudineau, *La céramique arétine*, dans *Céramiques hellénistiques et romaines* (P. Lévêque et J.-P. Morel, éd.), Paris, 1980, p. 129; J.-P. Morel, dans *Latomus*, 39, 1980, 2, pp. 506-507.

Quelle que soit, donc, la signification des marques et des signatures des IVe-IIIe siècles (et il faudra toujours garder à l'esprit cette incertitude, cette inquiétude), elles comprennent une grande proportion de noms d'*ingenui* incontestables. Exemples: *C. Paco(nius) C.f.Q.n.* (10), *C. Pact(umeius) C.f.* (11), *C. Coranii* (12), *C. Galoni* (13), etc. (14). Même lorsque les marques sont fortement abrégées ou se réduisent à des initiales - ce qui est le cas le plus fréquent -, les probabilités les plus élevées sont en faveur d'*ingenui*: ne serait-ce que d'après la nature de la ou des premières initiales, qui peuvent presque toujours se rapporter à un prénom latin. On n'y rencontre en effet que très exceptionnellement les lettres B, E, F, H, I, O, R, qu'on ne pourrait rapporter à de tels prénoms (15).

Ces *ingenui* travaillent avec (ou du moins *signent* avec: insistons encore sur cette nuance) des affranchis et/ou des esclaves. La céramique calénienne à reliefs atteste cette coexistence. Exemples, sur cette céramique, de signatures d'*ingenui*, qu'on peut suivre parfois sur plusieurs générations: *L. Canoleius L.f.T.n.* (16), *C. Gabinio [...] T.n. Caleno* (17). Exemple de signature mentionnant peut-être un affranchi, encore que cette interprétation soit discutée: *K. Serponio Caleb(us) fece(i) veqo Esqelino C.s.* (18). Exemple de signature mentionnant probablement un esclave: *Retus Gabinius C.s. Calebus fecit* (19).

De même, dans une officine de Rome au IIIe siècle, la signature *P. Sextio V.f.* (20) coexiste avec la signature *C. Sextio V.s.* (21).

La plupart du temps, les signataires paraissent fort peu soucieux de se faire connaître avec précision, dans la mesure où ils multiplient les abréviations et les monogrammes. Quand en revanche les marques sont plus développées, elles dénotent fréquemment une certaine fierté de citoyen,

---

(10) A Rome (*CIL*, X, 6097); et à Teano, dépôt votif du Fondo Ruozzo (inédit).

(11) A Teano (W. Johannowsky, *Relazione preliminare sugli scavi di Teano*, dans *BA*, 48, 1963, 1-2, p. 140).

(12) A Teano, dépôt votif du Fondo Ruozzo (inédit).

(13) A Rome, sur un «guttus» (en fait, un askos) d'argile blanchâtre (E. Dressel, *La suppellettile dell'antichissima necropoli esquilina. Parte seconda: le stoviglie letterate*, dans *AnnInst*, 1880, p. 290, n° 75; réimprimé dans H. Dressel, *Saggi sull'instrumentum romano*, Pérouse, 1978, p. 75).

(14) Autres exemples: *L. Pakkuīs* (en osque), à Teano, dépôt votif du Fondo Ruozzo (inédit); - *L. Marci*, à Capoue (P. Mingazzini, *CVA, Italia, XXIX, Capua, Museo Campano, III*, Rome, 1958, p. 39); - *L. Plano* à Alba Fucens (F. De Visscher, J. Mertens et J.-Ch. Balty, dans *MonAnt*, 46, 1963, col. 370); - *Eco C. Antonios*, à Rome (I.S. Ryberg, *An Archaeological Record of Rome from the VIIth Century to the Second Century B.C.*, Londres-Philadelphie, 1940, p. 120); - Πόπλιος ἐπόησε, à Velia (inédit). - Voir aussi, *infra*, les signatures sur céramique calénienne.

(15) Exemples, entre autres: *Ti.Alb, P.At* et *N.D* à Teano (inédites); - *L. Tr* et *L. Eq* à Capoue (P. Mingazzini, *CVA, Italia, XXIX...*, op. cit., p. 39); - *L.Op* et *Cn. E* à Spolète (G. Sordini, dans *NSA*, 1903, p. 197); - *C. Lou* à Alba Fucens (F. De Visscher, J. Mertens et J.-Ch. Balty, dans *MonAnt*, 46, 1963, col. 370); - *L.H, P.Lo* et *L.Se* au sanctuaire de l'embouchure du Garigliano (P. Mingazzini, dans *MonAnt*, 37, 1938, col. 898-899); - *Sex.Mu, L.L.L* et *C.P.H* à Calès (C.L. Woolley, dans *JRS*, 1, 1911, 2, p. 203); *M.Sei* ou *M.Set* à Lanuvium (*CIL*, XV, 6107); - *M.Ca, C.Ca, Q.Pup* et *S.A* à Interamna Lirenas (inédits); - *D.Pu* à Casinum (inédit).

(16) G. Monaco (éd.), *Museo Nazionale archeologico di Castiglioncello (Livorno). Visione archeologico-turistica*, Castiglioncello, 1958, p. 6.

(17) *CIL*, XV, 6086; M.-O. Jentel, *CVA, France, XXIII, Louvre, XV*, Paris, 1968, p. 33.

(18) G. Fiorelli, dans *NSA*, 1885, p. 82.

(19) *CIL*, XI, 6703, 4, b. - P. Mingazzini préfère développer *C.s.* en *cum suis*, ce qui me paraît insoutenable (*Tre brevi note di ceramica ellenistica*, dans *ArchClass*, 10, 1958, p. 226, note 1). - Sur les problèmes posés par l'interprétation de ces marques, voir A. Oxé, *Zur älteren Nomenklatur der römischen Sklaven*, dans *RhM*, n. F., 59, 1904, pp. 117-119; H. Gummerus, *Industrie und Handel*, dans *PWRE*, IX, 2 (Stuttgart, 1916), col. 1449. - Autres exemples de marques analogues: *Nicolavu[s] Fulvi M. Se[r(vus)]*, sur une brique, à Ostie (A. Degrassi, *ILLRP*, II, Florence, 1963, n° 1175); *Barnaeus Octavi Cn. s.*, sur une lampe, à Rome (*ibid.*, n° 1195).

(20) R. Lanciani, *Miscellanea Epigrafica*, dans *BCAR*, 6, 1877, p. 182.

(21) *CIL*, I, 466. - Voir aussi R. Lanciani, *ibid.*, avec une interprétation *votum solvit*, très improbable; E. Dressel, *La suppellettile...* art. cité, p. 297 (=réimpr., p. 82); Th. Mommsen, *Libertini servi*, dans *Eph.Epigr.*, IV, 1881, pp. 246-247, pour qui il s'agit d'un affranchi.

d'homme de métier, ou de spécialiste d'une tâche précise. Exemples: *C. Ovio Ouf(entina tribu) fecit* (22), *C. Pactumeius C.f. Sues(sanus)* (23), *L. Canoleios L. f. fecit Calenos* (24), *Novios Plautios med Romai fecid* (25), *Vibis Pilipus cailavit* (26), etc. (27).

S'interroge-t-on sur la façon dont sont organisés les ateliers? On observe parfois, sous forme de signatures multiples, des indices d'associations de producteurs, au moins à l'échelle familiale. Exemple: *Ti. L. Alba(...)* (28), *C. L. Staie* (29). Mais on ne peut manquer d'être frappé, en même temps et surtout, par l'extrême morcellement de la production, ou tout au moins des signatures. On a trouvé groupés, à Calès, une grande quantité de tessons portant des marques dont 159 sont lisibles: or elles représentent 34 variétés de timbres, donnant à leur tour 17 noms différents (30). Contre-épreuve: la plupart des timbres sur céramique à vernis noir que l'on connaît pour cette époque ne sont représentés que sur un seul site, ce qui correspond à une production très fragmentée, à des ateliers à très faible rayon de diffusion. Ainsi, on n'a pu observer à ce jour aucun recoupement, quant aux marques, entre la céramique que l'on a trouvée à Calès et celle que l'on a trouvée à Teano, deux sites pourtant contigus et pour chacun desquels on dispose déjà d'échantillons relativement abondants.

On aimerait en savoir plus sur les personnages concernés, et ébaucher une prosopographie des producteurs médio-républicains: mais on ne pourrait guère le faire qu'en recourant aussi à l'épigraphie *lapidaire*, et celle-ci ne nous offre en règle générale que des documents plus tardifs. Comment interpréter par exemple le fait que M. Orcevius, qui produit (qui signe) de la céramique à vernis noir à Préneste, au IIIe siècle (31), appartient à une *gens* qui plus d'un siècle plus tard a donné des magistrats à la même ville (32)? Pour tirer sérieusement parti de données de ce genre, il faudrait pouvoir les mettre en série, et on en est loin.

Notons enfin - quoique les implications de cette remarque soient encore peu claires (33) - que les timbres de cette période, surtout sur la céramique à vernis noir, sont concentrés presque exclusivement dans la région du bas et moyen Tibre et dans la région tyrrhénienne centrale (34):

(22) Sur une protomé de Méduse en bronze, de provenance inconnue: *CIL*, I², 545.

(23) A Teano, sur vernis noir (W. Johannowsky, *Relazione preliminare sugli scavi di Teano*, art. cité, p. 140).

(24) Sur céramique calénienne à reliefs (H. Dessau, *ILS*, 8565, avec diverses références au *CIL*; V. Blavatsky, *Istoria antitchnoï raspissnoï kieramiki*, Moscou, 1953, p. 248; M.T. Falconi Amorelli, *Patera mesomphalica fittile proveniente da Vulci firmata da L. Canoleio Caleno*, dans *ArchClass*, 17, 1965, 1, pp. 130-131).

(25) Sur la ciste Ficoroni (*CIL*, I², 561=XIV, 4112).

(26) Sur un miroir de Préneste (*CIL*, I², 552).

(27) Voir aussi *Med Loucilio feced* sur un strigile de Corchiano (*CIL*, I², 2437; et F. Coarelli, dans *Roma medio-repubblicana...*, *op. cit.*, p. 311); diverses inscriptions sur céramique calénienne à reliefs, mentionnant que le vase a été fait à Calès, *Calebus* ou par un Calénien, *Calenus*; ou divers graffiti-signatures en osque sur céramique de Teano, tels que *Beriiumen : anei : upsatuh : sent : Tiianei:* (=*Beriorum in (officina)... facti sunt Teani*): voir en dernier lieu I. Sgobbo, *Gli ultimi Etruschi della Campania*, dans *RAAN*, 52, 1977 (1978), p. 15.

(28) A Teano, dépôt votif du Fondo Ruozzo (inédit), à côté d'une autre marque *Ti.Alb...*, précitée.

(29) A Capoue (P. Mingazzini, *CVA, Italia, XXIX, Capua, Museo Campano, III*, *op. cit.*, p. 39).

(30) C.L. Woolley, *Some Potter's Marks from Cales*, dans *JRS*, 1, 1911, 2, p. 204. - De même, toutes les marques sur vernis noir trouvées dans le sanctuaire de l'embouchure du Garigliano y figurent en un seul exemplaire, à l'exception de deux d'entre elles qui sont représentées respectivement par deux et trois exemplaires (P. Mingazzini, *Il santuario della dea Marica alle foci del Garigliano*, dans *MonAnt*, 37, 1938, col. 899 et pl. XXXIX).

(31) G. Fiorelli, *Palestrina*, dans *NSA*, 1883, pp. 18-19; *CIL*, XV, 6095.

(32) *CIL*, I², 2439. Voir aussi R.V.D. Magoffin, *A Study of the Topography and Municipal History of Praeneste*, Baltimore, 1908, pp. 97 et 99 (réimprimé dans *Studi su Praeneste*, Pérouse, 1978, pp. 139 et 141).

(33) Je ne sais si on peut y voir une illustration de l'affirmation selon laquelle «si raccolse alla fine della seconda guerra punica quanto si era cominciato a seminare fin dalla seconda metà del IV secolo» (A. Carandini, *L'anatomia della scimmia. La formazione economica della società prima del capitale*, Turin, 1979, p. 188).

(34) Pour nous en tenir aux timbres sur vernis noir du IIIe s., on les trouve à Spolète, Todi, Tarquinia, Alba Fucens,

c'est-à-dire dans la zone même qui au IIe siècle verra se développer, dans les *villae* rurales produisant pour la vente, dans quelques grandes manufactures, et dans certaines techniques architecturales (*opus incertum*, et plus tard *opus reticulatum*), le mode de production esclavagiste.

* * *

II. — À PARTIR DE LA DEUXIÈME GUERRE PUNIQUE

En ce qui concerne les producteurs de biens artisanaux, ou la connaissance que nous en avons, un changement considérable intervient à partir des dernières années du IIIe siècle: les marques disparaissent, notamment sur les productions «fines» ou «demi-fines» comme la céramique à vernis noir. Cette disparition est presque totale. Les exceptions concernent, outre l'*opus doliare* (dont la problématique, on le verra, est différente): 1) peut-être certains bronzes capouans (mais leur chronologie n'est pas sûre) (35); 2) des poteries, en nombre dérisoire, que je signalerai ultérieurement.

Une étude des producteurs de cette époque doit distinguer nettement la main d'oeuvre des propriétaires d'officines.

A. — LA MAIN D'OEUVRE

Elle pose des problèmes de statut, de quantité, de qualification.

1. — Statut

Les choses semblent claires: pour ce qui est des ouvriers et des agents de maîtrise, presque tous ceux que nous connaissons alors - c'est-à-dire ceux qui ont les moyens de laisser un témoignage épigraphique - sont des esclaves ou, surtout, des affranchis, et cela est vrai même pour les architectes (36). Au-delà de toutes les statistiques qu'on a tenté d'établir pour cette époque ou pour la période immédiatement postérieure quant à la proportion entre libres, affranchis et esclaves dans le monde du travail - avec les incertitudes que cet exercice implique -, tel est assurément le fait dominant (37).

Rome, Préneste, Lavinium, Artena, Aquinum, Casinum, Interamna Lirenas, Minturnes, au sanctuaire de l'embouchure du Garigliano, à Teano, Calès, Capoue, Sant'Angelo in Formis. Sur ce problème, voir déjà J.-P. Morel, *Aspects de l'artisanat dans la Grande Grèce romaine*, art. cité, p. 476.

(35) Opinions diverses dans H. Willers, *Neue Untersuchungen über die römische Bronzeindustrie von Capua und von Niedergermanien*, Hanovre-Leipzig, 1907, p. 69 (dès 150/100 av. n. è.) et p. 85-91 (avec un recueil de 218 estampilles); M. Frederiksen, *Republican Capua: a Social and Economic Study*, dans *PBSR*, 27 (n.s., 14), 1959, p. 109 (date haute); A. Carandini, *Alcune forme bronzee...*, art. cité, p. 167 (la *diffusion* à grande distance commence sous Auguste). Voir aussi Caton, *De agric.*, 135; et A. De Franciscis, *Commento a due nuovi «tituli magistrorum Campanorum»*, dans *Studi offerti a A. Calderini e R. Paribeni*, Milan, 1956, III, pp. 354-358 (un *P. Baebius N.l. aerarius* à Capoue en 105 av. n. è.).

(36) G. Molisani, *Lucius Catulus Quinti Catuli architectus*, dans *RAL*, s.8, 26, 1971, p. 41-49. M. Frederiksen, dans *Incontro di Studi su «Roma e l'Italia fra i Gracchi e Silla»* (=*DdA*, 4-5, 1970-71, 2-3), pp. 326-327.

(37) Essais de statistiques: H. Gummerus, *Industrie und Handel*, art. cité, col. 1501; J. Hatzfeld, *Les trafiquants italiens dans l'Orient hellénique*, Paris, 1919, pp. 247-248; P. Garnsey, *Non-Slave Labour in the Roman World*, dans *Non-Slave Labour in the Greco-Roman World* (P. Garnsey, éd.) (=*Cambridge Philological Society, Supplementary Volume 6*), Cambridge, 1980, pp. 43-45. L'accent est mis sur l'importance considérable du travail servile dans les deux derniers siècles de la République par W.L. Westermann, *The Slave Systems of Greek and Roman Antiquity*, Philadephie, 1955, pp. 80 et 90. Pour les ateliers d'Arezzo, cf. Chr. Delplace, *Les potiers dans la société et l'économie de l'Italie et de la Gaule au Ier siècle av. et au Ier siècle ap. J.-C.*, dans *Ktema*, 3, 1978, p. 57-62.

J'ai tempéré d'un «presque» mon affirmation précédente. On connaît en effet, par des sources d'inégale valeur, quelques artisans ou petits producteurs libres: depuis Plaute tournant la meule dans une boulangerie (38) jusqu'au père de Virgile, peut-être un potier (39); depuis un ou deux *ingenui* attestés à Capoue de source épigraphique pour l'époque considérée (40) jusqu'aux fabricants de cables de pressoir L. Tunnius et C. Mennius (41). C'est tout à fait dérisoire quantitativement. On peut, certes, expliquer en partie cette rareté par le désir qu'éprouvaient les *ingenui* de se démarquer de leur métier. En somme, nous ne savons pas trop si nous devons dire que les *ingenui* ont disparu des inscriptions relatives aux métiers, ou (plutôt?) que l'artisanat a disparu des inscriptions relatives aux *ingenui* (42).

Cette distinction entre *ingenui* d'une part, esclaves ou affranchis de l'autre, nous devons la maintenir, et en chercher les manifestations, autant que faire se peut. Mais il faut bien voir qu'elle perd alors une grande partie de sa signification et de sa raison d'être. Dans le système esclavagiste qui tend à prédominer à la fin de la République, «le travail de l'esclave dissout celui de l'homme libre» (43). Inversement le même mot d'«esclave» peut recouvrir des modes d'utilisation très différents, depuis le responsable de fait d'une petite entreprise jusqu'à l'«instrument doté de la parole» (44).

Soulignons aussi en passant - mais il faudrait évidemment s'attarder davantage sur une observation qui est capitale, et qui en dit long sur nos incertitudes -, qu'on ignore ici encore le rôle des «artisans» que nous font connaître les inscriptions ou les textes: manoeuvres, ouvriers spécialisés, «agents de maîtrise», gérants, voire propriétaires? Nous ne le savons pas, non plus que nous ne le savions à propos des marques de la période précédente.

2. — Données quantitatives

La main d'oeuvre artisanale est très minoritaire dans la société romaine, et en général dans les sociétés qui à la même époque ont atteint un degré de développement comparable. Nous savons que

---

(38) Aulu-Gelle, *N.A.*, III, 3, 14. Attitude très sceptique de H. Gummerus, *Industrie und Handel*, art. cité, col. 1452.

(39) *Vita vergiliana donatiana*, 1; *Vitae Vergilii Focae, noricensis, gudiana, monacensis;* et le commentaire de T. Frank, *Vergil, A Biography*, New York, 1922, p. 9 (qui s'illusionne sans doute sur l'«enormous output» des fabriques céramiques d'Italie du Nord vers 70 av. n. è., et par conséquent sur la situation d'un *figulus* de cette région à cette époque).

(40) Cf. M. Frederiksen, *Republican Capua...*, art. cité: à Capoue, on relève un ...]*natius P.f. gla(...)* (s'agit-il d'un *gladiarius?* cf. Frederiksen, p. 127, n° 11; 104 av. n. è.) et un ...] *N.f. faber* (p. 128, n° 14). *C. Obinius Cn. f. lanio* (*ibid.*, p. 127, n° 11) n'est pas à proprement parler un artisan. - Les *ingenui* de Capoue mentionnant un métier artisanal sur une inscription lapidaire sont encore moins nombreux sous l'Empire: je ne vois guère à signaler que *Q. Cornelius P.f. Rufus vestiarius* (*CIL*, X, 3963): encore peut-il s'agir d'un marchand plutôt que d'un fabricant. - Pour Rome (sous l'Empire surtout), voir S. Treggiari, *Urban Labour in Rome: «mercennarii» and «tabernarii»*, dans P. Garnsey (éd.), *Non-Slave Labour in the Greco-Roman World*, *op. cit.*, p. 56.

(41) Caton, *De agric.*, 135.

(42) Malgré une certaine propension des Capouans de la République à indiquer leur métier dans les inscriptions (H. Gummerus, *Darstellungen aus dem Handwerk auf römischen Grab-und Votivsteinen in Italien*, dans *JDAI*, 28, 1913, p. 84), M. Frederiksen observe que la mention du métier est tout à fait exceptionnelle dans les listes des *magistri Campani* (*Republican Capua...*, art. cité, p. 127). C'est ce qui rend un peu problématique l'affirmation de A.J. Toynbee selon laquelle les inscriptions de Capoue montrent qu'en 112-71 encore le travail libre résistait au travail servile (*Hannibal's Legacy*, II, Londres, 1965, p. 339). - Sur les incertitudes en ce domaine à propos de Capoue, cf. J. Heurgon, *Les «magistri» des collèges et le relèvement de Capoue de 111 à 71 avant J.-C.*, dans *MEFR*, 56, 1939, p. 17.

(43) Pour reprendre une formule de A. Carandini lors du débat qui s'est tenu le 27 novembre 1981 au Collège de France autour du recueil *Società romana e produzione schiavistica* (Rome-Bari, 1981). - De même, P. Garnsey observe que «the classification of some groups of workers is by no means a straightforward procedure», et que les sources anciennes tendent à assimiler les *mercennarii* aux esclaves (*Non-Slave Labour in the Roman World*, art. cité, p. 34).

(44) Cf. A Carandini, *L'anatomia della scimmia*, *op. cit.*, p. 216.

dans tel bourg de l'Egypte romaine, les artisans représentent 9,5% de la population (45). A Carthagène, en 210 av. n. è., Scipion compte 2.000 artisans pour une population d'hommes libres de 10.000 habitants, auxquels il faut ajouter les esclaves non artisans et peut-être les *incolae*: ce qui ne devrait pas nous conduire très loin de ces quelque 10% pour ce que nous appellerions, *mutatis mutandis*, le secteur secondaire. Scipion fait de ces artisans la propriété du peuple romain en leur promettant la liberté à brève échéance, tant leurs capacités les rendent précieux pour l'énorme effort de guerre qu'il faut accomplir alors (46).

Il est rare, il est difficile de pouvoir réunir ou de trouver concentrée une main d'oeuvre abondante, aussi bien dans l'artisanat proprement dit que dans le bâtiment. Et lorsque cela se produit, on le signale comme un fait digne d'être noté. Les producteurs d'outils en fer de Pouzzoles regroupent, nous dit Diodore, «une foule de forgerons» (47). Crassus rassemble, pour ses opérations de spéculation immobilière, plus de cinq cents architectes et maçons (48). La *multitudo opificum* qui peuple Capoue en 211 semble frapper les Romains, qui évitent de la disperser et s'emploient à la retenir sur place (encore ignorons-nous en réalité quelle proportion des habitants de la ville représentent ces *opifices*) (49). Autant de cas rares - probablement exceptionnels -, et signalés en tant que tels. 211, 210 avant notre ère: ceux de ces épisodes qui sont datés avec précision confirment quel fut le rôle de la deuxième guerre punique dans le naissance en Italie du mode de production esclavagiste.

Nous ignorons généralement comment sont regroupés et répartis ces ouvriers (grandes officines à main d'oeuvre nombreuse? simple concentration géographique n'empêchant pas un éparpillement entre de multiples officines?). Nous l'ignorons, pour reprendre les exemples précités, pour notre bourg égyptien comme pour Carthagène, pour Pouzzoles comme pour Capoue, la seule exception étant constituée par l'équipe de Crassus: plus d'un demi-millier de spécialistes d'une branche d'activité donnée au service d'un seul «employeur». Mais Crassus n'est-il pas, justement, un personnage hors du commun? Quand par hasard nous sommes mieux informés (c'est-à-dire essentiellement pour une période plus tardive), nous constatons que le morcellement est la règle. Il est rare que les fabriques de céramique sigillée de Pouzzoles, ou d'Arezzo, regroupent plus de dix esclaves *connus de nous* (50).

3. — Qualification

Il faut distinguer ici deux aspects: la «culture générale» et la qualification professionnelle.

Quant au degré de culture et d'instruction, rappelons que l'alphabétisation des ouvriers liés au commerce des amphores de Bétique sous l'Empire a frappé E. Rodriguez au point de lui faire tenir

---

(45) R. Rémondon, *Le monde romain*, dans *Histoire générale du travail* (L.H. Parias, éd.), I, *Préhistoire et Antiquité*, Paris, s.d. (1959), p. 334.

(46) Tite-Live, XXVI, 47 (où le chiffre total de la population de Carthagène est loin d'être clair); voir aussi Polybe, X, 17, 6 et 10. - En revanche je ne saurais comment interpréter dans cette optique le nombre de 450 esclaves crucifiés en 133 avant n. è. à Minturnes (Orose, *Historiae*, V, 9, 4). Il me paraît aventureux d'y voir les ouvriers qui produisaient les outils de fer de Minturnes dont parle Caton (*De agric.*, 135), comme le voudrait W.L. Westermann, *Industrial Slavery in Roman Italy*, dans *The Journal of Economic History*, 2, 1942, p. 154. Du reste, ce n'est là que le plus petit des groupes d'esclaves tués ou suppliciés en Sicile, en Italie du Sud ou en Grèce lors de ce *bellum servile* (Orose, *Historiae*, V, 9, 4-7).

(47) Diodore de Sicile, V, 13, 2:... τεχνιτῶν χαλκέων πλῆθος ἀθροίζοντες.

(48) Plutarque, *Crassus*, II, 5.

(49) Tite-Live, XXVI, 16, 7: les *opifices* ne sont qu'une partie (laquelle?) d'une *multitudo incolarum libertinorumque et institorum opificumque*.

(50) G. Pucci, *La produzione della ceramica aretina. Note sull'«industria» nella prima età imperiale*, dans *DdA*, 7, 1973, p. 267.

pour peu probable que ce fussent des esclaves (51). Pour la période que je considère, c'est aussi d'une alphabétisation, d'un esprit, voire d'une érudition juridique très remarquables que témoigne une tuile trouvée à Pietrabbondante: vers l'époque de la guerre sociale, deux femmes esclaves y ont gravé avant la cuisson, en osque et en latin, des parodies de procès-verbaux officiels (52). Il est vrai que, par définition, les analphabètes nous échappent selon ces critères.

Venons-en à la qualification professionnelle. La main d'oeuvre qualifiée est rare, et donc chère. Cela n'est pas vrai seulement pour les techniques dans lesquelles l'Antiquité en général a connu une certaine pénurie de spécialistes, comme le travail du marbre (on connaît à cet égard l'anecdote significative des tuiles de marbre du sanctuaire de Héra Lacinia à Crotone, que personne ne fut capable de remettre en place une fois qu'elles eurent été indûment enlevées, en 173, par le censeur Q. Fulvius Flaccus (53)). Cela est vrai aussi pour toutes les branches d'activité qui requièrent des compétences un tant soit peu particulières. La formation de spécialistes est un investissement à long terme, coûteux, aléatoire, qui risque d'être réduit à néant par la mort prématurée de l'esclave. C'est ce que redoute Varron, qui, de ce fait, conseille de prendre plutôt *en location* les spécialistes dont on n'a pas un besoin constant (54). Inversement, pour qui le pratique en grand, cet investissement est des plus lucratifs, comme pour Crassus qui forme des techniciens - en l'occurrence, essentiellement des domestiques - et les donne en location, tirant de cette activité des revenus très supérieurs même à ceux de ses mines d'argent et de ses considérables domaines (55).

La rareté et le coût de la main d'oeuvre très qualifiée contraignent sans aucun doute à parcelliser les tâches, afin de pouvoir les confier à des ouvriers non qualifiés. Faisant l'inventaire des métiers artisanaux attestés à Rome, S. Treggiari est stupéfaite d'arriver à un total de 160 «jobs»: «extravagant subdivision of labour», qui dépasse de beaucoup celle que l'on connaît dans ces hauts lieux de l'artisanat que furent le Paris du XIIIe siècle ou la Florence du XVe siècle (56). Lorsque les *produits* se laissent interpréter dans cette optique, ils confirment du reste que la parcellisation des tâches fut un des traits dominants du «centre» du monde romain à son apogée, en particulier à la fin de la République: c'est le cas de *l'opus caementicium* et de la campanienne A (57).

B. — LES EMPLOYEURS, LES PROPRIÉTAIRES D'OFFICINES

Qui s'étonnera qu'ils soient mieux connus de nous que les ouvriers - de façon du reste toute relative?

---

(51) Remarque de E. Rodriguez lors d'une rencontre sur la production artisanale romaine, Rome, Ecole Française de Rome, 24 avril 1980.

(52) A. La Regina, dans *Rivista di epigrafia italica*, dans *SE*, 44, 1976, pp. 284-288; M. Lejeune, *ibid.*, p. 290. Un document analogue vient d'être trouvé à Pellaro, près de Reggio de Calabre.

(53) Tite-Live, XLII, 3. M. I. Finley aurait pu citer cette anecdote pour appuyer sa remarque sur «le manque absolu de spécialistes» du travail du marbre (*L'économie antique*, trad. française, Paris, 1975, p. 96).

(54) Varron, *R.R.*, I, 16, 4.

(55) Plutarque, *Crassus*, II, 7. Voir aussi le souci de former ses esclaves que manifeste Atticus: *neque horum* [*artificum*] *quemquam nisi domi natum domique factum habuit* (Corn. Nepos, XXV, *Atticus*, 13, 3-4).

(56) S. Treggiari, *Urban Labour in Rome...*, art. cité, p. 56 (pour l'ensemble de l'Occident romain, le nombre des métiers connus se monte à 225). - La spécialisation considérable des métiers du métal (et notamment du bronze) à Capoue à la fin de la République est soulignée par M. Frederiksen, *Republican Capua...*, art. cité, p. 110.

(57) *Opus caementicium:* F. Coarelli, *Public Buildings in Rome Between the Second Punic War and Sulla*, dans *PBSR*, 45 (n.s., 32), 1977, p. 18. - Campanienne A: J.-P. Morel, *Céramique campanienne: les formes*, Rome, 1981, pp. 489-490.

LES PRODUCTEURS DE BIENS ARTISANAUX

1. — Les «personnes morales» et les collectivités

L'importance des collectivités civiles, militaires et religieuses en tant que producteurs fut certainement considérable.

— Productions des sanctuaires: Diana Tifatina et Hercule à Capoue (58), Cérès à Pompéi (59), sont «propriétaires» d'ateliers de briques (60).

— Productions des cités: elles sont probablement attestées (encore que cette interprétation ne soit pas la seule possible) par des timbres comme IAITOY sur des briques de Monte Iato au IIe siècle, comme ΔΗ(ΜΟΣΙΟΝ) sur des briques de Velia surtout, mais aussi de Rhegium, Messine, Taormina, Ischia à l'époque hellénistique tardive (61). Bref, ce type de production paraît limité (comme peut-être du reste la production des sanctuaires) à la Sicile, à la Grande Grèce et aux franges immédiates de cette dernière, régions où la conquête romaine aura pour effet, semble-t-il, de la résorber (62).

— Productions de l'Etat Centralisé: rappelons le sort que, lors de la prise de Carthagène en 210, Scipion réserve aux 2000 *opifices* qu'il capture: *eos publicos fore populi Romani edixit cum spe propinqua libertatis, si ad ministeria belli enixe operam navassent* (63).

— Productions de l'armée enfin, dont notre période n'offre pas d'indices sûrs mais dont la simple vraisemblance garantit la possibilité (64).

2. — Les particuliers

Viennent d'abord à l'esprit les noms de quelques ténors, qui tous appartiennent à l'aristocratie ou à cette bourgeoisie municipale à laquelle s'intéresse notre colloque. Le plus connu (je n'ose dire le plus significatif) est C. Vestorius, de Pouzzoles, sur lequel l'intérêt s'est concentré récemment (65) par

---

(58) Diane: *Diane Tifatine* sur un *signaculum* (*CIL* X, 8059, 1; voir aussi *supra*, note 1). - Hercule: un timbre sur tuile *Hercul. sacr.* trouvé à S. Prisco, à côté de S. Maria Capua Vetere, a été signalé par Giuliana Tocco lors du XVIII Convegno di Studi sulla Magna Grecia (Tarente, 1978).

(59) M. Steinby, *La produzione laterizia*, art. cité, p. 271: *Cerer. sac.* sur des briques *commercialisées*.

(60) Sur les propriétés des sanctuaires, voir G. Bodei Giglioni, *Pecunia fanatica. L'incidenza economica dei templi laziali*, dans *Rivista Storica Italiana*, 89, 1977, pp. 33-76 (réimprimé dans *Studi su Praeneste*, Pérouse, 1978, pp. 3-46).

(61) Monte Iato: cf. par exemple H.P. Isler, *Scavi della missione archeologica dell'Università di Zurigo sul Monte Iato*, dans *Atti del III Congr. Internazionale di Studi sulla Sicilia Antica* (=*Kokalos*, 18-19, 1972-73), p. 420. - Velia: Les timbres δη(μόσιον) sur briques datent essentiellement des IIe-Ier siècles av. n. è. selon U. Kahrstedt, *Ager publicus und Selbstverwaltung in Lukanien und Bruttium*, dans *Historia*, 8, 1959, p. 182; et *Die wirtschaftliche Lage Grossgriechenlands in der Kaiserzeit* (*Historia, Einzelschriften*, Heft 4), Wiesbaden, 1960, pp. 16-17. - Rhegium, Messine, Taormina: alors que P. Mingazzini date les timbres en question essentiellement du IIIe siècle (*Velia. Scavi 1927. Fornace di mattoni ed antichità varie*, dans *ASMG*, n.s., 1, 1954, pp. 46 et 55-56), F. Costabile estime qu'ils descendent jusqu'à la guerre sociale (dans *La Magna Grecia in età romana, Atti del XV Convegno di Studi sulla Magna Grecia (Taranto, 1975)*, Naples, 1976 (1979), p. 465); pour Rhegion, U. Kahrstedt, *Die wirtschaftliche Lage Grossgriechenlands...*, op. cit., p. 51, signale des indices «rares» d'une fabrication d'Etat. - Ischia: G. Buchner et A. Rittmann, *Origine e passato dell'isola d'Ischia*, Naples, 1948, p. 59; E. Lepore pense plutôt à des *commandes* publiques, à «un tipo di assorbimento» (*Per una storia economico-sociale di Neapolis*, dans *Napoli antica* (=*PP*, fasc. 25-27), Naples, 1952, p. 313); notons toutefois (voir *supra*) que cette supposition semble devoir être écartée pour les briques marquées par les sanctuaires, dont la problématique n'est sans doute guère différente. - Enfin, F. Costabile, *loc. cit.*, signale aussi une production publique de briques dans la zone de Petelia ou de Crotone, vers le IIe s. av. n. è.

(62) F. Costabile observe qu'à l'époque romaine la production privée prend le pas sur celle des cités et des sanctuaires: par exemple à Locres vers le IIe siècle (*ibid.*, pp. 465-466).

(63) Tite-Live, XXVI, 47, 2; cf. aussi Polybe, X, 17, 9.

(64) Voir un témoignage beaucoup plus tardif dans Végèce, II, 11.

(65) Cf. V.A. Sirago, *La personalità di C. Vestorio*, dans *Puteoli, Studi di Storia Antica*, 3, 1979, pp. 3-16; J.H. D'Arms,

suite de la conjonction extraordinaire de trois types de données: 1) C'est un *familiaris* de Cicéron, qui le mentionne à plusieurs reprises (66); 2) Pline et Vitruve parlent de sa production industrielle - si leur Vestorius est le même que le C. Vestorius de Cicéron, ou tout au moins l'un de ses affranchis (67): ce que rend très vraisemblable la donnée suivante; 3) On a découvert dans l'épave 3 de Planier du *caeruleum* provenant probablement de Pouzzoles - et, dans ce cas, probablement de l'officine de Vestorius -, et qui a été exporté à grande distance vers 50 av. n. è. (68).

«Conjonction extraordinaire», disais-je. Ce qui en fait est extraordinaire, voire peut-être unique, c'est que Vitruve et Pline citent *le nom* d'un producteur de biens artisanaux (le cas des fabricants mentionnés par Caton est différent, puisqu'il s'agit en l'occurrence d'une sorte de liste de fournisseurs à usage local et presque familial (69)). Qu'est-ce qui vaut à Vestorius ce sort exceptionnel? C'est peut-être que sa production représente pour l'Italie une innovation commerciale *et technique* dans une branche d'activité qui, écrit Vitruve, *satis habet admirationis* (70). Ce que confirme involontairement Cicéron lorsqu'il décrit C. Vestorius, ironiquement sans doute, mais au fond non sans quelque admiration envieuse, comme *hominem remotum a dialecticis, in arithmeticis satis exercitatum* (71). D'une façon générale cet art d'adopter, d'adapter et de promouvoir industriellement et commerciale-ment des techniques venues d'autres régions - en fait, de l'Orient méditerranéen - était le propre de Pouzzoles, celle des villes d'Italie qui à cette époque entretenait avec le bassin oriental de la Méditerranée les relations les plus suivies: voir la sigillée, le verre, les colorants. Mais il reste que, même pour Pouzzoles, on ne connaît aucun autre producteur que les textes nous fassent connaître comme ils nous font connaître C. Vestorius.

Considérons maintenant des personnages ou des situations moins atypiques. Nous rencontrons d'abord quelques grands noms qui sont des exemples caractéristiques. Crassus: déjà mentionné précédemment pour avoir su exploiter le filon de la formation professionnelle, il fait aussi fortune, entre autres, grâce à son activité de promoteur-charognard, s'enrichissant en proportion des malheurs d'autrui (mais un passage de Strabon suggère que ce n'était pas à Rome un cas exceptionnel) (72). Les Cossutii: M. Torelli a tiré au clair leur activité mixte d'architectes et d'exploitants de carrières de marbre, pour l'extraction comme pour le transport, à travers toute la Méditerranée, pendant plus d'un siècle (73). Les Sestii enfin, qui concilient l'exploitation de vastes vignobles, une production de terre cuite (qui très significativement comporte d'une part des amphores, faites près de Cosa et servant

Republican Senators' Involvment in Commerce in the Late Republic: Some Ciceronian Evidence, dans *The Seaborne Commerce of Ancient Rome: Studies in Archaeology and History* (J.H. D'Arms et E.C. Kopff, éd.) (=*MAAR*, 36, 1980), pp. 78-80. Voir aussi les études de A. Tchernia citées *infra*, note 68; et, dans le présent volume, l'article de J. Andreau.

(66) Voir V.A. Sirago, art. cité, pp. 4 et 10-11; J.H. D'Arms, *ibid.*

(67) Vitruve, VII, 11, 1; Pline, *N.H.*, XXXIII, 162. Le Vestorius producteur de colorants serait un affranchi de C. Vestorius selon H. Gummerus, *Industrie und Handel*, art. cité, col. 1505.

(68) A. Tchernia, *Direction des recherches archéologiques sous-marines (Informations archéologiques)*, dans *Gallia*, 27, 1969, 2, p. 489; ID., *Les fouilles sous-marines de Planier (Bouches-du-Rhône)*, dans *CRAI*, 1969, pp. 302-303; ID., *Premiers résultats des fouilles de juin 1969 sur l'épave 3 de Planier*, dans *Etudes Classiques*, 3, 1968-70, pp. 67 et 72. Voir déjà Ch. Dubois, *Pouzzoles antique*, Paris, 1907, pp. 127-128.

(69) Caton, *De agric.*, 135. Voir dans le même sens R. Martin, édition de Palladius, *Traité d'agriculture* (Coll. des Universités de France), Paris, 1976, p. 176.

(70) Vitruve, VII, 11, 1. Même cela admis, la notoriété de C. Vestorius contraste avec l'anonymat qui entoure dans les textes, toujours à Pouzzoles, la fabrication du verre, qui elle aussi ressortit à une technique élaborée (voir Pline, *N.H.*, XXXVI, 193, et notre note 3, *supra*).

(71) Cicéron, *Ad Att.*, XIV, 12, 3.

(72) Plutarque, *Crassus*, II, 5; Strabon, V, 3, 7. Voir aussi le commentaire de P. Gros, *Architecture et société à Rome et en Italie centro-méridionale aux deux derniers siècles de la République* (coll. *Latomus*, vol. 156), Bruxelles, 1978, p. 64.

(73) M. Torelli, *Industria estrattiva, lavoro artigianale, interessi economici: qualche appunto*, dans *The Seaborne Commerce of Ancient Rome...*, *op. cit.*, pp. 313-323.

d'emballages à un vin largement exporté vers des destinations lointaines, et d'autre part des briques faites à Rome et qui ne sont diffusées que localement), et une activité d'armateurs dont Cicéron vante les *luculenta navigia* (74): bel exemple d'intégration verticale d'affaires interdépendantes dont ils ont la maîtrise d'un bout à l'autre du processus de production et de commercialisation.

Quand nous connaissons d'autres personnages de cette classe sociale liés à la production industrielle ou artisanale, nous constatons qu'ils sont impliqués dans tout ou partie des activités suivantes:

a) Le bâtiment (nous venons d'en citer des exemples) (75).

b) La production d'amphores ou de *dolia*. Mentionnons les Eumachii de Pompéi (76); ou M. Tuccius Galeo, dont Cicéron accepte l'héritage en 47 av. n. è. (77); ou Trebius Loisius, qui timbre des amphores à Ischia, et dont nous savons qu'il a un compte courant à Délos en 162 (78) (il serait d'ailleurs tentant d'y voir, sinon un des producteurs de la campanienne A, du moins un des exportateurs de cette céramique vers l'*emporium* des Cyclades (79)).

c) La production de briques et de tuiles. C'est le cas des Eumachii encore (80); d'Asinius Pollion, consul en 40, de l'autre consul de la même année, Cn. Domitius Calvinus, et selon toute probabilité de Cicéron (81); des Licinii, dont deux clients, autour de 200, portent respectivement les surnoms d'*Imbrex* et de *Tegula*, et dont on a peut-être retrouvé, dans une villa près de Blera, un atelier où, à une époque indéterminée entre le IIIe siècle et le Ier siècle, des tuiles étaient marquées d'un «L» (82).

d) L'industrie lainière: comme les Eumachii une fois de plus (83), ou comme, un peu plus tard, Q. Remnius Palaemo, qui tire d'énormes revenus de son enseignement, de ses vignes, et de ses *officinae promercalium vestium*, de ses fabriques de vêtements conçus pour la vente - aux antipodes,

---

(74) Cicéron, *Ad Att.*, XVI, 4, 4. Et D. Manacorda, *Produzione agricola, produzione ceramica e proprietari nell'ager Cosanus nel I a.C.,* dans *Merci, mercati e scambi nel Mediterraneo (Società romana e produzione schiavistica,* vol. II), Rome-Bari, 1981, pp. 28-36.

(75) Auxquels il faut sans doute ajouter celui de C. Vestorius lui-même: cf. V.A. Sirago, *La personalità di C. Vestorio*, art. cité, p. 15.

(76) R. Etienne, *La vie quotidienne à Pompéi*, Paris, 1966, p. 168 (et 173); A. Tchernia et F. Zevi, *Amphores vinaires de Campanie et de Tarraconaise à Ostie*, dans *Recherches sur les amphores romaines* (Coll. de l'Ecole Française de Rome, 10), Rome, 1972, pp. 37-40 (les Eumachii produisent des amphores dès la seconde moitié du Ier s. av. n. è); P. Castrén, *Ordo populusque Pompeianus (Acta Instituti Romani Finlandiae,* vol. VIII), Rome, 1975, pp. 41, 95 et 164; M. Steinby, *La produzione laterizia,* art. cité, p. 268. Ces auteurs citent divers exemples de grandes familles pompéiennes productrices d'amphores.

(77) A. Tchernia, *Premiers résultats des fouilles de juin 1968...*, art. cité, pp. 60-64 et 72-74.

(78) G. Buchner et A. Rittmann, *Origine e passato dell'isola d'Ischia,* op. cit., p. 58; E. Lepore, *Per una storia economico-sociale di Neapolis,* art. cité, p. 313.

(79) Sur l'exportation de la campanienne A à Délos, voir quelques indications dans J.-P. Morel, *Céramiques d'Italie et céramiques hellénistiques,* dans *Hellenismus in Mittelitalien,* Göttingen, 1976, II, p. 491; ID., *La produzione della ceramica campana: aspetti economici e sociali,* dans *Merci, mercati e scambi nel Mediterraneo,* op. cit., p. 93.

(80) A. Tchernia et F. Zevi, *Amphores vinaires de Campanie et de Tarraconaise...,* art. cité, p. 40; M. Steinby, *La produzione laterizia,* art. cité, p. 268.

(81) Asinius Pollion: *CIL*, XIV, 4090, 4 à 9; - Domitius Calvinus: M. Steinby, *La produzione laterizia,* art. cité, p. 267; Cicéron: *CIL*, XIV, 4090, 66. - Voir aussi T.P. Wiseman, *The Potteries of Vibienus and Rufrenus at Arretium,* dans *Mnemosyne,* s. IV, 16, 1963, 3, p. 275-276.

(82) A. Andrén et E. Berggren, *Blera (località Selvasecca). Villa rustica romana con manifattura di terrecotte architettoniche,* dans *NSA,* 1969, pp. 51-71. - Faut-il rapporter aux mêmes propriétaires d'officine certains timbres sur vernis noir trouvés à Caere (*A.L. Lici*: R. Mengarelli, *Caere...,* dans *NSA,* 1937, p. 436, n° 18) et au Magdalensberg (*C. Lic*: M. Schindler, *Die «schwarze Sigillata» des Magdalensberges, Kärnter Museumsschriften,* XLIII, Klagenfurt, 1967, p. 34 et pl. 2)? - Licinius Imbrex: Aulu-Gelle, *N.A.*, XIII, 23, 16; P. Licinius Tegula: Tite-Live, XXXI, 12, 10.

(83) *CIL*, X, 813; E. Lepore, *Orientamenti per la storia sociale di Pompei,* dans *Pompeiana (raccolta di studi per il secondo centenario degli scavi di Pompei),* Naples, 1950, p. 165; P. Castrén, *Ordo populusque Pompeianus,* op. cit., p. 95, qui cite d'autres familles de Pompéi ayant des intérêts dans l'industrie lainière.

par conséquent, d'une production domestique de textiles sur laquelle l'attention se concentre généralement, mais qui était loin d'être la règle (84).

Si nous tentons une première récapitulation en considérant l'ensemble des cas mentionnés, et notamment les personnages que nous ne connaissons pas seulement par des inscriptions sur pierre ou sur objets fabriqués, mais *aussi* par des textes (c'est-à-dire les personnages qui sont dignes que les textes parlent d'eux), alors nous constatons que les seules productions artisanales ou assimilées - non agricoles - qui leur soient rapportées sont (mis à part le cas, toujours isolé, de C. Vestorius) les suivantes:

a) D'une part l'architecture et la construction. C'est là un domaine où les commandes publiques, les recommandations, les garanties offertes ou sollicitées, jouent un tel rôle qu'on y est à la limite du politique, que ce soit à l'échelle de l'Etat ou de la ville (c'est pourquoi je ne peux me résoudre, contrairement à ce qui a été récemment proposé, à voir dans les productions architecturales des produits comme les autres du «système de la manufacture urbaine esclavagiste» (85)).

b) D'autre part, les fabrications d'amphores, de tuiles et de briques, ainsi que l'industrie lainière: c'est-à-dire des activités en liaison étroite avec la propriété foncière, soit parce qu'elles fournissent à l'agriculture des emballages qui sont les compléments indispensables de sa production; soit parce qu'elles en tirent leurs matières premières. Mais elles ne sont pas les seules dans ce cas (il faut de l'argile pour faire de la céramique «fine» comme il en faut pour faire des briques et des tuiles), et les raisons profondes de la prééminence, du prestige dont jouissent ces activités précises mériteraient sans doute d'être mieux cernées. Il est de fait en tout cas que ces deux activités - *opus doliare* et industrie lainière - sont si liées à la terre que P. Setälä a pu étudier les *praedia* des environs de Rome à travers la production de briques (86), et que l'on s'accorde à reconnaître que le secteur lainier est aux mains des propriétaires fonciers-éleveurs (87). Du reste, les *figlinae* et les *textrinae* sont à plusieurs reprises évoquées par Varron et par le *Digeste* en liaison avec les *fundi* ou les *villae* (88).

Seulement, on se doute bien que ces activités ne sont qu'un aspect très partiel de la production artisanale. Si nous nous interrogeons sur tout le reste, qui est considérable - métaux, bois, poterie autre que l'*opus doliare*, industries alimentaires, colorants... -, force est de constater que nous sommes fort incapables de citer, d'après les textes, des personnages de l'aristocratie et de la haute bourgeoisie (à l'exception, toujours, de C. Vestorius) et que, d'une façon générale, nos connaissances s'amenuisent singulièrement.

Considérons d'abord la poterie, puisque c'est elle qui, pour cette époque, fournit l'essentiel de notre documentation. Nous connaissons une grande quantité de productions: mais elles sont à peu près totalement dépourvues de marques. Je ne trouve guère à signaler que les exceptions suivantes (89):

---

(84) Q. Remnius Palaemo: cf. Suétone, *De grammaticis*, XXIII. - Sur la coexistence dans l'industrie vestimentaire de la production domestique et de la production manufacturière, cf. J.-P. Morel, *Aspects de l'artisanat dans la Grande Grèce romaine*, art. cité, p. 299.

(85) Le «imprese edilizie» sont classées, avec les «officine che fabbricano il merci più varie destinate a mercati lontani», dans le «sistema della manifattura urbana schiavistica» par A. Carandini, *Sviluppo e crisi delle manifatture rurali e urbane*, dans *Merci, mercati e scambi nel Mediterraneo, op. cit.*, pp. 255-256.

(86) P. Setälä, *Private Domini in Roman Brick Stamps of the Empire. A Historical and Prosopographical Study of Landowners in the District of Rome*, Helsinki, 1977.

(87) Voir par exemple E. Lepore, *Orientamenti per la storia sociale di Pompei*, art. cité, p. 165; J. Andreau, *Les affaires de Monsieur Jucundus* (Coll. de l'Ecole Française de Rome, 19), Rome, 1974, pp. 291-292.

(88) Varron, *R.R.*, I, 2, 21. *Digeste*, VIII, 3, 6; XVIII, 1, 65; XXXIII, 7, 1, 25; 7, 12. - Les *agri* restitués en 83 par Sylla au sanctuaire de Diana Tifatina (Velleius Paterculus, II, 25, 4) expliquent parfaitement que ce sanctuaire, comme nous l'avons indiqué, ait pu produire des briques.

(89) Auxquelles il faut peut-être ajouter les derniers vases caléniens à reliefs, si, comme il est possible, ils sont postérieurs à la seconde guerre punique. - Il n'est pas exclu qu'un timbre de Rimini, *L. Minucius Karus fecit*, daté du IIe siècle par G.

a) Les bols à reliefs ombriens. Ce sont des vases qui se singularisent dans l'Italie de cette époque, à tous égards - forme, type de décors, technique de fabrication -, et qui au demeurant sont très rares d'une façon absolue. Ces vases sont en quelque sorte de véritables survivances, et il en est de même de leurs marques, relativement développées et clairement interprétables, et qui vont parfois jusqu'à indiquer le lieu de production: *Mevania*, ou *Ocriclo*. Dans ces signatures voisinent des hommes libres (C. Popilius, C. Lappius, C. Sextius, L. Quinctius, etc.) et des esclaves (Heracleides, Cilo C. Popili) (90). En somme, on retrouve ici le type même de caractéristiques que j'avais déjà signalées pour les vases marqués de la période précédente (91).

b) Une série de petits gobelets très profonds, à base étroite, à pâte noirâtre, portant une marque sur leur fond externe. Malgré les incertitudes qui subsistent à leur égard, ils est probable qu'ils ont été produits en Italie centrale au Ier siècle av. n. è., et qu'ils ont été l'objet d'une exportation privilégiée en direction des rivages du golfe du Lion (92). Cet atelier comprenait au moins trois patrons (terme dont je reconnais qu'il est vague à souhait) *ingenui*, C. et St. Rullius et L. Asinius; et nous connaissons les noms de neuf ou dix de leurs esclaves pour à peine plus de trente exemplaires recueillis (93). Association familiale, faible production, grande variété des marques pour un nombre restreint d'ouvriers: encore des caractéristiques que j'ai mentionnées à propos de l'Italie centrale des IVe-IIIe siècles.

c) L'atelier de gobelets de M. Cusonius, établi à Cosa. Sa production n'est pas diffusée hors de cette ville, où en revanche, malgré sa faiblesse quantitative, elle jouit d'un quasi-monopole (94). Cette consommation sur place des produits des petites officines est aussi un des traits marquants de la période précédente.

Ce sont des caractéristiques assez analogues à celles de ces fabriques céramiques modestes qu'il faut vraisemblablement imaginer pour les fournisseurs de *funes torculi* de Caton, L. Tunnius de Casinum et C. Mennius L.f. de Venafrum (95). Il n'en va pas autrement, sans doute, pour la foule des producteurs de l'industrie alimentaire au niveau du village ou du quartier, même si nous ne connaissons pour cette branche d'activité au même titre que pour les autres, comme il est hélas naturel, que les cas exceptionnels. Citons parmi ces derniers un Umbricius Scaurus pour le garum, un M. Vergilius Eurysaces pour la boulange. Eurysaces, du reste, ne se vante peut-être de son métier que parce qu'il est aussi *redemptor* (96), et qu'à ce titre il participe - comme les entrepreneurs du bâtiment,

Riccioni (*L'arte dell'Emilia romana. Rimini*, dans *Arte e civiltà romana nell'Italia settentrionale, II, Catalogo*, Bologna, 1965, p. 117, nᵒˢ 158 et 159), remonte en fait au IIIe s. - Quant aux timbres sur vernis noir des Licinii mentionnés *supra*, note 82 ils sont probablement à classer parmi les marques de la seconde moitié du Ier s. av. n. è. que nous évoquons ci-après.

(90) La bibliographie concernant ces vases est abondante, depuis A. Baudrillart, *Coupes de Popilius*, dans *MEFR*, 9, 1889, p. 288-298, jusqu'à M.T. Marabini Moevs, *Italo-Megarian Wares at Cosa*, dans *MAAR*, 34, 1980, pp. 161-227, *passim*.

(91) Sur les contrastes entre ces bols et les produits céramiques habituellement utilisés dans l'Italie de la même époque, cf. J.-P. Morel, *Céramiques d'Italie et céramiques hellénistiques*, art. cité, p. 486-487 et 500. - Peut-être faut-il dater aussi du IIe s. quelques bols à reliefs portant des marques qui furent fabriqués à Ischia (J.-P. Morel, *Aspects de l'artisanat dans la Grande Grèce romaine*, art. cité, p. 281, note 26).

(92) J'en connais des exemplaires, en grande partie inédits: 1) à Rome, Chiusi et Cerveteri, et aux musées de Capoue et de Naples; 2) à Ensérune (surtout), Magalas, Béziers, Montlaurès, Narbonne, Ruscino, Peyriac-de-Mer, Ampurias.

(93) Les noms entiers ou abrégés des esclaves sont Dama, Fl-, Glaucus, Lucrio, Lusimacus, Rufio, Sel-, Ser-, Tauriscus et peut-être Licinius (cf. pour ce dernier *CIL*, XV, 6104). Exemples de marques: *Dama Rulli; Ser. Ruli C.s.: Fl. C. Rulli; Lusimacus Rulli St. s.; Ser. L. Asini*. Je passe ici sur les restitutions possibles pour les noms d'esclaves, telles que Seleucus ou Serapion.

(94) M.T. Marabini Moevs, *Aco in Northern Etruria. The Workshop of Cusonius at Cosa*, dans *MAAR*, 34, 1980, en particulier p. 257.

(95) Caton, *De agric.*, 135.

(96) *CIL*, VI, 1958. Sur Eurysaces, voir en dernier lieu P. Ciancio Rossetto, *Il sepolcro del fornaio Marco Virgilio Eurisace a Porta Maggiore,* Rome, 1973.

toutes proportions gardées - de la considération toute relative qui peut s'attacher au service de l'Etat ou des collectivités: de même qu'à Capoue Lucceius Peculiaris ne se dit pas entrepreneur de maçonnerie, mais *redemptor prosceni* (97).

Tout cela permet de supposer que pour les innombrables «petites et moyennes entreprises» qui constituent le véritable tissu industriel ou artisanal de l'Italie, rien n'est fondamentalement changé depuis le IIIe siècle, *si ce n'est la disparition presque totale des marques*, sur laquelle je reviendrai. C'est sur ce fond presque inchangé (mais souvent négligé par les historiens), c'est sur cette basse continue que se détachent les quelques ténors que sont les grandes entreprises «industrielles» toujours citées en exemple quand on parle du mode de production esclavagiste, à commencer par la campanienne A.

Quelques-uns des exemples précédemment allégués sont postérieurs au milieu du Ier siècle av. n. è., et je les ai cités avec les autres en raison des facteurs de continuité qui persistent du IIIe siècle jusqu'à l'époque augustéenne. Toutefois, à certains égards, les années 50 avant notre ère représentent un tournant, que révèlent en particulier deux phénomènes: la réapparition des marques sur la céramique à vernis noir, après un siècle et demi d'anonymat rigoureux (98), et la naissance, avec la sigillée arétine, d'un nouveau produit que tout oppose à ceux de la période précédente: caractéristiques techniques, formes et décors des vases; type de commerce (diffusion à longue distance, en grande partie vers l'intérieur des terres; fondation de succursales, à Pise, à Lyon...); emploi assez systématique des marques de fabrique.

Le problème qui consiste à inférer des produits aux producteurs ne disparaît pas pour autant; mais il a été suffisamment mis en lumière par G. Pucci pour me dispenser d'y revenir (99). Tout au plus rappellerai-je l'opinion de T.P. Wiseman selon laquelle C. Vibienus et T. Rufrenus d'Arezzo seraient des membres de familles sénatoriales (100). Contrairement à notre collègue, je ne crois pas qu'on puisse y voir la preuve que la céramique «fine» doit être mise sur le même plan que l'*opus doliare*. Que cette céramique ait pu alors être signée par des membres de la *nobilitas* me semble relever d'une tout autre problématique: il y a une période, à partir du deuxième triumvirat, où l'on marque (où l'on peut marquer) tout - donc la céramique «fine» aussi -, et une autre, auparavant, où l'on ne marque aucune céramique sauf l'*opus doliare* (101). Je reviendrai plus loin sur les implications de cette dernière observation.

---

(97) *CIL*, X, 3821. - De la même façon, Haterius, tout en «avouant», par la présence d'une grue sur sa tombe, son métier d'entrepreneur de maçonnerie, prend bien soin d'y faire figurer aussi des bâtiments publics, comme le Colisée, qui le caractérisent comme un adjudicataire recueillant des commandes de l'Etat.

(98) Ces marques se trouvent sur la céramique arétine à vernis noir tardive et de transition vers le vernis rouge (ainsi peut-être que sur la campanienne B tardive). Exemples: *Q.Af, C.V., A.V., S.Pe, C.Sef* (voir aussi les marques *A.L. Lici* et *C. Lic* mentionnées *supra*, note 82). - A Bolsena, des 12 timbres sur préarétine publiés par Chr. Goudineau, 4 comportent des lettres (*Fouilles de l'Ecole Française de Rome à Bolsena (Poggio Moscini), 1962-1967. IV. La céramique arétine lisse* (Ecole Française de Rome, Suppléments, 6, IV), Paris, 1968, p. 332). Voir aussi R. Lequément et B. Liou, *Céramique étrusco-campanienne et céramique arétine, à propos d'une nouvelle épave de Marseille*, dans *L'Italie préromaine et la Rome républicaine, Mélanges offerts à Jacques Heurgon* (Coll. de l'Ecole Française de Rome, 27), Rome, 1976, II, pp. 589-595. - De même, l'usage de signer les lampes connaît une première *akmé* à la fin de la République et au début de l'Empire: cf. C. Pavolini, *Una produzione italica di lucerne: le Vogelkopflampen...*, art. cité, p. 48.

(99) G. Pucci, *La produzione della ceramica aretina...*, art. cité.

(100) T.P. Wiseman, *The Potteries of Vibienus and Rufrenus at Arretium*, art. cité, p. 280.

(101) T.P. Wiseman, art. cité, p. 276, a raison d'observer que les *figlinae* qui produisaient des briques ont souvent dû produire aussi des poteries. Mais il a tort d'ajouter «and these vessels would no doubt be stamped in the same way as bricks»: car justement, aux deux derniers siècles de la République, les vases *n'étaient pas* marqués «in the same way».

C. — QUELQUES PROBLÈMES GÉNÉRAUX

1. — Organisation de la production

Les indices dont nous disposons - ils ne sont jamais très nombreux - suggèrent que la production est fréquemment organisée sous le double signe de l'association et de la déconcentration.

a) Association.

Les phénomènes d'association couvrent un spectre étendu de possibilités. A un pôle, de petites sociétés parfois familiales, comme celles que forment T. et Q. Iuventius, qui signent ensemble des amphores gréco-italiques (102), ou L. Numisius et C. Comicius, qui signent ensemble des briques (103). A l'autre pôle, de grandes *familiae* de fabricants ou de spécialistes, aux nombreuses ramifications - les Cossutii en sont un exemple typique -, et qui peuvent se former au gré des liens de parenté, ou regrouper les affranchis et peut-être les esclaves d'un personnage influent (on a conservé à Capoue une inscription *libertorum et familiae aerariae Popilianae* (104)); ou encore des *societates* dont nous cernons mal les contours, mais que nous laisse entrevoir, dans tel cas privilégié, la combinaison de plusieurs sources dont aucune, prise séparément, ne serait très éclairante (par exemple l'épave de Planier 3, les trouvailles d'amphores apuliennes et la correspondance de Cicéron (105)).

b) Déconcentration.

Les grandes firmes semblent généralement subdivisées en une nébuleuse d'officines à «dimensions humaines», le(s) maître(s) et des affranchis de confiance dirigeant chacun une petite équipe. On connaît, ou on devine, cette situation pour la firme de garum d'Umbricius Scaurus, pour la production des outils de fer à Pouzzoles, pour certains ateliers d'architecture en Campanie, pour des officines de sigillée du début de l'Empire, etc. Tout cela traduit la volonté de partager les risques, ainsi que l'importance des problèmes de coercition et de surveillance que ne manqueraient pas de poser des entreprises de grande taille: bref, la volonté d'optimiser la production en unités qui ne soient ni trop petites, ni trop grandes (106).

---

(102) F. Benoit, *L'épave du Grand Congloué à Marseille* (XIVe suppl. à *Gallia*), Paris, 1965, p. 38.

(103) V. Righini, *Lineamenti di storia economica della Gallia Cisalpina: la produttività fittile in età repubblicana* (Coll. *Latomus*, vol. 119), Bruxelles, 1970, pp. 42-43 (date: IIe-Ier s. av. n. è.). - On peut comparer ces exemples: 1) pour l'époque antérieure (IIIe s. av. n. è.) à des timbres comme *Ti. L. Alba*, ou *C.L. Staie*, que nous avons précédemment signalés; - 2) pour le Ier s. de n. è., à des timbres sur mortiers tels que *Cn. Cn. Domit. Luc. et Tul., Apolloni et Ismari Cn. Cn. Domitiorum*, ou *Lygdi duo[r(um)] Domitior(um)* (*CIL*, X, 8048, 6, 7, et 15); - 3) pour l'époque que nous considérons, mais dans l'industrie alimentaire, à l'association familiale des Lassii de Pompéi pour la production et l'exportation du vin, sur laquelle cf. J. Heurgon, *Les Lassii pompéiens et l'importation des vins italiens en Gaule*, dans *PP*, fasc. 23, 1952, p. 114.

(104) *CIL*, X, 3995. - Pour les Cossutii, cf. M. Torelli, *Industria estrattiva, lavoro artigianale, interessi economici...*, art. cité. - Autres exemples: A. Umbricius Scaurus et les diverses officines de garum dirigées par lui-même et ses affranchis (E. Lepore, *Orientamenti per la storia sociale di Pompei*, art. cité, p. 164; J. Andreau, *Les affaires de Monsieur Jucundus, op. cit.*, p. 296); le «bureau d'architectes» formé en Campanie per Postumius Pollio et ses affranchis (M. Frederiksen, dans *Incontro di studi su «Roma e l'Italia fra i Gracchi e Silla», op. cit.*, p. 326-327); et pour des fabriques de lampes, C. Pavolini, *Una produzione italica di lucerne...*, art. cité, pp. 124-125.

(105) Cf. A. Tchernia, *Premiers résultats des fouilles de juin 1968 sur l'épave 3 de Planier*, art. cité, p. 73, à propos d'une probable association entre M. Tuccius Galeo et Vestorius.

(106) Sur ces problèmes, et sur l'artisanat groupé, voir notamment G. Pucci, *La produzione aretina...*, art. cité, p. 274; J.E. Skydsgaard, *The Desintegration of the Roman Labour Market and the Clientela Theory*, dans *Studia Romana in honorem Petri Krarup septuagenarii*, Odense, 1976, p. 48, note 9; J.-P. Jacob et H. Leredde, *Un aspect de l'organisation des centres de production céramique: le mythe du «cartel»*, dans *Rei Cretariae Romanae Fautorum Acta*, 21-22, 1982, pp. 93-94 (voir un exemple d'artisanat groupé au Moyen Age, avec des chiffres précis d'ateliers et de production, dans M. Perrin, *Une curieuse coutume du bas Moyen Age: les «tupins» emmurés*, dans *Bull. de la Soc. des Amis des Arts et des Sciences de Tournus*, 73, 1975, pp. 19-26). Pour la métallurgie du fer à Pouzzoles, cf. J.-P. Morel, *Aspects de l'artisanat dans la Grande Grèce romaine*, art. cité.

2. — Investissements

Dans les activités artisanales qui dépassent nettement la moyenne représentée par les petites officines de village ou de quartier, les investissements sont-ils aussi lourds qu'on l'affirme parfois (107)? Pour le négoce au long cours, peut-être. Pour la production, rien n'est moins sûr. Comme l'observe R. Rémondon, si le travail est vil, l'argent est cher, et les investissements qui viseraient à augmenter la productivité ne seraient guère rentables (108). De fait, la grande majorité des activités artisanales que nous avons évoquées n'exigent ni ouvriers très qualifiés, ni équipements particulièrement élaborés: c'est en particulier le cas de la céramique (109). Et l'on pouvait certainement compter sur le bon sens des propriétaires d'officines pour éviter les mises de fonds lourdes et d'une rentabilité incertaine. En plein XIXe siècle, Alexandre Brongniart déconseille encore, pour faire des briques, l'emploi d'une machine (mue par un cheval), car outre son coût d'achat, d'installation et d'entretien, elle entraîne des investissements supplémentaires (aires de séchage, de stockage, etc.) et des risques de chômage; il préconise plutôt les petites équipes à base familiale, qui n'exigent qu'une faible mise de fonds et évitent les risques de surproduction (110).

3. — Liens entre l'agriculture et l'artisanat

J'ai déjà évoqué certaines facettes de ce problème particulièrement discuté; d'autres aspects peuvent maintenant être envisagés.

a) Topographiquement, je constate que, pour la période républicaine à partir de la deuxième guerre punique:

— Les productions qu'un personnage de haut rang peut se permettre de revendiquer (en y apposant sa marque) sont localisées hors des agglomérations, même lorsqu'il s'agit de grandes officines dont nous savons que les produits ont été exportés. C'est le cas des ateliers d'amphores d'Apani, d'Ischia, et des environs de Sinuessa, de Terracine et de Cosa (111), et d'une infinité d'ateliers de

---

p. 292. Nous renvoyons également à divers exemplês précédemment mentionnés, comme les ateliers de garum de A. Umbricius Scaurus. - Sur les problèmes de coercition, essentiels dans la société esclavagiste, voir A. Carandini, *L'anatomia della scimmia...*, *op. cit.*, pp. 148 et 169.

(107) E. Lepore, *Per una storia economico-sociale di Neapolis*, art. cité, p. 313.

(108) R. Rémondon, *Le monde romain*, dans *Histoire générale du travail, op. cit.*, I, p. 345.

(109) Chr. Goudineau, *La céramique dans l'économie de la Gaule*, dans *Les potiers gaulois (Les dossiers de l'archéologie*, 6, sept.-oct. 1974), p. 106; J.-P. Morel, *Aspects de l'artisanat dans la Grande Grèce romaine*, art. cité, p. 275; J.-P. Jacob et H. Leredde, *Un aspect de l'organisation des centres de production céramique...*, art. cité, pp. 89-90.

(110) A. Brongniart, *Traité des arts céramiques, ou des poteries considérées dans leur histoire, leur pratique et leur théorie*, 3e éd., Paris, 1877, pp. 324-325 et 331 («il faut une réunion rare de circonstances favorables pour qu'une briqueterie fondée sur l'emploi d'une grande et bonne machine applicable en même temps à la fabrication des tuiles et des carreaux soutienne la concurrence d'un briquetier qui, sans presqu'aucun frais, avec sa femme, ses enfants et le secours de quelques ouvriers ambulants qui viennent lui offrir leurs bras dans le temps convenable, peut faire, dans la saison, près de 2.000.000 de briques»).

(111) Apani: B. Sciarra, *Alcuni bolli anforari brindisini*, dans *Epigraphica*, 28, 1966, p. 122; Ead., *Ricerche in contrada Apani, agro di Brindisi*, dans *Recherches sur les amphores romaines* (Coll. de l'Ecole Française de Rome, 10), Rome, 1970, p. 29-34; P. Baldacci, *Importazioni cisalpine e produzione apula, ibid.*, p. 25. - Ischia: G. Buchner et A. Rittmann, *Origine e passato dell'isola d'Ischia, op. cit.*, pp. 58-59. - Environs de Sinuessa et de Terracina: A. Hesnard, *Note sur un atelier d'amphores Dr. 1 et Dr. 2-4 près de Terracine*, dans *MEFRA*, 89, 1977, 1, pp. 157-168; Ead. et Ch. Lemoine, *Les amphores du Cécube et du Falerne. Prospections, typologie, analyses*, dans *MEFRA*, 93, 1981, 1, pp. 243-295. - Environs de Cosa: D. Manacorda, *Produzione agricola, produzione ceramica e proprietari nell'ager Cosanus nel I a.C.*, art. cité, pp. 13-22. - A. Tchernia observe qu'en Tarraconaise chaque four d'amphores semble dépendre d'une *villa* (*Les amphores vinaires de Tarraconaise et leur exportation au début de l'Empire*, dans *AEA*, 44, 1971, p. 75); pour la localisation extra-urbaine des fours

tuiles et de briques (112).

— Les autres productions en revanche - celles qu'on n'avoue pas, et qui sont dépourvues de marques même lorsqu'elles auraient pu en porter et arriver jusqu'à nous (comme la céramique «fine») - sont localisées, quand il s'agit de grandes officines dont nous savons que les produits ont été exportés, dans des agglomérations: campanienne A à Naples, campanienne B-oïde à Calès, fer à Pouzzoles, colorants à Pouzzoles encore (113).

b) Plus généralement, une sorte de vulgate que presque personne ne discute veut que la production artisanale, ou industrielle, soit pour l'époque considérée un sous-produit de l'agriculture, qu'elle dépende totalement de la propriété foncière, qu'elle repose toujours sur les surplus de l'activité agricole, et qu'enfin la seule «activité principale» que l'on puisse prêter aux membres des oligarchies soit celle de propriétaire foncier (114). C'est sûrement presque toujours vrai; mais l'est-ce absolument toujours? Et ne peut-on supposer qu'il y a une bourgeoisie «industrielle», c'est-à-dire des «bourgeois» investissant dans la production artisanale et en tirant le plus clair de leurs revenus?

Si on reconnaît parfois cette possibilité pour une bourgeoisie mercantile (115), on la nie généralement quant à une bourgeoisie «industrielle» (116). Mais je ne suis pas éloigné de penser que cette possibilité a pu exister, et que Vestorius (dont nous ignorons les éventuels revenus agricoles), et peut-être Umbricius Scaurus (117), ou Vergilius Eurysaces, ont pu être les représentants d'une telle bourgeoisie, et avec eux beaucoup d'autres dont nous ne saurons jamais les noms pour les raisons que

---

des amphores à huile de Bétique, voir M. Ponsich, *Nouvelles perspectives sur l'olivier du Bas-Guadalquivir dans l'Antiquité,* dans *Producción y comercio del aceite en la antigüedad,* Madrid, 1981, carte de la p. 52.

(112) Par exemple, des ateliers de tuiles et de briques ont été trouvés dans deux des trois *villae* fouillées près de Blera par E. Berggren (*A New Approach to the Closing Century of Etruscan History: a Team-Work Project,* dans *Arctos. Acta Philologica Fennica,* n.s., 5, 1967, pp. 29-43). - Sur la déconcentration des ateliers de tuiles et de briques, cf. J.-P. Morel, *Aspects de l'artisanat dans la Grande Grèce romaine,* art. cité, pp. 283-284.

(113) J.-P. Morel, *ibid.,* p. 320.

(114) Liaison production de vin-production doliaire: M. Steinby, *La produzione laterizia,* art. cité, p. 271. - Dépendance de l'industrie par rapport à la propriété foncière: cf. K. Marx, cité par A. Carandini, *L'anatomia della scimmia...,* op. cit., p. 42: «L'industria è completamente dipendente dalla proprietà fondiaria, come presso i Romani più antichi» (cette dernière restriction, il est vrai, n'est pas sans importance dans la perspective de la période que nous considérons: voir du reste A. Carandini, *ibid.,* p. 154); cf. aussi les propos de Quesnay cités *ibid.,* p. 183. - Industrie reposant sur les surplus ou les capitaux de l'agriculture: G. Pucci, *La produzione della ceramica aretina...,* art. cité, p. 292 (pour qui la base économique des grands producteurs de céramique arétine «non può essere stata all'origine che una sola: la terra»; mais ce «à l'origine» pose implicitement, sans le développer, le problème, réel, de savoir si *en définitive* la manufacture n'a pas pu en certains cas devenir *aussi* une «base économique»); E. Lepore, dans *La Magna Grecia nell'età romana, Atti del XV Convegno di Studi sulla Magna Grecia, op. cit.,* p. 373; ID., dans *L'instrumentum domesticum di Ercolano e Pompei..., op. cit.,* p. 181; C. Pavolini, *Una produzione italica di lucerne...,* art. cité, p. 110 (mais peut-on penser que la production *des lampes* est «sempre basata su un surplus derivante dall'attività agricola»?). - Agriculture comme «activité principale» des oligarques: J. Andreau, *Les affaires de Monsieur Jucundus, op. cit.,* p. 298.

(115) A. Carandini, *L'anatomia della scimmia..., op. cit.,* p. 236.

(116) G. Pucci, *La produzione della ceramica aretina...,* art. cité, p. 293. Si J.E. Skydsgaard estime que «many of the well-to-do» investissaient dans l'industrie (*The Desintegration of the Roman Labour Market...,* art. cité, p. 45), il ne va pas jusqu'à supposer que certains d'entre eux en tiraient l'essentiel de leurs revenus. - Notons que P. Baldacci, pour qui les timbres amphoriques se rapportent, plutôt qu'à des fabricants, aux propriétaires des *fundi* auxquels étaient annexées les *figlinae,* se demande cependant «se non fosse sviluppata [en Apulie] una tradizione artigianale in una certa misura indipendente dalla produzione agricola» (*Importazioni cisalpine e produzione apula,* art. cité, p. 16). C'est là l'hypothèse extrême jusqu'à laquelle la science actuelle s'aventure dans ce domaine.

(117) S'il est vrai, comme l'observe J. Andreau (*Les affaires de Monsieur Jucundus, op. cit.,* p. 298), que «rien ne permet de voir en lui le représentant d'une oligarchie industrielle qui puisse être séparée de l'oligarchie foncière», il est vrai que rien non plus, jusqu'à plus ample informé, ne l'interdit. Le garum, dont s'occupait Umbricius, est un produit indépendant de l'agriculture.

j'ai dites: qu'on pense par exemple, toujours à Pouzzoles, mais pour une période immédiatement postérieure à la nôtre, à l'importante production du verre (118).

c) Psychologiquement, enfin, nous observons qu'une production n'est reconnue, et éventuellement signée, qu'en tant qu'elle entretient avec la propriété foncière quelque rapport, fût-il assez factice, comme dans le cas des briqueteries.

4. — Problèmes éthiques et mauvaise conscience

Les considérations éthiques sont importantes non seulement en elles-mêmes, mais aussi en ce qu'elles expliquent le filtrage des traces que l'activité exercée peut laisser, et dont l'archéologie s'empare (ou est obligée de se passer). Entre le *quaestus omnis patribus indecorus visus* par lequel Tite-Live motive la *Lex Claudia* de 219/218 (119) et le *nec quicquam ingenuum habere potest officina* du *De Officiis* (120) - c'est-à-dire précisément tout au long de la période qui nous intéresse ici -, il est évident que le problème s'est souvent posé (121), et que bien des arrangements sont intervenus. Ces problèmes, ces arrangements, se traduisent entre autres par la savante gradation établie par Cicéron entre les diverses sources de profit, ou par la maxime de Crassus selon laquelle «tout doit être pris en main par les esclaves, et ces derniers par le maître» (122): quelle meilleure définition antique que celle-ci pourrait-on d'ailleurs trouver pour le mode de production esclavagiste?.

Monsieur Jourdain n'aimait pas qu'on rappelât que son père avait été drapier: il préférait qu'on dît qu'il rendait service à ses amis pour de l'argent (123) (ce qui, soit dit en passant, se pratiquait constamment dans l'entourage de Cicéron). *Mutatis mutandis*, nos bourgeois gentilshommes des deux derniers siècles de la République font de même, en ce qui concerne la production artisanale, et notamment la leur propre (124).

* * *

En approfondissant ce sujet, j'ai été de plus en plus sensible à l'existence d'un double secteur dans l'activité artisanale de la période considérée.

---

(118) Sur l'importance considérable de la consommation - et donc de la production - du verre, voir J.-P. Morel, *La ceramica e il vetro*, dans *Pompei 79* (F. Zevi, éd.), 1ère éd. hors commerce, Naples, 1979, pp. 255-261. Comme le garum, le verre est, quant à ses matières premières (sur lesquelles cf. Pline, *N.H.*, XXXVI, 193), indépendant de l'activité agricole.

(119) Tite-Live, XXI, 63, 4. - Sur cette loi, voir en dernier lieu J. Andreau, *Economie, société et politique aux deux derniers siècles de la République romaine. Réponse à Yvon Thébert*, dans *Annales E.S.C.*, 35, 1980, 5, p. 914.

(120) Cicéron, *De off.*, I, 150.

(121) Voir aussi, plus tard, l'expression caractéristique qu'emploie Pline (*N.H.*, XXXV, 197) lorsqu'il évoque les techniques de la teinturerie: *neque enim pigebit hanc quoque partem attingere*. Et s'il se résout, toute honte bue, à aborder ce sujet, c'est bien parce qu'il peut se retrancher derrière le précédent de la *lex Metilia de fullonibus*!

(122) Plutarque, *Crassus*, II, 7.

(123) Molière, *Le bourgeois gentilhomme*, acte III, scène 12, et acte IV, scène 3.

(124) Très significative à cet égard est l'affirmation de J. Andreau, *Les affaires de Monsieur Jucundus, op. cit.*, p. 298, à propos de A. Umbricius Scaurus: «ce n'est pas un "fabricant de garum", c'est un membre de l'aristocratie municipale qui s'occupe aussi de diriger une fabrique de garum». A comparer avec Molière, *Le bourgeois gentilhomme*, acte IV, scène 3: [Covielle, parlant du père de Monsieur Jourdain]: «Luy marchand! C'est pure médisance, il ne l'a jamais esté. Tout ce qu'il faisoit, c'est qu'il estoit fort obligeant, fort officieux; et comme il se connoissoit fort bien en étoffes, il en alloit choisir de tous les costez, les faisoit aporter chez luy, et en donnait à ses amis pour de l'argent». [Monsieur Jourdain]: «Je suis ravy de vous connoistre, afin que vous rendiez ce témoignage-là que mon père estoit gentilhomme».

LES PRODUCTEURS DE BIENS ARTISANAUX

Le premier est celui des productions *avouables*, même par les gens de la très haute société. Celles, par exemple, où ils apposaient leur nom, comme l'*opus doliare*. En un mot, celles qui étaient proches de l'agriculture, ou plus exactement de la propriété foncière - ou considérées comme telles, par un mécanisme mental qui, certes, mériterait d'être plus clairement défini. Celles, en somme, qui se trouvaient être, pour reprendre l'expression précitée de Cicéron, «dignes d'un homme libre» (125).

L'autre secteur est celui des productions artisanales - très importantes, les plus importantes peut-être - qu'avouaient, éventuellement et rarement, quelques petits bourgeois, et que pratiquaient, ou plutôt faisaient pratiquer sans doute, bien d'autres personnages de haut rang, mais d'une façon si anonyme, si voilée, que nous aurons à leur sujet toutes les peines du monde à remonter des productions aux producteurs.

JEAN-PAUL MOREL

---

(125) Cicéron, *De off.,* I, 150. Voir déjà en ce sens T. Frank, *Vergil, a Biography,* New York, 1922, pp. 9-10; M.I. Finley, *L'économie antique, op. cit.,* p. 73.

STRUTTURE SOCIALI E POLITICA ROMANA
IN ITALIA NEL II SEC. A.C.

Intendo presentare alla vostra attenzione una serie di riflessioni relative alle condizioni sociali e politiche esistenti all'interno delle colonie latine e degli stati italici alleati di Roma nel corso del II e del I sec. a.C. Queste osservazioni derivano tanto da un ripensamento di casi ben noti, quanto dall'interpretazione di alcuni testi che, per quanto mi è noto al momento, non sono di regola inseriti nella discussione dei problemi che qui ora ci interessano.

I. Come è ben testimoniato dalla tradizione antica, all'interno delle colonie latine veniva stabilita dalle leggi istitutive delle colonie, e quindi per decisione precisa del governo romano, una rigida divisione in classi di censo. Il dislivello sociale era spesso assai forte e veniva ottenuto mediante una differente assegnazione di terreno ai coloni.

È ovvio che la classe dirigente coloniaria, nella quale in taluni casi (per es. a Brundisium) potevano essere inseriti elementi di preesistenti aristocrazie, veniva a trovarsi fin dall'inizio in una fortissima posizione di privilegio, resa ancor più evidente dal fatto che spesso passavano anni prima che la colonia funzionasse, con i suoi organi politici, in modo autonomo (*Athenaeum,* 1958, pp. 90 s.). La forte discrepanza fra i lotti di terra assegnati nella colonia latina di Aquileia, che distinguevano tre classi di censo, con rispettivamente 140, 100 e 50 iugeri di terra, dimostra che le due prime classi erano praticamente irraggiungibili dai coloni della terza classe sul piano economico, sociale e politico. Si può anche avanzare l'ipotesi che la provenienza dei coloni non fosse omogenea: nella terza classe saranno stati arruolati come coloni anche alleati italici e forse elementi veneti; le prime due classi avranno meglio rispecchiato una provenienza romana o latina (forse è questa la ragione vera per la quale dopo lunga discussione in Senato si decise che la colonia da dedursi fosse di diritto latino e non di cittadini).

La posizione di netta distinzione politica all'interno delle classi di una colonia latina può essere probabilmente dimostrata da un dato archeologico. Nella colonia latina di Cosa l'indagine archeologica nel *forum* ha ritrovato tre spazi separati per le votazioni (che salgono a cinque dopo il supplemento del 197 a.C.) che devono corrispondere a tre poi cinque categorie di cittadini che votano in tre classi censitarie (F.G. Brown, *Cosa,* 1980, pp. 24-25, 32-33; M. Crawford, *JRS,* 71, 1981, p. 155): le due prime, anche se numericamente molto inferiori alla terza, avranno avuto la maggioranza delle sezioni di voto (come nei comizi centuriati a Roma). In altri termini, il governo romano si preoccupava di mantenere inalterata la composizione e la capacità economico-politica delle classi alte nelle colonie, sulle quali fidava. E non è affatto da escludere che le stesse leggi istitutive delle colonie contenessero clausole precise in questo senso. Penso che un confronto assai importante possa essere stabilito con le norme, dovute a patroni romani appositamente incaricati, vigenti in talune città siciliane, che garantivano una particolare composizione dei senati locali e anche dei *genera* dei cittadini. I casi sono ricordati da Cicerone, *II Verr.,* II, 120-125 e si riferiscono ad Agrigentum, Heraclea e Halaesa (*Athenaeum,* 1959, pp. 304-320). Queste norme ripetevano molto probabilmente modelli coloniari romani.

II. La distinzione politica e sociale si traduceva anche in una differenza di insediamento. Come sappiamo da testi legislativi (*Lex mun. Tar.,* 26 ss., *lex col. Genet.,* cap. 91), la classe dirigente doveva abitare nella città; gli altri coloni saranno stati dispersi nella *pertica* della colonia, come puntualmente dimostra la più avveduta indagine topografica (P. Tozzi, *Storia padana antica,* 1972, pp. 17 e 22, per

Cremona e Placentia; M. Frederiksen, *Hellenismus in Mittelitalien,* II, Göttingen, 1976, p. 342; P. Garnsey, *PCPS,* 25, 1979, pp. 1 ss.).

È in questa prospettiva, penso, che dovrebbe essere affrontato il problema dei cittadini *intramurani* e *extramurani.* In ogni modo, i coloni che abitavano nella campagna, probabilmente la maggioranza, erano a contatto con gli indigeni, nei casi frequentissimi in cui essi non erano stati eliminati. Questi ultimi sono gli *accolae* (*qui iuxta coloniam agros accolunt: Comm. Bern. Lucan.,* IV, 398) ben noti per le colonie nella Cisalpina (per i Galli presso Placentia e Cremona: Liv., XXI, 39, 5; XXVIII, 11, 10; XXXVII, 46, 10; cfr. X, 2, 9,), per i quali saranno state formate delle "riserve" nei terreni certamente meno fertili. P. Tozzi ritiene con fondamento di essere in grado di distinguere queste localizzazioni indigene nel territorio della colonia latina di Placentia. Se gli *incolae Samnites* della colonia latina di Aesernia (La Regina, *DdA,* IV-V, 1971, p. 327) sono resti della popolazione precedente la colonia, questi avevano conservato una qualche forma di autonomia nell'ambito delle nuove realtà amministrativa. Questi indigeni erano una preziosa riserva di mano d'opera. I maggiorenti di Aquileia, intestatari di proprietà di proporzioni "catoniane" dovevano certamente dipendere da mano d'opera locale per far lavorare i propri campi: saranno forse stati indigeni, come i Carni e Catali, poi attribuiti a Tergeste?

Il problema era già stato individuato da E. Pais, quando aveva studiato la romanizzazione della Liguria e della Transpadana (*Dalle Guerre Puniche a Cesare Augusto,* II, 1918, pp. 560 ss.). Ora anche F. De Martino accenna alla presenza di forme di lavoro subordinato indigeno nello sfruttamento dell'agro pubblico, anche come eredità in età romana di situazioni precedenti (si pensi poi per la Liguria alla *sententia Minuciorum* e allo studio di E. Sereni). In altri termini l'affermazione di Polibio, II, 35, 4, che gli abitanti precedenti in Cisalpina erano stati espulsi non può nè deve essere generalizzata. Caso mai si sono avuti casi di spostamenti di popolazioni, come nel caso degli Statielli, forse spostati in area mantovana (Liv., XLII, 22, 5-6: G. Luraschi, *Annali Benacensi,* 7, 1981, pp. 73-80). Vale anche la pena di ricordare che nella zona di Derthona (dove secondo Kolendo potrebbe essere localizzata l'azienda agricola dei Sasernae alla fine del II sec. a.C.) sono poi testimoniati ancora nel 43 a.C. *ergastula,* che Antonio apre (Cic., *Fam.,* XI, 10, 3; 13a, 2): forse indizio importante dall'ampiezza dei lotti assegnati.

III. La situazione in Gallia Cisalpina (e meglio si direbbe in Transpadana) può essere illustrata con l'ausilio di alcuni testi. Polibio, II, 17, 11-12, descrivendo la società celtica in questa area, supergiù come la troverà un secolo dopo Cesare nella Transalpina, insiste sulla presenza di clans clientelari, nei quali a capi socialmente, economicamente e politicamente preminenti sono subordinati e sottoposti gruppi di sudditi. Si noti che la grande fertilità della zona, che impressionò Catone e Polibio, e la ricca produttività non devono essere solo l'effetto della colonizzazione romana, ma una condizione largamente preesistente.

Il caso di Vicetia descritto nel 43 a.C. da Dec. Bruto in una lettera a Cicerone (*Fam.,* XI, 19, 3) è illuminante nello stesso senso.

Dice il testo: *Vicentini me et M Brutum praecipue observant. His ne quam patiare iniuriam fieri in senatu vernarum causa a te peto. Causam habent optimam, officium in re publica summun, genus hominum adversariorum seditiosum et inertissimum* (opp. *incertissimum*). I commenti di Tyrrell - Purser (VI, 1899, DCCCLXXV) e di Shackleton Bailey (II, 1977, p. 340) non aiutano molto. Bisogna considerare che con *vernae* si allude qui a 'indigeni, nativi': L. Valmaggi, *Atti Acc. Torino,* 58, 1923, pp. 583-4; C.G. Starr, *Cl. Phil.,* 37, 1942, pp. 314-317. Il termine è di probabile origine etrusca: E. Benveniste, *REL,* 10, 1932, pp. 435-7. La situazione alla quale Dec. Bruto allude può essere intesa in questo modo: gli indigeni, tradizionalmente in condizione subordinata ai cittadini di Vicetia (colonia latina dall'89 a.C.), hanno con questi ultimi ottenuto la cittadinanza romana nel 49 a.C. e sono venuti a trovarsi in condizioni di "parità" con i precedenti 'padroni'. Come avevano intuito Tyrrell e Purser, questa parità deve aver sconvolto i precedenti rapporti anche riguardo alla proprietà della terra e creato difficoltà, per le quali i Vicetini, cioè gli abitanti della città di contro agli altri che avranno abitato la campagna, cercano di ricorrere a Roma, al Senato, fidando nell'appoggio dei loro patroni della *gens Iunia*. I *vernae* sono naturalmente descritti in modo spregiativo. È la stessa situazione che si era venuta determinando a Larinum quando i Martiales avevano ottenuto la *civitas* (Cic., *Cluent.*, 43) con lo sdegno dei benpensanti; è soprattutto la medesima situazione che, su ben più vasta scala, si era verificata in ambito etrusco, quando i *servi*, ottenuta la *civitas romana*, si trovarono nella stessa condizione giuridica dei *domini* (si pensi all'interpretazione della profezia di Vegoia proposta da J. Heurgon, *JRS*, 49, 1959, pp. 41 ss.).

Il problema, così prospettato, propone una revisione, anche in termini di storia sociale, dell'istituto dell'*adtributio*, diffuso proprio in concomitanza con la concessione del diritto latino nell'89 a.C. alla città della Traspadana. Certamente si intuisce, nel caso di Vicetia, il contrasto che si verifica nel momento del passaggio da strutture socio-politiche di tipo etrusco o celtico a quelle caratterizzate dal diritto romano. I Dripsinates erano forse una comunità *adtributa* a Vicetia (Fraccaro, *Opuscula*, III, pp. 245 ss.).

È difficile determinare chi fossero e dove abitassero gli Inalpini contro i quali Dec. Bruto nello stesso 43 a.C. condusse una campagna (Cic., *Fam.*, XI, 4).

Il caso dei *vernae* di Vicetia, se la spiegazione proposta è accettabile, può aiutare a capire il caso di Titiro nell'ecloga I di Virgilio (datata al 41-40 a.C.): perchè va a Roma a ottenere la libertà? J. Heurgon , *Cahiers de Tunisie*, 15, 1967 = Mélanges Saumagne, 39-45 aveva acutamente supposto la sopravvivenza nell'area di Mantova di strutture sociali e agrarie di tipo etrusco: come anche in Etruria i ceti subalterni avevano un qualche diritto ad una forma di proprietà, che non era di tipo 'quiritario'.

L'introduzione del diritto romano con la *civitas* nel 49 aveva creato complessi problemi di adeguamento. La spiegazione è preferibile all'altra, del pari acuta, di P. Veyne, *Rev. Phil.*, 1980, pp. 245 ss., che aveva proposto di vedere in Titiro un *servus colonus* di Ottaviano. Questa persistenza di strutture indigene ancora nel I sec. a.C. avanzato in Transpadana si concilia bene con la teoria di G. Luraschi di una tarda romanizzazione di questa area (*Studi Rittatore Vonwiller*, II, 1980, pp. 207 ss.).In ambito più generale andranno valutate attentamente le fondazioni augustee della Cisalpina che portano nel loro nome un etnico indigeno.

In età precedente, secondo la testimonianza di Livio, XLI, 27, 3-4, dei torbidi di carattere sociale a Patavium avevano richiesto l'intervento armato di Roma, certamente su richiesta della classe alta (siamo al 175 a.C.). L'intervento era pienamente legittimo, perchè era certamente previsto nel *foedus* fra Roma e Patavium, così come lo era stato quello del 265 a.C. a Volsinii per reprimere una presa di potere da parte di servi (Zon., VIII, 7,4).

IV. L'analisi, per quanto è possibile allo stato della nostra documentazione, dei *foedera* stretti da Roma con le comunità alleate aiuta a comprendere meglio anche la struttura sociale interna di quelle comunità, e non soltanto gli intenti della politica di Roma. Cicerone, *pro Balbo*, 32 ricorda l'esistenza di trattati con Cenomani, Insubres, Helvetii e Iapudes, e con altre popolazioni della Gallia (Transpadana) nei quali era fatto espresso divieto a Roma di concedere la cittadinanza romana ad appartenenti alla comunità alleata. Questi trattati si collocano fra il 197 e il 104 a.C. (G. Luraschi, *Foedus Ius Latii Civitas*, Pavia, 1979, pp. 41 ss.). Prima, ovvia conclusione è che in altri casi tale concessione era prevista e forse anche abbastanza normale. In questi casi il divieto sembra indicare che la concessione della *civitas* era considerata non desiderabile, e quindi un 'danno', per la comunità alleata. Non credo che tale divieto volesse impedire che membri delle classi al potere in quelle comunità divenissero *cives*: credo, per contro che si volesse evitare che un appartenente alle classi inferiori, subordinate, potesse ottenere la cittadinanza romana e acquistare così una posizione e dei diritti che, nella sua comunità di appartenenza, avrebbero leso la struttura sociale esistente.

43

La concessione della *civitas* avrebbe automaticamente riconosciuto loro una posizione di parità anche sul piano economico e sociale con i loro dirigenti: proprio quella situazione che si deve essere verificata dopo il 49 a.C. Un esempio in questo senso è ben noto. Il decreto di Emilio Paolo (*CIL* I², 614 = *ILLRP*, 514) che rende liberi i *servei* degli Hastenses, i quali abitavano una enclave nel territorio di questa comunità, e che concede loro l'insediamento abitativo (*oppidum*) e la terra che già lavoravano, è chiaramente una misura punitiva per gli Hastenses (siamo al 190-189 a.C.).

Quei *servei* non diventano *cives,* ma per contro ottengono la cittadinanza romana i cavalieri Hispani della *turma Salluitana* del decreto di Pompeo Strabone (*CIL* I², 709 = *ILLRP, 515*). Questo testo ci indica la ragione e il modo per i quali i Romani avrebbero potuto concedere la cittadinanza ad appartenenti alle comunità galliche sopra citate: queste dovevano fornire contingenti militari, in base ai *foedera.* Tali forniture sono bene testimoniate sia per il II sec. a.C., sia per il I: Liv., XLI, 1, 8 (guerra Istrica: *Catmelus regulus praeerat tribus haud amplius milibus armatorum:* si tratta di contingenti gallici); Liv., XLI, 5, 5 (*M. Iunius consul transire in Galliam et ab civitatibus provinciae eius, quantum quaeque posset militum exigere iussus;* siamo al 178 a.C.). La caratteristica strutturale tribale di questi reclutamenti è ancora testimoniata in età imperiale dalla presenza di *principes* di gruppi etnici alla testa di contingenti arruolati nelle loro terre (Trumplini, Sabini: U. Laffi, *Adtributio e Contributio,* Pisa, 1966, pp. 28 e 54). Per la presenza di truppe galliche durante la Guerra Sociale: App., *b.c.,* I, 177; 188-89; 219-220; *CIL* I², 864; Plut., *Sert.,* IV, I.

La clausola dei trattati, che Cicerone ricorda, impediva ai Romani di concedere la cittadinanza a guerrieri gallici per atti di valore, appunto per la ragione sopra indicata: per rispettare la particolare situazione sociale e politica che reggeva quelle comunità.

V. La preoccupazione costante di conservare l'identità politica e le capacità economiche delle classi alte deve essere stata la linea direttrice della politica romana verso le comunità italiche e le colonie latine nel corso del II sec. a.C. In tal modo Roma intendeva mantenere la stabilità e la posizione di predominio dei propri interlocutori, sui quali si fondava perchè essi rappresentavano la garanzia dell'esecuzione degli ordini e degli impegni assunti nei trattati di alleanza. Il coinvolgimento negli interessi che derivavano dalla politica di espansione e di sfruttamento, anche se a livello diseguale, era pur sempre cospicuo e spiega la sostanziale fedeltà degli alleati di Roma, che andò crescendo dopo le misure punitive che avevano tenuto dietro alla Guerra Annibalica. Fu la generale crisi di trasformazione della società romano-italica nel corso del secolo che finì per mettere in discussione l'assetto stesso basilare delle alleanze e aggravò sulle classi elevate italiche il peso della politica imperiale. Il rimedio proposto dalla legge agraria di Tib. Gracco per cercare di rimediare alla decadenza delle classi medie e piccole contadine, vale a dire il recupero di parte dell'agro pubblico occupato e la redistribuzione ai proletari in piccoli lotti, venne a danneggiare gravemente gli interessi dei possessori alleati, latini e italici, che fra l'altro dovevano essere riconosciuti e garantiti dai *foedera.* Fu in queste circostanze che si pensò di placare l'ostilità dei possessori italici verso la legge concedendo ad essi la cittadinanza romana (App., *b.c.,* I, 86; 152: 125 a.C.). La proposta del console M. Fulvio Flacco conteneva anche un'alternativa: chi non fosse stato interessato alla cittadinanza avrebbe potuto ricevere il *ius provocationis* (Val. Max., IX, 5, 1). Forse il desiderio di ricevere la cittadinanza non era ancora generale.

Interessa a noi, ora, ricordare che la stessa alternativa, con maggior articolazione, si ritrova nelle leggi *de repetundis* di quello stesso periodo come ricompensa al non-romano che avesse sostenuto con successo un'accusa in un processo: *Lex repet.,* linn. 76-79 (123-122 a.C.); *Frag. Tarentin.,* lin. l. ss.

Secondo l'interpretazione che ritengo più probabile, la prima alternativa, cioè la concessione della *civitas romana,* si riferisce in questi testi genericamente a tutti i non-romani, latini e italici, e concede loro e ai loro discendenti appunto la *civitas* con *suffragium* e la *vacatio militiae.* Con quest'ultimo privilegio i nuovi cittadini erano praticamente autorizzati a rimanere nelle loro sedi originali. La seconda alternativa si riferiva anch'essa alla stessa categoria di persone, latini e italici.

Oltre alla *provocatio,* concedeva loro la *vacatio militiae munerisque publici, l'immunitas* e la scelta del foro giudiziario a Roma o nella loro città. L'alleato che avesse scelto questa possibilità era sollevato dai pesi della milizia, delle funzioni pubbliche e dalle tasse. Ma da questa seconda alternativa erano esclusi coloro che nelle proprie città fossero stati magistrati, vale a dire gli appartenenti alle classi di censo più elevate. Essi erano quindi praticamente costretti a scegliere la prima alternativa, che non contemplava la *vacatio muneris.* In altri termini anche per questa via il governo romano si preoccupava di non privare della classe dirigente tradizionale le comunità alleate, per le quali preferiva di fatto riconoscere una sorta di doppia cittadinanza. E infatti è dello stesso periodo (124 a.C.?: Tibiletti, *Rend. Ist. Lomb.,* 86, 1953, pp. 45 ss.) la norma che concedeva la cittadinanza romana ai magistrati delle colonie latine: anche in questo caso ammettendo di fatto una doppia cittadinanza, perchè non è da credere che Roma volesse decapitare i suoi più fedeli alleati delle loro classi dirigenti.

Penso che tutti questi provvedimenti venissero presi dal governo romano in piena legittimità, perchè i *foedera* con gli alleati e le leggi istitutive delle colonie latine, come già sopra ho detto, dovevano permettere al governo romano una latitudine di interventi negli affari interni dei *socii* e dei Latini, proprio per garantire la solidità della classe al potere.

EMILIO GABBA

LE MONETE ROMANE NELLE REGIONI D'ITALIA

Non si potrebbe, in una relazione di venti minuti, affrontare tutti i problemi della penetrazione della moneta romana nelle varie regioni dell'Italia antica. Mi sembra però auspicabile, anche partendo da una base limitata, arrivare a conclusioni concrete che possano suscitare discussione e presentare modelli utili nel contesto di questo colloquio.

Vorrei allora scegliere due zone con una certa rassomiglianza fra di loro ma con una storia monetaria, economica e culturale ben diversa e una fortuna politica ancora più diversa. Le due zone per così dire paradigmatiche per questa relazione sono il Sannio interno e le zone, anche di montagna, più al nord, dei Sabini, Vestini, Praetuttii e Piceni.

Tutte le due zone sono zone che in epoca classica e anche dopo, fino al terzo secolo avanzato, sono relativamente chiuse. Mentre nella Frentania, almeno a Larino, nella Puglia, nella Lucania e nel Sannio campano vediamo diffondersi monete greche e oggetti di lusso di importazione greca e assistiamo all'inizio di processi di urbanizzazione e alla creazione in diversi centri di una monetazione propria, nel Sannio interno e nella zona al nord della conca del Fucino i centri indigeni non battono moneta e l'urbanizzazione è un fenomeno piuttosto tardo, messa a parte la colonizzazione romana; né usano queste zone monete di importazione; e ritrovamenti di bronzi o vasi venuti da fuori sono rari.

Per riassumere l'argomento della mia relazione, mi sembra che l'apertura delle zone in questione sia il risultato del loro coinvolgimento nella struttura politica dell'Italia romana e, di conseguenza, nella guerra sotto il comando romano. La prima moneta che arriva in tutte e due le zone è la moneta romana, sola o in associazione con altre monete. Più tardi, comunque, le due regioni seguono strade molto diverse. Secondo quanto sembra emergere dall'evidenza dei ripostigli e ritrovamenti monetari, l'afflusso di numerario nel Sannio interno è più notevole e l'apertura al mondo Mediterraneo più larga. Con questa apertura coincidono gli inizi di un processo di urbanizzazione, poi interrotto per volontà di Silla, e una certa corrente di ellenizzazione. Ma non segue una penetrazione nel senato romano della nobiltà sannitica, mentre dal Sabinum, dai Vestini, dai Praetuttii e dal Picenum arrivano a Roma membri futuri del senato in numero sempre crescente. Ovviamente, c'è una certa ironia nel fatto che proprio Roma abbia introdotto l'uso della moneta nel Sannio interno e che il numerario tesaurizzato dalla élite sannitica sia stato romano; il contesto dello sfruttamento dell'impero da parte di *negotiatores* del Sannio era indubbiamente un contesto romano, anche se emergevano legami indipendenti fra il Sannio e l'Oriente e se l'ellenizzazione del Sannio conosceva uno sviluppo diverso da quello romano.

Le conclusioni, devo dirlo, sono già probabili *a priori*, cioè che fattori politici possono determinare anche cambiamenti di sistemi monetari e, di conseguenza, preparare uno sviluppo economico, che due regioni pur avendo lo stesso sistema monetario possono avere diverse storie nel campo dell'economia e che dalla fioritura economica del Sannio interno nel secondo secolo non segue contatto politico più stretto con Roma.

È necessaria a questo punto una premessa metodologica. Il fatto, per esempio, che una moneta trovata a Pietrabbondante sia del quarto secolo a.C. non presuppone per nulla che questa moneta sia arrivata a quell'epoca. Un ripostiglio del terzo secolo a.C. può benissimo contenere monete del quarto, sicché una singola moneta del quarto secolo nel Sannio può sempre considerarsi un pezzo superstite di una serie di monete penetrate solo nel terzo secolo. Da questo punto di vista è importante notare che il carattere del numerario circolante in Italia cambia durante gli anni fra il 225 e il 200 a.C. Fino a questo periodo circolano insieme monete di città greche o grecizzanti del quarto secolo in poi e moneta romana o coniata su un modello romano. Dalla fine del secondo secolo in poi circola quasi esclusivamente numerario romano; le eccezioni sono di poca rilevanza, le monete di Paestum da un lato, un fenomeno che mi sembra più curioso adesso che non dieci anni fa, dall'altro lato le monete delle città elleniche di Velia e di Eraclea (1).

Il 200 a.C. è di conseguenza il *terminus ante quem* per l'arrivo di monete greche del quarto o del terzo secolo nel Sannio.

La chiusura relativa delle zone che qui m'interessano sembra chiara. Certi contatti ovviamente c'erano. Così, per esempio, a Pietrabbondante le ben note paragnatide del deposito votivo hanno, a quanto sembra, forse una provenienza tarentina (2); ma vengono intese o come bottino o come l'acquisto di mercenari sanniti. Né ci offrono una testimonianza di contatti stretti col mondo greco i tentativi a Capestrano e altrove di creare una scultura monumentale. Il quadro generale sembra accettabile.

Passando poi a considerare l'evidenza dei reperti monetari, è chiaro che già nel corso del quarto secolo monete greche erano tesaurizzate e anche in un certo senso utilizzate nel Sannio campano, nella Lucania, nel nord della Puglia. Si vedano per esempio i ripostigli di Frasso Telesino, di Sala Consilina, di Altamura; si vedano anche i reperti monetari della stipe di Mefitis nella Valle di Ansanto, dove vengono offerte monete incuse della Magna Grecia e almeno una moneta d'oro ellenistica (3). Non presumo qui né è necessario delineare il ruolo preciso della moneta coniata nell'economia delle zone in questione.

Per il Sannio interno, il passaggio da un mondo senza moneta coniata a un mondo dove veniva usata può essere documentato a Campochiaro. Qui, gli scavi recenti, editi in modo preliminare nel catalogo della Mostra a Isernia, hanno portato alla luce due scarichi di materiale essenzialmente diversi fra di loro (4). Il primo scarico, probabilmente di materiale della fine del quarto e dell'inizio del terzo secolo a.C., contiene ossa, laterizi, ceramica a vernice nera e ceramica comune. Il secondo scarico, più tardo, contiene non solo ceramica, a vernice nera e comune, ma anche votivi in bronzo e in terracotta, intonaco, terracotte architettoniche, utensili di ferro e di bronzo e, finalmente, un piccolo gruppo di monete. La cronologia delle monete non è sempre sicura, ma si può benissimo accettare una data intorno al 300 a.C. per alcuni pezzi senza supporre che siano arrivati a Campochiaro in quel momento. Né indica questa conclusione solo la mancanza di monete nel primo scarico; una delle monete del secondo scarico è un bronzo della democrazia siracusana e l'ipotesi la più economica è di supporre che sia arrivato a Campochiaro nel contesto delle operazioni militari della seconda guerra punica; di supporre anche che siano arrivati allo stesso momento gli altri bronzi, che sono col bronzo siracusano componenti caratteristici di ripostigli dell'epoca della seconda guerra punica.

L'altro materiale di Campochiaro è altrettanto indicativo, un gruppo di bronzi riconosciuto dagli scavatori come un ripostiglio sparso, proprio con la composizione di altri dell'epoca della seconda guerra punica, e un gruppo di didrammi degli anni fra le due guerre, che mi sembra anche il resto di un ripostiglio sparso, anche se i dati di scavo non ci offrono una indicazione certa.

Dal santuario di Pietrabbondante si conoscono da tempo due ripostigli grosso modo dell'epoca

(1) Per la monetazione di Paestum, *AIIN*, 18-19 Supp., 1973, p. 47; *AIIN*, 23-24, 1976-77, p. 151; per Velia e Eraclea, *Coin Hoards*, I, 111; II, 132 e 206; III, 65.
(2) *Il Sannio*, 1980, p. 140.
(3) *Inventory of Greek Coin Hoards*, 1912, 1936, 1923; *NSc*, 1976, p. 506.
(4) *Il Sannio*, p. 197.

della prima guerra punica. Gli scavi recenti hanno anche restituito un gruppo di monete proveniente da terreno di scarico riadoperato nel corso della costruzione del Tempio B; l'arrivo di questo gruppo s'inserisce benissimo negli anni dopo il 240 a.C. (un didramma abbastanza consunto di Taranto è associato a altro materiale di epoca più bassa, per la più gran parte romano, e deve essere arrivato a Pietrabbondante con questo materiale) (5).

Similmente al santuario di San Giovanni in Galdo e nell'abitato di Monte Vairano, le monete ritrovate negli scavi rientrano nello stesso quadro, cioè una penetrazione della moneta coniata durante il terzo secolo a.C., indubbiamente causata dal coinvolgimento di truppe da queste zone nella prima guerra punica e nella guerra annibalica. Sono state proprio queste guerre a creare l'unità monetaria dell'Italia. La visione unitaria polibiana del funzionamento dell'esercito romano e alleato si trova confermata in modo singolare (6).

Non ci sorprende allora di constatare che, a parte le monetazioni delle poleis greche della Magna Grecia, quasi tutte le emissioni non romane dell'Italia siano del periodo fra il 280 e il 200 a.C.; alcune sono state prodotte da comunità alleate con Annibale, come Capua o Volceii; altre, più importanti, sono di città rimaste fedeli a Roma.

Passando poi alla zona nord-appenninica si può rapidamente esemplificare la penetrazione della moneta coniata coi ripostigli di Ascoli Piceno - monete greche e romane di argento fino all'emissione del quadrigato - di Castagneto e di Tortoreto - monete greche e romane di bronzo - e di Città Ducale nel Sabinum - solo monete romane di bronzo (7).

Da questo momento, il numerario romano serve come *la* moneta coniata del Sannio e delle altre regioni appenniniche: serve evidentemente non solo come mezzo di scambio ma anche come standard di valore e come materiale per tesaurizzazione. Sarebbe interessante sapere a che punto i Sanniti abbiano adottato misure romane di peso e lunghezza. Sembra che a Pompei misure romane di capacità siano state introdotte solo dopo la guerra sociale e si potrebbe pensare a priori che il Sannio interno abbia fatto questo passo avanti certamente non prima. Le tegole a Pietrabbondante sembrano fatte sulla base del piede osco. Per quanto tocca ai vicini Frentani, il peso di bronzo di una libbra non romana sembra datarsi fra la seconda guerra punica e la guerra sociale (8).

Ma il numerario del Sannio come del territorio sabino, vestino, praetuttio e piceno è romano dalla seconda guerra punica in poi; ed è un numerario che nel Sannio interno viene tesaurizzato in quantità notevole. Già nel 125 a.C. circa il ripostiglio di Riccia, nel retroterra degli Irpini, è un ripostiglio di parecchie migliaia di denari (9). Da Riccia a Pescolanciano, da Pescolanciano a Campochiaro i ripostigli si succedono; alla monetazione della guerra sociale, non solo quella con leggenda latina ma anche quella sannitica è tagliata sulla base del denario romano.

Il periodo fra metà del secondo secolo e la guerra sociale in Sannio appare ora come un periodo di fioritura economica e culturale. I ritrovamenti impressionanti di Monte Vairano, di bolli di anfore rodie, non sono che le testimonianze più recenti dell'apertura di queste zone verso il mondo mediterraneo. È interessante che anfore rodie si trovano in quel periodo anche a Larinum, già prima in relazione commerciale col mondo greco e con una sua monetazione propria. Com'è ben noto, assistiamo anche in quel periodo alla creazione di santuari e complessi monumentali, a Pietrabbondante, a Vastogirardi, a Campochiaro, a Schiavi d'Abruzzo, a San Giovanni in Galdo, su precisi modelli ellenici.

---

(5) *Roman Republican Coin Hoards*, 24, 31; *Il Sannio*, p. 179.
(6) Pol., VI, 19-26; devo questa osservazione al Prof. E. Gabba.
(7) *Roman Republican Coin Hoards*, 59, 51, 77, 101, 97.
(8) Vetter, no. 22; *CIL* X, 793 (Pompeii); *Il Sannio*, pp. 169-171 (tegola); 318 (peso).
(9) *Roman Republican Coin Hoards*, 161.

Tentativi di statistica per il mondo antico sono sempre pericolosi, ma ho l'impressione che non sia possibile delineare un quadro simile per la zona nord-appenninica, né per l'attività edilizia, né per le importazioni, né per i ritrovamenti monetari. Ma proprio da questa zona, dopo la guerra sociale, arrivano a Roma nuovi senatori in numero sempre crescente (10).

Dal Sannio interno, invece, proviene solo con certezza M. Papius Mutilus; Staius, anche se il nome è attestato fra i Pentri, può essere del Sannio campano.

Ovviamente, c'è da porre una domanda, anche se non si può dare una risposta, cioè se senza la vendetta di Silla il Sannio interno avrebbe mandato a Roma la sua quota di nuovi senatori. Mi sembra comunque più probabile che il Sannio interno, acquistando da Roma il concetto di moneta coniata e usando il numerario romano, avrebbe continuato per lungo tempo a comportarsi nei campi economico e culturale come entità indipendente.

M.H. Crawford

---

(10) Do qui l'elenco dei nuovi senatori fino al 31 a.C., dei quali le origini sono certe o quasi certe, secondo T.P. Wiseman, *New Men in the Roman Senate*, 1971, pp. 184-190; dopo ogni nome do la data della prima attestazione. Non cito i senatori assegnati ai Sabini sulla base del *cognomen* o della tribù e ai Piceni e Pretuzzi sulla base della tribù.

Reate	P. Vatienus (76) Q. Axius (73)
Nursia	Sex. Peducaeus (113) Q. Sertorius (97)
Amiternum	C. Attius Celsus (65) C. Sallustius (55)
Vestini	Q. Salvidienus Rufus (42)
Interamna Praetuttiorum	Manlius Maltinus (89) M. Caelius Rufus (52)
Cupra	L. Minicius Basilus (88) L. Afranius (75)
	M. Minicius Basilus (74)
Cingulum	T. Labienus (63)
Asculum	P. Ventidius (47) M. Herennius Picens (34)

LE NOTABLE LOCAL DANS L'ÉPIGRAPHIE ET LES SOURCES LITTÉRAIRES LATINES: PROBLÈMES ET ÉQUIVOQUES

Il est indispensable, au cours d'une recherche sur les notables des cités italiennes, de s'interroger sur la manière dont les Anciens les désignaient. Nous avons en effet créé une terminologie, devenue canonique, en utilisant des termes latins, tel *domi nobilis,* qui n'étaient pas nécessairement ceux dont se servaient les contemporains dans le langage courant. En définitive, selon moi, les expressions "bourgeoisie" et "bourgeois", pourvues de guillemets, sont sans doute moins dangereuses, car elles sont un emprunt déclaré au monde moderne, certes anachronique, mais qui prête moins à équivoque. En réalité, on ignore s'il existait des dénominations spécifiques qui, dans l'Antiquité, permettaient de désigner les notables non urbains. Une autopsie de la documentation à disposition n'a jamais été faite de manière systématique, du moins à ma connaissance. A partir de l'examen minutieux des inscriptions qui concernent des magistrats et des décurions, et des textes littéraires, de Cicéron en particulier, je voudrais savoir comment dans la vie de tous les jours, les Romains, à la fin de la République, exprimaient la prééminence des premiers citoyens des cités "municipales" de l'Italie (1). Les deux types de données à disposition requièrent des traitements différents, aussi vais-je m'intéresser d'abord aux inscriptions, puis aux textes.

1. LA DOCUMENTATION ÉPIGRAPHIQUE

Il faut envisager plusieurs cas qui dépendent du type de document mais surtout de l'état de conservation de la pierre. Lorsqu'un document épigraphique, sans lacune, mentionne un magistrat ou un décurion d'une cité que, par commodité, nous appellerons génériquement "municipale", il ne se pose aucun problème. Les personnages ainsi connus sont insérés avec une totale sécurité dans les listes des notabilités et autorités locales. Ces documents peuvent être de types variés; s'il s'agit d'inscriptions funéraires, la dédicace est souvent offerte par des membres de la famille du magistrat ou par ses concitoyens; on peut mentionner entre autres exemples N. SAVONIUS N.F., *pr.,* honoré à Casinum par son épouse *Apsennia* (2), A. SALVIUS A.F.A.N. CRISPINUS, *IIIIvir quater* à Ferentium, mort à cinquante et un ans (3) ou [–] VISELLIUS L.F.FAL. FLACCUS BENEVENTANUS, *IIvir* à Telesia et *praetor* à Bénévent (4). Parfois nous ignorons en quelle occasion ces dédicaces ont été offertes; le

---

(1) Mes remerciements et ma reconnaissance vont à Monsieur Claude Nicolet qui m'a aidée de ses conseils et dont les critiques furent salutaires pour continuer une recherche plus en profondeur. Ma gratitude est très vive envers J.-C. Ferrary qui a bien voulu relire ce texte et me faire part de ses remarques dont j'ai, je l'espère, fait bon usage.

(2) Cf. *CIL* I ^{2}, 1545=X,5203= *ILLRP,* 564: *N. Savonio N.f./pr./Apsennia Q.f. Paulla/uxor posuit.*

(3) Cf. *CIL* I ^{2}, 2634= *ILLRP,* 588: *A. Salvius A.f./A.n. Crispinus/anorum (sic) LI hi ⟨c⟩ / conditus est. / Gessit Ferentei / IIIIvir(atum) quater. / Sumo (sic) supremo / die oena ei vixit a / municipalibus (conclamatum est).* Cf. aussi deux autres inscriptions du même sarcophage de la *gens Salvia: CIL* I ^{2}, 2511=*ILLRP,* 589 dédiée à un *Salvius [.... hono] res omneis functus* (datée de 67 av. J.-C.) et *CIL* I ^{2}, 2635 =*ILLRP,* 590: *Sex. Salvius A.f. / vix. annos XXCIIX / IIIIvir ter.*

(4) Cf. *CIL* I ^{2}, 1748= IX, 2240=*ILLRP,* 676: *[–] Visellius L.f. / Fal. Flaccus / Beneventan. / heic sepultus e(st) / duovir Tele[s(iae)] / [p] r. Benev[enti].*

magistrat est cité avec son (ou ses) titre(s); sont aussi mentionnés un ou des membres de sa famille. Il peut s'agir de plaques qui accompagnaient un tombeau de famille ou un don quelconque, statue, autel, édifices de taille variée. On peut aussi penser au cas de T. STATIUS T.F. ST.N., *aed., q.*, et de son épouse *Annia* (5).

La dédicace pouvait aussi être apposée sur un édifice public et elle commémorait un acte officiel accompli par le ou les magistrats en fonction et ce sont eux dont les noms sont gravés sur la plaque. Le plus souvent le texte reste laconique et on ignore la raison de la dédicace; il ne nous est parvenu qu'une liste de noms et de magistratures: ainsi TUL. TULLIUS TUL.F. et P. SERTORIUS P.F. ont été *censores* (6); C. VOLCACIUS C.F. LABEO et M. PLAETORIUS L.F.M.N., *aidiles* (7). En général cependant, le texte des inscriptions à caractère public est beaucoup plus loquace; outre les noms et titulatures des magistrats en charge, sont mentionnés, parfois avec force détails, les travaux ou les oeuvres accomplis sous leur égide. Une quinzaine de verbes, associés par groupes de deux ou trois, caractérisent les missions exécutées par ces magistrats ou décurions dans l'exercice de leur ministère public; il s'agit de *adjungere* (en général, à l'époque républicaine, on trouve *adouxet*), *curare* (en général = *coirav.*), *dare, emere, faciundum curare, facere, locare, probare, reficere, restituere, sacrare, vias sternere, terminare*. Une précision complète, le plus souvent, notre information: *DPS, DSS, ex DD, ex SC* ou plus rarement *ex CS* (8). Les magistratures et les prêtrises sont celles propres, bien entendu, à la cité dans laquelle ils ont revêtu ces honneurs: *aed., aed.proq., augur, censor, cur.aer., IIvir, IIvir quinq., marones, praet., quaest., IIIIvir, IIIIvir i.d., tr.pl.*

Ces inscriptions peuvent être définies comme "publiques"; quand elles sont sans lacune, elles ne posent aucun problème, on insère dans les listes des magistrats locaux les personnages qu'elles mentionnent. Elles représentent en outre des documents d'une valeur inestimable qui permettent de mieux connaître ou de moins mal connaître les activités officielles de ces magistrats. Les inscriptions saines de ce type étant relativement assez nombreuses (173), il était tentant d'essayer d'en extraire davantage! On pouvait en effet espérer que le vocabulaire utilisé dans ces textes était spécifique de certaines charges; c'est-à-dire qu'à un certain type de fonction correspondait un certain type d'activités publiques et aussi un certain vocabulaire. C'est pourquoi j'ai pris en examen ces cent soixante-treize inscriptions, datées entre le IIe siècle avant J.-C. et le début du règne d'Auguste, sans lacune, qui donnaient mention de noms de magistrats, de leurs titres et des travaux et entreprises supervisés dans l'exercice de leurs fonctions (9). J'ai mis en listes systématiques les résultats obtenus à partir de cette enquête et je n'en livre ici que les conclusions.

On doit constater qu'il est impossible de faire l'équation entre certaines magistratures et certaines

---

(5) Cf. *CIL* I², 1829 = IX, 4132= *ILLRP*, 525: *T. Statius T.f. St.n. / aed. q. / Annia An.f. uxo(r)*.

Malheureusement la plupart de ces inscriptions ont été arrachées à leur contexte archéologique et on ignore sur quel type d'édifice elles pouvaient se trouver.

(6) Cf. *CIL* I², 1497= XIV, 3685 = *I.I.*, IV, 1, n. 14= D. 6229 = *ILLRP*, 682: *Tul. Tullius Tul.f. P. Sertorius P.f. censores*.

(7) Cf. *CIL* I², 1442 = XIV, 2638 = D. 6206 = *ILLRP*, 689: *C. Volcacius C.f. Labeo / M. Plaetorius L.f.M.n. aid.*

(8) C'est-à-dire *de sua pecunia, de sententia senatus, ex decreto decurionum, ex senatus consulto, ex conscriptorum sententia*.

(9) Les inscriptions prises en examen proviennent essentiellement des deux volumes de *Inscriptiones Latinae Liberae Rei Publicae* de A. Degrassi, Florence, 1957 et 1963, complétés par des textes des *Corpora Inscriptionum Latinarum (CIL)* de l'Italie péninsulaire de la fin de la république ou des débuts d'Auguste non insérés dans *ILLRP*. On a aussi tenu compte d'inscriptions plus récemment publiées (et qui n'ont pas toujours été reprises dans L'Année Epigraphique), publiées dans des revues italiennes, parfois d'audience locale, ainsi que des inscriptions de Paestum, d'époque républicaine, publiées par M. Mello et G. Voza, *Le iscrizioni latine di Paestum*, 2 vol., Naples, 1968-1969. Ont été volontairement omis dans cet examen les *magistri campani* qui requièrent un traitement spécifique (cf. dans ce même volume la communication de J.-M. Flambard, pp. 75 sq.).

tâches qui auraient été spécifiques de ces fonctions. Pire, quel que soit le magistrat cité dans le texte épigraphique, c'est toujours le même vocabulaire qui sert, et ceci y compris à l'intérieur d'une même cité. Il peut aussi bien s'agir de travaux menés à bien pour le compte de la communauté que de ceux que ces magistrats eux-mêmes ont offerts à leurs concitoyens (10). On retrouve les mêmes expressions qui servent à Rome pour célébrer les oeuvres accomplies par les magistrats urbains (11), mais aussi par les *magistri campani* (12) ou par les représentants de *pagi* ou de collèges (13). Les dons offerts à la cité peuvent être le fait de l'évergétisme des édiles (14) comme de n'importe quel autre magistrat ou personne privée sans titre officiel. On note cependant que les "cadeaux" les plus conséquents sont plus fréquents de la part des magistrats les plus importants, les *duoviri* et *quattuorviri*.

On aurait pu espérer que les expressions *de sentencia senatus* ou *ex decreto decurionum* ou encore *ex senatus consulto* signifiaient qu'un magistrat en fonction avait agi à titre officiel, comme mandataire du sénat local et de la collectivité; certes, le plus souvent, ces précisions sont faites à propos de magistrats qui ont surveillé des travaux ou les ont menés à terme ou les ont fait entreprendre, mais ce n'est pas toujours vrai. Un cas est extrêmement significatif: une femme est autorisée par le sénat à entreprendre des travaux que, d'ailleurs, elle finance elle-même: *Ansia Tarvi f./Rufa ex d.d. circ./lucum macer./et murum et ianu./d.s.p.f.c.* (15).

Les mentions *de pecunia sua (DPS)* ou *de pecunia publica (DPP)* n'apportent pas davantage de certitudes, car un privé peut construire avec des fonds publics et un magistrat, très souvent, finance lui-même des travaux publics. Il est clair qu'*Ansia Rufa* a agi à titre privé mais elle a eu cependant besoin de l'autorisation du sénat pour entreprendre des travaux qui avaient un caractère public. Si cette inscription nous était parvenue lacunaire et que la lacune corresponde au nom et au titre du dédicant, il aurait été tentant de supposer un magistrat! Cet exemple est symptomatique des dangers qu'il y aurait à pratiquer des intégrations hasardeuses car le texte épigraphique n'a pas, du moins à cette époque, une logique interne qui permette ces opérations.

Nous devons constater avec regret qu'il ne semble pas exister de "recettes" qui permettent de compléter des inscriptions lacunaires, même dans le cas de textes à caractère, en apparence, officiel. Si une lacune correspond au titre supposé d'un magistrat, rien n'autorise à interpoler, sinon l'existence d'une autre inscription ou d'un texte littéraire qui apportent la preuve de cette magistrature. Il est donc indispensable d'adopter face aux inscriptions une attitude d'une rigidité totale. On ne peut admettre comme magistrats ou décurions connus par la documentation épigraphique que les individus cités sans équivoques, dans des inscriptions saines ou dont les lacunes sont comblées avec certitude. Si on choisissait une solution laxiste, certes le nombre des magistrats connus augmenterait beaucoup, mais certains d'entre eux pourraient avoir été de simples citoyens sans aucune fonction officielle, des affranchis ou même des esclaves, membres de collèges, mandatés par leurs pairs pour surveiller, pour

---

(10) Le même vocabulaire sert, que ces travaux aient été exécutés avec les deniers publics ou à leurs frais. De toutes façons, il semble que des travaux à caractère public devaient être autorisés par le sénat local, quel que soit le type de financement.

(11) Cf. pour cet usage les inscriptions provenant de Rome, mais aussi les textes, par exemple: Tite Live, IV, 22, 7: *censores villam publicam in Campo Martio probaverunt.*

(12) Cf. *ILLRP*, 705-723b: ces *magistri* peuvent être soit des hommes libres, soit des affranchis; en outre *supra* J.-M. Flambard et aussi *infra* la discussion pp. 386 sq.

(13) Cf. les textes regroupés dans *ILLRP*, section XV, II, p. 129 sq., n. 696-779. On trouve le même vocabulaire, ce qui est, en fait, logique, qu'il s'agisse de travaux entrepris par des magistrats (urbains ou "municipaux") ou par des *magistri pagi* ou *vici* ou de collèges professionnels.

(14) Cf. entre autres exemples *ILLRP*, 607 et 608.

(15) Cf. *CIL* I², 1688 = X,292 = D. 5430 = *ILLRP*, 574 (In oppido Padula agri).

le collège, des travaux. C'est pourquoi, par exemple, je ne classerais pas, comme le fit A. Degrassi (16), parmi les *"Magistratus et sacerdotes"* les quatre hommes libres de l'inscription *ILLRP*, 562; le texte est sans lacune, semble-t-il, et on peut se demander pourquoi on aurait omis volontairement le titre de ces personnages s'ils en avaient eu un. Degrassi suggère en note qu'ils ont pu être *quattuorviri Carsulani*, mais, en vérité, nous n'avons aucune preuve tangible qu'ils fussent magistrats. La mention *coeraverunt* ne suffit absolument pas pour envisager cette hypothèse. Prudence et rigueur me semblent des règles immuables face à la documentation épigraphique.

2. LA DOCUMENTATION LITTÉRAIRE

Il ne saurait être question d'user envers les textes de la même rigueur que j'ai préconisée comme règle absolue envers les inscriptions. J'espère arriver à démontrer pourquoi il est indispensable, sans être laxiste, d'adopter une attitude souple et de ne pas avoir une doctrine unique. Il faut, pour chaque cas, réviser son jugement en fonction du contexte dans lequel s'insère l'information; il faut déterminer avec le maximum de sécurité si le personnage dont il est question est ou n'est pas un notable local, décurion ou magistrat. Cet examen doit être circonspect car la documentation littéraire a l'avantage de présenter les individus dans un contexte socio-économique qui permet de mieux saisir la réalité profonde du groupe social auquel ils appartiennent.

a) *Les auteurs latins autres que Cicéron:* Cicéron requiert un traitement à part car il est le témoin précieux, indispensable, de cette vie "municipale"; les notables de ces cités sont pour lui des contemporains, amis ou ennemis suivant les époques, parents, alliés politiques; il leur écrit, il les mentionne dans ses lettres, il les interpelle dans ses causes judiciaires; ils sont ensemble les protagonistes d'une histoire qui s'écrit: les dernières décennies de la République. En revanche, la plupart des auteurs latins, même s'il s'agit de contemporains, tels César ou Salluste, se posent en historiens et les informations qui peuvent nous intéresser entrent dans la logique d'un discours historique dont l'objet est Rome; l'optique est donc différente et les mentions de notabilités municipales sont sporadiques. Si le titre exact de ces notables est utile au déroulement du récit, il est précisé; cependant un terme générique suffit en général. Il est probable que les auteurs qui écrivaient plusieurs décennies après les événements qu'ils rappellent ignoraient la titulature des magistrats locaux qu'ils mentionnaient, d'autant que, souvent, entre temps, ces cités avaient changé de statut et donc de type de magistratures. Salluste regroupe sous le terme vague de *"domi nobiles"* (17) les notables issus de colonies et municipes qui participèrent à la conjuration de Catilina. Suétone se contente de signaler que les ancêtres de l'empereur Othon (18) étaient une *familia vetus et honorata.* Ignorance ou inutilité de la précision du titre? De toutes façons, en général, l'emporte le terme générique, emphatique, qui se contente de souligner l'importance de la position locale de certains personnages. Il s'agit d'une

---

(16) *Coeraverunt / Sex. Aelius Sex.f. Sex. Fufidius C.f. / C.Egnatius Q.f. L. Coelius H(eri) f.*

(17) Cf. *BC*, 17,4: *ad hoc multi* (= conjurés) *ex coloniis et municipiis domi nobiles.* Cf. à propos de cette expression que, depuis Syme (*The Roman Revolution*, Oxford, 1939, p. 82, n. 3), on utilise volontiers comme un équivalent de magistrats "municipaux" les pages de Cl. Nicolet, *L'ordre équestre à l'époque républicaine (312-43 av.J.-C.)*, T.I, Paris, 1966, et en particulier les pages 397-400. Cl. Nicolet analyse tous les cas d'emploi de cette expression, qui reste, en fait, le privilège presque exclusif de Cicéron, et il estime, avec raison semble-t-il, que *domi nobilis* ne saurait avoir un sens technique, précis, alors que le mot *nobilis,* appliqué à des Romains, n'a pas non plus lui-même un sens juridique rigoureux.

(18) Cf. *Oth.*, 1.

constante chez tous les auteurs, à l'époque qui nous intéresse mais aussi lorsqu'il s'agit de relater des événements antérieurs; ainsi (19) Tite Live préfère-t-il parler de *nobilissimus* (20), de *primores, principes* (21) ou de *nobiles* (22). Le titre précis est rarement mentionné (23). Valère Maxime ignorait peut-être à quelle magistrature Marius n'avait pas été élu à Arpinum, aussi parlait-il d'*honores* (24). Horace définit d'un mot vague, *princeps*, l'éminente position des ancêtres d'Aelius Lama à Formia: *A. Lamo qui Formiarum moenia dicitur princeps tenuisse* (25).

Si par hasard l'indication est en apparence précise, on ne doit l'accepter qu'avec une certaine méfiance; par exemple Horace prétend qu'Aufidius Luscus a été *praetor* à Fundi (26), or cette magistrature n'y existe pas. En réalité de toutes façons, il est indispensable de considérer le contexte pour comprendre la signification d'un mot, les nuances, qui, seules, permettent de saisir la position locale, réelle, d'un personnage qui semble appartenir aux élites "municipales" (27).

b) *Le cas de Cicéron:* L'orateur-homme politique reste la source la plus précieuse pour connaître en profondeur le milieu municipal italien à la fin de la république, mais l'utilisation de cette information pose aussi de gros problèmes. Une fois encore, tout dépend du contexte. Si, dans un discours, il juge profitable à la cause qu'il défend de préciser la magistrature d'un notable "municipal", alors il le fait; par exemple, il a tenu à mettre en valeur la magistrature revêtue par Milon à Lanuvium: *quod erat dictator Lanuvi Milo* (28). Dans sa Correspondance, de même, il donne le terme technique et précis de la magistrature si ce fait entre dans la logique de sa pensée et s'il est nécessaire; par exemple, dans des lettres à Atticus dans lesquelles il est question de L. Fadius, édile à Arpinum:... *si L. Fadius aedilis petet* ou encore *sed nondum acceperas litteras, ne cuiquam nisi L. Faedio aedili* (29), car il fallait sans doute différencier ce L. Fadius, édile, d'un autre qui ne l'était pas. Il peut s'agir parfois d'une nouvelle qu'il a fort envie de diffuser; il veut faire savoir que son fils et son neveu ont revêtu, tous les deux, l'édilité à Arpinum: *Non constituendi municipi causa hoc anno aedilem filium meum fieri voluit et fratris filium et M. Caesium, hominem mihi maxime necessarium* (30). Il est très important que l'on sache que les *Tullii Cicerones* conservent cet attachement à la patrie de leurs ancêtres. Voici quelques exemples symptomatiques, mais aussi privilégiés, car, malheureusement, la plupart du temps, ces précisions de type juridique ne sont pas utiles à son propos et il se contente de périphrases, emphatiques, laudatives ou autres, suivant les occasions et les nécessités de son discours. Il était, sans doute, souvent plus convaincant de démontrer par des périphrases

(19) Ne sont cités que quelques exemples, il ne s'agit pas d'un relevé exhaustif.

(20) Cf. à propos de L. Bantius de Nola: *nobilissimus eques sociorum* (XXIII, 15,8); Vibius et Paccius du Bruttium, qui prirent parti pour Rome contre Carthage sont *longe nobilissimi gentis* (XXVII, 15,3).

(21) Les personnages les plus éminents de Nola en 215/214 sont *primores* et *principes* (XXIII, 14; 15; 39; XXIV, 13).

(22) Cf. Trebius de Compsa (XXIII, 14); sont aussi *nobiles* les transfuges italiens qui prirent le parti de Rome (XXIV, 47).

(23) A une époque qui, elle aussi, est antérieure à celle prise en examen dans cette étude, cf. M. Anicius, *praetor Praenestinorum* (Tite Live, XXIII, 19).

(24) *Arpinatibus honoribus indicatus inferior quaesturam Romae petere ausus est* (VI, 9, 14).

(25) Cf. *Odes*, III, 17, 6. Suétone (*Cal.*, 23) affirme que le grand-père maternel de Livie aurait été décurion de Fundi.

(26) *Fundos Aufidio Lusco praetore libenter linquimus, insani videntes praemia scribae, praetextam et latum clavum prunaeque vatillum, Sat.*, I, 5, 34.

(27) J'arrive à une conclusion proche de celle de G. Achard qui a étudié le vocabulaire de Cicéron, mais avec une autre optique; il s'intéressait aux qualifications laudatives ou aux emplois de *boni*, dans deux articles: *Les qualifications laudatives des étrangers à l'époque républicaine, REL*, 56, 1978 (1979), pp. 141-158 et *L'emploi de boni, boni viri, boni cives et leurs formes superlatives dans l'action politique de Cicéron, Et.Cl.*, XLI, 1973, pp. 207-221.

(28) *Quod erat dictator Lanuvi Milo* (*Pro Mil.*, X, 27).

(29) Cf. *Ad Att.*, XV, 17,1 et 15,1.

(30) Cf. *Ad Fam.*, XIII, 11,3.

l'importance locale d'un individu que de donner son titre qui pouvait paraître peu conséquent à des Romains de Rome; dans les lettres, la précision n'était pas toujours indispensable si le correspondant connaissait lui-même le magistrat local dont il était question.

Si on voulait s'en tenir à la rigueur que l'on a érigée en règle absolue à propos des inscriptions, il ne faudrait accepter dans la liste des magistrats "municipaux" que les hommes mentionnés, avec leurs titres, en tant que tels. Cette attitude serait absurde et je voudrais le démontrer à l'aide d'un exemple qui ne relève pas directement de notre sujet, puisqu'il s'agit d'un Sicilien, donc d'un habitant d'une province; c'est, en effet, un cas exemplaire pour permettre de comprendre les équivalences qui existaient entre le vocabulaire et la pensée de Cicéron. STHENIUS, originaire de la cité de Thermes en Sicile, est cité à plusieurs reprises dans les Verrines, et chaque fois avec des épithètes et des titres divers qui sont, en réalité, strictement équivalents.

Ce notable est connu par d'autres sources; Plutarque le dit "chef de la cité" dans son récit de la prise de Thermes par Pompée (31). Il fait lui aussi partie des victimes de Verrès et Cicéron définit en maintes occasions sa position sociale et politique. Il avait en effet revêtu tous les honneurs possibles dans la cité dont il est évergète: *Estne Stenius is qui, omnes honores domi suae facillime cum adeptus esset... ut omnes huius honores inter suos et amplitudinem possent cognoscere* (32); ceci, sans équivoque, signifie que Sthenius a été le magistrat suprême de la ville. Toutes les autres fois que Cicéron mentionne Sthenius, il n'est jamais aussi explicite pour définir sa position locale et utilise des périphrases laudatives; il souhaite surtout mettre en relief l'éminente personnalité de Sthenius afin de faire paraître plus infamante l'attitude de Verrès envers lui: *Sthenius est... Thermitanus antea multis propter summam virtutem summamque nobilitatem* (33); *cum esset Sthenius civitatis suae nobilissimus... cum praeterea tota Sicilia multum auctoritate et gratia posset* (34); *homini nobili* (35). Dans le vocabulaire de Cicéron, les équivalences sont claires; cet ex-magistrat de Thermes est aussi défini comme un homme noble, doté de la *summa nobilitas, civitatis suae nobilissimus*. Peu importait le titre précis, l'emphase devait porter sur la noblesse et l'importance de Sthenius.

Cet exemple est précieux car il est la preuve qu'il serait absurde d'adopter envers les textes la même attitude rigide que les inscriptions nécessitent. Le cas de Sthenius n'est pas unique, Cicéron fait d'autres fois cette équation sans équivoque entre magistrats locaux et périphrases laudatives ou génériques; ainsi, toujours dans les Verrines (36), entre magistrat et *domi nobilis* à propos d'un magistrat de Sicyone. Il est donc indispensable d'examiner cas par cas les individus cités par Cicéron et, en fonction du contexte, d'évaluer la valeur réelle des épithètes qui les désignent. Il ne saurait être question de refuser d'inscrire dans les listes des magistrats et décurions locaux les notables dits *nobiles* ou *domi nobiles* ou *principes suae civitatis*, sous prétexte qu'on ne connaît pas le titre précis de la magistrature qu'ils ont revêtue.

---

(31) Cf. *Pomp.*, 17: "Sthénis, l'un des gouverneurs de la ville, lui ayant demandé audience, lui dit qu'il ne ferait pas justement, si, pardonnant à celui qui était auteur de toute la faute, il détruisait ceux qui n'avaient point failli. Pompée à donc lui demanda qui était celui qu'il voulait dire être auteur de tout le mal, et Sthénis répondit que c'était lui -même qui avait persuadé ses amis, et contraint par la force ses ennemis, de faire tout ce qu'ils avaient fait. Pompée, ayant pris plaisir à ouïr parler aussi franchement et magnanimement cet homme, lui pardonna, remettant le crime à lui en premier, et conséquemment à tous les autres Himériens" (Traduction Jacques Amiot).

(32) *2 Verr.*, II, 112.

(33) *2 Verr.*, II, 88.

(34) *2 Verr.*, II, 83.

(35) *2 Verr.*, II, 91.

(36) *2 Verr.*, I, 44-45: il s'agit d'un magistrat de Sicyone en Achaïe dont il exigea de l'argent, y compris par la torture: (44) — *In Achaia .... videretur incredibile — magistratum Sicyonum nummos poposcit...* (45) *ibi hominem ingenuum, domi nobilem, populi Romani socium atque amicum, fumo excruciatum semivivum reliquit.*

Une analyse systématique du vocabulaire de Cicéron montre qu'une quinzaine d'adjectifs ou d'expressions composées servent à définir la position sociale et politique des notables locaux qui apparaissent dans ses écrits (37). En voici la liste: *amplius (amplissimum)* (38), *clarus* (39), *domi,* complété par *nobilis,* ou *domi suae illustris* ou autre adjectif (40), *gratiosus* (41), *honestus (honestissimus)* (42), *illustris* (43), *nobilis (nobilissimus)* (44), *(homo non) obscurus* (45), *optimus (vir),*

---

(37) Cf. à propos d'analyse de vocabulaire J. Hellegouarc'h, *Le vocabulaire latin des relations et des partis politiques sous la République*, Paris, 1963, en particulier pp. 224 sq. sur la notion de *nobilitas* et les références *infra* dans les notes à cet ouvrage. Aussi Cl. Nicolet, *op.cit.,* et particulièrement à propos de *domi nobiles*, pp. 397 sq.

(38) *AMPLIUS:* Cf. pour les références dans les discours de Cicéron: H. Merguet, *Lexikon zu den Reden des Cicero*, I, pp. 216-219, en particulier aux rubriques *homo* (p. 217) et *vir* (p. 218). Hellegouarc'h, *op. cit.,* p. 229 le considère comme synonyme de *nobilis,* mais avec une nuance de grandeur qui est souvent accentuée par d'autres termes laudatifs; ce mot est lui aussi lié, comme *nobilis,* à l'exercice du *cursus honorum,* mais à titre personnel. Il ne concerne pas la famille dans son ensemble, comme le suppose l'emploi de *nobilis.*

Ces remarques, certes, ont été faites par Hellegouarc'h à propos du cursus sénatorial et des sénateurs de Rome; cependant, c'est sans difficulté qu'on peut les transposer dans le milieu municipal ou provincial. Qu'il s'agisse de Cicéron ou d'autres auteurs de langue latine, il est évident que le vocabulaire à leur disposition reste le même; qu'ils doivent caractériser les élites politiques ou sociales de Rome ou les milieux des magistrats ou des décurions des cités en dehors de Rome, ils ont recours aux concepts de grandeur, d'important, de noble, d'illustre, et donc aux mêmes mots, à charge du lecteur ou de l'auditoire de comprendre la transposition.

(39) *CLARUS:* Cf. les exemples dans Merguet, *op.cit.,* I; pp. 544-547. Hellegouarc'h, *op.cit.,* p. 227, le considère comme un terme très proche de *nobilis,* mais doté d'un sens plus large qui permettait de l'attribuer à un homme qui n'était pas nécessairement un sénateur ou un chevalier.

(40) *DOMI* (...): Cf. Merguet, *op.cit.,* II, pp. 159-161; aussi les commentaires de Sir R. Syme, *op.cit.,* p. 82 et n. 3, et les pages de Cl. Nicolet, *op.cit.,* p. 397. Cf. *infra* note 17 à propos de *nobilis* et de *domi nobilis.* On trouve beaucoup plus fréquemment la formule *domi clarus* ou *princeps.* Alors que, comme le fait remarquer Cl. Nicolet, cette formule est toujours utilisée à propos de provinciaux ou d'étrangers, c'est cependant la définition qui a eu le plus de succès dans l'historiographie moderne pour désigner les élites municipales.

(41) *GRATIOSUS:* Cf. Merguet, *op.cit.,* II, p. 425. C'est un terme moins utilisé et qui apparaît peu dans le vocabulaire politique de Rome; il est présent dans ce qu'on peut appeler les "discours municipaux" et dans les Verrines, et il caractérise une certaine élite locale. Il est peu souvent associé à d'autres épithètes.

(42) *HONESTUS (HONESTISSIMUS):* Cf. Merguet, *op.cit.,* pp. 500-502; cf. Hellegouarc'h, *op.cit.,* p. 462 remarque qu'il est parfois associé à *gratiosus;* à l'origine il désignait celui qui a exercé une charge publique, puis il a pris une valeur très générale; ce terme s'applique certes aux classes dirigeantes, mais qui peuvent être sénatoriales, équestres mais aussi municipales et provinciales. Il reste cependant (cf. Cl. Nicolet, *op.cit.,* pp. 235-236) le terme le plus usité pour qualifier les *equites.*

(43) *ILLUSTRIS:* cet adjectif est beaucoup moins utilisé pour définir les notables locaux; selon Hellegouarc'h, *op.cit.,* p. 461, il qualifie surtout des *equites* à la fin de la république, mais non exclusivement, car il peut désigner d'autres groupes sociaux. Cf. les pages de Cl. Nicolet, *op.cit.,* pp. 225-230, prouvent qu'en réalité seulement une fois sur dix il s'agit de chevaliers. Ce mot sert davantage pour caractériser un objet ou une abstraction.

(44) *NOBILI (NOBILISSIMUS):* Cf. Merguet, *op.cit.,* III, pp. 313-315, en particulier les rubriques *adulescens* et *homo;* selon Hellegouarc'h, *op.cit.,* p. 224, ce mot exprime une prééminence de la personne qui a acquis une particulière importance dans le domaine politique, mais sans pour autant correspondre à une définition précise, au moins pour l'époque qui nous intéresse. C'est une des épithètes les plus courantes pour définir les notables locaux, particulièrement fréquente dans le *Pro Cluentio* et dans les *Verrines,* et, en général, dans ce que nous pouvons appeler les "discours municipaux". Cf. l'analyse approfondie que fait Cl. Nicolet de l'expression *"domi nobiles", op.cit.,* pp. 397 sq. Il montre que cette expression reste le privilège de Cicéron (outre un exemple dans Salluste, *Cat.,* 17,4 et un autre dans Quinte Curce, III, 13,15); on est frappé par la constatation que *nobilis* ou *nobilissimus* s'appliquent toujours à des étrangers. Cl. Nicolet reconnaît qu'il est tentant de donner à l'expression *domi nobilis* un sens technique, c'est-à-dire d'en faire le titre de ceux qui ont exercé des magistratures locales, mais il ne pense pas que ce soit juste. Cf. texte *supra* p. 54. En fait, ces termes ont un sens plus social que juridique. Ce n'est pas par hasard que Cicéron les utilise dans ses "discours municipaux"; selon Nicolet, ces Italiens que l'orateur mentionne (tels ceux qui apparaissent dans le *Pro Cluentio*) viennent à peine de s'intégrer dans la citoyenneté romaine et Cicéron souhaite mettre en relief leur importance et leur noblesse sur le plan local.

(45) *OBSCURUS:* Cf. Merguet, *op.cit.,* pp. 415-416 (et la forme laudative est bien entendu *non obscurus*).

praeditus (...) (46), *primarius* (47), *primus* (48), *princeps (civitatis suae)* (49), *summo loco natus,* et toutes les autres formules possibles avec l'épithète *summus* (50), telle *summa nobilitas.* Il n'est pas rare que Cicéron associe deux ou plus de ces adjectifs, comme s'il eût voulu mieux convaincre son auditoire ou son correspondant de l'importance du personnage cité.

La règle primordiale à observer face aux textes littéraires, et singulièrement face aux écrits de Cicéron, n'est donc pas la rigidité, mais, au contraire, la plus grande souplesse possible, associée à la méfiance. On devrait réussir ainsi à tenir compte du contexte et de ses nuances afin de mesurer pour chacun le poids des mots. Le problème est, qu'à la fin de la République, comme l'ont bien montré J. Hellegouarc'h pour le vocabulaire des partis politiques et Cl. Nicolet pour les titulatures des chevaliers, les titres ne sont ni juridiquement très précis, ni spécifiques d'une seule catégorie sociale. Le même vocabulaire sert pour caractériser l'aristocratie urbaine et les aristocraties "municipale" et provinciale. G. Achard fait la même remarque à propos des étrangers: "D'emblée une conclusion s'est imposée: les Romains usent pour les étrangers les mêmes mots emphatiques que pour leurs concitoyens" (51); cet auteur aurait souhaité discerner des régles d'application de ces éloges mais il doit reconnaître que "une certaine confusion semble règner dans l'usage qui en est fait" (52).

* * *

Pour conclure, j'aimerais apporter à ma cause un argument supplémentaire; je voudrais rappeler ce que Sir R. Syme a déjà souligné dans *The Roman Revolution.* On ne doit jamais oublier qu'on ignorerait tout des carrières et attaches locales des *Marii* ou des *Tullii Cicerones* à Arpinum ou des *Porcii Catones* à Tusculum si on avait dû se contenter des témoignages épigraphiques. De manière étrange — et on pourrait multiplier les exemples — il n'existe pas une seule inscription de membres de ces familles dans la région qui a été le berceau de la *gens.* Ceci même suffirait à justifier la position qui a été adoptée envers ces deux types de sources: la plus totale rigidité face à l'inscription, sans aucune possibilité d'interpolation, et, en revanche, la plus grande souplesse et un dialogue, contrôlé, avec le texte littéraire.

MIREILLE CÉBEILLAC-GERVASONI

---

(46) *PRAEDITUS:* Cf. Merguet, III, p. 729-730, complété par diverses précisions, en particulier par *auctoritate* ou *summa auctoritate* ou *summo splendore* etc.

(47) *PRIMARIUS:* Cf. Merguet, *op.cit.,* III, p. 762-763. En général, il s'agit de *vir primarius.* Hellegouarc'h, *op.cit.,* p. 465, rappelle que sa valeur est très incertaine; il peut désigner des chevaliers mais aussi, comme dans les Verrines, des nobles de province (2 *Verr.,* I, 67,157; II, 20; 149; III, 122; 200; V, 120). Les *primarii* peuvent appartenir à toutes les catégories sociales, sénateurs, chevaliers ou non.

(48) *PRIMUS:* Cf. Merguet, *op.cit.,* p. 767-769. Fréquent dans les 2 Verrines (XXVIII, 68 et XXXVI, 89).

(49) *PRINCEPS:* Cf. Merguet, *op.cit.,* III, pp. 769-771, en particulier avec *dicit* et *sum.* Hellegouarc'h, étant donné l'optique du thème qu'il traite (les partis politiques à Rome) ne considère cette expression que dans le contexte de l'*Urbs* avec le sens des plus importants des *nobiles,* et en fait un équivalent de *nobilissimi;* il ne prend pas en compte les cas dans lesquels il s'agit de *princeps civitatis,* la *civitas* étant une ville municipale ou provinciale.

(50) *SUMMUS:* Selon Hellegouarc'h, *op.cit.,* p. 231, ce mot désigne celui qui atteint le plus haut degré des honneurs. Il sert d'adjectif à d'autres termes tels que *nobilitas, auctoritas* ou *summo loco natus* entre autres.

(51) Cf. *art. cit., Les qualifications laudatives...,* p. 144.

(52) Cf. *art. cit., Les qualifications laudatives...,* p. 145.

I SENATI LOCALI NELL'ITALIA REPUBBLICANA

Tratteremo dei senati locali (1) *in quanto organi di governo* cittadini, esaminandone i poteri e le funzioni nel quadro delle relazioni giuridiche intercorrenti fra Roma e le diverse categorie delle comunità presso le quali sono attestati. L'indagine sarà doppiamente limitata: in senso geografico all'Italia, in senso cronologico all'età repubblicana. Nell'ambito cronologico così predelimitato distingueremo due fasi fondamentali: la prima anteriore alla guerra sociale, la seconda posteriore alla guerra sociale.

I.

I SENATI LOCALI PRIMA DELLA GUERRA SOCIALE

Dal punto di vista giuridico-costituzionale l'Italia si presenta in questa fase ripartita in tre zone: 1) l'*ager Romanus*; 2) le *coloniae Latinae*; 3) le *civitates foederatae*. Articoleremo l'esposizione sulla base di questa tripartizione. Una premessa generale: il senato è un organo di governo tipicamente cittadino e si trova attestato soltanto nelle aree caratterizzate dalla presenza di città o comunque di insediamenti urbanizzati.

1. — L'*ager Romanus*

Come è ben noto, le comunità cittadine presenti sull'*ager Romanus* appartengono a due categorie: A) le *coloniae civium Romanorum*; B) i *municipia*, che si distinguono a loro volta in: a) *municipia sine suffragio*; b) *municipia optimo iure*.

A) *I senati delle colonie romane*

Un passo di Pomponio (*Dig.*, L, 16, 239, 5) sembra attestare che i primi decurioni di una colonia fossero nominati direttamente dal governo centrale, presumibilmente attraverso i magistrati incaricati della deduzione della colonia stessa (2): *decuriones quidam dictos aiunt ex eo, quod initio, cum coloniae deducerentur, decima pars eorum qui ducerentur consilii publici gratia conscribi solita sit* (non interessa in questo contesto entrare nel merito del valore di questa etimologia). Una volta stabilito e

---

(1) Sui senati locali, vd., in generale, W. LIEBENAM, *Städteverwaltung im römischen Kaiserreiche*, Leipzig, 1900, pp. 226-252; B. KÜBLER, *R.E.*, IV 2, 1901, *s.v. Decurio*, coll. 2319-2352; G. MANCINI, *Dizionario Epigrafico di Antichità Romane* di E. DE RUGGIERO, II, *s.v. decuriones*, pp. 1515-1552; CH. LÉCRIVAIN, *Dictionnaire des Antiquités Grecques et Romaines* di CH. DAREMBERG - E. SAGLIO, IV, *s.v. senatus municipalis*, IV, pp. 1200-1205; W. LANGHAMMER, *Die rechtliche und soziale Stellung der magistratus municipales und der decuriones*, Wiesbaden, 1973, pp. 188-278; F. DE MARTINO, *Storia della costituzione romana*, II², Napoli, 1973, pp. 128-130; IV ², 1975, pp. 720-742; V², 1975, pp. 509-529. Sui senati nelle comunità dell'Italia romana, vd., in particolare, R.K. SHERK, *The Municipal Decrees of the Roman West* (Arethusa Monographs, 2), Buffalo, 1970, pp. 1-15.

(2) In questo senso E. GABBA, *L'elogio di Brindisi*, Athenaeum, N.S. 36, 1958, p. 98.

collaudato l'impianto della comunità coloniaria, gli organi costituzionali di questa (magistrati, senato, assemblea) iniziavano a funzionare autonomamente, secondo le norme dettate dallo statuto che Roma concedeva alla comunità stessa. In quanto fondazioni dello stato romano, le colonie presentano costituzioni fedelmente modellate su quella romana: *quasi effigies parvae simulacraque (i.e. populi Romani)* (GELL., *N.A.*, XVI, 13,9). È lecito attendersi che anche i senati ricalchino da presso lo schema romano.

L'unica testimonianza diretta riguardante un senato coloniario sicuramente anteriore alla guerra sociale ricorre nella *lex parieti faciendo* di Puteoli del 105 a.C., che riproduce il testo di un contratto di appalto per la costruzione di un'opera in muratura per conto della comunità di Puteoli (colonia del 194 a.C.) (3). L'ultima clausola del contratto in questione stabilisce che i lavori devono essere sorvegliati e collaudati dalle competenti autorità cittadine: *hoc opus omne facito arbitratu duovir(um) et duovira[l]ium, qui in consilio esse solent Puteolis, dum ni minus viginti adsient, cum ea res consuleretur. Quod eorum viginti iurati probaverint, probum esto; quod ieis inprobarint, inprobum esto.* Che *consilium* indichi il senato locale e non un semplice organo consultivo dei *duoviri* mi sembra risulti chiaramente dal contesto (4). Dal passo citato si ricavano anche altri dati relativi al meccanismo di reclutamento, alle competenze, alla composizione di questo senato: 1) i suoi membri sono reclutati fra gli ex-*duoviri* (5), evidentemente, secondo il modello romano, mediante il sistema della *lectio* (6); 2) il senato è competente a deliberare in materia di edilizia pubblica; 3) vi sono materie, fra cui appunto l'edilizia pubblica, per le quali è richiesta una presenza qualificata di senatori; 4) se il numero minimo di presenze prescritto nel nostro caso è pari, come può essere dedotto dal confronto con casi analoghi, ai due terzi del numero totale dei membri, ne deriva che il senato di Puteoli contava allora 30 membri (7). Questa cifra potrebbe essere considerata quella canonica per le colonie in cui venivano dedotti 300 cittadini (8) e confermerebbe il dato di Pomponio sopra esaminato.

---

(3) *CIL* I², 698 = *ILLRP*, 518.

(4) Fondamentali le considerazioni di H. RUDOLPH, *Stadt und Staat im römischen Italien. Untersuchungen über die Entwicklung des Munizipalwesens in der republikanischen Zeit*, Leipzig, 1935, pp. 134-138; cfr. anche A.N. SHERWIN-WHITE, *The Roman Citizenship²*, Oxford, 1973, p. 87, n. 2.

(5) Dal passo sopra citato il RUDOLPH, *Stadt und Staat*, 138 perviene alla conclusione che il senato di Puteoli fosse composto esclusivamente da ex-*duoviri* e che questi fossero gli unici magistrati della colonia in questo periodo; così anche A. DEGRASSI, *comm.* a *ILLRP*, 518, n. 18; W. SIMSHÄUSER, *Iuridici und Munizipalgerichtsbarkeit in Italien*, München, 1973, pp. 104-105. DE MARTINO, *Storia della costituzione romana*, II², p. 132, n. 75 non condivide queste conclusioni, non escludendo la possibilità che nel caso specifico fossero chiamati a decidere, nel senato, soltanto i *duovirales*. H. GALSTERER, *Herrschaft und Verwaltung im republikanischen Italien. Die Beziehungen Roms zu den italischen Gemeinden vom Latinerfrieden 338 v. Chr. bis zum Bundesgenossenkrieg 91 v. Chr.*, München, 1976, p. 57, n. 92 ritiene che i *duovirales* costituissero soltanto un comitato ristretto (*consilium*) all'interno del senato, analogamente ai *decemprimi* o ai *vigintiviri*; anche secondo questa interpretazione l'iscrizione non testimonierebbe che i *duoviri* fossero gli unici magistrati della città. Per parte mia, non vedo motivi che impediscano di ritenere che a Puteoli, come in genere nelle colonie più antiche, dove la consistenza numerica del senato doveva essere assai ridotta, i senatori potessero essere scelti esclusivamente fra gli ex-*duoviri*, anche nell'ipotesi che accanto ai *duoviri* esistessero altri magistrati.

(6) E.T. SALMON, *Roman Colonization under the Republic*, London, 1969, p. 87, pensa invece ad un sistema di autocompletamento.

(7) DEGRASSI, *comm.* a *ILLRP*, 518, n. 18; SALMON, *Roman Colonization*, p. 182, n. 142. Da un'iscrizione degli ultimi anni del II sec. d.C. (*CIL* X, 1783 = *ILS*, 5919) si ricava che i membri dell'*ordo* di Puteoli erano saliti a 100. Quando e in che forma sia avvenuto questo passaggio da 30 a 100 membri non sappiamo: certamente, esso è da porre in relazione con un ampliamento del corpo civico. Nel piccolo *municipium* di Castrimoenium troviamo attestato un *ordo* di 30 membri ancora nella prima età imperiale; vd. n. 90.

(8) Diverso è il caso delle colonie romane fondate (a partire dal 184 a.C.) con un maggior numero di coloni, dove anche il numero dei membri del senato doveva essere maggiore; vd. SALMON, *Roman Colonization*, pp. 87 s.; contro una generalizzazione dei dati ricavabili dal caso di Puteoli si pronuncia anche SHERWIN-WHITE, *Roman Citizenship²*, p. 87.

B) *I senati dei municipi*

a) *I senati dei* municipia sine suffragio

Cominciamo dal caso che ci è meglio documentato: quello di Capua. Capua venne incorporata nello stato romano come *municipium sine suffragio* nel 334 a.C. e mantenne ordinamenti autonomi fino al 211 a.C., quando, come è noto, l'ordinamento municipale venne soppresso come punizione per essersi la città ribellata a Roma (9). Le prime testimonianze relative al senato di Capua risalgono al periodo della guerra annibalica e provengono da Livio. Particolarmente significative in questo contesto sono quelle che si riferiscono alla fase che precedette immediatamente l'inizio della ribellione, essendo certo che tali testimonianze riguardano ordinamenti del *municipium*, concessi in quanto tali o comunque riconosciuti da Roma. Il noto episodio (10) di Pacuvius Calavius, *meddix tuticus* nel 217 a.C., per quanto lo si voglia considerare influenzato dalla tradizione annalistica dell'età graccana (11), consente il recupero di una prima serie di dati storicamente, a mio avviso, fededegni: per rinnovare totalmente la composizione del senato Pacuvius Calavius propone ai suoi concittadini di giudicare ed eventualmente condannare a morte ogni singolo senatore ritenuto indegno e di eleggere al suo posto un cittadino ritenuto più degno, di parte popolare. A parte l'eccezionalità del provvedimento, la procedura proposta (e seguita, anche se subito interrotta) da Pacuvius Calavius per il rinnovamento del senato lascia intendere, a meno di non ritenere che fosse stata concepita *ad hoc*, che a Capua la nomina dei senatori avvenisse per diretta elezione popolare, secondo l'uso greco o forse anche secondo un uso locale di derivazione osca (12). Il senato rappresentava nella città l'organo costituzionale preminente: i poteri dei senatori appaiono nella descrizione di Livio estesi a varie branche della vita pubblica. Particolare rilievo viene dato alle funzioni giudiziarie: *hinc senatores, omissa dignitatis libertatisque memoria, plebem adulari: salutare, benigne invitare, apparatis accipere epulis, eas causas suscipere, ei semper parti adesse, secundum eam litem iudices dare, quae magis popularis aptiorque in volgus favori conciliando esset* (13). Nel 211 a.C., come si è detto, il senato di

---

(9) Su tutto ciò, vd., in generale, M. HUMBERT, *Municipium et civitas sine suffragio. L'organisation de la conquête jusqu'à la guerre sociale* (*Coll. de l'École Française de Rome*, 36), Roma, 1978, pp. 173-176, 195-207, 366-372, con rinvio alle fonti e discussione della bibliografia moderna.

(10) LIV., XXIII, 2, 1 - 4, 1.

(11) Vd. J. VON UNGERN-STERNBERG, *Capua im zweiten punischen Krieg. Untersuchungen zur römischen Annalistik*, München, 1975, pp. 24-62.

(12) Vd. A. ROSENBERG, *Der Staat der alten Italiker. Untersuchungen über die ursprüngliche Verfassung der Latiner, Osker und Etrusker*, Berlin, 1913, pp. 135-136, ripreso da J. HEURGON, *Recherches sur l'histoire, la religion et la civilisation de Capoue préromaine des origines à la deuxième guerre punique*, Paris, 1942, p. 236, n. 2; G. CAMPOREALE, *La terminologia magistratuale nelle lingue osco-umbre, Atti e Memorie dell'Accademia Toscana di Scienze e Lettere La Colombaria*, 21, 1956, p. 63; G. DEVOTO, *Gli antichi italici*[3], Firenze, 1967, p. 221; SALMON, *Samnium and the Samnites*, Cambridge, 1967, p. 93; F. SARTORI, *Costituzioni italiote, italiche, etrusche, Studii Clasice*, 10, 1968, p. 43. Altri studiosi (SHERK, *Municipal Decrees*, 6; UNGERN-STERNBERG, *Capua*, p. 28, n. 14) insistono invece sul carattere anomalo e «tumultuario» della procedura adottata da Pacuvius Calavius e negano che dall'episodio si possa dedurre che a Capua i senatori fossero normalmente eletti dal popolo.

(13) LIV., XXIII, 4, 2-3: «in seguito a ciò i senatori, dimentichi della dignità e della libertà, presero ad adulare i plebei: li salutavano, li invitavano amabilmente, li accoglievano in banchetti suntuosi, di quelle cause si assumevano il patrocinio, quella parte sempre assistevano, a favore di quella (parte) decidevano come giudici la controversia, quella più popolare e più adatta a conciliare il favore presso la moltitudine»; per la corretta interpretazione del passo, vd. TITI LIVI *ab Urbe condita libri*, bearb. v. W. WEISSENBORN - H.J. MÜLLER, IV[8], Berlin, 1907, *comm. ad loc.*; P.F. GIRARD, *Histoire de l'organisation judiciaire des Romains*, I, Paris, 1901, p. 292, n. 2; W. STEINMANN, *Th. L.L.*, *s.v. lis*, col. 1497, lin. 5, che individuano nel contesto l'espressione tecnica *dare litem*. Il passo è doppiamente frainteso dal MOMMSEN, *Staatsrecht*, III[3], p. 581, n. 2, che lo riferisce al *summus magistratus* di Capua anziché ai senatori locali, e lo interpreta come se esso provasse che il *meddix* aveva in questo periodo poteri giurisdizionali (in realtà *iudices* è riferito a *senatores* ed è usato in funzione appositiva, non è oggetto di *dare* [anche se quest'ultima interpretazione non è esclusa in WEISSENBORN MÜLLER, *loc. cit.*]). Queste conclusioni del Mommsen vengono comunemente ripetute, non senza ulteriori fraintendimenti e forzature del passo liviano, nella letteratura moderna, con gravi implicazioni sul problema delle competenze giurisdizionali dei magistrati municipali prima della guerra sociale (bibliografia

Capua venne soppresso, insieme con gli altri organi dell'autonomia locale (14).

L'esistenza di senati locali è testimoniata esplicitamente, durante la guerra annibalica, anche a Cumae (15), ad Atella e a Calatia (16), *municipia sine suffragio* dal 334 a.C., nonché ad Acerrae, *municipium sine suffragio* dal 332 a.C. (17). Se dal territorio campano ci spostiamo al territorio volsco, troviamo testimoniato un senato a Fundi nel 330 a.C. (18), qualche anno dopo l'incorporazione della città nello stato romano come *municipium sine suffragio*. Un *senatus* è testimoniato anche a Satricum, *municipium sine suffragio* verosimilmente dal 338 a.C., all'epoca della sua rivolta contro Roma, nel 319 a.C. (19). Non sappiamo invece se l'organo deliberante menzionato nella *tabula* di Velitrae della prima metà del III sec. a.C.: *toticu couehriu* (abl. s.) (20) designi l'assemblea popolare (21) o il senato

in HUMBERT, *Municipium et civitas sine suffragio*, p. 370); l'interpretazione proposta a sua volta dall'HUMBERT, *loc. cit.* è rettificata dallo stesso in *Rev. Hist. de Droit Franç. et Étrang.*, 58, 1980, p. 619, n. 15 (piena adesione all'esegesi del Girard).

L'amico Michael Crawford, con il quale ho discusso a Napoli il passo citato di Livio, mi fa osservare che le tre frasi che precedono la relativa finale presentano una caratteristica strutturale comune: ciascuna inizia con un dimostrativo, seguito da un sostantivo con esso accordato: *eas causas..., ei semper parti..., secundum eam litem...* Secondo il Crawford è difficile disgiungere l'*eam* della terza frase dal termine *litem*: nel contesto va quindi individuata, a conferma dell'opinione tradizionale, l'espressione tecnica *iudices dare*. Livio, nella frase in questione, si riferirebbe non ai senatori *tout court*, che in quanto tali non avevano il potere di *iudices dare*, ma soltanto a quei senatori che rivestivano la magistratura suprema, nelle cui competenze un tale potere doveva evidentemente rientrare (cfr. M.H. CRAWFORD, *Italy and Rome*, Journ. of Rom. Studies, 91, 1981, p. 155).

Queste acute considerazioni mi hanno fatto a lungo riflettere. Tuttavia, vagliati attentamente i *pro* e i *contra* a favore dell'una e dell'altra tesi, persisto a ritenere che esistono forti argomenti a favore della tesi che io stesso ho accolto nel testo. Ritengo opportuno presentare alcuni di questi argomenti, se non altro per alimentare la discussione tra gli studiosi. La locuzione *litem dare* (sc. *a iudice*) *secundum aliquem, aliquid* (o *contra aliquem, aliquid*) è tecnica, come è provato da numerosi esempi: CIC., pro Q. Roscio com., 3: *quo minus secundum eas* [scil. *tabulas*] *lis detur, non recusamus*; VAL. MAX., II, 8, 2: *itaque, Lutati, quamvis adhuc tacueris, secundum te litem do* [il soggetto è il *iudex* Atilius Calatinus]; LUC., Phars., VIII, 333-334: *secundum Emathiam lis tanta datur?;* GELL., N.A., V, 10, 10: *si contra te lis data erit, merces mihi ex sententia debebitur, quia ego vicero; sin vero secundum te iudicatum erit, merces mihi ex pacto debebitur, quia tu viceris.* Non mi sembra invece che l'espressione *iudices dare secundum litem* possa prestarsi ad un'interpretazione soddisfacente. E, in tutti i casi, come andrebbe interpretata la relativa finale, riferita a *litem*? Dal punto di vista stilistico, l'interpretazione da noi sostenuta soltanto in apparenza provoca una rottura della *concinnitas*. Occorre infatti tener presente che nell'espressione *secundum eam* è sottinteso il sostantivo *partem*, che si ricava dalla frase immediatamente precedente (*eas causas* [scil. *eius partis causas*]..., *ei semper parti...*, *secundum eam* [scil. *partem*]: i tre dimostrativi sono usati in funzione prolettica, rispetto alla relativa che segue e conclude il periodo). Infine l'interpretazione da noi sostenuta si inserisce nella maniera più logica e naturale nel contesto dell'esposizione liviana. Livio dapprima descrive il comportamento adulatorio dei senatori verso i plebei nella vita quotidiana: *salutare, benigne invitare, apparatis accipere epulis*; passa poi a descrivere come gli stessi senatori si comportano quando agiscono come *patroni*, come *advocati*, come *iudices*.

(14) Vd. n. 9. Il senato di Capua è menzionato anche in LIV., IX, 6, 7 (321 a.C.); XXIII, 7, 11 (216 a.C.); con il senato di Capua è da identificare anche il *senatus Campanus* menzionato in LIV., XXIII, 5, 3 (216 a.C.); XXIII, 35, 3 (215 a.C.); XXVI, 14, 7 (211 a.C.); XXVI, 15, 1 (211 a.C.), allo stesso modo di come il *meddix Campanus* indica il magistrato supremo della stessa Capua (vd. E. CAMPANILE, *Le strutture magistratuali degli stati osci*, in E. CAMPANILE - C. LETTA, *Studi sulle magistrature indigene e municipali in area italica*, Pisa, 1979, pp. 23-24); che in LIV., XXIII, 35, 3 *senatus Campanus* indichi un senato federale «auquel était représenté l'ensemble du *populus Campanus*» sostiene, a mio avviso non a ragione, HEURGON, *Capoue préromaine*, p. 190.

(15) LIV., XXIII, 35, 3; vd. SHERWIN-WHITE, *Roman Citizenship*[2], p. 43, n. 1.

(16) LIV., XXVI, 16, 6; SHERWIN-WHITE, *Roman Citizenship*[2], p. 43, n. 1; UNGERN-STERNBERG, *Capua*, p. 81.

(17) CASS. DIO, XV, fragm. 57, 34 (cfr. ZON., IX, 2, 12) (I, p. 228 BOISS.); vd. UNGERN-STERNBERG, *Capua*, p. 65, n. 9.

(18) LIV., VIII, 19, 10; vd. SHERWIN-WHITE, *Roman Citizenship*[2], 48; HUMBERT, *Municipium et civitas sine suffragio*, pp. 197, 294; per un'altra testimonianza relativa al senato di Fundi, vd. *infra*, pp. 63-64.

(19) LIV., IX, 16, 5-6. I Satricani erano passati ai Sanniti dopo Caudio (LIV., IX, 16, 1); la qualità di *municipes sine suffragio* non è esplicitamente attestata, ma si ricava dallo stesso Livio, che li definisce *cives Romani* (IX, 16, 2; cfr. XXVI, 33, 10); su tutto ciò, vd. UNGERN-STERNBERG, *Capua*, p. 104, n. 93; sulla data del 319 a.C., vd. *ibid.*, p. 104, n. 94.

(20) E. VETTER, *Handbuch der italischen Dialekte*, Heidelberg, 1953, nr. 222.

(21) Così J. UNTERMANN, *Die Bronzetafel von Velletri*, Ind. Forsch., 62, 1956, pp. 127-129; CAMPANILE, *Strutture magistratuali*, p. 21.

(22). A dire il vero, non siamo nemmeno del tutto sicuri che a tale data la città facesse parte dello stato romano (e dubbi sono stati avanzati anche sull'originaria pertinenza della *tabula* a Velitrae) (23).

b) *I senati dei* municipia optimo iure

Possiamo ricordare in questo contesto l'iscrizione, pubblicata da G. Manganaro, che riporta il testo di un *senatusconsultum* in greco dei Lanuvini, relativo al rinnovo della *cognatio* con i Centuripini (24). L'iscrizione, è vero, viene datata ad un periodo posteriore alla concessione del *Latium* alla Sicilia, negli anni 44-42 o dopo il 36 a.C. Ma, a parte il fatto che questa datazione è tutt'altro che sicura, occorre tener presente che la prima instaurazione della *cognatio* tra Lanuvini e Centuripini, di cui l'iscrizione costituisce il rinnovo, risale ad un periodo assai anteriore (l'editore pensa alla fine del III sec. a.C.) e tutto lascia presumere che questa fosse stata già allora deliberata mediante un *senatusconsultum*.

Alcune considerazioni di carattere generale consentono di intravvedere la posizione dei senati dei *municipia optimo iure* nel più ampio contesto delle costituzioni municipali. Per tutto il periodo anteriore alla guerra sociale Roma si astenne dall'imporre ai municipi, sia a quelli *sine suffragio* sia a quelli *optimo iure*, ordinamenti uniformi e in tutto rispondenti alle norme romane. Che i singoli municipi conservino le proprie magistrature nazionali, sia pure con adattamenti agli schemi romani (ma non sempre), è un fatto ben noto. Un aneddoto riferito da Cicerone (*de leg.*, III, 36) attesta che anche i meccanismi di funzionamento delle assemblee popolari non sempre erano esemplati su quelli delle assemblee di Roma. L'aneddoto riguarda proprio un *municipium optimo iure*, Arpinum, dove nel 115 a.C. le elezioni e le votazioni delle leggi nell'assemblea popolare si svolgevano secondo procedure che non tenevano conto delle riforme introdotte a Roma dalle *leges tabellariae* del 139, del 137, del 131 a.C. (25). Se dunque un *municipium* di pieno diritto come Arpinum godeva di tale ampia autonomia non soltanto riguardo ai magistrati ma anche riguardo alle assemblee popolari, siamo a mio avviso pienamente autorizzati a ritenere che anche il senato, in un *municipium* di pieno diritto, potesse per qualche aspetto differire dal modello romano.

Esaminiamo ora, a parte, un'iscrizione proveniente da Fundi, che presenta problemi di particolare rilievo e complessità. Si tratta della *tessera hospitalis* pubblicata in *CIL* I², 611 = *ILLRP*, 1068: [*Consc*]*riptes co(n)se(nsu) T. Fa*[_ _ _*praifecti et p*]*raifectura tot*[*a Fundi hospitium*] *fecere quom Ti. C*[_ _ _. *I*]*n eius fidem om*[*nes nos tradimus et*] *covenumis co*[_ _ _] *M. Claudio M.f.,* [_ _ _ *co(n)s(ulibus)*]. La data dell'iscrizione oscilla tra il 222 e il 152 a.C. Non si può quindi stabilire con sicurezza se essa appartiene alla fase del *municipium sine suffragio* o del *municipium optimo iure* (*municipium sine suffragio* dal 334 a.C., Fundi ricevette l'*optimum ius* nel 188 a.C.) (26). La presenza

---

(22) Così F. ALTHEIM, *Altitalische Inschriften, 1: die Bronzetafel von Velletri, Epigraphica*, 19, 1957, pp. 73-77.

(23) Per l'ipotesi che Velitrae, antica colonia latina del 494 a.C. passata sotto la dominazione volsca, sia stata incorporata come *muncipium sine suffragio* nella sistemazione del 338 a.C., vd., da ultimo, HUMBERT, *Municipium et civitas sine suffragio*, pp. 184-186, con rinvio alle fonti e discussione della bibliografia moderna; questa ipotesi è respinta da S. CALDERONE, *La conquista romana della Magna Grecia, La Magna Grecia nell'età romana. Atti del XV Convegno di Studi sulla Magna Grecia (Taranto 5-10 ottobre 1975)*, Napoli, 1976, p. 56; per i dubbi sull'originaria pertinenza della *tabula* a Velitrae, vd. CRAWFORD, *Athenaeum*, N.S. 59, 1981, p. 542.

Per una testimonianza del senato di Velitrae, colonia latina. vd. *infra*, p. 64; per una testimonianza del senato di Velitrae nella fase della dominazione volsca, vd. *infra*, p. 65.

(24) G. MANGANARO, *Un senatus consultum in greco dei Lanuvini e il rinnovo della cognatio con i Centuripini, Rend. d. Accad. di Archeol. Lettere e Belle Arti di Napoli*, N.S. 38, 1963, pp. 23-44 (cfr. J. e L. ROBERT, *Bull. Épigr.*, 1965, 499).

(25) Su tutto ciò, vd. C. NICOLET, *Arpinum, Aemilius Scaurus et les Tullii Cicerones, Rev. Étud. Lat.*, 45, 1967, pp. 276-304.

(26) L'iscrizione è ora ampiamente esaminata in HUMBERT, *Municipium et civitas sine suffragio*, pp. 393-399; la datazione, ivi sostenuta, alla fase del *municipium optimo iure* (166 o 152 a.C.) è fondata su considerazioni in larga misura ipotetiche.

di un *praefectus* e la qualifica della comunità come *praefectura* si conciliano peraltro con l'una e con l'altra condizione giuridica. Comunque sia, l'iscrizione conferma che a Fundi, *prafectura* in quanto sede di un *praefectus i. d.*, (27), esisteva un senato (28) e che i senatori, come altrove (29), si denominavano *conscripti*. Non solo: l'iscrizione ci consente anche di farci un'idea, per quanto approssimata, dei rapporti intercorrenti tra il *praefectus*, rappresentante del governo centrale, e gli organi deliberanti locali. Vediamo infatti che questa concessione di *hospitium* e di *patrocinium* è deliberata dalla collettività di Fundi con il *consensus* del *praefectus*: nulla però sappiamo sul valore giuridico di questo *consensus*, se fosse obbligatorio e vincolante, obbligatorio ma non vincolante, o se avesse un semplice significato politico (30).

2. — Le *coloniae Latinae*

Il ben noto elogio di Brindisi (31), se, come anche io credo, si riferisce ad un magistrato locale, fornisce una serie di testimonianze di primaria importanza sui senati delle colonie latine. Fra le *res gestae* dell'anonimo personaggio onorato si mette in rilievo che egli *primus senatum legit et comiti[a instituit]*, nell'anno 230 a.C. Ricordiamo che le operazioni connesse con la deduzione della colonia latina di Brindisi si erano concluse nel 244 a.C. Il passo citato, attestando che la prima *lectio* del senato locale ebbe luogo soltanto a distanza di 14 anni dalla conclusione delle operazioni di deduzione della colonia, induce a ritenere che, come nelle colonie romane, così anche nelle colonie latine, formalmente stati autonomi ma pur sempre fondazioni dello stato romano, il senato fosse inizialmente nominato dal governo centrale. Dal governo centrale o forse anche dal senato locale saranno stati nominati i primi magistrati, fino all'impianto dei comizi. Il passo citato attesta inoltre esplicitamente che il completamento del senato, dopo la fase iniziale, avveniva nelle colonie latine mediante il sistema della *lectio* magistratuale, come nelle colonie romane e nella stessa Roma.

Il senato era, anche nelle colonie latine, l'organo costituzionale preminente. Esso dirigeva la politica estera (nei limiti in cui questa era consentita) e decideva l'invio di legazioni. Ciò risulta esplicitamente per Circei e Velitrae da LIV., VI, 21, 8 (382 a.C.) (32). L'esistenza di senati locali è documentata anche in altre colonie latine: a Venusia (*CIL* I², 402 = *ILLRP*, 691), a Paestum (*CIL* I², 1682 = *ILLRP*, 636), a Firmum (*CIL* I², 1921 = *ILLRP*, 594), ad Aquileia (*CIL* I², 2197 = *ILLRP*, 487 *a)*. L'iscrizione citata di Venusia comprova che il senato locale aveva il potere specifico di dichiarare un luogo sacro o pubblico. Le altre tre iscrizioni confermano le note competenze del senato in materia di edilizia pubblica.

Per quanto riguarda la composizione dei senati nelle colonie latine, va richiamato con la dovuta attenzione il fatto che, a partire verosimilmente dal 124 a.C., i magistrati all'uscita di carica

---

(27) Sul concetto di *praefectura*, vd. U. LAFFI, *Sull'organizzazione amministrativa dell'Italia dopo la guerra sociale, Akten des VI. Intern. Kongr. f. Griech. u. lat. Epigraphik (München 1972)*, München, 1973, p. 41.

(28) Per una testimonianza del senato a Fundi nella fase del *municipium sine suffragio*, vd. *supra*, p. 62.

(29) Le testimonianze in E. DE RUGGIERO, *Diz. Epigr.*, II, *s.v. conscripti*, pp. 604-605; cfr. anche KÜBLER, *R.E.*, IV 2, *s.v. Decurio*, coll. 2321-2322; MANCINI, *Diz. Epigr.*, II, *s.v. decuriones*, pp. 1520-1521.

(30) Sul significato politico dell'intervento del *praefectus* insiste HUMBERT, *Municipium et civitas sine suffragio*, pp. 397-399.

(31) Per il testo e l'interpretazione, seguo GABBA, *L'elogio di Brindisi, Athenaeum*, N.S. 36, 1958, pp. 90-105; ID., *Critica Storica*, 2, 1963, p. 209. L'interpretazione del Gabba è ripresa da A. GUARINO, *Fabio e la riforma dei comizi centuriati, Labeo*, 9, 1963, pp. 89-95; GALSTERER, *Herrschaft und Verwaltung*, p. 58.

(32) Il fatto che Circei e Velitrae fossero nel 382 a.C. impegnate in una rivolta contro Roma non toglie valore a queste testimonianze: la situazione particolare in cui si trovavano allora le due comunità avrà senz'altro favorito un ampliamento dei poteri dei rispettivi senati, ma certamente questi poteri non si saranno sviluppati dal nulla; per una testimonianza più tarda del senato a Velitrae, vd. *infra*, p. 65; cfr. anche *supra*, pp. 62-63.

acquisivano *ipso iure* la cittadinanza romana (33). Poiché i senatori erano reclutati in primo luogo fra gli ex-magistrati, ne consegue che, alla vigilia della guerra sociale, i senati delle colonie latine erano composti in prevalenza da cittadini romani.

3. — Le *civitates foederatae*

I senati delle città latine, volsche ed erniche. - A Cora due personaggi privi di qualifiche, ma identificabili con i due *praetores*, costruiscono con denaro sacro il tempio di Castore e Polluce *de senatus sententia*; altri due personaggi, presumibilmente i successori dei due magistrati sopra ricordati, lo collaudano e lo dedicano, ugualmente *de senatus sententia* (34). A Praeneste iscrizioni pertinenti al santuario della Fortuna Primigenia attestano che alcune parti del complesso (ma evidentemente ciò vale anche per le altre parti, per le quali non ci è giunta esplicita tesimonianza) sono state costruite *de senatus sententia* (35). Le testimonianze citate non richiedono commenti particolari: le materie di deliberazione del senato sono quelle canoniche. A Velitrae, antica colonia latina del 494 a.C. passata dopo alterne vicende e in seguito ad infiltrazioni continue sotto la dominazione volsca (36), Livio testimonia l'esistenza di un senato all'epoca della guerra dei Latini contro Roma, alla quale la città stessa prese parte attiva. Tale senato venne eliminato da Roma nella sistemazione del 338 a.C. (37). Lo stesso Livio testimonia l'esistenza di un senato a Privernum, città volsca, nel 329 a.C. (38). Ad Aletrium, città ernica, risulta da una nota iscrizione di poco anteriore alla guerra sociale (39) che L. Betilienus Varus eseguì una serie di opere pubbliche *de senatus sententia*. Fin qui nulla di rilevante. Del più grande interesse è invece la notizia, contenuta nella stessa iscrizione, che il senato concesse al figlio l'esenzione dal servizio militare. Soltanto il senato di una città federata, sovrana rispetto a Roma, poteva accordare un tale privilegio (40).

I senati delle città etrusche. - Ad Arezzo il senato appare direttamente responsabile della conduzione della politica verso Roma: Livio narra che nel 208 a.C., temendosi a Roma una defezione della città ad Annibale, il propretore C. Hostilius convocò i senatori aretini nel *forum* ed intimò loro di consegnare degli ostaggi; nello stesso contesto sono ricordati *septem principes senatus*, che saranno da identificare con ·i *patres maiorum gentium* (41). A Volsinii una massa di «servi», manomessi in numero sempre maggiore, si impadronisce gradualmente, a partire dal 280 a.C. *ca*, del governo della

---

(33) Fondamentale G. TIBILETTI, *La politica delle colonie e città latine nella guerra sociale*, Rend. Istituto Lombardo di Scienze e Lettere, Cl. Lett. e Sc. Mor. e Stor., 86, 1953, pp. 45-63, part. pp. 54-60. Contro GALSTERER, *Herrschaft und Verwaltung*, pp. 99-100, che data l'introduzione di questo diritto dei magistrati latini all'epoca delle leggi *de civitate* del 90-89 a.C., vd. LAFFI, *Roma e l'Italia prima della guerra sociale: una nuova indagine*, Athenaeum, N.S., 58, 1980, p. 180.

(34) CIL I², 1506 = ILLRP, 60.

(35) ILLRP, 656, con il commento, dove è citata un'altra iscrizione con la stessa formula e pertinente allo stesso complesso.

(36) Vd., in generale, G. RADKE, R.E., VIII A 2, 1958, *s.v. Velitrae*, coll. 2406-2411; HUMBERT, *Municipium et civitas sine suffragio*, pp. 59-60, 64, 153-154, 160-161, 171-172.

(37) LIV., VIII, 14,5-7; vd. HUMBERT, *Municipium et civitas sine suffragio*, pp. 185-186, 338, n. 13.

(38) LIV., VIII, 20, 9; vd. SHERWIN-WHITE, *Roman Citizenship²*, p. 48; HUMBERT, *Municipium et civitas sine suffragio*, pp. 197-198, 338, n. 13.

(39) CIL I², 1529 = ILLRP, 528.

(40) Vd. L. GASPERINI, *Aletrium, I: i documenti epigrafici*, Alatri, 1965, pp. 18-19, con altra bibliografia: si aggiunga SHERK, *Municipal Decrees*, p. 10.

(41) LIV., XXVII, 24, 1-5; sull'episodio, vd. W.V. HARRIS, *Rome in Etruria and Umbria*, Oxford, 1971, pp. 118, 139-141; sull'oligarchia dei *principes* nelle città etrusche, vd., in generale, HEURGON, *L'état étrusque*, Historia, 6, 1957, pp. 69-71; M. CRISTOFANI, *Società e istituzioni nell'Italia preromana*, Popoli e civiltà dell'Italia antica, VII, Roma, 1978, p. 88; M. TORELLI, *Storia degli Etruschi*, Bari, 1981, pp. 76-79 e *passim*.

città ed afferma il suo predominio anche nel senato, finché Roma, chiamata in aiuto da fuorusciti, non interviene a restaurare l'egemonia della classe dei «domini» (42). L'episodio richiederebbe un'analisi puntuale, che non è possibile in questo contesto (43). Mi limiterò semplicemente a richiamare l'attenzione su alcuni passi della tradizione relativi al senato. L'anonimo autore *de vir. ill.*, 36, 1-2 afferma: *Vulsinii... cum temere servos manumitterent, dein in curiam legerent, consensu eorum oppressi*; Zonara (VIII, 7, 5) completa questa testimonianza: εἰς τὴν βουλὴν ἐνεγράφοντο καὶ τὰς ἀρχὰς ἐλάμβανον; si può aggiungere VAL. MAX., IX, 1, *ext.* 2: *qui primum admodum pauci senatorium ordinem intrare ausi, mox universam rem publicam occupaverunt*. Dal passo citato di Zonara il Rosenberg ricava la conclusione che i senatori fossero nominati dal sommo magistrato cittadino, considerato che gli ex-servi manomessi τὰς ἀρχὰς ἐλάμβανον e potevano quindi nominare persone di loro gradimento fino ad ottenere la maggioranza nel senato (44). Più che dal passo di Zonara la conclusione che i senatori fossero nominati dal sommo magistrato cittadino parrebbe suggerita dal passo del *de vir. ill*, qualora il verbo *legere* venga interpretato secondo la sua accezione tecnica. Ma che così debba essere interpretato in quel contesto è tutt'altro che sicuro: nemmeno a questo argomento mi sentirei quindi di attribuire un valore di carattere dirimente.

Comunque sia, dai dati in nostro possesso sembra potersi ricavare che, durante il periodo di predominio di questi ceti ex-servili, i senatori non fossero reclutati soltanto fra gli ex-magistrati: riuscirebbe infatti difficile immaginare come, con immissioni così circoscritte, gli ex-servi manomessi, ammesso anche che monopolizzassero le magistrature, riuscissero ad acquisire il controllo del senato (il *consensus eorum* si sarà realizzato *in primis* nel senato) in un periodo di soli 10-15 anni. Un senato è testimoniato anche nella città etrusco-falisca di Falerii Novi, dove un'iscrizione, datata intorno alla metà del II sec. a.C., menziona un pretore che consacra un'offerta *de zenatuo sententiad* (45). Degna di nota è l'adozione del termine istituzionale romano, che ritroveremo in altri casi.

I senati delle città osche. - Il cippo Abellano (fine III sec. / inizio II sec. a.C.), che contiene il testo osco di un accordo tra Abella e Nola circa l'uso di un tempio di Ercole posto al confine dei due territori e dei terreni circostanti, testimonia che i *lígatús (= legati)* incaricati di assistere i magistrati delle rispettive comunità per la definizione dell'accordo stesso, erano stati nominati sia ad Abella sia a Nola *senateís tanginúd (= senatus sententia)*. Ciò conferma che tra le prerogative dei senati nelle città alleate rientrava, con la nomina di *legati*, il controllo delle relazioni internazionali. Una clausola dell'accordo stabilisce inoltre che sulla striscia di terreno esterna al muro di cinta del santuario, proprietà comune delle due città, ciascuna di esse poteva costruire edifici previa autorizzazione del rispettivo senato (46). Il senato di Nola è ricordato da Livio anche al tempo della guerra annibalica (47). Nello stesso periodo è inoltre testimoniato un senato a Nuceria (48). A Pompei, come risulta da

(42) Le fonti, con commento, in Marina R. TORELLI, *Rerum Romanarum fontes ab anno CCXCII ad annum CCLXV a. Chr. n.*, Pisa, 1978, pp. 257-261.

(43) Vd., in generale, Maria CAPOZZA, *Movimenti servili nel mondo romano in età repubblicana*, I, Roma, 1966, pp. 126-133; HARRIS, *Rome in Etruria*, pp. 115-118; M. TORELLI, *Tre studi di storia etrusca*, Dialoghi di Archeologia, 8, 1974-1975, pp. 73-74; ID, *Storia degli Etruschi*, 257-258.

(44) ROSENBERG, *Staat der alten Italiker*, pp. 137-138.

(45) *CIL* I², 365 = *ILLRP*, 238.

(46) Il testo, con commento, in VETTER, *Handbuch*, nr. 1; alla bibliografia ivi citata si aggiunga CAMPOREALE, *Terminologia magistratuale*, pp. 51-52, 60, 63-65, 72; sul diritto dei senati locali di nominare *legati*, vd. anche SALMON, *Samnium and the Samnites*, p. 94; UNGERN-STERNBERG, *Capua*, p. 74, n. 47, e *supra*, p. 64.

(47) LIV., XXIII, 14, 7; 16, 7; 17, 3; 39, 7; 43,8; XXIV, 13, 8; vd. SARTORI, *Problemi di storia costituzionale italiota*, Roma, 1953, p. 149; CAMPOREALE, *Terminologia magistratuale*, p. 63; UNGERN-STERNBERG, *Capua*, pp. 64-65.

(48) LIV., XXIII, 15, 6; CASS. DIO, XV, fragm. 57, 30 (cfr. ZON., IX, 2, 11) (I, p. 227 BOISS.); fragm. 57, 34 (cfr. ZON., IX, 2, 12) (I, p. 228 BOISS.); vd. G. DE SANCTIS, *Storia dei Romani*, III, 2, p. 236; UNGERN-STERNBERG, *Capua*, p. 65, n. 9.

testimonianze epigrafiche del II sec. a.C., esistevano due assemblee: il *kúmbennio-* (49) e il *kúmparakion-* (50). Vi è un largo consenso tra gli studiosi nel ritenere che il termine *kúmbennio-* designi l'assemblea popolare (51); è assai probabile, nonostante opinioni divergenti, che il termine *kúmparakion-* designi il senato (52). Quanto alle competenze del *kúmparakion-* l'iscrizione dove il termine è esplicitamente attestato menziona un *[k]vaísstur* che dà corso ad una *locatio*, *[kú]mparaki-neís [ta]ngin(ud)*.

Dalla Campania trasferiamoci al Sannio. A Pietrabbondante un *meddix* fa erigere degli altari *[s]enateís tanginúd* (53). Dal Sannio scendiamo nella Lucania; ad Atena Lucana un'iscrizione osca in caratteri greci testimonia la costruzione di un edificio pubblico [σενα]τηι૬ τανγινοδ (54). La stessa formula ricorre in tre iscrizioni provenienti da Rossano di Vaglio, che si riferiscono a dediche sacre poste da magistrati locali (55). Il termine σε[νατηι૬] è plausibilmente integrato in un'altra iscrizione proveniente dalla stessa località (56). Anche la *lex Osca tabulae Bantinae* (se può essere presa in esame in questo contesto cronologico) fa menzione del senato locale (57). La clausola finale del primo capitolo conservato autorizza un magistrato ad esercitare il diritto di *intercessio*, bloccando la discussione di una proposta nei comizi, a condizione che giuri di agire senza un interesse personale e con il consenso della maggioranza del senato. Nella frase precedente, che non si sa se è direttamente connessa con questa disposizione, si accenna ad un giuramento (dello stesso magistrato intercedente?

---

(49) VETTER, *Handbuch*, nrr. 11, 12, 18.

(50) VETTER, *Handbuch*, nr. 17; cfr. anche nr. 19 (dove il termine è plausibilmente integrato).

(51) Vd. DEVOTO, *Gli antichi italici*[3], pp. 221-222; SARTORI, *Problemi di storia costituzionale italiota*, p. 71; CAMPOREALE, *Terminologia magistratuale*, pp. 101-103; M.W. FREDERIKSEN, *Republican Capua: A Social and Economic Study*, Papers of the British School at Rome, 27, 1959, p. 93; P. CASTRÉN, *Ordo Populusque Pompeianus. Polity and Society in Roman Pompeii* (Acta Inst. Rom. Finlandiae, 81), Roma, 1975; p. 42.

(52) In questo senso gli autori citati nella nota precedente. SALMON, *Samnium and the Samnites*, pp. 92-93 ritiene che *kúmbennio-* e *kúmparakion-* siano due termini diversi per designare uno stesso organo assembleare; *contra* SARTORI, *Studii Clasice*, 1958, p. 44, il quale, modificando in parte e ampliando quanto sostenuto in *Problemi di storia costituzionale italiota*, p. 71 (vd. n. precedente), affaccia l'ipotesi che *kúmparakion-* possa designare, nell'ambito di un sistema tricamerale, un'assemblea ristretta, distinta tanto dal senato che dall'assemblea generale. CAMPANILE, *Strutture magistratuali*, pp. 24-25 ribadisce, contro il Salmon, che *kúmbennio-* e *kúmparakion-* designano due diverse assemblee, vale a dire un senato e un'assemblea popolare, ma ritiene che non ci sia dato sapere «chi a chi corrisponda».

(53) P. POCCETTI, *Nuovi documenti italici a complemento del Manuale di E. Vetter*, Pisa, 1979, nr. 20; cfr. anche l'iscrizione nr. 17, con le integrazioni di A. LA REGINA, *Sannio, Pentri e Frentani dal VI al I sec. a.C. (Isernia, Museo Nazionale, ottobre-dicembre 1980)*, Roma, 1980, p. 172, nr. 53.

(54) POCCETTI, *Nuovi documenti italici*, nr. 148.

(55) POCCETTI, *Nuovi documenti italici*, nrr. 167, 168, 175.

(56) POCCETTI, *Nuovi documenti italici*, nr. 155.

(57) Il testo, commentato, della *lex Osca tabulae Bantinae*, compreso il nuovo frammento pubblicato da M. TORELLI, in D. ADAMESTEANU - M. TORELLI, *Il nuovo frammento della Tabula Bantina*, Arch. Class., 21, 1969, pp. 2-17, in GALSTERER, *Die lex Osca Tabulae Bantinae. Eine Bestandsaufnahme*, Chiron, 1, 1971, pp. 191-214, con bibliografia. Come è noto, la *lex Osca* è incisa su una tavola bronzea, che contiene sull'altra faccia una *lex Latina*, databile nell'ultimo quarto del II sec. a.C.: il nuovo frammento, pure opistografo, ha portato la prova materiale che la *lex Osca* è posteriore alla *lex Latina*. Ma l'ulteriore deduzione che la *lex Osca* è posteriore alla guerra sociale o ancor più precisamente appartiene all'età sillana o immediatamente post-sillana (così GALSTERER, *op. cit.*; Loretta DEL TUTTO PALMA, *Bantia*, Studi Etruschi, 42, 1974, pp. 397-400; C. LETTA, *Magistrature italiche e magistrature municipali: continuità o frattura?*, in CAMPANILE - LETTA, *Studi sulle magistrature*, cit., pp. 64-65; io stesso ho accolto questa datazione in *Akten des VI. Intern. Kongr. f. Griech. u. Lat. Epigraphik*, p. 50) è stata forse un po' troppo precipitosa; vd. le riserve di FREDERIKSEN, *Journ. of Rom. Studies*, 65, 1975, p. 192; HUMBERT, *Municipium et civitas sine suffragio*, p. 225, n. 71 (tra il 100 e il 90 a.C.). La *lex Osca* è ora interpretata come una legge di reazione contro la dominazione romana all'epoca della guerra sociale da A.W. LINTOTT, *The quaestiones de sicariis et veneficis and the Latin Lex Bantina*, Hermes, 106, 1978, pp. 125-138, part. pp. 128-129, 138 (cfr. HUMBERT, *Rev. Hist. de Droit. Franç. et Étrang.*, 58, 1980, p. 154).

o del questore menzionato in precedenza in un contesto lacunoso?) e ad una delibera della maggioranza del senato, che deve essere presa alla presenza di almeno 40 senatori (58).

I senati delle città greco-italiote. - L'organo consiliare caratteristico del mondo greco, variamente denominato, presenta caratteristiche proprie, diverse da *polis* a *polis*. Le testimonianze che si riferiscono al periodo anteriore alla guerra sociale e posteriore all'inizio delle relazioni delle rispettive *poleis* con Roma non sono numerose. Il consiglio è attestato esplicitamente, con la denominazione βουλά a Reggio (59), βωλά a Locri (60); indirettamente a Taranto (61); con la denominazione σύγκλητος è attestato a Napoli (62). Le materie sulle quali i consigli deliberano, di regola congiuntamente con le assemblee popolari, appaiono essere nelle *poleis* menzionate le più varie. A Reggio la ἁλία, la ἔσκλητος e la βουλά decretano il conferimento di onori (fra cui la *proxenia*) ad un magistrato romano. A Locri la βωλά e il δᾶμος autorizzano la *polis* a prelevare sotto forma di prestito somme in denaro dal tesoro del santuario di Zeus Olimpio, a restituire tali somme, ad usare i beni del santuario; parimenti un decreto della βωλά e del δᾶμος autorizza il santuario a spendere delle somme per eseguire determinati lavori (63). A Napoli la σύγκλητος e il δῆμος decretano il riconoscimento dell'*asylia* dell'Asklepieion di Cos. Ai senati delle città alleate dell'Italia peninsulare, con particolare riferimento alle comunità italiote, accenna Liv., XXIV, 2, 8, in riferimento all'anno 215 a.C.: *unus velut morbus invaserat omnes Italiae civitates ut plebes ab optimatibus dissentirent, senatus Romanis faveret, plebs ad Poenos rem traheret* (l'analisi socio-politica di questa importante e discussa testimonianza non rientra nel tema di questa relazione) (64).

---

(58) Per un commento a questa clausola, vd. GALSTERER, *Chiron*, 1971, pp. 194-196.

(59) *IG* XIV, 612 = *Syll.*³, 715: ἔδοξε τᾶι ἁλία[ι] καθάπερ τᾶι ἐσκλήτωι καὶ τᾶι βουλᾶι; che la ἔσκλητος costituisse un organo deliberante distinto sia dalla ἁλία che dalla βουλά è sostenuto da SARTORI, *Problemi di storia costituzionale italiota*, pp. 135-136; ID., *Città e amministrazione locale in Italia meridionale: Magna Grecia, Atti del Convegno Internazionale sulla città antica italiana* (= *Atti Ce. S.D.I.R.*, 3, 1970-1971), Milano, 1971, p. 50; F. GHINATTI, *Synkletoi italiote e siceliote, Kokalos*, 5, 1959, pp. 121-122, 126-127; C. TURANO, *Note di epigrafia classica (III), Klearchos*, 10, 1968, pp. 102-103. G. FORNI, *Intorno alle costituzioni di città greche in Italia e in Sicilia, Kokalos*, 3, 1957, pp. 66-67 interpreta invece la ἔσκλητος come parte della ἁλία o della βουλά o come comprensiva di quest'ultima, oppure come «strumento ratificante o latore nella fase iniziale, intermedia o finale del processo legislativo, ma non perciò e di per sé stessa organo deliberante»; questa opinione è ribadita dallo stesso *Kokalos*, 6, 1960, p. 53 ed è alla base dell'interpretazione di MANGANARO, *Tre tavole di bronzo con decreti di proxenia nel Museo di Napoli e il problema dei proagori in Sicilia, Kokalos*, 9, 1963, pp. 209-210.

(60) Elenco dei passi in cui è menzionata la βωλά (di regola insieme con il δᾶμος) in A. DE FRANCISCIS, *Stato e società in Locri Epizefiri*, Napoli, 1972, p. 196; M. GIGANTE, *La tavola di Locri come testo storico, Le tavole di Locri. Atti del colloquio sugli aspetti politici, economici, culturali e linguistici dei testi dell'archivio locrese (Napoli 26-27 aprile 1977)*, Napoli, 1979, pp. 51-52.

(61) *Not. Sc.*, 1894, p. 61, nr. 2, lin. 3; nr. 4, lin. 3, con l'interpretazione di SARTORI, *Problemi di storia costituzionale italiota*, pp. 88-89.

(62) R. HERZOG - G. KLAFFENBACH, *Asylieurkunden aus Kos, Abh. d. Deutsch. Akad. d. Wiss. zu Berlin, Kl. f. Sprachen, Literat. u. Kunst*, 1952, 1, pp. 20-21, nr. 11 = *SEG*, XII, 378 (cfr. H. BENGTSON, *Randbemerkungen zu den koischen Asylieurkunden, Historia*, 3, 1954-1955, pp. 457-458). Che σύγκλητος sia da interpretare nel contesto come sinonimo di βουλή è generalmente ammesso; vd., oltre alla bibliografia citata sopra, FORNI, *Kokalos*, 1957, p. 66; GHINATTI, *ibid.*, 1959, pp. 140-141; per l'omissione della σύγκλητος nel decreto di Elea inciso immediatamente al di sotto di quello di Napoli sulla stessa stele, vd. FORNI, *op. cit.*, p. 66; A. RUSSI, *Diz. Epigr.*, IV, *s.v. Lucania*, p. 1907.

(63) Sulla costituzione di Locri quale risulta dalle tavole e sui rapporti tra città e santuario, vd. DE FRANCISCIS, *Stato e società*, pp. 133-161; D. MUSTI, *Città e santuario a Locri Epizefiri, La Parola del Passato*, 29, 1974, pp. 12-21; ID., *Problemi della storia di Locri Epizefiri, Locri Epizefiri. Atti del XVI Convegno di Studi sulla Magna Grecia (Taranto 3-8 ottobre 1976)*, Napoli, 1977, pp. 120-130; ID., *Strutture cittadine e funzione del santuario, Le tavole di Locri*, pp. 209-228.

(64) Giudicano per vari motivi inattendibile la formulazione liviana E. BADIAN, *Foreign Clientelae (264-70 B.C.)*, Oxford, 1958, p. 147; UNGERN-STERNBERG, *Capua*, pp. 63-76; la testimonianza è rivalutata in G. PUGLIESE CARRATELLI, *Sanniti, Lucani, Brettii e Italioti dal secolo IV a.C., Le genti non greche della Magna Grecia. Atti dell'XI Convegno di Studi sulla Magna Grecia (Taranto 10-15 ottobre 1971)*, Napoli, 1972, pp. 51, 54; SARTORI, *Le città italiote dopo la conquista romana, La Magna*

I SENATI LOCALI NELL'ITALIA REPUBBLICANA

In generale si può affermare che il mondo greco-italiota presenta una notevole forza di resistenza alla penetrazione di istituti romani: anche i consigli, come gli altri organi di governo, mantengono nelle singole *poleis* i nomi, le forme, le strutture, le funzioni tradizionali; le loro competenze, estendendosi al campo della politica estera, sono quelle proprie di organi deliberativi di stati sovrani.

I senati federali. - Accenneremo soltanto di sfuggita al problema dei senati federali. Come è ben noto, Diod., XXVII, 25, 2, 5 testimonia che gli insorti italici istituirono nel 91 a.C. un senato comune (σύγκλητος κοινή) di 500 membri, nel quale erano rappresentate tutte le popolazioni che avevano preso parte all'insurrezione; non sembra tuttavia che tale senato costituisse un organismo rappresentativo in senso proprio, con capacità decisionali esclusive e definitive (65). Possono essere ricordati in questo contesto anche i *concilia* di quelle leghe o confederazioni che troviamo attestate presso varie popolazioni dell'Italia centro-meridionale, anche se non si saprebbe dire se e fino a che punto tali consessi possano essere considerati assimilabili a dei senati federali. Quello che è certo è che queste confederazioni non costituivano degli organismi politici a carattere permanente; e sembra altresì affermata l'opinione che le loro finalità fossero prevalentemente religiose, anche se è difficile negare che all'occorrenza potessero funzionare come organi centrali di carattere politico (66).

* * *

Giova a questo punto fissare una serie di considerazioni riepilogative. Nelle città di fondazione romana, sia nelle *coloniae civium Romanorum*, che fanno parte dell'*ager Romanus*, sia nelle *coloniae Latinae*, che sono stati formalmente indipendenti, i senati locali appaiono modellati su quello di Roma, per quanto riguarda la composizione, il meccanismo di reclutamento, le competenze, ovviamente con adattamento alle peculiari esigenze locali (è superfluo, ad es., ricordare che queste comunità non svolgono una politica estera indipendente).

Nei municipi, comunità costituzionalmente già definite prima della loro incorporazione nello stato romano, i senati locali conservano caratteristiche proprie, astenendosi Roma dall'imporre schemi uniformi. Ciò vale per i *municipia sine suffragio*, finché questa categoria di comunità continuerà ad esistere; lo stesso si può ragionevolmente sostenere anche per la categoria dei *municipia optimo iure*.

Grecia nell'età romana. Atti del XV Convegno di Studi sulla Magna Grecia (Taranto 5-10 ottobre 1975), Napoli, 1976, pp. 100-101; F. Costabile, *Municipium Locrensium. Istituzioni ed organizzazione sociale di Locri romana*, Napoli, 1976, pp. 66-67; Id., *I principes Locrensium e l'atteggiamento filoromano delle aristocrazie italiote nella tradizione liviana (216-205 a.C.)*, *Historica*, 30, 1977, pp. 179-187.

(65) Vd. H.D. Meyer, *Die Organisation der Italiker im Bundesgenossenkrieg*, *Historia*, 7, 1958, pp. 74-79, con discussione della letteratura precedente: si aggiunga, a favore della tesi secondo cui questo senato avrebbe costituito un organo rappresentativo con autorità sovrana, De Sanctis, *La guerra sociale*, opera inedita a cura di L. Polverini, Firenze, 1976, 39-42; Salmon, *Samnium and the Samnites*, pp. 348-352.

(66) Sono attestati *concilia* dei Latini, dei Volsci, degli Ernici, degli Equi, dei Sanniti, dei Lucani, degli Etruschi: le principali testimonianze sono elencate in Kornemann, *R.E.*, IV 1, 1900, *s.v. concilium*, coll. 802 (per i Lucani, vd. Liv. VIII, 27, 8-9); sull'organizzazione della lega latina, vd. A. Alföldi, *Early Rome and the Latins*, Ann Arbor, s.d. [ma 1965], pp. 36-41 (cfr. Sherwin-White, *Roman Citizenship*², pp. 190-200); A. Bernardi, *Nomen Latinum*, Pavia, 1973, pp. 22-30; sulla lega sannitica, vd. Salmon, *Samnium and the Samnites*, pp. 95-101; sulla lega lucana, vd. E. Lepore, *La tradizione antica sui Lucani e le origini della entità regionale*, *Antiche civiltà lucane. Atti del Convegno di Studi di Archeologia, Storia dell'Arte e del Folklore (Oppido Lucano 5-8 aprile 1970)*, Galatina, 1975, pp. 53-55; sulla lega etrusca, vd. Heurgon, *L'état étrusque*, *Historia*, 1957, pp. 86-93; R. Lambrechts, *Essai sur les magistratures des républiques étrusques*, Bruxelles-Roma, 1959, pp. 25-31; B. Liou, *Praetores Etruriae XV populorum*, Bruxelles, 1969; M. Pallottino, *Etruscologia*, rist. 6ª ed., Milano, 1973, pp. 207-215; M. Torelli, *Elogia Tarquiniensia*, Firenze, 1975, pp. 68-70; Cristofani, *Società e istituzioni*, p. 83; che la lega etrusca funzionasse anche come organo politico è negato da Camporeale, *Sull'organizzazione statale degli Etruschi*, *La Parola del Passato*, 58, 1958, pp. 5-25 (così anche sostanzialmente Harris, *Rome in Etruria*, pp. 23, 59, n. 2, 96-97).

Nelle *civitates foederatae* i senati locali si configurano come organi di governo sovrani: ogni città-stato ha il suo senato, con le proprie strutture, il proprio sistema di reclutamento, le proprie funzioni. I senati gestiscono anche la politica estera, ovviamente entro i limiti di autonomia concessi dal *foedus* con la città dominante. D'altro canto, la posizione egemonica di Roma anche sul piano culturale fa sì che varie comunità alleate accolgano spontaneamente nel proprio lessico istituzionale, insieme con i nomi di alcune magistrature, anche il termine *senatus*. Questo termine, si è visto, è attestato nell'Etruria a Falèrii Novi, nella Campania ad Abella e a Nola, nel Sannio a Pietrabbondante, nella Lucania ad Atena Lucana, a Rossano di Vaglio, a Bantia (se la *lex Osca tabulae Bantinae* viene datata ad un periodo anteriore alla municipalizzazione da parte di Roma). Non sappiamo peraltro se in tali casi l'influenza romana si limitasse alla terminologia o non investisse anche per qualche aspetto le strutture e le funzioni del consiglio stesso, ciò che pare più probabile per il confronto con quanto è documentato, presso le stesse comunità, nel campo delle magistrature (67).

II.

I SENATI LOCALI DOPO LA GUERRA SOCIALE

Nel corso e in seguito alla guerra sociale la cittadinanza romana venne estesa, in blocco, a tutte le colonie latine ed alle comunità federate. Le singole comunità incorporate, sia latine sia federate, furono trasformate in *municipia* e le loro magistrature supreme furono riorganizzate secondo lo schema unitario del quattuorvirato (68). Come le magistrature supreme, così anche gli altri organi di governo cittadino, *in primis* i senati, furono riorganizzati secondo uno schema unitario, che venne applicato sia alle ex-colonie latine, che peraltro già si ispiravano a norme esemplate sul modello romano, sia alle comunità ex-alleate, che avevano invece mantenuto i propri ordinamenti nazionali, a volte difformi dai principi del diritto pubblico romano. Questo schema unitario d'ordinamento venne esteso anche ai senati dei municipi costituiti sull'antico *ager Romanus*, i quali avevano conservato caratteristiche proprie (questi municipi mantennero tuttavia le magistrature già esistenti) (69). I senati delle *coloniae civium Romanorum* si presentavano già fedelmente modellati su quello di Roma.

L'unificazione delle norme fondamentali regolanti la composizione e i poteri dei senati locali risulta esplicitamente documentata dalla *tabula Heracleensis* (70). Le norme ivi riportate riguardanti i senati locali sono infatti dichiarate valide indistintamente per tutte le categorie di comunità di cittadini romani: *municipia, coloniae, praefecturae, fora, conciliabula*.

Prima di esaminare i contenuti di questo schema unitario d'ordinamento, occorre chiederci quando e in che forma esso sia stato emanato dal governo romano. Dato il contenuto eterogeneo della *tabula Heracleensis* e il carattere tralaticio delle disposizioni ivi raccolte (71) non è facile ricavare un

---

(67) Sul significato dell'adozione da parte di comunità alleate di termini istituzionali romani, vd., in generale, CAMPOREALE, *Terminologia magistratuale*, pp. 42-76; P.A. BRUNT, *Italian Aims at the Time of the Social War*, Journ. of Rom. Studies, 55, 1965, pp. 100-101; per il mondo osco, vd. anche CAMPANILE, *Strutture magistratuali*, pp. 27-28; LETTA, *Magistrature italiche e magistrature municipali*, pp. 41, 85-88.

(68) Vd., in generale, LAFFI, *Akten des VI. Intern. Kongr. f. Griech. u. Lat. Epigraphik*, pp. 37-38, con riferimenti.

(69) Sulle magistrature, anomale rispetto a quella quattuorvirale, dei municipi costituiti sull'antico *ager Romanus*, vd. ora LETTA, *Magistrature italiche e magistrature municipali*, pp. 34-42, con i riferimenti bibliografici.

(70) *CIL* I², 593 = BRUNS, *Fontes*⁷, nr. 18 = RICCOBONO, *Leges*², nr. 13, linn. 83-141.

(71) Vd. soprattutto DE MARTINO, *Nota sulla «lex Iulia municipalis»*, Diritto e società dell'antica Roma, Roma, 1979, pp. 339-356; FREDERIKSEN, *The Republican Municipal Laws: Errors and Drafts*, Journ. of Rom. Studies, 55, 1965, pp. 194-197; BRUNT, *Italian Manpower, 225 B.C. - A.D. 14*, Oxford, 1971, pp. 519-523. Sul carattere unitario della lex Heracleensis (che costituirebbe la parte finale dello statuto del *municipium* di Heraclea, così come fu imposto dai Romani) insiste invece W.

terminus ante quem sicuro, anche se oggi si tende di nuovo, da più parti, ad alzare la cronologia di questo documento o per lo meno di alcune sue sezioni dall'età cesariana all'età sillana, o immediatamente post-sillana (72). Sarà meglio partire da una constatazione, vale a dire che da questo schema unitario d'ordinamento dipendono, come da un comune archetipo, gli statuti che Roma concedeva alle singole comunità: per l'appunto, i frammenti, più o meno ampi, che di tali statuti possediamo (la *lex municipii Tarentini* (73), la *lex coloniae Genetivae Iuliae* (74), e, per l'età imperiale, la *lex municipii Malacitani* (75), la *lex municipii Salpensani* (76)) appaiono non soltanto congruenti fra di loro, ma presentano anche clausole che si ripetono quasi alla lettera (77). Ora, la *lex municipii Tarentini*, il più antico di questi statuti, è databile tra l'89 e il 62 a.C. (78): tutto lascia pensare che l'archetipo comune di questi statuti, anteriore in ogni caso al 62 a.C., risalga al periodo immediatamente successivo alla guerra sociale e che quindi la materia dei senati locali sia stata regolata contemporaneamente e contestualmente con l'introduzione del quattuorvirato, nel quadro di quel vasto ed organico processo di municipalizzazione che il governo romano perseguiva in quegli anni con chiara volontà di unificazione politica (79). Per quanto riguarda la forma giuridica, credo non possano sussistere dubbi che l'ordinamento uniforme delle costituzioni locali sia stato definito in una legge-quadro generale (80). Da alcuni questa legge è attribuita a Silla (81), da altri a Cinna (82); altri ritengono che si tratti di una legge coeva e coordinata con la *lex Iulia de civitate* (83). La questione ha un importanza limitata in questo contesto.

SESTON, *Aristote et la conception de la loi romaine au temps de Cicéron, d'après la lex Heracleensis, Scripta varia. Mélanges d'histoire romaine, de droit, d'épigraphie et d'histoire du Christianisme* (*Coll. de l'École Française de Rome*, 43), Roma, 1980, pp. 33-51, part. 36-37.

(72) In questo senso, partendo da impostazioni diverse e con argomentazioni diverse, BRUNT, *Italian Manpower*, pp. 519-523 (che data la maggior parte delle disposizioni contenute nella *tabula* nel secondo e nel terzo decennio del I sec. a.C.); SESTON, *Scripta varia*, pp. 48-51 (che data l'intera *lex*, considerata unitaria, intorno al 75 a.C.).

(73) *CIL* I², 590 = BRUNS, *Fontes*⁷, nr. 27 = RICCOBONO, *Leges*², nr. 18.

(74) *CIL* I², 594 = BRUNS, *Fontes*⁷, nr. 28 = RICCOBONO, *Leges*², nr. 21 = A. D'ORS, *Epigrafía jurídica de la España Romana*, Madrid, 1953, nr. 7.

(75) *CIL* II, 1964 = BRUNS, *Fontes*⁷, nr. 30 = RICCOBONO, *Leges*², nr. 24 = D'ORS, *Epigrafía jurídica*, nr. 9.

(76) *CIL* II, 1963 = BRUNS, *Fontes*⁷, nr. 30 = RICCOBONO, *Leges*², nr. 23 = D'ORS, *Epigrafía jurídica*, nr. 8.

(77) Queste corrispondenze sono state da tempo rilevate: un prospetto dei principali passi paralleli in RICCOBONO, *Fontes*², pp. 161-162; D'ORS, *Epigrafía jurídica*, p. 157; sulle modalità degli adattamenti locali dall'archetipo comune, vd. FREDERIKSEN, *Journ. of Rom. Studies*, 1965, pp. 190-192.

(78) Vd. TIBILETTI, *Diz. Epigr.*, s.v. *Lex*, p. 722, con rinvio ad altra letteratura.

(79) Fondamentale GABBA, *Urbanizzazione e rinnovamenti urbanistici nell'Italia centro-meridionale del I sec. a.C.*, *Studi Classici e Orientali*, 21, 1972, pp. 73-112.

(80) Contro la tesi di MOMMSEN, *Lex Municipii Tarentini*, *Ges. Schr.*, I, pp. 152-154, che nega l'esistenza di una legge generale regolante lo stato dei municipi e delle colonie, vd. la bibliografia citata alle nn. 81-83. L'esistenza di una legge generale è negata anche da GALSTERER, *Herrschaft und Verwaltung*, p. 123, secondo cui le diverse comunità che ricevettero la cittadinanza romana dopo la guerra sociale avrebbero adottato spontaneamente lo schema del quattuorvirato, allora «di moda»; obiezioni contro questa teoria in LAFFI, *Athenaeum*, 1980, p. 182.

(81) DE MARTINO, *Storia della costituzione romana*, III², pp. 344-345.

(82) E.G. HARDY, *Some Problems in Roman History*, Oxford, 1924, pp. 285-288 (cfr. anche *ibid.*, pp. 317-318); RUDOLPH, *Stadt und Staat*, pp. 94-95, 118, n. 1.

(83) G. DE PETRA, *Le fonti degli statuti municipali*, in V. SCIALOJA - G. DE PETRA, *Di un frammento di legge romana scoperto in Taranto, Monumenti Antichi della R. Accad. dei Lincei*, 6, 1896, pp. 430-431, 442; V. SCIALOJA, *Legge municipale tarentina*, *Bull. dell'Ist. di Diritto Romano*, 9, 1896, p. 14 = *Studi giuridici*, II, Roma, 1934, p. 50; in senso analogo GABBA, *Considerazioni politiche ed economiche sullo sviluppo urbano in Italia nei secoli II e I a.C.*, *Hellenismus in Mittelitalien. Kolloquium in Göttingen vom 5. bis 9. Juni 1974*, hrsg. v. P. ZANKER (*Abh. d. Akad. d. Wiss. in Göttingen*, Philol.-Hist. Kl., 3. Folge, 97, 1976), II, p. 319. LETTA, *Magistrature italiche e magistrature municipali*, pp. 78-85 ritiene che si siano succedute due leggi-quadro generali: una *lex Iulia* del 90 a.C. e una *lex Cornelia* di Cinna, che sarebbe stata più articolata della precedente e avrebbe riconosciuto situazioni privilegiate (riserve su questa interpretazione in CRAWFORD, *Athenaeum*, 1981, p. 543).

Passiamo ora a considerare, sulla base delle disposizioni di carattere generale tramandateci dalla *tabula Heracleensis* e delle norme contenute nei singoli statuti municipali e coloniari, quali sono i principi caratterizzanti e informatori dello schema unitario d'ordinamento applicato da Roma ai senati locali. Ma preliminarmente mi preme ribadire una considerazione di carattere generale: il governo romano, in linea di massima, non creò norme nuove, ma si limitò a precisare e a meglio definire norme esistenti, consacrate da decenni di prassi amministrativa, estendendone l'applicazione anche a quelle comunità dove non fossero in vigore.

La *tabula Heracleensis* attesta che per la nomina dei membri dei senati locali venne generalizzato in tutte le comunità di cittadini romani il sistema della *lectio censoria*, che aveva luogo ogni cinque anni ad opera dei magistrati supremi delle singole comunità (*quinquennales*) (84). È sintomatico tuttavia che nel testo della *tabula Heracleensis* venga usato come sinonimo di *legere*, in riferimento alla *lectio* magistratuale, anche il termine *cooptare* (85): evidentemente si conserva in questo termine un riferimento storico alla procedura della *cooptatio*, vale a dire dell'autocompletamento, che doveva aver regolato l'ingresso nel senato in alcune comunità alleate e forse anche in alcuni municipi dell'antico *ager Romanus* (86).

Il senato continuò ad essere reclutato in primo luogo tra gli ex-magistrati (87); come a Roma, i

_____

(84) *Tab. Her.*, linn. 83-87: *queiquomque in municipieis coloneis praefectureis foreis conciliabuleis c(ivium) R(omanorum) IIvir(ei) IIIIvir(ei) erunt, aliove quo nomine mag(istratum) potestatemve sufragio eorum, quei quoiusque municipi«a» coloniae praefecturae fori conciliabuli erunt, habebunt: nei quis eorum que <m> in eo municipio colonia«e» praefectura«t» foro conciliabulo < in> senatum decuriones conscriptosve legito neve· sublegito neve co«a»ptato neve recitandos curato nisi in demortuei damnateive locum eiusve quei confessus erit se senatorem decurionem conscreiptumve ibei h(ac) l(ege) esse non licere*; cfr. anche linn. 104-107.

(85) *Tab. Her.*, linn. 86 e 106. Il termine *cooptare* ricorre anche in altre testimonianze, letterarie ed epigrafiche, che si riferiscono sia al senato di Roma sia a senati locali di comunità di cittadini romani: i rinvii in GABBA, *Sui senati delle città siciliane nell'età di Verre*, Athenaeum, N.S. 37, 1959, pp. 307-309, n. 7, con bibliografia; vd. anche la n. seguente.

(86) Secondo MOMMSEN, *Staatsrecht*, III³, p. 855, n. 4 il termine *cooptare*, usato in riferimento a nomine di senatori, sia nel senato di Roma sia nei senati di comunità di cittadini romani, ha sempre un significato generico e non quello tecnico di autocompletamento, che è proprio dei collegi. GABBA, *Athenaeum*, 1959, pp. 307-309, n. 7 distingue invece tra l'uso riferito al senato romano e quello riferito ai senati locali: nel primo caso riconosce che il termine *cooptare* non è tecnico, nel secondo caso ammette la possibilità di un significato tecnico. Propende, in particolare, ad interpretare come tecnico l'uso del termine in talune iscrizioni municipali di età imperiale, non considerate dal Mommsen, dove compare la formula *senator coptatus* (*CIL* X, 3736 [Atella]*; CIL* X, 4649 = *ILS*, 6299 *a* [Cales]: *in senatum cooptato*) e in due iscrizioni di Anagnia, dove si trova la formula *aid. sen. cop.* (*CIL* X, 5914 = I², 1521 = *ILS*, 6258; *CIL* X, 5916 = I², 1520 = *ILS*, 6257); sulle due iscrizioni di Anagnia, vd. anche *ibid.*, pp. 319-320. Personalmente sono d'avviso che il dettato, esplicito, della *tabula Heracleensis* renda improbabile che in comunità di cittadini romani sia restato in vigore dopo l'unificazione delle norme regolanti l'entrata nei senati locali il vetusto sistema della *cooptatio* (che questo sistema fosse stato in vigore, prima dell'introduzione del sistema uniforme della *lectio* magistratuale, anche in alcune comunità dell'Italia, è sostenuto da LIEBENAM, *Städteverwaltung*, pp. 232-233; MANCINI, *Diz. Epigr.*, II, *s.v.* decuriones, p. 1523; E. KORNEMANN, *R.E.*, XVI 1, 1933, *s.v.* Municipium, col. 621; io pure condivido questa ipotesi, anche se non posso non essere d'accordo con DE MARTINO, *Storia della costituzione romana*, II², p. 129, n. 61 nel ritenere che non tutti gli argomenti addotti sono pertinenti e convincenti). Non vedo, d'altro canto, che cosa impedisca di ritenere che nelle iscrizioni sopra citate, così come è ammesso per i testi che si riferiscono al senato di Roma, il termine *cooptare* possa essere considerato sinonimo, a seconda dei casi, di *legere* o *sublegere* o *adlegere* (LIEBENAM, *Städteverwaltung*, p. 233, n. 1; MANCINI, *Diz. Epigr.*, II, *s.v.* decuriones, p. 1529). Allo stesso modo interpreterei il passo di FRONTONE relativo alla colonia di Concordia: *factusne est Volumnius decreto ordinis scriba et decurio?* (*ep. ad am.*, II, 7, 6, p. 193 NABER = p. 182 VAN DEN OUT), nonché il passo di CIC., *pro Coelio*, 5, relativo a Puteoli o a qualche altra comunità (il testo è corrotto): *in amplissimum ordinem cooptarunt*, dove peraltro il soggetto di *cooptarunt* non è precisato.

Diverso è il caso delle comunità peregrine della Sicilia, oggetto specifico del fondamentale studio del Gabba, nelle quali, non dovendosi applicare le disposizioni unificanti riportate nella *tabula Heracleensis*, i senati locali potevano continuare ad essere completati mediante sistemi diversi dalla *lectio* magistratuale, quali appunto la *cooptatio* e la diretta elezione popolare; sul senato di Agrigento, vd. anche D. ASHERI, *Nota sul senato di Agrigento*, Riv. di Filol., Ser. III, 97, 1969, pp. 268-272.

(87) Gli ex-magistrati entravano di diritto nell'*ordo: tab. Her.*, lin. 137; per testimonianze posteriori, vd. LIEBENAM,

magistrati che avevano maturato il loro anno di carica ed avevano quindi acquisito il titolo per l'ingresso nel senato, ma dovevano attendere per la nomina effettiva la *lectio* quinquennale, erano ammessi a partecipare alle riunioni del senato stesso con il *ius sententiae dicendae* (88). Si faceva divieto di ampliare il numero dei membri del senato (89), senza tuttavia fissare una cifra assoluta, valida per tutte le comunità (90). Si precisavano i requisiti per essere decurioni: ad es., l'età minima venne fissata in tutte le comunità a 30 anni (91); fu stabilito che i senatori dovevano avere il *domicilium* e una casa di proprietà all'interno della città di appartenenza o nei suoi immediati sobborghi: il che sottintende la richiesta di un censo minimo (92).

Le competenze dei senati in materia religiosa e di culto, di amministrazione delle finanze comunali, di amministrazione del suolo pubblico e delle acque, di edilizia pubblica e privata, di concessione di privilegi e di onoreficenze, ecc., non avevano bisogno di essere definite in forma teorica e normativa, perché ovvie: abbiamo visto infatti come già prima della guerra sociale in tutte le categorie di comunità i senati autorizzassero, ad es., costruzioni pubbliche e private, sorvegliassero e collaudassero i lavori, consacrassero offerte. Credo piuttosto che nella legge-quadro generale fossero definiti e regolati casi specifici, senza peraltro che si procedesse ad un'elencazione esaustiva.

È probabile che nella legge-quadro fossero definiti, sempre attraverso l'elencazione di casi singoli, gli obblighi, gli onori, i privilegi dei decurioni. È certo che vi erano elencate, minuziosamente, le cause di incapacità e di indegnità (93).

Ovviamente, questa sistemazione, attuata all'indomani della guerra sociale, non rimase senza modifiche nei decenni successivi. Occorre chiederci quale fu il ruolo svolto da Cesare nella riorganizzazione dei senati locali. Il problema si connette con quello più generale del ruolo svolto da Cesare nella municipalizzazione dell'Italia. Indipendentemente dall'esistenza, da alcuni asserita, da

---

Städteverwaltung, pp. 230-233; KÜBLER, *R.E.*, IV 2, *s.v. Decurio*, coll. 2325-2326; MANCINI, *Diz. Epigr.*, II, *s.v. decuriones*, pp. 1524, 1528-1530; DE MARTINO, *Storia della costituzione romana*, IV², pp. 720-722.

(88) *Tab. Her.*, linn. 96, 106, 110, 125, 127, 129, 131; *lex mun. Tarent.*, lin. 27; per testimonianze posteriori, vd. LIEBENAM, *Städteverwaltung*, p. 233; KÜBLER, *R.E.*, IV 2, *s.v. Decurio*, col. 2325; MANCINI, *Diz. Epigr.*, II, *s.v. decuriones*, p. 1524.

(89) *Tab. Her.*, linn. 85-87; vd. LIEBENAM, *Städteverwaltung*, p. 229.

(90) Il numero dei membri del consiglio dei decurioni era fissato nelle singole comunità dai rispettivi statuti. Normalmente i decurioni erano 100, ma nelle comunità più piccole il numero poteva essere inferiore: a Castrimoenium, ad es., il consiglio dei decurioni si componeva di 30 membri; le testimonianze sono esaminate in LIEBENAM, *Städteverwaltung*, p. 229; KÜBLER, *R.E.*, IV 2, *s.v. Decurio*, coll. 2323-2324; MANCINI, *Diz. Epigr.*, II, *s.v. decuriones*, p. 1522; LANGHAMMER, *Magistratus municipales*, pp. 189-190; per i dati che possono ricavarsi dalle cifre relative a donativi offerti agli stessi decurioni in singole città, vd., in particolare, R. DUNCAN-JONES, *The Economy of the Roman Empire*, Cambridge, 1974, pp. 283-287.

(91) *Tab. Her.*, linn. 89 e 99. Il limite dei 30 anni, già in vigore prima dell'unificazione delle norme regolanti l'entrata nei senati locali (CIC., *II Verr.*, 2, 122, a proposito di Halaesa; vd. GABBA, *Athenaeum*, 1959, p. 312), rimase quello canonico per tutta l'età repubblicana (PLIN., *Ep.*, X, 79, 80); per successive modifiche dei limiti di età, vd. LIEBENAM, *Städteverwaltung*, p. 235; KÜBLER, *R.E.*, IV 2, *s.v. Decurio*, coll. 2328-2329; MANCINI, *Diz. Epigr.*, II, *s.v. decuriones*, pp. 1525-1526; DE MARTINO, *Storia della costituzione romana*, IV², p. 723; LANGHAMMER, *Magistratus municipales*, pp. 45-46, 192-193.

(92) *Lex col. Gen.*, cap. 91 (*domicilium*); *lex mun. Tarent.*, linn. 26-31 (*aedificium*); vd. MOMMSEN, *Ges. Schr.*, I, p. 158; SCIALOJA, *Le case dei decurioni di Taranto e dei senatori romani*, Studi giuridici, II, Roma, 1934, pp. 99-101; ID., *Sulla garanzia patrimoniale richiesta ai senatori romani durante la repubblica*, ibid., pp. 102-105; GABBA, *Hellenismus in Mittelitalien*, II, pp. 322-323; sulla possibilità, prevista in *Tab. Her.*, lin. 157, di avere il domicilio *pluribus in municipieis coleneis praefectureis*, si rinvia alla relazione di A. FRASCHETTI, in questo convegno. Sul censo minimo richiesto ai decurioni, che era inferiore a quello equestre, ma che non sembra fosse uniforme in tutte le comunità, vd. KÜBLER, *R.E.*, IV 2, *s.v. Decurio*, col. 2328; NICOLET, *L'ordre équestre à l'époque républicaine (312-43 av. J.-C.)*, I, Paris, 1966, pp. 402-405; P. GARNSEY, *Social Status and Legal Privilege in the Roman Empire*, Oxford, 1970, p. 243; LANGHAMMER, *Magistratus municipales*, pp. 192-193.

(93) *Tab. Her.*, linn. 94-96, 104-107, 108-125; sulla esclusione dalle magistrature locali e dal decurionato dei *praecones*, dei *dissignatores* e dei *libitinarii*, vd. E. LO CASCIO, *Praeconium e dissignatio nella Tabula Heracleensis*, *Helikon*, 15-16, 1975-1976, pp. 351-371, con discussione della letteratura precedente; cfr. anche *infra*, n. 95.

altri negata, di una *lex Iulia municipalis* di carattere generale, la legislazione superstite dell'età cesariana relativa al riordinamento dell'amministrazione dell'Italia testimonia che Cesare, con una serie di interventi ampi e coerenti, incrementò in maniera decisiva la diffusione degli ordinamenti municipali nei distretti dell'antico *ager Romanus* ancora sottoposti alla giurisdizione dei *praefecti i.d.*; estese la cittadinanza alla Gallia Cisalpina, convertendo in municipi retti da *IIIIviri i.d.* le colonie latine ivi esistenti; introdusse il sistema costituzionale dei *IIviri i.d.* nei municipi istituti dopo il 49 a.C.; precisò le competenze giudiziarie dei magistrati locali rispetto a quelle del magistrato romano, definendone i limiti di valore e di materia; disciplinò, in genere, il funzionamento degli organi di governo cittadino. Ma, pur essendo vasta ed incisiva e per taluni aspetti anche innovatrice, l'opera di Cesare non introdusse negli ordinamenti delle comunità italiane alcuna rivoluzione (94).

Questa conclusione ritengo possa valere, in particolare, anche per i senati locali. Sappiamo ad es., che Cesare ridefinì alcuni casi di incompatibilità (95); codificò la norma che i decreti del senato fossero vincolanti anche per i magistrati, i quali in caso di inosservanza venivano puniti con una multa, reclamabile mediante un'azione popolare (96); riformò le procedure per la nomina dei patroni e per l'adozione di rapporti ospitali (97). Ma le norme fondamentali regolanti la composizione e i poteri dei senati locali non subirono con questi interventi modifiche sostanziali.

UMBERTO LAFFI

Dipartimento di Scienze Storiche del Mondo Antico
Università di Pisa

---

(94) Su tutto ciò, vd. LAFFI, *Akten des VI. Intern. Kongr. f. Griech. u. Lat. Epigraphik*, pp. 50-52, con i rinvii (ma si tenga presente che sia di DE MARTINO, *Storia della costituzione romana*, sia di SHERWIN-WHITE, *Roman Citizenship*, sono uscite nel frattempo le seconde edizioni): si aggiunga SIMSHÄUSER, *Iuridici und Munizipalgerichtsbarkeit*, pp. 110-144.

(95) L'intervento di Cesare in materia risulta esplicitamente dalla ben nota lettera di Cicerone a Lepta del gennaio del 45 a.C. (CIC., *ad fam.*, VI, 18, 1), dove si fa riferimento ad una legge, di recentissima se non di imminente approvazione, che disponeva l'esclusione dal decurionato soltanto per coloro che esercitassero il *praeconium*, non per coloro che l'avevano esercitato: *simul atque accepi a Seleuco tuo litteras, statim quaesivi e Balbo per codicillos quid esset in lege. Rescripsit eos, qui facerent praeconium, vetari esse in decurionibus; qui fecissent, non vetari*. Mi sembra difficile negare la conformità di questa disposizione con le norme sui *praecones* contenute nella *tabula Heracleensis*, linn. 94-96: *neve quis, que <i> praeconium dissignationem libitinamve faciet, dum eorum quid faciet, in municipio colonia praefectura IIvir(atum) IIIIvir(atum) aliumve quem mag(istratum) petito neve capito neve gerito neve habeto, neve ibei senator neve decurio neve conscriptus esto neve sententiam dicito;* linn 104-107: *neve eum, quei praeconium dissignationem libitinamve faciet, dum eorum quid faciet, IIvir(um) IIIIvir(um), queive ibei mag(istratus) sit, renuntiato, neve in senatum neve in decurionum conscriptorum <ve> numero legito sublegito coptato neve sententiam rogato neve dicere neve ferre iubeto sc(iens) d(olo) m(alo)*; su tutto ciò, vd. le giuste considerazioni di LO CASCIO, *Helikon*, 1975-1976, pp. 351-360 (nessun nuovo argomento rispetto a quelli di CH. SAUMAGNE, *Le droit latin et les cités romaines sous l'Empire*, Paris, 1965, pp. 31-36, confutati dal Lo Cascio, in SESTON, *Scripta varia*, p. 51). La conclusione più logica è che il testo della *tabula Heracleensis* riproduca la legge cesariana alla quale fa riferimento Cicerone, anche se si deve tener conto di altri tentativi di spiegazione (vd., in particolare, BRUNT, *Italian Manpower*, p. 520, il quale ritiene «not impossible» che la clausola relativa ai *praecones* fosse tralaticia: «it was feared that Caesar intended to disqualify past *praecones*. In fact he did not; that might mean that he kept to the terms of some previous law, preserved in our Table»). In tutti i casi, dato il carattere composto ed eterogeneo della *tabula Heracleensis*, l'attribuzione a Cesare delle norme sui *praecones* non comporta di dover ritenere cesariana tutta la sezione che disciplina i requisiti per l'esercizio delle magistrature locali e per l'accesso all'*ordo*, tanto meno la *tabula* nel suo complesso.

(96) *Lex col. Gen.*, cap. 129; vd. MOMMSEN, *Lex coloniae Iuliae Genetivae Urbanorum sive Ursonensis, Ges. Schr.*, I, p. 226; D'ORS, *Epigrafía jurídica*, comm. ad loc., pp. 269-270.

(97) *Lex col. Gen.*, capp. 130-131; vd. D'ORS, *Epigrafía jurídica*, comm ad loc., pp. 270-275.

A la mémoire de Martin Frederiksen

LES COLLÈGES ET LES ÉLITES LOCALES À L'ÉPOQUE RÉPUBLICAINE D'APRÈS L'EXEMPLE DE CAPOUE

L'intérêt des grandes séries épigraphiques républicaines provenant de Capoue, Minturnes et Préneste n'a évidemment pas échappé aux savants. Elles seraient même par certains côtés surchargées de littérature: les centaines de données et surtout de noms qu'elles fournissent en font une véritable mine pour l'histoire sociale qui n'a pas manqué d'être exploitée; parfois à fond. Sur tel ou tel point il ne reste guère à glaner après le passage de Jotham Johnson, de Martin Frederiksen ou d'Attilio Degrassi. Il faut cependant considérer que les 28 inscriptions capouanes dites des *magistri campani*, les 29 émanant des *magistri* et *magistrae* de Minturnes et les 34 dédicaces de collèges à la *Fortuna Primigenia* de Préneste, soit 91 documents assez précisément datés, constituent une série exceptionnelle qui n'a été que partiellement explorée. Du point de vue précis et limité qui est le mien — l'étude du phénomène associatif à l'époque républicaine — il me semble que ces séries puissent être interrogées en usant d'une grille communément utilisée par les participants de ce colloque: analyser le rapport qu'entretient une donnée sociale particulière — ici le phénomène collégial — avec deux autres données: l'existence d'élites locales dans les communautés civiques ou non civiques et, au delà, le système de gouvernement romain sur la péninsule. En clair, les collèges de Capoue, Minturnes et Préneste appartiennent-ils à la sphère des «bourgeoisies» (municipales ou non) et sinon, quels rapports précis entretiennent-ils avec elles? Ces collèges, d'autre part, occupent-ils une place quelconque dans l'appareil mis en place par les romains pour contrôler la vie politique et sociale de l'Italie?

J'avais primitivement l'ambition de traiter les trois séries pour disséquer leurs ressemblances et dissemblances et avancer ainsi dans l'analyse de la nature, infiniment complexe et mouvante du phénomène associatif. Les trois groupes d'inscriptions me paraissent en effet caractériser trois niveaux fonctionnels différents des collèges romains. Cette étude aurait pris une ampleur telle que je me suis résolu à ne revenir que sur le cas de Capoue. Revenir est le terme adéquat, car j'ai eu bien des prédécesseurs. Ma dette est grande envers trois savants: Jacques Heurgon, Silvio Accame et Martin Frederiksen. Une longue conversation que j'ai eu le privilège d'avoir avec ce dernier peu de temps avant sa disparition prématurée avait contribué à rapprocher nos points de vue sur nombre de données, laissant des zones où nos avis continuaient de diverger. Il n'est pas d'usage de faire parler les morts. Cette étude que je lui dédie, si elle peut, dans ses étroites limites, faire progresser le débat, aura atteint le but que je lui assigne.

Mommsen et Waltzing connaissaient 13 inscriptions émanant des *magistri* de Capoue. La documentation disponible a doublé en volume depuis le début du siècle, puisque 13 autres épigraphes ont été découvertes, la dernière en 1956 (1).

_____

(1) La bibliographie est dense et j'ai eu l'occasion de la répéter dans plusieurs de mes contributions antérieures. La présente est donc très sélective. E. Kornemann, *De civibus Romanis in provinciis Imperii consistensibus*, Berlin, 1891, pp. 50-61; A. Schulten, *De conventibus civium Romanorum*, Leipzig, 1892, pp. 44-45, 57-58 et 71-77; du même, *Die Landgemeinden im römischen Reiche, Philologus*, 53, pp. 632 et ss.; J. Hatzfeld, *Les Italiens résidant à Délos, BCH*, 36, 1912, pp. 184-200 (cité désormais: *IRD*); du même, *Les trafiquants...*, Paris, 1919, pp. 257-264; A.E.R. Boak, *The magistri of Campania and Delos, Class. Phil.*, 11, 1916, pp. 25-30; J. Heurgon, *Les magistri des collèges et le relèvement de Capoue, MEFR*, 56, 1939, pp. 5-27; S.

Il s'agit d'actes émanant de personnages qui se donnent le titre de *magistri* ou, dans un cas isolé, de *ministri* (*CIL* I², 681 = *ILLRP*, 718 = Fred., 13). Ce titre est généralement suivi d'un nom divin au génitif ou au datif (2). Les listes de *magistri* comptent régulièrement 12 noms, plus rarement 13 ou 14 (3). «Ces groupes sont tantôt formés exclusivement d'ingénus, tantôt exclusivement d'affranchis, tantôt d'ingénus et d'affranchis dans des proportions variables: 6+6; 9+3. Dans un cas particulier, on reconnaît un affranchi et 13 esclaves». (4). Quant à l'activité des *magistri*, elle est précisée par la liste des constructions effectuées et/ou des *ludi* offerts. La date consulaire clôt l'inscription. On obtient, grâce aux 15 dates conservées, une série homogène de documents échelonnés de 112/111 pour le plus ancien à 71 pour le plus récent.

L'interprétation de ces inscriptions a suscité, depuis Mommsen, ce que Frederiksen appelait «a brisk though, it must be admitted, somewhat inconclusive discussion» (5). Mommsen, dans ses notices du *CIL* avait interprété les *magistri* (dont il avait lu personnellement 9 listes) comme des *magistri ad fana, templa, delubra* analogues à ceux mentionnés dans la *lex coloniae Genetiuae Iuliae* (6). Ces *magistri* seraient des employés subalternes, aux ordres des autorités du *pagus*, qui exécuteraient leurs décrets (*pagi scita*) portés en vertu d'une *lex pagana* (*CIL* I², 682 et 686). Dans le cas où il est fait mention d'un *collegium* (comme dans *CIL* I², 682 = Frederiksen, 17, 11. 2 et 6), le terme désignerait les *magistri* eux-mêmes, qui seraient les équivalents, toute proportion gardée, des *collegia* de pontifes romains ou des membres des *sodalitates sacrae*. A. Schulten (7) voyait plutôt en eux les employés d'un *conventus ciuium romanorum*, rassemblé en un «canton», le *pagus Herculaneus*, présidé par un *magister pagi* et appointant divers collèges de *magistri* pour l'entretien de ses temples. Kornemann après avoir accepté la thèse de Schulten, s'en était éloigné et refusait sur le tard d'identifier le *magister pagi* campanien au *magister (Italicorum)* que Schulten supposait à la tête du *conuentus ciuium Romanorum* de Délos (qui est imaginaire, c'est largement prouvé depuis Hatzfeld). Il concluait en outre qu'on ne pouvait établir de relation entre le *pagus Herculaneus* et le *conuentus* de Capoue (8).

Un simple coup d'oeil sur l'onomastique des listes de *magistri* suffit à disqualifier l'hypothèse de Schulten: des noms comme Baibilius, Biuellius, Blossius, Fisius, Heluius, Maius, Nasennius, Ofellius, Paccius, Seppius, Statius, Vibius etc... sont indigènes. Heurgon, en outre, remarquait justement que la première mention d'un *conuentus ciuium romanorum* à Capoue se trouve, en 63, dans le passage bien connu du *pro Sestio*, 26 ans donc après la *lex Plotia-Papiria* qui dut rétablir les capouans dans leurs droits civiques (9).

La thèse de Mommsen, reprise naguère par Frederiksen (10) va contre l'évidence de 3 inscriptions de la série.

Accame, *La legislazione romana intorno ai collegi...*, *BMIR*, 13, 1942, pp. 13-48; A. De Franciscis, *Due iscrizioni inedite dei magistri campani*, *Epigraphica*, 12, 1950, pp. 124-130; du même, *Commento a due nuovi tituli magistrorum campanorum*, *Studi Calderini-Paribeni, III*, Rome, 1956, pp. 353-358, M.W. Frederiksen, *Republican Capua. A social and economical history*, *PBSR*, 27, 1959, pp. 80-118; J.-M. Flambard, *Clodius, les collèges, la plèbe et les esclaves*, *MEFRA*, 89, 1977, pp. 117-118 etc. du même, *Collegia compitalicia: phénomène associatif, cadres territoriaux et cadres civiques dans le monde romain à l'époque républicaine* (juin 1979), à paraître dans *Ktèma*, 6, 1982. Sur le statut des préfectures campaniennes, voir l'excellente synthèse récente de M. Humbert, *Municipium et civitas sine suffragio*, Rome, 1978, pp. 366-372 avec la bibl. antérieure, réunie p. 432.

(2) J. Heurgon, *art. cit.*, p. 8-9 et n. 6.

(3) Cf. *CIL* I², 677 = Fred., 8.

(4) J. Heurgon, *art. cit.*, p. 8. Il s'agit, dans ce dernier cas, de *ministri Larum*.

(5) Frederiksen, *art. cit.*, p. 83.

(6) Frederiksen, *art. cit.*, p. 85.

(7) Schulten, *de conventibus...*, pp. 44-45, 57-58, 71-77; *Landgemeinden...*, pp. 632 et ss. Cf. aussi Pernier, dans *Diz. Ep.*, II, 1620-1621.

(8) *RE IV*, s.v. *Conventus*, coll. 1188-1189.

(9) J. Heurgon, *art. cit.*, p. 10.

(10) Frederiksen, *art. cit.* pp. 83-94.

— La première est celle du *conlegium mercatorum*, datée de 112/111 (11), que l'on ne peut en aucun cas dissocier des autres (12). On y voit les *magistreis* nettement distingués d'un corps plus vaste, le collège professionnel des *mercatores*, probablement placé sous l'invocation de Mercure (13). Heurgon en concluait avec raison «qu'on ne peut parler, dans le cas présent, de *collegia magistrorum*, mais de *magistri collegiorum*» (14). On ne sera pas surpris de rencontrer un franc collège professionnel voisiner avec d'autres, de type différent (ce qui reste à démonstrer), dans le même contexte (15).

— Un second document s'inscrit en faux contre la théorie de Mommsen. Il s'agit du célèbre décret pris par le *pagus Herculaneus* daté du 14 février 94 (16). On lit deux fois la formule *conlegium seiue magistrei Iouei Compagei* où *seiue*, quoi qu'en ait dit Boak (17) doit être pris dans son sens fort, alternatif: le collège de *Iuppiter Compages* ou bien ses *magistri* (c'est-à-dire ses représentants).

— Une troisième inscription contradictoire avec les vues de Mommsen est celle du *CIL* I², 687 = *ILLRP*, 723 = Fred., 22, où l'on voit des *magistri* rappeler qu'ils ont gagné un procès (*iudicioque uicere*, 1.8). Je ne conçois pas à quel titre des employés subalternes comme des *curatores fanorum* ou des *magistri ad fana, templa, delubra*, auraient pu engager un procès, le gagner, et commémorer leur victoire par une inscription sans la moindre mention de la communauté (quelle que fût sa nature) qui les employait (18).

L'évidence de ces 3 inscriptions est incontournable et le retour à Mommsen proposé par Frederiksen était d'emblée voué à l'échec. Reste à nous prononcer sur les solutions proposées il y a 40 ans par J. Heurgon et S. Accame.

«Au total, ce qui est constant et fondamental, c'est un culte ou un sanctuaire, autour duquel se rassemblent des collèges quelquefois unis par des liens corporatifs, mais dont les adhérents pouvaient être indifféremment de tel ou tel métier, de tel ou tel état et résider en divers points du pays. Tout se passe comme si, à un certain moment, une oeuvre urgente, de caractère religieux, s'était imposée à la population capouane, à laquelle s'étaient consacrées soit des organisations déjà existantes, soit des groupements improvisés pour la circonstance» (19). Heurgon interprète donc les collèges comme des associations religieuses (sauf *CIL* I², 672 = Fred., 1), de formation le plus souvent circonstancielle, en tout cas absorbées par la reconstruction des sanctuaires capouans. Cette vision peut rendre compte de l'imposante oeuvre édilitaire menée à terme entre 110 et 90 (20) et fournit une explication séduisante au déclin apparent des collèges entre 90 et 70, une fois la reconstruction achevée. Elle est beaucoup moins satisfaisante pour élucider la nature des relations qu'entretenaient les *collegia* avec le *pagus* (ou

---

(11) *CIL* I², 672 = *ILLRP*, 705 = Fred., 1.

(12) Même date, même gravure, même formulaire.

(13) Je ne verrais pas d'inconvénient à les appeler *Mercuriales*, ignorant les errements récents de B. Combet-Farnoux, *Mercure Romain*, Rome, 1980, *passim*, en part. pp. 417-424. Pour leur assimilation aux artisans de la liste *ILLRP*, 712 = Fred., 10, publiée d'abord par A. De Franciscis, *Studi Calderini-Paribeni, III*, 1956, p. 354, voir de Franciscis lui-même et la notice d'A. Degrassi, *ILLRP*, II, p. 142, n. 4.

(14) J. Heurgon, *art. cit.*, p. 13.

(15) Les *magistri collegiorum*, c'est-à-dire ceux des collèges professionnels, célébraient, à Rome, les *Compitalia*, en association avec les *magistri uicorum* (cf. les textes bien connus d'Asconius et mes études récentes).

(16) *CIL* I², 682 = *ILLRP*, 719 = Fred., 17; voir le commentaire de J. Heurgon, *art. cit.*, pp. 21-23.

(17) Boak, *art. cit.*, p. 30, le comprenait au sens faible, explicatif: «le collège, autrement dit les *magistri* de *Iuppiter Compages*». Cette formule redondante n'est attestée nulle part ailleurs.

(18) Quant à la restitution de la l. 7, je pense, comme Degrassi, que l'hypothèse de J. Heurgon, acceptée par Accame, *magistreis horto(lanorum)* est insolite, même si l'existence d'un collège de maraîchers n'est pas impensable à Capoue. Je suggèrerais plutôt une formule du genre *horto[s emere...*

(19) J. Heurgon, *art. cit.*, p. 17.

(20) Le tableau de la reconstruction des temples proposé par J. Heurgon vaut encore pour l'essentiel. Il faut le compléter par W. Johannowsky, *Dial. Arch.*, 4-5, 1970-1971, pp. 460-471 et surtout par les travaux récents de F. Coarelli, connus de tous.

les *pagi*). S'il est exact que ces rapports ne sont attestés que tardivement, par trois inscriptions seulement (21), il reste qu'ils prouvent toujours une subordination des collèges aux autorités du *pagus*. Le processus suggéré par Heurgon (déclin progressif des collèges, une fois leur mission accomplie, et contrôle croissant du *pagus* sur leurs activités) est purement conjectural.

La solution de S. Accame n'est pas contradictoire avec le système de J. Heurgon dont elle tire toutes les conséquences en donnant un nom aux collèges, qui ne seraient autres que des associations compitalices. Accame, *art. cit.*, pp. 20-21: «Ora mercè la nostra tesi che identifica i *magistri vicorum* coi *magistri compiti*, e cioè coi *magistri* delle divinità elencate nelle epigrafi di Minturno e di Capua, s'intende di leggieri come in una città ai quartieri ove risiedono prevalentemente ad esempio mercanti o agricoltori, si che già in antico esistevano il *uicus sandalarius, uitrarius* ed altri che prendevano nome dai mestieri corrispondenti, si alternino quelli in cui gli abitanti non praticano in prevalenza alcun mestiere e per questo il loro divinità o sono unicamente i *Lares Compitales* antichi o non hanno alcun carattere specifico come *Spes, Fides, Fortuna, Iuno Gaura*, divinità queste sostituite ai *Lares Campitales* o venerate accanto ad essi per ragioni diverse».

Cette analyse présente divers avantages, le principal étant de rendre compte des analogies existant entre les inscriptions de Capoue et celles de Minturnes, qui ne sont pas aussi formelles que le prétendait Frederiksen (22). Un des arguments qu'il mettait en avant mérite cependant examen: «The sacred treasuries controlled by the capuan *magistri* are inconceivably large for compital shrines, the functions of which were as a rule extremely modest» (23). Il est exact que ce que nous connaissons du niveau économique des associations compitalices ferait de Capoue un cas exceptionnel. La présence de *ministri Laribus* (*CIL* I², 681 = *ILLRP*, 718 = *Fred.*, 13), certainement analogues aux *magistri* de Minturnes et aux *Kompetaliastaì* déliens interdit d'assimiler *magistri* et *ministri* capouans et même d'imaginer une quelconque subordination des seconds aux premiers: rien, dans la seule inscription mentionnant les *ministri* n'indique qu'ils soient hiérarchiquement soumis aux *magistri* des autres collèges. On doit donc admettre que même si, comme nous le verrons, la nature institutionnelle des *magistri* capouans n'est pas fondamentalement différente de celle des *ministri Laribus*, les premiers ne sont pas à la tête d'associations compitalices *stricto sensu*. On doit donc écarter ce volet essentiel de la thèse de S. Accame. Il faut cependant reconnaître que l'importance des fonds maniés mise en avant par Frederiksen vaudrait aussi bien contre la thèse des *magistri fanorum* de Mommsen. Même si, comme je le crois aussi, il ne s'agit pas de simples *aediculae* consacrées au culte des *Lares*, et/ou de divinités associées, ces multiples sanctuaires locaux de Capoue ne sont pas à l'échelle des «Lourdes» de la République qu'étaient les temples de *Fortuna Primigenia* à Préneste, d'*Hercules Victor* à Tibur ou de *Diana Tifatina* à Capoue même. Ces derniers avaient leurs magistrats attitrés, appointés par la cité et choisis parmi ses plus hauts dignitaires. Ces *magistri fani* ou *curatores fanorum* maniaient des fonds considérables (24). Cependant, l'ampleur des sommes gérées n'est pas un critère qui permette de se prononcer sur la nature des corps de *magistri*. On doit admettre que Capoue n'était point pauvre à cette époque, moins en tout cas que cette communauté de Supinum (*CIL* IX, 3857) qui, restaurant son théâtre, dit des *magistri: tribunal nouom a solo fecer(unt)/theatrum et proscaenium refecer(unt)...*

---

(21) Cela ne prouve pas grand chose. Le *pagus* n'a pas à être mentionné s'il n'est pas directement concerné, comme il l'est dans le cas de *CIL* I², 682 = *Fred.*, 17.

(22) Frederiksen, *art. cit.*, p. 86. Les inscriptions sont de même date; leur formulaire est équivalent, quoique un peu plus pauvre dans le cas de Minturnes. La seule différence notable est, si l'on excepte le recrutement social différent des *magistri*, une présentation épigraphique différente des listes (répartition «quadripartite» des *magistri* de Minturnes).

(23) Frederiksen, *art. cit.*, p. 87.

(24) Cf. en dernier lieu G. Bodei Giglioni, *Pecunia fanatica, L'incidenza economica dei templi laziali, Studi su Praeneste*, F. Coarelli ed., Perugia, 1978, pp. 3-76 (45-48). Il faudrait étoffer et nuancer le § 4 consacré aux administrateurs des temples.

ou que cette autre de Marruvium qui fait construire par ses *magistri... pulpitum et gradus de u(ici) s(ententia)* (25).

En résumé, il est assuré que les *magistri* capouans étaient à la tête de collèges, c'est-à-dire d'organismes associatifs de droit privé (26). Quelle était la nature de ces collèges? Pour au moins deux d'entre eux, le doute n'est pas permis: il s'agit du *collegium mercatorum* (*CIL* I², 672 = *ILLRP*, 705 = Fred., 1), de nature clairement professionnelle, et du collège de *ministri Laribus* (*CIL* I², 681 = *ILLRP*, 718 = Fred., 13), qui est une association compitalice classique, de même nature que celles de Minturnes et de Délos (j'en ai relevé plusieurs dizaines dans le monde romain pour l'époque républicaine).

Pour les autres, la réponse sera moins nette, et sera l'occasion de souligner la complexité du phénomène associatif, irréductible, le plus souvent, à nos réflexes taxinomiques modernes. Si l'on excepte les deux inscriptions ci-dessus mentionnées, nous avons plusieurs cas de figure:

1. Les collèges indéfinissables, le plus souvent parce que les inscriptions sont mutilées (27).

2. Les collèges ne se définissant pas par un théonyme, mais dédiant une offrande quelconque à une divinité (28).

3. Les collèges portant explicitement un théonyme (29).

Une lecture superficielle relèverait en priorité l'élément religieux qui semble dominer dans ces collèges. Il faut se libérer d'un tel schématisme, malgré les efforts récents de Combet-Farnoux, par exemple, qui veut ressusciter les manies classificatoires du siècle dernier. *L'aspect religieux d'un collège est, de tous ses aspects, le moins signifiant, dans la mesure exacte où il est le mieux partagé.* Tout collège se manifeste d'abord par un culte qui ne peut en rien préjuger de sa nature réelle, le plus souvent complexe, plurifonctionnelle. Les collèges capouans n'échappaient certainement pas à cette règle commune.

A Capoue, leur nature strictement professionnelle (au sens où ils rassembleraient des gens d'un même métier) est très improbable. Plusieurs listes regroupent des hommes d'activité professionnelle différente (30).

---

(25) *Ann. Ep.*, 1974, 301; cf. A. La Regina, *Atti del convegno di studi sulla città etrusca ed italica preromana*, 1970, p. 206, n° 29, pl. 1-2; P. Sabbatini Tumolesi Longo, *Rend. Lincei*, 29, 1974, p. 290, n. 5; C. Letta et S. d'Amato, *Epigrafi della regione dei Marsi*, Milan, 1975, p. 136, n° 91ter. Les titres qu'ils portent, *magistri fanorum* le plus souvent, n'en font pas les équivalents de ceux de la *lex Coloniae Genetivae Iuliae*, qui étaient beaucoup plus modestes.

(26) A la suite de Mommsen et de Waltzing, j'admets la totale liberté du droit d'association à l'époque républicaine, à la réserve près que je ne crois pas, en l'absence d'évidence claire, à l'existence d'un *droit positif* reconnaissant la possibilité de fonder des collèges.

(27) *CIL* I², 673 = Fred., 2 (mutilée); *CIL* I², 680 = Fred., 12 (mutilée); *CIL* I², 686 = Fred. 20; *CIL* I², 2506 = Fred., 15; *Ann. Ep.*, 1952, 54 = Fred., 16; *CIL* I², 684 = Fred., 21; *Not. Scav.*, 1957, p. 369 = Fred., 24; *CIL* I², 689 = Fred., 26 (mutilée); *CIL* I², 690 = Fred., 27 (mutilée); Mazzocchi n° 192 = *Mem. Lincei*, X, 1903, p. 92 = Fred., 28. Je suis dans cette énumération l'ordre chronologique de Frederiksen.

(28) *CIL* I², 683 = Fred., 18: offrande d'un *lacus* à *Iuppiter*; *Ann. Ep.*, 1957, 308 = Fred., 19: offrande *de stipe Dianai* (mosaïque du temple de Diana Tifatina); *CIL* I², 686 = Fred., 20: offrande d'un esclave à *Iuno Gaura ex pagei scitu*; *CIL* I², 687 = Fred., 22: offrande à *Hercules*; *CIL* I², 688 = Fred., 23: offrande à *Iuppiter*.

(29) Pour l'usage alternatif du génitif et du datif, voir les remarques de J. Heurgon, *art. cit.*, p. 19. *CIL* I², 674 = Fred., 3: *Mag. Spei Fidei Fortunae*; *CIL* I², 675 = Fred., 4: *magistreis Venerus Iouiae* (cf. le doublet *CIL* I², 676 = Fred., 5); *Ann. Ep.*, 1952, 55 = Fred., 6: *magistrei Iouei Optumo Maxsumo* (cf. la copie Fred., 7 dont les 4 dernières lignes manquent); *CIL* I², 677 = Fred., 8: *magistrei Cererus*; *CIL* I², 678 = Fred., 9: *magistrei Castori et Polluci*; A. De Franciscis, *Studi Calderini-Paribeni*, III, pp. 354-358 = Fred., 10: *mag. Castori et Polluci et Mercurio Felici*; *CIL* I², 679 = Fred., 11: *magistrei Cererus*; *CIL* I², 680 = Fred., 12: *mag... Castori et Polluci*, (?) *de stipe Dianai*; *CIL* I², 682 = Fred., 17: *magistrei Iouei Compagei*.

(30) *CIL* I², 677 = Fred., 8: un *bal(neator?)*, un *uestiarius*, un *pist(or)*. Dans *Epigraphica*, 12, 1950 = Fred., 6, on pourrait identifier un P. Statius P.f. *stag(nator)*, étameur, plutôt que de supposer un *cognomen* Stag(on). On trouve un *lintio* dans *CIL* I², 678 = Fred., 9; un *aerari(us)* et un *purpur(arius)* dans Fred., 10; un *lanio* dans *CIL* I², 679 = Fred., 11; je reconnaîtrais sous

Il ne reste, en fait, qu'une solution plausible: ces groupements placés sous l'invocation d'une divinité devaient avoir un recrutement essentiellement géographique (ce qui va à l'encontre de l'opinion de J. Heurgon qui supposait que les *magistri* pouvaient «...résider en divers points du pays»). En clair, les divers théonymes portés par les associations capouanes devaient désigner des secteurs topographiques plus on moins bien délimités de l'*ager capuanus*: il s'agirait d'associations à dominante territoriale, de *quartiers (uici)*, centrés autour d'un lieu de culte, où une certaine fraction de la population — liée peut-être par d'autres intérêts qu'on ne peut préciser — était organisée en *collegia* et, à côté d'autres activités probables, poursuivait une activité évergétique au sens large, le plus souvent édilitaire.

Peut-on déterminer le recrutement social de ces *collegia*? On a remarqué depuis longtemps (Heurgon et Frederiksen ont été les plus précis sur ce point) que des listes d'ingénus seuls voisinent avec d'autres d'affranchis seuls (31). A côté de ces listes homogènes, on en trouve seulement 2 qui soient mixtes (32). Il est clair qu'ingénus et affranchis répugnaient à se mêler dans des listes communes. Nous avons dressé plus haut (note 30) un inventaire assez fourni de professions artisanales. Malgré la présence de métiers certainement peu relevés socialement, il est à soupçonner que ces gens n'étaient, dans l'ensemble, point pauvres. L'importance des sommes en jeu en fait foi, ainsi que la mention *de pecunia sua*, qu'on rencontre au moins 2 fois (33). Une analyse précise et une estimation financière des travaux engagés par les collèges de *magistri* reste à faire. On trouve quelques éléments chez Heurgon, Frederiksen, Johannowsky et Coarelli (34). Il est bien sûr désespéré de chercher à chiffrer précisément le coût de telles constructions, comme celui des jeux, mais il est certain

---

réserve un *plut(earius)* dans *CIL* I², 2506 = Fred., 15 (mais on pourrait aussi bien restituer un *cognomen* comme Plut(on, -o, -os, -us) ou Plut(archos, -us). On rencontre un *faber* dans *CIL* I², 685 = Fred., 14 et un *praeco* dans *CIL* I², 686 = Fred., 23. Même s'il est attesté, sous l'Empire, que des hommes de métiers différents s'agrégeaient parfois à des collèges professionnels précis (le problème ne se confond pas avec celui des affiliations multiples: cf. Waltzing I, p. 351-353, que l'on peut désormais confirmer et développer), l'éventail des professions est trop ouvert à Capoue pour l'on puisse songer à des associations homogènes de métiers.

(31) Exception faite des cas où l'on ne peut préjuger de la condition des dédicants, on trouve 5 listes d'ingénus seuls: Fred., 3, 4, 5, 6, 7, 11 (4 et 5, 6 et 7 étant des doublets). On relève ensuite 6 listes d'affranchis seuls (Fred., 1 - le *conlegium mercatorum* -; Fred., 2,6 *liberti*, mais la liste est mutilée -; Fred., 8, 15, 16 et 17 - *magistri Iouei Compagei*.

(32) *CIL* I², 678 = Fred., 9: 6 ingénus + 6 affranchis; *CIL* I², 686 = Fred., 20: 9 ingénus + 3 affranchis. Deux cas d'espèce doivent être distingués: Fred., 10 où, si 12 ingénus et 12 affranchis voisinent, ils sont répartis dans 2 listes distinctes réunies pour une entreprise évergétique commune; *CIL* I², 681 = Fred., 13 où un affranchi coiffe une liste de 13 esclaves dans une association compitalice.

(33) *CIL* I², 683 = Fred., 18; *CIL* I², 687 = Fred., 22.

(34) Fred., 2: *murum et pilas IIII*; Fred., 3: *murum*; Fred., 4 (cf. 5): *murum... ped. CCLXX*; Fred., 6 (cf. 7): *murum coniungendum et peilum faciendam et teatrum terra exaggerandum...*; Fred., 8: *murum et pluteum long. p. LXXX alt. p. XXI...*; Fred., 9: *murum et pluteum*; Fred., 10: *fornicem et gradus supra fornicem et (.....) as secundum fornicem*; Fred., 11: *murum et pluteum (?) long. p. XII alt. XXII*; Fred., 12: *murum ab gradu ad calcidic. et calcidicum et portic. ante culin. l. p. (vacat) et signa marmor. Cast. et Pol. et loc. privat. de stipe Dian. emendum etc...*; Fred., 13: *pondera et pavimentum...*; Fred., 14: *cuneos duos in theatro*; Fred., 15: *cuniu mulieribus*; Fred., 16: *cuneum ab (imo ad summum?), gradum,... viam (rect?) am... gradusque*. Fred., 17: *... porticum paganam...*; Fred., 18: *lacum Iovei*; Fred., 19: *pavimentum... aedem... columnas...*; Fred., 20: *servoum Iunonis Gaurae*. Fred., 22: *sucrundam porticusque rectas (?)*; Fred., 23: *... ara (?)*; Fred., 24: *opus* non précisé. Ils offraient en outre des jeux (Fred., 4, 6, 8, 9, 10, 15, 16, 17, 22. La présence de *ministri Laribus* (*CIL* I², 681 = Fred., 13) qui devaient être, comme leurs homologues partout ailleurs, spécifiquement chargés du culte des *Lares Compitales*, donc de l'organisation des *ludi compitalicii*, me semble interdire, contrairement à l'hypothèse d'Accame, de les assimiler aux *magistri* des associations théonymes de Capoue, qui offraient eux aussi des *ludi*.

Il n'est d'ailleurs pas interdit de supposer que l'ensemble des associations capouanes (professionnelles comme celles des *mercatores* ou territoriales, comme les autres, y concourraient aussi (comme à Rome, nous le savons par des textes très connus d'Asconius). Il est vraisemblable que le férial capouan intégrait ces fêtes locales, au point que le *pagus Herculaneus* les comptabilisait et admit, en une occasion au moins, qu'une contribution édilitaire (la réfection de la *porticus pagana*) pût, sous le contrôle de Cn. Laetorius, *magister pagi*, les substituer (Fred., 17).

que les sommes engagées étaient considérables. Quelles étaient les sources de financement disponibles?

— La bourse même des *magistri* dans deux cas attestés, et probablement dans d'autres non conservés.

— Les *stipes* des temples capouans, le plus important étant celui de *Diana Tifatina*, mis à contribution au moins deux fois (35). Le *lacus* dédié à *Iuppiter* (36) est financé par la *stips* (du dieu lui-même?) et par les *magistri*.

— Dans un cas (37), l'esclave offert à *Iuno Gaura ex pagei scitu* a dû être acheté sur les fonds propres du *pagus*.

— Dans le reste des cas, il est vraisemblable que les travaux ont été financés par la cotisation volontaire des adhérents des collèges (*ex aere conlato*, quoique l'expression, très fréquente sous l'Empire, n'apparaisse nulle part dans les inscriptions capouanes). La gestion des sommes collectées était confiée aux *magistri* qui étaient évidemment des dignitaires d'une certaine surface financière, responsables, à coup sûr, sur leurs biens propres des sommes qui leur étaient confiées (je suis persuadé qu'ils versaient caution).

Il me semble donc clair que ces *magistri* des collèges, malgré la présence parmi eux de gens qui n'étaient pas des Crésus, représentaient la couche sociale qui disposait, à Capoue, des plus hauts revenus, suffisants, en tout cas, pour qu'on leur ait confié l'entreprise de redressement édilitaire de la ville entre 110 et 80 (je mets à part l'inscription 18 de Frederiksen — datée de 74 — comme le faisait déjà Heurgon et, je le constate aussi, F. Coarelli dans une étude à paraître).

Il faudrait faire une étude précise, cas par cas, de l'*origo* de ces gens et des liens qu'ils pouvaient entretenir avec le commerce oriental, particuliérement égéen. Je note parmi eux la présence d'un certain nombre de «déliens» (38) et d'autres qui sont liés, d'une manière ou d'une autre, aux *negotiatores* orientaux (39). Peut-être faut-il chercher là l'origine du pactole qui a relevé, en quelques décennies, la Capoue abaissée depuis un siècle.

Il faut souligner, à ce niveau de l'analyse, que seule la fortune semble qualifier pour entrer (par élection) dans les corps de *magistri*. Si ingénus et *liberti* se mêlent peu, il y a bien à Capoue, une élite mixte, bicéphale, regroupant les plus riches ingénus et les plus riches affranchis, qui paraissent avoir des chances à peu près égales de parvenir à ces liturgies coûteuses. Heurgon comptait, en 1939, 72 ingénus pour 61 affranchis. Les 6 inscriptions découvertes depuis (40) portent le total des ingénus à 120 et celui des affranchis à 77, ce qui relève le poids statistique du premier groupe, sans que les données du problème soient fondamentalement modifiées (rapport approximatif de 7 pour 6 en 1939, de 12 pour 8 à l'heure actuelle).

L'existence d'une classe sociale semi-homogène (du point de vue des «status groups») mêlant et/ou en les distinguant des ingénus et des affranchis suffit pour désigner Capoue comme un cas exceptionnel dans la typologie des communautés territoriales tardo-républicaines. Dans toutes les communautés civiques de l'époque, quelle que soit leur définition précise, les affranchis de première

---

(35) Fred., 12 et 19.

(36) Fred., 18.

(37) Fred., 20.

(38) Cf. Heurgon, *art. cit.*, p. 17.

(39) Il faudrait reprendre de fond en comble le problème des déliens originaires de Campanie et particulièrement de Capoue. J'ai entrepris cette étude, indépendamment de Filippo Coarelli, qui refond les *IRD* de Hatzfeld. Se reporter, provisoirement, à Heurgon, *art. cit.*, p. 17, qui reprend Hatzfeld, *IRD*, p. 68 et *Trafiquants...*, p. 242.

(40) Fred., 6 et 7 (mais ce sont des doublets); Fred., 10: 12 ingénus et 12 affranchis, mais il s'agit de 2 collèges réunis circonstanciellement; Fred., 16, 4 affranchis (l'inscription est mutilée et ils devaient être 6); Fred., 19, mosaïque du temple de *Diana Tifatina*: 12 ingénus; Fred., 24: 12 ingénus.

génération sont tenus en lisière. On ne les voit nulle part accéder à une quasi-parité avec les ingénus dans la gestion des affaires d'une cité. Il faut donc, à mon sens, chercher du côté du statut de Capoue entre 211 et 59 la clé d'une situation qui échappe aux normes communes.

On doit supposer que l'activité surtout édilitaire de ces groupements n'intéressait vraisemblablement pas le *praefectus Capuam Cumas*. Son activité devait se limiter au contrôle de la population, au sens large, à l'administration de la justice (spécialement dans le cas où des résidents romains étaient concernés) et peut-être, selon certaines hypothèses, à la perception de l'impôt. Pour le reste, il est peu probable que le préfet, assisté de quelques fonctionnaires romains (*scribae* etc...) et de la petite équipe de son *consilium*, se soit préoccupé de questions qui étaient traditionnellement du ressort des autorités municipales. Or à Capoue, celles-ci n'existaient plus depuis 211, et ne réapparaîtront qu'au 1er siècle: *urbs trunca, sine senatu, sine plebe, sine magistratibus* (Liv., 31, 29, 11). Frederiksen avait bien vu que «For a century and half, the position of Capua was indeed a strange one, and it is hardly surprising that the machinery of administration was adapted to meet it (...) A certain measure of direct control was maintained by Rome; the system of juridiction that depended upon annual prefects seems to have continued until 59 BC (...) yet in many other ways management of local affairs shows striking emancipation» (41).

Le problème est que Frederiksen, influencé par l'autorité de Mommsen et par la théorie des *curatores fanorum* ne tirait pas les conséquences naturelles de sa juste constatation. Il voulait faire des *magistri campani* des collèges d'employés au service des autorités du *pagus*: «It is evident that a great number of ordinary magisterial duties has been asssumed by the boards of *magistri* and that they were subject to the authority of the central assembly, the *pagus*, which had its own presiding officers in the *magistri pagi*» (42).

C'est oublier qu'en vertu du règlement de 211, une telle «central assembly», qui ne serait autre qu'un *populus*, avec ses «presiding officers», c'est-à-dire une curie et des magistrats, n'avait aucun droit à l'existence légale, à moins d'admettre que Rome eût toléré, à côté des *praefecti* qu'elle nommait, des instances délibératives concurrentes. Or les faits sont têtus: *urbs trunca, sine senatu, sine plebe, sine magistratibus*. Je conçois mal qu'une assemblée qui ne pouvait en droit exister, à une époque où Rome, raidie dans sa «prepotenza», se préparait aux horreurs de la guerre sociale, ait pu tranquillement être reconnue, se réunir et nommer des collèges annuels d'employés chargés d'exécuter ses *pagi scita*. Cela est impossible au regard du droit public de l'époque. Il faut complètement renverser les termes du problème et admettre que les seules solutions envisageables pour les capouans se trouvaient dans le champs du droit privé.

Je suis persuadé pour mon compte qu'entre l'autorité, peut-être mal supportée, mais finalement distante du *praefectus*, et le renoncement à l'organisation et à l'action, il existait une voie moyenne et commode: la voie associative. En bref, plutôt que de collèges de *magistri* au service d'institutions civiques souterraines, il faut parler de *magistri* des collèges, c'est-à-dire de dignitaires élus par des organismes associatifs, entités de droit privé qui ont, à Capoue, pallié pendant un siècle et demi l'absence d'institutions civiques autorisées. On pourrait dire, en un sens, que, privées de *respublica*, les élites capouanes se sont associées à divers niveaux pour poursuivre une oeuvre commune dont l'essentiel était le redressement édilitaire de la ville. Je rejoins sur ce point J. Heurgon, pour m'en écarter aussitôt car je ne crois pas que ces organismes aient pu être, à quelque moment que ce soit, de formation circonstancielle (43). A mon avis, pour la gestion quotidienne de ses affaires, la population capouane fonctionnait ainsi depuis 211: sur le mode associatif.

---

(41) Fred., p. 92.
(42) Fred., p. 93.
(43) Heurgon, *art. cit.*, p. 17.

Quelle évaluation globale peut-on porter sur ce système? Les analyses qui précèdent permettent de proposer des solutions à trois problèmes différents:

1. La nature des institutions de l'*ager capuanus*.
2. La nature sociale des élites capouanes et son évolution.
3. La place du phénomène associatif dans les sociétés italiennes en voie de romanisation.

1. Il me semble qu'il faille reconstituer ainsi l'organigramme des sphères de pouvoirs et de relations sociales à Capoue entre 211 et 59.

— Au sommet, les *praefecti Capuam Cumas* qui avaient *iurisdictio* sur l'*ager capuanus*. Leur compétence était générale, mais ne descendait pas très bas dans les détails de la gestion quotidienne du territoire.

— Immédiatement au-dessous venaient les *pagi*, divisions territoriales intermédiaires de l'*ager*, reconnus on non par l'administration romaine. A leur tête se trouvaient les *magistri pagorum*. A la différence de plusieurs de mes prédécesseurs, (Schulten en particulier), je ne crois pas que le territoire de Capoue ait jamais été rassemblé en un *pagus* unique. Qu'on trouve un *pagus* affecté d'un théonyme (*pagus Herculaneus*) me semble au contraire l'indice qu'ils étaient plusieurs. Le cas de Pompei est une référence pertinente: les *pagi* y sont des sous-multiples territoriaux d'un *ager* beaucoup plus vaste (cf. mes remarques, encore inédites, au congrès de Strasbourg en 1979). J'ai l'intuition, que je ne peux encore assurer de façon décisive, que les *pagi* capouans étaient aussi des organismes associatifs, en bref que le *magister pagi* (*CIL* I², 682 = Fred., 17, 11. 5-6), ou les *magistri pagi*, s'ils partageaient un pouvoir collégial, étaient élus par tout ou partie de la population du *pagus* réunie en *conventus*. On ne sait quelles relations entretenaient, vers le haut, ces *magistri pagi* avec les *praefecti Capuam Cumas*, mais on les voit communiquer vers le bas avec les *magistri campani* (44).

Le système ingénieux et complexe imaginé par Heurgon — indépendance initiale des *collegia* à l'égard des autorités du *pagus*, puis soumission progressive, au 1er siècle, des premières aux secondes — me paraît négliger le fait que la 1ère attestation claire d'un rapport de subordination (décret du *pagus Herculaneus*) se place dans une série (en gros Frederiksen, 12-18) où les collèges sont encore en pleine activité. Je crois que cette subordination a toujours existé dans la mesure où je considère la plupart des *collegia* comme des sous-multiples des *pagi* capouans.

— Venaient ensuite les *collegia*, coiffés de leurs corps de *magistri* élus. Collèges professionnels (*collegium mercatorum*, c'est-à-dire de *Mercuriales*, d'Hermaïstes, quoi qu'en dise Combet-Farnoux); collèges compitalices (celui des *ministri Laribus*, qui ne devait pas être unique); collèges territoriaux, regroupant des voisins, familiers d'un temple (45), pratiquant divers métiers (parfois complémentaires. Il n'est pas insignifiant que certains métiers voisinent dans tel quartier. J'ai une étude en cours sur ce point). On aurait donc à Capoue 3 niveaux où se stratifieraient et s'interdéfiniraient les rapports institutionnels et sociaux:

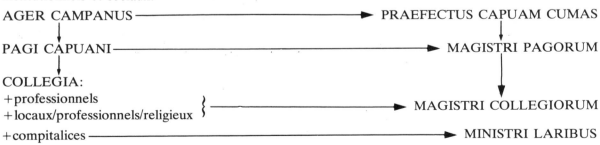

AGER CAMPANUS ⟶ PRAEFECTUS CAPUAM CUMAS

PAGI CAPUANI ⟶ MAGISTRI PAGORUM

COLLEGIA:
+professionnels
+locaux/professionnels/religieux ⟶ MAGISTRI COLLEGIORUM
+compitalices ⟶ MINISTRI LARIBUS

---

(44) *CIL* I², 681 = Fred., 17; *CIL* I², 686 = Fred., 20.

(45) Dont ils arborent le nom: "ceux de Spes-Fides", "ceux de Castor et Pollux", "ceux de Mercure" etc...

2. Il nous faut examiner attentivement une proposition de Frederiksen (p. 94) «... The boards of Capuan *magistri* were enrolled from both the other classes indifferently. Some of these may well have approached the wealth demanded elsewhere of a decurion; others designate themselves without shame as men of commerce or artisans; all, however, must have owned means sufficient to meet the annual obligations of the *summa honoraria* and, in addition, the customary generosity on a significant scale. Among the freedmen the richer ones doubtless were those who later became the decurions and magistrates of Caesar's colony (Cic., *Sest.*, 9). The *liberti* among them would find no place at first in the colonial constitution; but they were to have their position virtually restored in the later religious boards of the *Augustales*, and to become that «*libertina nobilitas*» which formed a vigourous element in the lives of Italian municipalities». Il me semble que Frederiksen était d'un singulier optimisme. D'abord à plus d'une génération de distance, les descendants de ces *magistri* de Capoue étaient devenus des *ingenui*. Rien ne s'opposait donc à ce qu'ils entrassent de plein droit dans la classe décurionale de la colonie césarienne et qu'ils accédassent aux magistratures municipales. Le problème est, qu'après 59, malgré la compensation plus tardive d'au moins une génération de l'entrée dans les corps d'*Augustales* — cette fameuse *libertina nobilitas* — les affranchis ne retrouveront jamais cette quasi-parité des charges et des devoirs qu'on les voit partager avec les ingénus dans les listes de *magistri* des années 112-94. Il me semble que malgré le statut inférieur, dûrement ressenti, des communautés non civiques avant la guerre sociale, leur autonomie locale était largement tolérée, et les hiérarchies sociales moins indurées statutairement: les «status groups» des colonies et municipes paraissent beaucoup plus rigidement verrouillées par les mécanismes censitaires (romains et autres) qui assignent à des unités sociales peu mobiles la place précise qu'elles occupent dans l'échelle des charges et des honneurs. Il ne serait peut-être pas paradoxal de soutenir que l'intégration progressive de ces communautés dans la cité romaine a eu pour résultat de figer des situations qui étaient au départ plus ouvertes et plus souples.

3. La place de ce que j'appelle, après de Robertis, le phénomène associatif, me semble centrale, à la fois pour évaluer la nature des institutions capouanes et pour prendre la mesure du *fenomeno associativo* lui-même. On n'a pas voulu voir, jusqu'ici, que ce mode d'organisation débordait déjà largement, à l'époque républicaine, la sphère des relations privées ou catégorielles (religieuse, professionnelle, funéraire, territoriale etc...) de certains groupes d'hommes. Ce phénomène qui est plurifonctionnel (on ne sait *a priori* quel aspect domine dans tel *collegium*, il faut les étudier cas par cas) a pu, dans des situations précises, être utilisé comme instrument substitutif d'institutions qui n'existaient pas en fait, ou ne pouvaient exister en droit (comme dans le cas de Capoue (46)). Le fait est prouvé (que l'on se reporte à ma communication de Strasbourg en 1979) pour bien d'autres communautés italiques d'époque républicaine (des *pagi* le plus souvent) et il se perpétuera en se diffusant largement, sous l'empire, dans toutes les provinces occidentales.

Jean-Marc FLAMBARD

---

(46) Il faudrait voir s'il n'existe pas de trace d'un phénomène analogue dans les autres «*oppida*» de la liste de Festus (p. 338 L^2): Casilinum, Volturnum, Liternum, Puteoli, Acerrae, Suessula, Atella, Calatium...

ANNEXE: LES INSCRIPTIONS DE CAPOUE (*La commodité veut qui je reproduise simplement la liste de Martin Frederiksen. Sa présentation typographique n'a pas été systématiquement respectée*)

1. *CIL* I², 672 = X, 3773 = *ILS*, 7274.

....
.... nul.........
Cn. Minati C.l.
P. Pomponi M.l.
magistreis
conlegi
mercatorum
coeraverunt
....
... Calpurnio
cos   112 or 111 B. C.

2. *CIL* I², 673 = X, 3774.

]cuius P.l. Pilor
]ethius Ser.l.
]cumius M.l.
]rdioni M.l.
]ruius P.l.
]ius P.C.l.
muru]m et pilas IIII
]Calpurnio cos   112 or 111 B. C.

3. *CIL* I², 674 = X, 3775 = *ILS*, 3770

                          ... fe.us M.. s.c.
                          C. Maius N.f.
]. V. f.   M. Vibius M.f. Ru.
.. Corneli L.f. Cori   L. Pomponius L.f.F.
... Nerius M.f.   L. Olienus L.f.
He]isc.mag. Spei Fidei Fortunae mur[um
faciundu coiravere M. Minu[cio
S. Postumio cos   110 B. C.

4. *CIL* I², 675 = X, 3776

N. Pumidius Q.f.   M. Raecius Q.f.
M. Cottius M.f.   N. Arrius M.f.
M. Eppilius M.f.   L. Heioleius P.f.
L. Sempronius L.f.   C. Tuccius C.f.
P. Cicereius C.f.   Q. Vibius M.f.
                          M. Valerius L.f.
Heisce magistreis Venerus Ioviae murum
aedificandum coiraverunt ped. CCLXX et
loidos fecerunt. Ser. Sulpicio M. Aurelio co[s]   108 B. C.

5. *CIL* I², 676 = *EE*, VIII, 460

Duplicate copy of no. 4

6. A. De Franciscis, *Epigraphica*, xii, 1950, pp. 124-130; *Ann. ép.*, 1952, 55 (where it is not fully reproduced)

L. Quincti L.f. Gela   L. Iuventi I.f. Ruf.
C. Tittius C.f.   C. Helvius N.f.
L. Helvius L.f.   C. Helvius N.f. Gero
P. Plinius M.f.   Q. Matuius Q.f.
C. Paccius Cn.f.   M. Mamius M.f.
C. Satius C.f.   P. Statius P.f. Stag.
Heisce magistrei Iovei Optumo Maxsumo
murum coniungendum et peilam faciendam et teatrum
terra exaggerandum locavere eidemque luudos fecere.
Ser. Sulpicio Ser.f. Galba cos.   108 B. C.

7. A De Franciscis, *Studi offerti a A. Calderini e R. Paribeni*, vol. iii, p. 353
(A second copy of no. 6, lacking the last four lines)

8. *CIL* I², 677 = X, 3779 = *ILS*, 3340

Ser. Sueti Ser.l.Bal.	.. Babrius L.l.
P. Babrius L.l.	P. Servilius M.l.
M. Sexti N.M.l.	Cn. Octavi N.l.ves.
N. Sexti N.M.l.	M. Ocrati M.l.pist.
L. Hordioni L.l.Lab.	P. Statius P.M.l.
C. Lucretius C.l.Apul.	M. Mai M.l.Nic.
A. Gargonius Q.l.	

Heisce magistreis Cererus murum
et pluteum long, p., L.XXX alt. p. XXI
faciund. coiravere eidemq. loid. fec.
C. Atilio Q. Servilio cos

106 B. C.

9. *CIL* I², 678 = X, 3778 = *ILS*, 3397

T. Iunius N.f.	D. Rosci Q.l.lintio
C. Numolei Cn.f.	D. Iteius Cn.l.
M. Fisius M.f.	M. Valerius M.l.
M. Fufius L.f.	Q. Fulvius Fulviae l.
C. Titius C.f.	P. Pactumeius C.l.
Q. Monnius N.f.	L. Pomponius C.l.

Heisce magistrei Castori et
Polluci murum et pluteum faciundu
coeravere eidemque loedos
fecere Q. Servilio C. Atilio cos

106 B. C.

10. A. De Franciscis, *Studi offerti a A. Calderini e R. Paribeni*, vol. iii, pp. 354-358.

L. Veccius L.f.	P. Baebius N.l.aerari
L. Fulvius Q.f.	C. Cossutius C.l.Gent.
M. Curtius C.f.	A. Fulvius Fulviae l.
L. Fuficius L.f.	L. Flavius Q.l.
N. Arrius A.f.	P. Cipius Cn.l.
N. Spurius D.f.	L. Nerius M.l.
T. Pescennius T.f.	Cn. Pescennius L.l.
M. Annius L.f.	P. Nerius P.l.
Q. Hostius Q.f.	C. Cipius C.l.Pera
C. Lucretius C.f.	C. Nerius M.l.
Ti. Asicius Ti.f.	P. Caesius M.l.
P. Suesanus M.f.	P. Servius N.l.purpur.

Mag. Castori et Polluci et Mercu[rio] Felici fornicem et
gradus supra fornicem omnis et[.....]as sequndum
fornicem faciend. coer. eidemque lud [os fecer.] P. Rutil. Cn. Mal.
cos.

105 B. C.

11. *CIL* I², 679 = X, 3780 = *ILS*, 3341

]nius L.f.	A. Seppius A.f.
]ius L.f.	C. Pompilius C.f.
]rtionius Cn.f.	N. Rubrius M.f.
]natius P.f.Gla.	Cn. Hortionius Cn.f.
]us Cn.f.E.	L. Annius L.f.E.

]ius M.f.   C. Obinius Cn.f.Ianio
Heisce magistreis] Cererus murum et
pluteum? long. p.]XII alt. XXII faciundum coiraver.
         C. Fl]avio C.f. C. Mario C.f.cos   104 B. C.

12.   *CIL* I², 680 = X, 3781 = *ILS*, 5561

(five lines and two half-lines erased)
/ / / / / / / / M. Antonio
/ / / / / / / / A. Postumio cos.   99 B. C.
Heisce mag. murum ab grad
u ad calcidice. et calcidicum

et portic. ante culin. long. p. (*vac*)
et signa marmor. Cast. et Pol.
et loc. privat. de stipe Dian.
emendum [et f]aciendum
coeraver.

13.   *CIL* I², 681 = X, 3789 = *ILS*, 3609

         Hisce ministris Laribus faciendum coe[raverunt
C. Terenti C.l. Pilomus   Lucrio Terenti[ti s.]   Alexan[
Pilemo Helvi A.s.   Pilotar. Hos[ti s.]   Nestor[
Helenus Hosti Q.s.   Pilomusus Sext. Cn.s   Nae[
Pilotaerus Terenti Q.s.   Pilermo Baloni Balon.   Flac[
                     Dipilus Sueti Suetiae s.   Niceport[
Haec pondera et pavimentum faciendum et[.....
Q. Caecilio Q.f.Q.n. T. Deidio T.f. co[s.....   98 B. C.

14.   *CIL* I², 685 = X, 3782 = *ILS*, 5641

[N.f.faber   M. Fisius C.f.   M. Vibius P.[f.
[sius St.f.   M. Baibillius L.f.   Ti. Hostius[s...
cu[ne]os duos in teatro faciendos coi[raver.   before 94 B. C.

15.   *CIL* I², 2506 = *Not. Scav.*, 1921, p. 63.

...epic...   Q. Annius Q.l.Fe [
.....pl...   P. Bivellius T.l.
                     P. Messius Q.l.
                     C. Lusius C.l.
                     P. Ovius P.l. Plut.
                     C. Antonius C.l.
                     Tr]eib. cuniu muliereb[us
                     ludosque fecerun[t
                     .....o cos.....   before 94 B. C.

16.   A De Franciscis, *Epigraphica*, xii, 1950, pp. 124-130; *Ann. ép.*, 1952, 54

...]i. L.M.l.
]onius Q.l.
]sutius C.l. Eud.
]onius... l. Dion.
Heisce mag. hunc cuneum ab [imo ad summum?
gra[dum aedificarunt viam

...]am straverunt gradusque
refecerunt loedos fecerunt
cos[...   before 94 B. C.

17.   *CIL* I², 682 = X, 3772 = *ILS*, 6302

Pagus Herculaneus scivit a.d. X Termina[lia:
conlegium seive magistrei Iovei Compagei s[unt
utei in porticum paganam reficiendam
pequniam consumerent ex lege pagana
arbitratu Cn. Laetori Cn.f. magistrei
pageiei (*sic*), uteique ei conlagio seive magistri
sunt Iovei Compagei locus in teatro
esset tam qua sei lu[d]os fecissent.
L. Aufustius L.l. Strato, C. Antonius M.l.
Nico, Cn. Avius Cn.l. Agathocles, C. Blossi
M.l. Protemus, M. Rammius P.l. Diopant.,
T. Sulpicius P.Q.pu.l., Q. Novius Q.l. Protem.,
M. Paccius M.l. Philem., M. Licculeius M.l.
Philin., Cn. Hordeonius Cn.l. Euphemio,
A. Pollius P.l. Alexand., N. Munnius N.l.
Antiocus, C. Coelio C.f. Caldo
L.]Domitio Cn.f. Ahenobarb. cos   94 B. C.

18.   *CIL* I², 683 = *EE*, VIII, 473 = *ILS*, 5734

]s Papiae l. Stepanus	A. Vibbius A.l. Diogenes
]us M.l. Diogenes	Q. Decirius Q.l. Cleo.
]us Titiniae l. Antioc.	P. Fufius P.l. Chaeremo
]us L.l. Copio	C. Artorius Artor.l. Dipil.
] L.l. Nicolauos	M. Alfidius M.l. Sota.
] A.l. Demetrius	P. Statius P.l. Philemo

Heisce] mag. lacum Iovei de stipe et de sua pequn.
faciu]nd. coeraver. Cn. Papeirio Carb. iter cos.   84 B. C.

19.   A De Franciscis, *Archivio Storico Terra di Lavoro*, i, 1956, p. 318; *Ann, ép.*, 1957, 308. An inscription in the mosaic pavement of the temple of Diana Tifatina. A few letters remain, cf. *CIL* X, 3935; the remainder has been erased by simply replacing the original black tesserae with white ones. The reading is not everywhere clear; compare the reading of A. Ferrua, *Rend Pont. Acc.*, xxviii, 1955, pp. 55-62; *Ann. ép.*, 1956, 37.
L. Manius L.[f — 2 *names* —] C.f., L. Aufeius C.f., L. [...]ius N.f., C. Corius L.f.
heisce magis[treis pavimentum faciun]dum aedemqu[e] reficiundum
columna [s... ---- ...]mneis in a[..]a de stipe Dianai
faciunda co[eraverunt, L. Licinio Lucullo] M. Aurelio [Cotta] consolibus.

                                                                                          74 B. C.

20.   *CIL* I², 686 = X, 3783 = *ILS*, 6303

...Alfidius C.f. Strab.	Cn....us Cn.f.	M. Pontius M.l.Sal.
M. Pandius M.f.	M.C.[l]oelius C.f.	A. Ocratius M.l. Alex.
P. Octavius P.f.	M. Heidius M.f.	C. Hostius M.l. Herm.
C. Cornelius C.f. Sap.	L. Decumius N.f. Stab.	A. Rubrius A.f. praec.

Heisc. magistr. ex. pagei scitu in servom Iunonis Gaurae [co]ntule.
P. Cornelio Lentulo Cn. Aufidio Oreste cos., m[71 B. C.

21. *CIL* I², 684 = *EE*, VIII, 474

]eiu[
]ag.magis
] magistri [
[ius Seleuc[
]us Antioc[
]utio
]us Stepan[
]uam victr[
]Camp
]d.

22. *CIL* I², 687 = *Not. Scav.*, 1893, p. 164 = Egbert, p. 289

Q. Sa[
Q. Min[
L. Opimi[
C. Fabiu[
P. Ofelliu[
M. Fulmon[
Heisce magistrei horto[
iudicioque vicere eidem lu[dos
sucrundam porticusque rec[
iidemque de sua pecunia Herculei[

23. *CIL* I², 688 = X, 3785 = *ILS*, 3064

M. Blossius M.l. Agato
M. Consius M.l. Nicol.
Sex. Allius Q.l. Sextus
M. Atilius M.l. Apol.
A. Nasennius A.l. Prot.
L. Furrius L.l. Dion.
M. Limbricius M.l. Diod.
C. Tiburtius C.l. Fl.
L. Turius L.p. C.l. Sand
A. Pactumeius A.l. Philip.
P. Octavius P.l. Antioc.

(on front)   Iovei sacr.
(on back)   Hanc aram
              ne quis dealbet.

24. A. De Franciscis, *Not. Scav.*, 1957, p. 369

N. Vesvi N.f.   M. Egnati M.f.
M. Loli Q.f.   M. Opius N.f.
Q. Sexti C.f.   M. Teroni Ov. f.
L. Loli L.f.   C. Vibius O.f.
C. Stati M.f.   M. Nerius Ov.f.
C. Arriu... f.   Cn. Arri Cn.f.
    Heisce mag. hoc opus
    faciundum couravere
    eisdemque probaver.

25. *CIL* I², 691 = X, 3788 (cf. Mazocchi,   26. *CIL* I², 689 = X, 3784, no. 245)

]ntius L.f.
]natius C.f.
]evius M.f.

]sL. f.[
...]erudiei L.f.[
...]Magius Cn.f.L.[
M. Ragonius M.f.[
M. Lollius M.f. Ale[
M. Grusius M.f.D.[
..]Magius Cn.[
]ei mag[

27. *CIL* I², 690 = X, 3791

]d[
Hilarus[
Malcio [
Callico[
Heisce m[
]ndu[
]bec[

28. Mazocchi, n. 192 (*Mem. Acc. linc.*, x, 1903, p. 92)

].f.   P. Sua[
]us M.f.   .. Cla[
]N.f.   Q. Hortio[
]iovi Q.l.   Q.[
]ti C.f.   M.S.[

Of the above inscriptions, nos. 1, 13, 25, 27, 28 are lost and known only from early antiquarian writers. Nos. 2, 3, 5, 8, 11, 18, 21, 22, are at present preserved in the Museo Campano; nos. 6, 7, 10, 16, 24 are now in the new antiquarium in S. Maria di Capua Vetere; while nos. 4, 12, 14, 17, 20, 23 and 26 are in the Museo Nazionale in Naples.

CAMBIAMENTI NEL GRUPPO DEI NOTABILI MUNICIPALI DELL'ITALIA CENTRO-MERIDIONALE NEL CORSO DEL I SECOLO A.C.

Lo sfruttamento efficiente del materiale epigrafico ai fini dello studio delle prosopografie municipali dell'Italia centro-meridionale è appena agli inizi. Ci mancano ancora, infatti, edizioni moderne di iscrizioni municipali pubbliche e sepolcrali, magari con fotografie, eventuali dati archeologici e altri dati indispensabili per la datazione dei documenti e per l'identificazione esatta della loro natura.

È vero che sia il Brunt (1) che il Wiseman (2) hanno considerato nelle loro splendide sintesi anche il materiale prosopografico municipale in modo lodevole. Ma si tratta pur sempre per lo più di coloro che hanno scelto la carriera politica e si sono trasferiti a Roma. Sono stati invece fino adesso spesso trascurati coloro che per una ragione o l'altra hanno preferito rimanere a casa — oppure sono stati costretti a rimanere a casa.

Per queste ragioni pratiche siamo spesso obbligati a basare i nostri studi su materiale troppo limitato sia nel tempo che geograficamente, a usare edizioni vecchie, poco attendibili o difficilmente ritrovabili. Ciò concerne specialmente noi nordici che difficilmente possiamo fare dei sopralluoghi e che spesso non troviamo nelle nostre biblioteche queste edizioni minori.

Queste limitazioni del materiale possono avere come conseguenza il fatto che i risultati si presentano troppo polarizzati su alcuni punti di vista, mentre potrebbero apparire molto più comprensibili e anche più interessanti nel loro giusto contesto storico più generale.

I. Nel mio studio sull'*Ordo populusque Pompeianus* (3) credo di aver individuato alcuni cambiamenti innegabili tra il ceto dirigente della colonia durante il primo secolo a.C. Come premessa andrà detto che anche in questo caso Pompei ci offre informazioni enormemente più complete di qualsiasi altro centro municipale: conosciamo, infatti, più di 50 del numero teorico di 120 magistrati municipali e candidati alle magistrature di Pompei dei trent'anni immediatamente successivi alla colonizzazione sillana (80-49 a.C.) (4), più un numero paradossalmente molto meno consistente, 46 magistrati e nessun candidato, dell'epoca di 62 anni da Giulio Cesare ad Augusto (49 a.C. - 14 d.C.) (5).

1. Subito dopo l'occupazione romana (nell'89 a.C.?) ma prima ancora della stabilizzazione definitiva della colonia (alcuni anni dopo l'80) si trovano tracce di un tipo di amministrazione provvisoria, un *interregnum* forse sotto la sorveglianza diretta da parte dell'amministrazione centrale romana (6). Il fatto comunque che gli *interreges* sembrano essere stati eletti, dato che la propaganda elettorale in loro favore era stata considerata necessaria, e che tutti gli *interreges* conosciuti sono di evidente origine locale (7), sta forse ad indicare che non erano ancora in vigore le formule restrittive

(1) P.A. Brunt, *Italian Manpower*, Oxford, 1971.
(2) T.P. Wiseman, *New Men in The Roman Senate*, London, 1971 = Wiseman.
(3) P. Castrén, *Ordo populusque Pompeianus*, AIRF, 8, 1975 = Castrén, *Ordo*.
(4) Castrén, *Ordo*, pp. 84, 270-271.
(5) Ibid., pp. 271-272.
(6) Ibid., p. 51.
(7) Ibid., p. 270.

che invece regolavano i rapporti tra il ceto locale e i coloni nei primi decenni dopo la stabilizzazione definitiva della colonia sillana. È difficile stabilire se ciò dipendeva dalle attitudini delle diverse correnti politiche in potere nella capitale oppure dal fatto che si trattava sempre di «uomini di fiducia» dei conquistatori. Comunque sarebbe interessante avere nuove informazioni esatte su come i centri scelti per la colonizzazione venivano amministrati prima, al momento della *deductio* e subito dopo.

2. Con la colonizzazione sillana ebbero luogo, almeno secondo la convinzione generale, le confische dei beni degli abitanti indigeni e la loro esclusione dalla vita politica (ed economica?) (8). Si trovano, infatti, testimonianze della prevalenza indiscussa sia dei partigiani sillani particolarmente potenti, come C. Quinzio Valgo e M. Porcio, sia dei coloni «normali», mentre gli abitanti indigeni sono all'inizio completamente assenti dalle liste dei magistrati municipali (9). Alcuni passi di Cicerone, sebbene citati ormai già quasi «ad nauseam», sembrano indicare che gli abitanti indigeni non avessero la completa libertà di circolazione nella loro antica città (10). Infatti, ha forse ragione il Wiseman nel ritenere che Cicerone con l'*ambulatio* volesse intendere proprio il fatto che l'uso di una località dentro la città, forse del Quadriportico dietro il Teatro grande, era stato riservato ai soli coloni. Va ricordato che anche Quinzio Valgo e Marco Porcio mettono in evidenza, nella loro iscrizione dedicatoria dell'anfiteatro (11), l'appartenenza di quest'ultimo ai (soli?) coloni. Inoltre sembra accertato che il ceto indigeno non poteva all'inizio partecipare alle elezioni municipali. Ciò è dimostrato anche dal fatto che la propaganda elettorale dei primi anni della colonia è diretta esclusivamente ai soli coloni (12). Rimane invece incerta la natura dell'attività svolta dai primi *duoviri quinquennales* della nuova colonia, da Quinzio Valgo e Marco Porcio appunto, durante il *census* generale del 70 a.C. (13).

3. Tuttavia dopo qualche decennio almeno una parte del ceto indigeno sembra aver ripristinato la sua importanza economica e stava ripristinando anche quella politica. Verso il 55 a.C. Cicerone scherzava con il suo amico Marco Mario, membro dell'*ordo* di Pompei, come questi potesse seguire *ludi Osci* nella curia di Pompei (14). Non si sa se con questo voleva accennare all'ammissione, forse recente, di alcuni decurioni di origine sabellica all'*ordo* di Pompei. Non sarebbe strano, dato che Cicerone sembra proprio in questo periodo essere molto ben informato sugli avvenimenti politici a Pompei (15). Anche in questo caso rimane poco chiaro se la riabilitazione toccava a tutti i possibili pretendenti alle magistrature oppure se si trattava di una parte di essi, che già da tempo avevano stretto dei legami economici e familiari con la classe dirigente della colonia. Infatti sono da ricordarsi anche i matrimoni e fidanzamenti di questo periodo tra i membri della classe dominante della capitale e i membri più benestanti delle nobiltà municipali in generale (16). Con questi fenomeni si collega poco più tardi la riabilitazione da parte di Cesare dei discendenti dei proscritti.

In questo tempo appaiono, anche a Pompei, delle testimonianze su tali legami tra famiglie indigene e famiglie appartenenti all'*ordo* della colonia. Il caso più chiaro è quello della famiglia Maccia, di evidente origine locale (17). Un L. Maccius Papi f. ha sposato una Spellia Ovi f. I *praenomina* della generazione precedente sono una prova chiarissima dell'origine locale di tutte e due le famiglie e della datazione di quella generazione al periodo prima dell'occupazione romana. Loro

---

(8) E. Lepore, *Pompei 79*, p. 17, mette quest'interpretazione in dubbio, cfr. n. 32.
(9) Castrén, *Ordo*, p. 87.
(10) Cic., *Sull.*, 60-61.
(11) *CIL* X, 851.
(12) Castrén, *Ordo*, pp. 86-87.
(13) Castrén, *Ordo*, p. 91.
(14) Cic., *Fam.*, 7, 1, 3.
(15) Macrob., *Sat.*, 2, 3.
(16) Cfr. Wiseman, pp. 53 ss.
(17) *NSc*, 1898, p. 422.

figlio, P. Maccius L.f., che non portava ancora il *cognomen*, sposò la figlia di un'altra *gens* indigena, piú importante dei Maccii, un'Epidia A.f. La lapide sepolcrale di questa coppia è stata dedicata da due eredi, P. Maccius Mamianus Fubzanus e P. Maccius Velasianus, che non possono che essere un Mamius (o Mammius) e un Velasius (o Velassius) adottati da P. Maccius L.f. Anche il duoviro del tardo periodo repubblicano, P. Maccius P.f. Melas di cui si parlerà in seguito (18), dovrebbe far parte della stessa famiglia.

4. Anche la colonizzazione viritana di Giulio Cesare sembra aver coinvolto la Campania in larga misura, dato che Ottaviano riuscì ad arruolare le sue nuove legioni proprio tra i veterani di Cesare lì stanziati (19). Anche questi nuovi coloni sembrano aver lasciato tracce tra il gruppo dei notabili municipali di Pompei. Nella necropoli della Porta di Nocera esiste, infatti, una tomba della famiglia dei Tillii (20), originaria di Arpino e apparentata con un'altra famiglia equestre arpinate, i Fadii, che possiamo seguire per tre generazioni. Il nonno, C. Tillius L.f. Cor., non portava ancora il *cognomen* né sembra aver mai rivestito una carica municipale. Suo figlio, C. Tillius C.f. Cor. Rufus, era invece stato *aedilis iure dicundo* ad Arpino e *augur* a Veroli e aveva sposato una Fadia C.f. Il figlio maggiore, C. Tillius C.f. Cor. Rufus, era stato *augur* a Veroli prima di dedicarsi alla carriera militare e diventare tribuno militare della legione decima, forse la legione prediletta di Giulio Cesare. Egli non era mai stato magistrato municipale a Pompei, mentre il secondo figlio, dopo aver servito come tribuno militare nella (stessa?) *legio X Equestris* (21), è diventato duoviro a Pompei.

5. Allo stesso tempo ci sono anche altri segni del graduale abbandono di alcuni centri dell'entroterra, come appunto Arpino, in favore delle province, di Roma e dei territori costieri della Campania (22). Il trasferimento dei Tillii può essere messo in relazione anche con questo fenomeno di depopolazione dell'entroterra.

6. L'intervento diretto da parte dell'amministrazione centrale negli affari municipali dell'ultimo periodo triumvirale e della successiva fase di guerra civile si manifesta nei primi anni 30, quando Ottaviano fece sostituire le truppe stanziate a Pompei (tre coorti nell'anno 49) (23) con truppe ausiliarie, ovviamente più fedeli (24).

Appena prima del voto di «tota Italia» in favore di Ottaviano nel 32 a.C. c'era evidentemente ancora bisogno di garantire il risultato favorevole del voto. Già il Syme ha individuato un gruppo di amici del *princeps* che potevano garantire il risultato positivo del voto nei loro rispettivi domicili (Calvisius Sabinus, Statilius Taurus in Lucania?, Maecenas ad Arezzo, gli Appuleii e Nonius Gallus ad Isernia, i Vinicii a Cales, ecc.) (25). Nello stesso tempo, un altro tipo di partigiani di Ottaviano compare in moltissime città centro-meridionali. Si tratta di vari ufficiali, per lo più tribuni militari o *praefecti fabrum*, spesso, ma non necessariamente, di origine locale, che appaiono all'improvviso tra i magistrati delle città e cominciano a stringere dei legami con le famiglie più in vista e a costruire edifici pubblici in onore di Ottaviano Augusto (26). A Pompei conosciamo tre *praefecti fabrum*, M. Lucretius

---

(18) *CIL* I², 1634; cfr. sotto, n. 47.

(19) Cfr. App., *BCiv.*, 3, 40.

(20) Inedita, cfr. H. Eschebach, *Die städtebauliche Entwicklung des antiken Pompeji*, *MDAI (R)*, 17. Ergänzungsheft, Rom, 1970, tomba 17 ovest.

(21) Cfr. P. Castrén, *About the legio X Equestris*, *Arctos* n.s. 8, 1974, pp. 5-7.

(22) E. Gabba, *Urbanizzazione e rinnovamenti urbanistici nell'Italia centro-meridionale del I secolo a.C.*, *SCO*, 21, 1971, pp. 74-75; Castrén, *Ordo*, p. 92.

(23) Castrén, *Ordo*, p. 91.

(24) Cfr. *CIL* IV, 2437; Castrén, *Ordo*, p. 96.

(25) R. Syme, *The Roman Revolution*, Oxford, 1939, p. 289.

(26) Cfr. ad es. *CIL* IX, 652 (Venusia), 736 (Larinum), 1133 (Aeclanum), 3082 (Sulmo), 3307 (Superaequum), 4197 (Amiternum), 4519 (Ager Amiterninus), 5441, 5452 (Faleria), 5845 (Auximum); *CIL* X, 1081 (Nuceria), 1262 (Nola), 3826 (Capua), 5169 (Casinum); *Ann. epigr.*, 1937, 64 (Luceria), *Inscr. It.*, III, 1, 153 (Atina Luc.).

Decidianus Rufus, il primo Lucrezio conosciuto a Pompei ma probabilmente di origine campana (27), N. Herennius Celsus, anche'egli di origine locale (28) e T. Sornius T.f. Vel. (29), secondo il Syme di origine picena (30). Di questi tre Lucrezio Decidiano Rufo diventa uno dei personaggi più potenti di Pompei di tutto il periodo augusteo e uno dei sei *tribuni militum a populo* della città. L'importanza nella politica municipale dei *tribuni militum a populo* dell'epoca augustea è stata splendidamente messa in luce dal Nicolet (31).

Anche i proprietari terrieri locali erano ormai in grado di formare nuove alleanze sia con una parte dei coloni sillani che con i partigiani di Ottaviano Augusto. Ciò concerne specialmente quelle famiglie benestanti che non avevano attivamente partecipato alla vita politica durante il periodo di crisi della colonizzazione. Si forma quindi, all'epoca augustea, una nuova classe dirigente che non si basava più su fattori etnici, bensì su fattori sociali e economici — una classe piuttosto chiusa che si accresceva quasi esclusivamente mediante matrimoni, adozioni e altri legami familiari.

II. Nella sua ottima sintesi «Il quadro storico», apparsa nel volume fantomatico Pompei 79 (32), che pochissimi avranno avuto l'occasione di consultare, Ettore Lepore ha passato in rassegna molto brevemente le fasi principali della storia di Pompei, discorrendo anche su alcune delle questioni presentate sopra nel giusto contesto storico più generale mettendo in guardia contro giudizi troppo sommari basati su delle testimonianze troppo limitate o offrendo in alcuni casi aggiunte o alternative molto convincenti. Ne cito un paio di esempi: per quanto riguarda l'uso della modesta necropoli presso Porta di Stabia da parte di un gruppo di famiglie indigene della città per quattro secoli circa (addirittura fino al 40-50 d.C.) invece di costruire tombe monumentali, Lepore propone come spiegazione alternativa le differenze dovute, piuttosto che al fattore etnico, alle tradizioni dell'ambito rurale rispetto ad un centro dominante (33). Resta comunque il fatto che i defunti conosciuti della necropoli appartengono tutti a un piccolo gruppo di famiglie indigene che non hanno lasciato tombe di altro tipo pur essendo ben presenti nella vita pubblica della città.

Un altro caso paragonabile potrebbe essere la situazione politico-economica a Pompei subito dopo la Guerra Sociale e la colonizzazione. Probabilmente sono stati infatti accentuati troppo i cambiamenti politici ed etnici (34) — come appunto l'assenza indiscussa della popolazione indigena nelle prime liste dei magistrati della colonia — senza invece valorizzare abbastanza il fatto altrettanto innegabile che alcune delle famiglie locali si erano da tempo associate al potere politico e economico romano e erano quindi in grado di mantenere intatta gran parte dei loro beni e di riemergere anche politicamente subito dopo, appena la crisi era passata.

Già negli anni 60-50, Cicerone, che tra l'altro era patrono di Capua, Cales, Atella e Arpino (35), sottolinea di avere dei legami di amicizia (e anche di clientela) a Pompei sia con i coloni che con alcuni abitanti indigeni (36). Lo stesso vale certamente anche per altri uomini politici di rilievo del periodo e per molti altri luoghi, specialmente per i centri vicini alle zone di villeggiatura in voga (37).

---

(27) Castrén, *Ordo*, pp. 95, 185 (n. 227, 7).

(28) Ibid., p. 174 (n. 191, 9).

(29) Ibid., p. 223 (n. 382, 1).

(30) R. Syme, *Historia*, 13, 1964, p. 123.

(31) C. Nicolet, *Tribuni militum a populo*, MEFR, 79, 1967, pp. 29-76.

(32) *Pompei 79*, Napoli, 1979.

(33) M. Della Corte, *Necropoli sannitico-romana, scoperta fuori la Porta di Stabia*, NSc, 1916, pp. 287-309; Lepore, art. cit., p. 17.

(34) Lepore, art. cit., p. 18.

(35) Wiseman, p. 44.

(36) Cic., *Fam.*, 9, 14, 1; Wiseman, p. 48.

(37) Wiseman, p. 32.

CAMBIAMENTI NEL GRUPPO DEI NOTABILI MUNICIPALI

Recentemente è stato accennato al fatto che alcune *gentes* municipali più insigni sembrano scomparire dalla vita pubblica nei periodi di crisi, come ad es. durante la Guerra Sociale e quelle civili, per riemergere subito dopo, sempre più potenti di prima (38). Questa osservazione del van Wonterghem nei confronti degli Accavii di Corfinium vale anche per gli Holconii e gli Istacidii di Pompei, mentre invece i Popidii e i Trebii partecipavano attivamente sia agli avvenimenti del periodo prima e durante la Guerra Sociale che subito dopo, durante il probabile periodo dell'*interregnum* tra l'occupazione romana e la colonizzazione sillana.

Sappiamo, inoltre, che alcune famiglie indigene insigni, come ad es. i Magii di Aeclanum (39), i Sittii di Nocera (40) e moltissimi clienti dei Pompeii nel Piceno (41) avevano partecipato alla Guerra Sociale dalla parte dei Romani e che venivano conseguentemente remunerati con onori e potere. È ben nota anche l'attività dei *possessores* sillani — come appunto di Quinzio Valgo che appare come magistrato municipale o patrono in diversi centri campani e irpini, nelle zone in cui si estendevano i suoi immensi possedimenti terrieri — insieme a colleghi che invece appartengono chiaramente al ceto indigeno. Qui basti citare l'esempio di M. Magius Min. f. Surus e A. Patlacius di Aeclanum (42).

Già questi pochi casi citati possono avvalorare l'opinione secondo cui il fattore etnico stava velocemente perdendo importanza e che altri fattori — economici e sociali — ne stavano occupando il posto nella vita politica e municipale del I secolo a.C.

L'onomastica di queste aristocrazie municipali dell'ultimo periodo repubblicano e del primo periodo augusteo ci può offrire ulteriori informazioni sui fatti del giorno di quel tempo. Si tratta infatti di prime generazioni ad adottare il sistema onomastico romano dei *tria nomina*. Per citare ancora una volta l'esempio di Pompei, sembra accertato che degli oltre 50 magistrati e candidati conosciuti dei trent'anni immediatamente successivi alla colonizzazione (80-49 a.C.) soltanto due portavano il *cognomen*, cioè C. Quinctius Valgus e N. Veius Barcha. Lo stesso vale anche per altre città centro-meridionali dell'epoca: la stragrande maggioranza dei magistrati appare ancora senza il *cognomen* — soltanto in casi eccezionali, come i due casi citati sopra o in esempi leggermente posteriori, il *cognomen* appare più regolarmente. In un articolo recente ho proposto l'ipotesi che fossero stati proprio i membri delle aristocrazie locali i meno propensi ad adottare il sistema dei *tria nomina* (43).

Anche il carattere di questi primi *cognomina* è degno di particolare interesse. Si tratta di persone che probabilmente avevano adottato il *cognomen* da adulti. I *cognomina* adottati in questo modo potevano quindi ovviamente avere un significato più accentuato che non in seguito quando invece diventano regolari, una moda piuttosto banale.

Mi sembra che si possa distinguere fra due tipi di *cognomina* in uso tra le classi dirigenti municipali alla fine della repubblica e all'inizio dell'età augustea. Alcuni, forse la maggioranza, hanno adottato *cognomina* latini normalissimi, come ad es. Fronto, Macer, Naso, Pollio, Rufus o Varus, cioè del tipo che era diffuso anche tra le classi alte di Roma. Ciò concerne particolarmente coloro che hanno scelto la carriera politica e si sono trasferiti a Roma. Compaiono, però, tra questi nomi di poca fantasia altri *cognomina* che hanno destato non poche perplessità tra gli esperti di onomastica in generale e *cognomina* in particolare.

---

(38) F. van Wonterghem, *Antiche genti peligne, Quaderni del Museo Civico di Sulmona*, 5, 1975, p. 21.

(39) Vell. Pat., 2, 16, 2.

(40) Cic., *Sull.*, 58.

(41) Wiseman, pp. 42-43.

(42) *CIL* I², 1722; cfr. P. Castrén, *Le aristocrazie municipali ed i liberti dalla Guerra Sociale all'età flavia. Contributi onomastici, Opusc. Inst. Rom. Finl.*, I, 1981, pp. 15-24.

(43) Cfr. n. 42.

Si tratta di magistrati municipali o altri membri delle aristocrazie locali che portano *cognomina* come Barcha (44), Chilo (45), Cilix (46), Melas (47), Sisipus (48) o Surus (49). Possiamo forse aggiungere alla lista anche Apotheca (50) e Nauta (51).

Già precedentemente è stato suggerito che personaggi come Octavius Graechinus a Tivoli (52) e C. Helvius Graecus a Corfinium (53) avessero adottato i loro *cognomina* proprio perché avevano ambedue dei legami commerciali con la Grecia.

Se supponiamo che anche gli altri *cognomina* del gruppo avessero la stessa origine, si potrebbe pensare che N. Veius Barcha di Pompei aveva dei legami, forse commerciali, con Cartagine o meglio con la Fenicia dove Tiro, ancora in quest'epoca, era un centro commerciale importantissimo (54) che peraltro manteneva una *statio* a Puteoli.

Nel caso di N. Paccius N.f. Chilo si potrebbe pensare ad un legame particolare con Sparta e i suoi dintorni, dato che Cilone era conosciuto come il primo eforo potente, eroizzato, di Sparta (55). N. Istacidius N.f. Cilix era forse un commerciante della *vestis lintea*, essendo appunto Cilicia Pedias una delle aree produttrici principali della preziosa stoffa (56). Cilicia era altrettanto famosa anche come la zona d'origine dei *venales Asiatici*. P. Maccius P.f. Melas commerciava probabilmente, tramite i suoi collaboratori, in vino e mastice con Chio il cui eroe fondatore si chiamava Melas. L. Runtius C.f. Sisipus di Arpino dovette avere legami con Corinto; come noto, Sisifo era il re mitico di questa importantissima città commerciale, distrutta da Lucio Mummio nel 146 a.C., ma fondata di nuovo da Giulio Cesare come *Colonia Laus Iulia Corinthus*. Per quanto riguarda M. Magius Min. f. Surus di Aeclanum, potrebbero valere le stesse osservazioni proposte per N. Veius Barcha.

I *cognomina* di L. Laufeius L.f. Apotheca di Aquino e Q. Gavius Q.f. Nauta di Fondi si possono spiegare allo stesso modo. Si trattava, almeno all'inizio, forse di proprietari terrieri locali che operavano a Puteoli tramite i loro liberti che vi sono infatti spesso attestati. Col tempo anche questi *cognomina* possono essere diventati una pura moda banale.

Sopra ho già accennato al fatto che sia gli Holconii di Pompei che gli Accavi di Corfinium erano assenti dalla vita pubblica nei periodi di crisi. In ambedue i casi si tratta di proprietari terrieri molto facoltosi che si occupavano di viticultura e di produzione e vendita di vino (57). Nonostante la loro ricchezza avevano preferito rimanere nelle zone di origine senza dedicarsi alla politica «nazionale» e senza trasferirsi a Roma. Malgrado la loro origine locale, peligna e sabellica, i capi di queste famiglie diventano potentissimi nelle loro città appena le crisi sono passate: vi coprono molte magistrature anche con importanti poteri censorii, sono nominati *tribuni militum a populo* e addirittura patroni delle loro città. L'esistenza di questi casi è una testimonianza dello sviluppo verso quella civiltà dualistica dell'impero, come la definisce il Lepore, che non si differenziava più per fattori etnici essendo stati questi sostituiti da fattori economico-sociali.

---

(44) *N. Veius Barcha* (Pompei), *CIL* IV, 26, 45, 1817; *L. Tettaienus Barcha* (Teramo), *CIL* I², 1905-6.

(45) *N. Paccius N.f. Chilo* (Pompei), *CIL* X, 885-886.

(46) *N. Istacidius N.f. Cilix* (Pompei), *CIL* X, 857a.

(47) *P. Máccius P.f. Melas* (Pompei), *CIL* I², 1634.

(48) *L. Runtius C.f. Sisipus* (Arpino), *CIL* I², 1537.

(49) *M. Magius Min. f. Surus* (Aeclanum), *CIL* I², 1722.

(50) *L. Laufeius L.f. Apotheca* (Aquino), *CIL* I², 1542.

(51) *Q. Gavius Q.f. Nauta* (Fondi), *CIL* I², 1557a.

(52) *CIL* I², 1542.

(53) Van Wonterghem, art. cit., p. 22, fig. 9; cfr. anche *CIL* I², 1492 (anfore greche nel territorio peligno).

(54) Plin., *nat.*, 5, 19, 75; 9, 36; Strab., 16, 2, 23.

(55) Diog. Laert., 1, 68.

(56) M. Rostovtzeff, *The Social and Economic History of the Hellenistic World*, p. 974.

(57) Per gli *Holconii*, cfr. Častrén, *Ordo*, pp. 94, 176; per gli *Accavi*, cfr. van Wonterghem, art. cit., pp. 18-19.

CAMBIAMENTI NEL GRUPPO DEI NOTABILI MUNICIPALI

Altre dimostrazioni di questo dualismo sociale sono anche le adozioni politiche tra le *gentes* di origine etnica diversa (58) e soprattutto le divergenze nell'ortografia dei gentilizi (59).

Mentre a Pompei si manifesta, tra la classe dirigente locale, una tendenza evidente di romanizzare il proprio nome, a Corfinium i rami benestanti delle *gentes* locali sembrano aver preferito l'ortografia tradizionale (in -avus) (60). Contemporaneamente compaiono, tra gli stessi rami, *cognomina* di chiara origine illirica (61),come ad es. Bato, Baetus e Frentio, come se i membri di questi rami benestanti avessero voluto far ricordare l'origine mitica in Illiria dei Peligni in generale e delle loro famiglie in particolare.

PAAVO CASTRÉN

---

(58) Cfr. Castrén, *Ordo*, pp. 93, 100.
(59) Ibid., p. 103; Lepore, art. cit., p. 18.
(60) Van Wonterghem, art. cit., p. 15.
(61) Ibid., pp. 12-15, 18.

STRUCTURES DE PARENTÉ ET D'ALLIANCE À LARINUM D'APRÈS LE *PRO CLUENTIO*

Tout le monde est d'accord pour considérer le *Pro Cluentio* (1) comme un document de première importance sur la vie sociale, en particulier sur les relations familiales et les pratiques matrimoniales, dans les municipes au Ier s. av. J.-C. (2). Il s'est d'ailleurs ajouté, pendant longtemps, une appréciation morale à cette constatation: les vertueux philologues ne manquant pas de déplorer la décadence des moeurs dans l'Italie municipale, qui égalait Rome même dans la débauche et le crime (3).

Contrastant avec ce tableau d'une Italie unifiée dans le domaine des moeurs et des institutions matrimoniales, d'autres historiens et juristes opposent volontiers Rome et les municipes: règles matrimoniales, lois successorales, coutumes relatives à l'alliance diffèrent encore à l'époque de Cicéron, nous dit-on, entre Larinum et Rome (4).

A cette contradiction s'en ajoute une autre, dans l'appréciation globale que portent les commentateurs sur la société de Larinum (qu'elle soit ou non différente de la société romaine): ainsi, pour Mme Marina Torelli, cette société est fortement exogame, tandis que pour Yan Thomas, elle est nettement endogame (5).

Ces discordances justifient, me semble-t-il, un réexamen du dossier. C'est ce qui sera tenté dans les pages qui suivent: rassembler, dans le *Pro Cluentio*, toutes les informations ayant trait aux pratiques matrimoniales: prohibitions pour cause de parenté et d'alliance, endogamie et exogamie, lieu de résidence des conjoints, taux de nuptialité, fréquence des divorces et des remariages, natalité, âge des conjoints, etc. On tentera également de comparer les données ainsi obtenues avec les

(1) Principaux ouvrages utilisés (les éditions sont citées sans indication de titre, par le nom de l'éditeur et la date): J. Classen, Berlin, 1831; R. Klotz, 1, Leipzig, 1835; Orelli et Baiter, *Onomasticon Tullianum*, Zurich, 1838; G. Long, 2, Londres, 1855; C. Niemeyer, *Ueber den Prozess gegen A. C. H.*, Kiel, 1871; C. Bardt, *Zu Ciceros Cluentiana*, progr. Neuwied, 1878; W. Ramsay et G.G. Ramsay[2], Oxford, 1883; W. Peterson, Londres, 1899; W.Y. Fausset[4], Londres, 1901; W. Drumann-P. Groebe, *Geschichte Roms*[2], 5, 1912, pp. 383-397; J. Humbert, *Les plaidoyers écrits et les plaidoiries réelles de Cicéron*, Paris, 1925, pp. 111-119; H. Grose Hodge, Londres, L.C.L., 1927; L. Fruechtel, Leipzig, Teubner, 1931; P. Boyancé, Paris, C.U.F., 1953; G.S. Hoenigswald, *The Murder Charges in Cicero's Pro Cluentio*, TAPhA, 93, 1962, pp. 109-123; J. van Ooteghem, *L'affaire Cluentius*, Hommages à M. Renard, 2, Bruxelles, 1969, pp. 777-788; G. Pugliese, *Centro di Studi Ciceroniani*, Mondadori, 1972; M.R. Torelli, *Una nuova iscrizione di Silla da Larino*, Athenaeum, 51, 1973, pp. 336-354; W. Stroh, *Taxis und Taktik Ciceros Gerichtsreden*, Stuttgart, 1975, pp. 194-242; D. Berger, *Cicero als Erzähler*, Francfort, 1978, pp. 48-63; Y. Thomas, *Mariages endogamiques à Rome*, RHDFE, 1980, 3, pp. 345-382.

(2) Klotz, p. 607; Niemeyer, p. 24; Peterson, p. X; Fausset, p. XII; W. Kroll, *Ciceros Rede für Cluentius, N.Jb. klass. Alt. Gesch. d. Lit. Päd.*, 53, 1924, pp. 175 et 176 n. 1; Boyancé, p. 43; M.R. Torelli, p. 341; D.R. Shackleton Bailey, *Two Studies in Roman Nomenclature*, 1976, p. 49 (qui parle de "Cluentius Habitus' family chronicle"); Y. Thomas, p. 359.

(3) Fausset, p. XII-XIII; V. Brugnola, *Un processo celebre al tempo di Cicerone, A&R*, 12, 1909, col. 309 et 312; Grose Hodge, p. 209; J. van Ooteghem, p. 787.

(4) E. Costa, *Cicerone giureconsulto*[2], Bologne, 1927, p. 57 (système familial différent à Rome et Larinum: prohibitions matrimoniales, successions); p. 127 (système successoral différent); p. 216, n. 1.

(5) Y. Thomas, p. 360: "un milieu étroit de parentèles qui tend à l'endogamie", et 361, n. 36, 37, 38; M.R. Torelli, p. 352, parle de "politica esogamica". La contradiction entre ces deux auteurs n'est peut-être pas absolue; on ne peut parler en termes généraux d'endogamie ou d'exogamie, il faut définir les unités dont on parle: famille, lignée agnatique ou cognatique, parentèle limitée à tel ou tel degré, groupe géographique, classe sociale, groupe d'âge, *ordo*, etc. D'après leurs contextes, il semble que Y. Thomas envisage des groupes de parenté, tandis que Mme Torelli traite des unités géographiques et politiques, les municipes.

pratiques matrimoniales à Rome, bien connues grâce aux travaux récents de P.A. Brunt et de M. Humbert, entre autres (6).

L'avantage immense du *Pro Cluentio* est de nous présenter (mais dans quel désordre (7) !) un tableau d'une certaine profondeur: nous pouvons suivre, sur deux, parfois sur trois et même quatre générations, trois ou quatre lignées agnatiques, avec leurs alliances, l'indication de quelques naissances, de morts, de divorces, parfois on relève une allusion à l'âge d'une jeune épousée, ou au nombre de mariages contractés par tel ou tel personnage. On mesure alors la supériorité de cette documentation sur celle que nous fournit l'épigraphie, plus abondante certes mais plus dispersée, puisqu'il est rarissime de pouvoir suivre grâce à des inscriptions les alliances successives d'une même lignée (8). Or, si une documentation quantitativement importante est nécessaire, d'un point de vue statistique, pour étudier natalité, mortalité, espérance de vie (9), l'étude des alliances entre lignées exige des récurrences, puisque "l'échange des femmes", pour reprendre l'expression des anthropologues, peut se dérouler soit simultanément (quand un homme et sa soeur épousent respectivement une femme et son frère), soit dans le temps, ce qui revient à dire, s'agissant de parenté, sur plusieurs générations successives: les sources littéraires comme le *Pro Cluentio* gardent, pour ce type précis d'analyse, une valeur supérieure à celle des sources épigraphiques.

Ceci, naturellement, à condition d'appliquer aux narrations cicéroniennes l'examen critique habituel, puisque nul ne s'attend, bien entendu, à ce que Cicéron dise toujours la vérité quand il plaide (10). Mais, s'il est vrai que nous devons être méfiants quand Cicéron accuse Oppianicus de divers crimes, et en disculpe Cluentius, c'est-à-dire quand il touche à l'objet même du procès, rien ne nous amène à suspecter son témoignage quand il nous dit, au détour d'une phrase, qu'un Oppianicus a épousé une Auria (11).

La première tâche sera de réexaminer les généalogies des lignées en cause, pour asseoir sur une base aussi solide que possible l'étude des relations de parenté et d'alliance; ce qui n'est guère aisé, tant les indications de Cicéron sont parfois allusives (il est même possible qu'elles soient, dans un cas, volontairement lacunaires: la filiation de Num. Cluentius), d'où de notables divergences entre commentateurs, dans la reconstruction des *stemmata*.

LES CLUENTII ET LES VIBII

La première question à résoudre est celle de la parenté précise unissant Cluentia, soeur du client de Cicéron, à son époux A. Aurius Melinus, qui nous est présenté comme son *consobrinus* (12). Bien

---

(6) P.A. Brunt, *Italian Manpower 225 B.C. - A.D. 14*, Oxford, 1971; M. Humbert, *Le remariage à Rome. Etude d'histoire juridique et sociale*, Milan, 1972.

(7) Voir D. Berger, pp. 60-61: Cicéron condense des événements qui se sont déroulés sur une période de 25 ans, avec des lacunes, et sans aucun fil chronologique.

(8) On rencontre parfois des inscriptions permettant de suivre trois ou quatre générations, comme *CIL* IX, 2485 et 2486, mais leur interprétation est également délicate: voir les divers *stemmata* proposés par Mommsen, dans le *Corpus*, M. Hofmann, *RE*, 18, 3, *s.u. Paquius* n° 3, col. 1120, et M.R. Torelli, pp. 349-352. T.P. Wiseman, *New Men in the Roman Senate*, Oxford, 1971, p. 63, suggère que les *Paquii Scaeuae* d'Histonium, mentionnés dans ces inscriptions, étaient apparentés aux *Abbii Oppianici* de Larinum.

(9) Voir les réserves de P.A. Brunt, pp. 132-133, sur la valeur des données épigraphiques dans l'étude de l'espérance de vie.

(10) Surtout dans le *Pro Cluentio*, où il s'est vanté *se tenebras offudisse iudicibus* (Quintilien, *Inst.*, 2, 17, 21). Sur cette formule, voir J. Humbert, *Comment Cicéron mystifia les juges de Cluentius*, RÉL, 16, 1938, pp. 275-296.

(11) L'étude critique de la présentation donnée par Cicéron des divers meurtres commis à Larinum a été menée par G.S. Hoenigswald, principalement pp. 112-123.

(12) Cic., *Clu.*, 5, 12: *...grandem autem et nubilem filiam quae breui tempore post patris mortem nupsit A. Aurio Melino consobrino suo.*

que ce terme ait encore, à l'époque de Cicéron, son sens étymologique (*con-sororini*, "co-descendants de deux soeurs" (13), il est surtout un terme générique, recouvrant les quatre types de cousins germains (14). Melinus et Cluentia pourraient donc être, théoriquement:

— enfants de deux frères: cette hypothèse est peu probable. Outre que l'appellation la plus fréquente, chez Cicéron, des cousins de ce type (parallèles patrilinéaires) est *frater* et *soror patruelis* (15), la différence de gentilice imposerait une adoption, que rien d'autre ne nous permet de supposer.

— enfants de deux soeurs, qui seraient alors des Sassiae, puisqu'il est bien établi que Cluentia est née de Sassia (16). Contre cette hypothèse (17), on a à juste titre rappelé que Melinus, après avoir divorcé de Cluentia, épouse Sassia, mère de celle-ci (18), qui, dans la présente hypothèse, serait donc sa tante maternelle. Or, Cicéron ne la désigne jamais que par le terme *socrus*, et non par celui de *matertera*, et réciproquement, Melinus est appelé *gener*, et jamais *sororis filius*, de Sassia (19). De plus, l'union du neveu et de la tante maternelle a été de tout temps prohibée à Rome (20). Même si l'on suppose à titre d'hypothèse de travail que les prohibitions matrimoniales pour cause de parenté n'étaient pas les mêmes à Larinum et à Rome, et si l'on considère comme licite l'union de la tante et du fils de la soeur, à Larinum, il n'en reste pas moins que Cicéron est un Romain s'adressant à des Romains, pour qui ce type d'union est une abomination (21), et qu'il n'y fait pas la moindre allusion dans le cas de Sassia et de Melinus. Et pourtant, il suggère par divers moyens que l'union du gendre et de la belle-mère était quasiment incestueuse (22), alors qu'elle n'était pas expressément prohibée par le droit romain de la fin de la République (23): comment penser que Cicéron, qui va rechercher les moindres traces

---

(13) Pour cette étymologie, voir entre autres Nonius, p. 894 L.; Donat, *ad Ter. Hec.*, 459; Gaius, *D.*, 38, 10, 1, 6. Cicéron appelle *consobrinus* C. Visellius Varro, fils de la soeur de sa mère: *Prou. cons.*, 17,40; *Brut.*, 76, 264; *De or.*, 2, 1, 2.

(14) Exemples d'emploi: Cic., *Off.*, 1, 17, 54; *Lex Vrsonensis, FIRA*, 1, p. 187, 1. 15 sq.; Gaius, 3, 10.

(15) Cic., 2 *Verr.*, 3, 73, 130; 4, 11, 25; 4, 60, 137; 4, 65, 145; *Att.*, 1, 5, 1; *Fin.*, 5, 1, 1; 5, 26, 76; 5, 29, 81 (*frater patruelis* ou *frater* à propos de L. Tullius Cicero).

(16) *Clu.*, 5, 12: *filiae maeror*; 5, 13: *filia*; 5, 14: *mater*.

(17) Soutenue par Ramsay, pp. 9 et 11; Grose Hodge, p. 215; A. Watson, *The Law of Persons in the later Roman Republic*, Oxford, 1967, p. 39; C. Garton, *Naeuius' Wife, CPh*, 65, 1970, p. 40 (cet article est en fait une étude des emplois de *consobrinus* chez Cicéron); Fausset, p. XXXIX, est vague ("Melinus, her first cousin on the mother's side").

(18) Y. Thomas, p. 359 n. 36.

(19) *Clu.*, 5,12: *generi sui*; 5,14: *genero socrus*; 64,179: *ex genero*; 66,178: *generi nuptias... quondam socrus, paulo antea uxor*; 70,199: *uxor generi*.

(20) Gaius, 1,62; Vlp., 5,6 = *Coll.* 6,2,1-3; Gaius, *D.*, 23,2,17,2.

(21) Voir, dans le cas comparable de l'union entre oncle paternel et fille du frère, la répugnance des contemporains de Claude à suivre son exemple, après qu'il eut épousé sa nièce Agrippine: Tac., *Ann.*, 12,7,4; Suét., *Claud.*, 26,8; et la désapprobation qu'encourut Domitien quand il prit pour maîtresse Julia, fille de Titus: Suét., *Dom.*, 22,2; Juv., 2,29-33; Pline, *Pan.*, 52,3.

(22) Cicéron développe trois thèmes: - le mariage de Sassia avec Melinus est un *scelus, Clu.*, 5,12: *scelere coniuncta; de suo scelere*; 5,13: *sine scelere*; 6,15: *scelus*; 6,17: *tanto scelere matris*; - ce mariage est contraire au *fas*: 5,12: *mulieris importunae nefaria libido; contra quam fas erat amore capta*; 5,13: *nefarium matris paelicatum*; 63,176: *nefaria mulier*; 66,188: *nefarias generi nuptias*; Sassia souille la terre même, 68,193; - Sassia a bouleversé les règles familiales et s'est exclue de l'humanité, 70,199: *nomina necessitudinum, non solum naturae nomen et iura mutauit*.

(23) Nous n'avons connaissance d'aucune règle d'époque républicaine interdisant le mariage entre un ex-gendre et celle qui avait été sa belle-mère (ce n'est plus vrai sous l'Empire, puisque Gaius, 1,63, compte *quae mihi quondam socrus fuit* parmi les femmes qu'il n'est pas permis d'épouser). En revanche, Cicéron lui-même considérait que le lien d'*adfinitas* disparaissait quand le mariage qui l'avait fait naître était rompu par un divorce ou par le décès d'un des conjoints (*Clu.*, 12,33: *apud Dinaeam, quae tum ei mulieri socrus erat*; 14,41: *Oppianicus, qui gener eius fuisset*; 77,190: *diuortia atque discidia adfinitatium; Sest.*, 3,6: *ademit Albino soceri nomen mors filiae; De or.*, 1,7,24: *socer eius qui fuerat*); dans ce sens, Long, p. 299; Peterson, p. 134, et Fausset, p. 106; Mommsen, *Droit pénal*, 2, p. 407 et n. 1, refuse de se prononcer, et M. Humbert, p. 15, ne mentionne à propos de Sassia et Melinus qu'une réprobation morale sans conséquence pénale. Enfin, Costa, p. 57, fidèle à sa thèse d'une différence de droits matrimoniaux à Rome et à Larinum, refuse de tirer argument de notre passage.

d'inceste là-même où il n'y en a pas, aurait laissé passer cette pièce supplémentaire au dossier de la monstruosité de Sassia: l'union avec le fils de sa soeur? (24)
— pour la même raison, on écartera l'hypothèse faisant de Melinus le fils d'un frère (Sassius?) de Sassia: l'union d'une femme avec le fils de son frère ayant toujours été prohibée (25). Il faudrait également supposer une adoption expliquant le gentilice Aurius de Melinus.
— la seule hypothèse acceptable consiste donc à faire de Melinus le fils d'une soeur du père de Cluentia, selon le schéma ci-dessous. On voit qu'aucune *cognatio* n'empêchait Sassia d'épouser Melinus. D'autre part, l'emploi de *consobrinus* pour désigner le fils de l'*amita* (tante paternelle) est bien attesté (26).

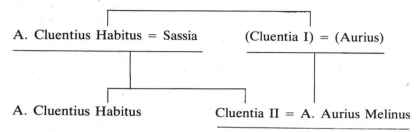

A. Cluentius Habitus = Sassia   (Cluentia I) = (Aurius)

A. Cluentius Habitus   Cluentia II = A. Aurius Melinus

Cette reconstruction soulève immédiatement une question: nous savons que Cluentius le père eut effectivement une soeur, du nom de Cluentia, qui fut une des épouses de St. Abbius Oppianicus (27). Cette Cluentia avait-elle épousé un Aurius avant son mariage avec Oppianicus (Cicéron nous apprend en effet qu'elle mourut du vivant d'Oppianicus son époux, empoisonnée par lui (28)? Ou bien faut-il supposer deux Cluentiae, l'épouse attestée d'Oppianicus, et la mère de Melinus? Il est impossible de trancher, et donc de préciser le lien exact unissant Oppianicus à Melinus: beau-père ou oncle par alliance, ce qui n'arrête cependant pas là l'analyse, et n'interdit pas toute conclusion: qu'il s'agisse de la seule Cluentia ou de deux soeurs, le père de Melinus et Oppianicus ont pris femme dans la même lignée.

La seconde question est celle de la filiation du jeune Num. Cluentius, *eques Romanus*. Numerius est mentionné avec Habitus par Cicéron à propos d'une complexe affaire d'héritage, dont l'accusation avait tiré des arguments contre Cluentius (29), et le jeune homme était présent lors du procès de 66 (30). La question se décompose en deux: il s'agit d'identifier sa mère, désignée comme soeur d'un *ille* problématique aux yeux de certains commentateurs, et aussi son père, sur lequel Cicéron ne nous donne pas le moindre renseignement. Tout repose sur l'interprétation de *Clu.*, 60, 165 (31).

Le premier point est le plus aisé, semble-t-il, à résoudre: malgré Orelli-Baiter, Peterson, Fausset,

---

(24) Dans ce sens, Y. Thomas, p. 359, n. 36, qui n'envisage pas l'hypothèse d'un droit matrimonial particulier à Larinum.

(25) Gaius, 1,62, et l'exemple de Silanus et Lepida: Tac., *Ann.*, 16,8,2 et 9,1.

(26) Par exemple Cic., *Fam.* 11,7,1 (voir C. Garton, *CPh*, 65,1970, p. 40; D.R. Shackleton Bailey, *Cic., Fam.*, 2, 1977, p. 494); Nep., 26,2,1.

(27) *Clu.*, 10,30: *qui uxori suae Cluentiae, quae amita huius Habiti fuit, cum ipse poculum dedisset.*

(28) Voir le texte cité n. 27 et les allusions de 44,125 et 61,171, qui, malgré le pluriel (*uxores*) semblent bien ne viser que la seule Cluentia.

(29) Nous suivons, pour *Clu.*, 60,165, l'excellente analyse donnée, il y a longtemps déjà, par B.W. Leist, *Die Bonorum possessio. Ihre geschichtliche Entwicklung und heutige Geltung*, 2, Göttingen, 1848, p. 22, et Peterson, p. 243.

(30) *Clu.*, 60,165: *huic... Num. Cluentio quem uidetis.*

(31) *Clu.*, 60,165: *obiectum est C. Vibium Capacem ab hoc A. Cluentio ueneno esse sublatum. Opportune adest homo summa fide et omni uirtute praeditus, L. Plaetorius, senator qui illius Capacis hospes fuit et familiaris. Apud hunc ille Romae habitauit, apud hunc aegrotauit, huius domi est mortuus. At heres est Cluentius. Intestatum dico esse mortuum possessionemque eius bonorum praetoris edicto huic illius sororis filio, adulescenti pudentissimo et in primis honesto, equiti Romano, datam, N. Cluentio, quem uidetis.* Pour le problème textuel posé par la correction *at*, voir *infra* n. 39.

Münzer, Grose Hodge et, plus récemment, W. Stroh (32), *illius* ne peut, grammaticalement, renvoyer qu'à C. Vibius Capax, mentionné auparavant puis désigné à deux reprises par *illius...ille*, comme l'ont bien vu Niemeyer, Ramsay, Boyancé, G.S. Hoenigswald, G. Pugliese et C. Nicolet (33). Considérer que *ille* désigne Cluentius mène d'ailleurs à deux difficultés insurmontables: si la mère de Num. Cluentius est la soeur d'Habitus, la Cluentia épouse divorcée de Melinus (34), il faut soit supposer qu'elle a contracté, après son divorce, une union avec un homme de sa propre lignée, inconnu par ailleurs (comme le fait Münzer) (35), ce qui serait un exemple d'un phénomène peu fréquent, l'endogamie de lignée agnatique, sur lequel on reviendra (36), soit, pire encore, imaginer (avec Fausset et Peterson) (37), que Num. Cluentius était fils de Cluentia et de Melinus, né après le divorce de ses parents, et qu'il aurait reçu pour cette raison le *gentilicium* de sa mère et le *praenomen* de son parent éloigné Num. Aurius: ceci contredit trop ce que nous savons de la transmission des noms gentilices pour que nous ayons à nous y arrêter (38).

L'autre difficulté créée par la solution qu'avancent Fausset et d'autres est qu'elle rend inexplicable tout le passage: il y est question d'un meurtre prétendu de C. Vibius Capax, dont l'accusateur charge A. Cluentius. On peut inférer de la réponse de Cicéron que T. Attius expliquait ce meurtre par l'envie qu'avait Cluentius d'hériter des biens de Capax: Cicéron en effet s'empresse d'indiquer que Capax est décédé intestat, et que ses biens ne sont pas passés à Aulus, mais sont revenus, en vertu d'une décision prétorienne, à un cognat du défunt (39): c'est la *bonorum possessio sine tabulis,* clause *unde cognati* (40). Pour que le raisonnement de Cicéron soit cohérent, c'est de Capax que Num. Cluentius doit être le neveu: la mention d'une parenté de Numerius et d'Aulus, alors qu'il est question de la succession *ab intestato* de Capax, serait absolument hors de propos. La mère de Num. Cluentius était donc, à mon sens, une Vibia.

_____

(32) Orelli-Baiter, p. 165; Peterson, p. 244; Fausset, p. XXXVIII-XXXIX et 199; Münzer, *RE,* 4 (1900), *s.u. Cluentius* n° 2, col. 111; Grose Hodge, p. 214 et 402-403; W. Stroh, p. 198, n. 23.

(33) Niemeyer, p. 21; Ramsay, p. 231; Boyancé, p. 157 n. 2; Hoenigswald, p. 119, n. 25; C. Nicolet, *L'ordre équestre à l'époque républicaine,* 2, Paris, 1974, pp. 841-842 (cf. p. 755); G. Pugliese, p. 272, n. 89.

(34) D'après *Clu.,* 5,12, il est exclu que Cluentius le père ait eu une autre fille que l'épouse de Melinus.

(35) Münzer, *loc. cit.* n. 32.

(36) Cf. *infra,* p. 12. T.P. Wiseman, *New Men in the Roman Senate,* Oxford, 1971, pp. 53-54, a bien vu que, dans l'aristocratie de Rome, le phénomène est rare.

(37) Fausset, p. 198; Peterson, p. 244.

(38) Liuia Drusilla, enceinte de son mari Tib. Claudius Nero, divorça en hâte pour épouser C. Caesar, futur Auguste, et mit au monde, trois mois après son divorce et ses noces, un enfant qui fut dénommé Nero Claudius Ti.f. Drusus, et rendu peu après à son père (38 av. J.-C.): Suét., *Diu.Aug.,* 62,3; *Tib.,* 4,6; *Claud.,* 1,1; Vell. Pat., 2,95,1; Dio Cass., 48,44; Tac., *Ann.,* 1,10,5; *CIL* IX, 2443; Stein, *RE,* 3 (1899), *s.u. Claudius* n° 139, col. 2705-6; *PIR²,* 2, n° 857, p. 195; J. Carcopino, *Le mariage d'Octavie et de Livie et la naissance de Drusus, Revue Historique,* 141, 1929, pp. 225 sq.; M. Humbert, p. 296, n. 5.

(39) L'opposition significative est celle qui existe entre *heres,* héritier institué par testament, et *possessionem bonorum,* qui nous renvoie à la succession du droit prétorien. Ceci ôte un peu de son importance au problème textuel posé par la correction de *aut* en *at* ou *haud:* le choix d'un des termes n'engage que la présentation de l'idée par Cicéron (*at:* objection qu'il prête à l'accusateur pour mieux la réfuter; *haud:* dénégation formulée par Cicéron lui-même), et non le contenu même de l'idée. La phrase *at heres est Cluentius* est omise par plusieurs manuscrits, et a été rejetée du texte par certains éditeurs: J. Classen, pp. 203-204; Orelli-Baiter-Halm, 1854, p. 590; Fausset, p. 198; mais elle est acceptée par Ramsay, p. 231; Peterson, pp. 243-244; Boyancé, p. 157. *Intestatum dico,* dans la phrase suivante, est visiblement une réfutation de *heres,* et le passage semble cohérent si l'on maintient la phrase en cause.

(40) La datation de cette clause édictale est l'objet d'une controverse chez les juristes: elle existe à coup sûr à l'extrême fin de la République ou au début du principat d'Auguste, puisque Trebatius la commentait (Paul, *D.,* 38,10,10,15 et 18; voir le raisonnement de A. Watson, *Law of Succession,* p. 184). *Clu.,* 60,165, serait sa première attestation, si l'on accepte l'interprétation présentée ci-dessus (cf. Leist, *op.cit.,* p. 22; Costa, p. 214; P. Voci, *Diritto ereditario romano,* 1, Milan, 1967, p. 133). *Contra,* A. Watson, p. 184, n. 4, dont l'analyse est fondée sur une interprétation d'*illius* qui nous semble grammaticalement incorrecte, et qui dénie toute signification au passage.

103

PHILIPPE MOREAU

Reste à identifier le père de Numerius. Deux hypothèses ont été présentées: l'une (en réalité double) due à C. Nicolet, fait de Numerius le fils d'un frère ou d'un parent d'Aulus, le client de Cicéron (41). La première idée me semble devoir être abandonnée: lorsqu'il mentionne la postérité de Cluentius le père, Cicéron n'énumère qu'un fils et une fille (42). Reste l'idée d'un mariage de Vibia et d'un parent plus ou moins éloigné d'Aulus. L'autre solution est due à G.S. Hoenigswald (43), et fait de Numerius le propre fils d'Aulus. Son auteur établit tout d'abord que Cluentius, âgé de 36 ans au moment du procès, peut avoir un fils *adulescens:* cela implique seulement un mariage assez précoce. Mais on ne peut en rester là: nous savons, grâce au même passage du *Pro Cluentio,* que Num. Cluentius était *eques Romanus,* ce qui signifie donc qu'il avait au moins 17 ans (44), et même, plus précisément, qu'il avait 17 ans au moment où il reçut ce titre, ce qui pose le problème des modalités pratiques d'admission des fils d'*equites* dans l'*ordo* à la fin de la République (45). Si le titre d'*eques* a été attribué officiellement au jeune Numerius, ce ne peut être que lors du cens de 70, où il a été procédé à une revue de l'ordre équestre (46), ce qui place sa naissance en 87 au plus tard, et exclut donc pratiquement qu'il soit fils d'Aulus, né en 103. Si au contraire Numerius a pu prendre le titre d'*eques* en vertu d'une autre procédure, dont C. Nicolet, élargissant une hypothèse de Mommsen, reconnaît la possibilité, ou s'il a pris ce titre officieusement, dans l'attente d'une confirmation officielle lors du prochain cens, rien n'interdit alors de penser que Numerius est moins âgé, et qu'il est fils d'Aulus: le débat, on le voit, reste ouvert.

Mais l'interprétation de G.S. Hoenigswald soulève deux autres difficultés. On s'étonne tout d'abord de constater que Cicéron ne désigne pas expressément Numerius comme le fils de son client, tout simplement et tout naturellement, ni au §165, quand il le mentionne pour la première fois, ni à la fin du discours, où l'on s'attendrait à voir présenter la famille de l'accusé, éplorée et suppliante comme le veut la tradition du procès romain. Or, Cicéron ne mentionne, à partir du §195, que les *municipes,* puis (§197) les envoyés des peuples voisins, et divers amis nommément désignés (§198), enfin (§202): *amici, uicini, hospites,* mais aucun membre de la famille (47). L'argument n'est pas décisif: Numerius, s'il n'est pas le fils d'Aulus, est très probablement un proche parent de l'accusé, venu lui apporter le soutien de sa présence lors du procès, selon la tradition. Et l'on est bien obligé de constater qu'à ce titre non plus, il n'est pas mentionné lors de la péroraison.

Quant au silence de Cicéron sur la filiation de Numerius dans son récit de la succession de Capax, il peut s'expliquer par son système de défense face au grief avancé par T. Attius: pour ce dernier, Aulus a tué dans le but de s'emparer de la succession. La réplique de Cicéron consiste à soutenir que

(41) C. Nicolet, *L'ordre équestre,* 2, pp. 841-842, n° 104.

(42) Cf. n. 34.

(43) G.S. Hoenigswald, *TAPhA,* 93, 1962, p. 119, n. 25.

(44) Sur cette limite d'âge, voir C. Nicolet, *L'ordre équestre,* 1, p. 73; J.-P. Néraudau, *La jeunesse dans la littérature et les institutions de la Rome républicaine,* Paris, 1979, p. 116.

(45) Voir C. Nicolet, *L'ordre équestre,* 1, pp. 88-96, et, sur les difficultés créées à la fin de la République par l'absence de cens, ainsi que sur le caractère quasiment héréditaire, dans certains cas, de la dignité équestre, voir C. Nicolet, *Les finitores ex equestri loco de la loi Seruilia de 63 av. J.-C.,* Latomus, 29,1, 1970, pp. 80-82, 86-87, et T.P. Wiseman, *The definition of "eques Romanus" in the late Republic and early Empire,* Historia, 19, 1970, pp. 70 et 81.

(46) On connaît l'anecdote fameuse de Pompée, en 70, se présentant devant les censeurs avec son cheval: Plut., *Pomp.,* 22,3, et C. Nicolet, p. 71, n. 6; J. Suolahti, *The Roman Censors,* 1963, pp. 458-463. Les précédents censeurs remontent à 86, ce qui donnerait 37 ans à Numerius en 66: Cicéron le qualifierait-il encore d'*adulescens*?

(47) Le cas de Sassia, mère de l'accusé, mais son adversaire, est bien entendu à part. Il n'est pas sûr qu'il faille voir dans le pluriel *liberum* de *Clu.,* 70,200, une allusion à la présence de Cluentia au procès aux côtés de son frère: voir la remarque de Fausset, p. 216, sur un autre emploi de *liberi* dans le même discours pour désigner un seul enfant (on sait d'ailleurs que c'est l'usage dans la langue des juristes). G.S. Hoenigswald, pp. 117-118, remarque que l'on ne sait rien du sort de Cluentia après son divorce, ni de ses relations avec son frère.

Cluentius n'avait pas intérêt à la mort de Capax, puisque celui-ci n'avait pas fait de testament et qu'en conséquence A. Cluentius ne pouvait pas être *heres*. Cette réponse n'est que partiellement satisfaisante: Cluentius pouvait avoir intérêt, non pas directement, en tant qu'*heres* testamentaire, à la mort de Capax, mais indirectement: les *bona* (48) de Capax passaient, par succession *ab intestato*, à Num. Cluentius, fils de Vibia. Or, si comme le pense G.S. Hoenigswald, Numerius était le fils de A. Cluentius, tout s'éclaire: si le jeune homme était *sui iuris*, à la suite d'une émancipation, Aulus avait la satisfaction de voir les *bona* de Capax augmenter le patrimoine de son fils. S'il était encore *in potestate patris,* ces biens venaient grossir la fortune d'Aulus. On comprend alors pourquoi Cicéron n'a nul intérêt, bien au contraire, à rappeler que Numerius était fils de son client: cela ferait éclater au grand jour la faiblesse de son argumentation, qui n'est, à tout prendre, qu'une réponse à côté de la question: à l'accusateur qui déclare: Cluentius a tué pour recevoir les biens de Capax, Cicéron réplique: Cluentius n'était pas, à titre personnel, l'*heres* testamentaire de Capax (49).

Beaucoup plus délicate est la seconde difficulté, liée également au droit successoral: si Cluentius a un fils *adulescens* et *eques Romanus* en 66, peut-être, en conséquence, né avant 83, comment expliquer qu'à deux reprises Cicéron affirme qu'en cas de décès de Cluentius, qui n'avait pas rédigé de testament, ses biens seraient passés à sa mère Sassia (50)? La première allusion suit le récit de l'affaire des *Martiales,* elle-même liée à l'attribution de la citoyenneté par Sylla aux esclaves de ses ennemis vaincus, selon l'excellente analyse de M.R. Torelli (51), et datant donc d'après la mort du dictateur soit 78 av. J.-C., (la seconde allusion est faite à propos du procès de Scamander, en 74) Numerius a alors au moins 8 ans, s'il a été déclaré *eques* lors du *cens* de 70. La réponse de G.S. Hoenigswald (qui repose sur un texte très général de Cicéron, rappelant qu'un avocat peut prendre quelques libertés avec la stricte vérité) est que l'orateur peut ici gauchir les faits (52). Il est exact que présenter Sassia comme devant succéder aux biens de Cluentius, revient à montrer qu'Oppianicus, époux de Sassia, avait intérêt à hâter la mort de son beau-fils (53).

Mais le sort des biens de Cluentius (qui, bien évidemment, pourrait nous renseigner sur sa situation de famille) pose toute une série de problèmes juridiques rendant très délicate une appréciation de la valeur des indications que nous donne Cicéron. Etait-il possible en droit romain que vers 75 av. J.-C. une mère reçoive la succession de son fils intestat? Costa le niait, et considérait qu'il y avait-là une particularité du droit de Larinum (54). Une telle succession apparaît cependant possible

(48) *Bonorum possessio* est l'expression technique employée par les juristes: Gaius, 3, 34. Voir encore *Clu.,* 15,45, qui selon Fausset, p. 113, implique aussi une *bonorum possessio* prétorienne.

(49) L'artifice que nous supposons dans la réponse de Cicéron est très exactement celui dont il avait usé dans un précédent procès, le fameux *iudicium Iunianum* de 74, en tant que défenseur de Scamander. Face à Cicéron soutenant que Scamander n'avait pas d'intérêt personnel à la mort de Cluentius, l'accusateur P. Cannutius répondait: la mort de Cluentius enrichirait Sassia, épouse d'Oppianicus, ami de Scamander (*Clu.,* 19,52). C'était déjà la distinction de l'intérêt direct et de l'intérêt indirect, dans une affaire de meurtre lié à une succession. On rapprochera encore l'accusation de Cicéron contre Oppianicus, qui aurait fait disparaître l'enfant à naître de Cn. Magius pour assurer à son propre fils, Oppianicus le jeune, l'héritage de Magius (*Clu.,* 12,33-35, parallèle signalé par G.S. Hoenigswald, p. 119).

(50) *Clu.,* 15,45: *nam Habitus usque ad illius iudici tempus nullum testamentum unquam fecerat... Id cum Oppianicus sciret — neque enim erat obscurum — intellegebat Habito mortuo bona eius omnia ad matrem esse uentura;* 19,52: *ad uxorem Oppianici, hominis in uxoribus necandis exercitati omnia bona Habiti uentura esse dicebat* (G.S. Hoenigswald, p. 119, n. 26, ne cite que le premier texte).

(51) M.R. Torelli, pp. 340-343.

(52) G.S. Hoenigswald, p. 119, n. 26, se fondant sur *Clu.,* 50.139.

(53) A condition toutefois de ne pas examiner l'argument de trop près: comme le relève Niemeyer, pp. 5-6, suivi par W. Stroh, p. 203, l'argumentation de Cicéron suppose en effet que Sassia testerait en faveur d'Oppianicus, puisque celui-ci la tuerait, et que Cluentia serait exclue de l'héritage de sa mère.

(54) Costa, p. 127, à propos d'une *bonorum possessio* de la mère aux enfants. Au contraire, ce passage avait été utilisé par Fabricius pour démontrer l'existence de la clause édictale *unde cognati* de la *bonorum possessio sine tabulis:* voir son argumentation et une réponse prudente dans Leist, *op.cit.* n. 29, p. 23.

sous certaines conditions. Il peut y avoir succession en vertu des XII Tables, si Cluentia est entrée dans la *manus* de son mari, et donc est sortie de la famille des Cluentii, et si Sassia a épousé Cluentius le père avec *conuentio in manum* (55): elle recueille alors les biens de son fils, tout comme si elle était sa soeur, à défaut d'enfants du défunt, à titre d'*agnatus proximus* (56). Mais, ainsi que le faisait remarquer Fausset (cf. n. 48), les mots *bona* font penser à une *bonorum possessio* prétorienne plutôt qu'à une *hereditas* du droit civil. Or, il semble bien établi (cf. n. 40) que la clause *unde cognati* existait à cette époque, et elle permettait à Sassia d'hériter de son fils, à défaut de postérité et de frère et soeurs de celui-ci, même si elle n'avait pas été *uxor in manu* (57).

Mais ces deux solutions impliquent des hypothèses concernant les statuts matrimoniaux respectifs de Sassia et de Cluentia, que nous ne pouvons vérifier (58). L'hypothétique succession *ab intestato* de Cluentius est donc fort peu claire, dans la présentation (véridique ou biaisée?) qu'en donnait Cicéron aux juges, et il semble plus prudent de ne pas en tirer argument quant à la composition, à cette époque, de la famille de Cluentius: mais la difficulté subsiste, il est possible que la formule de Cicéron, si elle décrit exactement la situation, exclue l'existence d'un fils de Cluentius, et on ne peut donc affirmer positivement que Numerius était né d'Aulus, il ne s'agit que d'une hypothèse actuellement invérifiable.

Une autre pièce à verser au dossier de la filiation de Numerius pourrait peut-être apporter quelque lumière. On connaît en effet, durant le règne d'Auguste, deux frères Vibii, consuls suffects en 5 et 8 ap. J.-C., dont les liens avec Larinum sont attestés par une inscription (59). Or, l'un de ces Vibii s'appelle A. Vibius Habitus (60): ses liens avec Larinum, son *cognomen*, l'alliance précédemment contractée entre Vibii et Cluentii dans le second quart du Ier s. av. J.-C., ont fait penser que ce consul descendait d'un des Vibii connus par le *Pro Cluentio*, et qu'il était, d'une manière ou d'une autre, apparenté au client de Cicéron (61).

Diverses théories ont été avancées dans ce sens, et nous pouvons en éliminer deux avec certitude:
— celle de H. Gundel (62), qui fait des deux frères Postumus et Habitus les petits-fils de C. Vibius Capax: nous avons vu en effet que Capax, mort intestat, eut pour héritier le fils de sa soeur, il n'avait donc ni fils ni petit-fils (63).
— celle de O. Freda (64), qui propose de faire de C. Vibius Postumus le petit-fils de Sex. Vibius

---

(55) Mais Peterson, p. 142, et Fausset, p. 113, notent à juste titre que Sassia s'est entre temps remariée deux fois, à Melinus puis à Oppianicus. Appartient-elle encore à la famille des Cluentii?

(56) Gaius, 3,14. Voir M. Kaser, *Das röm. Privatrecht*, 1, Munich, 1955, pp. 580-581; P. Voci, *op.cit.* n. 40,2, 1963, p. 7; A Watson, *The Law of Succession in the Later Roman Republic*, Oxford, 1971, pp. 176-177.

(57) M. Kaser, pp. 584-585; P. Voci, pp. 10-15; A. Watson, p. 183, considère, comme on l'a vu, que la clause *unde cognati* n'existe pas à cette époque. Voir Peterson, p. 142; Fausset, p. 113.

(58) Comme pour compliquer le problème, Leist, p. 23, pose en outre la question du droit à succéder d'éventuels *agnati* de Cluentius, tel Num. Cluentius, si l'on refuse d'en faire le fils d'Aulus.

(59) *CIL* IX, 730: *C. Vibio. C.f./Postumo./pr.pro.cos./municipes.et./incolae.* La fraternité des deux Vibii est attestée par leur commune filiation: *C. f. C. n.* (cf. n. 65), et par une inscription de Téos, *CIG* II, 3084, dont la lecture a été améliorée par G. Lafaye, *IGRRP*, 4, p. 514, n° 1564: ὁ δῆμος / ἐτείμησεν Αὖλον Βίβιον / ᾽Αβῖτον τὸν ἀδελφόν τοῦ τῆς / πόλεως εὐεργέτου Γαΐου Οὐιβίου / Ποστόμου.

(60) *Fasti Capitolini*, in A. Degrassi, *I.I.*, 13,1, p. 61; et l'inscription de Téos, n. 59; *PIR¹*, 3, n° 384, p. 422; H. Gundel, *RE*, 8A2 (1958), *s.u. Vibius* n° 35, col. 1971-1972.

(61) R. Syme, *The Roman Revolution*, Oxford, 1952, p. 362, n. 7; H. Gundel, *RE*, 8A2 (1958), *s.u. Vibius* n° 45, col. 1978; O. Freda, *Epigrafi inedite di Larino, Contributi dell'Ist. di fil. class. sez. di stor. ant.*, 1, Milan, 1963, p. 240, n. 3 (= *Pubbl. Un. Catt. S. Cuore, Contributi, ser. 3. sc. stor. 4)*; C. Nicolet, *L'ordre équestre*, 2, p. 1076, n. 3.

(62) Voir n. 61.

(63) Cette hypothèse est apparemment reprise par C. Nicolet, *loc. cit.*, qui fait de Capax un des ascendants de A. Vibius Habitus.

(64) O. Freda, p. 240.

Capax, cité dans le *Pro Cluentio,* 25: relevons que le Sex. Vibius cité dans ce passage n'a pas de *cognomen* et que nous connaissons par les *Fasti Capitolini* la filiation des deux frères: *C.f.C.n.* (65); Sextus est donc exclu.

Reste que ce *cognomen* Habitus, pour un Vibius de Larinum, ainsi que le *praenomen* Aulus, qui n'a pas été relevé, sont effectivement bien dignes d'intérêt. A mon sens, on peut en tirer non pas une généalogie précise des deux frères, mais du moins une indication quant à leur ascendance, qui se révélera utile. Des deux frères, Caius Vibius Postumus est visiblement l'aîné: il est consul trois ans avant Aulus, et il porte le *praenomen* de son père et de son grand-père, selon une coutume bien attestée (66). La qualité de cadet d'Habitus peut nous aider à analyser ses *tria nomina*: on sait en effet qu'il est fréquent pour un puîné de rappeler par son *cognomen* son ascendance maternelle (67). Les deux frères pourraient donc bien être fils d'une Cluentia, fille d'un Habitus (68). Le *cognomen* et le *praenomen* conduiraient même à penser que cette Cluentia serait fille d'Aulus Cluentius Habitus, le client de Cicéron. Mais peut-être est-ce là faire la part trop belle à l'imagination et à l'hypothèse.

Deux points nous semblent donc raisonnablement bien assurés, au terme de cette analyse, et deux autres plus hypothétiques:
— Num. Cluentius était fils d'une Vibia, soeur de Capax (et de Aulus Cluentius, le client de Cicéron?).
— l'onomastique rend probable que les deux Vibii consuls étaient fils d'une Cluentia (elle-même fille d'Aulus, le client de Cicéron?).

Ce que l'on représentera par les deux *stemmata* suivants, le premier représentant la reconstitution la mieux assurée, le second, une reconstruction plus hypothétique.

Stemma 1:

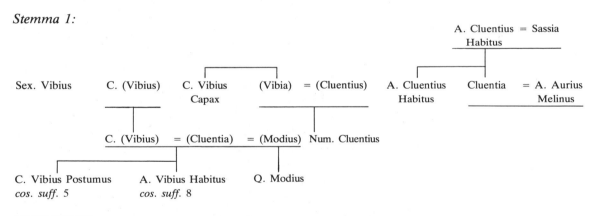

---

(65) A. Degrassi, *I.I.,* 13,1, p. 61.

(66) R. Cagnat, *Cours d'épigraphie latine*[4], Paris, 1914, pp. 67-68; cette pratique est rare avant le principat: D.R. Shackleton Bailey, *Two Notes in Roman Nomenclature,* 1976, p. 83.

(67) J. Marquardt, *La vie privée des Romains,* 1, tr. fr., Paris, 1892, p. 20, n. 6; p. 28; p. 29, n. 1; R. Cagnat, *op.cit.,* p. 69; G. Barbieri, *Sull'onomastica delle famiglie senatorie dei primi secoli dell'impero, L'onomastique latine,* Paris, 1977, pp. 180-181.

(68) On pourrait songer à une autre explication de ce *cognomen:* une adoption. Car nous savons par l'épigraphie que les deux Vibii avaient un frère du nom de Q. Modius (*RE* n° 9): O. Kern, *Die Inschriften von Magnesia am M.,* Berlin, 1900, pp. 120-121, n° 152: ἀδελφοῦ αὐτοῦ. La différence de gentilice a incité Stein, *RE,* 15,2 (1932), col. 2232; Gundel, *RE,* 8A2 (1958), col. 1978; O. Freda, p. 240, à supposer qu'il s'agissait de frères adoptifs, sans préciser si deux fils d'un Modius avaient été adoptés par un Vibius, ou si un Vibius avait été donné en adoption à un Modius. On doit cependant observer que l'onomastique des trois personnages ne confirme guère cette supposition (pas de *cognomen* en -*anus,* ou de *cognomina* multiples). Bien meilleure me semble l'hypothèse de P. von Rohden et H. Dessau, *PIR*[1], 3, p. 424, n° 392, faisant des Vibii et de Modius des frères utérins. Ceci impliquerait pour la mère de Postumus et Habitus, notre hypothétique Cluentia, deux mariages, l'un avec un Vibius, l'autre avec un Modius.

107

Stemma 2:

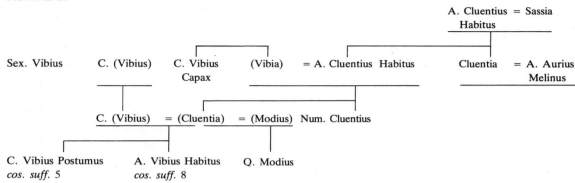

LES AURII

Plusieurs membres de cette lignée sont nommés dans le discours, et il n'est guère aisé de les situer tous dans une généalogie (69). Le premier objet de divergences entre commentateurs est l'identité respective des deux A. Aurius mentionnés dans le *Pro Cluentio*, 8,25. Le dossier se présente de la manière suivante:

— *Clu.*, 5,12: Cicéron présente A. Aurius Melinus, *consobrinus* et époux de Cluentia, *adulescenti in primis, ut tum habebatur* (70), *inter suos et honesto et nobili.*

— 5,13: Sassia parvient à rompre le mariage de sa fille et à épouser son gendre, grâce à l'*animum adulescentis nondum consilio ac ratione firmatum.*

— 8,23-24: à la suite du meurtre de M. Aurius projeté par Oppianicus, se présente un accusateur qui menace de le déférer devant les tribunaux, A. Aurius, *uir fortis et experiens et domi nobilis et M. illius Aurii perpropinquus.*

— 8,25: Oppianicus, au nom de Sylla, fait mettre à mort *A. Aurium illum qui sibi delationem nominis et capitis ostentarat, et alterum A. Aurium et eius C.* (*L.* dans d'autres manuscrits) *filium.*

— 9,26-27: Cicéron rappelle qu'Oppianicus a fait périr A. Aurius, époux de Sassia (cf. 66, 188).

Il est évident, ce que méconnaît l'*Onomasticon Tullianum* (71), qu'il y a bien deux A. Aurius (*alterum A. Aurium,* 8,25), mais il s'agit de savoir si le gendre de Sassia et l'accusateur d'Oppianicus sont une seule et même personne (auquel cas, il y aurait un A. Aurius totalement inconnu par ailleurs). Plusieurs commentateurs répondent par l'affirmative (72), position qui me semble intenable, comme l'avait démontré Ramsay (73) avec de bons arguments:

— il est clair qu'au §23, Cicéron présente un nouveau personnage, le caractérisant psychologiquement et le situant dans la hiérarchie sociale au moyen de formules stéréotypées (*domi nobilis*), tout comme il avait présenté Melinus au §12 (*et honesto et nobili*) (74).

— les deux personnages sont d'âge différent (même si un certain laps de temps s'écoule entre le

---

(69) Contrairement à Y. Thomas, p. 360, n. 37 et *stemma,* je ne pense pas que cela soit possible, comme le faisait sagement remarquer Fausset, p. 99: "we do not necessarily know every Aurius and Auria there in existence and their pedigree".

(70) Il y a dans la subordonnée et l'adverbe de temps une évidente restriction, et l'annonce d'une évolution négative du personnage, comme l'a très bien vu Peterson, p. 118-119.

(71) Orelli-Baiter, *Onomasticon Tullianum,* p. 91, ne comporte qu'une entrée A. Aurius Melinus.

(72) Classen, p. 156; G. Long, pp. 289 et 303: Drumann-Groebe, *Geschichte Roms*², 5, p. 384; Boyancé, p. 10; M.R. Torelli, p. 346; C. Nicolet, *L'ordre équestre,* 2, pp. 798-799; G. Pugliese, *Aspetti giuridici della Pro Cluentio di Cicerone, Iura,* 21, 1970, p. 166, n. 20, et éd., p. 14; W. Stroh, p. 220, n. 88; Y. Thomas, p. 360, n. 37.

(73) Ramsay, pp. 161-162; Peterson, p. 127; Grose Hodge, pp. 214 et 246-247; Fausset, p. XXXVIII.

(74) Ramsay, pp. 161-162.

mariage de Melinus et le meurtre de M. Aurius): Melinus est *adulescens* (5,12 et 13) tandis que l'accusateur d'Oppianicus est un *uir* (8,23).

— surtout, Cicéron prend bien soin d'opposer psychologiquement les deux personnages: le premier, Melinus, est un jeune homme timide et sans grande force de caractère, qui ne résiste guère à la redoutable Sassia, laquelle l'épouse presque de force, à en croire Cicéron. L'appréciation positive initiale, avec sa restriction *ut tum habebatur,* porte plus sur le statut social que lui confère sa naissance que sur sa personnalité. Au contraire, d'adversaire d'Oppianicus est *fortis et experiens,* il ne craint pas d'affronter Oppianicus, et l'on devine qu'il est, face à Statius Abbius le syllanien, un des chefs du parti marianiste de Larinum.

La conséquence de cette distinction des deux personnages est que l'*alterum A. Aurium* de *Clu.,* 8,25, est Melinus, que Cicéron ne présente pas, puisqu'il l'avait déjà mentionné auparavant et qu'il était déjà bien connu des auditeurs et des lecteurs; que, d'autre part, le père de C. ou L. Aurius est bien Melinus. Comme le note justement Ramsay (75), rien ne s'oppose à ce que Melinus, *adulescens* en 88, soit au moment des proscriptions syllaniennes père d'un garçon, né d'un précédent mariage, ou plutôt fils de Cluentia (76). Cicéron traite visiblement Melinus en personnage secondaire (*alterum A. Aurium*) par rapport à A. Aurius l'accusateur: le mari de Cluentia est plus jeune, beaucoup plus falot, et n'agit guère.

Outre les frères M. et Num. Aurius, fils de Dinaea, deux femmes appartiennent à la même lignée: la première, que l'on nommera Auria I, est l'épouse de C. Oppianicus, frère de Statius (77). A vrai dire, *Auria* est une correction pour *iuria* ou *uiria,* mais tous les éditeurs l'acceptent à juste titre (78). Rien ne nous est dit de ses ascendants, et, comme dans le cas d'Aulus, l'ennemi d'Oppianicus, nous en sommes réduits aux conjectures (79).

L'autre Auria, qui sera pour nous Auria II, n'est pas nommément mentionnée par Cicéron, mais sa filiation ne fait aucun doute: elle est fille de A. Aurius Melinus et de Sassia, et sa mère entreprit, en 69, de la fiancer à Oppianicus le jeune (80).

Que peut-on dire à présent de la parenté de ces divers personnages? Quelques certitudes négatives tout d'abord (81): M. et Num. Aurius sont les seuls enfants de Dinaea et d'un présumé Aurius, comme l'établissent plusieurs expressions de Cicéron, et comme le confirment les testaments des deux Aurii et de leur mère (82): il n'y est jamais question d'un frère ou d'une soeur Aurius ou

---

(75) Ramsay, p. 162.

(76) C. ou L. Aurius est probablement fils de Cluentia: elle épouse Melinus *breui tempore post patris mortem* (5,11), sous le consulat de Sylla et Pompée, en 88; le mariage peut dater de 88 ou 87. Il dure deux ans, puisque Sassia réussit à le briser au bout de ce laps de temps (5,15: *biennio ante*): le petit Caius ou Lucius est né en 87 ou 86, et fut tué avec son père, en 82. Dans ce sens Fausset, p. 99. Classen, p. 156, affirme sans preuve que C. Aurius était déjà *robustus*. Si d'autre part C. ou L. avait été fils de Melinus et de Sassia, Cicéron n'aurait pas manqué de relever que cette mère dénaturée avait laisser tuer son enfant, et épousé le meurtrier.

(77) *Clu.,* 11,31: *nam cum esset grauida Auria, fratris uxor;* cf. 44,125: (Oppianicus) *qui uno tempore fratris uxorem speratosque liberos... interfecerit;* Klebs, *RE,* 1 (1894), *s.u.* Abbius n° 10, col. 1318, la donnait par erreur comme épouse de C. puis de Statius Oppianicus, erreur corrigée dans *RE,* 2,2 (1896), *s.u.* Aurius n° 7, col. 2551.

(78) Le *Laurentianus* 51,10 donne *iuria* ou *uiria,* les *excerpta Bartolomaei de Montepolitiano, uiua,* le *Monacensis* 15734 et le *Laurentianus* 48,12, *iulia,* qui est visiblement une correction (sur ces manuscrits, voir S. Rizzo, *La tradizione manoscritta della Pro Clu. di Cic.,* Univ. Genova, 1979). La forme *Auria* est acceptée par Classen, p. 23; Orelli-Baiter-Halm, 2,1, 1854, p. 530; Long, p. 305: Ramsay, p. 71; C.F.W. Mueller, 1885, p. 112; Peterson, p. 16; Fausset, p. 12; Grose Hodge, p. 252; Boyancé, p. 77; Fruechtel, p. 52.

(79) Ainsi Y. Thomas, p. 360, n. 37: "soeur ou cousine d'un des précédents personnages".

(80) *Clu.,* 64,179: *Q. Hortensio Q. Metello consulibus... ut hunc Oppianicum... ad hanc accusationem detraheret inuito despondit ei filiam suam, illam quam ex genero susceperat.*

(81) Bien dégagées par Y. Thomas, p. 360, n. 37.

(82) *Clu.,* 7,21: *Dinaea... quae filios habuit M. et Num. Aurios et Cn. Magium et filiam Magiam;... unus qui reliquus erat*

Auria de Marcus et Numerius; Aurius l'accusateur et Auria I ne le sont donc pas. On sait, par *Clu.*, 8,23, que A. Aurius l'accusateur était *perpropinquus* de M. Aurius (ce qui exclut d'ailleurs qu'ils soient frères), mais on ne peut pas tirer grand chose de cet adjectif, *hapax* dans l'oeuvre de Cicéron (83). On peut d'ailleurs se demander si Cicéron connaissait exactement la parenté unissant Aulus et Marcus, et s'il ne la déduit pas de l'attitude de vengeur et d'accusateur potentiel prise par Aulus après la mort de Marcus, puisque, comme on le sait, obtenir la condamnation de l'assassin d'un parent est un des *officia* de la *cognatio* (84). Rien ne peut être affirmé quant à la parenté d'Aulus l'accusateur, des frères M. et Num. Aurius, avec A. Aurius Melinus: ce dernier appartient à une branche portant un *cognomen*, ce qui n'est pas le cas des trois autres: ce détail exclut peut-être une parenté proche (85). On aboutit donc au *stemma* presenté ci-dessous:

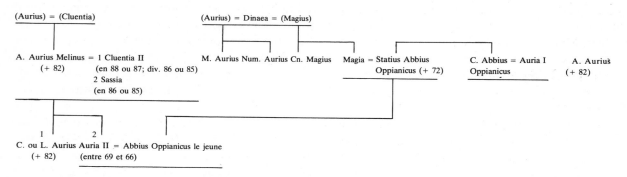

Les Abbii (86)

La généalogie de cette lignée est aisée à tracer: seuls apparaissent, outre Statius Abbius Oppianicus, mort en 72 (87), le frère de Statius, Caius (88), qui mourut sans postérité, l'enfant que portait sa femme Auria I ayant péri avant terme, avec sa mère empoisonnée par Statius (ce fut apparemment le seul mariage contracté par ce frère, qui n'eut pas de postérité d'une précédente épouse, puisque sa mort fit de son frère Statius son unique héritier) (89), et les trois fils du "Barbe-Bleue de Larinum" (90). Les paroles de Sassia à Oppianicus avant qu'il ne contracte avec elle son dernier mariage, prouvent qu'Oppianicus n'avait à ce moment que trois fils (91), et il n'eut pas

---

Dinaeae filius Cn. Magius (après la mort de Num. et la mort présumée de M.); 7,22: *unius filii reciperandi spes* (M., après la mort de Num. et de Cn.). Num. Aurius, croyant son frère M. mort, teste en faveur de son demi-frère Cn. Magius (7,21); Cn. Magius teste en faveur de son neveu Oppianicus le jeune et de sa mère Magia; Dinaea, après avoir perdu ses fils Num. Aurius et Cn. Magius, et sa fille Magia, teste en faveur de son fils M. Aurius et de son petit-fils Oppianicus le jeune.

(83) Y. Thomas, p. 360, n. 37, interprète: "oncle paternel, ou plus probablement cousin", ce qui est possible.

(84) Klenze, *Die Cognaten und Affinen nach röm. Recht, ZGR,* 6, 1828, p. 53-45; Y. Thomas, *Se venger au forum: solidarités traditionnelles et système pénal à Rome,* à paraître.

(85) *Contra,* Y. Thomas, p. 360, n. 37 et *stemma.*

(86) Sur cette forme, généralement acceptée aujourd'hui, au lieu de Albius longtemps reçu (voir la *RE* et Fruechtel, p. 41), on consultera Boyancé, pp. 9 et 64, et C. Nicolet, *L'ordre équestre,* 2, p. 756. M.R. Torelli, pp. 348-349, propose de corriger en Gabbius, ce gentilice étant attesté dans l'épigraphie larinate (*CIL* IX, 753), alors que Abbius ne l'est pas. On rencontre le gentilice Abbius à Terracine et à Thasos (C. Nicolet, p. 756). Abbius n'étant pas une forme phonétiquement aberrante, ou sans aucune attestation épigraphique, il ne semble pas indispensable de corriger, d'autant que l'on s'expliquerait mal la chute, à plusieurs reprises, d'un g initial.

(87) Boyancé, p. 13; date tirée de 64,179: après la mort d'Oppianicus, Sassia laisse passer trois ans avant d'agir; ce qu'elle fait enfin sous le consulat d'Hortensius et Metellus, donc en 69.

(88) *Clu.,* 10,30, et les allusions de 11,31; 44, 125; 61, 171.

(89) *Clu.,* 11,31: *ita mulierem ne partu eius ab hereditate fraterna excluderetur necauit.*

(90) L'expression est de Boyancé, p. 9.

(91) *Clu.,* 9,27: *sed quod haberet tres ille filios.*

STRUCTURES DE PARENTÉ ET D'ALLIANCE À LARINUM

d'enfants de Sassia. Tout d'abord, Oppianicus le jeune, de prénom inconnu, qui seul atteignit l'âge adulte, et fut à l'origine de l'accusation contre Cluentius; il était fils de Magia (92). Cicéron donne à plusieurs reprises des indications sur son âge, mais il n'est pas aisé de les accorder: Oppianicus le fils est *adulescens* au moment du procès, en 66, alors que six ans auparavant, à la mort de son père, il est encore *puer*. Mais, peu après la mort de sa mère Magia, avant que son père Oppianicus n'ait tué M. Aurius et ne se soit réfugié auprès de l'armée syllanienne commandée par Metellus Pius, donc avant 83-82, il est qualifié d'*adulescens*, à un moment où son oncle Cn. Magius est vivant, et (paradoxalement), d'*adulescentulus* après la mort de celui-ci (93); enfin, sa marâtre Sassia le fiança en 69 à Auria II, comme on l'a vu. Boyancé le fait naître entre 90 et 87, Fausset en 90 (94). S'il est *puer* en 72, fiancé en 69 et marié en 66 au plus tard (95), cela veut peut-être dire que sa puberté se place entre 69 et 66, ce qui placerait sa naissance plus tard que ne le pensaient Boyancé et Fausset.

Les deux autres fils d'Oppianicus, de prénoms également inconnus, moururent, l'un, le fils de Nouia, en bas-âge, l'autre, fils de Papia, dans sa *pueritia* (96), peu avant le remariage d'Oppianicus avec Sassia, qui suivit de peu la mort de Melinus et des autres victimes des proscriptions syllaniennes à Larinum.

Beaucoup plus délicate à élucider est la question du nombre des épouses d'Oppianicus, et de l'ordre dans lequel il les a épousées. Cinq femmes de Statius sont successivement nommées par Cicéron: Magia, Nouia, Papia, Sassia, Cluentia, et il est d'autre part fait allusion à un mariage avec la veuve de son beau-frère Cn. Magius (97), dont le nom n'est pas indiqué: la question est donc de savoir si cette femme est l'une des cinq épouses nommées par ailleurs, ou une sixième épouse (98). La solution, comme l'ont vu les précédents commentateurs, ne peut venir que d'une étude de la chronologie des unions d'Oppianicus.

Nous avons quelques certitudes: la dernière épouse fut Sassia, puisque Statius mourut pendant leur mariage; Magia précéda la veuve de Cn. Magius, quelle qu'elle soit, puisque Cn. Magius mourut après Magia; enfin, Papia précéda Nouia, puisque le fils de Papia était *puer* au moment où celui de Nouia n'était qu'*infans* (99). Il est vraisemblable, comme le pensait Bardt (100), que la première épouse fut Cluentia: soeur de Cluentius le père, elle appartient à la première génération des personnages du discours.

Nous disposons ensuite de deux points d'ancrage pour une chronologie (101): le premier est le

(92) *Clu.*, 7,21: *is* (*sc.* Cn. Magius) *heredem facit illum adulescentulum Oppianicum, sororis suae filium;* 12,33: *auunculus illius adulescentis Oppianici, Cn. Magius* (malgré l'erreur de Münzer, *RE*, 17,1 (1936), *s.u. Nouius* n° 26, col. 1222, qui indique Nouia).

(93) *Clu.*, 60,166: *Oppianico huic adulescenti,* cf. 73, 176; 73,176: *cum esset illo tempore puer;* 12,33: *illius adulescentis Oppianici;* 7,21, cité *supra*, n. 92.

(94) Boyancé, p. 13, n. 3; Fausset, p. XLII.

(95) *Clu.*, 64,179, cité *supra*, n. 80, mentionne des fiançailles (*despondere*), en 69; 69,190, est vague et peu juridique (*collocatione filiae*); mais le mariage a été célébré avant le procès de 66, puisque le banquet aurait été l'occasion d'un empoisonnement, *Clu.*, 60,166: *cum eius* (*sc.* Oppianicus le jeune) *in nuptiis more Larinatium multitudo hominum pranderet.*

(96) *Clu.*, 9,27 et 29.

(97) *Clu.*, 7,21; 9,27; 9,28; 10,30; 44,125.

(98) Attribuent cinq épouses à Oppianicus: Bardt, pp. 11-12; Peterson, p. XI-XII, Fausset, pp. XLI-XLII; Drumann-Groebe, *Geschichte Roms*², 5, p. 384, n. 13; Grose Hodge, p. 215; Boyancé, pp. 9-10; van Ooteghem, p. 779-780; C. Nicolet, *L'ordre équestre*, 2, p. 755. Lui en donnent au contraire six: Ramsay, p. 13, n. 3; Klebs, *RE*, 1,1 (1894), col. 1318 (corrigé par *RE*, 2,2 (1896), col. 255); W. Stroh, p. 219, n. 86. G. Pugliese, p. 53, n. 14, suppose sans argument décisif que Papia et Nouia n'ont pas été des épouses légitimes d'Oppianicus.

(99) *Clu.*, 73,176; 7,21; 9,27; voir W. Stroh, p. 219, n. 86.

(100) Bardt, p. 12, suivi par Fausset, p. XLI. W. Sthroh, *loc.cit.,* en fait une des deux premières épouses.

(101) Sur l'organisation du discours en couches chronologiques, autour d'un point fixe daté plus ou moins précisément, voir D. Berger, pp. 61-62.

départ d'Oppianicus pour le camp de Metellus Pius, que l'on peut placer en 83 ou 82 (102). A son retour, Oppianicus épouse Sassia, en 82 ou 81, il était donc alors divorcé ou veuf. Le second est beaucoup plus incertain, puisqu'il dépend de l'interprétation de l'âge des trois enfants d'Oppianicus, et l'on sait qu'il est toujours délicat de trop demander aux termes latins désignant les âges de la vie (103). L'*infans,* fils de Nouia, tué en 82, ne devait pas avoir plus de trois ans, donc, être né en 85 au plus tôt; le *puer,* fils de Papia, tué la même année, pouvait avoir quatorze ans au plus, ce qui place sa naissance en 96 ou après; quant à Oppianicus le jeune, on le fait naître, on l'a vu, entre 90 et 87, mais il est à mon sens plus jeune. On sait que Magia est morte après la capture de son demi-frère M. Aurius devant Asculum, en 89 (104). D'autre part, on peut interpréter autrement que ne le fait Cicéron le délai mis par Sassia avant de pousser Oppianicus le jeune à intenter à Cluentius un procès pour le meurtre de son père: en 72, au moment de ce meurtre présumé, il est *puer,* et donc ne peut encore se présenter devant le préteur pour déférer le nom d'un accusé. Sassia attend 69 pour l'y inciter, et pour le fiancer. Peut-être a-t-elle simplement attendu que son beau-fils ait l'âge légal de dix-sept ans environ, qui correspond à la prise de la toge virile (âge établi par deux anecdotes où l'on voit un fils accuser, dès qu'il est légalement en âge de la faire, un ennemi de son père, et, pour la période classique, par un texte d'Ulpien) (105). Ce que Cicéron présente comme une sorte d'incohérence, ou un manque de conviction, de la part de Sassia, n'était donc peut-être que le respect d'une pratique coutumière de l'accusation dans un but de vengeance familiale. Et cet âge de dix-sept ans est également un âge normal pour envisager le mariage, s'agissant d'un garçon. Si ce raisonnement est exact, Oppianicus le jeune serait né en 86, et Magia n'aurait pu mourir qu'après cette date. Il faut placer, après 86 ou 85, et avant 83-82, tout d'abord le mariage avec la veuve de Cn. Magius, puis le mariage avec Nouia, dont naît l'*infans* tué en 82.

Si on accepte l'identification de la veuve de Cn. Magius avec Papia (106), ce mariage a dû être conclu vers 85 ou 84, et le fils qui en est issu n'a que deux ans environ en 82, ce qui ne permet pas de l'appeler *puer,* surtout par opposition à un *infans.* Il est beaucoup plus probable que l'enfant, qui assiste aux Jeux avec son père (107), a huit ou dix ans environ, et est donc né vers 92-90 au plus tard.

On aboutit donc à la succession suivante, dont il est inutile de souligner ce qu'elle a d'hypothétique: Cluentia, Papia, Magia, la veuve de Cn. Magius, Nouia, Sassia (108). Mais les deux points significatifs, on le verra, pour l'analyse des stratégies matrimoniales d'Oppianicus, sont

---

(102) Drumann-Grebe, *Geschichte Roms*², 2, p. 34; Boyancé, p. 11; W. Stroh, *loc. cit.* Metellus Pius se rallie en 83 à Sylla, et au printemps de 82, se bat contre Carrinas près du fleuve Aesis, c'est-à-dire dans l'arrière-pays d'Ancône, donc assez près de l'*ager Gallicanus* dans lequel était détenu et fut assassiné M. Aurius, et où Oppianicus avait un *familiaris.* Est-ce à l'occasion de la présence dans la région des troupes de Metellus Pius qu'il fit assassiner Aurius?

(103) Sur l'incertitude des emplois littéraires de *infans, puer, adulescens,* voir J.-P. Néraudaù, *La jeunesse,* pp. 124- 126.

(104) Hülsen, *RE,* 2,2 (1896), col. 1527. Vell. Pat., 2, 21, mentionne une bataille *circa quam urbem,* à laquelle prirent part 60000 Italiens, et *Clu.,* 7,21, nous apprend que M. Aurius fut pris *apud Asculum.*

(105) Val. Max., 5,4,4 (M. Aurelius Cotta accuse Cn. Papirius Carbo, qui avait accusé son père; voir sur cette affaire J.-M. David, *MEFRA,* 92,1,1980, pp. 205-209); Cic., *Cael.,* 1,1 et 2 (L. Sempronius Atratinus accuse M. Caelius Rufus, accusateur de son père L. Calpurnius Bestia); les deux auteurs soulignent la *pietas* des deux *adulescentes;* voir aussi F. Hinard, *Paternus inimicus, Mélanges Wuilleumier,* Paris, 1980, pp. 203 et 206. Vlp., *D.* 3,1,1,3; sur cet âge, voir J.-P. Néraudau, *La jeunesse,* p. 116. Yan Thomas me signale Tac., *Ann.* 12,65,5, texte établissant que Britannicus ne pourra faire punir (*ulcisci*) les meurtriers de sa mère que quand il sera devenu adulte (*adolescere*).

(106) Cette identification, combattue à juste titre par W. Stroh, reposait 1°) sur une reconstruction chronologique, 2°) sur le fait que Papia a divorcé d'Oppianicus, et que l'on voyait dans *Clu.,* 12,35: *quae nuptiae non diuturnae fuerunt, erant enim non matrimonii dignitate sed sceleris societate coniunctae,* une allusion à un divorce d'Oppianicus et de la veuve de Cn. Magius. Ce divorce est effectivement probable, mais Oppianicus a pu divorcer plusieurs fois, et le rapprochement ne s'impose pas.

(107) Remarque de W. Stroh.

(108) C'est à peu près l'ordre de W. Stroh, qui cependant ne choisit pas, pour la première place, entre Cluentia et Papia.

heureusement bien assurés: Cluentia, en toute hypothèse, a précédé Sassia, et Magia a précédé la veuve de Cn. Magius. On aboutit donc au *stemma* suivant:

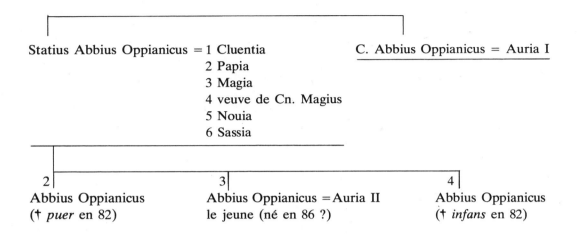

LES STRUCTURES DE PARENTÉ ET D'ALLIANCE

Après avoir tenté de reconstituer, autant qu'il est possible, les généalogies de ces quatre lignées larinates, il faut à présent les reprendre pour étudier les phénomènes relatifs à la parenté et à l'alliance dont elles nous fournissent des exemples.

Quelques indications touchant à la nuptialité, tout d'abord, sans avoir l'ambition de présenter des statistiques, vu le très petit nombre de cas connus avec une netteté suffisante. La majorité des membres des lignées étudiées ont contracté au moins une alliance: les Cluentii père et fils (si l'on accepte de considérer Vibia, soeur de Capax, comme l'épouse d'Aulus), et les deux (ou trois, si l'épouse de Statius Oppianicus est distincte de la mère de Melinus) Cluentiae, les trois Oppianici, Dinaea, Magia, les deux Auriae, Nouia, Papia, Melinus et Cn. Magius. On peut se poser la question en revanche, pour les deux Aurii fils de Dinaea, et pour C. Vibius Capax, auxquels Cicéron n'attribue ni femme ni enfant: s'agit-il de célibataires ou de couples sans enfants? Notons que M. Aurius passe une partie de sa vie en captivité, et meurt prématurément, assassiné, et que ces personnages ne sont que des figures secondaires dans la *narratio*: le silence de Cicéron sur leurs éventuelles épouses n'implique pas qu'elles n'aient pas existé.

L'impression globale est que le mariage est, dans le groupe étudié, largement répandu. Ce qui ne contredit pas nécessairement le tableau général de la société romaine dans son ensemble, tracé par P.A. Brunt et P. Veyne (109), selon lesquels le mariage n'était nullement le fait social très majoritaire que connaissent nos sociétés modernes: il faut en effet distinguer les couches sociales: on considère généralement, par exemple, que le mariage était peu répandu chez les affranchis (110). Nous aurions donc affaire, à Larinum, à un comportement "aristocratique" d'hommes (111) qui souhaitent transmettre à leur descendance fortune et position sociale. Cette attitude contraste fortement avec

(109) P.A. Brunt, p. 152; P. Veyne, *La famille et l'amour sous le haut Empire romain*, Annales ESC, 33,1, 1978, p. 39.

(110) S. Treggiari, *Roman Freedmen during the late Republic*, Oxford, 1969, pp. 109 sq.

(111) Le problème du célibat choisi se pose en effet seulement pour les hommes, dans les milieux sénatoriaux et équestres (mais non dans le milieu des affranchis).

celle des chevaliers de Rome, dont on connaît la résistance (qui alla jusqu'à une manifestation publique) à la législation matrimoniale d'Auguste (112): à Larinum, les chevaliers se marient (113).

Quant au nombre d'unions contractées, il montre que le mariage unique n'est plus la règle, ni pour l'homme ni pour la femme: le vieil idéal de l'*uniuira* (114), quasiment disparu dans les faits à Rome, ne s'est pas maintenu dans les municipes. Pour ne retenir que les cas vraiment significatifs, il faut éliminer plusieurs personnages pour lesquels un seul mariage est attesté, à savoir les très jeunes gens dont seule est mentionnée la première union (Auria II et Oppianicus le jeune; et même Cluentius, âgé de trente-six ans), ainsi que ceux qui ont péri de mort violente avant le terme normal (Cn. Magius, C. Oppianicus). Remarquons que Melinus, mort visiblement jeune, a eu cependant deux épouses, Cluentia II et Sassia. Parmi les membres de la génération précédente, Cluentia, *amita* de A. Habitus, a peut-être contracté deux mariages; Dinaea l'a fait à coup sûr (115); Sassia a eu trois maris (116); la veuve de Cn. Magius se remarie; à une époque postérieure, l'hypothétique Cluentia, mère des deux Vibii et de Q. Modius, serait dans le même cas. Statius Oppianicus a eu six épouses, ce qui semble l'exception, la moyenne étant de deux ou trois mariages.

Dans trois cas, il nous est possible d'évaluer à peu près l'âge des conjoints lors de leur premier mariage, point qui a été bien étudié, pour l'ensemble du monde romain, à l'occasion d'une polémique sur la relation entre l'âge de la puberté chez les filles, et l'âge minimum légal de leur mariage (117). *Clu.*, 5, 11 nous apprend que Cluentia II était *grandis* et *nubilis* lors de la mort de son père. On sait depuis les articles de M. Durry que *nubilis* est sans rapport avec l'âge de la puberté, et signifie apte légalement au mariage, c'est-à-dire âgée de douze ans au moins (118). *Grandis,* en revanche, implique probablement que la jeune Cluentia avait dépassé quelque peu ce minimum légal, et qu'elle était considérée comme mariable depuis quelque temps déjà. Quant à Melinus, il est, on l'a vu, qualifié d'*adulescens,* ce qui est peu explicite, mais *animum adulescentis nondum consilio ac ratione firmatum et illa aetas (Clu.,* 5, 13) semblent bien signifier qu'il s'agissait d'un tout jeune homme.

Si l'on accepte l'hypothèse faisant de Num. Cluentius le fils d'Aulus et de Vibia et en considérant d'autre part que Numerius, *eques Romanus,* a dix-sept ans au moins en 66, il est né en 83 au plus tard. Or, son père Aulus est né en 103, il a donc eu un fils à vingt ans, ou même plus jeune.

Enfin, Auria II, fille de Melinus et de Sassia, est née durant le bref mariage de ses parents, après le divorce de Melinus et Cluentia II (86 ou 85) et au plus tard quelques mois après le meurtre de Melinus, en 82 ou 81, si elle est née posthume, soit probablement entre 85-84 et 81. Or, elle est fiancée en 69: elle a donc entre douze et seize ans, et mariée entre 69 et 66, soit entre douze et dix-neuf ans. Et son mari, Oppianicus le jeune, selon la théorie présentée plus haut, est fiancé en 69

(112) Suét., *Diu. Aug.,* 34,3; voir, à titre d'exemple, le désespoir de Properce, 2, 7.

(113) Sur l'appartenance des *Abbii, Aurii* et *Cluentii* à l'ordre équestre, cf. C. Nicolet, *L'ordre équestre,* 2, pp. 755, 798, 840-841.

(114) M. Humbert, *Le remariage,* p. 108, relève dans les inscriptions les traces de cet idéal, encore affirmé, mais qui n'est plus majoritaire dans la *nobilitas.*

(115) Malgré Klebs, *RE,* 2,2 (1896), *s.u. Aurius* n° 1; col. 2550, et Münzer, *RE,* 5,1 (1903), *s.u. Dinaea,* col. 650, qui supposent un seul mariage avec un Aurius (et pourquoi pas plutôt avec un Magius?), dont seraient issus les deux Aurii, Cn. Magius et Magia, l'explication la plus naturelle des gentilices différents est un remariage de Dinaea.

(116) *Clu.,* 66,188: *alteris nuptiis* (à propos de l'union avec Oppianicus), ne tient pas compte du premier mariage avec Cluentius, cf. Peterson, p. 257.

(117) La bibliographie est dans K. Hopkins, *The Age of Roman Girls at Marriage, Population Studies,* 18,1965, pp. 309-327 (p. 309, n. 2 à 8), fondé principalement sur une documentation épigraphique; voir aussi, du même auteur, *On the Probable Age Structure of the Roman Population, Population Studies,* 20, 1966-1967, p. 260.

(118) M. Durry, *Le mariage des filles impubères dans la Rome antique, RIDA,* 2, 1955, p. 270; cf. K. Hopkins, p. 316, n. 36, sur le concept de *uiripotens.*

au moment même où, venant de prendre la toge virile, il peut légalement présenter une accusation, donc vers dix-sept ans. Et il est marié avant 66, donc avant vingt ans.

Rien dans ceci, on le voit, qui diffère grandement des habitudes de Rome, telles que M. Durry et K. Hopkins les ont décrites: mariage des filles légalement possible dès douze ans, fréquemment conclu peu après quatorze ans. Il est très regrettable que l'on ne puisse aboutir à des chiffres plus précis, puisque, selon M. Bang et Friedländer, dont K. Hopkins accepte les conclusions, le mariage "dynastique" des filles dans la *nobilitas* romaine se place plus tôt (de onze à dix-sept ans; avec parfois des fiançailles extrêmement précoces, dont un exemple à sept ans) que la moyenne (119). Et l'on ne peut mesurer en utilisant ce critère des fiançailles et des mariages précoces, à quel point la bourgeoisie équestre de Larinum se comporte comme la *nobilitas* romaine. Cluentius le père apparaîtrait même plutôt comme un exemple de l'attitude inverse, laissant sa fille devenir *grandis* sans la marier.

La *laudatio Turiae*, 1, 27, sous Auguste, prétend que *rara sunt tam diuturna matrimonia, finita morte, non diuertio interrupta,* jugement probablement exagéré et destiné à mettre en valeur par contraste la solidité du mariage du laudateur (120). Dans le *Pro Cluentio,* on relève sept unions auxquelles la mort a mis fin, pour trois divorces, mais on doit ajouter que pour plusieurs cas de remariages, on ne sait s'ils ont été rendus possibles par la mort d'un des conjoints ou par un divorce (121).

La ressemblance avec les grandes *gentes* de Rome est nette dans le domaine de la natalité: les mariages sont peu féconds, ou peut-être faut-il plutôt dire que peu d'enfants parviennent à l'âge adulte, si l'on veut tenir compte d'une mortalité infantile probablement assez forte, comme c'est le cas à Rome (122). Il est à ce propos pensable que la mort du *filius infans* d'Oppianicus, que Cicéron présente comme un infanticide, sans toutefois donner de détails sur l'exécution matérielle, et sans mentionner aucune réaction de qui que ce soit, n'ait été en réalité qu'un décès naturel (123). Plusieurs couples n'ont qu'un enfant (124) ou deux (125), aucun n'atteint le chiffre de trois (126), et certains

---

(119) L. Friedländer, *Sittengeschichte Roms*[9], 1919, pp. 270-271; K. Hopkins, p. 316-317 et 326; P.A. Brunt, *Italian Manpower 225 B.C.-A.D. 14,* pp. 137-138; M. Humbert, *Le remariage,* p. 93.

(120) Pour la datation du texte, voir M. Durry, *Eloge funèbre d'une matrone romaine,* Paris, CUF, 1950, p. LIV; pour une appréciation de la valeur à accorder à cette affirmation, M. Humbert, p. 87. Sur la fréquence du divorce, Friedländer, pp. 283-284.

(121) Mort d'un de conjoints: Cluentius le père (†) et Sassia; St. Oppianicus et Cluentia I (†); Melinus (†) et Sassia; Cn. Magius (†) et son épouse anonyme: C. Oppianicus et Auria I (†); St. Oppianicus et Magia (†); St. Oppianicus (†) et Sassia. Cas de divorce: Melinus et Cluentia II (*Clu.,* 5,14: *subitum diuortium*); St. Oppianicus et Papia (*Clu.,* 9,27: leur fils est élevé à Teanum auprès de sa mère, et immédiatement après la mort du *puer,* du vivant de sa mère, Oppianicus épouse Sassia); St. Oppianicus et la veuve de Cn. Magius, cf. n. 106, et Fausset, p. XLI). Les cas obscurs sont ceux de Nouia, dont Cicéron ne mentionne pas la réaction à la mort de son *filius infans,* ce qui pour Fausset, p. XLI, implique qu'elle est morte, tandis que pour Peterson, p. XII, elle a divorcé d'Oppianicus; de Cluentia, *amita* d'Aulus (si elle a bien épousé successivement un Aurius et Oppianicus); de Cluentia, hypothétique fille d'Aulus, mère des Vibii et de Q. Modius.

(122) Voir P.A. Brunt, p. 154.

(123) Cette absence de détails (*Clu.,* 9,28: *dies nondum decem intercesserant cum ille alter filius infans necatur*) contraste avec le récit circonstancié des préparatifs faits par Oppianicus pour tuer son *filius puer.* L'absence de réaction de Nouia peut s'expliquer, on l'a vu, soit par son décès, soit par le fait que la mort de l'enfant était naturelle.

(124) Cluentia II et Melinus (C. ou L. Aurius); Sassia et Melinus (Auria II); St. Oppianicus et Papia (le *puer*); St. Oppianicus et Magia (Oppianicus le jeune); St. Oppianicus et Nouia (l'*infans*).

(125) Cluentius le père et Sassia (Cluentius et Cluentia II); Dinaea et Aurius (M. et Num. Aurius); Dinaea et Magius (Cn. Magius et Magia); peut-être Aulus et Vibia (Num. Cluentius et Cluentia, mère des Vibii); cette Cluentia, mère des deux consuls: mais, à la différence des unions précédentes, ces deux cas, d'ailleurs hypothétiques, nous fournissent des chiffres minimum, et non un total.

(126) Sauf peut-être le grand-père de Cluentius, si Cluentia, mère de Melinus, est distincte de Cluentia épouse d'Oppianicus, et vient s'ajouter à Cluentius le père. Symptomatiquement, cet exemple serait ancien.

115

couples sont sans descendance (127). En six mariages, Oppianicus n'est père que trois fois, et deux de ses fils n'atteignent pas l'âge adulte; en trois unions, Sassia a trois enfants; Dinaea, quatre de ses deux mariages. Plusieurs personnages n'ont aucune postérité: Cn. Magius, à la suite, nous dit Cicéron, d'un avortement de son épouse anonyme, à l'instigation d'Oppianicus (128); C. Oppianicus, sa femme ayant péri alors qu'elle était enceinte (129): il est donc légitime de les compter parmi les couples qui, dans des circonstances normales, auraient eu au moins un enfant, et qui souhaitaient une postérité. Comme on l'a vu, M. et Num. Aurius n'ont pas de descendance, et il n'est même pas certain qu'ils se soient mariés.

L'image globale est donc celle d'une faible natalité, comme dans la *nobilitas* de Rome (130). Les familles nombreuses y sont l'exception, et quand Appius Claudius Pulcher, dans un texte de Varron, rappelle quelles difficultés il eut à élever ses deux frères et trois soeurs, il faut y voir la mention d'une situation familiale particulièrement exceptionnelle (131): si l'on passe en revue quelques familles notables de la fin de la République, en feuilletant Drumann-Groebe et Münzer, on trouve des familles de un ou deux enfants, parfois trois, rarement plus (132), et une fréquence élevée de remariages (133).

Un élément significatif des relations familiales est la résidence des conjoints: on sait qu'à Rome, un des éléments de la publicité nécessaire au mariage est la *domum deductio,* lors de laquelle la nouvelle épouse quitte la maison de son père pour celle de son mari (134), distincte ou non de celle du père du mari (134 bis). La résidence, commune ou distincte, entre ascendants et nouveau couple, permet d'apprécier la nature du groupe familial, large ou nucléaire. A Larinum, deux cas s'offrent à nous: lorsque Sassia brise l'union de sa fille et de Melinus, elle chasse Cluentia de son domicile, s'y installe à sa place, après avoir célébré ses noces dans la chambre même qui avait été celle de sa fille.

---

(127) St. Oppianicus et Cluentia; le même et la veuve de Cn. Magius; le même et Sassia.

(128) *Clu.,* 12,34: *merces abortionis;* 12,35.

(129) *Clu.,* 11,31: *mulierem ueneno interfecit ut una cum illa illud quod erat ex fratre conceptum necaretur.*

(130) P.A. Brunt, pp. 140-143.

(131)Varron, *R.R.,* 3,16,2; Brunt, p. 142 et n. 1: les exemples de fécondité sont "surely unrepresentative" (on songe, dans le domaine de la longévité, au soin étonné avec lequel on relève les μακρόβιοι). Quelques exemples de familles nombreuses dans J.P.V.D. Balsdon, *Roman Women,* 1972, pp. 193-194 (qui ne distingue pas fécondité des femmes et fécondité des couples).

(132) C. Claudius Marcellus, *cos.* 50, a un fils, deux filles mariées respectivement trois fois et deux fois; Sylla, en quatre mariages, a quatre enfants, dont Fausta, mariée deux fois, et Faustus, père des deux enfants; P. Cornelius Dolabella, *cos. suff.* 44, marié deux fois, a trois enfants; César a deux soeurs (mariées deux fois et une fois; la cadette a une fille), se marie trois fois et n'a qu'une seule fille; son cousin Lucius, *cos.* 90, a deux enfants, dont une fille mariée deux fois; Cicéron, qui n'a qu'un frère (lequel est père d'un seul fils), se marie deux fois et a deux enfants; sa fille contracte trois unions et n'a qu'un enfant. Pompée, marié cinq fois, a trois enfants, dont une fille mariée deux fois. Même les *Claudii Pulchri,* qui font dans cette société figure de famille nombreuse, ne gardent pas longtemps la tradition: Appius a deux filles, Caius deux fils, et Publius un fils et une fille. On pourrait poursuivre longtemps l'énumération sans changer l'impression globale. Voir aussi M. Humbert, *Le remariage,* pp. 80-82, 84, 86-87.

(133) M. Humbert, pp. 77-78; T.P. Wiseman, *Cinna the Poet,* 1974, p. 111.

(134) En plus de la *domum deductio,* il existe deux moyens d'assurer la publicité du mariage: la présence d'*auctores* (*Clu.,* 5,14 signale leur absence au mariage de Sassia et Melinus; depuis la mort de Cluentius le père, celle-ci devait être sous l'*auctoritas* d'un *tutor,* qui aurait dû intervenir dans ce remariage); le banquet de noces (*Clu.,* 60,166; cité n. 95; pour les attestations de ces banquets à Rome, au moins à époque augusténne, voir Friedländer, 3, p. 275). La particularité des banquets de noce à Larinum, signalée par *Clu.,* 60,166: *more Larinatium,* doit être le fait qu'il s'agit d'un *prandium,* et non, comme à Rome, d'une *cena* (sur celle-ci: Balsdon, *Roman Women,* Londres, 1977, p. 184).

(134 bis) P. Veyne, *Annales ESC,* 33,1,1978, p. 35, considère que "dès le second siècle avant notre ère, la famille est nucléaire: les nouveaux mariés n'habitent pas chez leur chef de clan... La règle est que chaque ménage ait sa maison à lui". Plutarque cite, pour le IIème s. av. J.-C., le cas de seize membres de la famille des *Aelii Tuberones* vivant dans la même maison et, pour le Ier s., celui de P. Licinius Crassus, dont les deux fils aînés, mariés, et le benjamin, M. Crassus, vivaient ensemble chez leur père. Ce dernier exemple est visiblement cité comme une exception, et Plutarque oppose ces familles à résidence commune, ces "familles larges", aux familles nucléaires, à résidence séparée, de son époque: Plut., *Aem. Paul.,* 5, 6-10; *Crass.,* 1,1-2.

116

Celle-ci se réfugie auprès de son frère (135). On a donc l'impression que Cluentia a quitté la maison de sa mère et de son frère pour s'installer chez Melinus, que Sassia l'en chasse et prend sa place, et que Cluentia retourne dans sa maison familiale.

De même, Papia, divorcée d'Oppianicus, est retournée vivre à Teanum (136). Quand, après la mort de Melinus, Sassia épouse Oppianicus, elle va s'installer dans la demeure de celui-ci, qu'elle suivra d'ailleurs dans son exil (137); la règle est claire: la femme s'installe dans la maison de son mari.

Cn. Magius, sentant sa mort proche, et voyant sa femme enceinte, fait venir auprès de lui sa mère Dinaea, et demande à son épouse de demeurer chez celle-ci jusqu'à son accouchement (138): on en conclut que la mère et le fils ont deux résidences séparées.

En cas de divorce, il arrive qu'un enfant soit élevé auprès de sa mère: c'est le cas du *puer,* fils d'Oppianicus, élevé auprès de sa mère à Teanum, mais apparaissant aux côtés de son père lors des manifestations officielles (139): ce qui se rencontre aussi à Rome. M. Humbert, après avoir rappelé l'existence des *retentiones* permettant à l'époux divorcé de garder une partie de la dot de sa femme pour contribuer à l'éducation des enfants, ce qui implique qu'il conserve la garde de ceux-ci, note que l'on trouve des exemples d'enfants élevés auprès de leur mère, ou auprès de leur père (140).

Tout ce qui précède, à savoir l'analyse de l'alliance matrimoniale en termes démographiques, laisse l'impression d'une large concordance des pratiques à Larinum et à Rome. On a contesté qu'il en fût de même dans le domaine proprement légal, en particulier en ce qui concerne la capacité légale de donner une fille en mariage, et les prohibitions matrimoniales pour cause de parenté ou d'alliance.

Costa pensait qu'à la différence de ce qui se passait à Rome, une mère, à Larinum, pouvait donner sa fille en mariage, en se fondant sur *Clu.,* 64, 179: *inuito despondit ei filiam suam.* C'est trop tirer de l'emploi de *despondere* que d'y voir une allusion à des *sponsalia* conclus par Sassia, et non, comme dans le droit de Rome, par Cluentia, devenue *sui iuris* à la mort de son père, avec l'*auctoritas* de ses tuteurs (141). Cet emploi, comme l'a relevé Ramsay (142), n'est pas strictement juridique, et marque simplement l'autorité personnelle de Sassia sur sa fille, et les tuteurs de celle-ci. De la même manière, il n'y a pas lieu de se demander si Sassia avait légalement le pouvoir de faire divorcer sa fille, comme l'avait un père sur sa fille mariée *sine manu* (143); *Clu.,* 5, 14 signifie simplement que Melinus,

---

(135) *Clu.,* 5,14: *lectum illum genialem quem biennio ante filiae suae nubenti strauerat, in eadem domo sibi ornari et sterni expulsa atque exturbata filia iubet;* cf. 6,15: *cubile filiae... parietes denique ipsos superiorum testis nuptiarum;* 6,16: *augebatur autem eius (sc.* de Cluentius) *molestia cotidianis querimoniis et adsiduo fletu sororis.* Yan Thomas a bien voulu m'indiquer qu'il considérait, au contraire, *Clu.,* 5,14, comme un exemple d'uxorilocalité.

(136) *Clu.,* 9,27.

(137) *Clu.,* 66,188: *eam sibi domum sedemque delegit in qua cotidie superioris uiri (sc.* Melinus) *mortis indicia et spolia fortunarum uideret;* 62,175.

(138) *Clu.,* 12,33: *praesente matre... ab ea (sc.* son épouse) *petiuit ut se mortuo apud Dinaeam... quoad pareret habitaret;* cf. 12,35: *ne domum quidem ullam nisi socrus suae.*

(139) *Clu.,* 9,27.

(140) M. Humbert, *Le remariage,* pp. 295-197; sur la *retentio propter liberos,* dont l'existence est attestée (sans le terme) par Cic., *Top.,* 4,19, voir Corbett, *The Roman Law of Marriage,* pp. 192-193. Drusus, fils de Ti. Claudius Nero et de Livie, né dans la maison d'Auguste, est renvoyé à son père (cf. *supra,* n. 38); en revanche Liuia, divorcée de Q. Seruilius Caepio (*RE,* 50) et remariée au père de Caton d'Utique, élève les enfants de ses deux mariages, cf. Munzer, *RE,* 13,1 (1926), *s.u. Liuius,* n° 35, col. 900.

(141) E. Costa, *Cicerone giureconsulto,* p. 57; Corbett, *The Roman Law of Marriage,* p. 5; M. Kaser, *Das röm. Privatrecht*2, 1, pp. 75-76.

(142) Ramsay, p. 237, note qu'au sens strict, *despondere* se dit du père du fiancé, *spondere,* du père de la fiancée, et que dans *Fam.,* 8,7, Caelius écrit: *Cornificius adulescens Orestillae filiam sibi despondit,* autre emploi non technique. De même, trois lignes plus bas, *habere in potestatem* (Sassia, à propos d'Oppianicus le jeune) n'a bien évidemment aucune signification juridique.

(143) Corbett, pp. 122 et 239; M. Kaser, 1, p. 327.

sous l'emprise de Sassia, renvoya sa femme (144). Il n'y a donc pas lieu de supposer, à Larinum, un système juridique particulier accordant à la mère certains éléments de la *patria potestas* sur ses enfants.

On s'est également posé le problème de savoir si les interdits matrimoniaux à Larinum coïncidaient avec ceux de Rome. Dans le cas du mariage des cognats, le *Pro Cluentio* nous fournit un exemple d'union entre cousins germains, celui de Melinus et de Cluentia II, également permis à Rome, où il est attesté depuis la Seconde Guerre Punique (145). En revanche, on peut éliminer l'hypothèse d'un mariage entre tante maternelle et neveu (146).

Le cas du mariage des *adfines* est plus délicat: nous ne possédons, ou l'a vu (147), aucun texte attestant expressément l'existence à époque républicaine d'une interdiction d'épouser son ex-gendre ou son ex-bru, alors que la prohibition est formulée par Gaius, sous les Antonins. Deux hypothèses se présentent alors: considérer que le droit de la Rome républicaine connaissait cette prohibition, et que le cas de Larinum (où l'union de Sassia et de Melinus, son *gener,* a été conclue apparemment sans conséquences pénales, et sans que le statut de la fille issue de cette union, Auria II, soit remis en cause, puisqu'elle épouse Oppianicus le jeune) s'explique par une particularité du droit larinate (148). Ou bien considérer que la prohibition n'existait, à cette époque, ni à Larinum ni à Rome (149). La deuxième solution me semble la bonne. On peut en effet raisonner par analogie, faute de texte décisif: les textes de Gaius, Ulpien, et Paul (150), mentionnant l'interdiction sous peine d'inceste d'épouser celle qui a été *socrus* (belle-mère), *nurus* (bru), y associent deux autres femmes de l'*adfinitas*, la *nouerca* (marâtre) et la *priuigna* (belle-fille), qui, elles aussi, sont assimilées à la mère ou à la fille (151). Or, plusieurs textes du Ier et du IIème s. ap. J.-C., citant des cas d'union avec une *nouerca,* ne parlent que d'*adulterium* ou de *stuprum,* et non d'*incestus* (152): il faut donc considérer qu'avant Gaius, mais après Quintilien, soit à l'extrême fin du Ier s. ou au début du IIème, le droit a été modifié de manière à inclure parmi les conjoints prohibés ces quatre *adfines*. Notons d'ailleurs que l'*Histoire Auguste,* rapportant que Caracalla aurait épousé sa *nouerca* Iulia, emploie le terme d'*incestus* (153). Ainsi, au temps de Cicéron, même si les moeurs réprouvaient ces relations (154), elles n'étaient pas positivement prohibées comme incestueuses.

On arrive donc à la conclusion que, sur ce point également, moeurs et règles d'alliance sont à Larinum les mêmes qu'à Rome.

Un autre phénomène a retenu l'attention des historiens: le caractère endogame ou exogame des

---

(144) *Clu.,* 5,14: *ecce autem subitum diuortium;* cf. 5,13, impliquant une liaison entre Sassia et Melinus.

(145) Liv., 42,34; Corbett, p. 48; M. Kaser, 1, p. 316.

(146) Cf. *supra,* p. 2 et n. 19 à 21.

(147) Cf. *supra,* n. 23.

(148) Position de Costa, p. 57; W. Kunkel, *RE,* 14,2 (1930), *s.u. matrimonium,* col. 2267; M. Kaser, 1, p. 316, n. 55.

(149) A. Rossbach, *Untersuchungen über die röm. Ehe,* Stuttgart, 1853, p. 436.

(150) Gaius, 1,63; Vlp., 5,6; Paul, *Sent.,* 2,19,5 = *Coll.,* 6,3,3: *nec socrum nec nurum nec priuignam nec nouercam aliquando citra poenam incesti uxorem ducere licet.*

(151) Rossbach, p. 436; Gaius, 1,63: *inter eas enim personas, quae parentum liberorumue locum inter se optinent, nuptiae contrahi non possunt.*

(152) Val. Max., 5,9,1: *in nouerca commissum stuprum* (affaire de L. Gellius; qu'il se soit agi, en fait, de sa mère ou de sa marâtre, cf. R. Hanslik, *RE,* 8A1 (1955), *s.u. Valerius* n° 261, importe peu ici: seul compte, dans la version de Valère-Maxime, le terme qu'il emploie); Sén. Rhét., *Contr.,* 6,7 *Demens qui filio cessit uxorem: adulterium;* Quint., *Inst. or.,* 9,2,42 (*nouerca; in adulterio;* cf. 4,2,98: *stupro*).

(153) Ael. Spart., *Hist. Aug. Carac.,* 10,1: *nouercam;* 10,4: *incestum.* Que la parenté soit inexacte et l'anecdote controuvée (*PIR²,* 4, n° 633, p. 314-315) est sans importance: le point significatif est la qualification du délit par l'auteur, tel qu'il le conçoit. Le cas de Calpurnius Flaccus, qui parle d'*adulterium* à propos d'un *socer* et d'une *nurus* (*Decl.,* 49) est délicat: sa datation (IIème s. ?) étant extrêmement incertaine.

(154) Voir la désapprobation de Catulle aux relations d'un *socer* et d'une *nurus:* 67,19-28; comme chez Cicéron, l'idée de crime impie est présente (24: *consceierasse,* 25: *impia mens*).

lignées larinates (155), domaine dans lequel il faut avancer, on l'a vu, avec précaution, en distiguant soigneusement, selon leur nature et leur dimension, les groupes dont on parle. Pour la clarté de l'exposé, on envisagera, par taille décroissante, le municipe, l'*ordo*, le corps des *ciues Romani* de Larinum, les groupes politiques, la parentèle (qui se divise à son tour, selon les catégories des juristes romains, en *agnatio, cognatio, adfinitas*).

Mme Torelli, se fondant principalement sur une analyse épigraphique et onomastique, a avancé l'hypothèse d'une forte exogamie géographique, considérant, par exemple, que les femmes d'Oppianicus étaient originaires des municipes ou colonies dans lesquels leurs gentilices sont attestés par des trouvailles épigraphiques (156). Il est indéniable que les mariages à l'extérieur de la cité d'origine se pratiquaient (157), et il est très probable que ce fut le cas pour Papia (158). Mais peut-on affirmer qu'un personnage d'époque républicaine est étranger à un municipe, quand son gentilice n'y est pas attesté épigraphiquement? Et faut-il nécessairement le rattacher à un autre, où il est signalé? Cela ne semble pas être le cas: après tout, si les Cluentii et les Vibii sont connus par des inscriptions de Larinum, ce n'est pas vrai des Aurii, Asuuii, Auillii, et aucun Papius n'apparaît à Teanum. D'autre part, Cicéron ne nous signale expressément qu'un seul cas de femme ayant des attaches hors de Larinum: Papia. L'hypothèse de l'exogamie géographique ne s'impose donc pas dans le cas des autres épouses d'Oppianicus, ou de Dinaea.

En revanche, l'endogamie de groupe social et d'*ordo* est évidente: plusieurs de nos personnages, en tant que *ciues Romani*, appartiennent à l'ordre équestre (159), et, localement, sont magistrats ou décurions de leur municipe; Cluentius le père et son fils, St. Oppianicus, les deux Aulus Aurius, sont qualifiés de *domi nobilis* (160); Oppianicus exerce le quattuorvirat (161) et Cluentius, chargé par les décurions de Larinum de plaider la cause de la ville dans l'affaire des *Martiales*, appartient probablement à cet *ordo* (162).

Mais toutes ces familles n'ont pas le même statut civique: C. Nicolet, analysant le cas de M. Aurius, fait prisonnier durant la Guerre Sociale et maintenu en captivité, en conclut qu'il n'est pas citoyen romain, bien que parent et allié de *ciues* et d'*equites*. Le montant exact du legs que Dinaea

---

(155) Voir n. 5.

(156) M.R. Torelli, pp. 345-352: Magia vient peut-être d'Aeclanum, Sassia très probablement d'Histonium.

(157) M. Cébeillac, *Octavie, épouse de Gamala, et la Bona Dea, MEFRA*, 85, 1973, p. 526, n. 1, signale le cas de Caesennia de Tarquinies épousant A. Caecina de Volaterrae, et suppose qu'une Octavie de Forum Clodii a épousé un Lucilius Gamala d'Ostie. T.P. Wiseman, *New Men in the Roman Senate*, 1971, p. 63, parle même d'une "international aristocracy" de Rome et des municipes pratiquant l'intermariage.

(158) *Clu.*, 9,27; il ne faut cependant pas exclure l'interprétation inverse, à savoir que Papia, née à Larinum (son gentilice y est attesté, *CIL* IX, 6249, cf. M.R. Torelli, p. 345), se serait remariée à un homme de Teanum: mais le phénomène d'exogamie géographique n'en serait pas moins attesté. Sur les Papii voir A. Russi, *Teanum Apulum. Le iscrizioni e la storia del municipio*, Rome, 1976, pp. 228-229.

(159) Pour St. Oppianicus, A. et Num. Cluentius, Cicéron le dit expressément: *Clu.*, 39,109; 57,156; 60,165. Quant à C. Vibius Capax, C. Nicolet, *L'ordre équestre*, 2, p. 1076, le classe comme chevalier, parce qu'il est beau-frère d'Aulus et oncle de Num. Cluentius. On ne tiendra pas compte ici de cet argument, pour éviter un raisonnement circulaire, mais on rappellera que deux Vibii de Larinum sont consuls deux générations plus tard, et qu'il a pour *hospes* et *familiaris* le sénateur L. Plaetorius (*Clu.*, 60, 165). Pour les Aurii, la qualité de chevalier ne leur est pas attribuée par Cicéron. Le cas de M. Aurius sera discuté à part.

(160) *Clu.*, 5,11; 8,23; 39,109; 69,196. Les quatre victimes des proscriptions à Larinum appartenaient évidemment à l'aristocratie municipale. Sur la *nobilitas* des municipes, voir C. Nicolet, *L'ordre équestre*, 1, p. 397.

(161) *Clu.*, 8,25.

(162) *Clu.*, 15, 43-44. Hypothèse de C. Nicolet, *L'ordre équestre*, 2, p. 841. G. Pugliese, p. 20, se fondant sur le rôle d'*adsertor libertatis* tenu par Oppianicus en faveur des *Martiales*, et l'appui que lui prête le tribun L. Quinctius, veut rapprocher Oppianicus des *populares*. Je penserais plutôt qu'il défendait la mesure prise par Sylla après sa victoire, transformant les esclaves de la communauté ennemie en affranchis *Cornelii*, et qu'il manifestait ainsi son appartenance au parti syllanien.

décide en sa faveur, et que Cicéron ne nous rapporte pas sans raisons, 400 000 HS, conduit C. Nicolet à penser que Dinaea souhaitait assurer à son fils le cens équestre, pour lui permettre donc de devenir en même temps citoyen et chevalier (163). En poursuivant cette hypothèse, on peut se demander si Dinaea n'a pas pris cette mesure à l'occasion du recensement entrepris par les censeurs de 86, L. Marcius Philippus et M. Perperna, dont on sait qu'il dura jusqu'en 85 et peut-être 84, et qu'il intégra dans la *ciuitas Romana* un grand nombre d'Italiens (164). Ceci serait un nouveau point d'ancrage chronologique dans l'histoire des méfaits d'Oppianicus. Toujours est-il que "la césure entre citoyens et non citoyens pouvait passer à l'intérieur du même groupe social, voire des mêmes familles" (165). Et ce qui est visiblement déterminant dans les alliances matrimoniales, c'est davantage l'appartenance à la *nobilitas* larinate que la possession de la *ciuitas Romana*: les Cluentii et Abbii, *ciues et equites,* ne dédaignaient pas l'alliance des Aurii.

Peut-on dégager, dans nos quatre lignées, des affiliations politiques, et peut-on dire que les alliances matrimoniales scellent des alliances politiques durables, ou créent des solidarités? Il ne le semble pas: les Abbii sont pro-syllaniens (Statius se réfugie auprès de Metellus Pius et devient l'agent de Sylla à Larinum); face à lui, les Aurii et les Cluentii font figure de marianistes: trois Aurii sont proscrits, Cluentius est le représentant des intérêts larinates dans l'affaire des esclaves de Mars affranchis par Sylla. Et cependant, on relève des alliances matrimoniales aussi bien entre futurs alliés politiques qu'entre futurs adversaires: alliance politique et alliance matrimoniale ne se recoupent pas toujours. On voit même, après la Guerre Civile, le fils d'un meurtrier, Oppianicus le jeune, épouser la fille d'une des victimes, Auria II: on peut y voir la volonté de réconcilier deux familles politiquement opposées, ou une stratégie plus limitée, particulière à Sassia, soucieuse de rassembler deux lignées dans lesquelles elle était entrée par un mariage. La parenté et l'alliance ne sont pas un élément moteur du jeu politique local (et d'ailleurs, tous les acteurs en sont presque inévitablement apparentés): Oppianicus le jeune devient le demi-beau-frère de Cluentius juste au moment où il va intenter contre lui une accusation. Melinus est le neveu ou beau-fils d'Oppianicus qui le fait assassiner. C'est que l'alliance politique et l'alliance matrimoniale n'ont pas la même durée: une *inimicitia* peut surgir entre *adfines*, et finir par rompre l'*adfinitas*, tout comme une alliance matrimoniale peut venir mettre fin à une *inimicitia*. C'est justement dans le *Pro Cluentio*, à propos des affaires de Larinum, que Cicéron présente, dans un texte capital, une théorie des rapports complexes pouvant exister entre *amicitia/inimicitia* et *adfinitas*, théorie que l'on pourrait appliquer terme à terme au jeu politique à Rome (166).

Il resterait, avant de passer à l'endogamie de parentèle, à s'interroger sur les stratégies matrimoniales et la circulation des biens: dans quelle mesure les lignées agnatiques conservent-elles leurs biens patrimoniaux, ou au contraire les font-elles circuler entre elles par le jeu de la dot, des donations entre époux, et de la succession testamentaire ou non entre conjoints? La théorie régnante est celle du séparatisme des biens des époux (167). Mais le tableau que dresse Cicéron (sans aucun doute retouché pour accabler Oppianicus) tendrait à faire penser que l'héritage entre époux pouvait faire passer les biens d'une lignée dans une autre. On se contentera ici de relever que le mot *dos* n'apparaît pas dans le discours, qu'on y relève une seule allusion, à caractère rhétorique, aux *dona*

---

(163) C. Nicolet, *L'ordre équestre,* 2, p. 799; cf. p. 755.

(164) J. Suolahti, *The Roman Censors,* pp. 451, 454, 457. Sur la durée et la portée de ce *census,* voir G. Tibiletti, *The Comitia during the decline of the Roman republic, SDHI,* 25, 1959, p. 118, n. 91 et p. 121.

(165) C. Nicolet, *L'ordre équestre,* 2, p. 799.

(166) *Clu.,* 67,190, où Cicéron oppose le jeu normal de l'*amicitia/inimicitia* et de l'*adfinitas,* et l'utilisation perverse que fait Sassia de l'*adfinitas* (mais utilisation tout aussi réelle que la norme établie par Cicéron).

(167) Voir p. ex. Corbett, pp. 113-114,117-120,149,182-183,202.

nuptialia (168), et que c'est plutôt du côté de la succession entre époux qu'un juriste devrait pousser l'enquête, rendue difficile par l'absence d'indications sur le caractère des mariages, avec ou sans *manus,* et sur la nature juridique des dots.

L'union endogame à l'intérieur de l'*agnatio* n'est pas représentée à Larinum (l'hypothèse du mariage de Cluentia II avec un Cluentius, ainsi que celle qui fait de Melinus et de Cluentia II des cousins germains parallèles patrilinéaires, ayant été éliminées pour raisons linguistiques, cf. *supra*, p. 103, et n. 35). Or, le phénomène est rare également à Rome. On en connaît certes des exemples dans la *gens* Cornelia, mais aussi en dehors des cercles aristocratiques, puisque c'est le cas du centurion Sp. Ligustinus, en 171 av. J.-C. A l'époque de Cicéron, on peut citer le second mariage d'Antoine avec Antonia, fille de son *patruus* (169). Mais, et c'est un fait aisément constatable, on rencontre rarement, à la fin de la République, des conjoints portant le même gentilice: on sent derrière ce phénomène, surprenant si les couples étaient formés de façon totalement aléatoire, dans une aristocratie comprenant un nombre limité de *gentes,* une sorte de répugnance. On justifiera d'ailleurs plus tard la prohibition de la cousine germaine agnatique en disant qu'on n'épouse pas sa *soror patruelis* parce que l'on n'épouse pas sa *soror*, ce qui semble une justification *a posteriori* d'une pratique dont la cause n'était plus perçue (170).

En revanche, comme à Rome, l'endogamie à l'intérieur de la parenté cognatique est très répandue: les mêmes lignées se mariant entre elles, sur plusieurs générations, on se marie donc souvent entre cousins germains, issus de germains (171), ou du moins dans une lignée déjà apparentée à la sienne. Mais cette remarque ne suffit pas: il faut se demander, à chaque alliance, quelle est la lignée donneuse, et laquelle est receveuse. C'est ainsi que C. Oppianicus épouse une Auria, et qu'il est imité par son neveu Oppianicus le jeune (on ne peut dans ce cas que relever l'identité de lignée, la parenté des deux femmes étant inconnue). St. Oppianicus d'ailleurs, bien que n'épousant pas une Auria, s'allie à une demi-soeur des Aurii, Magia, et déjà auparavant à Cluentia, belle-soeur d'un Aurius (ou veuve d'un Aurius, selon que Cluentius le père a eu une seule ou deux soeurs). On relèvera que les Aurii apparaissent donc, par rapport aux Abbii, comme des "donneurs de femmes".

De la même manière, deux Aurii, père et fils, épousent des Cluentiae, tante et nièce. Là encore, la circulation des femmes se fait, à deux reprises sur deux générations successives, dans le même sens: les Aurii, cette fois, à l'inverse de ce qui se passe entre eux et les Abbii, sont en position de receveurs, et les Cluentii de donneurs.

On est donc en présence d'un système d'échange et de circulation des femmes qui comprend, au minimum, trois lignées (et sûrement plus: apparaissent des Vibii, Magii, etc.), selon le schéma: Cluentii ⟶ Aurii ⟶ Abbii ⟶ ? (on regrette de ne voir apparaître aucune femme de cette lignée!), ce qui correspond, dans la terminologie anthropologique, à un système d'échange généralisé: les hommes de chaque lignée renoncent à épouser les femmes qui en sont issues, les donnent à une autre lignée, et reçoivent les leurs d'une troisième.

Un autre système d'échange est également possible, ne mettant en jeu que deux lignées, et assurant une réciprocité plus directe, les donneurs devenant, à la génération suivante, receveurs, et

---

(168) *Clu.*, 9,28: opposition d'hypothétiques *dona nuptialia* et du meurtre des enfants; on sent derrière le portrait de Sassia que trace Cicéron l'image, traditionnelle chez les rhéteurs, de la *nouerca* attachée à la perte de ses *priuigni*.

(169) Liv., 4,2,34; Cic., *Phil.*, 2,38,9; Plut., *Ant.*, 9; Klebs, *RE*, 1,2 (1894), *s.u.* Antonius n° 110, col. 2639-2640; Y. Thomas, pp. 348-350.

(170) Y. Thomas, pp. 362-363 et 367, suppose que les prohibitions matrimoniales à époque ancienne ne frappaient que les agnats.

(171) Les mariages de cousins germains ne sont nullement une particularité de Larinum; on en trouvera un exemple dans la même région, à Histonium, dans les familles des *Paquii* et des *Flauii*: CIL IX, 2845-2846; voir les interprétations et les tableaux généalogiques de Hofmann, *RE*, 18,3 (1949), *s.u. Paquius* n° 3, et M.R. Torelli, p. 351. Le cas date de la fin de la République.

121

inversement (dans une société où l'on marie les filles très jeunes, la réciprocité ne se faisait guère attendre, et le système était donc rapidement clos). C'est celui que l'on peut supposer entre Vibii et Cluentii, si la reconstruction de l'ascendance des consuls Vibii présentée ici est correcte. On voit en effet une Vibia donnée à un Cluentius (le client de Cicéron) et, probablement à la génération suivante, une Cluentia donnée à un Vibius.

Dans les deux cas, ces mariages entre parents assurent la même fonction: permettre une circulation des femmes entre plusieurs lignées, en évitant le mariage entre agnats, qui isole chaque lignée, et ne lui permet pas d'acquérir de nouvelles alliances, ou de renforcer celles qui existent.

Autre forme d'endogamie, celle qui se manifeste à l'intérieur de l'*adfinitas*. L'exemple le plus frappant est celui de St. Oppianicus qui, par deux fois, épouse une parente par alliance d'une de ses précédentes épouses, très précisément la veuve du frère de sa femme, selon le schéma suivant:

```
                      ┌─────────────────────────────┐
                  - Cluentia          A. Cluentius Habitus = Sassia
St. Abbius Oppianicus =               ─────────────────────────────
                  - Sassia
────────────────────────────


                      ┌──────────────────┐
                  - Magia          Cn. Magius = x
St. Abbius Oppianicus =
                  - x
────────────────────────────
```

La répétition exclut, me semble-t-il, qu'il s'agisse d'un hasard. Et, à la différence de l'endogamie de *cognatio* analysée plus haut, il s'agit probablement de la stratégie consciente d'un individu, et non plus des pratiques habituelles, répétitives, et non réflexives des lignées. Le but devait donc en être différent.

Dernier type enfin, mettant en jeu les rapports d'*adfinitas*: ce type d'alliance consiste, pour deux conjoints, à unir les enfants qu'ils ont eus précédemment, chacun de leur côté, d'un autre lit, et qui ne sont donc nullement apparentés entre eux. On sent, derrière ce type d'union (172), la volonté de resserrer les liens entre enfants de lits différents, et de neutraliser d'éventuels conflits entre demi-frères, marâtre et beaux-enfants. L'exemple fourni par le *Pro Cluentio* est celui d'Oppianicus le jeune et d'Auria, selon le schéma suivant;

```
Magia = St. Abbius Oppianicus = Sassia = A. Aurius Melinus
────────────────────┐           ──────┐
                     │                 │
Oppianicus le jeune     =     Auria II
```

_____

(172) Pour une analyse de ce type d'union, qui ne devait pas être rare, vu le grand nombre de familles composées créé par les remariages multiples, voir Ph. Moreau, *De quelques termes de parenté chez Tacite, Mélanges Wuilleumier, 1*, Paris, 1980, pp. 248-249 (cas du *Pro Cluentio* et cas supposé dans la famille des Sénèques), et Y. Thomas, qui cite le texte décisif: Paul, *D.*, 45,1,35,1, et donne de ce genre d'unions une interprétation économique.

Il est clair que ce cas correspond à une volonté très nette de Sassia, à une stratégie: assurer la solidarité des Abbii et des Aurii, pour éviter que les Aurii, par exemple, ne se rapprochent une fois de plus des Cluentii. Le texte de Cicéron est net: cette alliance est dirigée contre Cluentius (173).

Deux observations, pour conclure: la première est qu'il faut distinguer deux phénomènes: 1°) l'endogamie de *cognatio,* fait très général, destiné à assurer l'échange des femmes entre quelques lignées qui constituent, ainsi, une grande unité à peu près endogame (l'exception étant le mariage en dehors du municipe), coïncidant avec la bourgeoisie du municipe. Phénomène hérité, c'est devenu le mode de fonctionnement normal de cette micro-société, dont il assure, au delà des vicissitudes de l'*inimicitia,* la cohésion profonde, tout comme il l'est dans la société plus vaste que constituent les grandes *gentes* romaines; 2°) l'endogamie d'*adfinitas,* qui correspond à des stratégies individuelles conscientes, à but plus immédiat et plus limité (s'assurer un héritage, tenter d'acquérir un soutien pour une action ponctuelle).

La seconde observation est que cette endogamie de parentèle nous frappe beaucoup plus que dans le cas de Rome: les mêmes noms reviennent sans cesse, les *stemmata* deviennent d'une grande complexité à cause de l'imbrication des lignées, et le système d'échange entre lignées se clôt très rapidement (cf. p. 111). On ressent-là, à première vue, une impression très différente de celle que procure la lecture des généalogies de la *nobilitas* romaine. S'agit-il de deux sociétés fonctionnant selon des modes différents, dans lesquelles l'alliance matrimoniale joue des rôles d'inégale importance? A y regarder de plus près, il ne le semble pas. Il faut en effet tenir compte de la différence d'échelle: dans la *nobilitas* de Rome, aux multiples *stirpes,* et dans la bourgeoisie municipale larinate, dont les familles notables, celles qui fournissent *quattuoruiri* et principaux décurions, se comptent par dizaines, probablement, les mêmes systèmes produisent des effets différents. A Rome, des mariages entre cousins des 4ème, 6ème, 8ème degrés, à Larinum, une endogamie de *cognatio* très forte (et d'ailleurs, d'autant plus aisément décelable): dans ce domaine comme dans plusieurs autres, que l'on a essayé d'aborder ici, Larinum est bien une petite Rome.

PHILIPPE MOREAU
(Paris IV - E.R.A. n° 757)

---

(173) *Clu.,* 64,179; 66,190.

LA CONCESSIONE DELLA CITTADINANZA A GRECI E ORIENTALI NEL II E I SEC. A.C.

Ho preso in esame alcuni casi di concessione di cittadinanza che si riferiscono a singoli individui, quelli che le fonti indicano con i termini *viritim, singillatim*, la cui documentazione è tutt'altro che abbondante e non facilmente reperibile; essa è comunque sufficiente a fornire elementi, sia pure indiretti, nel primo caso, cioè prima della guerra sociale, sugli statuti delle città italiche e sulla loro giurisdizione civile, nel secondo caso sulla politica che Roma in vario modo andava instaurando nei confronti delle città dell'Oriente con cui veniva a contatto nel corso del I sec. a.C.

Questa indagine, avendo per oggetto Greci e Orientali, si è portata in prima istanza verso quelle città dell'Italia in cui attivi erano i porti e di cui erano documentati contatti, a livello per lo più commerciale, con l'Oriente.

Tre sono i modi attestati con cui si può ottenere *singillatim* la cittadinanza: il primo, la cui procedura ci è tramandata soprattutto da Cicerone nella *pro Balbo*, prevede la richiesta formale da parte di chi vuol essere immesso nella nuova comunità (1), la quale, dopo aver vagliato la richiesta, manifesta il suo consenso e iscrive il richiedente nelle *tabulae publicae* (2); l'*adscriptus* ottiene *virtutis vel honoris causa* la cittadinanza, che nelle città di tradizione greca era compatibile con quella di origine (3); l'atto conclusivo emanato dal magistrato era il *decretum* (4) inciso su tavole di bronzo contenenti i nomi dei beneficiari (5).

Per il periodo antecedente alla guerra sociale non abbiamo documenti che attestino con sicurezza tale procedura: sappiamo da Cicerone quale fine abbiano fatto, ad esempio, le tavole di Eraclea. Allo stato attuale, comunque, non esistono motivi per non concedere credibilità a Cicerone su tale procedura.

Il secondo modo con cui si può conseguire la cittadinanza è l'adozione da parte di chi già gode del diritto di *civis* nella città della quale si vuol ottenere la cittadinanza; il terzo è tramite la manomissione. Mentre i primi due hanno per destinatari individui liberi nelle rispettive città d'origine, il terzo ovviamente si riferisce a individui il cui status originario è servile.

Inoltre, mentre nel primo caso è l'interessato a richiedere, almeno dal punto di vista formale, il nuovo diritto di cittadinanza all'autorità giuridica, negli altri due sembra trattarsi, nella maggior parte dei casi, di un accordo fra privati, anche se pur sempre regolato dalle leggi vigenti.

C'è da chiedersi — e a questo l'indagine fornirà più avanti una risposta — se l'uso, l'incidenza maggiore di una di queste procedure rispetto ad un'altra sia occasionale e indiscriminata o se piuttosto assuma un significato diverso nei due secoli presi in esame, significato da connettere con il mutare delle situazioni politiche.

Per il periodo antecedente alla guerra sociale le fonti letterarie sono avare di notizie o non sufficientemente chiare; gran parte della documentazione è fornita dal materiale epigrafico e in modo

---

(1) Cic., *pro Archia*, 4,6; *pro Balb.* 12,30; cfr. Plin., *Ep.*, X,114,1; Treb. Gall., 11,3.

(2) Cic., *pro Archia*, 4,6; Fest., 96 L *s.v. inprolus*; Treb. Gall., 11,3.

(3) Cic., *pro Balb.*, 12,30; *pro Archia*, 5,10; Plin., *Ep.*, X,114,1 e 3; Treb. Gall., 11,3.

(4) Cic., *pro Balb.*, 5,11.

(5) Cic., *ad fam.*, 13,33; *Philipp.*, II,36,92.

particolare da quello di Delo, per tanti e noti motivi in contatto con l'Occidente e soprattutto con il territorio italico.

Non si può fare molto affidamento, per questo tipo di indagine, sugli elementi dell'onomastica, giacché, avendo a che fare con individui che provengono da un ambiente orientale ellenizzato, non è facile distinguerli, ad esempio, da coloro che nelle città magnogreche sono i discendenti dell'antica colonizzazione, integrati socialmente e giuridicamente nelle città dell'Italia meridionale.

Non sempre nei documenti epigrafici è attestato l'etnico che dovrebbe far fede sull'origine, la provenienza; talvolta si rinuncia all'etnico di provenienza a favore della nuova acquisizione di cittadinanza. D'altro canto, quando abbiamo un etnico di città italiche, come, ad esempio, *Tarantinos, Neapolitēs*, non sempre, in realtà, si tratta di un etnico originario, ma può invece indicare, come vedremo, un elemento acquisito in un secondo tempo.

Lo Hatzfeld (6) ha posto l'attenzione sui commercianti italici attivi in Oriente soprattutto nella seconda metà del II sec. a.C.; tuttavia anche se in proporzione minore, per lo stesso periodo, è attestato un movimento di Orientali verso l'Occidente, nel momento in cui, a seguito delle conquiste romane, si stabiliscono più saldi rapporti commerciali fra l'Italia da un lato e la Spagna e la Gallia dall'altro.

Un esempio abbastanza sicuro è fornito da un individuo ben noto a Delo, che svolgeva la sua attività da banchiere, τραπεζίτης nell'Agorà degli Italici Φιλόστρατος Φιλοστράτου 'Ασκαλωνίτης.

Di lui e della sua famiglia ci rimangono a Delo 18 attestazioni epigrafiche, fra cui due epigrammi recanti la firma uno di Antipatro di Sidone, l'altro di Antistene di Paphos, incisi su una base di marmo bianco che verosimilmente doveva sorreggere la sua statua in un'esedra nell'Agorà degli Italici (7).

Filostrato è definito in tutte le epigrafi 'Ασκαλωνίτης τραπεζιτεύων ἐν Δήλῳ, in due, una delle quali si riferisce al figlio Theophilos, si trova anche la menzione di Νεαπολίτης (8). Si può stabilire la cronologia dei documenti epigrafici per lo più in base alla menzione dei sacerdoti e si può affermare con una certa sicurezza che tutte le attestazioni in cui Filostrato è detto 'Ασκαλωνίτης non sono posteriori al 106/5 a.C., mentre il testo in cui figura anche come Νεαπολίτης (9) è databile al 97/96 e l'iscrizione in cui anche il figlio Theophilos, efebo, è definito Νεαπολίτης è databile al 93/92 in base alla menzione dell'arconte Menedemos (10).

Il Rostovzeff, a suo tempo, lo aveva incluso nel numero dei banchieri italici napoletani che agiscono a Delo alla fine del II sec. a.C. (11) e così anche lo Hatzfeld (12).

In base alla cronologia delle epigrafi e dei monumenti cui esse si riferiscono, si può ricostruire una sommaria biografia di Filostrato: la sua attività cominciò ad Ascalona, τὸν πρότερον χρηματίζοντα 'Ασκαλωνίτην (13); in un secondo momento si trasferì con la famiglia, presumibilmente verso il 140/135, a Delo ove esercitò l'attività di τραπεζίτης nell'Agorà degli Italici dei quali è nota la riconoscenza nei suoi confronti manifestatasi in più d'un'occasione (14). Tra il 106 e il 93 a.C. ottenne la cittadinanza di Napoli per i motivi che vedremo più avanti.

---

(6) *Les Italiens résidant à Délos, BCH*, XXXVI, 1912 e *Les trafiquants italiens dans l'Orient Hellénique*, Paris, 1919.

(7) *ID*, 1717-1724; 1769 l.3; 1934 l.1-2; 2253; 2254; 2549 I e II; 2616 col. III, l.72-73; 2619 a, l.18; 2619 b,I, l.21; 2628 a, l.29. Sul ruolo svolto da Filostrato a Delo nell'ultimo trentennio del II sec. a.C. cfr. il mio *Filostrato di Ascalona, banchiere in Delo, Opuscula Instituti Romani Finlandiae*, II, in corso di stampa.

(8) *ID*, 1724 e 1934.

(9) *ID*, 1724.

(10) *ID*, 1934. Per l'arcontato di Menedemos cfr. P. ROUSSEL, *Délos colonie athénienne*, Paris, 1916, p. 373.

(11) *EHHW*, t. II, p. 278.

(12) *Les Italiens résidant, cit.*, p. 130, n. 1.

(13) *ID*, 1724 l.3-4.

(14) *ID*, 1722, 2549 I e II.

LA CONCESSIONE DELLA CITTADINANZA A GRECI E ORIENTALI

Un altro personaggio, Σίμαλος Τιμάρχου Σαλαμίνιος, attestato più volte a Delo (15) è detto Ταραντῖνος verso il 100 (16); a lui in quanto *Salaminios* (di Cipro) è dedicato un elogio in distici elegiaci che reca la firma di Antistene di Paphos (17) e che, mentre sottolinea la sua ricchezza e ospitalità, mette in evidenza i suoi buoni rapporti con l'Egitto al tempo di Tolomeo X Soter II (116/108 a.C.) e con il governo romano, cosa che potrebbe spiegare la sua doppia nazionalità cipriota e tarantina. *Simalos* potrebbe aver ottenuto la cittadinanza di Taranto tra il 116 e il 103, anno che costituisce il *terminus ante quem* poiché il figlio Σίμαλος Σιμάλου è detto anch'egli Ταραντῖνος in un'epigrafe di Delo ove figura come efebo appunto nel 103/2 (18).

Conosciamo anche il padre del nostro personaggio Τίμαρχος Τιμάρχου υἱὸς Σαλαμίνιος che è onorato ad Atene con corone d'alloro tra il 170 e il 150 circa (19), padre anche di Τίμαρχος Τιμάρχου Σαλαμίνιος (20) attestato a Delo fra il 133 e il 106/5 a.C. in una lista di gymnasiarchi della palestra del παιδοτρίβης *Staseas Philokleous* di Colono (21).

_____

(15) *ID*, 1533, 1534, 1755 l.5.

(16) *ID*, 1533=*OGIS*, 173=F. DURRBACH, *Choix d'inscriptions de Délos*, n. 128.

(17) Antistene di Paphos è autore anche dell'epigramma *ID*, 2549, II dedicato a Filostrato di Ascalona; è attestato a Delo nell'ultimo quarto del II sec. a.C., cfr. il mio *Filostrato cit.*

(18) *ID*, 1927 l.11; cfr. *IG*, II, 467 l.45 ove figura come efebo ad Atene nel 101/100 a.C.

(19) *ID*, II, 909=*OGIS*, 118 l.4, 14 e 29 con *adn.*

(20) *ID*, 2595 l.39-40.

(21) Lo stemma della famiglia è ricostruito da W. FERGUSON, *Hellenistic Athens*, New York, 1911, p. 408, n. 1, il quale giunge a postulare l'esistenza di ben quattro individui non attestati. Recentemente J. POUILLOUX (*Salaminiens de Chypre à Délos, Études Déliennes, BCH*, Suppl. I, 1973, pp. 399-413) ha fornito uno stemma più attendibile (p. 412) e giustamente sottolinea i rapporti di parentela fra i rami *Salaminios, Tarantinos* e *Athenaios* della famiglia di origine cipriota. Forse si potrebbe giungere ad espungere l'unico individuo postulato e non attestato se avessimo maggiori certezze sul *Timarchos Salaminios* che figura come ginnasiarca alle Ermaia in una lista in cui sono elencati gli allievi nati liberi del maestro di palestra *Staseas* (*ID*, 2595 l. 39-40) fra il 133 e il 106/5 a.C. I dubbi che costui sia «enfant» a questa data sorgono in base alla constatazione che è piuttosto alto il numero dei ginnasiarchi menzionati (21), che non tutti potrebbero essere efebi-ginnasiarchi nel 106/5 (cioè appena diciottenni), e dal fatto che numerosi individui della lista sono stati efebi parecchi anni prima di questa data (ad es. l. 17, 18, 19, 26); cfr. in proposito P. ROUSSEL, *DCA*, p. 58 e n. 1.

Proporrei pertanto lo stemma seguente:

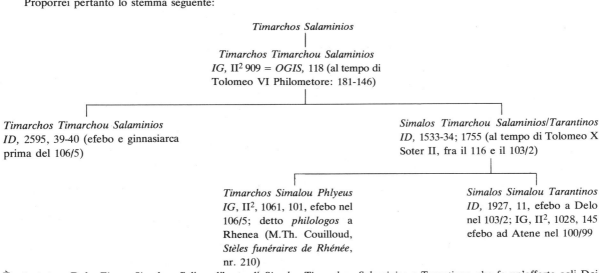

È attestata a Delo *Eirene Simalou*, figlia o liberta di *Simalos Timarchou Salaminios e Tarantinos*, che fa un'offerta agli Dei Stranieri nel Serapeo C intorno al 100 a.C. (*ID*, 2619, II, 10).

In una lista di Ermaisti, Apolloniasti e Poseidoniasti è attestato a Delo verso il 100 Σαραπίων Ἀλεξάνδρου υἱός, che è detto Νεαπολίτης (22) e figura come tale anche in una lista di Competaliasti in cui è nominato, verso il 94/93, il suo liberto Artemidoros (23). Un esponente della stessa famiglia è Σαραπίων Σαραπίωνος Μελιτεύς al quale, in quanto πάτρων, viene dedicata verosimilmente una statua, di cui ci rimane il piedistallo in marmo bianco nell'Agorà dei Competaliasti, dal suo schiavo o liberto Ἕλλην Σαραπίωνος Τύριος (24); quasi certamente è lo stesso Serapion Serapionis f(ilius) che ritroviamo nella *tabella defixionis* di Rhenea (25).

Il *Meliteus* è da identificare con il noto personaggio che, sul finire del II sec. a.C. e all'inizio del I, cumulò una serie notevole di cariche: στρατηγὸς ἐπὶ τὰ ὅπλα nel 101/100, 97/96, 96/95 ad Atene, ἐπιμελητὴς a Delo nel 101/100, ἀγωνοθέτης Ἐλευσινίων, Παναθηναίων, Δηλίων nel 96/95 (26). Di lui conosciamo il figlio omonimo, efebo nel 97/96 ad Atene (27) le figlie Σώσανδρα ὑφιέρεια di Artemide a Delo (28) e Ἀπολλοδώρα e Θεοδώρα κανηψόροι a Delfi nel 98/97 (29); è attestato a Delo Διοκλῆς τοῦ Σαραπίωνος Μελιτεὺς figlio o fratello del *Meliteus* (30).

Non mi sembra di poter escludere che l'ascesa politica di *Sarapion Sarapionis Meliteus* sia in qualche modo da connettere con i suoi rapporti con Delo: un parente più o meno prossimo è inserito nella vita commerciale dell'isola e diviene *Neapolites*; il cumulo di più cariche in uno stesso anno e l'allestimento di feste come le Eleusinie, le Panatenaiche, le Delie comportavano un onere finanziario piuttosto notevole, dalle 200 alle 250 dracme ciascuna, e quindi notevoli disponibilità economiche esplicabili, verosimilmente, con i rapporti commerciali con Delo; questa ipotesi può trovare un sostegno se la *tabella defixionis* di Rhenea viene interpretata come una lite fra mercanti e non come una lite per una eredità, dato che non vi figurano donne (31).

A Delo in numerosi documenti epigrafici è attestato Μίδας Ζήνωνος Ἡράκλειος che Hatzfeld annovera fra gli Italici residenti a Delo (32). Alcune considerazioni potrebbero indurre a rivedere questa affermazione. Gli elementi nominali sembrano attestare un'origine orientale, mentre l'etnico difficilmente può riferirsi, con questa forma, ad una delle città greche o dell'Asia Minore, ove si trova attestato Ἡρακλεώτης; inoltre nei rari casi in cui la forma Ἡρακλεώτης viene usata per indicare

---

(22) *ID*, 1755 l.4 e 1931 l.2 ove è onorato nel ginnasio dagli efebi nel 94/3.

(23) *ID*, 1763 l.7.

(24) *ID*, 2005.

(25) *ID*, 2534 l.14.

(26) *IG*, II 985 D 19; *SIG*, 728 B e D; *IG*, II 985 E 64 e *ID*, 2364; *IG*, 985 D, II 32 sgg.; *IG*, II 1374 b; *IG*,III 1851 ove è menzionato un suo schiavo *Apollonios*; cfr. J. KIRCHNER, *Pros. Att.*, 12564.

(27) *SIG*, 728 F.

(29) *ID*, 1970.

(29) *SIG*, 728 E.

(30) *ID*, 2364.

(31) Dubbia è l'identificazione del *Meliteus* con l'arconte del 116/5 a.C. (*SIG*, 712 l.44) sostenuta da Homolle, *BCH*, VIII, 102, n. 2 e da P. ROUSSEL, *DCA*, p. 119 con qualche esitazione; sicura è invece per W.B. DINSMOOR, *The Archons of Athens in the Hellenistic Age*, Cambridge, 1931, p. 275. Degne di attenzione sono le pagine che E. BADIAN, *Rome, Athens and Mithridates, Assimilation et résistance à la culture gréco-romaine dans le monde ancien*, Paris, 1976, pp. 503-505, dedica a *Sarapion Sarapionis Meliteus* e al suo rivale sulla scena politica *Medeios Medeiou Peiraieus*, l'arconte altrettanto facoltoso del 101/100 a.C. Si può, peraltro, smentire l'affermazione del Roussel (*DCA*, p. 110 n. 12) secondo il quale *Sarapion* non sarebbe attestato come epimeleta a Delo; in *ID* 2364, alle linee 8-9 si legge: ἐπὶ ἐπ[ιμελετοῦ τῆς] νήσσο[υ]/[Σ]αραπίωνος [τοῦ] Σαραπίωνος /[Μ]ελιτέως. L'interpretazione della *tabella defixionis* di Rhenea (*ID* 2534) come una lite fra mercanti mi è stata fornita dal prof. Heikki Solin, cui esprimo la mia gratitudine, in occasione di un seminario da lui tenuto presso l'Istituto di Storia Antica di Perugia.

(32) *ID*, 1689; 1854; 2234 l.9-10; 2253; 2254; 2288.

Eraclea d'Italia, viene completata con la precisazione ἐξ Ἰταλίας (33). D'altra parte, oltre al fatto che *Midas Zenonos* figura, come Filostrato e con Filostrato fra i dedicanti dell'Agorà degli Italici, di lui ci rimangono a Delo tre dediche poste a divinità siriache, una delle quali proviene dal fregio dell'esedra di Midas nel Santuario Sirio; inoltre il suo nome figura su un mosaico all'estremità Nord del Santuario Sirio (34). Quanto sopra induce a pensare che ponga dediche alle divinità del suo paese d'origine e frà queste figura Afrodite Agnè, venerata anche dall'Ascalonita Filostrato. Midas è attestato epigraficamente a Delo tra il 106/5 e il 100 circa; non sono noti altri componenti della sua famiglia. Sappiamo che eresse una statua in onore di *Gaius Billienus Gai filius*, attestato a Delo come στρατηγὸς ἀνθύπατος Ῥωμαίων e πρεσβευτὴς Ῥωμαίων (35), noto soltanto attraverso Cicerone (36). *Midas Zenonos* è sicuramente un individuo facoltoso che deve la sua disponibilità economica al commercio, o meglio a quel commercio che si svolgeva nell'Agorà degli Italici, si dichiara amico di un cittadino romano piuttosto in vista che ha ricoperto delle cariche pubbliche e molto probabilmente ottenne la cittadinanza di Eraclea.

Un altro Νεαπολίτης, Ἀπολλώνιος Διοσκουρίδου, pone dediche ad Anoubi e ad Afrodite nel Santuario Sirio insieme alla moglie e alle figlie Ἀρτεμὼ e Ἀπολλωνία (37). Di lui non abbiamo altri documenti che possano fornirci elementi più sicuri in merito all'origine, per cui può sorgere il dubbio che sia invece un italico trasferitosi a Delo; un dato è certo, che egli fa offerte unicamente alle divinità siriache, quali garanti dell'etnia originale (38); inoltre, e questo vale anche per gli individui fin qui presi in esame, è a Delo con moglie e figli.

Prima della guerra sociale rari sono i casi che attestano il conseguimento della cittadinanza tramite adozione, in uso per lo più nelle colonie. Ad Ostia troviamo un orientale originario della Palestina che deve essere stato adottato (o ottenne la cittadinanza) grazie ad un *P. Lucilius* e che conosciamo indirettamente tramite *P. Lucilius P.f. P.n. P.pronep. Gamala* (39), personaggio databile al secondo quarto del I sec. a.C.; costui è stato *duovir* nella colonia, ha contratto matrimonio nell'ambito della classe senatoria con Ottavia, appartenente alla famiglia degli *Octavii Ligures* di *Forum Clodii* (40). Il suo trisavolo, *P. Lucilius Gamala* potrebbe essersi stabilito nella colonia all'inizio del II sec. a.C. forse in seguito alla guerra siriaca.

Ad *Atina* (Atena Lucana) (41) troviamo Μενεκράτης Δημητρίου Τραλλιανὸς, originario di Tralles in Asia Minore, un medico che seguiva nella pratica del vino come medicamento la dottrina di

---

(33) P.M. PETSAS, *A few Examples of Epigraphy from Pella*, Balkan Studies, IV, 1963, p. 166, nr. 11; cfr. J. e L. ROBERT, *REG*, LXXVII, 1964, p. 185, nr. 247; *SEG*, XXIV, 1969, p. 189, nr. 552; F. SARTORI, *Eraclea di Lucania, Herakleastudien*, Archäolog. Forsch. in Lukanien, II, Röm. Mitt., Erg.-Heft XI, Heidelberg, 1967, p. 85; J. e L. ROBERT, *REG*, LXXXI, 1968, nr. 601.

(34) *ID*, 2288: mosaico a piccoli cubi neri su fondo bianco trovato nell'esedra di *Midas* presso il Santuario Sirio.

(35) *ID*, 1854 e 1710.

(36) Probabilmente è da identificare con il *C. Billienus* di cui Cic., *Brutus*, 47, 175 dice: *C. Billienus... qui consul factus esset nisi in Marianos consulatus et in eas petitionis angustias incidisset*.

(37) *ID*, 2126 e 2265.

(38) Condivido l'opinione di E. LEPORE, *La vita politica e sociale*, nel vol. *Storia di Napoli*, Napoli, 1967, p. 270, quando afferma che Sarapion figlio di Alessandro con il liberto Artemidoro, Apollonio figlio di Dioscuride, Filostrato con il figlio Teofilo sono degli «stranieri naturalizzati a Napoli e rappresentanti precoci di quella comunità sira che si conserverà nella città fino ad età altomedievale dedita ai commerci e alla banca». Per i *theoi patrooi* cfr. M.-F. BASLEZ, *Recherches sur les conditions de pénétration et de diffusion des religions orientales à Délos*, Paris, 1977, pp. 67-69, 79.

(39) *CIL* XIV, 375.

(40) M. CÉBEILLAC, *Octavia, épouse de Gamala, et la Bona Dea*, MÉFRA, 85, 1973, pp. 517-553 in particolare pp. 524-530; F. ZEVI, *P. Lucilio Gamala Senior e i «quattro tempietti» di Ostia*, MÉFRA, 85, 1973 pp. 555-581.

(41) Per lo statuto della città cfr. V. BRACCO, *La valle del Tanagro durante l'età romana*, Mem. Acc. Linc., s. VIII, X, 1962 *passim*; A. RUSSI, *Diz. Ep.*, IV, fasc. 60, *s.v. Lucania*, pp. 1892, 1894-95; A. FRASCHETTI, *Le vicende storiche, Il Vallo di Diano*, Salerno, 1981, pp. 203-208.

Asclepiade di Prusa (42). Costui, per adozione secondo alcuni che lo considerano un cittadino di Tralles, per manomissione secondo altri che vedono in lui un liberto, divenne cittadino ad opera di un *Q. Manneius* (43). L'iscrizione bilingue, greco-latina, in base ad alcuni arcaismi (*veivos*, la grafia del nome della moglie *Maxsuma Sadria*), è databile, anche per la presenza dei punti quadrati, alla fine del II secolo o all'inizio del I a.C.

Se si tiene presente che *Atina* si trova nell'*Ager Lucanus* che in gran parte diventò *ager publicus populi Romani* in seguito alla guerra annibalica e che almeno tre dei cippi graccani trovati in Lucania provengono dal territorio di questa città (44), la quale nel *Liber coloniarum* (I, p. 209 L) è ricordata fra le *praefecturae* della *provincia Lucania* (45), non è improbabile che il nostro medico, adottato o manomesso da un membro della *gens Manneia*, (46), sia un colono giunto qui nel 131 a.C., all'epoca delle assegnazione di Gaio Sempronio Gracco, Appio Claudio e Publio Licinio (47).

Un breve accenno alle vicende, a tutti note, di Aulo Licinio Archia. Anche se non proprio ineccepibile metodologicamente è l'accostamento fra mercanti, quali quelli fin qui considerati, e intellettuali, quali Archia e Theophanes di Mytilene, in quanto gli uni, i mercanti, sono probabilmente essi stessi i promotori dei provvedimenti di concessione della cittadinanza in loro favore, mentre gli altri, gli intellettuali, sono sostenuti da *nobiles* (Lucullo e Pompeo) e a questi servono, tuttavia anche questi possono fornire elementi per cercare di ricostruire il complesso e talora poco chiaro iter che porta uno «straniero» al conseguimento della *civitas Romana*.

Originario di Antiochia, ascritto, stando a Cicerone, ad Eraclea (oltre che a Taranto, Reggio, Locri), Archia non aveva qui il *domicilium*, ma a Roma, per cui probabilmente non ottenne la cittadinanza per effetto della *lex Iulia de civitate sociis et Latinis danda* nel momento in cui la legge la conferiva ai suoi neoconcittadini proprio per la non coincidenza della sede dell'*adscriptio* con quella del *domicilium* (48); piuttosto la sua posizione potrebbe essere stata regolata con la *lex Plautia Papiria* che aveva per destinatari gli *adscripti civitati foederatae* che *in Italia domicilium habuissent* (49). Invece *L. Manlius Sosis* di Catania, residente a Napoli prima della guerra sociale, ivi ascritto e domiciliato, ottenne la cittadinanza *una cum reliquis Nepolitanis*, cioè con la *lex Iulia* verso la fine del 90 o nei primi mesi dell'89: *erat enim adscriptus in id municipium ante civitatem sociis et Latinis datam* (50), e poi divenne *decurio* del municipio.

Altrettanto noti e numerosi sono i casi di concessione della *civitas in castris* che viene praticata con la stessa frequenza sia prima che dopo la guerra sociale, diverso o gradatamente e comprensibilmente esautorato sarà alla fine della repubblica l'organo preposto alla ratifica, in precedenza prassi inderogabile. Basti ricordare la diffusione africana del gentilizio di Mario che aveva

---

(42) *CIL* I², 1684=*CIL* X, 388=*ILS*, 7791=*Inscr. It.*, III, 108.

(43) H. SOLIN, *Zu lukanischen Inschriften, Comm. Hum. Litter.*, 69, 1981, pp. 35-36, nr. 108.

(44) V. BRACCO, *Volcei, Forma Italiae*, III, 2, Firenze, 1978, p. 19. Altri due cippi graccani, nr. 44 e 81, provengono dal territorio confinante di *Volcei*.

(45) A. FRASCHETTI, *Le vicende storiche cit.*, pp. 203-4; E. RATTI, *I Praefecti iure dicundo e la praefectura come distinzione gromatica, Atti CeSDIR*, VI, 1974-75; A. RUSSI, *Diz. Ep. cit.*, p. 1895.

(46) Per la diffusione del gentilizio v. F. MÜNZER, *P-W*, XIV, 1, 1928, *s.v. Manneius*; G. DAUX, *Delphes au IIe et au Ier siècles*, Paris, 1936, p. 588; *AE*, 1968, 180; cfr. F. COARELLI, *Il Vallo di Diano in età romana. I dati dell'Archeologia, Il Vallo di Diano cit.*, pp. 222 e 228.

(47) La datazione è fornita dall'ordine in cui compaiono nei cippi lucani i *tresviri agris iudicandis adsignandis*; cfr. *Inscr. It.*, III, 275-279; J. CARCOPINO, *Autour des Gracques*, Paris, 1967², p. 175 sgg.

(48) Vedi, tra gli altri, G. LURASCHI, *Sulle «leges de civitate» (Julia, Calpurnia, Plautia Papiria)*, SDHI, 44, 1978, pp. 321-370; ID., *Foedus, ius Latii, civitas. Aspetti costituzionali della romanizzazione in Transpadana*, Padova, 1979, *passim*, cui si rimanda per la bibliografia e soprattutto M. HUMBERT, *Municipium et civitas sine suffragio*, Rome, 1978.

(49) Cic., *pro Archia*, 4, 7.

(50) Cic., *ad fam.*, 13, 30.

ricompensato con la cittadinanza romana i Getuli reclutati al tempo della guerra giugurtina, dei quali si trovano tracce ancora in epoca più tarda, come l'onomastica indigena d'Africa attesta abbondantemente: accanto al più diffuso gentilizio *Marius* si trova attestato anche il gentilizio *Julius*, ambedue spesso congiunti con il *cognomen Gaetulus, Gaetulicus* (51). Altrettanto nota è la presenza di *milites Africani Caeciliani* ad *Alba Fucens*, veterani di Metello Pio (52).

Fin qui alcuni esempi attestati dalle epigrafi, risalenti al II sec. a.C., o meglio al periodo antecedente la guerra sociale, ove per la stragrande maggioranza dei casi si tratta di concessione di cittadinanza da parte di città italiche, esempi che ci consentono di fare alcune prime considerazioni di carattere generale.

Per gli individui attestati a Delo c'è da notare che tutte le iscrizioni che li riguardano, provengono dall'isola o da località dell'Oriente, comunque non dall'Italia. Questo conferma ciò che avviene normalmente nel mondo greco, ove non è contemplato l'obbligo della residenza nella città di cui si acquisisce il nuovo diritto di cittadinanza e non è prevista l'incompatibilità fra due o più cittadinanze.

D'altra parte se gli statuti delle città italiche concedenti la cittadinanza avessero richiesto l'obbligo della residenza, c'è da domandarsi quale utilità avrebbero potuto trarre da un mutamento di residenza individui, quali sono quelli presi in esame, legati al commercio e alla conseguente attività bancaria, e dall'abbandono del mercato di Delo, porto franco in piena attività per tutto il II secolo e particolarmente nel periodo, tra il 120 e il 100, in cui sono attestati i nostri personaggi.

C'è da chiedersi allora perché costoro desiderassero diventare cittadini o comunque quale vantaggio traessero dalla concessione.

La risposta è fornita dalla natura stessa del commercio che ha continuamente bisogno, per prosperare, di ampliare gli orizzonti; i *negotiatores* avvertono l'esigenza di intrattenere scambi con l'occidente più ad occidente dell'Italia che diviene una testa di ponte; quanto ai banchieri è logico arguire che abbiano sentito l'esigenza di aprire delle agenzie, delle succursali in territorio italico in prossimità dei porti.

Napoli e Pozzuoli offrivano la possibilità non solo di raggiungere l'interno dell'Italia centro-meridionale per via terrestre e il mercato sempre più esigente di Roma, ma anche e soprattutto di raggiungere i porti della Provenza e della Spagna che si affacciano sul Mediterraneo; questo cammino è ricostruibile anche in base alla diffusione della ceramica campana A, presente anche a Delo (53).

Napoli ed Eraclea, all'epoca in cui sono attestati i *negotiatores* di Delo, dal 120 al 90, sono ancora *civitates foederatae* con Roma con un *foedus aequissimum* che effettivamente valeva il disappunto e l'incertezza, la *magna contentio* che si verificò al momento di rinunciarvi in cambio della *civitas romana*. Erano città libere di elargire agli stranieri la loro cittadinanza, di accoglierli a pieno titolo o *virtutis causa*. È probabile che le città concedessero tale privilegio spinte dalla mentalità evergetica delle loro oligarchie, ne traessero vantaggi sia perché i nuovi cittadini erano tenuti a pagare le tasse, sia perché avranno rinsaldato le finanze locali con donativi di varia natura.

L'ascalonita Filostrato, verso il quale gli Italici di Delo dimostrano tanta benevolenza e gratitudine, sembra sia stato in grado di sedare una contesa sorta nell'isola, forse la rivolta degli schiavi (54), merce presente sul mercato di Delo e tanto richiesta e indispensabile nel territorio italico

---

(51) *Bell. Afric.*, XXXII, 3; XXXV, 4; Dio Cass., XLIII, 4, 2; cfr. J. GASCOU, *Inscriptions de Tébessa*, MÉFR, LXXXI, 1969, pp. 555-567; ID., *Le cognomen Gaetulus, Gaetulicus en Afrique Romaine*, MÉFR, LXXXII, 1970, pp. 723-736.

(52) *CIL* I², 1815 = *ILS*, 2489 = *ILLRP*, I, 146 = *Imagines*, nr. 74; cfr. E. GABBA, *Veterani di Metello Pio ad Alba Fucens?*, Homenaje a García Bellido, IV, Rev. de la Univers. Complutense, XVIII, 118, pp. 61-63.

(53) J.-P. MOREL, *Céramique Campanienne. Les formes*, BEFAR, 244, 1981, pp. 47, 521, 571; D. MUSTI, *Il commercio degli schiavi e del grano: il caso di Puteoli. Sui rapporti tra l'economia italiana della tarda repubblica e le economie ellenistiche*, Mem. Amer. Acad. Rom., XXXVI, 1980, pp. 202-209.

(54) Cfr. il mio *Filostrato di Ascalona* cit.

in questo periodo. È probabile che la cittadinanza di Napoli gli sia stata offerta in segno di riconoscenza. Non è da escludere che egli a Napoli abbia aperto una succursale della sua banca; sta di fatto che l'attività bancaria nella Napoli del VI sec. d.C. era in mano ad una comunità di Siri (55).

I rapporti che *Simalos* ha avuto con i ‘Ρώμας ὑπάτοισι possono spiegare la concessione della cittadinanza da parte di Taranto. Non è da sottovalutare neppure il fatto che Taranto fra il 123 e il 90 sembra godere di uno sviluppo economico che, tra l'altro potrebbe spiegarsi con il commercio della lana di quelle greggi che giungevano qui perfino dall'Italia centrale, dall'Umbria, lungo i tratturi della transumanza (56).

Non mi sembra del tutto priva di fondamento l'ipotesi che questi mercanti orientali e greci, attestati epigraficamente a Delo, desiderassero conseguire la cittadinanza nelle città italiche federate per ottenere in seguito la *civitas romana*; anche se siamo ancora lontani nel tempo da quelli che saranno gli sviluppi futuri, questi non erano del tutto imprevedibili alla luce degli avvenimenti in corso già nell'ultimo quarto del II secolo a.C. (57).

Il Sarapion divenuto cittadino di Napoli può essere una riprova di questo desiderio-necessità, recepito anche nella Atene di fine II secolo e forse sollecitato da una tendenza filoromana dell'oligarchia al potere di cui uno degli esponenti era *Serapion Serapionis Meliteus* (58).

Appena diverso — perché si tratta di un poeta e non di un commerciante o di un banchiere — è il caso di Archia, che con le sue molteplici *adscriptiones* nelle *tabulae publicae* di Eraclea, Taranto, Reggio e Locri, — così afferma Cicerone — in un periodo relativamente più vicino alla guerra sociale, più addentro della cosa pubblica romana e del fenomeno italico grazie ai suoi rapporti con M. Licinio Lucullo, aveva ben quattro carte da giocare per raggiungere la sia pure contestata, in seguito, *civitas romana*. Stando a quanto afferma Cicerone nella sua difesa di Archia, sui nostri *negotiatores* neo-cittadini italici, nel caso in cui non avessero preso il *domicilium* in una delle *civitates foederatae*, gravava il rischio di non poter diventare tanto presto, cioè con la *lex Iulia*, *cives Romani*, se è vero che solo gli ascritti domiciliati potevano diventare tali. Si comprendono ancora meglio i motivi per cui le tavole di Eraclea «malauguratamente»! bruciarono e non le abbiamo nemmeno di altre *civitates foederatae*.

Anche dopo la guerra sociale continuano ad essere attuate le concessioni viritane di cittadinanza a Greci e Orientali, ma ora è direttamente la *civitas Romana* ad essere elargita.

---

(55) Proc., *Bell. Goth.*, I, 8, 59 C; cfr. E. LEPORE, *Per la storia economico-sociale di Neapolis, Pdp*, VII 1952, p. 314.

(56) A. GIARDINA, *Allevamento ed economia della selva in Italia meridionale: trasformazione e continuità, L'Italia: insediamenti e forme economiche*, vol. I, Bari, 1981, pp. 88, 92-93; cfr. J.-P. MOREL, *La laine de Tarente. De l'usage des textes anciens en histoire économique, Ktéma*, 3, 1978, pp. 93 sgg.; L. GASPERINI, *Il municipio tarentino. Ricerche epigrafiche, Terza Miscellanea greca e romana*, Roma, 1971; pp. 178-79, nr. 3 e 4, in cui sono pubblicate due iscrizioni inedite attestanti la presenza di *servi gregarii* a Taranto. Sulla transumanza cfr. E. GABBA-M. PASQUINUCCI, *Strutture agrarie e allevamento transumante nell'Italia romana (III-I sec. a.C.)*, Pisa, 1979, *passim*. Devo alla cortesia del dott. Enzo Lippolis la notizia del ritrovamento in località Palagiano, a circa 20 Km. da Taranto, di un vasto recinto quadrangolare in *opus reticulatum* che può far pensare ad uno stazzo per gli ovini, dato che presenta tre accessi, di cui due piccoli e uno grande, e niente dentro e niente all'esterno; a circa 500 m. di distanza è stata trovata una grossa cisterna. È auspicabile uno scavo sistematico della zona. Questo sarebbe l'unico ritrovamento in opera reticolata, a quanto mi consta, nella zona di Taranto; cfr. M. TORELLI, *Innovazioni nelle tecniche edilizie romane tra il I sec. a.C. e il I sec. d.C., Tecnologia, economia e società nel mondo romano*, Atti del convegno di Como, 27-29 settembre 1979, Como, 1980, pp. 140-161.

(57) Mi riferisco alla *lex Thoria* (*CIL*, I², 200) in particolare e alle tre leggi, di cui parla App., I, 129, volte a demolire l'opera dei Gracchi; non entro qui nel problema dell'identificazione di queste leggi in quanto non attinente alla presente ricerca.

(58) Cfr. W.S. FERGUSON, *Hellenistic Athens. An Historical Essay*, New York, 1911, pp. 421-26; J. DAY, *An Economic History of Athens under Roman Domination*, New York, 1942, p. 76. Non è di questo parere E. BADIAN, *Athens and Mithridates, cit.*, pp. 503-504, che non prende in considerazione i probabili rapporti di parentela del *Meliteus* con il *negotiator Neapolites*; v. in proposito E. CANDILORO, *Politica e cultura in Atene da Pidna alla guerra mitridatica, SCO*, XIV, 1965, p. 143 e P. DESIDERI, *Posidonio e la guerra mitridatica, Athenaeum*, LI, 1973, pp. 253-55 e n. 180.

LA CONCESSIONE DELLA CITTADINANZA A GRECI E ORIENTALI

Gli istituti tramite i quali viene concessa rimangono gli stessi del periodo precedente, diverso è l'uso in proporzione: per decreto del governo di Roma, *de consilii sententia,* con editti, di cui non abbiamo molte testimonianze; molto più frequentemente si fa ricorso alla concessione per adozione e manomissione.

Numerosi e noti sono gli esempi in cui la concessione per manomissione o adozione è dovuta a personaggi di primo piano nella scena politica: Silla, Pompeo, Cesare; si moltiplicano i *Cornelii,* i *Sextii,* i *Julii,* i *Clodii* (59). Queste concessioni assumono un preciso significato e se ne scorge l'importanza nei momenti cruciali della vita politica romana, quando alta è la posta in gioco; sappiamo come le clientele riusciranno a far pendere l'ago della bilancia in favore dell'uno o dell'altro contendente (60).

Troviamo un sempre crescente numero di artisti (61), retori e grammatici (62), medici greci (63) che ricevono la cittadinanza per manomissione. Essi sono necessari per soddisfare la committenza romana in un momento in cui la *luxuria,* pubblica e privata, è divenuta un elemento ideologico e propagandistico determinante nella lotta politica, in cui i privilegi tradizionali hanno perduto gran parte del loro valore.

Si registrano casi di concessioni *in castris,* frequenti durante il periodo delle guerre civili fra Mario e Silla, poi fra Cesare e Pompeo. Questa pratica continua ad essere in uso anche all'epoca dei triumviri, come dimostrano le concessioni elargite da Ottaviano ai veterani delle campagne triumvirali (64), a Seleukos di Rhosos, suo navarca (65), a *C. Julius Menoes* e a suo genero *Malchio Caesaris trierarcha* (66). Dopo le varie campagne militari si rende quasi indispensabile ricompensare chi si fosse reso benemerito della causa di Roma. Nel caso di Seleukos di Rhosos si tratta di una ricompensa per un servizio reso più forse alla causa di Ottaviano che non a quella di Roma: da notare che Rhosos, nella Siria settentrionale, era in territorio di pertinenza di Antonio ed è invece Ottaviano che provvede a concedere la *civitas Romana* (67). I *privilegia* elargiti da Roma in tutte le epoche, sia a singoli individui che a intere popolazioni, suddite o alleate, costituirono sempre una potente arma di governo

---

(59) Preziose sono le liste dei liberti redatte da E. BADIAN, *Foreign Clientelae,* Oxford, 1958, *Appendix B* e Ch. E. GOODFELLOW, *Roman Citizenship,* Lancaster, 1935, pp. 32 e 90 sgg.

(60) E. GABBA, *Appiani Bellorum Civilium liber primus,* Firenze, 1967²; ID., *Le origini della guerra sociale e la vita politica romana dopo l'89 a.C.,* Athenaeum, n.s. 32, 1954=*Esercito e società nella tarda repubblica romana,* Firenze, 1973, pp. 250-264; ID., *Mario e Silla,* ANRW, I, 1, 1972, pp. 786-787, 792 sgg.; E. RAWSON, *The Eastern Clientelae of Clodius and the Claudii,* Historia, XXII, 1973, pp. 219-239; J.-M. FLAMBARD, *Clodius, les collèges, la plèbe et les esclaves. Recherches sur la politique populaire au milieu du I*er *siècle,* MÉFRA, 89, 1977, pp. 115-153.

(61) Vedi, tra gli altri, M. MELLO-G. VOZA, *Le iscrizioni latine di Paestum,* Napoli, 1968, p. 16; E. RAWSON, *Architecture and Sculpture: the Activities of the Cossutii,* PBSR, XLIII, 1975, pp. 39-40; M. TORELLI, *Industria estrattiva, lavoro artigianale, interessi economici: qualche appunto,* Mem. Amer. Acad. Rom., XXXVI, 1980, pp. 313-323.

(62) Suet., *de gramm. et rhet.,* 8, 10, 12, 13, 19, 20 ove, tra gli altri, sono annoverati *Scribonius Aphrodisius Orbilii servus* manomesso da Scribonia, figlia di Libone e *C. Julius Hyginus, natione Hispanus,* liberto di Augusto.

(63) Antonio Musa, ad esempio, il medico di Augusto, era un liberto cui fu concesso il privilegio di portare un *anulus aureus,* segno distintivo tipico della dignità equestre (Dio, LIII, 30; Suet., *Aug.* 59).

(64) *FIRA, Leges,* 56, p. 315.

(65) *FIRA, Leges,* 55, p. 308.

(66) *C. Julius Menoes Antiochensis Syriae ad Daphnem* (CIL IX, 41=*ILS,* 2819), probabilmente era a Miseno agli ordini di Vipsanio Agrippa (Dio., LVIII, 5; Suet., *Aug.,* 16). Sua figlia *Julia Cleopatra quae et Lezbia* andò in sposa a *Malchio* trierarca di Ottaviano. Anche l'iscrizione bilingue di Velletri (*SEG,* IV, 102) conferma la presenza di Greci fra gli ufficiali di marina.

(67) Per riferire solo un esempio fra i tanti, all'inizio del 90 a.C., Lucio Giulio Cesare aveva offerto la cittadinanza ad un Cretese *in castris:* ποιήσω σε πολίτην Ῥωμαῖον (Diod., XXXVII, 18), ove il futuro induce a pensare che la promessa avrebbe ottenuto in seguito una ratifica con un atto formale. Ottaviano agiva in virtù dei poteri conferitigli dalla *lex Munatia Aemilia* cui si fa riferimento nel testo dell'editto di Rhosos (*FIRA, Leges,* 55, II 1.10).

(68). Ai veterani e ai loro discendenti era stato concesso, oltre lo *ius civitatis* e il censimento in tribù, l'esonero dagli obblighi militari e dai *munera publica* locali (69).

Con l'editto di Rhosos nel 41 Ottaviano concede a Seleukos e ai suoi discendenti la cittadinanza romana, l'immunità sia dagli obblighi militari che dai *munera publica* e l'iscrizione nella tribù Cornelia (70). Ottaviano raccomanda il suo navarca ai concittadini di Rhosos «perché uomini come questi inducono alla benevolenza verso la propria patria» e aggiunge con premurosa sollecitudine: «pensate che io farò del mio meglio per voi riguardo a Seleukos», il quale appare allo stesso tempo cittadino romano e cittadino di Rhosos.

Tornano alla mente le parole di Cicerone (71) che, riferendosi in particolare a Catone e in generale *omnibus municipibus*, ammette, almeno dal punto di vista etnico, due patrie: *unam naturae, alteram civitatis*, di cui una è considerata *loci patriam, alteram iuris* e questa è *maior* e comprende l'altra.

Con l'editto III di Cirene, del 7-6 a.C., con cui Augusto concede la cittadinanza ai Greci di quella città e sancisce loro l'obbligo dei *munera privata*, ribadendo l'esenzione per coloro che l'abbiano già ottenuta, in precedenza (72), insieme alla cittadinanza, appare un certo interesse alla conservazione della vita locale; restando intatto lo statuto del diritto locale, i *munera privata*, i nuovi cittadini hanno il dovere di mostrare in loco, con la pratica delle leggi romane, i vantaggi che offre la protezione di Roma e la sua superiorità. Si assiste ad una lenta, ma graduale penetrazione degli elementi romani nei diritti locali che prelude alla progressiva romanizzazione, la cui realizzazione sul piano giuridico si completerà con la *constitutio Antoniniana*. I neo-cittadini romani si trovano nelle condizioni di usufruire dei privilegi garantiti dalle due cittadinanze senza averne gli svantaggi (73) e in questo si coglie la preoccupazione romana di non privare le comunità locali degli elementi migliori, anche quando questi divengono *cives Romani*; anzi, in quanto tali, essi costituiscono una garanzia in loco e un mezzo sicuro e poco costoso di propaganda filoromana.

Queste concessioni hanno suscitato presso gli studiosi di diritto romano il problema se vi sia o meno incompatibilità tra i due diritti di cittadinanza. Per i casi qui presi in esame, se si tiene presente che queste disposizioni emanate da Roma hanno per destinatari i cittadini d'origine ellenica, che conservano il loro domicilio nelle rispettive città, è lo statuto originario che consente la compatibilità del diritto di cittadinanza d'origine con quello romano (74), fermo restando il principio che l'autorità

(68) G. Tibiletti, *Diritti locali nei municipi d'Italia e altri problemi*, RSA, III, 1973, p. 179.

(69) FIRA, Leges, 56, p. 315.

(70) P. Roussel, *Un Syrien au service de Rome et d'Octave*, Syria, XV, 1934, pp. 34 sgg.; F. De Visscher, *Le statut juridique des nouveaux citoyens romains et l'inscription de Rhosos*, L'Ant. Class., 1944-45, pp. 29-59; Id., *La dualité des droits de cité et la «Mutatio civitatis»*, Bull. Acad. Royale Belg., Class. de Lettr., Scienc. Mor. et Pol., XL 1954, pp. 51 sgg.; Id., *La politica del diritto di cittadinanza*, Ann. Fac. di Giurispr. di Genova, II, fasc. I, 1963, pp. 3-17; W. Seston, *La citoyenneté romaine*, Atti del XIII Congrès International des sciences historiques (Moscou, 16-23 octobre 1970), 1973, pp. 12-13=Scripta varia, Roma, 1980, pp. 10-11.

(71) Cic., *De leg.*, II, 5.

(72) FIRA, Leges, 68, III, p. 408; cfr. F. De Visscher, *Les édits d'Auguste découverts à Cyrène*, Bruxelles, 1940, pp. 99-103; Id., *La dualité des droits de cité dans le monde romain, d'après une nouvelle interprétation de l'Edit III d'Auguste, découvert à Cyrène*, Bull. Acad. Royale Belg., Cl. Lettr., Sc. Mor. et Pol. 1947, pp. 50-59; J.H. Oliver, *On Edict III from Cyrene*, Hesperia, XXIX, 1960, pp. 324-325; F. De Visscher, *La justice romaine en Cyrénaïque*, RIDA, XI, 1964, pp. 321-333.

Già nel 78 a.C. il *senatus consultum de Asclepiade et sociis* aveva concesso immunità e privilegi similari ai tre navarchi greci Asclepiade di Filino, Polistrato di Poliarto e Menisco di Ireneo, ma non la cittadinanza (FIRA, Leges, 35, p. 255).

(73) A.N. Sherwin-White, *The Roman Citizenship* cit., p. 47.

(74) F. De Visscher, *Les édits d'Auguste* cit., p. 112. Non mi sembra qui il caso di riferire l'annosa disputa su questo problema, sul quale hanno scritto i più valenti storici e giuristi da un secolo a questa parte; vorrei qui solo ricordare che il Mommsen, consapevole di quanto afferma Cicerone nella *pro Balbo* (11,28; 12,29; 12,30), si vedeva costretto, anche senza

LA CONCESSIONE DELLA CITTADINANZA A GRECI E ORIENTALI

di Roma, la *maiestas populi Romani* è indiscutibile e non subordinabile a condizioni imposte da altri — basti ricordare le argomentazioni e la difesa di questo principio, contro le rivendicazioni dei cittadini di Gades, da parte di Cicerone nella *pro Balbo* (75). Roma è libera, si potrebbe dire sovrana, di concedere la propria cittadinanza e in questo si manifesta l'intento imperialistico della sua politica.

La cittadinanza romana rimane pur tuttavia un grande privilegio cui molti, in ogni epoca, hanno aspirato e, per dirla con il Seston, la sua originalità consiste nel fatto che, «sans cesser d'être romaine, elle peut avoir un contenu différent selon que le *civis romanus* réside à Rome ou hors de cette ville et de son territoire» (76).

Ad una analisi contrastiva dei due momenti, prima e dopo la guerra sociale, risulta come dapprima Roma lasciava concedere ad altri quello che lei non voleva concedere. Prima della guerra sociale la concessione era lasciata alle città italiche di origine greca perché si trattava di elargire la cittadinanza (locale) ad altri greci. La *civitas Romana* è ancora un privilegio di pochi ambito da molti.

Pochissimi, prima della guerra sociale, sono i casi in cui si ricorre alla concessione per manomissione o per adozione e inesistenti — forse uno — i casi in cui la cittadinanza, in base ai dati forniti dall'epigrafia, viene concessa in una colonia, e anche questo probabilmente per adozione.

Non si riscontra fra i due periodi una netta frattura. Una certa continuità si nota anche nella terminologia tecnico-giuridica dei documenti: molte delle formule dell'editto di Rhosos, ad esempio, sembrano desunte dalla *lex repetundarum* e si trovano analogie con il *s.c. de Asclepiade et sociis* (77).

Rimangono inalterati anche i modi con cui si elargisce la cittadinanza; si nota come, dopo la guerra sociale, aumenti notevolmente in proporzione la pratica della concessione per adozione e manomissione e soprattutto di quest'ultima. Meno numerosi sono i casi di concessione per decreto; continua l'uso della concessione *in castris*.

È sempre il governo centrale di Roma che in qualche modo controlla l'elargizione della *civitas Romana*; nel periodo repubblicano i comizi ratificano o concedono al magistrato in carica o all'*imperator* il diritto di elargire la cittadinanza per benemerenze, per lo più *in castris*: nel 103 con la *lex Appuleia*, nell'89 con la *lex Julia*, nel 72 con la *Gellia Cornelia*, nel 42 con la *lex Munatia Aemilia*. Verso la fine del periodo repubblicano le concessioni da parte del governo di Roma, dei comizi, si rarefanno, mentre sempre più spesso si fa ricorso agli editti; alla formula *de consilii sententia* e alle leggi dello stato si sostituisce l'editto come espressione della decisione, della volontà di uno solo, più o meno liberamente ratificata dal senato. Alla decisione collegiale di un organo di governo si va sostituendo l'arbitrio, la discrezionalità del singolo individuo, che ne fa uso per interessi politici nel periodo delle guerre civili, più tardi perché spinto da interessi pseudo-culturali e artistici.

Theophanes di Mytilene è un trait d'union che rappresenta i due movimenti: è un partigiano di Pompeo — ricevette la cittadinanza *in contione militum* — ed è uno storico: *per Gneum Pompeium civitatem meruerat cum esset nobilissimus idemque historiae scriptor* (78).

questi editti, allora sconosciuti, a postulare l'evoluzione, nel tempo, del principio di incompatibilità: TH. MOMMSEN, *Römisches Staatsrechts*, III, 1, p. 699; cfr. A.N. SHERWIN-WHITE, *The Roman Citizenship. A Survey of its development into a world franchise*, ANRW, I, 2, 1972, p. 46 sgg., il quale ribadisce il principio dell'incompatibilità in generale, mentre, riferendosi all'editto di Rhosos, afferma «the edict does however set aside the rule [of Ciceronian incompatibility]»; sulle implicazioni giuridiche della *pro Balbo* cfr. P.A. BRUNT, *The Legal Issue in Cicero, Pro Balbo*, Class. *Quart.*, XXXII, 1982, pp. 136-147, e specialmente p. 143 con n. 28. Per una bibliografia aggiornata sull'argomento cfr. G. LURASCHI, *Foedus, Ius Latii, Civitas*, Padova, 1979.

(75) Cic., *pro Balb.*, 10, 26. Cfr. P.A. BRUNT, *The Legal Issue* cit., pp. 136-147.

(76) W. SESTON, *La citoyenneté romaine* cit., p. 12.

(77) Cfr. P. ROUSSEL, *Un Syrien* cit., pp. 55, 58, 60, 62, 63.

(78) *Script. Hist. Aug.*, XXI, 7, 3; Cic., *pro Archia*, 24. Pompeo agiva in virtù dei poteri concessigli nel 72 a.C. dalla *lex Gellia Cornelia ut cives sint ii, quos Gn. Pompeius de consilii sententia singillatim civitate donaverit* (Cic., *pro Balb.*, 8,19; 14,32; 17,38).

Con Ottaviano-Augusto si nota come dapprima egli si affianchi agli organi collegiali di governo: nell'editto di Rhosos le decisioni emanano da Ottaviano e dal senato; poi, pian piano, l'autorità del *princeps* sostituirà i poteri delle istituzioni repubblicane: nell'editto III di Cirene egli decide da solo e legifera in prima persona. In epoca imperiale, quando i comizi non avranno più il potere di legiferare, direttamente dall'autorità dell'imperatore emanerà l'elargizione della *civitas*. Questo privilegio continuerà ad essere concesso nelle province, ove si assiste all'attuazione del processo che nel periodo repubblicano aveva interessato i municipi italiani; i *cives Romani* di Rhosos e di Cirene sono in un certo senso equiparabili agli Italici subito dopo la guerra sociale (79).

Se per i casi presi in esame, riferentisi al periodo anteriore all'89 a.C., non abbiamo elementi per definire se i neo-cittadini ottengono una *civitas honoraria* o *optimo iure*, — personalmente propenderei per una isopoliteia giacché per lo più di tipo greco è l'organizzazione statale delle città che la concedono, in particolare di Napoli —, per Seleukos e i veterani delle campagne triumvirali, nei documenti che li riguardano, viene fatta una esplicita menzione di iscrizione in tribù e pertanto in senso pieno, attivo e passivo, deve intendersi il diritto di *civis* conseguito.

GIOVANNA MANCINETTI SANTAMARIA

---

(79) W. SESTON, *La citoyenneté romaine* cit., p. 13.

TRE CASI REGIONALI ITALICI:
IL SANNIO PENTRO

Un discorso sulle borghesie municipali italiche nel periodo II-I secolo a.C. risulterebbe, nel caso particolare del Sannio Pentro, almeno in parte improprio, poiché, data la tardività in quest'area del fenomeno «municipalizzazione», non si può correttamente parlare di «borghesie municipali italiche» se non nei decenni finali del periodo in questione.

I limiti cronologici sopra indicati offrono la possibilità di analizzare peraltro il periodo (che dal punto di vista storico e, soprattutto, archeologico, è quello relativamente meglio documentato) compreso tra l'inizio del II secolo e la guerra sociale, periodo in cui il possesso agrario doveva essere ormai praticamente in regime di oligopolio, esercitato da famiglie della aristocrazia sannita. Possono in tal modo essere messe a confronto due realtà politiche e socio-economiche nettamente separate da una discriminante così traumatica quale fu il *bellum sociale* (con l'appendice del *bellum civile*), tentando di evidenziare, per contrasto, mutamenti radicali, senza trascurare gli elementi di continuità.

La situazione esistente agli inizi del II secolo a.C. è pur sempre il risultato di una evoluzione, iniziata fin dall'affermarsi dell'egemonia romana all'indomani delle guerre sannitiche e delle devastazioni annibaliche. È forse il caso di illustrare sinteticamente tale evoluzione a partire dagli inizi del III secolo a.C.

Il territorio sannitico (quello pentro in particolare) fu organizzato dai nuovi *socii* con finalità rispondenti a precise esigenze politiche ed economiche: il complesso sistema di fortificazioni, che, prima ancora che in funzione antiromana, erano sorte in funzione del controllo delle vie di penetrazione economica e dei distretti rurali di competenza (1), perse il suo ruolo originario, prevalentemente militare; contemporaneamente entrava in crisi il modello produttivo paganico-vicano, caratterizzato da insediamenti sparsi, presupposti e funzionali alla media e piccola proprietà agricola e pastorale. Tra i fattori che interagirono va individuato, ad esempio, lo spopolamento del territorio, causato sia dalle vicende militari, sia dall'«inurbamento»: la *colonia* latina di Aesernia, fondata nel 263 - municipio dopo la guerra sociale - costituì una novità nel tessuto insediativo locale e accolse, probabilmente fin dai primi anni, un cospicuo numero di *inquolae Samnites*, cui era forse aperta la via alla *civitas latina* (2). Un altro fattore da considerare, in un'ottica però più ampia, è la complementarietà attribuita all'economia di questa regione rispetto a quella della Apulia, definibile con il binomio economia pastorale-latifondo agricolo, considerate le rispettive vocazioni produttive dei due territori (3). Tale complementarietà, che non avrebbe potuto attuarsi senza il pieno controllo romano su questi territori (che garantiva inoltre la tranquillità dei trasferimenti stagionali del bestiame dai pascoli alti del Sannio a quelli dell'Apulia) si risolse in una «riconversione» a pascolo delle aree meno produttive dal punto di vista agricolo. Tale «riconversione», nel corso del III secolo a.C., dovette risolversi a danno dei piccoli proprietari rurali, sprovvisti dei mezzi economici sufficienti per affrontare investimenti di più ampio respiro e più inclini all'esodo delle campagne e all'inurbamento in quei centri che offrivano una qualche possibilità di occupazione nel settore artigianale o in quello commerciale; questi erano situati generalmente lungo le vie di comunicazione, ai piedi delle antiche

---

(1) LA REGINA, 1975.
(2) ID., 1971, p. 452.
(3) TOYNBEE, 1965, p. 236; LA REGINA, 1971, p. 455.

arces, e costituirono i nuclei polarizzatori nell'ambito del successivo sistema municipale romano (Aufidena, Bovianum, Saepinum, oltre alla *colonia* di Aesernia). La progressiva concentrazione presso pochi proprietari di porzioni sempre più vaste di territorio, costituenti veri e propri «latifondi», anche se destinati prevalentemente al pascolo, comportò l'accumulazione di ingenti capitali in mano a quelle che non possono definirsi altrimenti che autentiche «aristocrazie» locali.

È questa, a grandi linee, la situazione che si presenta nel territorio pentro all'inizio del II secolo a.C., situazione ancor più consolidata verso la metà del secolo stesso, quando la documentazione archeologica comincia ad illuminarci più direttamente su luoghi, fatti e, talvolta, nomi.

Diversamente che nei secoli precedenti (IV-III), quando le risorse economiche, più equamente ripartite all'interno delle comunità, erano assorbite quasi esclusivamente dalle spese per la sicurezza territoriale e per la difesa (e le testimonianze archeologiche vanno quasi esclusivamente in tal senso) e i *meddices tutici* erano espressione di una base sociale più larga, nel periodo in esame i sommi magistrati della *touta* pentra sono reclutati ormai nella ristretta cerchia degli aristocratici e le risorse, ormai quasi totalmente privatizzate, quando vengono utilizzate per operazioni evergetistiche (in relazione ormai esclusivamente a santuari), seppure impiegate per l'utile della comunità, presuppongono sempre un forte e marcato contenuto ideologico e propagandistico da parte del committente.

La monumentalizzazione di santuari e luoghi di culto preesistenti segue una linea di sviluppo analoga a quella riscontrabile nell'area laziale, interessata, in misura anche maggiore, dallo stesso fenomeno, che ha profonde radici di carattere politico ed economico. In seguito all'apertura dei ricchi mercati orientali, in particolare Delos, cui parteciparono largamente *mercatores* italici, soprattutto laziali e campani, confluirono nelle regioni di origine ingenti capitali, parte dei quali furono impiegati nella ristrutturazione di vecchi santuari o nella costruzione di nuovi, per i quali si adottarono soluzioni architettoniche e planimetriche importate anch'esse dalle zone di tradizione culturale ellenistica nelle quali i *mercatores* stessi si erano trovati ad operare (4).

L'onomastica restituita dall'epigrafia in lingua osca (pertinente quasi esclusivamente a *meddices* o comunque a personaggi dell'élite aristocratica), di recente arricchitasi in maniera cospicua in seguito al rinvenimento di numerosi bolli laterizi nel territorio di Bovianum (5), offre una serie di gentilizi, alcuni dei quali, come nel caso già segnalato degli *Staii* (6), risultano presenti nei mercati greco-orientali (cfr. Quadro 2a) (7). Gli interventi edilizi, effettuati nei santuari dalle élites aristocratiche pentre, sono esposti nel Quadro 1 secondo la loro successione cronologica e in relazione al tipo di evergetismo (8).

La inesistenza di una tradizione architettonica e costruttiva al livello della loro potenzialità economica, costrinse i committenti a rivolgersi a maestranze specializzate, probabilmente organizzate in imprese itineranti, provenienti dalla Campania, che avevano assimilato pienamente i modelli ellenistici: in Campania si ritrovano infatti i precedenti diretti (e pressoché contemporanei) di edifici come il teatro di Pietrabbondante, che trova confronti impressionanti nell'Odeion di Pompei e nel

---

(4) COARELLI, 1980, p. 95 sgg.; COARELLI 1982, p. 147; cfr. GROS, 1978, pp. 28, 49-50.

(5) VETTER, 1953, pp. 101-113, nn. 139-161; POCCETTI, 1979, pp. 33-78, nn. 13-100; REI, 1978, pp. 409-456; 1979, pp. 353-369; 1980, pp. 419-424.

(6) LA REGINA, 1974, pp. 229 sgg.; cfr. HATZFELD, 1912, n. 80.

(7) La documentazione relativa a commerci e traffici con l'Oriente ellenistico è fornita, nel Sannio Pentro, da numerosi bolli rodî databili dalla fine del III sec. a.C. in poi, rinvenuti a Monte Vairano, Pietrabbondante, Campochiaro, Castel di Sangro, cfr. SANNIO, 1980, pp. 342 sgg. (De Benedittis).

(8) STRAZZULLA, 1973 (Pietrabbondante); LA REGINA, 1974, pp. 222-237 (Pietrabbondante); 230-237 (Schiavi d'Abruzzo); 237-241 (S. Giovanni in Galdo); 242 (Campochiaro); MOREL, 1974, pp. 255 sgg. (Vastogirardi); SANNIO, 1980, pp. 131 sgg. (Pietrabbondante); 197 sgg. (Campochiaro); 269 sgg. (S. Giovanni in Galdo); 281 sg. (Vastogirardi); 284 (Schiavi d'Abruzzo).

teatro di Sarno (9) e il tempio B, che riproduce esattamente, addirittura in scala maggiore, motivi decorativi presenti nel podio del tempio Patturelli di Capua (10).

Gli esempi addotti nel caso del complesso tempio-teatro di Pietrabbondante sono da estendere anche agli altri santuari, minori per importanza e per dimensioni, ma certo non meno curati nell'esecuzione. La stessa decorazione accessoria, quali gli elementi fittili di rivestimento e, in particolare, i pavimenti in signino recanti elaborati motivi a tessere inserite (losanghe, svastiche alternate a quadrati, squame ecc.) trovati ad esempio a Schiavi d'Abruzzo (tempio piccolo) e a S. Giovanni in Galdo (11), oltre che nei livelli ellenistici di Saepinum, i quali hanno restituito, fra l'altro, un émblema in tessellato con rappresentata una scena di caccia (12), mostra la mano di maestranze che hanno recepito i modelli campano-laziali (13). Una eccezione sembra essere costituita dal più piccolo dei due tempi di Schiavi (14) che, a differenza degli altri, è costruito completamente in muratura e provvisto di decorazione accessoria di qualità artistica più scadente rispetto a quella di Pietrabbondante: più che ad una importanza minore nei confronti dell'altro tempio, più antico, tale diversità va imputata, a mio parere all'improvviso venire meno del supporto tecnico necessario alla sua realizzazione nella tecnica più usuale e più «nobile», quella lapidea, in pratica ed una interruzione dei rapporti con i *redemptores* campani, proprio in concomitanza con il *bellum sociale*, quando il Sannio Pentro venne a trovarsi praticamente isolato e quando, comunque, era estremamente rischioso operarvi. L'identificazione del costruttore del tempio, il cui nome appare nell'iscrizione sul pavimento, all'ingresso (15), con il *C. Papius Mutilus* capo degli insorti durante la guerra sociale (16), fornirebbe non solo una cronologia precisa all'edificio ma anche una spiegazione alla diversità di tecnica adottata, nonché qualche riflessione sul valore e sulle implicazioni ideologiche di una operazione edilizia deliberatamente compiuta in siffatto frangente (17). Una seconda eccezione sarebbe costituita dal santuario di Campochiaro (18), il cui criptoportico ad oriente del tempio, concepito in funzione di terrazzamento, sembra impiegare nella fase più tarda, precedente comunque la guerra sociale, la tecnica cementizia, che, almeno finora, non trova confronti nella regione.

L'adozione di modelli culturali ellenistici, così puntualmente rintracciabili, da parte della classe egemone nel Sannio Pentro non si è ovviamente limitata all'aspetto architettonico, ma si è estesa anche a quello figurativo. È sufficiente fare qui riferimento a due prodotti pur tanto diversi fra loro, quali la celeberrima quanto problematica testa bronzea di S. Giovanni Lipioni (territorio di Terventum) (19) e la testa in calcare tenero pertinente alla decorazione (capitello figurato?) del tempio B di Pietrabbondante (20). La dicotomia tra il livello artistico di questo tipo di committenza e la produzione corrente del livello della *koiné* italica, in bronzo, pietra e terracotta, per non parlare di prodotti di arte cosiddetta «incolta» quali la testa calcarea e l'idoletto fallico di Pietrabbondante (21), mostra a quale grado fosse pervenuta nel Sannio la divaricazione tra le componenti sociali.

(9) STRAZZULLA, 1973, pp. 22 sg.; LA REGINA, 1974, p. 223.

(10) STRAZZULLA, 1973, pp. 23-25 e n. 65; LA REGINA, 1974, p. 233.

(11) Vedi nota n. 8.

(12) SEPINO, 1983.

(13) LA REGINA, 1974, p. 233.

(14) LA REGINA, 1974, p. 237.

(15) POCCETTI, 1979, n. 34.

(16) PROSDOCIMI, 1980.

(17) Cfr. il caso di Corfinium-Italia, capitale degli insorti italici, urbanizzata nel pieno delle attività militari (Appiano, *B.C.*, 2, 38).

(18) Vedi nota 8.

(19) COLONNA, 1957, pp. 567-569; 1958, p. 303.

(20) STRAZZULLA, 1973, pp. 49 sgg., tav. 14a; SANNIO, 1980, p. 172, n. 54.

(21) STRAZZULLA, 1973, p. 44 sg.; SANNIO, 1980, pp. 157-159, nn. 43-44.

È stato messo bene in evidenza (22) che le rivendicazioni nei confronti di Roma, le quali portarono allo scoppio della guerra sociale, almeno in origine non avevano tinte nazionalistiche, anzi erano dettate esclusivamente dall'aspirazione delle classi egemoni a venire integrate nello stato romano mediante l'ottenimento della cittadinanza. Questo allo scopo di partecipare quali soggetti attivi alla vita politica e ad avere un peso nelle decisioni, soprattutto in materia di politica economica, dati anche gli interessi consolidati nello scacchiere greco-orientale.

Come sovente accade, le classi meno privilegiate furono coinvolte, con gli opportuni mezzi propagandistici e con l'uso strumentale del sentimento nazionale, in un conflitto ad esse sostanzialmente estraneo, e furono quelle sulle quali, infine, ricaddero più pesantemente le conseguenze; alcuni esponenti dell'aristocrazia invece ne uscirono indenni ed altri addirittura rafforzati, per aver saputo valutare in tempo, e accortamente, le alleanze politiche con i potentati romani nel momento in cui la guerra sociale si trasformava in guerra civile.

A questo punto è forse opportuno, comparando i dati epigrafici in lingua osca con quelli in lingua latina, fare alcune osservazioni sulla continuità o meno delle antiche *gentes* sannite dopo la guerra sociale (Quadro 2a).

Sono stati considerati i centri che nel successivo assetto amministrativo romano corrisponderanno ai municipi di Aufidena, Bovianum, Fagifulae, Saepinum, Terventum, tutti assegnati alla tribù *Voltinia*, ivi compresa Aesernia, appartenente alla tribù *Tromentina*, anch'essa municipio dopo il 90 a.C., attribuendo al capoluogo le epigrafi provenienti dal territorio; non compare ovviamente, quale municipio a se stante, Bovianum Vetus, la cui inesistenza e la cui errata identificazione con Pietrabbondante sono state dimostrate da A. La Regina (23). Sono state considerate relative a ceti «borghesi» le attestazioni di rango equestre, di magistrature cittadine, di episodi di evergetismo (ad esclusione di quelli operati da liberti o *augustales*) e le manifestazioni evidenti di *status* elevato (24), approssimativamente fino all'età augustea. Va comunque premesso che, sia per l'ovvia parzialità dei dati, sia per l'imperfetto livello di elaborazione degli stessi, il quadro presentato va inteso quale ipotesi di lavoro suscettibile di ulteriori approfondimenti e modifiche specialmente nell'eventualità di ulteriori e auspicabili ritrovamenti epigrafici.

L'analisi onomastica mostra (Quadro 2a) che su 26 *gentes* sannite per le quali è sicura la corrispondente attestazione latina, ivi comprese quelle cui appartengono i *Samnites inquolae* i cui gentilizi sono direttamente espressi in latino (25), allo stato delle nostre attuali conoscenze, 16 non danno esito nell'onomastica latina, 10 continuano a sussistere nell'ambito del Sannio Pentro e, di queste, 7 (4 delle quali avevano ottenuto il meddiciato) si attestano, nel successivo ordinamento municipale, a livelli di «borghesia»: i *Maii* ad Aesernia, i *Papii* a Saepinum, i *Pomponii* ad Aufidena e Saepinum (ove appaiono a livello senatorio), i *Pontii* a Fagifulae e Terventum, gli *Staii* ad Aesernia, i *Varii* a Saepinum e Terventum, i *Decitii* a Terventum. A proposito dei *Decitii* sappiamo che un personaggio eminente di questa *gens, Cn. Decitius*, fu proscritto da Silla (26); dei rimanenti quattro clan familiari i *Betitii* e i *Satrii* rimangono attestati nel territorio di Bovianum ma senza raggiungere, almeno apparentemente, livelli di «borghesia municipale» (ma una *gens Betitia* apparterrà alla élite di Aeclanum), il gentilizio *Corellius* si ritroverà, ma molto più tardi (inizi II sec. d.C.) nel territorio dei Ligures Baebiani (27), confinante con quello di Saepinum, a livelli ormai non più di borghesia locale,

(22) GABBA, 1973, pp. 208-218.
(23) LA REGINA, 1966, p. 278 sgg.
(24) Vedi sotto il caso dei *Socellii*.
(25) Vedi Quadro 2b.
(26) Cicerone, *pro Cluentio*, 59, 161.
(27) *CIL* IX, 1455.

ma di élite senatoria (*Corellius Pansa*, imparentato con i *Neratii* sepinati, è *cos. ord.* 122), il gentilizio *Helvius* ricorrerà, ma anch'esso tardi, a Saepinum, attestato a livello equestre (28).

A parte il caso dei *Decitii*, la cui fortuna fu evidentemente compromessa dalla proscrizione di un suo membro importante, e degli *Staii* che, prima numerosissimi, sembrano improvvisamente esaurirsi, è abbastanza indicativo il destino delle altre due *gentes* più eminenti del Sannio Pentro.

L'*embratur* della guerra sociale, *C. Papius Mutilus*, il costruttore del tempio piccolo di Schiavi, ottenuta la *civitas*, si ritira a vita privata a Nola (29), ma un suo discendente ottiene i *fasces* nel 9 d.C. *C. Statius Clarus*, da identificare (30) con lo Stazio Sannita menzionato da Appiano (31), fu fatto senatore da Silla, per essere però poi proscritto, ricchissimo e ottantenne, dai triumviri nel 42 a.C.

Si è osservato che tra il periodo sillano e l'età giulio-claudia ogni *touta* sannita ebbe un rappresentante nella curia di Roma (32). Si potrebbe avanzare, sia pure con molta cautela, l'ipotesi che la mancata distruzione del santuario di Pietrabbondante, fatto particolarmente oggetto della sua munificenza, (tempio B), si debba ad un riguardo personale nei confronti di *C. Statius Clarus*, quando, al contrario, si perpetrò con accanimento la distruzione sistematica del santuario di Campochiaro.

Per completare il quadro delle *gentes* osche occorre considerare anche i gentilizi, sebbene espressi in lingua latina, appartenenti ai *Samnites inquolae* di Aesernia (Quadro 2b) (33), databili nel corso del II secolo a.C.

In definitiva avvenne una selezione all'interno delle stesse élites sannite, con una divaricazione tra le *gentes* ammesse al senato e alcune vecchie famiglie, precedentemente in subordine, che si affermeranno come ceti dirigenti municipali insieme con elementi di provenienza esterna (34). Per esaurire il quadro si consenta una riflessione riguardo al gentilizio Marius: se può considerarsi una variante di Maraeus (osco *maraies*) (35), esso costituirebbe un altro caso di continuità, con attestazioni (non però a livello «borghese») a Bovianum, Terventum, Aesernia, Fagifulae, Saepinum. Per pronunciarsi con sicurezza nel caso dei gentilizi oschi di incerto scioglimento (Quadro 2a) è forse più opportuno attendere che si acquisiscano ulteriori elementi.

Il confronto tra i gentilizi oschi e i corrispondenti latini, necessario al fine di verificare continuità o fratture, comporta inevitabilmente un salto che non è meramente cronologico, ma propriamente storico, tra due realtà strutturalmente assai diverse.

Al disordine e ai guasti provocati dalla guerra sociale e civile, seguì, al pari che in altre parti d'Italia, una riorganizzazione generale, il cui cardine fu costituito dal sistema municipale. Con la concessione del diritto di cittadinanza e la ridistribuzione della ricchezza fondiaria, precedentemente in mano alle vecchie aristocrazie, si gettarono i presupposti per il riassetto del territorio: sebbene la tradizionale forma insediativa paganico-vicana non venisse completamente destrutturata, si privilegiarono, urbanizzandoli, alcuni centri, i quali divennero le sedi amministrative distrettuali. Ovviamente tali scelte avvennero in base a considerazioni di carattere logistico ed economico ed interessarono comunque centri in qualche modo dotati di una embrionale struttura urbana fin da epoca precedente (36). A Saepinum, che finora costituisce il caso meglio documentato (37), la fase preromana (II-I sec.

(28) *CIL* IX, 2468.

(29) Livio, *Epit.*, 89.

(30) La Regina, *PdP*, 1975, pp. 166 sgg.

(31) Appiano, *B.C.*, 25, 102.

(32) *AIEGL*, 1981, (Torelli, I, p. 13).

(33) Vedi nota n. 2.

(34) Vedi oltre.

(35) Cfr. La Regina, 1966, p. 278.

(36) La Regina, 1970, p. 199 sgg.; Gabba, 1972, p. 80.

(37) Ambrosetti, 1958; La Regina, 1970, pp. 98-200; Sepino, 1983.

a.C.) attesta una ben affermata attività di carattere produttivo in relazione all'allevamento ovino e al commercio della lana (favoriti dalla collocazione su un trattturo), oltre ad edifici di notevole livello, come lasciano intendere i ricchi pavimenti a mosaico scoperti lungo il lato nord-orientale del foro di età romana e presso la basilica; tali manufatti sono perfettamente confrontabili e coevi ai già ricordati pavimenti di Schiavi d'Abruzzo e S. Giovanni in Galdo.

Della continuità o meno delle antiche *gentes* pentre si è già detto; restano da analizzare, per quanto è possibile, quei ceti «borghesi» di epoca romana, databili non oltre l'età giulio-claudia, per i quali, non trovandosi corrispondenza nell'epigrafia osca locale, è da verificare una eventuale provenienza da altre regioni, imputabile ad esempio alle assegnazioni agrarie di età triumvirale e augustea (38). Il censimento delle «borghesie» (Quadro 3) comprende una serie di 47 gentilizi per i quali si può almeno tentare di stabilire una provenienza (39).

Seppure i risultati vadano considerati nella loro aleatorietà, non di meno è possibile intravedere alcune linee di tendenza.

La grande maggioranza delle *gentes* (15) sembra di provenienza campana, in alcuni casi ulteriormente precisabile; di una serie di 7 *gentes* è altrettanto probabile la provenienza campana quanto quella laziale (Quadro 4a), certamente di origine laziale sono comunque 4 famiglie: se si considera che di queste ultime, 3 sono attestate ad Aesernia, si può ragionevolmente ritenerle discendenti da antichi coloni ivi dedotti.

A parte inoltre alcuni casi che prospettano un ampio ventaglio di possibilità (Etruria, Piceno, Italia Meridionale) (Quadro 4a), e il caso singolo costituito dagli *Afinii* (attribuibili con pari probabilità tanto a Saepinum quanto a Beneventum), esiste una serie di 14 *gentes* per le quali, sulla base della documentazione disponibile, una qualsivoglia ipotesi di provenienza è difficilmente verificabile (Quadro 4b).

Non è comunque improbabile che ad alcune tra queste sia da rivendicare una origine locale: in tal caso esse andrebbero aggiunte al numero delle 7 famiglie «borghesi» la cui origine pentra è garantita dalle attestazioni in lingua osca (40). Potrebbe essere questo ad esempio il caso dei *Neratii* o dei *Socellii:* la prima è una famiglia che, stabilitasi a Saepinum, ma attestata comunque in epoca repubblicana ad Aesernia (41), già in età flavia assurge al patriziato e si manterrà poi a livelli elevatissimi fino a tutto il IV secolo d.C. (42). La seconda, è una *gens* terventina per la quale non sono attestate magistrature, ma che dovette appartenere alla «borghesia» di campagna: di essa è conosciuto

---

(38) Attestate dal *Liber Coloniarum* a Terventum (238, 14), Saepinum (237, 14) Bovianum (231, 8), Aesernia (233, 14; 260, 7, 13 16), Aufidena (259, 17, 21).

(39) Tentare di stabilire la provenienza geografica di una *gens* è pur sempre difficoltoso e comporta in ogni caso il rischio di inesattezze. Ritengo necessario premettere che, sebbene le conclusioni possano essere discutibili, e certamente non siano esaustive, esse discendono tuttavia dall'applicazione coerente di un preciso metodo adottato: come determinanti sono state considerate, per ciascun gentilizio, le attestazioni più antiche e le concentrazioni in particolari centri. L'indagine epigrafica, svolta a tappeto, ha riguardato i voll. I², IX, X, XI del *CIL*, le *ILLRP* del Degrassi e *L'Année épigraphique*; sono state considerate inoltre alcune iscrizioni inedite. È stato utilizzato lo studio di P. Castrén, *Ordo populusque pompeianus, Acta Inst. Rom. Finlandiae*, VIII, Roma, 1975, come pure sono stati utilizzati i risultati del recente *Colloquio di Epigrafia Greca e Latina*, *AIEGL*, Roma, 1981, che ha avuto per oggetto l'*origo* locale delle *gentes* senatorie. Non sono state trascurate le sia pur rare informazioni fornite dalle fonti.

Desidero precisare che quando si attribuisce ad una *gens* la provenienza campana, non si allude ad una contrapposizione etnica rispetto al Sannio, ma ad una distinzione meramente geografica, tutt'al più cronologica, utilizzata per comodità di lavoro. Non è da dimenticare infatti (basti ricordare il caso di Pompei) che la Campania era profondamente oschizzata e che gran parte delle famiglie campane discendevano da antiche *gentes* provenienti dal Sannio interno.

(40) Vedi supra, e Quadro 2a.

(41) DIEBNER, 1979, p. 168 sgg. n. 57. Si tratta probabilmente di un membro femminile immigrato ad Aesernia per motivi matrimoniali.

(42) SEPINO, 1983, (M. Gaggiotti).

il notevole monumento funerario collocato nei pressi del santuario di Pietrabbondante (43), il quale, inglobato all'interno di una proprietà privata, continuò a funzionare per qualche tempo ma a livello di santuario prediale.

Non sono da tacere inoltre, per completare il quadro, i casi in cui le famiglie si attestano ad un livello superiore a quello «borghese», cioè si fregiano del rango senatorio. A parte quello offerto dai già ricordati *Neratii*, eccezionale, ma leggermente più tardo rispetto al periodo che qui interessa, è da ricordare il caso dei *Marcilii* e dei *Nonii* di Aesernia, che producono rispettivamente un *legatus Luculli in Asia* nel 74-72 e un *procos. Galliae Transpadanae* ca. nel 30 a.C. (44) e quello dei *Cerrinii* di Bovianum, che espressero un senatore in età augustea (45).

In conseguenza della ridistribuzione della ricchezza, almeno nel periodo augusteo esiste un sostanziale equilibrio economico all'interno delle «borghesie» municipali, costituite in gran parte da ex militari, come ci è indicato dai dati epigrafici (46), beneficiate dalle assegnazioni agrarie. Non di meno, talvolta, si assiste a fenomeni evergetistici di notevole peso: offro qui brevemente il caso di Saepinum, che benché fosse un centro minore, è, tra quelli pentri, il meglio documentato, sia epigraficamente che archeologicamente. In questo municipio alcuni «borghesi», certamente ispirati ma forse anche sostenuti finanziariamente dal potere centrale, costruirono la *basilica* con relativo *tribunal columnatum* (47), il complesso *campus piscina porticus* posto alle spalle del teatro (48), alcune fontane monumentali (49),la pavimentazione della piazza del foro (50), la copertura di un edificio non meglio specificato (51). Il fenomeno tuttavia più rilevante è costituito dalla erezione del complesso *murum portas turris* che, considerata l'ampiezza dell'intervento, non potè essere sostenuta se non dalla munificenza imperiale (forse non estranea anche alla costruzione del teatro) (52), la quale era ovviamente dettata da motivi propagandistici (le porte urbiche nella struttura e nella decorazione sono concepite in guisa di archi trionfali celebranti le imprese germaniche di Druso e Tiberio) e dalla ricerca costante del consenso (53). È interessante notare che le medesime motivazioni, un secolo e mezzo prima, erano state alla base delle operazioni evergetistiche effettuate dalle aristocrazie sannite.

MARCELLO GAGGIOTTI

(43) STRAZZULLA, 1973, p. 58, n. 19; SYDOW, von, 1977.

(44) *AIEGL,* 1981, (Torelli, I, p. 24).

(45) IBID., p. 24.

(46) Vedi Quadro 3.

(47) GAGGIOTTI, 1978, p. 160; SEPINO, 1983, (M. Gaggiotti).

(48) GAGGIOTTI, 1981; SEPINO, 1983, (M. Gaggiotti).

(49) GAGGIOTTI, 1973; SEPINO, 1983, (M. Gaggiotti).

(50) *AE,* 1959, 276.

(51) *AE,* 1959, 283.

(52) *CIL* IX, 2443. L'iscrizione, in cui Tiberio e Druso appaiono quali munifici costruttori del complesso *murum portas turris* (probabilmente con l'impiego di *manubiae* dalle guerre germaniche), è databile tra il 2 a.C. ed il 4 d.C. (a quest'epoca comunque Druso non era più in vita, essendo morto nel 9 a.C.); cfr. GAGGIOTTI, 1973, p. 32 sg.

(53) In questa prospettiva può rientrare anche l'evergetismo eventualmente operato dagli *augustales*.

MARCELLO GAGGIOTTI

BIBLIOGRAFIA
(abbreviazioni per le opere più citate)

AIEGL, 1981: *Colloquio Int. AIEGL-Epigrafia e ordine senatorio, Atti preliminari*, Roma, 1981.

AMBROSETTI, 1958: G. AMBROSETTI, *Testimonianze preaugustee da Sepino-Altilia, Archeologia Classica*, X, 1958, pp. 14-20.

SANNIO, 1980: A.A.V.V., *Sannio-Pentri e Frentani dal VI al I sec. a.C.*, Roma, 1980.

SEPINO, 1983: A.A.V.V., *Saepinum. Museo documentario dell'Altilia*, in corso di stampa.

CASTRÉN, 1975: P. CASTRÉN, *Ordo populusque pompeianus, Acta Inst. Rom. Finlandiae*, VIII, Roma, 1975.

COARELLI, 1980: F. COARELLI, *I Templi dell'Italia antica*, Milano, 1980.

COARELLI, 1982: F. COARELLI, *Lazio, Guide Archeologiche Laterza*, Bari, 1982.

COLONNA, 1957: G. COLONNA, *Sul ritratto detto da Pietrabbondante, S.E.*, XXV, 1957, pp. 567-569.

COLONNA, 1958: G. COLONNA, *Nota aggiuntiva all'articolo sul ritratto detto da Pietrabbondante, S.E.*, XXVI, 1958, p. 303.

DE BENEDITTIS, 1974: G. DE BENEDITTIS, *Il centro sannitico di Monte Vairano presso Campobasso, D.A.I.R.*, V, 1974.

DE BENEDITTIS, 1977: G. DE BENEDITTIS, *Bovianum e il suo territorio, D.A.I.R.*, VII, 1977.

DIEBNER, 1979: S. DIEBNER, *Aesernia-Venafrum*, Roma, 1979.

GABBA, 1972: E. GABBA, *Urbanizzazione e rinnovamenti urbanistici nell'Italia centro-meridionale del I sec. a.C., Studi classici e orientali*, XXI, 1972, pp. 73-112.

GABBA, 1973: E. GABBA, *Esercito e società nella tarda repubblica romana*, Firenze, 1973, pp. 193-345.

GAGGIOTTI, 1973: M. GAGGIOTTI, *La fontana del Grifo a Saepinum, D.A.I.R.*, III, 1973.

GAGGIOTTI, 1978: M. GAGGIOTTI, *Le iscrizioni della basilica di Saepinum e i rectores della provincia del Samnium, Athenaeum*, LVI, 1978, pp. 146-169.

GAGGIOTTI, 1981: M. GAGGIOTTI, *Note urbanistico-topografiche tratte da una iscrizione inedita sepinate, Annali Fac. Lettere e Fil. Univ. Perugia*, XVI, I, 1978/79, Perugia, 1981, pp. 48-59.

GROS, 1978: P. GROS, *Architecture et societé, Latomus*, 156, 1978, pp. 27-29; 49-50; 81-84.

HATZFELD, 1912: J. HATZFELD, *Les Italiens résidant à Délos, BCH*, XXXVI, 1912, pp. 1-218.

HATZFELD, 1919: J. HATZFELD, *Les trafiquants italiens dans l'Orient hellénique, BÉFAR*, 115, Paris, 1919.

LA REGINA, 1966: A. LA REGINA, *Le iscrizioni osche di Pietrabbondante e la questione di Bovianum Vetus, Rheinisches Museum für Philologie*, 1966, pp. 260-286.

LA REGINA, 1970: A. LA REGINA, *Note sulla formazione dei centri urbani in area sabellica, Atti conv. studi città Etrusca e Italica*, Imola, 1970, pp. 191-207.

LA REGINA, 1971: A. LA REGINA, *I territori sabellici e sannitici, D.d.A.*, 1970-71, pp. 443-459.

LA REGINA, 1974: A. LA REGINA, *Il Sannio, Hellenismus in Mittelitalien*, Göttingen, 1974, pp. 219-248.

LA REGINA, 1975: A. LA REGINA, *Centri fortificati preromani nei territori sabellici dell'Italia centrale adriatica, Posebna Izdanja*, XXIV, 1975, Sarajevo, pp. 271-282.

LA REGINA, PdP, 1975: A. LA REGINA, *Stazio Sannita, P.d.P.*, 1975, pp. 163-169.

LA REGINA, 1976: A. LA REGINA, *Sannio: Pietrabbondante, S.E.*, XLIV, 1976, pp. 283-288.

MOREL, 1974: J.-P. MOREL, *Le sanctuaire de Vastogirardi et les influences hellénistiques en Italie Centrale, Hellenismus in Mittelitalien*, Göttingen, 1974, pp. 255-262.

POCCETTI, 1979: P. POCCETTI, *Nuovi documenti italici (a complemento del manuale di E. Vetter)*, Pisa, 1979.

PROSDOCIMI, 1980: A.L. PROSDOCIMI, *Una nuova iscrizione osca da Schiavi d'Abruzzo, S.E.*, VIII, 1980, pp. 187-195.

REI, 1978: *R.E.I.*, VI, *S.E.*, XLVI, 1978, S. CAPINI, pp. 420-443

G. DE BENEDITTIS, pp. 409-420.

A. DI NIRO, pp. 444-456.

REI, 1979: *R.E.I.*, VII, *S.E.*, XLVII, 1979, S. CAPINI, pp. 367-369.

G. DE BENEDITTIS, pp. 353-367

REI, 1980: *R.E.I.* VIII, *S.E.*, XLVIII, 1980, S. CAPINI, p. 424.

G. DE BENEDITTIS, pp. 419-424.

SALMON, 1967: E.T. SALMON, *Samnium and the Samnites*, Cambridge, 1967.

SCHULZE, 1933: W. SCHULZE, *Zur Geschichte lateinischer Eigenammen*, Berlin, 1933.

SHERWIN-WHITE, 1978: S.M. SHERWIN-WHITE, *Ancient Cos*, Göttingen, 1978, p. 252, n. 182.

STRAZZULLA, 1973: M.J. STRAZZULLA, *Il santuario sannitico di Pietrabbondante, D.A.I.R.*, I, 1973.

SYDOW, von: W. von SYDOW, *Ein Rundmonument in Pietrabbondante, MDAI(R)*, LXXXIV, 1977, pp. 267-300.

TOYNBEE, 1965: A.J. TOYNBEE, *Hannibal's legacy*, II, London, 1965.

VETTER, 1953: E. VETTER, *Handbuch der italischen Dialekte*, Heidelberg, 1953.

IL SANNIO PENTRO

QUADRO 1
SANNIO PENTRO - I SANTUARI

LOCALITÀ	CRONOLOGIA	TIPO DI EDIFICIO	EVERGETISMO	REFERENZE
Pietrabbondante	III sec. a.C.	tempio ionico		
	200-150	tempio A	T. Staíís (M. Maraies) (St. .....) (Gn. Staíís)	Ve 152 Ve 149 Ve 153 Ve 151
	95-91	tempio B - teatro	G. Staatis Klar (Mr. Staíís) (L. Dekitis) (Pk. Staíís)	Ve 154 + Po. 18 Po. 16 Po. 16 Po. 14
Schiavi d'Abruzzo	fine III inizi II sec. a.C. 90-88	tempio maggiore tempio minore	G. Paapiis Mitileís	Po. 34
Vastogirardi	125 ca.	tempio	(Staii)	Po. 33
S. Giovanni in Galdo	104-91	tempio/thesauròs		
Campochiaro	150 ca.	tempio		

GENTILIZI OSCHI E LOCALITÀ

REFERENZE VETTER/POCCETTI/REI	GENTILIZI OSCHI	N. INDIV.	LOCALITÀ	MEDDICES TUTICI
Ve 161	aadiis	1	Sepino	
REI VIII, 1/Ve 156	betitis	3	M. Vairano/Molise	x
Ve 140	kalaviis	1	Aesernia	
Po. 40, 58, 69	klippiis	2	Sepino/C. Anchise Campochiaro	x
Po. 56+REI, VIII, 3 bis/REI, VII, 1?	kureliis	1/2?	M. Vairano	
Ve 142	dekis	2	Aufidena	
Po. 82+REI, VII, 30/Po. 16/34 (=82?)	dekitis	5/6	C.Chiaro/Schiavi Pietrabb.	x
Po. 80	eganatiis	2	Campochiaro	x
Ve 5, c, 7	hereiis	2	Sepino (Cuma)	
Po. 70/REI, VII, 32?	heriis	2	Campochiaro	x
REI, VIII, 1	heleviis	2	M. Vairano	
Ve 148	hurtiis	2	Agnone	
Ve 145	mahiis	1	Aufidena	
Ve 149	maraies	1	Pietrabbond.	?
Ve 158	niumeriis	1	Rocca Asprom.	
Po. 34	úpsiis	2	Schiavi	x
Po. 45=REI, X/Po. 57/REI, X/Po. 34 Ve 160a; Po. 43, 67, 76	paapiis	6	Boiano/C. Anchise C. Chiaro/Schiavi	x
Po. 48/75	pumtiis	3	Boiano Campochiaro	x
Po. 44/71	sadriis	2	Boiano Campochiaro	x
Ve 160b; Po. 50, 68, 72-3, 77, 81, 84-86/Ve 151=Po.19; Ve 152; Po. 13-16/Po. 33	staíís	25/27	Boiano/C. Chiaro Pietrabbond. Vastogirardi	x
Ve 160a/Po.67/Ve 154+Po.18/Po.20?	staatiis	5/6	C. Chiaro/Boiano Pietrabbond.	x
Po. 35	valavennis	1	Campobasso	
Ve 146	variis	1	Aufidena	
Ve 150	vesulliaís	2	Pietrabbond.	x

GENTILIZI DI INCERTO

REI, VI, G-13 = REI, X	aim(iliis)?	1	Campochiaro	x
REI, VII, 34	an(niis)?	1	Campochiaro	
Ve 160b=Po. 68/REI, IX	kain(iis)?	1	Boiano/C. Chiaro M. Vairano	
Po. 42	kar( ) kr( )	1	Boiano	
Ve 159, Po. 59, 66	lai(liis)?	2	Boiano/C. Anchise Campochiaro	x
Po. 93	nim(mis)?	1	S. Giov. Galdo	
Po. 74/47	ni(u)m(siis)?	2	Campochiaro Boiano	x

IL SANNIO PENTRO

DI ATTESTAZIONE

EVERG. PUBB.	EVERG. PRIV.	PRES. IN ORIENTE	GENTILIZI LAT. CORRISP.	PERSISTENZA NEL SANNIO PENTRO		LIVELLO BORGHESE ETÀ ROMANA
				MEDESIMA LOCALITÀ	ALTRA LOCALITÀ	
			Adius			
			Betitius	Bovianum M. Vairano		
	x		Calvius			
			Cleppius			
			Corellius			
	x		Decius			
	x		Decitius	Terventum	Aesernia	x
		Delos/Kos	Egnatius			
			Hereius			
			Herius			
		Delos/Kos	Helvius	Bovianum	Terventum Aesern. Saep.	
	x		Hortius			
			Magius Maius		Bov. Aesern. Terv. Saep.	x
			Maraeus			
		Delos	Numerius			
			Opsius			
	x		Papius	Terventum	Saepinum Aufidena	x
			Pontius		Fagifulae Terv. Saep.	x
			Satrius	Bovianum	Aesernia Saepinum	
x	x	Delos	Staius	Bovianum Terventum	Aesernia Fagiful. (Ielsi) Aufidena	x
x	x		Statius			
			Valvennius			
		Delos	Varius		Terventum Saepinum	x
x			Vesulliaeus			

SCIOGLIMENTO

EVERG. PUBB.	EVERG. PRIV.	PRES. IN ORIENTE	GENTILIZI LAT. CORRISP.	MEDESIMA LOCALITÀ	ALTRA LOCALITÀ	LIVELLO BORGHESE ETÀ ROMANA
		Delos	Aemilius?		Aufidena	
		Delos	Annius?		Saepinum	
			Caenius?			
			Laelius?			
			Nummius?		Bovianum Terv. Saep.	x
			Numisius?		Terv. Aesern. Aufid. Saep.	x

QUADRO 2b
GENTILIZI OSCHI ESPRESSI IN LATINO
Samnites inquolae di Aesernia

REFERENZE	GENTILIZI	N. IN DIV.	MAGISTR.	PRES. IN ORIENT	LIVELLO ETÀ ROMANA	PERSISTENZA NEL SANNIO PENTRO	
						AESERNIA	ALTRE LOCALITÀ
LA REGINA, 1971, p. 452	MARIUS	2	magister inquolarum		v. Quadro 2a (corrisponde all'osco *maraies*?)		
»	PERCENNIUS	2	»				
»	POMPONIUS	2	»	Delos	senatorio borghese	x	Saepinum/Aufidena Terventum
»	SATRIUS	2	»		v. Quadro 2a (corrisponde all'osco *sadriis*?)		

QUADRO 3
GENTILIZI ATTESTATI A LIVELLO DI BORGHESIA MUNICIPALE

REFERENZE CIL IX e altre	GENTILIZI	LOCALITÀ	MAGISTRAT.	CARRIERA MILITARE	EVERGETISMO	PROVENIENZA SANNIO P.	ESTERNA	INCERTA V. TAV. 4b
2657	AEBUTIUS	Aesernia	x				LAZIO	
AE, 1927, 119	AFINIUS	Saepinum	x					x
2773-2774	AGRIUS	Terventum	x					x
AE, 1927, 118	ANTONIUS	Saepinum	x					x
2660	ANTRACIUS	Aesernia	x		balneum ref.		CAPUA	
2802	ATILIUS	Aufidena	x		pons et pila		CAMPANIA	
2568	BETIUS	Bovianum	x	x				x
2802	CAECILIUS	Aufidena	x		pons et pila			x
2645	CALIDIUS	Aesernia	x	x			CAMPANIA	
2573	CERRINIUS	Bovianum	senatore				CAMPANIA	
DIEBNER, 1979, 144 sg., n. 29	COMINIUS	Aesernia	x				LAZIO	
2775	CUFIUS	Terventum						x
2596	DECITIUS	Terventum	x			TERVENTUM		
2646	DECRIUS	Aesernia	equo publ.					x
AE, 1930, 121	ENNIUS	Saepinum	x	x	lacus			x
2776	EPIDIUS	Terventum	decurio				CAMPANIA	
2647	FANNIUS	Aesernia	x					x
2594	FUFIDIUS	Terventum		x				x
2660	FUFIUS	Aesernia	x		balneum ref.		CAMPANIA	
2467	HEIUS	Saepinum	x				CUMAE	
GAGGIOTTI, 1981; SEPINO, 1983	HERENNIUS	Saepinum	x		fontana campus piscina porticus		CAMPANIA	
2469	LICINIUS	Saepinum	x	x				x
2804	LUCCEIUS	Aufidena	x				CAMPANIA Cumae	
2470	LUCCIUS	Saepinum	x					x
2597	LUCRETIUS	Terventum	x					x
DIEBNER, 1979, 179 sg. n. 66	MAIUS	Aesernia	x			SANNIO P.		
2662	MARCILIUS	Aesernia	x					x
2661	MARCIUS	Aesernia	(x)				CAMPANIA	
2603 2663	MUNATIUS	Terventum Aesernia	x x				LAZIO/ Tibur	
6308/GAGGIOTTI 1978 nn. 1-4	NAEVIUS	Saepinum	x	x	basilica tribunal c.			x
AE, 1927, 118	NERATIUS	Saepinum	x					x
2645 2642	NONIUS	Aesernia	senat. x					x
AE, 1959, 284	NUMISIUS	Saepinum	x	x			CAMPANIA	
2599 2667	OFILLIUS	Terventum	x	x	via stern.			x
5758 (Sentinum)	PACCIUS	Terventum	mag. Sentinum				TEANUM	
AE, 1959 276	PAPIUS	Saepinum	x		pav. foro	BOVIANUM TERVENTUM		
2629	PESCENNIUS	Aesernia	x					x
SEPINO, 1983	PLINIUS	Saepinum	x		fontana			x
2665	POLLIUS	Aesernia	x					x
AIEGL, 1981 (Gaggiotti, II, p. 2460-2806)	POMPONIUS	Saepinum Aufidena	senatore x			SANNIO P.		
2557 2601	PONTIUS	Fagifulae Terventum	x x			SANNIO P.		
2666	PUBLICIUS	Aesernia	x					x
2532 2667	RAHIUS/RAIUS	Saepinum Aesernia	x	x	via stern.			x
DE BENEDITTIS, 1974 p. 11	SEMPRONIUS	Bovianum	x				CAMPANIA	
2602	SEPPIUS	Terventum	x				CAPUA	
2668	SEPTUMULEIUS	Aesernia	x					x
STRAZZULLA, 1973, p. 58 n. 19	SOCELLIUS	Terventum						x
2669	STAIUS	Aesernia				BOVIANUM TERVENTUM		
2772	TULLIUS	Terventum	x				LAZIO Arpinum	
SEPINO, 1983,	VARIUS	Saepinum	x		fontana	SANNIO P.		
2604		Terventum	decurio					
AE, 1959, 283	VENTRIUS	Saepinum	x		copert. edif.			x
2671	VERGILIUS	Aesernia	x				CAMPANIA	
2672	VIBIUS	Aesernia	x					x

QUADRO 4a-b
a) GENTILIZI CON VARIE POSSIBILITÀ DI PROVENIENZA

ETRURIA/CAMPANIA	ETRURIA/LAZIO	LAZIO/CAMPANIA	PERUSIA/PICENO	SANNIO/CAMPANIA	SAEPINUM/BENEVENTUM
Licinius	Fannius	Agrius Antonius Caecilius Fufidius Pescennius Pollius Vibius	Betuus? Vettius?	Naevius ITAL.MER./CAMPANIA Ennius	Afinius

b) GENTILIZI DI PROVENIENZA INCERTA

Cufius
Decrius (= Decirius - CAMPANIA?)
Luccius (= Lucceius - CAMPANIA?)
Lucretius (CAMPANIA?)
Marcilius
Neratius
Nonius (PICENUM?)
Ofillius (CAMPANIA?)
Plinius
Publicius
Rahius/Raius (CAMPANIA?)
Septumuleius
Socellius
Ventrius

ASSISI: PROBLEMI URBANISTICI

La presentazione di Assisi come «caso italico» può costituire per molti versi una novità, visto il silenzio della letteratura archeologica di questi ultimi anni e la scarsa attenzione che, salvo sporadiche eccezioni, anche in passato è stata dedicata alla città umbra della quale è nettamente prevalso, a livello conoscitivo, il momento medievale. Una rivalutazione di Assisi dal punto di vista archeologico è oggi opportuna e necessaria, sia a seguito di nuovi elementi emersi nel corso di recenti indagini, sia, soprattutto, se si considera la documentazione archeologica fornita dal centro nella sua globalità (1). Il che giustifica il taglio parzialmente analitico di questo testo e rende necessarie alcune premesse generali esplicative al tema centrale, pur facendo presente l'assoluta provvisorietà dei dati qui presentati, in attesa di chiarimenti che solo ulteriori, più precisi rilevamenti potranno fornire.

Assisi vanta una serie di persistenze monumentali, numerose e continuative, all'interno dell'attuale centro storico, caratterizzate da un eccezionale livello di conservatività. Abbondante è anche la documentazione epigrafica, con un *corpus* di circa duecentocinquanta epigrafi, di cui circa 100 provengono, sparse, dal territorio ed oltre 70 sono state rinvenute all'interno della città; di queste ultime, numerose hanno carattere funerario e si devono considerare frutto di reimpieghi effettuati nel corso dell'età medievale. Rimane un gruppo di circa 15 epigrafi, prevalentemente a carattere pubblico, in molti casi ancorate a precisi contesti monumentali, le quali costituiscono un sussidio fondamentale, ad integrazione dei dati archeologici, per una ricostruzione delle vicende del centro, dall'età repubblicana, su cui si concentrerà in questa sede la nostra attenzione, sino a quella tardo-imperiale. Al contrario le fonti scritte tacciono quasi totalmente su Assisi, se si eccettuano le testimonianze di Properzio, una rapida menzione da parte di Plinio e di Tolomeo, e quella, molto tarda, di Procopio afferente agli episodi umbri del *bellum gothicum* (2).

Molti aspetti della sua storia istituzionale restano pertanto in ombra. È probabile che il centro, sorto sulle pendici nord-occidentali del Subasio in area geograficamente e politicamente umbra, fosse legato a Roma da un *foedus* analogamente ad altre numerose piccole entità locali e che come queste sia divenuto un *municipium* autonomo dopo la guerra sociale (3).

Il suo territorio a settentrione confinava direttamente con quello della sua più importante vicina, l'etrusca *Perusia*; i limiti dovevano correre in prossimità del piccolo centro satellite di *Arna*, che diverrà municipio autonomo dopo il *bellum Perusinum* e che riflette, nei documenti archeologici superstiti, il ruolo di cerniera ricoperto tra area etrusca ed umbra (4).

---

(1) In generale per i dati sino ad ora noti cfr. G. ANTOLINI, *Il tempio di Minerva in Assisi*, Milano, 1828; A. BRIZI, *Tracce umbro-romane in Assisi*, Atti Accademia Properziana del Subasio, II, 1908, pp. 405 ss. (di qui in poi BRIZI); U. TARCHI, *L'arte etrusca e romana nell'Umbria e nella Sabina*, Milano, 1936, tavv. CLXXI-CLXXXVIII; C. PIETRANGELI - U. CIOTTI, voce *Assisi*, EAA, I, p. 741.

(2) Propert., 4,1, 125: *scandentisque Asisi consurgit vertice murus/murus ab ingenio notior ille tuo*; Plin., *N.H.*, 3, 113, ricorda gli *Asisinates* nell'elencazione delle città umbre; Ptol., 3, 1, 46: Ἀσίσιον; Procop., *Bell. Goth.*, VII, XII, 12-18.

(3) Cfr. W.H. HARRIS, *Rome in Etruria and Umbria*, Oxford, 1971, p. 100.

(4) Per la documentazione archeologica di Arna cfr. essenzialmente A. PAOLETTI, *Perugia. Delimitazione del territorio archeologico*, Bdpu, 30, 1932, pp. 126 ss.; L. BANTI, *Contributo alla storia e alla topografia del territorio perugino*, SE, 10, 1936, p. 101 ss. Una bibliografia completa è in L. ROSI BONCI, *Resti di klinai in bronzo da Arna*, Studi in onore di Filippo Magi - Nuovi quaderni dell'Istituto di Archeologia dell'Università di Perugia, 1, Perugia, 1979, pp. 183 ss.; EADEM, *Una fibula romano repubblicana con l'iscrizione di un officinator celta*, PP, 135, 1979, pp. 148 ss.

Municipia vicini erano inoltre *Vettona, Urvinum Hortense, Hispellum, Nuceria Camellaria.*

La documentazione archeologica relativa al territorio assisano, per quanto sporadica, indica una frequentazione della piana sottostante il centro a partire almeno dall'eneolitico tardo (5), con una continuità di attestazioni che dall'età del bronzo e dalla prima età del ferro (6) giungono al VI secolo a.C. (7), proseguendo in età ellenistica (8) ed infittendosi nel corso dell'età romana (9). Di particolare rilievo, ai fini della conoscenza della storia istituzionale di Assisi nella fase umbra, è l'iscrizione *CIL* XI, 5389 (cfr. Appendice n. 2), rinvenuta nella pianura tra Bastia ed il piccolo agglomerato di Ospedalicchio. Redatta in lingua umbra, ma con caratteri latini e datata all'avanzato II sec. a.C., essa si riferisce all'acquisto ed alla conseguente delimitazione di un'area a destinazione sacra da parte delle **massime magistrature cittadine**, *uhtur e marones*, ciascuna rappresentata da due coppie di magistrati (10).

Una situazione in parallelo, almeno a partire dal VI sec. a.C., è riscontrabile nell'area corrispondente al successivo centro urbano. Un recente intervento di scavo in via Arco dei Priori, nel pieno centro storico, poche decine di metri più a valle del tempio c.d. «della Minerva» (tav. I, 8), ha portato al rinvenimento di un ricchissimo accumulo di materiale fittile, molto probabilmente scaricato dall'alto, il quale comprende ceramica d'impasto, buccheri e soprattutto ceramica a vernice nera, talvolta con graffiti, le cui forme sono databili tra il III ed il II sec. a.C. (11), il che presuppone un'intensa frequentazione dell'area anche in fase «pre-urbana».

---

(5) A tale periodo sono riferibili ritrovamenti sporadici effettuati a Bastia, Palazzo, S. Martino di Assisi.

(6) Materiali ritrovati nel territorio di Bastia (a Bastiola, S. Anna, Costano, Roma Vecchia, Madonna di Campagna), a Castelnuovo di Assisi, Palazzo, Petrignano, S. Maria degli Angeli e Rivotorto. I materiali in questione, prevalentemente inediti, fanno parte della collezione Bellucci, attualmente conservata presso il Museo Archeologico di Perugia. Della loro esistenza mi ha cortesemente informata la dott.ssa L. Ponzi Bonomi, che ne ha in corso la revisione.

(7) A tale periodo può essere probabilmente datato un gruppo di oggetti in bronzo (dischi, anelli, armille etc.), ora al Museo Archeologico di Firenze, rinvenuto tra Bastia ed Assisi e forse di destinazione funeraria: A.L. MILANI, *Il r. museo archeologico di Firenze*, Firenze, 1923, p. 298.

(8) Per tale periodo abbiamo l'indicazione di alcune terrecotte architettoniche da S. Maria degli Angeli (A. PAOLETTI, *art. cit.* a n. 4, p. 127), ma la notizia è generica e il materiale non è stato rintracciato nei depositi del museo di Perugia dove, secondo la Paoletti, esso sarebbe stato depositato. Sono inoltre segnalate alcune tombe da S. Maria degli Angeli (*N.Sc.*, 1878, p. 128) e dal territorio di Bastia: di un rinvenimento casuale, in località Sterpaticcio, dà notizia «La Nazione», 7 Gennaio 1975, (cronaca locale) che parla del ritrovamento di urne cinerarie in travertino con corredo costituito da alcune gioiellerie e da numerosa ceramica a vernice nera. L'esistenza di un luogo di culto sulla sommità del Subasio è attestata inoltre dal ritrovamento di un gruppo di bronzetti votivi miniaturistici (cfr. A. PAOLETTI, *Statuetta in bronzo: Guerriero del Subasio*, Perugia, 1952).

(9) In età romana resti di probabili insediamenti rustici sono segnalati sul Subasio, a S. Maria degli Angeli (loc. Tor d'Andrea) e in località Roma Vecchia di Bastia (cfr. D. MANCONI, *La situazione in Umbria - Catalogo dei ritrovamenti riferibili ad insediamenti rustici, Società romana e produzione schiavistica*, I, Bari, 1981, p. 401). Esistono inoltre diversi toponimi di origine prediale, ad es. la località Petrignano, esito moderno di un precedente Petrognano, direttamente collegabile con la presenza ad Assisi della *gens Petronia*, ampiamente attestata epigraficamente (cfr. F. SANTUCCI, *Note di toponomastica assisana*, BDPU, 73, 1976, pp. 224 ss.). Numerosi sono infine i ritrovamenti di carattere epigrafico, quasi esclusivamente funerario, particolarmente frequenti nella fascia che, formando un ampio arco, si stende nella immediata base del declivio (loc. S. Vittorino, Valecchio, S. Masseo, S. Damiano e S. Potente). Probabilmente in relazione con ville rustiche o con insediamenti sparsi, alcuni nuclei di epigrafi provengono da Bastiola, S. Maria degli Angeli, Capodacqua, Castelnuovo, S. Petrignano e intorno alla località di Rivotorto.

(10) La cronologia dell'epigrafe, oltre che su elementi interni, è fondata su criteri di relatività, risultando strettamente legata a quella della sicuramente più tarda iscrizione *CIL* XI, 5390 della cisterna di S. Rufino (appendice n. 3). Nei due testi infatti ricorre un'omonimia: *Ner. Babrius T.f.* che ricopre la carica di *uhtur* nella prima e di *maro* nella seconda; un *T.V. Voisinier* compare inoltre nell'epigrafe di Bastia, un *V. Voisienus T.f.* in quella di Assisi, entrambi con la carica di *marones*. È probabile che in entrambi i casi esista una relazione di parentela padre/figlio tra i personaggi in questione, con uno iato di circa venti-venticinque anni tra le due iscrizioni; per i termini *uhtur* e *maro* cfr. avanti L. SENSI, p. 165, note 1 e 2.

(11) Lo scavo è stato condotto, per conto della Soprintendenza archeologica dell'Umbria, da M.A. Tomei, che ringrazio per tali informazioni.

152

Molto sporadica, ma significativa, è la presenza di alcune terrecotte architettoniche che, nell'esemplare più antico (IV - III sec. a.C.) manifesterebbero una dipendenza da modelli diffusi nell'area orvietano-perugina (12). L'esemplare più recente (II sec. a.C.) — una testina frontonale di cui purtroppo non è documentabile la sicura origine locale (13) — ci offre la testimonianza di un classicismo, espresso a livelli qualitativi estremamente alti, i cui modi ricorrono anche nella produzione della non lontana Volterra (14) (tav. VIII).

Lo sviluppo urbanistico

Il centro era compreso entro una cinta muraria, costruita con blocchi quadrangolari in calcare rosa del Subasio. I blocchi hanno dimensioni irregolari, sono accostati per contatto e solo raramente legati con malta. Il tracciato della cinta, (tav. I, 1) che si conserva per ampi tratti, abbraccia la sommità del colle, includendo l'area inedificata attualmente occupata dalla Rocca Maggiore (15). Esso sembra aver costituito un limite per l'espansione della città destinato a non essere mai superato nel corso dell'antichità, come confermerebbe l'andamento delle necropoli dell'immediato suburbio (16). È molto probabile che la sua costruzione debba essere ricollegata, come momento preliminare, al programma di strutturazione urbanistica dell'intero centro, secondo un progetto organico di vasto respiro. Le falde del colle, all'interno della cinta, vengono occupate da un grande complesso edilizio di carattere pubblico che dà al centro una nuova veste monumentale. Esso ha il fulcro nel tempio impropriamente detto «della Minerva» (17) e nel piazzale immediatamente sottostante, tradizionalmente identificato con il foro della città. Una serie di terrazzamenti si sviluppano a valle e si rintracciano nelle aree circostanti, a Nord e a Sud del tempio stesso. La necessità di adattare il progetto urbanistico alla morfologia del colle senza operare grandi sbancamenti, ma seguendo piuttosto l'andamento naturale del declivio, ha portato all'adozione di uno schema non simmetrico, bensì ritmico delle architetture che si dilatano a ventaglio a monte del nucleo centrale. Ciò è particolarmente evidente sul lato orientale dove il colle saliva rapidamente alle spalle e ad oriente del tempio e dove resti, sia pure frammentari, di strutture murarie permettono di stabilire che le terrazze si organizzavano su non meno di tre livelli, con un impianto scenografico concepito in funzione della vista dalla valle, ma contemporaneamente rivolto anche verso il nucleo centrale interno (18) (cf. tav. I, nn. 5 - a - g).

(12) Un'antefissa con testa di Ercole con *leontè* è attualmente murata in piazza S. Rufino; una seconda antefissa a testa femminile con corona di perle e nimbo in parte conservato, forse decorato con foglie è murata in via Dono Doni. Per quest'ultima cfr. A. RASTRELLI, *Un'antefissa a testa femminile da Orvieto, Studi in onore di F. Magi - Nuovi quaderni dell'Istituto di Archeologia dell'Università di Perugia*, Perugia, 1979, pp. 149 ss., in particolare n. 6.

(13) La testa fa parte della collezione privata del dott. LAZZARI di Assisi, insieme ad alcuni altri pezzi (urne, etc.) che sicuramente si possono considerare di provenienza locale.

(14) Cfr. M. CRISTOFANI, *Volterra e Roma, Hellenismus in Mittelitalien. Abhandlungen der Akademie der Wissenschaften in Göttingen*, Göttingen, 1976, p. 111, fig. 2.

(15) M. L. MANCA, *Osservazioni sulle mura di Asisium, Annali Facoltà Lettere Perugia - Studi Classici*, XV, n.s. I, 1977/78, pp. 98 ss.

(16) I nuclei principali, individuabili sulla base dei ritrovamenti di carattere epigrafico e sulle indicazione topografiche desunte dal *CIL*, sono localizzabili in corrispondenza dell'odierna chiesa di S. Pietro, nell'area sottostante il tratto di muro visibile nella chiesa di S. Maria Maggiore, nella zona attualmente occupata dal giardino del convento di S. Chiara ed infine presso l'attuale piazza Nuova (per quest'ultima vedi avanti nota 35).

(17) La dizione è basata sul rinvenimento, nelle immediate vicinanze del tempio, di una grande statua femminile in marmo (cfr. tav. IX) interpretata come Minerva: cfr. G. ANTOLINI, *cit.*, p. 14, tav. X.

(18) Ad una serie progressiva di terrazze, digradanti dall'alto verso il basso, sono riferibili i tratti di muro conservati in via Dono Doni (tav. I, 5 a) (cfr. BRIZI, p. 425, n. 42), all'angolo tra via S. Gabriele dell'Addolorata e vicolo dei Nepis (tav. I, 5 b)

La coerenza dell'intera organizzazione indica chiaramente che essa è frutto di un progetto unitario che però, proprio a causa della sua grandiosità, dovette essere realizzato in tempi lunghi; sulla base della documentazione archeologica superstite, in parte integrata dai dati forniti dall'epigrafia, possiamo risalire agli anni antecedenti la creazione del *municipium* romano, e, più precisamente, agli ultimi decenni del II sec. a.C. per l'inizio dell'attuazione del progetto, ai primi anni del principato augusteo per il suo completamento.

La terrazza superiore

Numerose indicazioni concorrono a sottolineare l'importanza, nel quadro urbanistico generale, della terrazza superiore (tav. I, 2). In primo luogo da essa provengono le uniche attestazioni relative a preesistenze monumentali: un'epigrafe umbra databile al II, se non addirittura al III sec. a.C., apposta sopra l'architrave di una porta, ed alcuni elementi modanati, rinvenuti in corrispondenza della chiesetta di S. Lorenzo (19).

L'andamento della terrazza è ricostruibile su tre lati: a sud, dove è conclusa dal grande muro in opera quadrata inglobato nel lato lungo settentrionale della chiesa di S. Rufino (tav. I, 2 a); a nord, dove resti di un altro grande muro in opera quadrata con la fronte rivolta verso il retrostante declivio si conservano al di sotto degli stabili tra la via del Comune Vecchio e la via di Porta Perlici (tav. I, 2 b). Ad est il muro è segnalato, a tratti, sotto i palazzi prospicienti la piazza Nuova (20); qui, in corrispondenza dell'estremità settentrionale, ma in posizione più arretrata, venne scavato (e parzialmente distrutto) un grosso bastione quadrangolare, affiancato da una scalinata e da un porticato di cui si conservavano, *in situ*, i basamenti di quattro grandi colonne di travertino (tav. I, 2, c) (21). Queste costituiscono il primo, importante indizio cronologico relativo all'edificazione del complesso: la base ionico-attica di un tipo molto particolare, confrontabile — a quanto mi risulti — solo con quelle del tempio repubblicano di *Gabii* (22), è databile nella seconda metà del II sec. a.C. (tav. III, fig. 1).

La terrazza così individuata era profonda circa 140 metri. È molto probabile che sul lato settentrionale e su quello orientale il suo andamento coincidesse con i limiti della città e che i muri di terrazzamento, qui molto meno rifiniti che non lungo il lato meridionale, sostituissero in tale tratto il muro di cinta (23).

Che alla terrazza superiore sia stata data la precedenza, dal punto di vista cronologico, nella realizzazione del programma monumentale pare certo sulla base di un altro elemento, estremamente significativo a questo proposito, costituito dall'iscrizione *CIL* XI, 5390 (cfr. appendice n. 3). Conservata all'interno della cattedrale di S. Rufino, sopra il muro in opera quadrata di travertino, nel

---

(BRIZI, p. 425, n. 43) e in via Mazzini all'interno dell'albergo Sole ed in corrispondenza del vicolo Oscuro (tav. I, 5 c); (BRIZI, p. 426, n. 45). Forse anche il lungo tratto di muro conservato in via S. Agnese (BRIZI, p. 410 s., n. 9-10; MANCA, *art. cit.*, p. 110), piuttosto che non alla cinta muraria della città, appartiene ad un più basso terrazzamento, caratterizzato da una tecnica costruttiva del tutto simile a quella dei precedenti (tav. I, 5 d). Tratti di muro con andamento trasversale sono inoltre visibili in via della Fortezza (tav. I, 5 e) ed all'interno del convento della Chiesa Nuova (tav. I, 5 g).

(19) J. WHATMOUGH, *A New Umbrian Inscription of Assisi, Harvard Studies in Classical Philology*, 50, 1938, pp. 89 ss.; L. SENSI, *SE*, 47, 1979, pp. 349 ss.; A.L. PROSDOCIMI, ibidem, pp. 376 ss.

(20) Cfr. BRIZI, p. 411 s., nn. 12-14.

(21) E. STEFANI, *N.Sc*, 1935, pp. 19 ss. Alcune indicazioni relative alla presenza della gradinata sono contenute in una pubblicazione di carattere locale: M. ANGELI, *Assisi pre-romana*, Assisi, 1981, pp. 13 ss.

(22) Cfr. L. SHOE MERITT, *The Geographical Distribution of Greek and Roman Ionic Bases, Hesperia*, 38, 1969, p. 199, fig. 5. Per una datazione del tempio di *Gabii* alla seconda metà del II a.C. cfr. da ultimo J.L. JIMENEZ SALVADOR, *Enea nel Lazio - Archeologia e mito*, Roma, 1981, p. 43 s.

(23) BRIZI, p. 412 s., nn. 14-16.

quale si apre una fontana, essa menziona sei personaggi, *marones,* i quali, *d(e) s(enatus) s(ententia)* provvidero alla costruzione di un *murum ab fornice ad circum et fornicem cisternamq(ue).*

Il più grosso problema interpretativo è costituito dall'uso della lingua latina in relazione ad una magistratura, quella dei *marones,* caratteristica della struttura politico-amministrativa umbra, e dal numero dei personaggi, sei. In ambiente umbro la magistratura dei *marones* si configura con connotazioni tecniche - il più delle volte in connessione con interventi di carattere edilizio e si esprime in coppia (24). La comparsa di sei *marones* in un testo latino ha suggerito peraltro l'ipotesi che quest'ultimo sia databile ad età municipale e che in tale periodo i *marones* si siano trasformati in un collegio di sei magistrati, legati ad interventi edilizi di carattere straordinario (25). Tra le difficoltà incontrate da tale interpretazione, non ultima quella che ad Assisi è documentata un'altra magistratura collegiale, quella dei *quinquemviri,* con analoga funzione (26). È forse preferibile pensare che l'epigrafe si riferisca ad un momento, di transizione per quanto riguarda l'uso pubblico della lingua latina, di poco precedente la creazione del *municipium* e che vi siano state menzionate tre diverse coppie di magistrati, responsabili della realizzazione dell'opera nell'arco di tre successivi mandati (27).

Anche dal punto di vista strettamente topografico il testo solleva alcune questioni; dei quattro monumenti menzionativi infatti (*murum, fornicem, circum, cisternam*) solo due sono identificabili di primo acchito: il muro, evidentemente il medesimo su cui corre l'epigrafe, e la *cisterna,* ovvero la grande fontana che si apre su di esso (tav. IV, fig. 2). L'uso del termine presuppone una funzione eminentemente utilitaria del monumento, legato alla raccolta delle acque ed al loro attingimento (28). Dal punto di vista tipologico, la cisterna rientra tra quelle a semplice camera rettangolare, frequentemente ricavate da terrazzamenti, confrontabile con la c.d. «porta degli Idoli» di Anagni (29) e con analoghe strutture del santuario prenestino (30). Numerose particolarità costruttive riflettono tecniche e moduli decorativi diffusi nella vicina area perugina (31): il grande arco che sottolinea l'apertura esterna per l'attingimento è decorato da una cornice a gola dritta che si ricollega direttamente a quella dell'unica porta urbica conservatasi (tav. I, 1 a; fig. 2), a sua volta confrontabile con modelli perugini (32).

---

(24) Per la bibliografia completa cfr. avanti SENSI, p. 165 note 1 e 2; si vedano in particolare le ultime considerazioni di A.L. PROSDOCIMI, *SE,* 49, 1981, pp. 558 ss.

(25) E. CAMPANILE-C. LETTA, *Studi sulle magistrature indigene e municipali in area italica,* Pisa, 1979, pp. 49 ss.

(26) Cfr. SENSI, Appendice, nn. 4 e 7; vedi avanti p. 173.

(27) Per una datazione dell'epigrafe all'età pre-sillana si sono pronunciati il BELOCH, *Römische Geschichte,* Berlin und Leipzig, 1926, p. 605; A. ROSENBERG, *Der Stadt der Alten Italiker,* Berlin, 1913, pp. 46 ss.; U. COLI, *L'organizzazione politica dell'Umbria preromana,* Atti I convegno di Studi Umbri, Gubbio, 1964, p. 145 s. Una sintesi della questione in E. GABBA, *Urbanizzazione e rinnovamenti urbanistici nell'Italia centro-meridionale del I sec. a.C., Studi Classici e Orientali,* 21, 1972, p. 96. Da segnalare infine la posizione di J. HEURGON *L'Ombrie à l'époque des Gracques et de Sylla, Atti I Convegno di Studi Umbri,* cit., pp. 127 ss. il quale prospetta la possibilità di tre magistrature successive nel tempo, datando però l'iscrizione tra l'80 ed il 70 a.C. In sospeso resta inoltre il problema della durata della carica magistratuale, annuale (per cui l'opera sarebbe stata realizzata nel corso di un triennio) o quinquennale (sarebbero in tal caso occorsi quindici anni).

(28) Cfr. DE RUGGIERO, *Diz. Ep.,* II, 1, p. 251 s. Il termine compare nell'epigrafia sia riferito ad opere pubbliche che a parti di sepolcri (*CIL* III, 1750; VI, 3867, 9404; X, 3157; XI, 3895, 4593, 5399). Nelle fonti letterarie (Varro, *r.r.,* I, 11; Columella, I, 5; Plinio, *N.H.,* XXXVI, 173) esso indica concordemente strutture chiuse e con copertura superiore, destinate alla raccolta delle acque per l'uso degli uomini, in contrapposizione ai *lacus* per gli animali.

(29) Cfr. N. NEUERBURG, *L'architettura delle fontane e dei ninfei nell'Italia antica,* Napoli, 1965, pp. 167 s., n. 91, f. 23.

(30) IDEM, p. 171, n. 96, fig. 29; p. 174 s., nn. 100-103, figg. 26, 28.

(31) Cfr. U. TARCHI, *L'arte nell'Umbria e nella Sabina, cit.,* tavv. CLXXXVI-CLXXXVII; M. MATTEINI CHIARI, *La tomba del Faggeto in territorio perugino, Quaderni dell'Istituto di Archeologia dell'Università di Perugia,* 3, 1975, pp. 33 s., tav. XLIV 1-3.

(32) MANCA, *art. cit.,* p. 104, f. 1; p. 112 ss., fig. 5. Il confronto più diretto in ambito perugino è con il c.d. arco etrusco: per quest'ultimo cfr. recentemente P. DEFOSSE, *Les remparts de Pérouse, Mefra,* 92, 1980, p. 742 ss.

MARIA JOSÉ STRAZZULLA

Più problematica è invece la localizzazione del *fornix:* dal momento che il muro prosegue sicuramente anche verso settentrione, in corrispondenza del piazzale antistante la chiesa (33), è molto probabile che esso debba essere ubicato più a valle, al termine del muro stesso.

Resta infine il problema del circo: dal testo dell'iscrizione emerge chiaramente la sua preesistenza, quale punto di riferimento topografico, rispetto alle opere di terrazzamento realizzate dai *marones.* La sua ubicazione è in un certo senso obbligata: esso va collocato al termine del muro, come ci dice l'epigrafe, ed in uno spazio che possieda gli indispensabili requisiti, fondo pianeggiante e lunghezza, quest'ultima non inferiore perlomeno a quella di uno stadio greco (180/190 metri). L'unica area rispondente a tali prerogative è la valletta di forma stretta ed allungata (mt. 250 circa), corrispondente all'attuale piazza Nuova (tav. I, 3), che si addossava al muro di terrazzamento orientale e che gli eruditi locali di età umanistica avevano chiamato «foro sessoriano» (34). Numerosi elementi — l'impiantarsi di una necropoli in età tardo repubblicana, la successiva costruzione dell'anfiteatro nell'estremità settentrionale (35) (tav. I, 3 a) — fanno ritenere che il circo non abbia avuto lunga durata nel tempo. È in realtà molto probabile che esso consistesse in una semplice spianata del terreno, priva di strutture stabili (36), in ciò analogo a molti altri circhi repubblicani di cui non ci è rimasta traccia nella documentazione archeologica: il circo Flaminio (almeno nella sua fase più antica), del quale sembrerebbe aver ripetuto le sorti (37), o il «*campus ubei ludunt*» ricordato nella nota epigrafe di Alatri che si riferisce ad una serie di opere pubbliche realizzate intorno alla fine del II sec. a.C. (38). Se è plausibile che alla sequenza dei monumenti di cui Betilieno Varo dotò il centro ernico debba essere attribuito anche un preciso valore topografico, — il *campus* segue in ordine discendente la *porticus qua in arcem eitur* e precede gli edifici relativi al foro — merita di essere sottolineata la corrispondenza tra l'*arx* di Alatri e la terrazza superiore di Assisi, probabilmente non molto dissimili nell'impianto generale, entrambe aventi nelle loro vicinanze un'area destinata a giochi. La collocazione del circo nella parte alta della città può infine riflettere modelli di organizzazione dello spazio, mutuati dalla tradizione dei grandi santuari greci non soltanto a livello funzionale, ma anche ideologico.

La terrazza centrale

La terrazza centrale (tav. I, 6) fa perno sul tempio c.d. «della Minerva», intorno al quale si

(33) Cfr. BRIZI, p. 424 s., n. 41: i resti sono oggi parzialmente visitabili nella cripta della chiesa.

(34) A. CRISTOFANI, *Delle storie di Assisi,* Assisi, 1902, pp. 15 s.

(35) Necropoli: resti di un grande mausoleo (tav. I, 4) si conservano in via del Torrione (M. MATTEINI CHIARI, *La tomba del Faggeto, cit.,* p. 34, tav. XLV, 1-2). È inoltre documentato nell'area il ritrovamento di alcune epigrafi funerarie (*CIL* XI, 5488, 5437, 5544 (?). Una ventina di urnette cinerarie tardo repubblicane sono state rinvenute infine all'estremità opposta della piazza, nel corso della costruzione del collegio «Principe di Napoli»: P. ROMANELLI, *N.Sc.,* 1935, pp. 25 ss. Anfiteatro: costruito in *opus caementicium* si sovrappose probabilmente al lato curvo del circo nel corso del I sec. d.C. La decorazione ad opera della *Gens Petronia* è ricordata nell'epigrafe *CIL* XI, 8023 (5406 + 5432). Cfr. L. SENSI, *Epigrafia e ordine senatorio,* Colloquio AIEGL. Roma 1981, in corso di stampa.

(36) Forse ad una tribuna più tarda, (tav. I, 3 c) impiantata sopra la terrazza prospiciente l'area del circo, appartengono le strutture costruite in piccoli blocchetti di calcare legati con malta e consistenti in tre cunei a due ordini sovrapposti, solitamente interpretate come i resti del teatro (BRIZI, p. 422, n. 38). Tale identificazione è in realtà impossibile in quanto i cunei sono esattamente paralleli tra loro e non presentano il minimo accenno di curvatura. Essi inoltre sono troppo vicini al muro di terrazzamento di S. Rufino perché si possa mantenere il posizionamento della cavea che è solitamente accettato. Il problema resta aperto in attesa di auspicabili indagini nel settore.

(37) Cfr. T.P. WISEMAN, *The Circus Flaminius, PBSR,* 42, 1974, p. 3 ss.

(38) *CIL* X, 5807 = *CIL* I², 1529. Cfr. F. ZEVI, *Alatri, Hellenismus in Mittelitalien,* cit., pp. 84 ss.

156

articolavano vari terrazzamenti. Il tempio è inserito in una terrazza corta ed irregolare, delimitata sul fondo da un alto muro di contenimento in opera quadrata, che piega ad angolo ottuso in corrispondenza del lato orientale dell'edificio (tav. I 6, a). La soluzione adottata per la fronte è particolarmente efficace dal punto di vista scenografico: al posto della grande scalinata di accesso al tempio, se ne è sostruita la fronte con un alto muro in opera quadrata (mt. 5,70), (tav. V, fig. 2) nel quale vennero ricavate, simmetricamente, due scalette laterali di accesso al piano superiore. Più all'esterno, alle due estremità del muro, si aprivano due grandi fontane (39). La lunga iscrizione (appendice n. 4), conservata solo parzialmente all'estremità orientale del terrazzamento recava i nomi dei magistrati che sovrintesero alla sua realizzazione, i *quattuorviri* (ora perduti) ed i *quinquemviri*, magistratura questa di carattere straordinario, probabilmente delegata all'attività edilizia. Una serie di fori, disposti con estrema regolarità lungo tutta la parete centrale del muro, presuppone l'originaria applicazione di elementi decorativi in bronzo (ghirlande, clipei, a giudicare dall'andamento).

Il piazzale sottostante, pavimentato con lastre di calcare, era circondato su tre lati da un portico con colonne doriche. Una serie di piccoli vani, probabilmente botteghe, chiusi sul fondo da un muro di terrazzamento obliquo, limitava il lato corto orientale (tav. I, 6 b).

Non è leggibile al contrario la situazione sull'opposto lato corto occidentale, forse destinato ad ospitare edifici di carattere pubblico, per via di una serie di sbancamenti operati in età medievale in corrispondenza dell'attuale via Portica (40). Il ritrovamento di alcuni ambienti, che sicuramente fungevano da sostruzione al soprastante piano della platea (tav. I 6, c), conservati a due diversi livelli, permette di calcolarne le esatte dimensioni, sia nel senso della lunghezza (mt. 105) che in quello della larghezza (mt. 35) (41). Se ne ricava pertanto che il tempio era collocato in posizione asimmetrica, leggermente spostato verso sud-est, rispetto al piazzale sottostante; un'analoga asimmetria si riscontra nella posizione delle due fontane, quella settentrionale più distante dall'asse centrale del tempio rispetto a quella meridionale.

Sulla piazza, perpendicolare al tempio e perfettamente in asse con il medesimo, sono visibili i resti di un'iscrizione conservata molto malamente (appendice n. 5). Dalla posizione dei fori per il fissaggio delle lettere in bronzo e da alcuni resti ancora *in situ* si ricostruiscono i nomi di quattro personaggi, caratterizzati dalla formula completa del *cognomen* in tutti i casi. L'iscrizione che si svolge su un'unica riga, inizia in corrispondenza del basamento dell'altare e termina sotto il *tetrastylum* dedicato ai Dioscuri da *Galeo Tettienus Pardalas* (42); si può sicuramente escludere quindi, per motivi di spazio,

---

(39) Di quella all'estremità settentrionale, oggi completamente inglobata nelle successive strutture medievali, è visibile solo l'apertura esterna, col parapetto formato da grandi lastre di travertino superiormente stondate. Più complessa è la struttura di quella all'estremità meridionale, costituita da due camere comunicanti tra loro mediante un'apertura ad arco. Scavi recentissimi (Sopr. Arch. 1981) hanno permesso di individuare parte della complessa opera di canalizzazione destinata ad alimentare la fontana, costituita da un sistema di cunicoli in parte scavati nella roccia, in parte costruiti.

(40) Cfr. G. ABATE O.F.M., *La casa natale di S. Francesco e la topografia di Assisi nella prima metà del secolo XIII*, BDPU, 63, 1966, pp. 40 sgg.

(41) Gli ambienti pertinenti al terrazzamento inferiore, recentemente scavati da chi scrive nell'ambito delle attività della Soprintendenza Archeologica per l'Umbria in via dei Macelli Vecchi, sono tre, comunicanti tra loro in senso longitudinale, per una profondità complessiva di mt. 17,50. Addossati direttamente alla roccia con i muri esterni, essi sono costruiti in opera quadrata di travertino, con blocchi di dimensioni analoghe a quelle del muro di terrazzamento del tempio. Nell'ambiente più interno si conserva una pavimentazione, probabilmente riferibile ancora alla fase originaria, costituita da tessere quadrangolari di cotto in cui sono inserite, ad intervalli regolari, tessere di travertino. Il dislivello tra il piano della pavimentazione ed il soprastante piazzale è di oltre sei metri. Un altro muro, pertinente ad un ulteriore, più basso terrazzamento è stato rinvenuto più a Sud; esso rientra di mt. 10,50 rispetto alla fronte della terrazza soprastante e costituiva pertanto una sorta di avancorpo più stretto e più basso rispetto ad essa. Si rilevano nell'insieme alcune precise corrispondenze metriche: la misura di mt. 10,50 corrisponde esattamente all'eccedenza della piazza verso settentrione rispetto all'asse del tempio.

(42) Vedi avanti Sensi, p. 166, nota 16.

che essa comprendesse altri nomi ed è dunque molto probabile che nei quattro personaggi menzionati siano identificabili i *quattuorviri* responsabili della pavimentazione del piazzale.

Perfettamente in asse col tempio, con ciò dimostrando il loro diretto rapporto con esso, sono due basamenti, sicuramente pertinenti ad una fase successiva, dal momento che si sovrappongono parzialmente all'iscrizione pavimentale. Il primo, a lungo identificato col *tribunal* del foro, molto più probabilmente coincide con la piattaforma dell'altare del tempio rettangolare *in antis* (tav. V, fig. 2) (43). Il secondo, una grande base quadrangolare decorata con specchiature di calcare, reggeva, come ci informa l'iscrizione sulla fronte, un *tetrastylum* (44) entro il quale erano le statue dei Dioscuri, eretto a spese di una coppia di liberti della *gens Tettiena,* probabilmente nella seconda metà del I sec. d.C. (45). La soluzione tempio-terrazzamento-piazzale adottata ad Assisi sembra direttamente confrontabile con quella che ritroviamo applicata a Cori nel tempio di Castore e Polluce situato nella parte bassa della città (46). Le analogie riguardano tanto la posizione leggermente decentrata del tempio, quanto la presenza dell'alto muro di sostruzione e del sottostante piazzale, di forma stretta ed allungata, a sua volta retto, almeno parzialmente nel caso di Assisi, da concamerazioni voltate.

Dal punto di vista cronologico, l'esempio di Cori sembra aver anticipato, sia pure di non molto, la realizzazione assisiate (47). Riguardo a quest'ultima, non è possibile precisare in via diretta il momento in cui venne edificata la terrazza centrale; possiamo soltanto indicarne la cronologia relativa, compresa tra l'ultimazione della terrazza superiore da un lato e l'erezione del tempio dall'altro. Le magistrature menzionate nei testi epigrafici infatti — *quattuorviri e quinquemviri* — si riferiscono sicuramente alla fase municipale e risultano alternative ai *marones* ricordati sopra il muro di S. Rufino. Di quest'ultimo in ogni caso si mantiene la tecnica, un'opera quadrata molto accurata, con *anathyroseis* simili in entrambi i casi. Piazzale e terrazza centrale, d'altra parte, dovettero essere ultimati prima della costruzione del tempio (tav. V, fig. 1): questo, esastilo con ante, venne realizzato in piccoli blocchetti di calcare legati con malta, ad opera di due fratelli, i *quattuorviri Cn. e T. Caesii,* e quindi venne stuccato e dipinto a spese di *C. Attius C.f. Clarus,* il cui nome, privo di indicazioni relative a cariche magistratuali, venne aggiunto in appendice alla epigrafe del muro di terrazzamento inferiore (appendice n. 4). Una datazione abbastanza puntuale alla primissima età augustea ci viene dall'analisi della decorazione architettonica, in particolare da quella dei capitelli di ordine corinzio che sono tipologicamente inseribili a ridosso di alcuni esemplari del secondo triumvirato (capitello di S. Omobono e di S. Costanza) e sembrano anticipare, per una maggiore durezza nell'intaglio, le forme,

---

(43) Per il tipo cfr. C.G. YAVIS, *Greek Altars,* St. Louis University Studies, 1, 1949, pp. 185 ss.

(44) L'uso del termine *tetrastylum* che qui appare in diretta connessione con la struttura architettonica cui si riferisce, contribuisce a chiarire la tipologia dei monumenti per i quali esso viene adoperato: si tratta, nella maggior parte dei casi, di edicole con un baldacchino sorretto da quattro colonne, una per ciascun lato (per l'uso del termine cfr. in generale W. RUPP, *Greek Altars of the Northern Peloponnese,* Bryn Mayr College, Diss., 1972, pp. 250 sgg.). Tale doveva essere, tra l'altro, la forma del *tetrastylum Augusti* che sorgeva nell'area del tempio di Apollo Palatino a Roma (cfr. *N.Sc.,* 1931, p. 331) il quale è stato recentemente addotto come confronto per il tempio di Assisi: cfr. F. COARELLI, *Hellenismus in Mittelitalien,* cit., p. 130; M. VERZÁR, *Umbria Marche, Guide archeologiche Laterza,* Bari, 1981, p. 163. In tal caso esso potrebbe essere identificato col monumento a doppia scalea in asse col tempio e antistante il pronao, noto da frammento della *Forma Urbis* concordemente riferito al tempio di Apollo Palatino. Si veda da ultimo E. RODRIGUEZ ALMEIDA, *Forma Urbis Marmorea, Aggiornamento generale 1980,* Roma, 1981, p. 99 s., tav. XIV, il quale ricorda a questo proposito l'esistenza, all'esterno del tempio, di una seconda statua di Apollo di cui ci parla Properzio (II, 31, 5-6), che avrebbe potuto essere ospitata appunto entro tale edicola.

(45) Cfr. Sensi, Appendice n. 10; p. 171, nota 61.

(46) P. VITTUCCI, *Cori, Quaderni dell'Istituto di Topografia Antica dell'Università di Roma,* 2, 1966, pp. 13 ss., in particolare fig. 13; P. BRANDIZZI VITTUCCI, *Cora - Forma Italiae Regio I, V,* Roma, 1968, pp. 58 ss.

(47) Una datazione del tempio all'età sillana è fondata sui caratteri epigrafici dell'iscrizione dell'architrave (*CIL* I², 1507). Anche per la datazione dei capitelli, generalmente riferiti alla metà del secolo (cfr. BRANDIZZI VITTUCCI, *cit.,* p. 65) è stato recentemente proposto un rialzamento agli inizi del secolo: H. von HESSBERG, *L'ordine corinzio in età tardo repubblicana, L'art décoratif à Rome à la fin de la république et au début du Principat, Coll. École Française de Rome,* 55, 1981, p. 22, figg. 5-6.

destinate quindi a divenire canoniche, dei più plastici esemplari del tempio di Marte Ultore (48), con una conseguente, presumibile datazione intorno al 30 a.C. (49) (tav. VI, figg. 1-2).

La terrazza nord-occidentale

Un'altra grande terrazza si stendeva a nord-ovest del tempio, a livello del suo piano di base (tav. I, 7). Essa era preceduta da un ingresso monumentale che, probabilmente, costituiva anche l'accesso principale all'intero complesso. L'andamento dell'epigrafe pavimentale n. 5, orientata in questo senso e, più in generale, tutta l'impostazione urbanistica del settore orientale, parzialmente gravitante verso tale lato, lo confermerebbero indirettamente.

Della terrazza si conservano integralmente i due muri di contenimento: quello inferiore in opera quadrata, percorribile in tutta la sua lunghezza sul fondo dell'attuale via Portica, (tav. VII, fig. 1) costituiva il diretto prolungamento di quello antistante il tempio (tav. I, 7 a). Quello superiore, destinato a reggere il retrostante strapiombo, corre lungo l'attuale via S. Paolo (tav. I, 7 b). Il piazzale così delimitato aveva una lunghezza di 65 metri ed una profondità di 40; non sembrerebbe, a giudicare dall'insieme dei dati, che esso ospitasse edifici in alzato. La fronte verso valle era probabilmente chiusa da un porticato. Esattamente al centro del muro di fondo era incassata una fontana quadrangolare (mt. 5x4) le cui pareti si concludevano ad un'altezza di circa 10 metri con una grande volta a botte in conci di travertino (50). La nicchia stretta e slanciata al centro di un'alta parete liscia è un modello che ritroviamo variamente applicato nel santuario della Fortuna Primigenia di *Praeneste*, nei grandi nicchioni simmetrici alla base delle rampe oblique di accesso alle terrazze superiori, parzialmente coperti dalle rampe stesse e nel grande arcone centrale (51) di cui la terrazza di Assisi ripeteva probabilmente l'effetto scenografico. Più in generale, la concezione dalla grande piazza inedificata, con portici che corrono lungo i lati, si ricollega a criteri urbanistici tipici dell'ellenismo.

Il muro posteriore di contenimento marca una svolta nel campo della tecnica edilizia dei monumenti di Assisi: esso è sempre costruito in blocchi squadrati, che però sono più stretti ed allungati della precedente opera quadrata, legati con malta cementizia per uno spessore interno di circa un metro, non più in travertino, ma in calcare locale (tav. VII, fig. 2). Questa stessa tecnica è impiegata per restauri dell'opera quadrata in punti diversi (52) (tav. VII, fig. 2). Sarebbe oltremodo tentante, per quanto purtroppo destinato a restare a livello di pura ipotesi, riferire a tali interventi di restauro il testo dell'iscrizione tardorepubblicana pervenutaci in duplice copia (appendice n. 7), da cui apprendiamo che due *quattuorviri* ed i *quinquemviri* «*murum reficiundum curarunt probaruntque*»

---

(48) H. KÄHLER, *Die römischen Kapitelle des Rheingebietes (Römisch-Germanische Forschungen, 13)*, Berlin, 1939, p. 7, b. 2,2, con datazione alla metà del secolo circa; W.D. HEILMEYER, *Korintische Normalkapitelle. Studien zur Geschichte der römischen Architekturdekoration (RM, XVI Supp.)*, Heidelberg, 1970, p. 42 (con datazione al periodo del secondo triumvirato). Ancora H. KÄHLER, *Der römische Tempel*, Berlin, 1970, p. 38, tavv. 42-45, fig. 24, abbassa la datazione al penultimo decennio del I sec. a.C.

(49) HEILMEYER, *cit.*, p. 42, tav. 4:2 (S. Omobono); p. 39, tav. 4:4 (S. Costanza); p. 27 ss. tav. 2:1 (Marte Ultore).

(50) Le strutture, ancor oggi perfettamente conservate all'interno dello stabile di via S. Paolo 12 a, sono state fatte oggetto di uno scavo da me condotto nell'ambito della Soprintendenza archeologica per l'Umbria. Nel corso dell'indagine si è raggiunto il piano di fondo della fontana, a mt. 2,70 sotto l'attuale livello stradale, con pavimentazione in cocciopesto e si sono individuati il pozzo di caduta retrostante ed un cunicolo, interamente costruito con blocchetti di calcare e piccola volta in travertino, che passa sotto le strutture.

(51) F. FASOLO - G. GULLINI, *Il santuario della Fortuna Primigenia di Palestrina*, Roma, 1953, p. 58 s., figg. 74-76.

(52) I restauri sono visibili nel muro di terrazzamento trasversale del piazzale nord-occidentale (tav. I, 7 c), nel porticato a Nord del tempio (tav. I, 6 d) e negli ambienti di sostruzione di via Macelli Vecchi (tav. I, 6 c).

(53). Certo è che la medesima tecnica, che qui ha verosimilmente trovato la sua prima applicazione, caratterizza anche tutti i resti di terrazzamento conservati nel settore sud-orientale (tav. I, 5 a-g) (54). Essa rappresenta quindi un'innovazione, intervenuta nel corso dei lavori e mantenuta sino al loro successivo completamento.

Il quartiere meridionale

Numerosi resti archeologici sono localizzati infine nella fascia meridionale della città, compresa tra i terrazzamenti in opera quadrata e la cinta urbica. Le strutture conservate in questo settore sono caratterizzate dalla comparsa dell'*opus caementicium* con paramento di laterizio, indicativo di una datazione della fase edilizia nell'età imperiale. Alcune di esse sono molto probabilmente da riferire ad edifici di carattere pubblico. Un'area di particolare interesse è quella dell'ex convento di S. Antonio (tav. I, 9), dove si sono rinvenute alcune epigrafi pubbliche della media ed avanzata età imperiale, tra le quali una dedica onoraria a Gordiano III (55). Nello stesso punto fu rinvenuta una statua di Ercole, successivamente perduta, donde l'identificazione, a livello di erudizione locale, del luogo come tempio della divinità (56).

Più ad occidente, resti di una grande abside con paramento laterizio, inglobati nell'attuale clausura di S. Quirico (tav. I, 10), sono pertinenti ad un edificio di grandi dimensioni, di cui sarebbe però azzardato voler definire la funzione (terme? basilica?) (57).

Un certo spazio doveva essere infine lasciato all'edilizia privata. Nell'area sono documentate alcune lussuose abitazioni di I sec. d.C., quali la *domus* nota come casa di Properzio sotto la chiesa di S. Maria Maggiore (tav. I, 11) (58) o quella, scavata nel secolo scorso nella via Rocchi, nota soprattutto per il rinvenimento di un'epigrafe in onore di Vibio Sabino (59) (tav. I, 12).

Il culto

Alla numerosa serie di dati archeologici, monumentali e scritti, sui quali abbiamo basato il tentativo di ricostruzione del complesso assisiate, fa riscontro una deprecabile scarsità di informazioni circa i culti in esso praticati, culti cui certamente spetta un ruolo tutt'altro che irrilevante nella genesi e nello sviluppo del complesso medesimo. Dall'epigrafia ricaviamo solo alcuni elementi: un'iscrizione

---

(53) L'epigrafe *CIL* XI, 5392 è stata rinvenuta nelle vicinanze del piazzale. La 5391, identica, con l'eccezione dell'inversione nell'ordine dei primi due nomi, si conserva a Bettona, dove probabilmente è stata trasportata da Assisi.

(54) Cfr. sopra nota 18.

(55) *CIL* XI, 5371, 5395, 5399, 8018.

(56) BRIZI, p. 428 s., nn. 49-50.

(57) M. BIZZARRI, *Contributo all'aggiornamento della carta archeologica del municipio romano di Assisi*, BDPU, 44, 1947, pp. 42 ss., fig. 2.

(58) L'ipotesi è stata avanzata da M. GUARDUCCI, *Domus musae. Epigrafi greche e latine in un'antica casa di Assisi*, Mem. Acc. Lincei s. VIII, 23, 1979, pp. 269 ss. che interpreta come riferiti al poeta alcuni graffiti tardoantichi leggibili sulle pareti. Lo scavo della *domus*, parzialmente effettuato già nel secolo scorso (BRIZI, p. 429 s., n. 53), venne ripreso negli anni '50 ed è rimasto tutt'ora inedito. Gli ambienti rinvenuti sono decorati, tra l'altro, da pitture di IV stile, per cui sembrerebbe difficile l'attribuzione della casa al poeta latino, vissuto circa un secolo prima, nella seconda metà del I sec. a.C. (per tali osservazioni cfr. M. VERZÁR, *Umbria Marche* - cit. p. 163 s.). Resta comunque da verificare, mediante lo studio scientifico della *domus*, se tale discordanza cronologica non sia peraltro spiegabile con l'esistenza di più fasi decorative.

(59) Cfr. BRIZI, p. 427, n. 46; A. CRISTOFANI, *Delle storie di Assisi, cit.*, p. 13, *CIL* XI, 8020. Ad una *domus L(uci) Muti(i)* fa riferimento l'epigrafe *CIL* XI, 5399, relativa alla pavimentazione di una strada dalla parte del medico *P. Decimius Merula*. Purtroppo non abbiamo elementi sicuri per stabilire se l'epigrafe, rinvenuta sotto la chiesa di S. Antonio nella parte bassa della città, si riferisse certamente a opere situate nelle vicinanze.

ASSISI: PROBLEMI URBANISTICI

menziona Minerva (*CIL* XI, 5376); provata è l'esistenza di una *aedes Herculis,* forse da localizzare nella parte bassa della città (60); un'epigrafe ricorda la costruzione, da parte di un servo pubblico, di una *aedem cum porticibus* dedicata a Giove Paganico (*CIL* XI, 5375), molto probabilmente riferibile ad un culto extra-urbano. Dalla cattedrale di S. Rufino proviene una rara dedica a *Ianipatri* (*CIL* XI, 5374). Abbiamo infine l'iscrizione di *Galeo Tettienus Pardalas* che si riferisce all'erezione del *tetrastylum* contenente le statue dei Dioscuri: si tratta di un'indicazione che, a mio parere, non andrebbe sottovalutata e che può forse costituire una traccia per l'identificazione del culto praticato nel tempio che, sia per monumentalità, sia per la collocazione topografica, si configurava indubbiamente come il santuario di maggior importanza nell'ambito cittadino. Si è già sottolineato in precedenza come l'assialità del *tetrastylum* rispetto al tempio soprastante ne implichi la dipendenza: Castore e Polluce sono quindi in connessione col culto pratico nel tempio.

Per una serie di considerazioni che seguiranno, mi sembra tutt'altro che impossibile che, come di frequente avviene, in questo caso ci si trovi di fronte ad una duplicazione, all'esterno del tempio, delle divinità venerate all'interno della cella. Nel caso dei Dioscuri, possiamo ricordare senz'altro l'esempio di Roma, dove le statue arcaistiche dei due fratelli a cavallo sorgevano su di un piedistallo al centro della *fons Iuturnae,* di fianco al tempio, a commemorare la loro prodigiosa comparsa dopo la battaglia del lago Regillo (61); ma anche gli esempi più lontani di Samotracia e di Delo, dove rispettivamente statue identificate con i Dioscuri (62) ed un *naiskos* ligneo contenente le statue, pure lignee, delle divinità a cavallo (63) si innalzavano davanti ai due santuari, comunemente dedicati in età ellenistica «ai Grandi Dei Dioscuri Cabirii» (64).

Un eventuale culto dei Dioscuri ad Assisi ben si accorderebbe inoltre con il ruolo terapeutico che sovente rivestono le due divinità, i cui templi sono in molti casi in diretta connessione con sorgenti, fontane e corsi d'acqua (65): a Roma il tempio del foro sorge accanto alla *fons Iuturnae* ed un secondo tempio, prospiciente le rive del Tevere, era stato eretto agli inizi del I sec. a.C. nell'area del circo Flaminio (66). Resti non meglio precisati di vasche e piscine erano visibili sino al secolo scorso davanti al tempio di Castore e Polluce di Cori (67). Infine nel tempio tardorepubblicano dei Dioscuri a Este, sorto sopra un alto terrazzamento affacciato sull'antico corso dell'Adige, il carattere terapeutico del culto è documentato dai numerosi ritrovamenti di strumenti di uso chirurgico all'interno della stipe (68).

Ad Assisi la presenza di ricche ed abbondanti acque sorgive risulta, oltre che dalla rilevanza data alle grandi fontane all'interno del complesso monumentale, anche dai numerosi resti di cisterne, pozzi e canalizzazioni rinvenuti in più parti della città (69); poco al di fuori delle mura, in località

---

(60) Cfr. sopra nota 56. Una *aedem Herculis* è citata anche nell'epigrafe *CIL* XI, 5400, relativa alle numerose benemerenze del *medicus ocularius P. Decimius Merula* nei confronti del *municipium* di Assisi.

(61) F. COARELLI, *Architettura ed arti figurative in Roma, Hellenismus in Mittelitalien,* cit., p. 27, figg. 15-20.

(62) F. CHAPOUTIER, *Les Dioscures au service d'une déesse,* Bibl. École Franc., 137, Paris, 1935, p. 183, nota 2.

(63) IDEM, p. 183, nota 3.

(64) IDEM, pp. 180 ss.; Ph. BRUNEAU, *Recherches sur les cultes de Délos à l'époque hellénistique et à l'époque imperiale,* Bibl. École française, 117, Paris, 1970, pp. 379 ss.

(65) Cfr. E. PETERSEN, *Die Dioskuren auf Monte Cavallo und Juturna,* Röm. Mitt., 1900, pp. 338 ss.; CHAPOUTIER, *cit.,* p. 302. F. ALTHEIM, *Juturna und die Dioskuren, Griechische Götter in alten Rom,* Giessen, 1930, pp. 4 ss.

(66) F. COARELLI, *L'"area di Domizio Enobarbo" e la cultura artistica in Roma nel II sec. a.C., Dialoghi di Archeologia,* II, 1968, p. 308, nota 46.

(67) BRANDIZZI VITTUCCI, *Cora, cit.,* p. 51, nota 3.

(68) G. GHIRARDINI, *N.Sc.*, 1916, p. 379.

(69) Un piccolo *lacus* è stato rinvenuto da M. A. Tomei nello scavo di via Arco dei Priori. L'esistenza di una grossa cisterna è segnalata sotto la chiesa di via S. Antonio. Su resti di vasche e di acquedotti immediatamente fuori della cinta urbica cfr. BRIZI, p. 430 s., nn. 54-55.

161

Santureggio, sono stati recentemente scoperti i resti di un grande ninfeo a facciata di età repubblicana, che forse potremmo immaginare in connessione con un santuario extraurbano, da cui sgorgavano acque termali ancor oggi sfruttate per le loro qualità terapeutiche (70).

Resta infine un terzo argomento, più strettamente inerente le caratteristiche monumentali. Si erano sopra sottolineate le analogie tra lo schema della terrazza centrale di Assisi e quello dei terrazzamenti relativi al tempio dei Castori di Cori. Confronti forse ancor più stringenti si possono istituire col tempio del foro romano, nella fase successiva ai restauri apportatigli nel 117 a.C. da Q. Cecilio Metello Dalmatico. Il tempio era caratterizzato da un alto podio, frontalmente liscio, cui si accedeva, come nel caso di Assisi, mediante due piccole scale laterali. Da un livello più alto partiva una breve scalinata che portava al piano delle colonne — probabilmente sei nella fase pre-tiberiana — che una testimonianza di Cicerone ci dice ricoperte di stucco (*dealbatas*) (71). Sulla parte anteriore del podio erano forse applicati dei rostri ed è probabile che il suo piano superiore venisse utilizzato come tribuna (72).

Mura e terrazzamenti sembrerebbero in realtà una costante nei luoghi di culto dedicati ai Castori, come nel già ricordato caso di Este, o in quello di Capua, dove un collegio di *magistri* nel 106 a.C. erige a proprie spese un *murum et pluteum* a Castore e Polluce (*CIL* I, 678), al punto da rendere legittima la supposizione, non proponibile altrimenti che a livello di ipotesi di lavoro, che al culto delle due divinità corrispondesse, in ambito italico, una ben delineata tipologia architettonica, nella cui definizione molto può aver giocato il modello romano.

Mi rendo perfettamente conto dei limiti e dei rischi che comportano simili procedimenti di carattere induttivo; varrebbe però forse la pena di ricordare che un preciso rimando all'iconografia dei Castori in ambiente assisiate è leggibile nel rilievo funerario di *Nero Egnatius* ritto al fianco del suo cavallo (73); e si potrebbe inoltre sottolineare la coincidenza per cui un personaggio molto probabilmente di origine assisiate, *C. Olius,* nel 100 a.C. fa a Delo una dedica proprio agli dei di Samotracia, sicuramente assimilati ai Dioscuri in tale periodo (74).

Tale chiave interpretativa si accorderebbe perfettamente inoltre col carattere delle altre divinità che ad Assisi risultano venerate, soprattutto Ercole, cui i Dioscuri sono spesso complementari. Una collocazione abbastanza logica potrebbe inoltre essere attribuita anche alla grande statua di culto rinvenuta nelle vicinanze del tempio, rappresentante una figura femminile seduta in trono (Tav. IX), i cui caratteri tardo-ellenistici ben si accordano con una datazione del tempio alla prima età augustea: l'accostamento dei Dioscuri ad una divinità femminile, che varia a seconda delle località e delle circostanze, è un fatto ben noto e documentato a partire dall'età ellenistica (75) e potrebbe ipoteticamente documentare in ambito locale l'associazione al culto di una divinità di carattere uranio che sotto forme diverse (Fortuna, Afrodite etc.) risulta attestata anche nei centri più vicini (76).

---

(70) M. S. ARENA, *FA*, 1900, in corso di stampa. *Medici* e *medici ocularii* sono inoltre attestati epigraficamente ad Assisi (*CIL* XI, 5399, 5400, 5441) ed un "cahier d'oculiste" è stato rinvenuto nella campagna di S. Masseo, sottostante la città (*CIL* XI, 6714, 2 = XIII, 10001, 154).

(71) Cicero, *Verr.*, LI, 1, 55.

(72) FRANK, *The first and second temples of Castor at Rome*, MAR, 5, 1925, pp. 90 ss., figg. VII-IX.

(73) *CIL* XI, 5472; cfr. SENSI, p. 169, note 42-47, fig. 4.

(74) Cfr. SENSI, p. 167, nota 24.

(75) Ph. BRUNEAU, *cit.*, p. 398 s.

(76) Cfr. in generale CHAPOUTIER, *cit.;* un culto alla Fortuna è attestato ad *Arna* (*CIL* XI, 5607-5611); a Spello è attestato epigraficamente il culto di Venere (*CIL* XI, 5264); la dea Northia, era qui venerata in un grande santuario, oggetto di particolare cura ancora ai tempi dell'imperatore Costantino (cfr. M. GAGGIOTTI-L. SENSI, *Epigrafia ed ordine senatorio*, colloquio *AIEGL*, Roma, 1981, in corso di stampa.

ASSISI: PROBLEMI URBANISTICI

Conclusioni

Riprendendo in sintesi quanto sopra delineato, il complesso sistema di terrazzamenti che caratterizza l'urbanistica di Assisi appare focalizzato sui due principali nuclei che lo compongono: quello superiore — *arx* fortificata / circo — e quello centrale nella sua triplice composizione — piazzale nord-ovest / tempio / terrazza sottostante. Attraverso l'analisi della documentazione si è tentato di determinare con sufficiente approssimazione i termini cronologici entro i quali l'opera venne iniziata e condotta a termine: all'interno di un periodo di circa un secolo, le singole parti sono state via via realizzate seguendo il filo di un disegno unitario di cui, riassumendo, ripetiamo qui le principali scansioni:

1) mura urbiche
2) terrazza superiore
3) terrazzamento centrale, muro di contenimento inferiore della piazza nord-ovest
4) muro di contenimento superiore della piazza nord-ovest, terrazze sud-orientali
5) tempio.

Il programma urbanistico sembrerebbe essersi concentrato su un'architettura di prestigio, privilegiando l'aspetto monumentale-religioso e tralasciando, almeno apparentemente, quello più utilitaristico e funzionale che sembrerebbe essere stato delegato a successivi, meno vincolanti interventi. Singole questioni filologiche, quali la localizzazione del foro, sino ad ora identificato con la platea sottostante il tempio — forse dedicato ai Dioscuri, secondo l'ipotesi espressa in questa sede — dovranno essere riconsiderate in futuro solo all'interno di un esame globale, tenendo però sin d'ora ben presente che non abbiamo a che fare con un modello canonico di città, bensì con un'urbanistica che elabora i suoi progetti di volta in volta, adattando a situazioni specifiche i duttili modelli dell'architettura ellenistica.

Se in linea generale l'urbanistica di Assisi riflette le grandi esperienze maturate nelle città e nei santuari dell'oriente greco e mediterraneo, più specificamente i confronti che si sono via via addotti per i singoli particolari riportano ad Alatri, Cori, *Praeneste* etc., al fiorire cioè della grande architettura più o meno contemporanea di ambiente laziale, cui il caso assisiate si ricollega direttamente dal punto di vista culturale.

Tale preciso riferimento ha tutto il valore di un'opzione innovatrice: esso sancisce infatti un processo di progressiva ed irreversibile differenziazione del centro umbro rispetto al retroterra etrusco sino ad allora politicamente e culturalmente dominante. Basti accennare, a titolo di esempio, a come ciò si riflette, sin dal II sec. a.C., nella costante menzione dei nomi dei magistrati impegnati nelle singole realizzazioni, in contrapposizione all'anonimato che contraddistingue le precedenti grandi imprese edilizie nei centri dell'Etruria interna, Volterra, Arezzo, Perugia. Da un punto di vista formale, ciò non toglie che il rapporto con le proprie passate tradizioni venga mantenuto, anzi sottolineato: ciò si traduce, tra l'altro, nell'immissione di elementi conservativi nelle nuove forme architettoniche — si ricordi il modulo decorativo della porta urbica, di estrazione perugina — e, soprattutto, nell'uso costante dell'opera quadrata che, sia pure con una sua evoluzione tecnica, viene mantenuta senza mai ricorrere all'*incertum* nella costruzione dell'intero complesso.

Certo il «caso» di Assisi si configura con un *unicum* rispetto agli altri centri umbri che, forse con l'eccezione della sola Todi dove però sembrerebbero prevalere tendenze più tradizionali, non presentano modelli di sviluppo che le siano in qualche modo confrontabili. Gran peso in questo processo, di cui Luigi Sensi analizzerà qui di seguito le premesse economiche e sociali, può aver avuto l'esistenza di un luogo di culto, certamente attivo ancor prima dell'avvio dell'impresa urbanistica:

163

molto significativamente i Dioscuri al fianco di Giove si affacciano da una balaustra guardando in direzione di Assisi sulla perugina porta Marzia (77).

L'enfatizzazione, nel corso del I sec. a.C., del culto per le due divinità, le quali, per il loro collegamento con la cavalleria, si presentavano anche come le tradizionali protettrici della nobiltà, potrebbe peraltro aver voluto significare, nella nuova realtà municipale, un simbolo di promozione sociale da parte delle nuove classi emergenti in via di progressiva integrazione.

MARIA JOSÉ STRAZZULLA

---

(77) P. DEFOSSE, *art. cit.* a nota 32, pp. 725 ss., in particolare p. 759 e 779 con datazione alla fine del II sec. a.C.

ASSISI: ASPETTI PROSOPOGRAFICI.

Attraverso l'esame della documentazione epigrafica si ricavano i nomi di almeno trenta magistrati che hanno operato nella città funzione di *uthur, maro, IV viri e V viri* (1). Questa possibilità di ricollegare dati derivanti dalla documentazione archeologica con una discreta campionatura prosopografica è un caso abbastanza fortunato in un panorama generale, quello umbro, ancora molto oscuro e poco noto.

Lasciando da parte le magistrature, problema questo estremamente complesso e di difficile soluzione proprio per la fluidità del materiale (2), un primo dato deriva dall'analisi dell'onomastica assisiate che rivela da una parte stretti legami con le *gentes* della vicina *Perusia*, dall'altra con *gentes* di altre comunità italiche.

In alcuni casi si deve sottolineare come la trasmissione del gentilizio sia diretta: è il caso dei *Vibi, Scefi, Volcasi, Vuisini* (3), attestati a Perusia rispettivamente come *Vipi, Scaefi, Velxe, Vuisi* (4). In altri essa si ripropone a livello di cognome, come nel caso di *Nar, Scaeva* (5), presupponendo, di conseguenza, collegamenti di natura matrimoniale, dove il cognome del figlio viene modellato sul gentilizio materno, secondo un uso di probabile origine etrusca. I legami che si rintracciano nell'ambito della documentazione onomastica si riaffacciano anche a livello archeologico e storico-artistico nella recezione di determinate e peculiari classi di manufatti e di specifiche forme artistiche, mediate attraverso *Perusia*. L'analisi della situazione di *Asisium* non può pertanto prescindere dall'esame, seppur preliminare della situazione del grande centro finitimo di *Perusia* (6).

Le evidenti trasformazioni che si operano all'interno di *Perusia* verso la metà del II sec. a.C. —

---

(1) I magistrati locali sono definiti in età premunicipale con i titoli di *uthur* e *maro*, in età municipale con quello di *IV viri* e *V viri*.

Le attestazioni sono le seguenti: *Uthur: CIL*, XI, 5389 = Vetter, 236; *maro: CIL*, XI, 5389 = Vetter, 236; *CIL*, XI, 5390 = I², 2112 = *ILS*, 5346 = *ILLRP*, 550; *IV viri: CIL*, XI, 5391-5392; 5395; 5396; 5408; 5413; 5414; 5419; 5422; *V viri: CIL*, XI, 5391; 5392; 8021.

(2) La principale bibliografia sull'argomento è la seguente: A. Rosemberg, *Der Staat der alten Italiker*, Berlin, 1913 pp. 46-50; U. Coli, *L'organizzazione politica dell'Umbria preromana*, in *Atti I Convegno di Studi Umbri, Gubbio 1963*, Perugia, 1964 pp. 133-159; J. Heurgon, *L'Ombrie à l'époque des Gracques et de Sylla*, Ibid., pp. 113-131; M. Humbert, *Municipium et civitas sine suffragio. L'organisation de la conquête jusqu'à la guerre sociale*, Roma 1978 pp. 222-223; M. Cristofani, *Società ed istituzioni nell'Italia preromana*, in *Popoli e Civiltà dell'Italia antica*, VII, Roma, 1978, pp. 99-101; A. L. Prosdocimi, *L'Umbro*, in *Popoli e civiltà dell'Italia antica*, VI, Roma, 1978, pp. 628 sgg.; E. Campanile - C. Letta, *Studi sulle magistrature indigene e municipali in area italica*, Pisa, 1978 pp. 49-64. A. L. Prosdocimi, rec. *S.E.* XLIX, 1981 pp. 559-561.

(3) *Vibi*: A. L. Prosdocimi *S.E.*, XLVII, 1978 p. 378. *Scaefi: CIL*, XI, 5391.

Volcasi: CIL, XI, 5427; 5428; 5571; 5572; 5391; 5392.

Vuisini: CIL, XI, 5389.

(4) *Vipi: Perusia, CIE*, 4344-4357.

Scefi; Perusia, CIE, 3417-3419; 3682.

Velxe: Perusia, S.E., X, 1936, p. 409 cfr. *CIL* I², 2772-2773.

Vuisi: Perusia, CIE, 3364; 3366 = *TLE*, 592; 3367; 3369; 3800; 3801; 4360; 4687.

(5) *Nar;* Iscrizione della platea, cfr. nota n. 16 fig. 1 cfr. *Perusia, CIE*, 4150; 4268; 4401.

Scaeva: CIL, XI, 5391; 5392 cfr. *Perusia, CIE. loc. cit. nota n. 4 s.v. Scefi.*

(6) L. Banti, *Perusia, R.E.*, XIX, 1937, coll. 1068-1086.

costruzione della cinta urbana (7), sistemazione dei numerosi ipogei familiari (8) — sono a differenti livelli recepite ad *Asisium:* basti pensare alla costruzione della cinta urbana (9) ed al tipico uso di urnette cinerarie, di produzione autonoma, ispirate al modello perugino (10).

Si tratta di un processo, estremamente articolato che porta alla trasformazione della vecchia oligarchia ed alla graduale e certo parziale liberazione degli ex-servi secondo uno schema ampiamente illustrato dal Rix nello studio della onomastica di Perusia (11).

La funzione di guida che *Perusia* assume su questo territorio, un tempo retroterra economico di *Volsinii* (12), porta anche ad una trasformazione di tipo sociale dell'intera area. In questo quadro l'affiorare di un'autonomia culturale e politica di Assisi, che si colloca nel corso della prima metà del I sec. a.C., segnala il parallelo emergere di un ceto aristocratico locale tra cui spiccano i *Babri*, i *Mimisii* ed *Propertii* (13), cui si dovrà l'imponente realizzazione del complesso monumentale e la stessa definitiva urbanizzazione, in senso ellenistico, di un antico centro subalterno.

A queste osservazioni se ne possono aggiungere altre in considerazione con l'area di distribuzione degli altri gentilizi quali gli *Allii, Caetronii, Egnatii, Olii, Visellii, Vallii,* attestati in area italica (14) e gentilizi derivati da un etnico quali *Vistinius, Volsienus, Capidas* (15). Citiamo per tutti, perché ci sembra il più significativo, il caso acquisito grazie alla lettura dell'epigrafe della platea antistante il tempio (fig. 1). Tra i personaggi è menzionato, forse come quattuorviro — ma l'epigrafe è purtroppo frammentaria — un *T. Òlius C. f. Gargenna* (16). La presenza di questo personaggio ad *Asisium,* se

---

(7) P. Defosse, *Les remparts de Pérouse. Contribution à l'histoire de l'urbanisme préromain, MEFRA,* 92, 1980, pp. 725-820 (con bibl. precedente).

(8) Non esiste ancora uno studio sistematico sull'ubicazione e sull'organizzazione degli ipogei nelle necropoli perugine, noti peraltro solo parzialmente. Una tavola riassuntiva della distribuzione è presentata da A. E. Feruglio, *Complessi tombali con urne nel territorio di Perugia,* in *Caratteri dell'ellenismo nelle urne etrusche,* Firenze, 1977, p. 110, grafico n. 1.

(9) Vedi Strazzulla, p. 153.

(10) Le urnette cinerarie di *Asisium,* purtroppo in parte ancora inedite, costituiscono un complesso d'indubbio interesse: esse per lo più si riallacciano all'ultima produzione di Perugia, da cui mutuano le forme ed i temi decorativi cfr. P. Romanelli, *NSc.,* 1935, pp. 25-28. Ma vi sono urne che presentano una serie di raffigurazioni del tutto nuove, come quelle degli *Egnatii,* vedi nota n. 48 o che si ricollegano alle stele di tipo greco come l'urna A. Brizi, *NSc.,* 1894, pp. 47-48 cfr. M.T. Coiuillod, *Les monuments funéraires de Rhénée, Exploration Archéologique de Délos,* XXX, Paris, 1974, nn. 315, 318, 319.

(11) H. Rix, *L'apporto dell'onomastica personale alla conoscenza della storia sociale, Caratteri dell'ellenismo,* cit., pp. 64-73.

(12) Testimonianza di questa antica condizione è il Rescritto Costantiniano di *Hispellum, CIL,* XI, 5265 che ricorda ancor vivi nella prima metà del IV sec. d.c. i rapporti tra Umbri ed Etruschi ed in particolare tra *Volsinii* ed *Hispellum.*

(13) *Babrii: CIL,* XI, 5389; 5390; 8021.
Mimisii: CIL, XI, 5390; 5429; 5437; 5484; 5525; 5526; 5490-5495.
Propertii: CIL, XI, 5376; 5389; 5410; 5501; 5515-5522; 5406a; *NSc.,* 1935 p. 2, n. 8; *AE,* 1978, 294.

(14) *Allii: CIL,* XI, 5391; 5392; 5396; 5446.
Caetronii: iscrizione della platea, vedi Appendice Epigrafica, n. 5.
Egnatii: CIL, XI, 5470; 5471; 5472.
Olii: iscrizione della platea, vedi nota n. 16 e Appendice Epigrafica, n. 5.
Seii: CIL, XI, 8032.
Viselli: CIL, XI, 8021.
Vallii: CIL, XI, 8021; iscrizione della platea, vedi nota n. 16 e Appendice Epigrafica, n. 5.

(15) A. L. Prosdocimi, *L'Umbro,* cit. p. 629 rileva le dipendenze da un etnico dei seguenti gentilizi:
Vistinius cfr. *Vestini*
Volsienus cfr. *Volsinii*
Capidas, cfr. *ager Casilati*

(16) L'iscrizione scoperta probabilmente durante gli scavi promossi dall'Accademia di Francia agli inizi del XIX sec. è rimasta fino ai nostri giorni completamente inedita. Una prima notizia di questo documento è stata presentata da U. Ciotti in una comunicazione alla Pontificia Accademia di Archeologia tenuta a Roma il 25/VI/1981.

non munito di una carica magistratuale, certo in posizione eminente, ripropone il problema dell'origine della *gens Ollia* da cui sappiamo essere discesa *Poppaea Sabina,* poi Augusta, seconda moglie di Nerone e figlia appunto di un *T. Ollius,* morto nel 31 d.C., perché coinvolto nella congiura di Seiano, mentre ricopriva la carica di questore (17). Proprietà di *Poppaea* sono appunto attestate nella vicinissima *Arna* e nella stessa *Asisium.* Suoi *dispensatores* curano infatti la costruzione di un'ara con la relativa crepidine ad Assisi (18) ed abbellimenti nel tempio della Fortuna di Arna (19). Da questo nuovo dato è facile dedurre che tali proprietà sono giunte a *Poppaea* per via ereditaria e che il *T. Òlius,* magistrato municipale nell'epigrafe della platea di Assisi è un antenato della futura imperatrice. Il rapporto che si può istituire tra questi personaggi e la cronologia relativa del complesso monumentale lascia ritenere che il *T. Òlius* di Assisi sia il bisnonno di *Poppaea Augusta.* Un *T. Òlius T. f.* con la o iniziale del gentilizio segnata dal caratteristico *apex* (20), ricorre anche, insieme ad alcuni liberti, in una epigrafe tardo-repubblicana di *Cupra* (21). È opportuno ricordare, in relazione a questa apparentemente remota presenza della *familia,* che Cupra sia sorta attorno ad un grande santuario che Strabone ricorda Τυρρηνῶν ἵδρυμα καὶ κτίσμα (22).

Tale fondazione etrusca è la testimonianza di antichissimi rapporti transappenninici che collegano l'Etruria ai mercati ed agli scali adriatici. Sembra così confermarsi la funzione assunta da Assisi come tramite tra territori etruschi della valle del Tevere ed il sempre promettente ambiente piceno ed adriatico.

Le più antiche attestazioni degli *Olli,* nella variante *Aulius,* sono documentate a *Praeneste* (23); numerosi sono gli *Olii - Ollii* presenti nell'ambiente mediterraneo: a Delos, dove alla fine del II sec. a.C. un *C. Olius C. (f o l.)* fa una dedica agli dei di Samotracia (24); a Pergamo dove compare in una lista efebica dell'80/70 a.C. (25): ad Amfipoli (26); a Stobi, all'interno della Macedonia (27). La *gens* è infine attestata a Roma verso il 45 a.C. già nella vita politica, come sembra indicare una testimonianza di Cicerone relativa alla *laudatio* funebre in onore di Porcia, sorella di Catone, composta appunto da un *Ollius* (28). La famiglia appare dunque collegata anche con interessi commerciali di vasto respiro, documentati dalla presenza nell'Oriente mediterraneo, alla luce dei quali può assumere un senso anche l'attestazione della *gens* sulla costa picena dell'Adriatico. In questo contesto deve essere probabilmente valutato l'avvenimento di maggiore rilievo sociale che sappiamo interessare la famiglia: il matrimonio fra *T. Ollius* questore nel 31 d.C. e *Poppaea Sabina* (29), figlia del console *C. Poppaeus*

Il testo inciso al centro della platea antistante il tempio, ortogonalmente al tempio medesimo, ha una lunghezza max. di m. 7,50. Le lettere che hanno un'altezza media di cm. 16, dovevano essere in bronzo, ma non ci sono pervenute. Restano soltanto, come si può rilevare dal disegno (fig. 1) solo parte delle tracce degli incavi, dove erano alloggiate le lettere ed i fori con le piombature per ricevere i perni necessari al fissaggio delle lettere medesime. Per il testo vedi Appendice Epigrafica, n. 5.

(17) W. Hoffmann, *Ollius, R.E.,* XVII, 1937, col. 2489 n. 2; L. Sensi, s.v. *Asisium, Colloquio Epigrafica ed Ordine Senatorio, Roma, 1981 (in stampa).*

(18) *CIL,* XI, 5418

(19) *CIL,* XI, 5609; 5610.

(20) R.P. Oliver, *Apex and sicilicus, AJPh.,* 87, 1966, pp. 129-149.

(21) *CIL,* IX, 5326 = I², 1919.

(22) Strab., 5, 4, 2.

(23) *CIL,* I², 92-95; P. Castrén, *Ordo Popolusque Pompeianus. Polity and Society in Roman Pompeii, Acta Intituti Romani Finlandiae,* VIII, Roma, 1975, pp. 199, n. 288.

(24) J. Hatzfeld, *Les Italiens résidant à Délos, BCH,* XXXVI, 1912 p. 214.

(25) J. Hatzfeld, *Les trafiquants italiens dans l'Orient héllenique,* Paris, 1919, p. 398.

(26) J. Hatzfeld, *Les trafiquants,* cit. p. 398.

(27) *CIL,* III, 12309.

(28) Cic., *ad Att.,* XIII, 48; cfr. H. Dahlmann, *M. Terentius Varro, R.E.,* S.VI, 1935, col. 1254 n. 18.

(29) *PIR,* P. 629.

Sabinus del 9 d.C., originario di *Interamnia Praettuttiorum* (30), unione che vista in questa ottica ha tutto l'aspetto di un'alleanza economica su base matrimoniale.

Altrettanto indicativo, seppur fondato su una documentazione diversa, è il caso della *gens Egnatia* di cui è possibile ricostruire, per un'età ben più antica, fine II sec. a.C., prima metà del I sec. a.C., tale processo.

Gli *Egnatii*, verisimilmente di origine osca, come sembra indicare lo stesso gentilizio che deriva dal prenome osco *Eczna* (31) sono stabiliti ad *Asisium* già verso il II sec. a.C. Non ci sono attestate per questa *gens* cariche magistratuali, purtuttavia la documentazione di carattere funerario a loro relativa che ci è pervenuta bene illustra non soltanto il loro indirizzo sociale ed economico, ma, credo, alcune delle tendenze prevalenti tra le *gentes,* a loro contemporanee, che hanno operato ad *Asisium*.

La *gens* è nota solamente attraverso tre urne cinerarie che presentano sulla fronte delle interessanti raffigurazioni a bassorilievo.

L'urna, verosimilmente più antica, fine II sec. a.C., appartiene a *C. Egnatius Sal. f.* (32), (fig. 2.) L'origine italica del personaggio sembra confortata anche dalla presenza, nel patronimico, del prenome *Salvius,* che ricorre in tale funzione, nel mondo sabellico e romano (33). Sulla fronte è raffigurata una coppia di banchettanti distesa su una *kline* riccamente drappeggiata. Appoggiato a dei cuscini *C. Egnatius,* vestito di una sottile ed aderente tunica, avvolto in un ampio mantello che copre anche la testa dal volto grande e tondeggiante. L'uomo tiene con la mano sinistra una corona vegetale, con la destra doveva sostenere un piccolo vaso potorio (34). La donna, verisimilmente la moglie, indossa una tunica manicata stretta alla cintola ed è velata dalla stola che, sostenuta dalla mano sinistra è trattenuta sul grembo dalla destra: sul capo si riconosce un diadema.

Lo schema figurativo è quello canonico in uso nel mondo ellenistico etrusco per la rappresentazione della coppia di sposi, ma che qui appare trascritta in un linguaggio che non è più quello delle urne etrusche. La necessità di evidenziare i tratti fisionomici dei due personaggi, rivela non soltanto l'interesse per la figura dell'uomo, ma anche per quella della donna. Quest'ultima, seppur rappresentata in scala minore e priva dell'epigrafe che la qualifichi, si presenta con tutti gli attributi del suo *status* matronale, lasciando intuire gli interessi economici che sono alla base di questo matrimonio. In tale prospettiva si colloca anche la scelta dell'iscrizione con il nome di *C. Egnatius* che non adotta un formulario ed un alfabeto locale, ma la formula onomastica e l'alfabeto di Roma (35).

L'urna, probabilmente riferibile al figlio *C. Egnatius C.f.* (36) (fig. 3) presenta un ritratto a mezzo busto di togato. La testa, sebbene non sia rifinita nei dettagli, è caratterizzata dai tratti marcati e dai grandi occhi con palpebre spesse; i capelli sono sentiti come una massa unitaria e non sono indicati nei particolari. Pochissime notazioni sono riservate infine alla toga, caratterizzata dal corto *balteus* da cui fuoriesce la mano destra. Questo tipo di toga è caratteristico della prima metà del I sec. a.C. (37)

---

(30) T.P. Wiseman, *New Men in the Roman Senate*, Oxford, 1971, p. 254, n. 340.

(31) Münzer, *Egnatii, R.E.*, V, 1905, coll. 1993-2004; P. Castrén, *Ordo Popolusque*, cit. n. 156; Il gentilizio *Egnati* è anche attestato in area etrusca cfr. M. Cristofani, *La tomba del Tifone, Cultura e società di Tarquinia in età tardo etrusca, Mem. Acc. Lincei,* s. VIII, vol. XIV, 1969 p. 252; cfr. anche *CIE,* 3739 (Perusia).

(32) *CIL,* XI, 5470 = I², 2119 = G. Körte, *I rilievi delle urne etrusche,* III, Berlino, 1916, tav. CVII.

(33) G. Giacomelli, *Sigle prenominali nelle lingue dell'Italia antica, Archeologica, Scritti in onore di A. Neppi Modona,* Firenze, 1975, pp. 349-350.

(34) Il vaso potorio è andato perduto, al suo posto c'è ora un foro, in quanto l'urna fu, con probabilità, posta a decorazione di una fontana nel palazzo vescovile di Assisi. Vedi nota n. 48.

(35) Si fa riferimento in particolare alla tipica formula onomastica umbra con la filiazione premessa al gentilizio. Sul problema A. L. Prosdocimi, *Studi sull'Italico, S.E.,* XLVIII, 1980, pp. 232-240 con bibl. prec.

(36) *CIL,* XI, 5471 = I², 2120; G. Körte, *I rilievi,* tav. CXXV, 7

(37) F. Courby, *toga, Dar. Sagl.,* 5, 1919, p. 351.

epoca alla quale riporta anche il ritratto, dalle notazioni assai dure, che, in particolare, trova confronti con una testa-ritratto del Museo Archeologico di Perugia (38).

L'uso di rappresentare il togato su monumenti di tipo sepolcrale è largamente diffuso in tutto il mondo romano, in particolare nei monumenti dei liberti (39). Localmente tale forma di rappresentazione è attestata nelle urne, come dimostrano un esemplare tardo-repubblicano del Museo di Assisi (40) ed un altro del Museo Archeologico di Foligno (41).

Infine l'urna di *Ner. Egnatius T. f.* (42) (fig. 4), per il quale non ci sono noti legami parentelari con i due precedenti personaggi, presenta sulla fronte un interessante rilievo raffigurante un uomo che tiene per le redini un cavallo. Sebbene la scultura sia estremamente consunta, la scena, in generale, appare abbastanza chiara. L'uomo, raffigurato stante, sopra un plinto quadrangolare, veste una tunica stretta ai fianchi da una spessa cinta; sulla spalla sinistra è gettato un corto mantello ripiegato, che è tenuto fermo sul davanti dalla mano; con la mano destra tiene per le briglie un imponente cavallo al passo, che reca sulla groppa, a guisa di sella, una pelle ferina (leonina?); ai piedi sono riconoscibili i *calcei* (43).

Nel rilievo credo che si debba riconoscere una raffigurazione di *Nero Egnatius*, come evidenzia la stessa iscrizione, apposta superiormente e non piuttosto un personaggio di rango servile, come è stato proposto (44).

Nero Egnatius è rivestito di un *paludamentum* (45) come lasciano intendere la corta tunica ed il mantello — forse un *sagum* — (46), gettato sulla spalla sinistra, con un abbigliamento cioé che vuole palesare anche lo *status* di *eques* che il personaggio ha raggiunto (47), *status* che è inoltre manifestato dalla presenza dello stesso cavallo.

Le tre urne degli *Egnatii* erano note già nel sec. XVI in quanto esposte in collezioni di antichità (48), motivo questo che non ci permette di appurare il fatto se provengono da un'unica tomba e di ricostruire pertanto rapporti di parentela tra i personaggi. Si tratta di monumenti privati, non destinati ad una pubblica esposizione, che bene illustrano le attese e le aspettative della *gens*: la famiglia, verosimilmente di origine italica, attraverso collegamenti matrimoniali, evidenti in particolare nel caso di *C. Egnatius Sal. f.*, assume costumi ed atteggiamenti propri non soltanto al mondo etrusco ma anche a quello romano; così sembra indicare da una parte la scelta del tema iconografico, dall'altra la

---

(38) O. Vessberg, *Studien zur Kunstgeschichte der römischen Republik*, Lund-Leipzig, 1941, p. 277, tav. LXII.

(39) P. Zanker, *Grabrelief römischen Freigelassener*, *Idi*, 90, 1975, pp. 267-315; D.E.E. Kleiner, *Roman Group Portraiture. The funerary Reliefs of the Late Republic and Early Empire*, New York - London, 1977; S. Diebner, *Aesernia-Venafrum*, *Untersuchungen zu den römischen Steindenkmälern zweier Landstädte Mittelitaliens*, Roma, 1979, pp. 168-173, tavv. 36-37.

(40) Assisi, Museo del Foro Romano, inv. n. 16 (inedita).

(41) Foligno, Museo Archeologico, senza inv. (inedita).

(42) *CIL*, XI, 5472 = I², 2113

(43) L. Heuzey, *calceus*, in *Dar. Sagl.*, I, 1887, p. 815; L. Bonfante, *Etruscan Dress*, Baltimore-London, 1975, pp. 64-66.

(44) G. Körte, *I rilievi*, cit. p. 92.

(45) R. Cagnat, *Paludamentum*, *Dar. Sagl.*, IV, 1907, p. 295; L. Bonfante Warren, *Roman Costumes*, ANRW, I, 4, Berlino, 1973; p. 610; cfr. F. Coarelli, *Alessandro, i Licini e Lanuvio*, in *L'Art décoratif à Rome à la fin de la République et au début du principat*, Col. Ec. fr. de Rome, 55, 1981, pp. 243-244.

(46) H. Thédenat, *sagum*, *Dar. Sagl.*, IV, 1911 pp. 1008-1009.

(47) Per tale problema si veda F. Coarelli, *Alessandro, i Licini*, cit., pp. 243-244.

(48) Le urne di *C. Egnatius Sal. f.* e di *C. Egnatius C. f.* erano esposte in una del palazzo Vescovile di Assisi, come indica il commento ad *CIL*, XI, 5470 e 5471. Nella fontana, che decora il portico occidentale dell'Episcopio, si conservano ancor oggi tre coperchi di urne cinerarie, secondo una sistemazione che fu, credo, ideata dal vescovo Marcello Crescenzi che resse la diocesi di Assisi tra la fine del XVI sec. e gli inizi del XVII (A. Cristofani, *Le storie di Assisi*, Venezia, 1959, pp. 527-528), come testimoniano i crescenti lunari, simbolo araldico del Vescovo, scolpiti su questi coperchi. L'urna di *Ner. Egnatius* fu vista dallo *Smetius* nel XVI sec. nel portico del tempio della Minerva cfr. commento ad *CIL*, XI, 5472.

169

formula onomastica. L'adesione al mondo romano è ancor più evidente nella persona di *C. Egnatius C. f.* che, credo a motivo dell'ottenuta *civitas romana,* si fa effigiare con realistica testa-ritratto, in abito romano e soprattutto con *Nero Egnatius* che palesa il rango equestre che la *gens* ha raggiunto.

Per le considerazioni di carattere stilistico ed iconografico sopra ricordate e tenuto conto della seriazione delle generazioni credo senz'altro che le tre urne siano state realizzate tra la fine del II sec. a.C. e gli anni intorno alla prima metà del I sec. a.C.

Le urne costituiscono quindi degli importanti lacerti per la ricostruzione della storia locale e del processo di formazione della *gens* per almeno quattro generazioni e permettono al contempo di delineare lo sviluppo che *Asisium* ha avuto nel periodo che intercorre tra la fine dell'amministrazione autonoma e quello della costituzione del *municipium.*

I due casi sopra esaminati degli *Ollii* e degli *Egnatii,* illustrano in maniera concreta le premesse economiche e sociali da cui muove l'evergetismo locale. S'intravede dietro queste alleanze matrimoniali il delinearsi di una spiccata funzione di intermediazione che l'aristocrazia di *Asisium* ha nei confronti della vicina *Perusia,* ma anche di altri ambienti italici e non ultimi quelli stessi di Roma, funzione che la stessa posizione geografica di *Asisium* lascia intuire.

Ricordiamo come Assisi allo sbocco di valli fluviali e di strade di grande comunicazione verso l'Est ed il Nord-Est umbro costituisce un punto di arrivo per uno scambio transappenninico che intendesse evitare gli sbocchi più meridionali saldamente in mano romana come *Spoletium* (49), *Forum Flaminii* (50) e le prefetture sabine di *Nursia* e *Reate* (51); al contempo, data la vicinanza del tracciato della via Flaminia (52), erano tuttavia agevoli anche i rapporti con Roma.

Il fiorire tra la fine del II sec. a.C. e la fine del I sec. a.C. della grande impresa edilizia mostra come queste *gentes* volessero dare concreta espressione al potere ormai acquistato attraverso le forme, utilizzate a notevole effetto ideologico, della grande architettura pubblica, secondo gli schemi, ormai canonizzati nel mondo ellenistico e a livello privato, attraverso la realizzazione delle tombe di tipo gentilizio.

In tale ottica *Asisium* appare ancor più interessante in quanto esibisce l'aspetto di una grande città ellenistica, esempio virtualmente isolato in un'area dell'interno della penisola, in aperta concorrenza con la vicina *Hispellum,* erede meno fortunata della tradizione di dominio etrusco esemplificato dal grande santuario extraurbano, recentemente identificato sotto villa Fidelia, filiale di quello di *Volsinii* (53). La grande impresa urbanistica viene coerentemente perseguita nell'ambito di più generazioni per un periodo di circa un secolo, al di là degli avvenimenti politici e delle trasformazioni istituzionali, dalla guerra sociale alla municipalizzazione e oltre lo stesso *bellum Perusinum* (54), con una sostanziale continuità della classe dirigente locale: i rappresentanti delle stesse famiglie ricoprono cariche magistratuali più volte sia nella fase umbra che nel successivo periodo municipale. Il completamento del programma edilizio, con la costruzione del tempio ad opera dei due fratelli *Caesii* (55), nei primi

---

(49) H. Philipp, *Spoletium, R.E.,* IIIA, 1929, coll. 1842-1843.

(50) G. Radke, *Vicus Forum Flaminii, R.E.,* VIII A, 1958, coll. 2563-2567.

(51) H. Philipp, *Nursia, R.E.,* XVII, 1937, coll. 1489-1490; Weiss, *Reate, R.E.,* IA, 1914, coll. 345-347; H. Philipp, *Sabini, R.E.,* IA, 1920, coll. 1570-1584.

(52) G. Radke, *R.E.,* S. XIII, 1973, coll. 1566-1567.

(53) AA. VV., *Guida di Spello,* Assisi, 1978, pp. 96-97.

(54) *Asisium* non è nominata tra i centri interessati dalla campagna di guerra che culminò con la presa di Perugia e la vittoria di Ottaviano sulle forze filo-antoniane; le manovre si svolsero in più località della valle umbra (sul problema E. Gabba, *Appiani Bellorum civilium liber quintus,* Appendice, pp. XLIII-LV, Firenze, 1970), motivo questo che lascia immaginare un coinvolgimento, seppur marginale di questa città. Properzio ricorda a tale proposito la morte del padre (IV, I, 127-128) e la perdita dei campi e dei giovenchi (IV, I, 129-130), verosimilmente confiscati in favore dei veterani delle guerre triumvirali.

(55) *CIL,* XI, 5378.

anni del principato augusteo (56) coincide con il cambiamento degli interessi che hanno determinato il programma. Alcuni membri delle gentes asisiati che maggiormente contano, i *Mimisi,* gli *Ollii,* i *Propertii,* sono ormai inseriti nell'*ordo senatorius* (57) e risiedono stabilmente a Roma (58). Essi mantengono in ogni caso con la città di origine legami continuativi mediante i rami collaterali (attestati almeno per i *Propertii*) nell'ordine equestre (59), e con le clientele, a loro volta impegnate in un processo di ascesa sociale che non valica tuttavia i limiti dell'ambito municipale. Sintomatico, a tale proposito, il sostituirsi alla precedente oligarchia locale di personaggi di rango libertino anche nei sempre più rari episodi di evergetismo, come la lastricatura di strade e la dedica di statue nell'*aedes Herculis* da parte del medico e *VI vir* augustalis *P. Decimius Merula* (60), il *tetrastylum* di Castore e Polluce da parte dei liberti di *Galeo Tettienus,* probabilmente padre del console del 76 d.C. (61). Testimonianza significativa di questo processo è Properzio, il poeta originario di *Asisium* appartenente ad una *gens* impegnata nell'attività politica locale. Uno dei *marones* dell'epigrafe umbra di Bastia è appunto un *Volsienus Propertius* (62) e la famiglia continua ad essere tra le più attestate ad *Asisium* anche in età imperiale (63). Il poeta economicamente rovinato, come lui stesso dice, dalle guerre triumvirali (64), una volta giunto a Roma celebra le illustri origini (65) ben conscio del processo politico ed economico che ha percorso la sua città natale. Il poeta legato alla cerchia dei senatori etrusco-umbri come Volcacio Tullo, (66) o il Postumo marito di *Aelia Galla,* verisimilmente il *C. Propertius Postumus* noto epigraficamente come *III vir capitalis* (67), descrive la sua terra d'origine in una celebre elegia decantando non soltanto la bellezza del paesaggio ma anche le mura che la circondano. Il breve ma significativo accenno che il poeta fa delle mura della sua città (*scandentisque*

---

(56) Un liberto di *Cn. Caesius Tiro,* il primo dei due fratelli ricordati nell'iscrizione dell'epistilio del tempio, è seviro (*CIL,* XI, 5398), da intendere verosimilmente come un membro di un collegio addetto al culto della casa imperiale. Ad Assisi sono attestati molti seviri di origine libertina (*CIL,* XI, 5393; 5397; 5399; 5400; 5403) cfr. R. Duthoy, *La fonction sociale de ·l'augustalité, Epigraphica,* XXXVI, 1974, pp. 134-154 con bibl. prec.

(57) L. Sensi, *Asisium, Epigrafia ed ordine senatorio,* cit.

(58) Singolare è la documentazione offerta da due tombe contigue della via Statilia a Roma: R. Lanciani, *Nsc.,* 1887, pp. 314-321, dove accanto alle sepolture di personaggi di rango libertino della *gens Propertia* (*CIL,* VI, 6646 sgg.), vi è la tomba di *L. Volcacius Tulli l. Hospes* (*CIL,* VI, 6671) da identificarsi, con molta probabilità con un liberto del senatore *L. Volcacius Tullus,* cos. 33 a.C., lo zio del Volcacio Tullo amico di Properzio (I, 22, 3); cfr. M. Torelli, *Senatori etruschi della tarda repubblica e dell'impero, DdArch,* III, 1969, pp. 303-304.

(59) Legato alla *gens* credo che sia *l'eques Sex. Caesius Propertianus,* onorato a *Mevania* (*CIL* XI, 5028 e = *ILS,* 1447), entrato per adozione nella *gens Caesia* economicamente forse più florida. Il personaggio, secondo E. Bormann (*CIL,* loc. cit.) deve aver ricoperto le cariche verso il 69 d.C. durante il regno di Vitellio. Si ricordi che un discendente del poeta Properzio, *l'eques Passennus Paullus,* ricordato da Plinio (*Ep.* 6, 15; 9, 22) è onorato ad Assisi (*CIL* XI, 5405). Il suo nome *C. Passennus C.f. Serg. Paullus Propertius Blaesus* rivela legami con altre *gentes,* per le quali però non abbiamo attestazioni.

(60) *CIL,* XI, 5400 = *ILS,* 7812 (dedica delle statue);*CIL,* XI, 5400 = *ILS,* 7812; *CIL,* XI 5399 = *ILS,* 5369 (lastricatura delle strade).

(61) *CIL,* XI, 5372 = *ILS,* 3398; Groag, *Tettienus, RE,* VA, 1934, coll. 1100-1101 n. 2.

(62) *CIL,* XI, 5389 = Vetter, 236.

(63) Vedi nota n. 13.

(64) Prop., IV, I, 127-130 cfr. I,22
Ossaque legisti non illa aetate legenda
patris et in tenuis cogeris ipse lares:
nam tua cum multi versarent rura iuvenci,
abstulit excultas pertica tristis opes.

(65) Prop., IV, I, 121 *Umbria te notis antiqua Penatibus edit;* cfr. A. La Penna, *L'integrazione difficile. Un profilo di Properzio,* Torino, 1972, p. 10.

(66) Cfr. nota n. 56.

(67) Prop., II, 12; T. P. Wiseman, *New Men,* cit. pp. 254-255.

Asis consurgit vertice murus, murus ab ingenio notior ille tuo.) (68) sottolinea il permanere dei valori ideologici attributi all'intenso processo di urbanizzazione ed in ultima analisi, del ricordo di una appartenenza a quella classe che quel processo aveva realizzato. Il poeta rispetta l'opera dei suoi antenati e l'ammira, ma al contempo è cosciente che nelle realtà politica in cui egli vive il ruolo delle autonomie locali non ha più valore e che il centro del potere è ora in altra sede.

LUIGI SENSI

---

(68) Prop., IV, I 125-126.

ASSISI: ASPETTI PROSOPOGRAFICI

APPENDICE EPIGRAFICA

(1) Assisi, villa Berkley

Architrave di una porta. Alfabeto neoetrusco di tipo perugino; lingua umbra

Estac vera papa.../mestiça vipies ei...

Bibl. J. Whatmough, *A new umbriam Inscription of Assisi, Harward Studies in Classical Philology*, L, 1938, pp. 89-93; P. Poccetti, *Nuovi Documenti Italici*, Pisa, 1979, n. 7 pp. 27-29; A. L. Prosdocimi, *Riv. Ep. It., S.E.*, XLVII, 1979, pp. 376-379.

(2) Perugia, Museo Archeologico Nazionale

Lastra rinvenuta nella campagna tra Bastia ed Ospedalicchio. Alfabeto latino, lingua umbra.

Ager emps et / termnas oht / C. V. Vistinie / Ner. T. Babr. / Maronatei / Vois. Ner. Propartie / T. V. Voisinier / Sacre stahu.

Bibl. *CIL*, XI, 5389; *Ve.* 236

(3) Assisi, Cattedrale di San Rufino

Fronte della "cisterna"; alfabeto e lingua latini

Post. Mimesius C.f., T. Mimesius Sert. f., Ner. Capidas C.f. Ruf., / Ner. Babrius T.f., C. Capidas T.f. C.n., V. Volsienus T.f. Marones / murum ab fornice ad circum et fornicem cisternamq. d.s.s. faciundum coiravere.

Bibl. *CIL*, XI, 5390 = I², 2112 = *ILS*, 5346 = *ILLRP*, 550.

(4) Assisi, muro di terrazzamento del tempio verso la platea. Alfabeto e lingua latini

... i dic. C. Babrius C. f. Chilo, C. Veistinius C. f. Capito, C. Vallius C.f. Visellius L. f., Cn. Veistinius Cn. f. V vir. Mu (.......) / C. Attius C. f. Clarus opus albarium pictorium sua pecunia S.C. fec.

Bibl. *CIL*, XI, 8021.

(5) Assisi, platea antistante il tempio — in situ; Alfabeto e lingua latini

C. Caetronius C. f. Nar, C. Attius L. f. Ruscualbio (?), T. Òlius C. f. Gargenna, L. Vallius C.f. B....

Proposta di lettura sulla base della comunicazione di U. Ciotti, *Pontificia Accademia di Archeologia*, Roma 25/VI/1981.

(6) Assisi, Museo del Foro; Bettona, Museo

　　　Epigrafe

Cn. Fuficius Cn f. / Laevinus, T. Allius / C. f. IIII vir. i.d. / C. Allius C.f., C. Scaefius L. f. Umbo, C. Volcasius C. f. Pertica, / Q. Attius Q.f. Capito, L. Volcasius / C.f. Scaeva V. viri S.C. / Murum reficiundum curarunt probaruntque.

Bibl. *CIL*, XI, 5392 cfr. 5391.

(7) Assisi, Epistilio del Tempio

Cn. T. Caesii Cn. f. Tiro et Priscus IIII vir. quinq. sua pecun. fecer.

Bibl. *CIL*, XI, 5378

(8) Assisi, Museo del Foro; Base di statua (?).

P. Decimus P.l. Eros / Merula, medicus, / clinicus, chirurgus, / ocularius, VI vir / hic pro libertate dedit (sestertios quinquaginta milia) / hic pro seviratu in rem p(ublicam) / dedit (sestertios duo milia) / hic in statuas ponendas in aedem Herculis dedit (sestertios triginta milia) / hic in vias sternendas in / publicum dedit (sestertios triginta septem milia) / hic pridie quam mortus est / reliquit patrimonii / (sestertios octigenti? milia).

Bibl., *CIL*, XI, 5400 = *ILS*, 7812.

(9) Assisi, Museo del Foro: Base di statua (?)

Tertius / Prisci Poppaeae / Sabinae dispens. / vicarius aram / et crepidinem fecit / item disturbatam / a novo restituit / d.d.l.d.

Bibl. *CIL*, XI, 5418 = *ILS*, 5459

(10) Assisi, Tetrastilo della platea

Gal. Tettienus Pardalas et / Tettienia Galene testrastylum / sua pecunia fecerunt item simulacra Castoris / et Pollucis municipibus Asisinatibus don. deder. / et dedicatione epulum decurionibus sing. (denarios quinos) sexvir. (denarios trini) / plebei (denarios unum et semis) dederunt / s.c.l.d.

Bibl., *CIL*, XI, 5372 = *ILS*, 3398.

PER UNA STORIA* DELLA CLASSE DIRIGENTE DI AQUILEIA REPUBBLICANA (1)

1. Lo studio della storia sociale di una qualunque città dell'Italia romana presenta dei problemi che derivano anzitutto dalla scarsità della documentazione.

Il limitato interesse delle fonti letterarie per le realtà locali trova conferma anche nel caso di Aquileia. A parte infatti le cifre riportate da Livio a proposito della fondazione del 181 e del *supplementum* del 169 (2), dagli autori antichi ricaviamo soltanto pochissimi altri elementi.

Sempre da Livio ci è trasmesso qualche dato prosopografico. Nel contesto della sua narrazione della campagna contro gli Istri del 178 egli ricorda gli aquileiesi Cn. e L. Gavillii Novelli, incaricati di portare rifornimenti all'esercito romano (3). Veniamo così a conoscenza del nome di due dei più di tremila coloni dedotti nel 181. L'attendibilità della notizia è verificabile in sede epigrafica, poichè la presenza dei Gavillii ad Aquileia è attestata da una delle sue più antiche iscrizioni (4). Nulla ci dice lo storico patavino sulla posizione dei due nell'ambito della nuova colonia: che i Gavillii appartenessero all'aristocrazia locale risulta però dal fatto che il membro della *gens* nominato nell'iscrizione fu *censor* della città.

Discussa è la menzione di un Barbius, di un personaggio, quindi, che potrebbe essere di origine aquileiese (5), in Cicerone (*Ad. Att.*, IX, 14, 2). La lezione *Barbius,* presente in alcuni manoscritti, è accolta dal *Thesaurus Linguae Latinae,* seguito da J. Šašel (6). Gli editori più recenti ne preferiscono in genere un'altra, cioè *Baebius* (7). Dal contesto del passo ciceroniano non si ricava comunque nulla di preciso su questo conoscente di Curione, la cui patria e il cui rango sembrano ignoti allo stesso oratore (*Barbius* o *Baebius quidam*).

Qualche elemento per la storia sociale di Aquileia repubblicana è offerto forse da fonti numismatiche.

In Q. Titius, *monetalis* intorno al 90, è stato proposto, sulla base di un confronto con iscrizioni aquileiesi di età imperiale, di riconoscere un Q. Titius Mutto, cioè un ascendente dei personaggi attestati da tali iscrizioni. Se l'identificazione fosse esatta, il che è tutt'altro che sicuro (8), dovremmo

* Desidero ringraziare Luisa Bertacchi, direttrice del Museo Archeologico di Aquileia, e Silvio Panciera, direttore dell'Istituto di Epigrafia ed Antichità Romane dell'Università di Roma, che hanno agevolato in ogni modo il mio lavoro. Sono debitore di informazioni, consigli e correzioni anche a Filippo Coarelli, Franco Crevatin, Monika Verzár Bass e Claudio Zaccaria. La responsabilità di quanto scritto è naturalmente soltanto mia.

(1) È appena il caso di avvertire che l'uso di termini come "classe dirigente", "classe politica", "borghesia locale" e simili, desunti dal lessico politico moderno, è convenzionale.

(2) V. *App.* I, nn. 2 e 4.

(3) V. *App.* II, n. 7 (?).

(4) V. *App.* II, n. 2. La presenza dei *Gavillii* ad Aquileia è attestata anche da iscrizioni posteriori: v. A. CALDERINI, *Aquileia romana-Ricerche di storia e di epigrafia,* Milano, 1930, p. 503 *Gavillii.*

(5) Sui *Barbii* v., soprattutto, S. PANCIERA, *Vita economica di Aquileia in età romana,* Padova, 1957, pp. 95 ss. e J. ŠAŠEL, *Barbii, Eirene,* 5, 1966, pp. 117 ss.

(6) *TLL,* II, c. 1748; J. ŠAŠEL, *Barbii,* cit., p. 120 n. 1 e nt. 10 p. 128.

(7) V., ad es., J. BAYET, *Cicéron , Correspondance,* V, Paris, 1964, p. 291 e D.R. SHACKLETON BAILEY, *Cicero's Letters to Atticus,* IV, Cambridge, 1968, p. 194.

(8) V. § 15 e *App.* II, n. 31 [?].

GINO BANDELLI

constatare che un dato, nella fattispecie numismatico, di per sé difficilmente inquadrabile, riceve luce, ancora una volta, da documenti epigrafici; ma che, d'altra parte, solo la testimonianza numismatica consente di individuare nei Titii Muttones una delle più antiche e originariamente più cospicue famiglie di Aquileia, cosa che non poteva risultare, allo stato attuale della nostra documentazione, dalla loro relativamente tarda e sporadica presenza nei *tituli* della città.

Comunque, in un campo caratterizzato da una generale carenza di notizie, quello che è dato di conoscere deriva, in massima parte, anche per Aquileia, dalle iscrizioni.

Rispetto ad esse lo studioso si trova, oggi, in una posizione che è, al tempo stesso, di privilegio e di difficoltà: di privilegio, poichè, per quanto riguarda l'età repubblicana, il loro *corpus* è relativamente ricco (il più ricco di tutta la Gallia Cisalpina); di difficoltà, poichè il materiale non è ancora raccolto in uno strumento di consultazione adeguato. I tre fascicoli pubblicati della *pars posterior* di *CIL* I² non comprendono neanche una quarantina di documenti aquileiesi (9), il quarto non è ancora disponibile (10). Dell'incremento registrato a partire dagli Anni Trenta avrebbe dovuto render conto il previsto volume delle *Inscriptiones Italiae,* affidato a G. Brusin. Più volte annunciato (11), esso non ha ancora visto la luce. Dopo la morte del curatore (12) i materiali da lui consegnati all'Unione Accademica Nazionale sono stati affidati, per i necessari aggiornamenti, ad un gruppo di studiosi coordinati da S. Panciera, che ne sta preparando l'edizione in una serie di fascicoli. Quello repubblicano conterà poco meno di duecento numeri: situazione derivante non solo dalle nuove scoperte, che incidono in misura limitata, ma soprattutto da una corretta datazione di numerosi pezzi già editi.

In attesa di poter disporre di tale strumento la ricerca va condotta in sedi diverse. Delle iscrizioni conservate, alcune delle quali totalmente o parzialmente inedite, la maggior parte può essere reperita nelle gallerie e nei magazzini del Museo Archeologico di Aquileia, riordinati nel corso degli Anni Cinquanta e continuamente arricchiti; altre sono visibili nei Musei di Trieste, Cividale, Udine, Padova, Verona o presso privati. Le iscrizioni perdute si possono recuperare attraverso lo spoglio delle raccolte già pubblicate, oltre che di molti materiali inediti (13).

2. Una storia sociale di Aquileia, in particolare di Aquileia repubblicana, non è ancora stata scritta. Le premesse create da A. Calderini con la grande quantità di dati raccolti nella sua monografia (14) non hanno avuto un seguito adeguato. Disponiamo di contributi su aspetti particolari che sono talvolta di alto livello (15). Ma recenti tentativi di sintesi appaiono deludenti (16). È prevalsa inoltre finora un'impostazione di tipo sistematico, nella quale è spesso difficile cogliere la diacronicità e la dinamica dei fenomeni.

(9) *CIL* I², 621, 652, 739, 814, 826, 2171, 2193-2216, 2503, 2647, 2648, 2822, 2823. Sulla provenienza aquileiese di *CIL* I², 826 v. *App.* II, n. 33.

(10) Apprestato da A. Degrassi (1887-1969), il fascicolo è ora affidato alle cure di H. Krummrey. Devo questa informazione, come quelle relative al volume aquileiese delle *Inscriptiones Italiae,* alla cortesia di S. Panciera.

(11) V., da ultimo, G. BRUSIN, *Le epigrafi di Aquileia, RAL,* s. VIII, v. XXI, f. 3-4 (marzo-aprile 1966), pp. 27 ss.

(12) Su G. Brusin (1883-1976), che ha dedicato tutta la vita allo studio di Aquileia, v. i necrologi di L. BURTULO e G. FOGOLARI, *AN,* 48, 1977, cc. 3 ss.

(13) Per una valutazione complessiva rimando a G. BANDELLI, *Le iscrizioni repubblicane,* in corso di pubblicazione in *I Musei di Aquileia,* (Antichità Altoadriatiche, XXIII). Per quanto riguarda, in particolare, le iscrizioni utilizzate nella presente ricerca i luoghi di edizione e di conservazione, quando si diano, sono riportati nell'*App.* II e nell'*App.* IV.

(14) V. A. CALDERINI, *Aquileia romana,* cit., in particolare i capp. II-VII, pp. 91 ss.

(15) V., ad es., tra i contributi che riguardano anche il periodo repubblicano, le ricerche sui *Barbii* citate a nt. 5.

(16) V., ad es., G. BRUSIN, *Aspetti della vita economica e sociale di Aquileia, Aquileia e l'alto Adriatico* I, (Antichità Altoadriatiche, I), Udine, 1972, pp. 15 ss. e G. CUSCITO, *Economia e società, Da Aquileia a Venezia,* Milano, 1980, pp. 569 ss.

PER UNA STORIA DELLA CLASSE DIRIGENTE DI AQUILEIA REPUBBLICANA

La realtà è che manca una serie di lavori preliminari sui molteplici aspetti della vita sociale della città nei diversi periodi. Solo su queste basi, e prendendo come punto di riferimento opere ormai paradigmatiche come, ad es., quella di P. Castrén su Pompei (17), potrà fondarsi una trattazione complessiva. Quanto segue intende appunto offrire un contributo in tal senso.

3. Quella aquileiese è fin dall'inizio una società nettamente stratificata. Il fatto che nell'ambito dei coloni dedotti nel 181 ci fosse una distinzione tra *equites, centuriones* e *pedites* rispecchia da un lato la diversità di condizione economica e sociale esistente tra coloro che si arruolarono; e costituisce dall'altro la premessa per il mantenimento, attraverso il regime differenziato delle assegnazioni (140 iugeri agli *equites,* 100 ai *centuriones,* 50 ai *pedites*), di tale situazione nella colonia. Né il quadro generale dovette sostanzialmente mutare dopo il *supplementum* del 169, a proposito del quale, peraltro, non disponiamo di dati precisi sulla eventuale presenza dei tre livelli tra i nuovi venuti (18). Fu organizzata dunque secondo un modello accentuatamente censitario quella che agli occhi di M. Rostovzev è apparsa come un'ideale "rich town of well-to-do landowners" (19).

Nella storia della colonizzazione romana il fenomeno era tutt'altro che nuovo (20) e rispondeva ad una logica precisa. "La divisione classistica dei coloni di colonie latine dipende da una necessità costituzionale. Una colonia latina [...] era, formalmente, uno stato autonomo e fornito di autonomia militare, e come sarebbe stato possibile in quel tempo a Roma concepire la fondazione di uno stato autonomo senza una classificazione timocratica? Come si sarebbe potuto pensare alla costituzione di uno stato aristocratico o monarchico? La necessità di una classificazione censitaria delle colonie latine è così evidente che non è necessario spendere altre parole" (21).

Se il modello era già stato sperimentato, la sua attuazione pratica assunse, nel caso di Aquileia, aspetti del tutto particolari. Per la prima volta, a quanto almeno risulta dalle fonti, tra gli *equites* ed i *pedites* compaiono, come gruppo a sé stante, i *centuriones*; e dimensioni senza precedenti assume la disparità di trattamento riservata ai coloni (a *Bononia,* dedotta nel 189, l'*accepta* degli *equites* era stata di 70 iugeri, quella dei *pedites* di 50; ad Aquileia, rispettivamente, di 140 e 50) (22).

L'assetto originario della società aquileiese, mantenutosi probabilmente inalterato durante il difficile periodo di consolidamento della città, dovette risentire in seguito della progressiva e molteplice crescita economica di essa (v. § 5). Si può dunque pensare che, fermi restando i criteri censitari secondo cui era strutturata, siano mutati, e forse ripetutamente, i suoi equilibri interni.

Non è questa la sede per affrontare il problema nel suo complesso. Mi limiterò per il momento ad

---

(17) P. CASTRÉN, *Ordo Populusque Pompeianus-Polity and Society in Roman Pompeii, (Acta Instituti Romani Finlandiae,* VIII), Roma, 1975.

(18) La distinzione tra *equites, centuriones* e *pedites* risulta esplicitamente solo per la deduzione del 181; a proposito del *supplementum* del 169 Livio parla genericamente di 1500 *familiae:* v. *App.* I, nn. 2 e 4. Un'analisi del problema in G. BANDELLI, *Per una storia economica di Aquileia repubblicana,* di prossima pubblicazione.

(19) M. ROSTOVTZEFF, *The Social and Economic History of the Roman Empire²,* II, Oxford, 1957, p. 554, nt. 31.

(20) I dati al riguardo sono raccolti, ad es., in G. TIBILETTI, *Ricerche di storia agraria romana - La politica agraria dalla guerra annibalica ai Gracchi, Athenaeum,* n.s. 28, 1950, p. 222. Sulla colonizzazione in generale v., tra i contributi più recenti, A. TOYNBEE, *Hannibal's Legacy - The Hannibalic War's Effects on Roman Life* I-II, London, 1965, *passim;* E.T. SALMON,*Roman Colonization under the Republic,* London, 1969; P. A. BRUNT, *Italian Man-Power, 225 B.C.-A.D. 14,* Oxford, 1971, *passim;* A. BERNARDI, *Nomen Latinum,* Pavia, 1973; G. LURASCHI, *Foedus Ius Latii Civitas-Aspetti costituzionali della Romanizzazione in Transpadana,* Padova, 1979.

(21) G. TIBILETTI, *Ricerche di storia agraria romana,* cit., pp. 222 ss. Cfr. C. NICOLET, *L'ordre équestre à l'époque républicaine (312-43 av. J.-C),* I, Paris, 1966, p. 55 e pp. 289 s. ed E. GABBA, *Sulle strutture agrarie dell'Italia romana fra III e I sec. a.C.,* in E. GABBA-M. PASQUINUCCI, *Strutture agrarie e allevamento transumante nell'Italia romana (III-I sec. a.C.),* Pisa, 1979, pp. 34 s.

(22) Un riesame del problema in G. BANDELLI, *Per una storia economica di Aquileia repubblicana,* cit.

esaminare, attenendomi al tema del "Colloque", i caratteri e l'evoluzione di quella componente che, per la sua posizione nella scala sociale, era destinata ad avere il ruolo di classe dirigente.

4. L'oggetto dell'indagine deve essere anzitutto meglio definito. L'analisi riguarderà la fascia superiore del corpo civico, detentrice di gran parte del potere economico e monopolizzatrice delle cariche pubbliche. Essa è identificabile, in un primo tempo, con gli *equites* e i *centuriones* dedotti nel 181 (23) ed, eventualmente, nel 169; ma, in seguito, probabilmente si modificò, per la scomparsa o la decadenza di qualche famiglia e l'ascesa di "genti nove" (v. § 11). Non verranno considerati invece gruppi sociali o individui la cui posizione economica ad Aquileia, soprattutto negli ultimi decenni della repubblica, fu rilevante, ma che, non godendo pienamente dei diritti civici, come i liberti, o non godendone affatto, come gli stranieri residenti, erano esclusi dal governo della città.

Il criterio di scelta è stato individuato dunque nell'esplicita attestazione dell'esercizio di cariche locali (magistrature, sacerdozi, decurionato) o "nazionali". Tale criterio, che sarà comunque applicato in senso ampio (v. § 8), comporta il rischio di qualche esclusione. In una colonia o in un *municipium* di età repubblicana classe dirigente e classe politica (24) tendono a coincidere. Ma può accadere che delle famiglie o singoli esponenti di esse, dotati dei livelli di censo richiesti, si sottraggano al privilegio e all'onere del governo della cosa pubblica. Nel caso, in particolare, di Aquileia questa potrebbe essere una delle spiegazioni, anche se non la più probabile (v. § 9), del fatto che alcune delle famiglie più cospicue della città, bene attestate del resto in sede epigrafica, non lo siano invece in relazione a cariche pubbliche. In attesa che vengano adeguatamente distinti e interpretati i molteplici elementi di cui sono composte si è preferito tralasciare anche la serie di iscrizioni incise su elementi di gradinata comunemente riferiti al teatro (o al circo) (25). È ragionevole ritenere, comunque, che rispetto al complesso della nostra documentazione le eventuali esclusioni non debbano costituire una percentuale rilevante.

5. Anche sui limiti cronologici del periodo preso in esame è opportuno fare una premessa. Il termine iniziale sarà ovviamente il 181, anno della deduzione della colonia. Quello finale, che potremmo fissare convenzionalmente al 31 o al 27, si presenta invece, per vari motivi, poco significativo.

Sullo sviluppo economico di Aquileia repubblicana (26) i singoli "événements" della storia

---

(23) Per un'interpretazione in tal senso v., da ultimo, E. GABBA, *Sulle strutture agrarie,* cit., p. 34.

(24) Per una distinzione dei due concetti, riferiti però al governo centrale, v. F. CASSOLA, *Il concetto di oligarchia negli studi sulla repubblica romana, Diritto e potere nella storia europea* (Atti del IV Congresso Intern. della Società Italiana di Storia del Diritto), Firenze, 1982, pp. 53 ss.

(25) La parte più consistente del complesso è costituita da sette blocchi ora addossati alla galleria lapidaria, sezione repubblicana, del Museo Archeologico di Aquileia: partendo da sinistra, il primo, il secondo, il quarto, il quinto ed il settimo corrispondono, rispettivamente, a PAIS 206, *Not. Sc.,* 1930, p. 447, PAIS 207, *CIL* V, 1168, PAIS 205; il terzo ed il sesto sono inediti. Alla stessa serie vanno attribuiti probabilmente anche *CIL* V, 1406, *CIL* V, 8558 = PAIS 145 e altre iscrizioni inedite. Più incerta mi sembra la pertinenza al gruppo di *CIL* V, 1399. La situazione è complicata dal fatto che esistono inoltre dei sedili con *tituli,* taluno edito (*CIL* V, 1023), altri inediti, che vengono riferiti all'anfiteatro. Tutta la questione attende di essere adeguatamente studiata. Limitando il discorso ai blocchi corrispondenti a *CIL* V, 1168, PAIS 205, PAIS 206, PAIS 207, *Not. Sc.,* 1930, p. 447 (ma cfr. anche, per l'affinità dell'impaginazione, *CIL* V, 1406), noterò soltanto che le iscrizioni più antiche incise su di essi, sicuramente di età repubblicana, che occupano sempre i registri inferiori e si riferiscono sempre a personaggi maschili, sono anche le sole eseguite con cura: si potrebbe ipotizzare quindi che siano le sole "ufficiali" e che distinguessero i posti riservati ai personaggi più autorevoli della città.

(26) Sulla storia della città v., in generale, S. PANCIERA, *Vita economica di Aquileia,* cit. e G. CUSCITO, *Economia e società,* cit. Non disponiamo ancora di una trattazione specifica per il periodo repubblicano: v. anche § 12. Un bilancio della situazione in G. BANDELLI, *Per una storia economica di Aquileia repubblicana,* cit.

politica, militare e amministrativa sembrano avere un'incidenza scarsa o comunque non immediata. Si può ritenere infatti che dopo il difficile periodo iniziale, nel quale il problema istrico dovette ritardare l'impianto e la crescita delle nuove aziende agricole (27), per tutto il II secolo e oltre l'ascesa della città fosse dovuta essenzialmente a fattori interni. All'agricoltura, che rimase sempre una voce fondamentale dell'economia aquileiese, si aggiunsero via via quelle attività commerciali e manifatturiere, che conferirono ad essa una complessità che ha pochi confronti nell'Italia romana. L'inizio dei commerci con le regioni alpine (28) è precedente alle campagne di C. Sempronio Tuditano del 129 e di M. Emilio Scauro del 115 (29): queste dovettero semplicemente contribuire a rendere più sicure imprese già avviate. Per quanto riguarda la manifattura certi settori, come quello fittile, sono attestati almeno a partire dagli ultimi decenni del II secolo (30); altri, come la produzione vetraria e l'artigianato artistico, sembrano più precoci di quanto finora non si ritenesse (31). La trasformazione della colonia latina in *municipium,* avvenuta probabilmente nel 90 (32), non ebbe, dal nostro punto di vista, alcun rilievo. È invece opinione comune che il principio di una nuova fase di sviluppo della città sia da collegare al riflusso verso l'alto Adriatico di uomini e di iniziative in seguito alla crisi mitridatica (33): se realmente si verificò, il fenomeno dovette avere tuttavia delle conseguenze apprezzabili soltanto sul medio e lungo periodo. Quanto all'operato di Cesare e di Ottaviano nella *Venetia* orientale, ne è stata sottolineata l'importanza soprattutto dal punto di vista della storia amministrativa (34): attendono ancora di essere adeguatamente valutati gli eventuali riflessi della loro presenza sullo

---

(27) Secondo R. F. Rossi, *La romanizzazione della Cisalpina, Aquileia e Milano,* (*Antichità Altoadriatiche,* IV), Udine, 1972, pp. 48 ss.; Id., *Aquileia nella storia romana dell'Italia settentrionale, Mosaici in Aquileia e nell'alto Adriatico,* (*Antichità Altoadriatiche,* VIII), Udine, 1975, pp. 15 ss.; Id., *L'epoca romana, Enciclopedia monografica del Friuli-Venezia Giulia,* III, 1, Udine, 1978, pp. 65 ss., il decollo delle aziende agricole aquileiesi e del commercio dei loro prodotti fu immediato. A mio giudizio le condizioni idrogeologiche ed ecologiche del territorio, oltre che i difficili rapporti con le popolazioni indigene (guerra istrica del 178-177; tensioni del 171-170), dovettero determinare invece un certo ritardo: v. G. Bandelli, *Per una storia economica di Aquileia repubblicana,* cit.

(28) Rapporti tra Aquileia e il Magdalensberg sono attestati fin dalla metà del II secolo: v. S. Panciera, *Strade e commerci tra Aquileia e le regioni alpine, Aquileia e l'arco alpino orientale,* (*Antichità Altoadriatiche,* IX), Udine, 1976, pp. 153 ss. Altre direttrici sono meno indagate. Sui rapporti con la regione padana orientale v. qualche accenno nel contributo di P. Baldacci, citato a nt. 33. Sulle rotte commerciali v. S. Panciera, *Porti e commerci nell'alto Adriatico, Aquileia e l'alto Adriatico,* 2, (*Antichità Altoadriatiche,* II), pp. 79 ss. e F. Cassola, *Aquileia e l'Oriente mediterraneo, Aquileia e l'Oriente mediterraneo,* (*Antichità Altoadriatiche,* XII), Udine, 1977, pp. 67 ss.

(29) Sulla spedizione di C. Sempronio Tuditano v., tra i contributi più recenti, M. Gwyn Morgan, *Pliny, N.H., III, 129, the Roman Use of Stades and the Elogium of C. Sempronius Tuditanus (Cos. 129 B.C.), Philologus,* 117, 1973, pp. 29 ss. e R.F. Rossi, *Dai Gracchi a Silla,* (*Storia di Roma,* IV), Bologna, 1980, pp. 79 s. Sui problemi relativi al trionfo di M. Emilio Scauro *de Galleis Karneis* v. A. Degrassi, *I.I.* XIII, 1: *Fasti consulares et triumphales,* Roma, 1947, p. 561.

(30) Per la fabbricazione di mattoni v. V. Righini, *Lineamenti di storia economica della Gallia Cisalpina: la produttività fittile in età repubblicana,* Bruxelles, 1970, *passim.* Per le altre classi di materiali v. il bilancio problematico e bibliografico di M. Verzár Bass, in questi stessi Atti.

(31) V., al riguardo, le osservazioni di M. Verzár Bass, *ibid.*

(32) La data del 90 a.C., già sostenuta da Th. Mommsen, *CIL* V, p. 971 e contestata da K. J. Beloch, *Römische Geschichte,* Berlin und Leipzig, 1926, p. 622 (che propone il 49 a.C., anno della *lex Rubria*), è stata riproposta e confermata da G. Brusin, *Il problema cronologico della colonia militare di Aquileia, AN,* 7-8, 1936-37, cc. 16 ss. e da A. Degrassi, *Problemi cronologici delle colonie di Luceria, Aquileia, Teanum Sidicinum, RFIC,* n.s. 16, 1938, pp. 132 ss. = *Scritti vari di antichità,* I, Roma, 1962, pp. 83 ss.: cfr., da ultimo, Id., *Epigrafica I, MAL,* s. VIII, v. XI, 1963, pp. 139 ss. = *Scritti vari di antichità,* III, Venezia-Trieste, 1967, pp. 2 ss., dove ulteriori indicazioni bibliografiche.

(33) Sul riflusso verso l'alto Adriatico v. P. Baldacci, *Alcuni aspetti dei commerci nei territori cisalpini, Atti CeSDIR,* 1, 1967-1968, p. 14: cfr. p. 46. La tesi dello studioso è ripresa, con particolare riferimento ad Aquileia, da S. Panciera, *Porti e commerci,* cit., p. 107 e da F. Cassola, *Aquileia e l'Oriente mediterraneo,* cit., p. 73, ma attende ancora di essere verificata.

(34) Sul problema rimane fondamentale A. Degrassi, *Il confine nord-orientale dell'Italia romana - Ricerche storico-topografiche,* Bern, 1954. Contributi relativi a singoli centri: P. M. Moro, *Iulium Carnicum (Zuglio),* Roma, 1956; A.

sviluppo complessivo della regione. Se, come possiamo ritenere, dei riflessi ci furono, nell'ampio arco di tempo che va dal proconsolato del futuro dittatore al secondo triumvirato sarà da individuare un'altra fase della storia economica del *municipium*. Rispetto ad essa i fatti del 31 e del 27 appaiono marginali.

Venendo al tema della presente ricerca, avremo occasione di osservare (v. § 11) che alcune delle trasformazioni riscontrabili nella classe dirigente di Aquileia repubblicana sono collegate probabilmente allo sviluppo della città: mentre, anche da questo punto di vista, la fondazione del principato, che è stata assunta come termine finale, è insignificante.

L'adozione di tale termine comporta inoltre difficoltà di altro genere. La distinzione, nell'ambito del materiale epigrafico, dei documenti riferibili alla colonia latina da quelli relativi al *municipium* è spesso agevolata dalla menzione delle magistrature, che nella prima sono in gran parte (duovirato, edilità e censura) diverse che nel secondo (caratterizzato dal sistema quattuorvirale). La città mantenne la condizione di *municipium* fino ad un momento imprecisabile della prima età imperiale, quando divenne colonia romana (35): la titolatura delle cariche, con al vertice il quattuorvirato, entrata in vigore nel 90 a.C., rimase invece immutata. Facendo riferimento soltanto al tipo di magistratura è dunque impossibile distinguere non solo le iscrizioni del *municipium* di età repubblicana da quelle del *municipium* di età protoimperiale, ma anche le iscrizioni del *municipium* da quelle della colonia romana. In tale situazione bisogna ricorrere e limitarsi, in assenza di altri elementi, al criterio paleografico e/o a quello onomastico, con tutti i rischi che ciò notoriamente comporta. È più che probabile, pertanto, che la raccolta di dati relativi ai notabili aquileiesi di età repubblicana, che mi accingo ad analizzare, possa risultare in qualche caso sovrabbondante, in qualche altro manchevole.

6. I dati sono stati distribuiti in quattro appendici. La prima riporta una serie di passi liviani concernenti la deduzione del 181 e il *supplementum* del 169. La seconda, divisa in tre parti, presenta le fonti epigrafiche, letterarie e numismatiche riferentisi a quegli esponenti della "borghesia" aquileiese per i quali è attestato l'esercizio di magistrature locali o "nazionali". Sulla seconda appendice è fondata la terza, che contiene l'elenco, in ordine alfabetico, di tali esponenti e delle persone ad essi legate da vincoli di parentela di varia natura. La quarta appendice è divisa in due parti: la prima riporta un gruppo di iscrizioni relative a personaggi, identificati e non, aquileiesi e non, magistrati o privati, illustratisi per manifestazioni di evergetismo; la seconda un frammento, forse di *elogium*, da riferire probabilmente ad un notabile locale.

7. Cominciando con alcune considerazioni di carattere generale, noterò che, come di consueto in tale campo, la documentazione presenta i caratteri della casualità e della scarsità. La prima discende semplicemente dalle circostanze che hanno portato alla conservazione e alla scoperta di certi materiali anzichè di altri. La seconda richiede un'analisi più precisa. Le fonti non riportano il numero degli *equites* e dei *centuriones* dedotti nel 181 ed, eventualmente, nel 169, ma si può calcolare che assommassero ad alcune centinaia (36). Considerato che essi ed i loro discendenti si identificarono a

---

FRASCHETTI, *Per le origini della colonia di Tergeste e del municipium di Agida, Sic. Gymn.*, n.s. 28, 1975, pp. 319 ss.; L. BOSIO, *Cividale del Friuli-La storia.* Udine, 1977. Per un aggiornamento complessivo sulla problematica e sulla bibliografia v. ora C. ZACCARIA, *Insediamenti romani nel territorio di Aquileia, Il territorio di Aquileia nell'antichità,* (Antichità Altoadriatiche, XV), Udine, 1979, pp. 189 ss.: cfr. anche R. F. ROSSI, *Aspetti amministrativi dei centri urbani del territorio aquileiese, ibid.,* pp. 537 ss.

(35) V., al riguardo, G. BRUSIN, *Il problema cronologico,* cit., cc. 30 ss. (dopo aver passato in rassegna le varie proposte lo studioso si pronuncia per l'età augustea) e A. DEGRASSI, *Epigraphica,* I, cit., p. 143 = p. 6 ("età di Claudio o Nerone").

(36) Per un confronto con la situazione delle altre colonie v. la tabella riassuntiva in G. TIBILETTI, *Ricerche di storia agraria romana,* cit., p. 222. Un tentativo di determinare le cifre relative ad Aquileia in G. BANDELLI, *Per una storia economica di Aquileia repubblicana,* cit.

lungo con la classe dirigente della colonia latina (v. § 4), è chiaro che questa non è rappresentata che in minima parte dalla dozzina di *nomina* attestati per il periodo più antico della città. Alle stesse conclusioni si può arrivare anche da un altro punto di vista. Per tutto il novantennio della colonia latina conosciamo una sola coppia certa, rispettivamente, di *duumviri,* di *censores* e di *aidiles* e un solo collegio completo di *quaestores.* Considerazioni analoghe valgono per il *municipium* di età repubblicana.

In tale situazione ogni tentativo di ricostruzione storica, e quindi anche questo, deve considerarsi ipotetico e provvisorio.

8. I *nomina* dei titolari di cariche pubbliche, in tutto 31, sono i seguenti: Alfius, Allius, Annaus, Annius, Apolonius, Appulleius, Àttius, Aufidius, Babrinius, Capenius, Carminius, Decius, Flaminius, Fruticius, Gavillius, Geminius, Horatius, Laberius, Lucilius, Lucretius, Metellus, Octavius, Petronius, Plausurnius, Postumius, Sa[- - -], Statius, Terentius, Titius, Veiedius, Vibius (37).

Oltre ad essi possono essere presi in considerazione i *nomina* dei loro parenti. Si tratta di 9 donne (Babullia, Caeparia, Decia, Graiena, Petronia, Raia, Sepstinia, Titia, [- - -]çia) e di 1 uomo (Servilius). L'appartenenza di molti di questi personaggi a famiglie di rango magistratuale è probabile. Il *nomen* di Decia, Petronia e Titia si riscontra anche nella lista dei magistrati. Le altre donne sono sicuramente (Babullia, Sepstinia, [- - -]çia Ga[l?]la) o verosimilmente (Caeparia, Graiena, Raia) madri o mogli di magistrati. Se, come è ragionevole pensare, la politica di matrimoni tra famiglie dello stesso rango che risulta per L. Flaminius L. f. Hister e Titia P.f. e, forse, per C. Aufidius C.f. e Petronia C.f., era una pratica comune, ai 31 *nomina* già elencati dovremmo aggiungerne altri 6: Babullius, Caeparius, Graienus, Raius, Sepstinius, [- - -]çius.

In base a considerazioni analoghe andrebbe incluso nella lista anche Servilius. Infatti, se i due fratelli M. Alfius M. f. e L.Servilius L.f. erano figli della stessa madre e di padri diversi e se la madre, il cui *nomen* è ignoto, apparteneva ad una famiglia di rango magistratuale, è ipotizzabile (ma nulla più) che entrambi i mariti fossero stati del medesimo rango.

Estendendo l'analisi ai parenti dei magistrati abbiamo già superato i limiti prestabiliti per la nostra indagine (v. § 4). Sul piano di una ricerca di tipo indiziario si potrebbero forse prendere in considerazione anche altri documenti di Aquileia repubblicana. In questa prospettiva, e per concludere, esaminerò ancora un solo caso, quello di Tampia L.f. (38). La sua condizione di *ingenua* e la manifestazione di evergetismo piuttosto cospicua cui è legato il suo nome (la costruzione di un sacello a Giove) rendono probabile l'appartenenza di questa donna alla fascia sociale più alta di Aquileia. Al nostro elenco dovrebbe essere aggiunto quindi anche Tampius.

Tirando le somme, risulta che i *nomina* individuati sono 39.

9. Facendo riferimento alla lista compilata da A. Calderini (39), che peraltro, a cinquant'anni dalla sua pubblicazione, è superata, rileviamo che questi occupano nell'*onomasticon* aquileiese posizioni molto diverse.

Due, Horatius e Sepstinius, finora non vi comparivano: l'uno perchè il frammento che ha consentito di identificare L. Horatius L.f. è tutt'ora inedito; l'altro perchè, pur essendo nota da tempo l'iscrizione che menziona Sepstinia, era stato dimenticato.

---

(37) Per questi dati e per quelli successivi rimando una volta per tutte, quando non ci siano altre indicazioni, alla prosopografia dell'*App.* III, dalla quale si può risalire alle fonti riportate nell'*App.* II.

(38) V. *App.* IV, n. 2.

(39) V. A. CALDERINI, *Aquileia romana,* cit.: all'elenco onomastico, pp. 444 ss. e all'analisi statistica, pp. 573 ss. rimando qui una volta per tutte.

Allo stato attuale delle nostre conoscenze una parte abbastanza consistente dei 39 *nomina* è rarissimamente attestata. Alcuni (Apolonius, Capenius, Decius, Metellus, Plausurnius, Tampius, Veiedius, oltre ad Horatius e Sepstinius) sono presenti in un solo documento epigrafico (40), quello appunto da noi considerato; altri (Annaus, Babrinius, Caeparius, Graienus, Raius) in due (41).

In particolare, Apolonius, Babrinius, Capenius, Horatius, Plausurnius, Tampius e Veiedius compaiono solo in iscrizioni del periodo della colonia latina (42). Ciò può essere dovuto alla casualità e alla scarsità della documentazione. Ma non è da escludere che in alcuni casi il fatto sia indizio di un fenomeno più generale, che andrebbe verificato sulla totalità dell'*onomasticon* repubblicano: la precoce scomparsa, dovuta a estinzione, emigrazione (43) o altro (v. § 11*b*), di molte delle famiglie originarie.

I rimanenti 25 *nomina* sono attestati ciascuno da tre o più documenti epigrafici. Di essi Lucretius, Octavius, Petronius, Statius, Terentius, Titius e Vibius rientrano nel novero di quelli più diffusi ad Aquileia. Non è detto peraltro che al ramo di età repubblicana risalgano tutti quelli noti successivamente. Nel caso, ad es., di M'. Petronius M'.f. il fatto che il *praenomen* M'., piuttosto caratteristico, non ritorni in nessun altro dei 52 Petronii identificati rende la cosa piuttosto improbabile. Lo stesso discorso vale per i Vibii della colonia latina, il cui *praenomen* K., ancora più caratteristico, in seguito non si riscontra più.

Colpisce l'assenza tra i *nomina* individuati di qualche altra delle grandi *gentes* aquileiesi. È il caso, ad es., dei Barbii, la cui appartenenza al gruppo originario dei coloni è stata sostenuta con buoni argomenti da J. Šašel (44) e che è comunque bene attestata già in età repubblicana. La spiegazione più probabile è che tale assenza vada attribuita, ancora una volta, alla casualità e alla scarsità della documentazione. Ma sono possibili anche altre interpretazioni (v. § 4).

10. Non disponiamo ancora di uno studio complessivo sull'*origo* delle famiglie aquileiesi. Il problema riguarda anzitutto i coloni dedotti nel 181 e nel 169. È stato riconosciuto che si arruolarono sia *cives Romani* che alleati latini e alleati italici: essendo la colonia di diritto latino, ciò comportava per il primo gruppo una diminuzione di stato giuridico, per il terzo una promozione. Resta da precisare la percentuale delle varie componenti. È inoltre opinione comune che la maggior parte dei coloni fosse originaria dell'Italia centro-meridionale (45). Essa attende di essere verificata attraverso una più esatta determinazione delle diverse aree di provenienza. Problemi analoghi si pongono per gli elementi che entrarono a far parte della cittadinanza aquileiese in seguito.

La questione è stata recentemente impostata nei suoi termini generali da S. Panciera, che si

---

(40) I casi di Plausurnius e di Veiedius richiedono delle precisazioni. Per quanto riguarda il primo va detto che, oltre all'iscrizione che menziona T. Plausurnius T.f., ce n'è una (*CIL* V, 1040) che ricorda due *Plosurnii*, (Calderini, p. 535): si tratta verosimilmente dello stesso *nomen*. Per quanto concerne il secondo andrebbero chiariti gli eventuali rapporti tra la famiglia di P. Veiedius Q.f. e quelle dei numerosi *Vedii* e *Veidii* (Calderini, p. 564).

(41) Non è però da escludere l'esistenza di rapporti tra M. Annaus Q.f. e qualcuno dei posteriori *Annaei*, *Annei* e *Annavi* (Calderini, p. 451).

(42) Per una datazione del sacello di Tampia ancora entro il periodo della colonia latina v. il contributo di M. Verzár Bass, in questi stessi Atti. Altri autori propongono una cronologia più bassa: v. *App.* IV, n. 2.

(43) Sulle difficili condizioni in cui dovette versare la colonia nei primi decenni v. G. Bandelli, *Per una storia economica di Aquileia repubblicana*, cit.

(44) V. J. Šašel, *Barbii*, cit., p. 134.

(45) La trattazione più analitica del problema rimane quella di A. Calderini, *Aquileia romana*, cit., pp. 573 ss., dove ulteriori indicazioni bibliografiche. Tra gli autori più recenti la teoria dell'origine prevalentemente centro-meridionale è ripetuta da S. Panciera, *Vita economica di Aquileia*, cit., p. 45 nt. 131; G. Cavalieri Manasse, *La decorazione architettonica romana di Aquileia*, Trieste, Pola, I, Ass. Naz. per Aquileia, 1978, p. 23; M.J. Strazzulla, in E. Mangani - F. Rebecchi - M.J. Strazzulla, *Emilia-Venezie*, (*Guide Archeologiche Laterza*, 2), p. 211.

propone di condurre un'indagine sistematica (46). L'esistenza di un progetto complessivo mi esime dall'affrontare anche la sola parte della ricerca relativa alla classe dirigente di Aquileia. Accennerò soltanto ad un fenomeno, a mio giudizio particolarmente interessante.

Nello studio dei processi di romanizzazione uno degli strumenti che consentono di rilevare il livello di presenza e le forme di adattamento della componente "indigena" è quello dell'analisi onomastica (47). Ad Aquileia, in particolare, è presente un certo numero di *nomina* e di *cognomina* di origine venetica (48) o celtica o illirica. Alcuni di questi, sui quali intendo attirare l'attenzione, si riscontrano anche tra i notabili locali.

Di origine venetica sono *nomina* come Fruticius e, probabilmente, Raius (49). Il caso di Apolonius e di Appulleius è incerto: l'interpretazione più semplice è che i due *nomina* siano quelli originari, ma non è escluso che derivino da una riformazione latina di un (illirico?) *Ap(u)lō* (50).

Per un gruppo di famiglie dell'aristocrazia aquileiese sono attestati o ipotizzati *cognomina* celtici: si tratta degli Appullei Tappones, degli Octavii (Rusones?), dei Titii (Muttones?) e dei Vibii Rusones. Il fenomeno potrebbe essere ricondotto a matrimoni misti tra coloni e indigene o derivare da adozioni. Più difficile è che dipenda da manumissioni. Per gli Octavii (Rusones?) e i Titii (Muttones?), ammesso che siano aquileiesi, l'appartenenza all'aristocrazia locale risalirebbe almeno agli ultimi decenni del II secolo, per gli Appullei Tappones è documentata dagli inizi del I: sembra improbabile che in un periodo così antico la classe dirigente originaria potesse aprirsi ad elementi di ascendenza libertina, come avverrà invece in età imperiale. Non va taciuta infine la possibilità che l'uso di taluni *cognomina* derivi da una moda diffusasi in un ambiente caratterizzato da una rilevante presenza celtica.

A qualcuna delle ipotesi formulate potrebbe ricondursi anche l'origine di *cognomina* come Hister (v. Flaminius Hister) e, forse, Galla (v. [---]c̣i̠a Ga[l?]la).

Solo un esame sistematico di tutto l'*onomasticon* aquileiese consentirà di chiarire meglio il fenomeno e di definirne l'entità (51). Si può comunque constatare fin da ora, rimanendo nei limiti di questa ricerca, che l'apporto della componente "indigena" o, eventualmente, mista all'aristocrazia locale fu significativo. Alcuni elementi di essa ascesero fino al senato romano (v. § 15).

11. L'analisi dei dati raccolti suggerisce delle considerazioni sulla dinamica della classe dirigente di Aquileia repubblicana, la cui sommarietà ed ipoteticità sono direttamente proporzionali all'insufficienza dei dati stessi.

a) Fin dai primi decenni della colonia latina, durante i quali, nel suo complesso, la "borghesia" locale fu caratterizzata probabilmente da una relativa omogeneità e stabilità, fondate sull'assetto della proprietà fondiaria conseguente alle assegnazioni del 181 e del 169, dovettero determinarsi nell'ambito di essa delle differenziazioni.

---

(46) V. S. PANCIERA, *Aquileiesi in Occidente e Occidentali in Aquileia, Aquileia e l'Occidente*, (*Antichità Altoadriatiche*, XIX), Udine, 1981, pp. 106 ss.: cfr. p. 121.

(47) Per alcune delle aree geograficamente contigue e culturalmente affini a quella di Aquileia v. G. ALFÖLDY, *Noricum*, London and Boston, 1974 e M. LEJEUNE, *Ateste à l'heure de la romanisation (Étude anthroponimique)*, Firenze, 1978.

(48) Per l'analisi di alcuni casi particolari v. C. ZACCARIA, *Due iscrizioni aquileiesi inedite*, AN, 52, 1981, cc. 149 ss.

(49) Ad Aquileia è attestato anche Raienus (*CIL* V, 8443). Mi chiedo se non ci sia qualche rapporto tra questo *nomen* e quello di Graiena, moglie (?) del decurione M'. Petronius M'. f. (cfr. anche Q. Graienus Eucharistus in *CIL* V, 1239): in tale prospettiva anche Graienus potrebbe essere considerato di origine venetica. Per i problemi fonetici che suscita un simile accostamento v. le osservazioni di A.L. PROSDOCIMI, in G.B. PELLEGRINI-A.L. PROSDOCIMI, *La lingua venetica*, II, Padova, 1967, p. 156.

(50) V. *App.* II, nn. 1 e 25.

(51) Per alcuni orientamenti di carattere generale v. intanto l'intervento nella discussione di E.LEPORE, in questi stessi Atti.

Queste saranno derivate anche dalla particolare struttura del governo cittadino. Non è pensabile che le trecento o quattrocento famiglie appartenenti alle classi degli *equites* e dei *centuriones* potessero accedere nella stessa misura e con gli stessi intervalli alle magistrature. I posti da ricoprire ogni anno erano all'incirca una decina (due ciascuno per il duovirato e l'edilità, cinque per la questura, più eventualmente qualche altro per funzioni straordinarie (52)); a questi si aggiungevano, probabilmente ogni cinque anni, i due della censura; le cariche sacerdotali (53) erano verosimilmente vitalizie. È ovvio inoltre che non tutti coloro che ricoprissero una magistratura di grado inferiore come la questura potevano sperare di ottenere via via quelle di grado superiore come l'edilità, il duovirato e la censura. In un sistema che presentava tali strozzature è probabile che le famiglie che, per motivi diversi, avevano esercitato all'inizio le cariche più importanti mantenessero una certa supremazia. A tale gruppo appartennero verosimilmente gli Apolonii, i Babrinii, i Gavillii e i Vibii, per i quali la nostra documentazione attesta l'esercizio del duovirato e/o della censura. Nel caso dei Babrinii possiamo verificare anche la continuità della loro presenza nelle magistrature superiori: due loro esponenti, L. Babrinius L.f. e P.Babrinius M.f., il primo forse edile, il secondo duumviro, compaiono infatti in due epigrafi databili, in base a considerazioni di carattere paleografico, a momenti successivi della colonia latina. Questa e le altre ricordate, più altre ancora di cui non è rimasta attestazione, dovettero costituire nell'ambito dell'aristocrazia originaria le *gentes,* per così dire, *maiores.*

Le modifiche determinate nel sistema magistratuale dalla trasformazione della colonia latina in *municipium* non mutarono nella sostanza il meccanismo di selezione: salvo che esso operava ormai in una situazione divenuta più complessa. Il processo di differenziazione all'interno della classe dirigente era andato accentuandosi, in rapporto, probabilmente, con lo sviluppo economico e le conseguenti trasformazioni sociali. Si stabilì col tempo una scala gerarchica ai cui estremi vennero a trovarsi da un lato quelle famiglie che, forse già alla fine del II secolo e certo, in misura via via crescente, nel corso del I, erano ascese al rango equestre e a quello senatorio, dall'altro quelle che non superavano mai i livelli più bassi della carriera locale. Sul primo aspetto ritornerò in seguito (v. §§ 14 e 15); mi soffermo ora su alcuni casi che potrebbero rientrare nel secondo.

È noto che la componente principale dei senati locali era costituita da ex magistrati (54). Ad Aquileia (55) il rapporto, normale e quindi generalmente non ricordato, tra l'esercizio di una carica e l'accesso al decurionato risulta esplicitamente da una sola iscrizione: quella di C. Aufidius C.f. *q(uaestor), decu(rio).* Due personaggi sono attestati invece soltanto come *decuriones*: si tratta di Sex. Attius Sex.f. e di M'. Petronius M'.f. Si potrebbe pensare che non abbiano mai ricoperto delle magistrature e che siano stati *adlecti* nel collegio per completarne il numero. In tale ipotesi bisognerebbe concludere che appartenevano al livello più basso dell'aristocrazia locale. Non abbiamo nessun elemento per stabilire se l'eventuale *adlectio* fu un atto di ossequio nei confronti dell'esponente di una famiglia decaduta o il primo riconoscimento pubblico ad una famiglia in ascesa. Un discorso analogo potrebbe valere anche per il privilegio, di natura incerta (56), concesso dal senato locale a Metellus Optatus.

b) Nel medesimo processo di trasformazione va inquadrata probabilmente un'altra serie di dati. Dei 39 *nomina* individuati alcuni, come abbiamo visto (§ 9), sono presenti soltanto nella fase della

---

(52) Nel periodo del *municipium* di età repubblicana sembrano attestati, ad es., dei *praefecti*: v. *App.* II, n. 20.

(53) Per il periodo repubblicano sono attestati l'augurato, il flaminato e il pontificato: v. *App.* II, rispettivamente nn. 15 e 29, 22? e 25.

(54) Sul problema v. ora il contributo di U. LAFFI, in questi stessi Atti.

(55) Il senato di Aquileia è menzionato da parecchie iscrizioni di età repubblicana: v. *App.* II, nn. 9, 11, 20, 27 [(?)]. Cfr. anche *App.* II, n. 10 (?) e *App.* IV, n. 5.

(56) V., al riguardo, l'intervento nella discussione di U. LAFFI, in questi stessi Atti.

colonia latina; altri, che continuano ad essere attestati durante il *municipium* di età repubblicana o non lo sono che in questo, scompaiono in età imperiale. Ne nasce un problema che, già posto da J. H. D'Arms (57), si può riformulare forse in modo più articolato.

Che ne è stato, anzitutto, degli Apolonii, dei Babrinii, dei Capenii, degli Horatii, dei Plausurnii, dei Tampii e dei Veiedii, che appartengono al primo gruppo? Alle ipotesi già prospettate, che cioè la loro scomparsa sia dovuta ad estinzione o ad emigrazione (v. § 9), se ne può aggiungere un'altra. Il confronto con situazioni analoghe induce a supporre che una parte dell'originaria classe dirigente possa essere decaduta in seguito alle trasformazioni economiche e al riassetto sociale incominciati già negli ultimi decenni del II secolo e intensificatisi nel corso del I: in tale prospettiva la scomparsa dei *nomina* ricordati sarebbe attribuibile ad un loro abbassamento al di sotto della "soglia epigrafica", cioè della possibilità di lasciar traccia di sé attraverso un documento durevole ma costoso, qual è un'iscrizione. È da ritenere che i vuoti apertisi per l'uno o per l'altro dei fattori considerati fossero riempiti da "genti nove". Distinguere tra le famiglie attestate solamente nel periodo del *municipium* quelle di più antica nobiltà da quelle di nobiltà più recente è peraltro impossibile.

Che ne è stato, poi, degli Appullei Tappones, dei Decii, dei Metelli e di altri, che appartengono al secondo gruppo? Si possono riproporre le medesime ipotesi.

L'esame andrebbe esteso inoltre ad un ambito più vasto. Tra i *nomina* illustrati in età repubblicana dall'esercizio di magistrature un certo numero continua ad essere documentato anche in età imperiale. Dal nostro punto di vista ciò avrebbe rilevanza soltanto nei casi in cui esistesse una continuità genealogica tra personaggi omonimi dei due periodi. Poichè tali casi sono difficilmente individuabili, limitiamoci a constatare che, in età imperiale, dei *nomina* suddetti: a) un piccolo gruppo ha relazione talvolta con cariche pubbliche (58); b) pochi altri detengono talvolta posizioni di rilievo almeno sul piano economico (59); c) i rimanenti non sembrano appartenere alla fascia più elevata della cittadinanza (60). Anche in rapporto a questi ultimi potrebbe valere, nel caso di continuità genealogica, l'ipotesi della decadenza.

La composizione della classe dirigente di Aquileia continuò dunque a cambiare anche nel passaggio dalla repubblica al principato e oltre. Le cause di ciò andranno ricercate in una situazione storica che è al di là dei limiti cronologici di questo contributo.

12. Nell'analisi, di carattere essenzialmente prosopografico, condotta finora, ho creduto di poter riferire alcune delle trasformazioni riscontrabili nell'aristocrazia aquileiese di età repubblicana allo sviluppo economico della città. Si pone a questo punto un ulteriore problema: su quali basi si fondava la posizione di predominio delle famiglie che, nelle diverse fasi, costituirono tale aristocrazia?

È probabile che le loro fortune consistessero in principio soprattutto della proprietà terriera e che questa rimanesse anche in seguito una componente importante di esse. Ma quale parte vi ebbero, col

---

(57) V. J.H. D'ARMS, *Rapporti socio-economici fra città e territorio nella prima età imperiale, Il territorio di Aquileia nell'antichità,* cit., p. 558: "Chi rimpiazzò le prime famiglie governanti, gli *Apuleii,* i *Luc[il]ii,* i *Gavillii,* i *Popillii,* i *Titii?*". L'inclusione dei *Popillii* è dovuta a qualche svista.

(58) *CIL* V, 875 = DESSAU, 1379: C. Appuleius Celer, decurione, a. 105; *CIL* V, 996: A. Lucretius A.f. *IIIIvir*; *CIL* V, 961: C. Lucretius Helvianus, decurione; PAIS 200: C. Titius C.f. Rufus, *IIIIv. aed. pot.* Probabilmente da riferire a Concordia è *CIL* V, 1008a = DESSAU, 5375, che menziona un L. Terentius T.f., *IIIIvir i. d.*: v. S. PANCIERA, *Una nuova iscrizione ed il teatro di Iulia Concordia, Atti del Terzo Congr. Int. di Epigr. gr. e lat., Roma 4-8 settembre 1957,* Roma, 1959, pp. 317 ss., cfr. *AÉ,* 1959, 273.

(59) *CIL* V, 798: Alfius Plocamus, pubblicano, a. 165; *CIL* V, 1040: C. Plos[urnius], *negotiator.* Alle iscrizioni precedenti può aggiungersi *CIL* V, 1126, che menziona una Gavillia Nigella, moglie di un L. Barbius, *mercator* (a meno che quest'ultimo termine non sia un *cognomen*).

(60) Alcuni di questi portano *nomina* che in età repubblicana appartengono anche a famiglie di rango senatorio: cfr. A. CALDERINI, *Aquileia romana,* cit., p. 499 *Fruticii* (nn. 2 e 4), p. 515 *Lucilii* (varii), p. 554 *Titii* (n. 30).

passare del tempo, il commercio e la manifattura? Le fonti che abbiamo finora considerato non offrono di per sé elementi per rispondere a questa domanda.

Solo facendo riferimento ad un quadro generale definito nei vari aspetti si potrà forse far luce sulla questione. Ma l'elaborazione di una storia economica di Aquileia repubblicana è resa per il momento impossibile dallo stato della ricerca al riguardo. Alcuni studi preliminari sono già stati fatti, ma devono, in certi casi, essere verificati, corretti o aggiornati (v. § 5). Altri rimangono da fare: tra questi sarebbe particolarmente importante la raccolta e l'analisi dei dati relativi a tutti gli Aquileiesi, liberi, liberti e schiavi, le cui attività economiche siano attestate, ad Aquileia o altrove.

13. Resta da dire qualcosa su quelli che potremmo definire gli atteggiamenti ideologici della classe dirigente di Aquileia repubblicana.

Le fonti epigrafiche attestano alcune manifestazioni di evergetismo. Si tratta di un fenomeno largamente diffuso nell'Italia romana (61): ad Aquileia esso è relativamente precoce e assume talvolta dimensioni non comuni (62). In un frammento di iscrizione sembra di intravvedere l'*elogium* di un notabile (63): lo stato del documento non consente peraltro di precisare le circostanze cui esso si riferiva e di valutarne il tono.

Significative e vitali si presentano le varie correnti del gusto artistico. (64). Sulla presenza di interessi letterari abbiamo invece solo indizi tenuissimi. Tralascio il problema relativo all'autore dell'*elogium* in saturni di C. Sempronio Tuditano (65): alcuni hanno pensato allo stesso Tuditano, personaggio interessante anche sotto il profilo culturale (66), ma non si può escludere che il testo dell'iscrizione aquileiese sia stato composto *in loco*. Non è invece inutile attirare l'attenzione su di un altro caso.

La proposta di considerare il *monetalis* Q. Titius come un esponente della famiglia aquileiese dei Titii Muttones risale a C. Cichorius. Modificando la lettura del v. 1031 Marx: *et Musconis manum perscribere posse tagacem* in: *et Muttonis manum perscribere posse tagacem* e collegando il verso di Lucilio ad un accenno di Cicerone (*Pro Scauro,* 23), lo studioso identifica questo Mutto con il padre del *monetalis*. Fr. Münzer accetta la nuova lettura, ma ritiene che il personaggio luciliano e il *monetalis* siano la stessa persona. Partendo dal presupposto, peraltro molto incerto, che la satira si riferisca comunque ad un individuo definito (che si debba cioè leggere *Mutto* e non *mutto*, come altri editori preferiscono) e che questi sia di origine aquileiese, è interessante, dal nostro punto di vista, rilevare che Lucilio sembra caratterizzarlo come un poetastro noto per la sua tendenza al plagio: riterrei questa infatti l'interpretazione più probabile della formula *manum tagacem,* soggetto e non complemento oggetto, associata a *perscribere* (67). Avremmo dunque un aquileiese la cui attività letteraria, tra la fine del II secolo e gli inizi del I, era conosciuta, anche se screditata, negli ambienti culturali. Il fatto non era destinato comunque a lasciar traccia: "Aquileia, una ricca e grande, una grandissima città romana [...], non ha dato alla cultura latina nessun nome fino a Cromazio" (68).

---

(61) Una ricca serie di dati è ricavabile attraverso lo spoglio di *ILLRP*. Parecchi casi sono stati esaminati anche in alcune delle relazioni pubblicate in questi stessi Atti.

(62) V. *App.* IV, nn. 1-4: cfr. anche *App.* II, n. 10 (?). Sul fenomeno v. inoltre le osservazioni di M. Verzár Bass, in questi stessi Atti.

(63) V. *App.* IV, n. 5.

(64) V., al riguardo, la relazione di M. Verzár Bass, in questi stessi Atti.

(65) *CIL* I², 652 = *I.I.* XIII, 3, n. 90 = *I.I.* X, 4, n. 317 = *ILLRP*, 335 = *Im.* 147. Sulle diverse proposte di integrazione e di interpretazione del documento v. A. Calderini, *Aquileia romana,* cit., pp. 24 ss. e i contributi di M. Gwyn Morgan e R. F. Rossi, citati a nt. 29.

(66) V., ad es., A. Degrassi, *I.I.* XIII, 3, n. 90: cfr. Id., *ILLRP,* 335.

(67) Per interpretazioni diverse del Cichorius e di altri, v. le opere citate in *App.* II, n. 31 [?].

(68) C. Corbato, *Letteratura latina nella Gallia Transpadana, Aquileia e Milano,* cit., p. 83.

PER UNA STORIA DELLA CLASSE DIRIGENTE DI AQUILEIA REPUBBLICANA

Anche per quanto concerne la presenza, nell'ambito dell'aristocrazia aquileiese, di tradizioni culturali diverse da quelle latine e italiche i dati non sono molto numerosi. Abbiamo già avuto occasione di osservare (v. § 10) come una parte dell'aristocrazia locale avesse ascendenze "indigene": difficile è precisare se ed, eventualmente, in quale misura il fatto abbia trovato espressione a livello sia pubblico che privato.

Per quanto riguarda il primo aspetto è noto che nel *pantheon* aquileiese le divinità epicorie sono largamente presenti, talvolta in posizione dominante, come nel caso di Beleno (69). L'intervento delle autorità in questo processo di sincretismo è attestato (70): mancano però gli elementi per accertare la parte specifica avuta in esso dalla componente "indigena" della nobiltà locale. Per quanto riguarda il secondo aspetto l'uso di *cognomina* celtici potrebbe essere indicativo, talvolta, della volontà di non nascondere o addirittura di valorizzare le proprie origini. In questo contesto deve essere considerato nuovamente il caso del *monetalis* Q. Titius (Mutto?). In una delle sue emissioni compare l'immagine di un dio barbuto, la cui identità è discussa (71). Il Borghesi aveva pensato al Mercurio celtico: in tale ipotesi ci potrebbe essere qualche collegamento tra le supposte ascendenze celtiche del personaggio e il dio. La maggior parte degli studiosi identifica però quest'ultimo con Mutinus Titinus e ritiene che il *monetalis* abbia voluto presentarlo come una "Familiengottheit", giocando sull'affinità onomastica Titius Mutto/Mutinus Titinus.

14. Concluso l'esame generale delle fonti relative all'aristocrazia di Aquileia repubblicana, è opportuno dedicare un'analisi particolare a quegli esponenti di essa che superarono i confini locali e ottennero cariche a livello "nazionale".

Tale analisi può partire da una constatazione: non conosciamo nessun Aquileiese la cui appartenenza all'ordine equestre sia esplicitamente attestata, mentre è identificabile un certo numero di senatori la cui origine aquileiese è probabile o certa.

a) È fuori discussione che molte famiglie raggiunsero il censo equestre (72). Ciò è dimostrato sia dai dati archeologici, che rivelano l'esistenza di *domus* sontuose e l'importazione o la produzione *in loco* di opere d'arte o di oggetti di lusso (73), sia dai dati epigrafici, che documentano manifestazioni di evergetismo finanziariamente piuttosto impegnative (74).

Altrettanto indubbio è che Aquileia repubblicana dovette contare parecchi *equites Romani* nel senso stretto e tecnico del termine, qual è stato definito da C. Nicolet (75): l'ordine equestre era infatti il vivaio di quell'ordine senatorio (76) che si aperse relativamente presto ad alcuni notabili della città (v. § 15). Da questo punto di vista il fatto che per nessun esponente dell'aristocrazia locale risulti esplicitamente la qualifica di *eques Romanus* è da considerarsi puramente casuale.

---

(69) Per una recente sintesi sui culti aquileiesi v. I. CHIRASSI COLOMBO, *I culti locali nelle regioni alpine, Aquileia e l'arco alpino orientale*, cit., pp. 173 ss., dove ulteriori indicazioni bibliografiche.

(70) L'esistenza di *magistri* del culto del Timavo è attestata dall'*elogium* di C. Sempronio Tuditano. Ad un "riciclaggio" di culti locali sembrano riferibili anche le iscrizioni di cui all'*App.* II, nn. 3 e 4: cfr. le osservazioni di M. VERZÁR BASS, in questi stessi Atti.

(71) Una rassegna delle diverse interpretazioni è data da C. CICHORIUS e H. A. GRUEBER nelle opere citate in *App.* II, n. 31 [?], dove ulteriori indicazioni bibliografiche.

(72) Sul censo equestre v. soprattutto C. NICOLET, *L'ordre équestre*, I, cit., pp. 48 ss. e *passim;* ID., *Le cens sénatorial sous la République et sous Auguste*, JRS, 66, 1976, pp. 20 ss.; ID., *Les classes dirigeantes romaines sous la République: ordre sénatorial et ordre équestre*, Annales ESC, 32, 1977, pp. 726 ss.

(73) V., al riguardo, le osservazioni di M. VERZÁR BASS, in questi stessi Atti.

(74) V. *App.* IV, in particolare nn. 2 e 3: cfr. *App.* II, n. 10 (?). Cfr. anche § 13.

(75) V. C. NICOLET, *L'ordre équestre*, I, cit., pp. 163 ss.: cfr. gli articoli citati a nt. 72. V. anche le importanti precisazioni di T. P. WISEMAN, *The Definition of 'Eques Romanus' in the Late Republic and Early Empire*, Historia, 19, 1970, pp. 67 ss.

(76) Sui rapporti tra *ordo equester* e *ordo senatorius* v. C. NICOLET, *L'ordre équestre*, I, cit., pp. 253 ss. e *passim*: cfr. gli articoli citati a nt. 72.

Disponiamo di un solo documento che attesterebbe, ma in modo indiretto, l'esistenza ad Aquileia di *equites Romani* allo stato, per così dire, puro. Si tratta di un'iscrizione relativa a tre personaggi della stessa famiglia, L. Flaminius L.f. Hister, Q. Flaminius L.f. Hister e Sex. Flaminius L.f. Hister. La carriera del primo è caratterizzata anche da una carica locale, l'augurato; ciascuno dei tre è insignito del grado di *tribunus militum*. I loro nomi non compaiono nella prosopografia dei "junior officers" di età repubblicana raccolta da J. Suolahti (77), forse perchè l'iscrizione non è riportata da *CIL* I².

Come è noto, la posizione dell'ordine equestre rispetto al tribunato militare in età repubblicana è discussa. A giudizio di alcuni studiosi, tra i quali lo stesso Suolahti, l'appartenenza al primo sarebbe il presupposto dell'accesso al secondo; secondo un'altra teoria, formulata già da Th. Mommsen e ripresa da altri, il rapporto potrebbe essere inverso (78). Sembra peraltro ormai accertato che almeno a partire dagli ultimi anni della repubblica i *tribuni militum* appartenessero tutti all'ordine equestre (79). I tre personaggi aquileiesi, la cui iscrizione è databile al più tardi all'inizio del principato, dovrebbero dunque essere considerati *equites Romani*.

b) In margine al nostro discorso accenno al problema dell'eventuale presenza ad Aquileia di *equites Romani* di origine diversa, o almeno di loro agenti. Non essendo possibile in questa sede un confronto sistematico tra la prosopografia dell'ordine raccolta da C. Nicolet (80) e la prosopografia aquileiese, mi limiterò ad attirare l'attenzione su alcuni casi.

In uno di essi riscontriamo la coincidenza dei *tria nomina*. C'è qualche relazione tra l'*eques Romanus* L. Pinarius Natta, cognato di Clodio, morto probabilmente prima del 56 (81), e L. Pinarius L.f. Natta padre e figlio, ricordati da un'iscrizione aquileiese grosso modo coeva? (82)

Dei numerosi casi in cui un eventuale rapporto è suggerito dalla presenza del medesimo *praenomen* in un sistema onomastico di due elementi citerò soltanto uno. M. Torelli ha studiato recentemente un gruppo di esponenti della *gens Cossutia* attestati in luoghi diversi dalla seconda metà del II secolo a.C. alla prima metà del I e collegabili tra di loro per l'uso degli stessi *praenomina* (83). Di tale gruppo fanno parte anche il probabile *eques Romanus* M. Cossutius, operante in Sicilia ai tempi di Verre (84), e C. Cossutius M.f. e T. Cossutius M.f., menzionati da un'iscrizione aquileiese (85)

---

(77) J. SUOLAHTI, *The Junior Officers of the Roman Army in the Republican Period-A Study on Social Structure*, Helsinki, 1955. Lo studioso considera invece il caso di un altro Aquileiese, Q. Gavius Q.f. Aquila, *decurio, tr(ibunus) mil(itum) a populo* (*CIL* V, 916), datato genericamente "a. A.D. 15?". Mi risulta che si sta considerando la possibilità di inserire questa iscrizione nel fascicolo repubblicano delle *I.I.*: in tale ipotesi il personaggio dovrebbe essere aggiunto alla nostra prosopografia. Sulla carica ricoperta da Q. Gavius Aquila e sulle prime attestazioni di essa v. però C. NICOLET, *Tribuni militum a populo, MEFR*, 79, 1967, pp. 29 ss. e le precisazioni di P. CASTRÉN, *Ordo Populusque Pompeianus*, cit., pp. 98 s.

(78) Un bilancio sulla problematica in C. NICOLET, *L'ordre équestre*, I, cit., p. 254 e p. 270: cfr. ID., *Tribuni militum a populo*, cit., pp. 69 s.

(79) V. ora, al riguardo, il contributo di S. DEMOUGIN, in questi stessi Atti.

(80) C. NICOLET, *L'ordre équestre*, cit., II, Paris, 1974.

(81) C. NICOLET, *ibid.*, p. 979, n. 270.

(82) PAIS 275. Nella sala alfabetica dei magazzini del Museo Archeologico di Aquileia. Il testo è il seguente: *L. Pinarius L.f. Natta / pater, / L. Pinarius L.f. Natta f(ilius), / Cailia C.l. Antiopa / uxsor opsequen[s]*. I caratteri paleografici e linguistici suggeriscono una datazione non lontana dagli Anni Sessanta-Cinquanta, cui si riferiscono le testimonianze relative all'*eques Romanus*. L'identificazione di uno dei personaggi aquileiesi con quest'ultimo sembra esclusa dalla posizione socialmente inferiore della liberta Cailia Antiopa.

(83) M. TORELLI, *Industria estrattiva, lavoro artigianale, interessi economici: qualche appunto, The Seaborne Commerce of Ancient Rome: Studies in Archaeology and History*, (Memoirs of the American Academy in Rome, XXXVI), Roma, 1980, pp. 313 ss.

(84) C. NICOLET, *L'ordre équestre*, II, cit., pp. 857 s., n. 122.

(85) *CIL* V, 1180. Nella galleria lapidaria, sezione repubblicana, del Museo Archeologico di Aquileia. Il testo è il seguente: *C. Cossutius M.f. / T. (Cossutius) M.f. / fieri iussit*. Per altre iscrizioni dello stesso periodo caratterizzate dal risparmio sul *nomen* v. *App.* II, nn. 21, 23, 26?, 33.

che il Torelli considera "forse ancora repubblicana" (86) e che repubblicana è invece sicuramente. Lo studioso, che connette in generale questo ramo dei Cossutii con attività di estrazione, commercio e lavorazione del marmo, ritiene che il M. Cossutius attestato in Sicilia fosse impegnato a soddisfare la "fame di capolavori" di Verre, mentre non si pronuncia in particolare sull'attività dei Cossutii aquileiesi. È probabile che anche questi ultimi fossero legati al commercio e alla produzione di opere d'arte, per i quali una piazza come Aquileia doveva essere particolarmente interessante (87).

15. Il contributo più importante all'identificazione dei senatori aquileiesi di età repubblicana è venuto da T.P. Wiseman. Nella prosopografia dei "New Men in the Roman Senate" compilata dallo studioso compaiono quattro personaggi che vanno considerati in questa prospettiva: due, Q. Titius (Mutto) e C. Lucilius C.f., titolari di "pre-senatorial positions"; due, M. Fruticius M.f. e C. Appulleius M.f. Tappo, sicuramente senatori (88). Tale elenco è stato accolto e confermato da G. Alföldy (89). Da ultimo, riprendendo uno spunto offerto da S. Panciera, ancora G. Alföldy ha proposto di aggiungere ad esso un quinto personaggio, Cn. Octavius Q.f. (Ruso) (90).

a) I cinque casi presentano dei problemi che lo stato della documentazione non sempre consente di risolvere con un grado soddisfacente di probabilità.

Molto incerta è la posizione di Cn. Octavius Q.f. e di Q. Titius. Per essi il problema dell'*origo* è strettamente legato a quello del nome. L'ipotesi che il Cn. Octavius Q.f. menzionato nell'iscrizione di *Asculum* sia un Aquileiese dipende da altre due ipotesi, a loro volta intrecciate, cioè che il personaggio porti un *cognomen* tipicamente aquileiese come Ruso e che quindi la sua tribù sia la Velina (91). L'ipotesi che il *monetalis* Q. Titius sia un Titius Mutto, e quindi un aquileiese, parte dal presupposto, non del tutto sicuro (v. § 13), che il dio raffigurato su una delle sue emissioni sia Mutinus Titinus e che il fatto alluda al *cognomen* del magistrato (92).

L'*origo* aquileiese di C. Lucilius C.f., di M. Fruticius M.f. e di C. Appuleius M.f. sembra invece fuori discussione. Le iscrizioni relative al primo e al terzo sono state rinvenute ad Aquileia; per quella relativa al secondo la provenienza aquileiese è quasi sicura (93). A questi si aggiungono altri dati di fatto: in età repubblicana i Lucilii, i Fruticii e gli Appullei Tappones sono bene attestati nella città (94); i Fruticii e gli Appullei Tappones, in particolare, non si riscontrano che in essa.

b) Se l'inquadramento cronologico di Cn. Octavius Q.f. e di Q. Titius non pone problemi (il primo fece parte del *consilium* di Cn. Pompeo Strabone nell'89 a.C.; il secondo fu *monetalis* tra il 90 e l'87), quello di C. Lucilius C.f., di M. Fruticius M.f. e di C. Appulleius M.f. Tappo deve essere riesaminato.

Rifacendosi a valutazioni di autori precedenti sia il Wiseman che l'Alföldy li collocano tutti e tre tra la fine della repubblica e gli inizi del principato. L'analisi dei dati relativi a ciascuno di essi consente di distribuirli lungo un arco cronologico più ampio e di proporre delle datazioni differenziate

(86) M. TORELLI, *Industria estrattiva*, cit., p. 320.

(87) V., al riguardo, le osservazioni di M. VERZÁR BASS, in questi stessi Atti.

(88) T. P. WISEMAN, *New Men in the Roman Senate, 139 B.C. - A.D. 14*, Oxford, 1971, p. 213, n. 34: C. Appulleius M.f. Tappo; p. 231, n. 181: M. Fruticius M.f.; pp. 238 s., n. 235?: C. Lucilius C.f.; p. 266, n. 437?: Q.Titius (Mutto).

(89) G. ALFÖLDY, *Senatoren aus Norditalien (Regiones IX, X, XI)*, Colloquio Internazionale A.I.E.G.L. su *"Epigrafia e ordine senatorio"*, Roma, 14-20 maggio 1981, Testi-base I, c. 30 n. ?1: Q. Titius Mutto; n. 2: C. Appuleius M.f. Tappo; n. 3: M. Fruticius M.f.; n. ?4: C. Lucilius C.f.

(90) S. PANCIERA, *ibid.*, Testi-base II, c. 49; G. ALFOLDY, *ibid.*, intervento nella discussione.

(91) Per un bilancio problematico e bibliografico v. *App.* II, n. 30 [?]: cfr. anche § 15*e*.

(92) V. *App.* II, n. 31 [?]: cfr. anche § 15*e*.

(93) V. *App.* II, nn. 32, 33, 34: cfr. anche § 15*e*.

(94) Cfr. A. CALDERINI, *Aquileia romana*, cit., p. 515 *Lucilii*, p. 499 *Fruticii*, p. 455 *Ap(p)ul(l)eii*.

189

almeno per i primi due. I caratteri paleografici dell'iscrizione di C. Lucilius C.f. riportano infatti alla prima metà del I secolo, quelli dell'iscrizione di M. Fruticius M.f. al più tardi all'età cesariana. Il criterio paleografico non è applicabile invece all'iscrizione di C. Appulleius M.f. Tappo, perduta; nè essa presenta aspetti particolarmente indicativi dal punto di vista linguistico. Troppo vaga è anche la possibilità che il Tappo ricordato da Catullo (104,4) (95) sia un Appulleius e quindi un Aquileiese. In tale situazione un inquadramento generico tra la fine della repubblica e l'inizio del principato, proposto già dal Mommsen in base all'analisi del *cursus honorum* del personaggio, rimane il più ragionevole (96).

c) I dati prosopografici e cronologici messi in evidenza suggeriscono innanzitutto alcune considerazioni di carattere generale.

Va notato che, allo stato attuale della nostra documentazione, Aquileia può vantare probabilmente il più antico senatore della Gallia Cisalpina (97).

Il primo candidato a questo riconoscimento, Cn. Octavius Q.f., ammesso che si tratti di un Aquileiese, sarebbe entrato in senato alquanto prima che la colonia latina divenisse un *municipium*, dato che la sua posizione nel *consilium* di Cn. Pompeo Strabone è indice di un *cursus honorum* già avanzato (98). La cittadinanza romana, presupposto di tale ascesa, potrebbe esser stata acquisita dagli immediati ascendenti del personaggio o da lui stesso, attraverso l'esercizio delle magistrature locali (99) o per qualche privilegio non meglio determinabile (100).

Anche per Q. Titius, probabilmente più giovane (o, forse, più lento nella carriera), l'esercizio delle prime cariche di livello "nazionale" nell'ambito dei "junior officers" dovette avvenire prima del 90. Se si trattava di un Aquileiese, il godimento da parte sua della cittadinanza sarà da ricondurre ancora ad una delle possibilità accennate.

Tralasciando, come incerte, queste due canditature, il primato di Aquileia dovrebbe essere comunque assicurato da C. Lucilius C.f., titolare di "pre-senatorial positions" nella prima metà del I secolo (101).

Sempre allo stato attuale della documentazione Aquileia vanta per l'età repubblicana, tra tutte le città della Gallia Cisalpina, uno dei più consistenti gruppi di senatori (da un massimo di cinque a un minimo di tre) (102).

d) Una serie di problemi nasce anche dal tentativo di definire la posizione politica dei senatori aquileiesi.

---

(95) Sul personaggio, non meglio identificato, v., tra i contributi più recenti, C. J. FORDYCE, *Catullus-A Commentary*, Oxford, 1961, pp. 392 s. e FR. STOESSL, *C. Valerius Catullus-Mensch, Leben, Dichtung*, Meisenheim am Glan, 1977, p. 133.

(96) Non mi è chiaro su quali elementi si fondi la datazione più precisa ("*aetatis, ut videtur, Caesaris*"), di A. DEGRASSI, *ILLRP*, 436.

(97) Il fatto è stato sottolineato per la prima volta da G. ALFÖLDY, *Senatoren aus Norditalien*, cit., cc. 3 s., in relazione a Q. Titius Mutto. Sul problema dell'origine aquileiese del personaggio lo studioso assume poco oltre una posizione più prudente: v. c. 30, n. ?1 ("? = Herkunft aus der betreffenden Stadt naheliegend, ganz eindeutige Beweise sind jedoch nicht vorhanden").

(98) In generale sul rango degli appartenenti al *consilium* v. N. CRINITI, *L'epigrafe di Asculum di Gn. Pompeo Strabone*, Milano, 1970, pp. 77 ss.; in particolare sul rango di Cn. Octavius Q.f. v. *ibid.*, pp. 94 s.

(99) Sull'acquisto della cittadinanza romana da parte dei magistrati delle colonie latine v., tra i contributi più recenti, A. N. SHERWIN - WHITE, *The Roman Citizenship-A Summary of Its Development into a World Franchise*, ANRW, I 2, Berlin-New York, 1972, p. 34 e nt. 46 e ID., *The Roman Citizenship²*, Oxford, 1973, pp. 215 s., dove ulteriori indicazioni bibliografiche: cfr. C. NICOLET, *Rome et la conquête du monde méditerranéen*, I, Paris, 1977, p. 280 e p. 289.

(100) Si potrebbe pensare, ad es., che l'acquisto della cittadinanza fosse dovuto all'appoggio di qualche *patronus* appartenente alla *nobilitas* romana.

(101) In base ai dati raccolti da G. ALFÖLDY, *Senatoren aus Norditalien*, cit., c. 39, nn. ??1 e ??2, il primato di Aquileia potrebbe essere contestato da Verona: l'*origo* veronese dei due personaggi è però incerta.

(102) Sempre in base ai dati raccolti da G. ALFÖLDY, *ibid.*, per la sola Verona risulterebbe un gruppo di senatori più numeroso (al massimo sette) di quello di Aquileia: in parecchi casi l'*origo* veronese dei personaggi considerati è però dubbia.

Quella di Cn. Octavius Q.f. dovrebbe essere chiara: la sua presenza nel *consilium* di Cn. Pompeo Strabone sembra indicare un'appartenenza al gruppo politico di quest'ultimo (103). Partendo dal presupposto che il personaggio sia iscritto alla tribù Velina, la sua eventuale origine aquileiese costituirebbe un fatto singolare: si riteneva finora che i dodici appartenenti a questa tribù registrati nel decreto di *Asculum* fossero di origine picena (104); Cn. Octavius sarebbe inoltre uno dei pochissimi personaggi di eventuale provenienza cisalpina entrati nel *consilium* (105).

L'anno in cui Q. Titius fu *monetalis* è incerto. Una datazione intorno al 90, già presente nel Babelon, sembra preferibile anche al Crawford; il Sydenham si pronuncia per l'88; il Münzer e il Grueber per l'87. Si tratta di un periodo di continui rivolgimenti politici: sicchè la soluzione data al problema cronologico non è senza riflessi su quella relativa alla collocazione politica del personaggio. La tesi del Münzer, seguito dal Grueber, che Q. Titius fosse un "Parteigänger Sullas" dipende infatti anche dalla datazione accolta dai due studiosi; analogamente, l'interpretazione del Rowland, secondo cui le sue emissioni presenterebbero elementi di "Cinnan propaganda", presuppone una diversa cronologia. Senza pretendere di considerarlo un elemento decisivo, noterò soltanto come il fatto che l'attività di Q. Titius come *monetalis* sia strettamente legata a quella di C. Vibius C.f. Pansa, probabile vittima delle proscrizioni (106), sia a sfavore della tesi che il primo fosse un partigiano di Silla.

Sulle amicizie politiche di C. Lucilius C.f., ricordato da un'iscrizione databile alla prima metà del I secolo, non abbiamo nessun elemento preciso.

Quanto a M. Fruticius M.f. e, forse, C. Appulleius M.f. Tappo, cui si riferiscono dati collocabili intorno alla metà del secolo o giù di lì, si potrebbe ipotizzare che la loro ascesa al senato, o quantomeno alle cariche più alte del loro *cursus honorum*, sia da collegare all'appoggio di Cesare, il cui interesse per la *Venetia* orientale è noto e la cui presenza ad Aquileia durante il suo proconsolato è attestata alcune volte (107). Nel caso di C. Appulleius M.f. Tappo una datazione eventualmente più bassa porterebbe a supporre l'appoggio di Ottaviano.

e) Molto problematico si presenta infine il collegamento tra i dati prosopografici fin qui analizzati e alcuni dati archeologici.

"Chi abitava ad Aquileia, le belle case dai ricchi mosaici che sembrano datare alla fine della repubblica o alla prima età augustea?". L'ipotesi presentata da J.H. D'Arms in risposta a questa domanda, che cioè "appartene[ssero] [...] alle principali famiglie dell'Aquileia tardo-repubblicana che, essendosi costituita una fortuna, lasciarono Aquileia per più attraenti posizioni politiche nella Roma capitale" (108), appare probabile. A giudizio di M. Verzár Bass le più antiche di queste *domus* risalgono già alla fine del II secolo/inizi del I, cioè allo stesso periodo cui ricondurrebbero anche le notizie, peraltro molto incerte, sui più antichi senatori aquileiesi. A famiglie senatoriali essa attribuisce anche alcune delle *domus* databili nel corso del I secolo e la committenza di opere e oggetti d'arte di alto livello e quindi particolarmente costosi: non abbiamo però nessun elemento per riferire l'uno o l'altro di questi dati all'uno o all'altro dei senatori aquileiesi identificati (109).

_____

(103) Sulle clientele dei *Pompeii Strabones* e in particolare sulla composizione del *consilium* dell'89 v. ora N. Criniti, *L'epigrafe di Asculum*, cit., pp. 62 ss.

(104) V. *ibid.*, pp. 89 s.

(105) Sulla distribuzione territoriale delle tribù rappresentate nel *consilium* v. *ibid.*, pp. 85 s.

(106) Sul rapporto tra Q. Titius e C. Vibius Pansa v., da ultimo, M. H. Crawford, *Roman Republican Coinage*, I, Cambridge, 1974, pp. 75 e 77, cfr. p. 346. Sulla proscrizione del secondo v., ad es., R. J. Rowland, *Numismatic Propaganda under Cinna*, TAPhA, 97, 1966, p. 400: cfr. anche V. Vedaldi Iasbez, *I figli dei proscritti sillani*, Labeo, 27, 1981, 2, pp. 196 ss.

(107) Oltre alle opere citate a nt. 34 v. R. F. Rossi, *Cesare tra la Gallia ed Aquileia, Aquileia e l'Occidente*, cit., pp. 71 ss.

(108) J. H. D'Arms, *Rapporti socio-economici fra città e territorio*, cit., pp. 71 ss.

(109) Su tutta la questione cfr. il contributo di M. Verzár Bass, in questi stessi Atti.

Un discorso analogo vale per il cosiddetto "navarca di Cavenzano", indubbiamente un ex magistrato dotato di *imperium,* come dimostra una serie di suoi attributi (110). La statua è databile al periodo cesariano o triumvirale, ma l'identificazione del personaggio è, allo stato attuale della nostra documentazione, impossibile.

GINO BANDELLI

---

(110) Per i problemi relativi al navarca v. *ibid.,* dove ulteriori indicazioni bibliografiche.

PER UNA STORIA DELLA CLASSE DIRIGENTE DI AQUILEIA REPUBBLICANA

APPENDICE I

DAL DIBATTITO DEL 183 A.C. AL *SUPPLEMENTUM* DEL 169 A.C.

1. Liv., XXXIX, 55,5-6

[a. 183] *Illud agitabant, uti colonia Aquileia deduceretur, nec satis constabat, utrum Latinam an civium Romanorum deduci placeret. Postremo Latinam potius coloniam deducendam patres censuerunt. Triumviri creati sunt P. Scipio Nasica, C. Flaminius, L. Manlius Acidinus.*

2. Liv., XL, 34, 2-3

Aquileia colonia Latina eodem anno [a. 181] *in agrum Gallorum est deducta. Tria milia peditum quinquagena iugera, centuriones centena, centena quadragena equites acceperunt. Tresviri deduxerunt P. Cornelius Scipio Nasica, C. Flaminius, L. Manlius Acidinus.*

Sulla deduzione della colonia cfr. Vell., 1, 15, 2.

3. Liv., XLIII, 1, 5-7

[a. 171] *Ingressum hoc iter consulem senatus ex Aquileiensium legatis cognovit, qui querentes coloniam suam novam et infirmam necdum satis munitam inter infestas nationes Histrorum et Illyriorum esse, cum peterent, ut senatus curae haberet, quomodo ea colonia muniretur, interrogati, vellentne eam rem C. Cassio consuli mandari, responderunt Cassium Aquileiam indicto exercitu profectum per Illyricum in Macedoniam esse.*

4. Liv., XLIII, 17, 1

Eo anno [a. 169] *postulantibus Aquileiensium legatis, ut numerus colonorum augeretur, mille et quingentae familiae ex senatus consulto scriptae triumvirique, qui eas deducerent, missi sunt T. Annius Luscus, P. Decius Subulo, M. Cornelius Cethegus.*

APPENDICE II

FONTI EPIGRAFICHE, LETTERARIE E NUMISMATICHE SULLA CLASSE POLITICA DI AQUILEIA REPUBBLICANA

[?] = *fonti relative a personaggi la cui origine aquileiese è considerata incerta*
(?) = *fonti relative a personaggi la cui qualifica di magistrato o di decurione è considerata incerta*
 ? = *fonti relative a personaggi la cui datazione al periodo repubblicano è considerata incerta*

A. M A G I S T R A T I della colonia latina, identificati e non identificati: nn. 1 - 10 (?); MAGISTRATI del *municipium*, identificati e non identificati: nn. 11 - 24; SACERDOTI: nn. 15, 22?, 25, 29; DECURIONI: nn. 21, 26? - 28.

1. *CIL* V, 971, cfr. p. 83; Pais 78; *CIL* I², 2203; *ILLRP*, 536; *Im*. 224.

Nella galleria lapidaria, sezione repubblicana, del Museo Archeologico di Aquileia.

T. Apolonius C.f., / P. Babrinius M.f. / duomvirum

A. Calderini, *Aquileia romana-Ricerche di storia e di epigrafia*, Milano, 1930, p. 276, p. 454 *Apolonii*, p. 466 *Babrinii*; G. Brusin, *Il problema cronologico della colonia militare di Aquileia*, AN, 7-8, 1936-37, c. 29 e f. 12; A. Degrassi, *Problemi cronologici delle colonie di Luceria, Aquileia, Teanum Sidicinum*, RFIC, n.s. 16, 1938, p. 133 = *Scritti vari di antichità*, I, Roma, 1962, p. 84; Id., *L'amministrazione delle città, Guida allo studio della civiltà romana antica*, I², Napoli, 1958, p. 318 = *Scritti vari di antichità*, IV, Trieste, 1971, p. 84; Id., *Epigrafica*, I, *MAL*, s. VIII, v. XI, 1963, p. 140 = *Scritti vari di antichità*, III, Venezia-Trieste, 1967, p. 2. V. ora anche il contributo di M. Verzár Bass, in questi stessi Atti.

Datazione. *CIL* V, p. 83: "titul[us] antiquissim[us]"; *ILLRP*: "Saec.I in."; *Im*.: "Saec. II". Da riferire comunque al periodo della colonia latina per la menzione del duovirato: v., in particolare, A. Degrassi, artt. citt.

Per quanto riguarda il *nomen* Apolonius, accanto alla possibilità che sia quello originario, è da considerare anche l'ipotesi che si tratti di una riformazione latina di un (illirico?) *Ap(u)lō:* v. F. Crevatin, *Storia linguistica dell'Istria preromana e romana*, § 4.3, in corso di pubblicazione in *ANRW*.

2. [H.] Majonica, *Mitth. C.-C.,* N.F. 16, 1890, p. 127 n. 15.

Nella sala alfabetica dei magazzini del Museo Archeologico di Aquileia.

[.] *Vibius K.* [*f.*][1], / [.] *Gavillius* [. *f.*] /*cens(ores)*

[1] La lettura *L. Vibius P.f.* del Majonica all'autopsia si rivela insostenibile. La lettura *K.* del *praenomen* del padre si fonda su quanto è dato di leggere al di sotto di una concrezione che ricopre parzialmente la lettera. Lo stesso *praenomen* è attestato anche per altri Vibii di Aquileia: cfr. il *K.* Vibius K.f. del n. 4 e il [.] Vibius K. (et) S [ex. 1.], in G. Brusin, *Gli scavi di Aquileia,* Udine, 1934, pp. 89 s. n. 15 (la lettura del Brusin è diversa).

A. Calderini, *Aquileia romana,* cit., p. 278 nt. 4, p. 503 *Gavillii* n. 9, p. 569 *Vibii* n. 23.

Una datazione al periodo della colonia latina si fonda sui seguenti elementi: a) le affinità paleografiche coi nn. 1 e 5; b) il fatto che fin dalle fasi più antiche del *municipium* le funzioni censorie sono esercitate da *IIIIviri i. d. quinq.:* cfr. il n. 11.

Scettico sull'esistenza di *censores* ad Aquileia è A. Calderini, p. 278, nt. 4.

3. Bertoli, p. 113, n. 101 [b]; *CIL* I, 1456 [b]; *CIL* V, 840 [b]; Garrucci 2182 [b]; *CIL* I[2], 2196 [b].

L'iscrizione è spezzata in due parti [a+b]. La parte sinistra [a], che consente di precisare i *nomina* dei due personaggi e la loro carica, è inedita.

Nella galleria lapidaria, sezione repubblicana, del Museo Archeologico di Aquileia.

De doneis sacr(um) / *faciendum coira(vere)* / *a*[i]*d(iles)* / *C. Lucretius V.f.,* / *L. Horatius L.f.*

A. Calderini, *Aquileia romana,* cit., p. 583 (aggiunta a p. 121). V. ora anche il contributo di M. Verzár Bass, in questi stessi Atti.

Una datazione al periodo della colonia latina si fonda sui seguenti elementi: a) i caratteri paleografici, tra cui tre L ad uncino (le prime due piuttosto accentuate); b) il tipo di magistratura. Sulla L ad uncino come elemento di datazione v., tra i contributi più recenti, H. Solin, *Analecta epigraphica, Arctos,* n.s. 6, 1970, p. 104 e F. Coarelli, *Un elmo con iscrizione latina arcaica al Museo di Cremona, Mélanges Heurgon,* I, Roma, 1976, p. 160 nt. 7. Per i dati relativi all'edilità nelle colonie latine v., ad es., A. Degrassi, *Scritti vari,* cit., *passim* (cfr. gli Indici).

4. G. Brusin, *Not. Sc.,* 1933, pp. 115 s.; *CIL* I[2], 2822; Warmington, p. 126, n. 156; *ILLRP,* 306; *Im.* 127.

Nella galleria lapidaria, sezione repubblicana, del Museo Archeologico di Aquileia.

De doneis / *L. Babrinius L.f.,* / *K. Vibius K.f.*

A. Degrassi, *Problemi cronologici,* cit., p. 134 = p. 85; G. Brusin, *Epigrafi aquileiesi in funzione di pietre militari, AIV,* 114, 1955-56, p. 288, p. 290 n. 9 e t. V f. 6; L. Bertacchi, *Presenze archeologiche romane nell'area meridionale del territorio di Aquileia, Il territorio di Aquileia nell'antichità, (Antichità Altoadriatiche,* XV), Udine, 1979, pp. 271 s. V. ora anche il contributo di M. Verzár Bass, in questi stessi Atti.

Datazione. G. Brusin, *Not. Sc.:* "90 circa av. Cr."; *ILLRP:* "Saec. I in.": cfr. *Im.* Ad una data alquanto più alta sembrano riportare: a) i caratteri paleografici, tra cui due L ad uncino (la prima piuttosto accentuata): cfr. il n. 3; b) il tipo di pietra, arenaria, non ancora sostituito dal calcare carsico o istriano: sul problema v. G. Bandelli. *Le iscrizioni repubblicane,* in corso di pubblicazione in *I Musei di Aquileia, (Antichità Altoadriatiche,* XXIII).

Magistratura. G. Brusin, *Not. Sc.:* "se non *praetores, duoviri iure dicundo";* A. Degrassi, *Problemi cronologici,* cit.: "con eguale probabilità si potrebbe pensare anche a *quaestores* o *aediles";* *ILLRP:* "magistros aedis cuiusdam vel magistratus Aquileienses monumentum [...] exstruxisse puto". La formula *de doneis* si riscontra anche nel n. 3, in relazione ad una coppia di *aidiles.*

5. *CIL* V, 1442; E. Maionica, *A.-E. Mitth.,* 4, 1880, p. 93 n. 3; Pais 103; *ILLRP,* 535; *Im.* 223.

Nella galleria lapidaria, sezione repubblicana, del Museo Archeologico di Aquileia.

P. Veiedius Q.[1] [*f.*], / *C. Postumiu*[*s . f.*], / *M. Allius P.f.,* / *L. Capenius L.f.,* / *Q. Gem*[i]*nius*[2] *Pe.* [*f.*] / *q(uaestores)*

[1] Gli editori precedenti leggono *C.*

[2] Gli editori precedenti leggono *Ce*[io]*nius* o *Cei*[o]*nius.*

A. Calderini, *Aquileia romana,* cit., p. 279, p. 450 *Allii* n. 6, p. 478 *Capenii,* p. 481 *Ceionii* n. 1, p. 537 *Postumii* n. 1, p. 564 *Veiedii;* A. Degrassi, *L'amministrazione delle città,* cit., p. 309 = p. 74 e p. 318 = p. 84; Id., *Epigraphica,* I, cit., pp. 140 s. = pp. 3 s. (dove la lettura *Pe(tronis)* [*f.*] alla r. 5, ripresa poi in *ILLRP*).

Datazione. *ILLRP:* "ut recte Brusin interpretatus est, sunt quinque quaestores coloniae latinae"; *Im.:* "Saec. II".

Magistratura. Sull'importanza della questura in Aquileia repubblicana v., contro lo scetticismo di A. Calderini, p. 279, le osservazioni di A. Degrassi, artt. citt.

6. Gregorutti 66; *CIL* V, 8298; Garrucci 2181; Pais 65; *CIL* I[2], 2209; *ILLRP,* 537; *Im.* 225.

Nella galleria lapidaria, sezione repubblicana, del Museo Archeologico di Aquileia.

T. Plausurnius T.f. q(uaestor) / *coiravit*

PER UNA STORIA DELLA CLASSE DIRIGENTE DI AQUILEIA REPUBBLICANA

A. Calderini, *Aquileia romana*, cit., p. 279 e p. 534 *Plausurnii*; A. Degrassi, *Problemi cronologici*, cit., p. 134 = p. 85. V. ora anche il contributo di M. Verzár Bass, in questi stessi Atti.
Datazione. G. Brusin, in A. Degrassi: "intorno al 100 a. Cr."; *ILLRP*: "Saec. I in."; *Im.*: "Saec. I ineuntis?".
Magistratura. *Im.*: "Magna basis [...] a quaestore coloniae Aquileiensium posita".

7 (?). Liv., XLI, 5, 1.
Forte ita evenit, ut Cn. et L. Gavillii Novelli, Aquileienses, cum commeatu venientes, ignari prope in capta castra ab Histris inciderent.
A. Calderini, *Aquileia romana*, cit., p. 20 nt. 5 e p. 503 *Gavillii* nn. 1 e 2.
Datazione. 178 a.C.
Magistratura. L'ipotesi, molto labile, che si tratti di magistrati della colonia latina (due dei cinque *quaestores?*), si fonda sulla natura del compito loro affidato. L'appartenenza dei Gavillii alle famiglie magistratuali della colonia latina risulta comunque dal n. 2.

8 (?). Gregorutti 600.
Sul muro di cinta, sezione aquileiese, seconda campata, dell'Orto Lapidario dei Civici Musei di Storia ed Arte di Trieste.
- - -]*d*[1] [- - -/- - -]*us* [- - -/- - -]*m*[1] *duu*[*mvir?* - - -/- - -]*m v*[- - -
[1] La diversa lettura del Gregorutti all'autopsia si rivela insostenibile.
Una datazione al periodo della colonia latina sarebbe suggerita dalla possibile menzione del duovirato. La cosa rimane peraltro incerta, poichè l'analisi paleografica dell'iscrizione, per quanto la frammentarietà di questa la consente, sembra riportare ad età più recente e pregiudicare quindi la stessa integrazione *duu*[*mvir*].

9. *CIL* V, 8313; C. Gregorutti, *Arch. Tr.*, n.s. 10, 1884, pp. 383 ss. n. 102; Pais 125; Dessau, 5366; *CIL* I[2], 2197; Warmington p. 178 n. 36; Diehl[5] 432; *ILLRP*, 487*a*; *Im.* 208.
Nella galleria lapidaria, sezione repubblicana, del Museo Archeologico di Aquileia.
[- - -] // *de via Postumia in* / *forum pequarium* / *meisit. Lata p(edes) XXX*[*X ?*]. / *De senatous*[1] *sent(entia)*
[1] Warmington, Diehl[5], *ILLRP* danno per errore *senatuos.*
C. Gregorutti, *Arch. Tr.*, n.s. 17, 1891, pp. 169 ss.; H. Maionica, *Fundkarte von Aquileia, Dreiundvierzigster Jahresbericht des k.k. Staatsgymnasiums in Görz*, Görz, 1893, pp. 54 s.; G. Brusin, *Aquileia-Guida storica e artistica*, Udine, 1929, p. 247; A. Calderini, *Aquileia romana*, cit., p. 252; P. Fraccaro, *La via Postumia nella Venezia, Festschrift Egger*, Klagenfurt, 1952, p. 275 = *Opuscula*, III, 1, Pavia, 1957, pp. 226 s.; G. Brusin, *Epigrafi aquileiesi*, cit., pp. 286 ss., p. 290, n. 7 e t. IV, f. 4.
Datazione. G. Brusin, *Aquileia*, p. 247: "forse il più antico monumento di Aquileia fin qui riapparso"; Id., *Epigrafi aquileiesi:* sembra datarla al 148, anno della costruzione della via Postumia; *Im.*: "Saec. I fere ineuntis". I caratteri paleografici, tra cui una L appena uncinata, e la pietra impiegata, arenaria, sembrano a favore della datazione più alta: cfr. i nn. 3 e 4.
Magistratura. La costruzione di strade nelle colonie e nei *municipia* è affidata alle magistrature più diverse: cfr. gli Indici di *ILLRP*, II, p. 492.

10 (?). P. Kandler, *L'Istria*, 7, 1852, p. 99; *CIL* V, 1021.
Nella galleria lapidaria, sezione repubblicana, del Museo Archeologico di Aquileia.
- - - *po*]*rticum dupl*[*icem* - - - / - - -]*o*[1] *sternendas* [- - -
[1]*dec(urionum) decret*]*o?, sax*[*o?, de su*]*o?*
G. Brusin, *Aquileia*, cit., p. 242, n. 35; Id., *Lo scavo del foro di Aquileia*, AN, 6, 1935, 2, c. 35. V. ora anche il contributo di M. Verzár Bass, in questi stessi Atti.
Datazione. P. Kandler: "agli ultimi tempi della Repubblica od ai primi del Triumvirato d'Augusto"; G. Brusin: "fine della Repubblica"; M. Verzár Bass: fine II/inizi I secolo. La forma delle lettere (in particolare la D quasi quadrata e la P molto aperta) e l'uso dei punti quadrati sono a favore della cronologia più alta. Sui punti quadrati come elementi di datazione v., tra i contributi più recenti, M. Cébeillac, *Quelques inscriptions inédites d'Ostie: de la République à l'Empire*, MEFRA, 83, 1971, pp. 46 s.
Magistratura. La costruzione di *porticus* nelle colonie e nei *municipia* è affidata alle magistrature più diverse: cfr. gli Indici di *ILLRP* II, p. 491. È attestato sia il finanziamento pubblico che quello privato. Nel caso della *porticus duplex* di Aquileia non è esclusa la seconda possibilità. Non è escluso neppure che l'opera sia stata realizzata non da un magistrato ma da un privato. In entrambe le ipotesi l'iscrizione andrebbe collegata a quelle raccolte in *App.* IV, nn. 1-4.

11. Gregorutti 67 [A]; *CIL* V, 8288 [A]; C. Gregorutti, *Arch. Tr.*, n.s. 5, 1877-78, pp. 340 s., n. 43 [B]; Pais 121 [A e B]; Hübner 23 [A]; *CIL* I[2], 2198 [A]; Warmington p. 178 n. 37 [A]; Diehl[5] 375 [A]; *ILLRP*, 538 [B e A]; *Im.* 226 [B e A]
Dell'iscrizione esistono due copie [A e B].

Nella galleria lapidaria, sezione repubblicana, del Museo Archeologico di Aquileia.
M. Annaus / Q.f. IIIIvir i(ure) d(icundo) / quinq(uennalis) portam / refic(iundam) locavit / ex s(enatus) c(onsulto) eidemq(ue) / probavit
C. Gregorutti, *Arch. Tr.*, n. s. 17, 1891, pp. 185 s.; R. Egger, *Historisch-epigraphische Studien in Venezien, JÖAI,* 21-22, 1922-1924, c. 313; G. Brusin, *Aquileia,* cit., pp. 6 s.; A. Calderini, *Aquileia romana,* cit., p. 276 e p. 451 *Annai* n. 1; G. Brusin, *Gli scavi di Aquileia,* cit., pp. 57 s.; A. Degrassi, *Problemi cronologici,* cit., pp. 133 s. = pp. 84 s.; I. Calabi Limentani, *Epigrafia latina³,* Milano, 1974, p. 281, n. 72.
Datazione. Hübner p. LXXV: "exempl[um] [...] Caesare vetusti[us]"; R. Egger: età cesariana; G. Brusin, *Aquileia:* "40-30, a.C."; Id., *Gli scavi:* "età preaugustea"; Warmington: "c. 100 B.C.?"; *ILLRP:* "paulo post a. 52"; *Im.:* "circa a. 52?". La proposta del Warmington è esclusa dalla menzione del quattuorvirato, che riporta comunque al periodo del *municipium,* cioè a dopo il 90. Per quanto riguarda le altre proposte la presenza in una delle due copie [A] dei punti quadrati sembra a favore della datazione più alta dello Hübner. Sui punti quadrati cfr. il n. 10 (?).

12 ?. *CIL* V, 989.
Perduta?
[.] *Fruticius M.f. / IIIIvir i(ure) d(icundo) quinq(uennalis) / IIIIvir i(ure) d(icundo)*
A. Calderini, *Aquileia romana,* cit., p. 276 e p. 499 *Fruticii* n. 3.
Nell'impossibilità di una verifica sul piano paleografico una datazione al periodo repubblicano è ipotizzabile in base all'uso del nominativo e alla mancanza del *cognomen*: i due elementi non escludono però una cronologia più bassa (fino alla seconda metà del I secolo d.C.). Un indizio a favore della prima proposta è il probabile rapporto con i Fruticii del n. 33: cfr. anche il M. Fruticius Q.f. di *CIL* V, 1218.

13 ?. Gregorutti 71; *CIL* V, 8304.
Nella galleria lapidaria, sezione elementi architettonici, del Museo Archeologico di Aquileia.
[- *L]aberi Q.f. IIIIvir(i) i(ure) [d(icundo)]*
H. Maionica, *Fundkarte,* cit., p. 12, n. 29; G. Brusin, *Aquileia,* cit., p. 241, n. 28; A. Calderini, *Aquileia romana,* cit., p. 277 e p. 512 *Laberii,* nn. 3 e 4; S. Stucchi-L. Gasperini, *Considerazioni archeologiche ed epigrafiche sui monumenti del foro aquileiese, AN,* 36, 1965, cc. 11 s. e f. 6, cc. 21 s. e f. 9; M. J. Strazzulla, in E. Mangani-F. Rebecchi-M. J. Strazzulla, *Emilia-Venezie, (Guide Archeologiche Laterza,* 2), Bari, 1981, p. 218.
Si tratta di una delle iscrizioni incise su alcuni elementi della decorazione architettonica del foro imperiale di Aquileia. Tali iscrizioni ricordano probabilmente una serie di personaggi legati a momenti importanti della storia della città.
Quella riportata è una trascrizione di L. Gasperini, c. 22. Per un'altra lettura dello studioso v. *ibid.*
L'ipotesi che in questo Laberio, non altrimenti noto, si debba riconoscere un quattuorviro del *municipium* di età repubblicana si fonda sul fatto, tutt'altro che decisivo (cfr. le osservazioni relative al n. 12?), che il personaggio non ha *cognomen.*

14 ?. Bertoli, p. 300, n. 418; Orelli 3862; *CIL* V, 1010.
Perduta?
L. Titius M.f. / IIIIvir i(ure) d(icundo) / quinq(uennalis)
C. Gregorutti, *Arch. Tr.,* n.s. 17, 1891, pp. 187 s.; A. Calderini, *Aquileia romana,* cit., p. 277 e p. 553 *Titii* n. 21.
Per quanto riguarda la datazione cfr. le osservazioni relative al n. 12?.

15. *CIL* V, 1016; Pais 81.
Nella galleria lapidaria, sezione magistrati e sacerdoti, del Museo Archeologico di Aquileia.
T¹. Vibius T. f. Ruso / IIIIvir i(ure) d(icundo) / IIIIvir quinq(uennalis), / T. Vibius T. f. Ruso / augur, / Caeparia Cn. f.
¹ Il *CIL* legge *L.*
Una datazione a periodo ancora repubblicano è proponibile su base paleografica. Tale non era probabilmente l'opinione di A. Degrassi, che non ha considerato l'iscrizione nè in *Problemi cronologici,* cit., pp. 133 s. = pp. 84 s., nè in *ILLRP.*
Sul *cognomen* Ruso in generale v. A. Holder, *Alt-celtischer Sprachschatz,* II, Leipzig, 1904, c. 1251 v. *Rus-o(n)* e G. Perin, *Onomasticon, Lexicon Totius Latinitatis,* VI, Padova, 1940, p. 1940, *s.v.;* sul *cognomen* Ruso ad Aquileia v. G. Alföldy, *Senatoren aus Norditalien (Regiones IX, X, XI),* Colloquio Internazionale A.I.E.G.L. su *"Epigrafia e ordine senatorio",* Roma 14-20 maggio 1981, Testi-base, I, c. 31 n. 6. Cfr. *infra* n. 30 [?].

16. *CIL* V, 966; Hübner 25; *CIL* I², 2200.
Nella galleria lapidaria, sezione repubblicana, del Museo Archeologico di Aquileia.
M. Alfius M.f. / colonus, IIIIvir. / L. Servilius L.f. frater / fieri iussit
H. Maionica, *Mitth. C.-C.,* N.F. 17, 1891, p. 40 n. 53; A. Calderini, *Aquileia romana,* cit., p. 276 e p. 449 *Alfii* n. 2; G. Brusin,

PER UNA STORIA DELLA CLASSE DIRIGENTE DI AQUILEIA REPUBBLICANA

Il problema cronologico, cit., f. 16 e c. 43; A. Degrassi, *Problemi cronologici,* cit., p. 133 = p. 84 e p. 139 = p. 92.

Datazione. Hübner: "aetas Caesaris"; G. Brusin: "L'arcaicità dei caratteri [...] è palese, nè essa permette di scendere con la datazione ad epoca posteriore ad Augusto, anzi *CIL* V, 966 parrebbe di qualche po' più antica": cfr. A. Degrassi, p. 139 = p. 92. Che però il Degrassi avesse dei dubbi è forse ricavabile dal fatto che non ha compreso l'epigrafe in *ILLRP,* dove pure le aquileiesi sono largamente rappresentate.

A. Calderini, locc. citt. e I. Kajanto, *The Latin Cognomina,* Helsinki-Helsingfors, 1965, p. 321 leggono *Colonus,* considerando il termine un *cognomen;* il Brusin e il Degrassi concordano nella lettura *colonus,* ma divergono nell'interpretazione dell'appellativo (il primo lo intende come *deductus in coloniam,* il secondo come "colui al quale è assegnato un terreno").

17. *CIL* V, 983.

Iscrizione incisa su un architrave (?) spezzato in sette parti. Il testo riportato dalla prima, relativo alla madre degli altri due personaggi, è inedito.

Addossata, rivolta verso il giardino, alla galleria lapidaria, sezione repubblicana, del Museo Archeologico di Aquileia.

[- - -]c̣ia Q.f. Ga[l ?]la / mater, // Decia Q.f. soror, // Q. Decius Q.f. Flaccu[s] / IIIIvir

A. Calderini, *Aquileia romana,* cit., p. 276 e p. 490 *Decii* nn. 1 e 2.

Datazione *CIL* V: "litteris antiquis". Non compare nè in *CIL* I^2 nè in *ILLRP.* I caratteri paleografici non escludono, in effetti, anche una datazione alla prima età imperiale.

18 ?. *CIL* V, 999 = 3997, cfr. p. 1025; *CIL* I^2, 2201.

Nel museo Maffeiano di Verona.

Cn. Octavius / C. f. Cornicla / IIIIvir / v(ivus) f(ecit)

A. Calderini, *Aquileia romana,* cit., p. 277 e p. 527 *Octavii* n. 6; A. Degrassi, *Problemi cronologici,* cit., p. 133 = p. 84; Id., *Epigraphica,* I, cit., p. 146 = p. 10.

Datazione. *CIL* V = *CIL* I^2: "litteris vetustis"; G. Brusin, in A. Degrassi: fine repubblica/inizi principato. Tra gli studiosi di storia dell'arte antica ricorrono invece delle datazioni nell'ambito del I secolo d.C.: v., tra i contributi più recenti, L. Franzoni, *Arte e civiltà romana nell'Italia settentrionale,* II, Bologna, 1965, pp. 204 s., n. 301: cfr. I,t. XCVI, f. 195; Th. Kraus, *Das römische Weltreich,* (*Propyläen Kunstgeschichte,* 2), Berlin, 1967, p. 228, t. 193; R. Bianchi Bandinelli, *Roma-La fine dell'arte antica,* Milano, 1970, p. 112.

19 ?. Gregorutti 72; *CIL* V, p. 1025 ad n. 999.

Nell'ex Villa Florio di Buttrio?

Cn. Octavius C. f. Cornicula / IIIIvir v(ivus) f(ecit)

Sia dal Gregorutti che dal *CIL* il personaggio è identificato con quello del n. 18 ?.

20. P. Sticotti, *Mem. St. Forog.,* 9, 1913, p. 374; *CIL* I^2, 2648; Diehl^5 361; *ILLRP,* 539; *Im.* 227.

Nell'atrio del Museo Archeologico di Cividale.

Ti. Carminius Ti. f., / P. Annius M. f. pr(aefecti), / P. Annius Q. f., / Sex. Terentius C. f. / q(uaestores) / portas, muros / ex s(enatus) c(onsulto) locavere / eidemq(ue) probave(re)

R. Egger, *Historisch-epigraphische Studien,* cit., cc. 309 ss.; G. Brusin, *Aquileia,* cit., p. 6; Id., *Gli scavi di Aquileia,* cit., p. 57, nt. 1; A. Degrassi, *Problemi cronologici,* cit., p. 134 = p. 85 e p. 136 = p. 87; G. Brusin, *AN,* 9, 1938, c. 154; P. M. Moro, *Iulium Carnicum (Zuglio),* Roma, 1956, pp. 212 s., n. 20; A. Degrassi, *Epigraphica,* I, cit., pp. 142 ss. = pp. 4 ss.; L. Bosio, *Itinerari e strade della Venetia romana,* Padova, 1970, pp. 150 ss.

Datazione. P. Sticotti: fine I secolo a.C.; R. Egger: prima metà I secolo a.C.; A. Degrassi: intorno al 52 a.C. La tesi del Degrassi è accolta da G. Brusin, *AN,* da P. M. Moro e da L. Bosio.

Magistrature. Dopo le prime interpretazioni, insoddisfacenti, dello Sticotti e dello Egger è stato il Degrasi a leggere *pr(aefecti)* e ad attribuire il titolo di *quaestores* sia a P. Annius Q.f. che a Sex. Terentius C.f. Sulla lettura *pr(aefecti)* v. ora L. Margetić, *Riflessioni sull'iscrizione di Curicum CIL III, 13295 = Dessau ILS II 5322, AN,* 50, 1979, cc. 153 ss.

21. S. Panciera, *Un falsario del primo Ottocento-Girolamo Asquini e l'epigrafia antica delle Venezie,* Roma, 1971, pp. 151 ss. e f. 15.

Sulla porta originaria della casa di via Udine 1-3 a Tapogliano.

Petronia C.f., / C. Aufidius C.f. / scr(iba) l(ibrarius), q(uaestor), decu(rio)[1], */ T. (Aufidius) C.f. q(uaestor), / M. (Aufidius) C.f.*

[1] Nell'originale la r. 3 è la seguente: *SVR · L · Q · DEC · V ·.* Quella proposta è una lettura del Panciera. Un'altra lettura dello studioso è: *Sur(a) (scriba) l(ibrarius), q(uaestor), decu(rio).*

Datazione. S. Panciera: "L'epigrafe è senza dubbio ancora d'età repubblicana come appare, oltre che dalla paleografia, dalla mancanza, in generale, dei *cognomina,* dalla diversità del prenome dei figli rispetto a quello del padre, dall'uso del nominativo, dall'assenza della dedica agli Dei Mani nonchè, infine, dall'omissione, piuttosto caratteristica in questa età, dei due ultimi gentilizi, essendo sottinteso quello paterno, leggibile nella seconda riga". Per quest'ultima particolarità cfr. i nn. 23, 26?, 33.

22 ?. *CIL* V. 1277; Gregorutti 161; *CIL* V, 8293.
Perduta?
L. Lucilius C.f. / fl(amen), q(uaestor)
C. Gregorutti, *Arch. Tr.*, n.s. 17, 1891, p. 192; A. Calderini, *Aquileia romana*, cit., p. 175, p. 279 e p. 515 *Lucilii* n. 4.
Per quanto riguarda la datazione cfr. le osservazioni relative al n. 12?.
Sulle funzioni svolte dal personaggio gli studiosi sono discordi. *CIL* V, 1277: "In secundo versu non puto latere flaminem quaestorem, quod non respondet consuetudini Aquileiensium hominum, sed eum fractum fuisse et male exceptum"; C. Gregorutti, *Arch. Tr.*: "flamine Quirinale"; A. Calderini, p. 175: "forse fl(amen) q(uinquennalis)", p. 515, n. 4: "flamen quaestor".
In stretto rapporto con questa sembra l'iscrizione *CIL* V, 8292, relativa a un L. Lucilius G.(?) f.

23. Pais 289; C. Gregorutti, *Arch. Tr.*, n.s. 13, 1887, p. 194 n. 314.
Nella galleria lapidaria, sezione repubblicana, del Museo Archeologico di Aquileia.
C. Statius C.f., / C. (Statius) C.f., / P. (Statius) C.f., / P. (Statius) P.f. q(uaestor) / [1]Licinis
[1]L'ipotesi del Pais che all'inizio della r. 5 sia caduta una lettera non mi sembra esca confermata da un nuovo esame autoptico.
Datazione. Pais: "litteris vetustis"; C. Gregorutti: "caratteri dell'ultimo tempo della repubblica". L'autopsia conferma tali valutazioni . Valgono inoltre molti dei rilievi fatti da S. Panciera a proposito del n. 21. Per il tipo di iscrizione, caratterizzato dal risparmio sul *nomen*, v. anche i nn. 26? e 33.
L'interpretazione della r. 5 pone dei problemi che non è possibile affrontare in questa sede.

24. Pais 199; C. Gregorutti, *Arch. Tr.*, n.s. 13, 1887, p. 192 n. 309.
La ricerca del frammento nei magazzini del Museo Archeologico di Aquileia ha dato esito negativo. Ho potuto esaminare una riproduzione fotografica.
P. Sa[- - -] IIIIv[ir - - -]
Datazione. C. Gregorutti: "tempo di Augusto". I caratteri paleografici, per quanto la frammentarietà e la riproduzione fotografica consentono di valutarli, sembrano ancora nettamente repubblicani. Un altro indizio in tal senso, peraltro non del tutto sicuro (cfr. le osservazioni relative al n. 12?), è la probabile mancanza del *cognomen*, ipotizzabile in base alle dimensioni presumibili della parte perduta.

25. Bertoli, p. 128, n. 121; *CIL* I, 1458; *CIL* V, 861; Garrucci 2184; *CIL* I[2], 2199; Diehl[5] 591; *ILLRP*, 540.
Perduta?
C. Appulleo (!) C.f. Tapponi / pontufici / Sepstinia uxor
C. Gregorutti, *Arch. Tr.*, n.s. 17,1891, p. 187; [E.] Klebs, v. *Appuleius* n. 31, in *RE* II, 1 (1895), c. 269; *PIR* A 783 = *PIR²* A 967; A. Calderini, *Aquileia romana*, cit., p. 175 e p. 455 *Ap(p)ul(l)eii* n. 2.
Nell'impossibilità di una verifica sul piano paleografico una datazione al periodo repubblicano è suggerita da alcuni arcaismi linguistici (*Appulleo, pontufici*) e dal probabile rapporto col n. 34 e con *CIL* I², 2205 (quest'ultima conservata nella galleria lapidaria, sezione repubblicana, del Museo Archeologico di Aquileia e sicuramente repubblicana). Rispetto ad esse l'iscrizione del *pontufex* presenta anche degli elementi che sembrano recenziori, come l'uso del dativo.
Il personaggio è generalmente considerato un ascendente del n. 34. Per quanto riguarda il *nomen* Appulleius, accanto alla possibilità che sia quello originario, è da considerare anche l'ipotesi che si tratti di una riformazione latina di un (illirico?) *Ap(u)lō:* v. F. Crevatin, *Storia linguistica*, cit. al n. 1.
Sul *cognomen* Tappo v. A. Holder, *Alt-celtischer Sprachschatz* II, cit., cc. 1724 s., v. *Tapp-o(n):* cfr. anche le opere di C. J. Fordyce e Fr. Stoessl, citate a nt. 95.

26 ?. *CIL* V, 973.
Perduta?
Sex. Attius [- f.], / Raia M. [f.], / Sex. Attius Sex. f., / [-] (Attius) Sex. f. / Vel(ina) dec(urio)
A. Calderini, *Aquileia romana*, cit., p. 274, p. 459 *Attii* nn. 3-5, p. 539 *Raii* n. 1.
Nell'impossibilità di una verifica sul piano paleografico una datazione al periodo repubblicano è suggerita dall'uso del nominativo e dalla mancanza dei *cognomina* (cfr. però le osservazioni relative al n. 12?), oltre che dal risparmio su un *nomen* (cfr. le osservazioni del Panciera relative al n. 21). Per quest'ultima particolarità v. anche i nn. 23, 33.
Sull'origine del *nomen* Raius v. A. L. Prosdocimi in G. B. Pellegrini-A. L. Prosdocimi, *La lingua venetica*, II, Padova, 1967, pp. 155 s. (*Rakoi*).

198

27[(?)]. *CIL* V, 713; C. Gregorutti, *Arch. Tr.*, n. s. 18,1892, p. 40, n. LXXX; *I.I.* X,4, n. 314.

Sul muro di cinta, sezione tergestina, ultima campata, dell'Orto Lapidario dei Civici Musei di Storia ed Arte di Trieste.

[-] *Metellus* / [-] *f. Optatus* / [*lect*]*us*[1] *dec(urionum) s(ententia)* / [*an*]*nor(um) XII*[- - -]

[1]Ritorno alla lettura proposta dal Gregorutti. La lettura *adlectus* del Degrassi, accolta dallo Sticotti in *I.I.* X,4, appare improbabile, poichè la parte perduta a sinistra dalla pietra doveva essere piuttosto stretta (alla r. 1 manca il *praenomen*, alla r. 2 il patronimico, alla r. 4 *AN*) e lo spazio scheggiato a sinistra di *VS* poteva contenere non più di una/due lettere.

Datazione. Non compare nè in *CIL* I[2] nè in *ILLRP*. I caratteri paleografici ammetterebbero, in effetti, anche una datazione alla prima età imperiale.

Carica. Contro la possibilità che si tratti di un decurione v. ora le osservazioni di U. Laffi nell'intervento relativo alla presente relazione, in questi stessi Atti.

La pertinenza amministrativa del luogo di rinvenimento dell'iscrizione (Ivanigrad/Castelgiovanni, sulla strada per *Emona*) è discussa: sia il *CIL* che le *I.I.* X,4 lo attribuiscono all'*ager Tergestinus*; mi risulta che G. Brusin ha inserito invece il documento nel volume aquileiese delle *I.I.*

28. *CIL* V, 1002.

Nella galleria lapidaria, sezione repubblicana, del Museo Archeologico di Aquileia.

M'. Petronius / M'. f. dec(urio), / Graiena Q.f.

A. Calderini, *Aquileia romana*, cit., p. 274, p. 504 *Graiei* n. 2, p. 532 *Petronii* n. 41.

Datazione. I caratteri paleografici sono indiscutibilmente ancora repubblicani. Valgono inoltre alcune delle osservazioni fatte dal Panciera a proposito del n. 21.

B. TRIBUNI MILITUM

29. *CIL* V, 913.

Ai Civici Musei di Udine.

L. Flaminius L.f. / Hister aug(ur), tr(ibunus) mil(itum), / Titia P.f. uxsor, / Babullia T.f. mater, / Q. Flaminius L.f. / Hister tr(ibunus) mil(itum), / Sex. Flaminius L.f. / Hister tr(ibunus) mil(itum)

A. Calderini, *Aquileia romana*, cit., p. 220 nt. 1, p. 346 nn. 92-94, p. 375, p. 466 *Babullii* n. 1, p. 497 *Flaminii* nn. 1-3, p. 554 *Titii* n. 37.

Datazione. Non compare nè in *CIL* I[2] nè in *ILLRP*. I caratteri paleografici non escludono, in effetti, anche una datazione alla prima età imperiale.

Sul *cognomen* Hister v. I. Kajanto, *The Latin Cognomina*, cit., p. 196 e p. 321.

C. SENATORI - "certain senators": nn. 30 [?], 33, 34; "pre-senatorial positions": nn. 31[?], 32 (I criteri di distinzione sono quelli di T.P. Wiseman, *New Men in the Roman Senate, 139 B.C.-A.D. 14*, Oxford, 1971, pp. 205 ss.).

30[?]. S. Panciera, *Colloquio Internazionale A.I.E.G.L. su "Epigrafia e ordine senatorio"*, cit., Testi-base II, c. 49; G. Alföldy, *ibid.*, intervento nella discussione

Cn. Octavius Q. f. V[- - -]

Si tratta di uno dei membri del *consilium* di Cn. Pompeo Strabone, nominati nel *decretum de civitate equitibus Hispanis danda* dell'89 a.C.: Dessau, 8888; *CIL* I[2], 709, cfr. p. 714 e p. 726; *CIL* VI, 37045; *FIRA* I[2], 17; *ILLRP*, 515; *Im.* 397; N. Criniti, *L'epigrafe di Asculum di Gn. Pompeo Strabone*, Milano, 1970.

Sull'identificazione del personaggio con Cn. Octavius Q.f. Ruso, questore di C. Mario nel 105 e pretore intorno al 91, v. N. Criniti, pp. 94 ss., dove ulteriori indicazioni bibliografiche.

La lettura della *V* a destra del patronimico è di S. Panciera, loc. cit., che sottolinea come ciò restringa la scelta della tribù tra la Velina, la Voltinia e la Voturia. Partendo dall'identificazione generalmente accettata e considerando che il *cognomen* Ruso è attestato epigraficamente, nella Gallia Cisalpina, solo ad Aquileia, G. Alföldy, loc. cit., ha proposto di integrare *V*[*el(ina)*] e di considerare il personaggio aquileiese.

Tra gli *Octavii* di Aquileia il *praenomen* Cn. è attestato, il *praenomen* Q. non lo è: cfr. A. Calderini, *Aquileia romana*, cit., pp. 527 s. *Octavii*. Non è attestato neppure il *cognomen* Ruso: cfr. *ibid.* Sul *cognomen* Ruso v. le opere citate al n. 15.

31[?]. Borghesi, *Oeuvres complètes*, II, pp. 5 ss.; Mommsen, *Münzwesen*, pp. 583 s., n. 213; Mommsen-Blacas, II, pp. 411 ss., n. 214; Babelon, II, pp. 489 ss.; Grueber, I, pp. 286 ss., nn. 2220 ss., cfr. III, Pl. XXXVI, n. 5; Sydenham, p. LXIII e p. 107, n. 691; Crawford, I, pp. 75 ss., pp. 344 s., n. 341 e p. 349.

Q. Titi(us) (Mutto?)

Si tratta di un *monetalis* variamente datato tra il 90 e l'87 a.C.

L'identificazione della famiglia del personaggio con quella dei *Titii Muttones* di Aquileia risale a C. Cichorius, *Untersuchungen zu Lucilius*, Berlin, 1908 [rist. anast. Zürich-Berlin, 1964], pp. 206 ss. Lo studioso ritiene che si possano individuare tre esponenti di essa in età repubblicana: il padre del *monetalis*, cui si riferirebbero Lucil. 1031 Marx e Cic. *Pro Scauro*, 23, interpretato alla luce di una glossa del *Codex Taurinensis*; il *monetalis*; un figlio del *monetalis*, cui si riferirebbe un frammento di Cic. *Pro Fundanio* (= fr. 1 ed. Schoell). Fr. Münzer, v. *Q. Titius Mutto*, in *RE* VI A 2 (1937), c. 1568, riduce i *Q. Titii Muttones* a due, sostenendo che il personaggio menzionato da Lucilio e nella *Pro Scauro* e il *monetalis* sono lo stesso individuo. In particolare sul *monetalis* v. anche *MRR*, II, p. 454; A. Alföldi, *The Main Aspects of Political Propaganda on the Coinage of the Roman Republic, Essays Mattingly*, Oxford, 1956, p. 80; T. P. Wiseman, *Some Republican Senators and Their Tribes, CQ*, n.s. 14,1964, p. 131; R. J. Rowland, *Numismatic Propaganda under Cinna, TAPhA*, 97,1966, p. 409; T. P. Wiseman, *New Men in the Roman Senate*, cit., p. 266 n. 437?; G. Alföldy, *Senatoren aus Norditalien*, cit., c. 30 n. 1. L'identificazione del Cichorius non è accolta da tutti: v. M. H. Crawford, *Roman Republican Coinage*, I, London, 1974, p. 345.

Il collegamento del frammento di Lucilio con il passo della *Pro Scauro* è reso incerto dal fatto che sia l'uno che l'altro presentano dei problemi testuali che riguardano proprio l'ipotetico personaggio. Per Lucilio v. le diverse letture, ad es., in ed. Marx 1031 (*Musconis*), Cichorius p. 206 (*Mutonis*), ed. Bolisani 1089 (*Mutonis*), ed. Terzaghi 1036 (*muttonis*), ed. Krenkel 1096 (*muttonis*): cfr. anche I. Mariotti, *Studi luciliani*, Firenze, 1960, p. 106 (*muttonis*) e A. Pennacini, *Funzioni della rappresentazione del reale nella satira di Lucilio, AAST*, 102, 1968, p. 372 (*muttonis*). Per Cicerone v. le diverse letture, ad es., in ed. Clark (*Q. Muttonis*) e in ed. Grimal (*T. Quincti Muttonis*).

Per i *Titii Muttones* attestati ad Aquileia risulta solo il *praenomen* T.: v. *CIL* V, 1412 e 8473, entrambe di età imperiale.

Sul *cognomen* Mutto v. A. Holder, *Alt-celtischer Sprachschatz*, II cit., c. 666, v. *Mutt-o(n)* e G. Perin, *Onomasticon*, cit., p. 301, v. *Muttius*, cfr. p. 300, v. *Mutinus*: v. anche K. H. Schmidt, *Die Komposition in Gallischen Personennamen*, Tübingen, 1957, p. 245 *Moto* - e D. Ellis Ewans, *Gaulish Personal Names-A Study of Some Continental Celtic Formations*, Oxford, 1967, p. 233 *Mot-*.

32. *CIL* V, 872; Hübner 24; *CIL* I², 2204.

Nella galleria lapidaria, sezione repubblicana, del Museo Archeologico di Aquileia.

C. Lucilius C.f. | triumvirum | cap(italium)

C. Gregorutti, *Arch. Tr.*, n.s. 17, 1981, p. 192; *PIR* L 281; C. Cichorius, *Römische Studien*, Stuttgart, 1922 [rist. anast. 1971], p. 70; Fr. Münzer, v. *Lucilius* n. 6, in *RE* XIII,2 (1927), c 1637, cfr. n. 23 c. 1642 (Miltner) e n. 25 c. 1645 (Münzer); A. Calderini, *Aquileia romana*, cit., p. 290 e p. 515 *Lucilii* n. 1; *MRR*, II, p. 484; *PIR²* L 377; T.P. Wiseman, *New Men in the Roman Senate*, cit., p. 238 n. 235?; A.P. Steiner, *The Vigintivirate during the Empire: a Study of the Epigraphical Evidence*, Diss. The Ohio State University, 1973 [University Microfilms Internationl, Ann Arbor 1980], p. 19; G. Alföldy, *Senatoren aus Norditalien*, cit., c. 30 n. 24.

Datazione. Hübner: «Aetas Caesaris»; *PIR* = *PIR²*: «fortasse Augusto antiquior»; Wiseman e Alföldy: fine repubblica/inizi principato. L'analisi dei caratteri paleografici riporta alla prima metà del I secolo a.C. Cade quindi l'ipotesi del Cichorius, sulla quale già il Münzer (n. 25 c. 1645) aveva espresso dei dubbi, che il personaggio sia figlio di C. Lucilius Hirrus, tr. pl. 53.

33. *CIL* V, 3339, cfr. p. 1095; *CIL* I², 826; *ILLRP*, 440.

«Veronae in domo hominis privati» (*ILLRP*). Ho potuto esaminare una riproduzione fotografica.

M. Fruticius Q.f., | L. (Fruticius) Q.f., | L. (Fruticius) L.f., | M. Fruticius M.f. | pr(aetor), aed(ilis), tr(ibunus) pl(ebis), | M. (Fruticius) M.f., | L. (Fruticius) M.f., | [- - -]

Th. Mommsen, *St.-R.*, I³, p. 555, nt. 1; *PIR* F 335; Weiss, v. *Fruticius*, in *RE* VII, 1 (1910), c. 188; G. Niccolini, *I fasti dei tribuni della plebe*, Milano, 1934, p. 446; *PIR²* F 494; *MRR*, II, p. 464, p. 467, p. 469; T.P. Wiseman, *New Men in the Roman Senate*, cit., p. 231 n. 181; G. Alföldy, *Senatoren aus Norditalien*, cit., c. 30 n. 3.

L'ipotesi di un'origine aquileiese dell'iscrizione, presente già in *CIL* V, p. 1095, è ormai generalmente accettata.

Datazione. *PIR* = *PIR²*, Weiss: prima età augustea; Niccolini, *MRR*, Wiseman, Alföldy: fine repubblica/inizi principato; *ILLRP*: «aetatis, ut videtur, Caesaris». L'analisi dei caratteri paleografici è a favore della data più alta. Per il tipo di iscrizione, caratterizzato dal risparmio sul *nomen*, v., anche i nn. 21, 23, 26?

Per l'origine venetica del *nomen* v., tra i contributi più recenti, J. Untermann, *Die venetischen Personennamen*, I, Wiesbaden, 1961, p. 147; A.L. Prosdocimi in G.B. Pellegrini-A.L. Prosdocimi, *La lingua ventica*, II, cit., p. 97 (*Frutanai*); G. Alföldy, *Senatoren aus Norditalien*, cit., c. 5.

34. Bertoli, p. 300, n. 419; Orelli 3827; *CIL* V, 862; Dessau, 906; *CIL* I², 814; *ILLRP*, 436.

Perduta?

C. Appulleius | M. f. Tappo | pr(aetor), aed(ilis), tr(ibunus) pl(ebis), q(uaestor), | iudex | quaesitionis | rerum capital(ium).

PER UNA STORIA DELLA CLASSE DIRIGENTE DI AQUILEIA REPUBBLICANA

T. Mommsen, *St.-R.*, I³, p. 555 nt. 1; C. Gregorutti, *Arch. Tr.*, n.s. 17, 1891, p. 188; [E] Klebs, v. *Appuleius* n. 31, in *RE* II, 1 (1895), c. 269; *PIR* A 783 = *PIR*² A 967; G. Niccolini, *I fasti dei tribuni della plebe*, cit., p. 466; *MRR*, II, p. 462, p. 466, p. 474, p. 484; A. Degrassi, *Epigraphica*, I, cit., p. 146 = p. 10; R. Syme, *Senators, Tribes and Towns, Historia*, 13, 1964, p. 111; T.P. Wiseman, *New Men in the Roman Senate*, cit., p. 213, n. 34; G. Alföldy, *Senatoren aus Norditalien*, cit., c. 30, n. 2. Datazione. Klebs, *PIR* = *PIR*², Niccolini, Wiseman, Alföldy: fine repubblica/inizi principato; *CIL* I²: anteriore alla morte di Cesare; *ILLRP*: «aetatis, ut videur, Caesaris». Sul problema v. le osservazioni fatte al § 15*b*.
Il personaggio è generalmente considerato un discendente del n. 25. Sul *nomen* Appulleius e sul *cognomen* Tappo v. il n. 25.

APPENDICE III

ESPONENTI DELLA CLASSE POLITICA DI AQUILEIA REPUBBLICANA E LORO PARENTI

M.	ALFIUS	M.	f.		*IIIIvir*	16
M.	ALLIUS	P.	f.		*q.*	5
M.	ANNAUS	Q.	f.		*IIIIvir i.d. quinq.*	11
P.	ANNIUS	M.	f.		*pr.*	20
P.	ANNIUS	Q.	f.		*q.*	20
T.	APOLONIUS	C.	f.		*duomvir*	1
C.	APPULLE(I)US	C.	f.	TAPPO	*pontufex*	25
C.	APPULLEIUS	M.	f.	TAPPO	*pr., aed., tr. pl., q., iudex quaesitionis rerum capital.*	34
SEX.	ATTIUS					26?
SEX.	ATTIUS	SEX.	f.			26?
	ATTIUS	SEX.	f.		*dec.*	26?
C.	AUFIDIUS	C.	f.		*scr.(?) l., q., decu.*	21
M.	AUFIDIUS	C.	f.			21
T.	AUFIDIUS	C.	f.		*q.*	21
L.	BABRINIUS	L.	f.		?	4
P.	BABRINIUS	M.	f.		*duomvir*	1
	BABULLIA	T.	f.			29
	CAEPARIA	CN.	f.			15
L.	CAPENIUS	L.	f.		*q.*	5
TI.	CARMINIUS	TI.	f.		*pr.*	20
Q.	DECIUS	Q.	f.	FLACCUS	*IIIIvir*	17
	DECIA	Q.	f.			17
L.	FLAMINIUS	L.	f.	HISTER	*aug., tr.mil.*	29
Q.	FLAMINIUS	L.	f.	HISTER	*tr.mil.*	29
SEX.	FLAMINIUS	L.	f.	HISTER	*tr.mil.*	29
L.	FRUTICIUS	L.	f.			33
L.	FRUTICIUS	M.	f.			33
L.	FRUTICIUS	Q.	f.			33
M.	FRUTICIUS	M.	f.		*pr., aed., tr. pl.*	33
M.	FRUTICIUS	M.	f.			33
M.	FRUTICIUS	Q.	f.			33
	FRUTICIUS	M.	f.		*IIIIvir. i.d. quinq., IIIIvir i.d.*	12?

CN.	GAVILLIUS		NOVELLUS	?	7(?)
L.	GAVILLIUS		NOVELLUS	?	7(?)
	GAVILLIUS			*cens.*	2
Q.	GEMINIUS	PE. f.		*q.*	5
	GRAIENA	Q. f.			28
L.	HORATIUS	L. f.		*aid.*	3
	LABERIUS	Q. f.		*IIIIvir i.d.*	13?
C.	LUCILIUS	C. f.		*triumvir cap.*	32
L.	LUCILIUS	C. f.		*fl.,q.*	22?
C.	LUCRETIUS	V. f.		*aid.*	3
	METELLUS		OPTATUS	*[lect]us dec.s.*	27[(?)]
CN.	OCTAVIUS	C. f.	CORNICULA	*IIIIvir*	18?, 19?
CN.	OCTAVIUS	Q. f.	(RUSO?)	*praetorius* (?) nell'89 a.C.	30[?]
M'.	PETRONIUS	M'. f.		*dec.*	28
	PETRONIA	C. f.			21
T.	PLAUSURNIUS	T. f.		*q.*	6
C.	POSTUMIUS			*q.*	5
	RAIA	M. f.			26?
P.	SA[– – –]			*IIIIv[ir- - -]*	24
	SEPSTINIA				25
L.	SERVILIUS	L. f.			16
C.	STATIUS	C. f. ?			23
C.	STATIUS	C. f. ?			23
P.	STATIUS	C. f. ?			23
P.	STATIUS	P. f. ?		*q.*	23
SEX.	TERENTIUS	C. f.		*q.*	20
L.	TITIUS	M. f.		*IIIIvir i.d. quinq.*	14?
Q.	TITIUS		(MUTTO?)	*(monetalis)*	31[?]
	TITIA	P. f.			29
P.	VEIEDIUS	Q. f.		*q.*	5
K.	VIBIUS	K. f.		?	4
	VIBIUS	K. f.		*cens.*	2
T.	VIBIUS	T. f.	RUSO	*IIIIvir i.d., IIIIvir quinq.*	15
T.	VIBIUS	T. f.	RUSO	*augur*	15
	[– – –]CIA	Q. f.	GA[L?]LA		17

PER UNA STORIA DELLA CLASSE DIRIGENTE DI AQUILEIA REPUBBLICANA

APPENDICE IV

A. OPERE DI INTERESSE PUBBLICO COSTRUITE CON FINANZIAMENTO PRIVATO

1. *CIL* V, 968; *CIL* I², 2202; *ILLRP*, 541; *Im*. 228.
Nella galleria lapidaria, sezione repubblicana, del Museo Archeologico di Aquileia.
C. Annius T.f. | Interamna | ex sua pecunia | municipio Aq(uileiensi) | dat
A. Calderini, *Aquileia romana*, cit., p. 346 n. 99, p. 352, p. 452 *Annii* n. 2; G. Brusin, *Il problema cronologico*, cit., c. 16 e f. 3; A. Degrassi, *Problemi cronologici*, cit., p. 135 = p. 86; S. Panciera, *Aquileiesi in Occidente ed Occidentali in Aquileia*, Aquileia e l'Occidente, (Antichità Altoadriatiche, XIX), Udine, 1981, pp. 121 s. e p. 128.
Datazione. G. Brusin: «può risalire anche alla prima metà del I sec. av. Cr.»; *Im.*: «Saec. I fere medii»; S. Panciera: «tra il 90 e il 50 circa».

2. *CIL* I, 1435 [A]; *CIL* V, 2799, cfr. p. 1073 ad n. 2975 [corr. 2799] [A]; Garrucci 2155 [A]; C. Gregorutti, *Arch. Tr.*, n.s. 5, 1877-78, p. 339, n. 41 [B]; Pais 593 [B e A]; Dessau, 2992 [B] e 2993 [A]; *CIL* I², 2171 [A e B]; Diehl⁵ 123; *ILLRP*, 195 [B], cfr. II, *Addenda* p. 382; *Im*. 94 [B].
Due iscrizioni identiche su due colonne diverse, conservate l'una [A] al Museo Civico di Padova, l'altra [B] nella galleria lapidaria, sezione elementi architettonici, del Museo Archeologico di Aquileia.
Tampia L.f. | Diovei
G. Brusin, *Aquileia* cit., p. 243 n. 38 e f. 184; A. Calderini, *Aquileia romana*, cit. pp. 143 s. e p. 550 *Tampii*; A. Moschetti, *Il Museo Civico di Padova*², Padova, 1938, p. 369 f. 279 e p. 375 n. 233; V. Scrinari, *I capitelli romani di Aquileia*, Padova, 1952, pp. 19 s., n. 5; F. Crevatin, *Note a C.I.L. I² 2171b = V 2799*, AN, 45-46, 1974-75, cc. 159 ss.; G. Cavalieri Manasse, *La decorazione architettonica romana di Aquileia*, Trieste, Pola, I, Ass. Naz. per Aquileia, 1978, p. 48 n. 7 e t. 3 n. 7, dove ulteriori indicazioni bibliografiche. V. ora anche il contributo di M. Verzár Bass, in questi stessi Atti.
Datazione. *Im.*: «Aetatis fere Sullanae»; G. Cavalieri Manasse: «Prima metà I secolo a.C.» (in base alla tipologia del capitello); M. Verzár Bass: fine II/inizi I secolo.

3. Inedita.
Nella sala alfabetica dei magazzini del Museo Archeologico di Aquileia.
- - - sua imp]ens(a) porticu[m - - -
V. ora il contributo di M. Verzár Bass, in questi stessi Atti.
Datazione. Per la forma delle lettere e per l'uso dei punti quadrati l'iscrizione sembra vicina a quella di *App*. II, n. 10 (?).

4. Gregorutti 280.
Sul muro di cinta, sezione aquileiese, quinta campata, dell'Orto Lapidario dei Civici Musei di Storia ed Arte di Trieste.
Il frammento consta di due parti, che sul muro sono esposte separatamente. Esse appaiono comunque riunite già nell'edizione del Gregorutti.
- - -]aius M.[f. - - - | - - - de]dere [- - - | - - - pecu]nia [- - -
Datazione. I caratteri paleografici sono ancora nettamente repubblicani.

B. VARIE

5. H. Majonica, *Mitth. C.-C.*, N.F. 19, 1893, p. 113 n. 1.
La ricerca del frammento nei magazzini del Museo Archeologico di Aquileia ha dato esito negativo. Ho potuto esaminare una riproduzione fotografica.
- - -]mas laud[es - - - | - - - l]umine con[siliorum ? - - - | - - - sen?]atus [- - -
Datazione. I caratteri paleografici sembrano ricondurre alla prima metà del I secolo a.C.
Frammento di *elogium*?

ADDENDUM

Buone riproduzioni fotografiche delle iscrizioni di *App*. II, nn. 1, 5, 11, 20, e di *App*. IV, nn. 1, 2 si trovano nel volume *Da Aquileia a Venezia*, Milano, 1980, rispettivamente nn. 11, 8, 14-15, 17, 10, 16. Non sempre attendibili sono invece le relative didascalie.

203

CONTRIBUTO ALLA STORIA SOCIALE DI AQUILEIA REPUBBLICANA: LA DOCUMENTAZIONE ARCHEOLOGICA*

È forse necessario spiegare perché i due contributi su Aquileia non potevano essere fusi in un'unica relazione. Nonostante la straordinaria abbondanza di materiale sia archeologico che epigrafico per il periodo repubblicano, mancano quasi totalmente collegamenti tra gli uni e gli altri. Inoltre, uno dei problemi più difficili è quello della localizzazione di tanti pezzi, dal momento che molti materiali sono stati reimpiegati in vari periodi a partire dalla tarda antichità (1). Connessioni certe tra documento archeologico in senso lato e documento epigrafico sono possibili quasi soltanto là dove si tratta del pezzo stesso che contiene l'epigrafe. Nella maggior parte dei casi manifestazioni religiose, politiche e culturali, sia per quanto riguarda la sfera pubblica che per quanto riguarda quella privata, non possono essere etichettate con un nome preciso, ma possono soltanto essere contrapposte ad una serie di nomi attestati epigraficamente o letterariamente. I due contibuti su Aquileia sono stati sviluppati ed elaborati parallelamente e per tutti i riferimenti epigrafici e storici si indicheranno i passi relativi nella parte pubblicata da G. Bandelli. I dati storici elaborati da Bandelli costituiscono una base indispensabile per questa parte archeologica. Si rivela una grave lacuna la mancanza di ricerche approfondite come quelle relative all'*origo* dei coloni o quelle sui rapporti con l'Oriente (2).

L'esame del materiale archeologico ha portato ad una necessaria suddivisione in tre periodi particolarmente interessanti:
1) Fase iniziale della colonia
2) Epoca compresa tra la fine del II sec. a.C. e l'inizio del I sec. a.C.
3) Epoca cesariana-protoaugustea.

Le testimonianze relative al primo periodo della colonia sono poche, ma fortunatamente molto significative. Di questa fase esiste un gruppo di materiali coroplastici provenienti da vari templi all'interno e all'esterno della città. Il complesso più grande, che contiene anche sculture frontonali, è ancora inedito: esso fu rinvenuto nella zona di Monastero (3). Ancora del secondo quarto del II sec. a.C. è una lastra di rivestimento con una testa femminile di stile neo-attico, conosciuta già da molto tempo (4). Indicazioni per quanto riguarda il luogo e le circostanze del rinvenimento mancano. La testa è stata in passato confrontata con sculture appartenenti al tempio principale di Luni, costruito subito dopo la fondazione della colonia nel 177 a.C. (5).

---

* Desidero ringraziare la direttrice del Museo archeologico di Aquileia, L. Bertacchi, per il suo gentile aiuto.

(1) Nel periodo tardoantico, molti pezzi sono stati riutilizzati nelle mura e nel porto. Più tardi molti materiali sono arrivati nella zona di Monastero, luogo che ha fornito una quantità così enorme di materiali di vari periodi, che si dovrà senz'altro pensare al riuso di pezzi provenienti dagli edifici della città antica.

(2) F. Càssola, *AAAd*, 12, 1977, pp. 67 ss. È in preparazione uno studio da parte di M.J. Strazzulla Rusconi su alcuni gentilizi e la probabile origine prenestina delle famiglie.

(3) Accenni in G. Cavalieri Manasse, *Elementi ellenistici nell'architettura tardorepubblicana di Aquileia, AAAd*, 12, 1977, p. 149; L. Bertacchi, *Aqu. N.*, 51, 1980, p. 391 con bibliografia precedente. In preparazione una pubblicazione di M.J. Strazzulla Rusconi.

(4) Cfr. ad esempio, V. Scrinari, *Le terracotte architettoniche del Museo di Aquileia, Aqu. N.*, 24-6, 1953-5, pp. 30 ss. dove si parla di maestranze meridionali; inoltre G. Cavalieri Manasse, cit. pp. 151 s. Per i problemi riguardanti la decorazione coroplastica repubblicana in generale: cfr. M. J. Strazzulla, *Le terrecotte architettoniche del Museo di Portogruaro, Aqu. N.*, 47-8, 1976-7, pp. 13 ss.

(5) G. Cavalieri Manasse, cit. a nota 4; inoltre M.J. Strazzulla, *Le produzioni dal IV al I a.C., Società romana e produzione schiavistica, II, Merci, mercati e scambi nel Mediterraneo*, Bari, 1981, pp. 187 ss.

È importante sottolineare l'altissimo livello tecnico ed artistico, da spiegarsi — nel momento iniziale della colonia — soltanto con l'impiego di botteghe urbane che venivano ad eseguire i primi lavori dell'edilizia pubblica nelle città appena fondate. Ricordiamo a questo proposito che a tale richiesta poteva venire incontro la massiccia presenza di artisti greci arrivati a Roma al seguito di personaggi come M. Fulvio Nobiliore, console del 189, nel 186 a.C. e Emilio Paolo nel 168 a.C. (6). Nel caso di Luni è stato addirittura possibile collegare la decorazione scultorea del tempio con l'ambiente artistico di uno dei fondatori, Marco Emilio Lepido, censore nel 179 a.C., e più precisamente alla bottega neoattica di Timarchides, che lavorava già a Roma per questo personaggio (7). A parte lo stesso Emilio Lepido, impegnato forse nell'Italia nordorientale come probabile costruttore della via Emilia fino ad Aquileia nell'anno 175, durante il suo secondo consolato (8), è possibile che anche altri magistrati romani coinvolti nelle fondazioni e nei primi sviluppi delle colonie avessero rapporti di questo genere. È quasi certo che uno dei numerosi artisti greci portato a Roma da M. Fulvio Nobiliore sia stato ad esempio impegnato nella costruzione della colonia di Pisaurum, fondata da Q. Fulvio Nobiliore, parente del primo, due anni dopo «l'importazione» degli artisti greci, nel 184 a.C. È probabile che queste botteghe si spostassero più tardi verso altri centri dell'Italia settentrionale, come per esempio ad Aquileia, fondata 3 anni dopo. Una testa di eccellente livello artistico e dello stesso gusto neoattico fu rinvenuta anche a Cremona (9), ed è databile quasi certamente poco dopo la rifondazione della città nel 190 a.C. Non meraviglia quindi, pensando a questo tipo di programmazione e a questo tipo di committenza, che in tutti i casi citati le opere più antiche trovate nelle colonie costituiscano i migliori lavori presenti in quelle città. Il fatto che si tratti non solo dei migliori coroplasti di Roma, ma per lo più con molta probabilità di artisti greci — e in gran parte attici —, non dovrà essere spiegato unicamente con l'alto numero di artisti esistenti nell'urbe, ma anche con una scelta precisa dello stile classicheggiante neoattico come stile ufficiale di Roma e come mezzo di propaganda nelle colonie di questo periodo (10).

Su due monumenti riferibili ai primi anni della colonia compaiono invece nomi di magistrati locali come dedicanti nei santuari e quindi senz'altro anche come committenti di lavori edilizi. In ambedue i casi si tratta di dediche fatte «de doneis»; una delle due posta da due edili C. Lucretius e L. Horatius (11) (fig. 1). La lastra, rinvenuta in due frammenti apparteneva probabilmente ad un altare di cui ignoriamo però la provenienza, elemento che ci è noto invece per l'altra dedica, fatta anch'essa da una coppia di magistrati, L. Babrinius e K. Vibius, in questo caso non specificati (12). Il blocco che reca l'iscrizione è eccezionalmente grande e poteva appartenere anch'esso ad un'altare oppure ad una base di un donario. Il pezzo è stato rinvenuto in una località che doveva da sempre essere un punto di passaggio sul fiume Aussa, a nordovest di Aquileia (13); nelle vicinanze è stato inoltre scoperto il podio di un tempio repubblicano, presumibilmente dello stesso periodo. Come datazione è stato proposto il 131 a.C., anno della costruzione della via Annia (14), che attraversava il fiume in questo punto, e che però, molto probabilmente, ricalcava il tracciato della preesistente via Emilia. In favore

(6) F. Coarelli, *Polycles, St. Misc.*, 15, Roma, 1970, pp. 77 ss.; id., *L'«ara di Domizio Enobarbo» e la cultura artistica in Roma nel II sec. a.C.*, DArch., II 3, 1968, p. 330 ss. I passi su M. Fulvio Nobiliore: Liv., XXXIX, 22, 1-2, e su Emilio Paolo, Plut., *Aem.*, 6, 9.

(7) La proposta di Coarelli, citata a nota 6, è stata pienamente accettata da G. Cavalieri Manasse, AAAd, 12, cit.

(8) G. Radcke, *RE* suppl. XIII, s.v. *viae publicae romanae*, col. 1578 e 1596 ss.

(9) M. Scarfi, *Recenti rinvenimenti archeologici in Lombardia*, Annali Benacensi, 3, 1975, pp. 7. ss., fig. 1.

(10) Cfr. il contributo di M. Torelli per una proposta di distinzione tra stile micro-asiatico, barocco nelle colonie latine e stile neo-attico nelle colonie romane.

(11) Cfr. G. Bandelli, pp. 181, 182, 194 § 3.

(12) Cfr. G. Bandelli, ibid.; p. 194 § 4. A. Degrassi, *ILLRP*, 306 (con nota).

(13) Località Ponte Orlando. Sul luogo di ritrovamento cfr. L. Bertacchi, AAAd, 15, 1979, pp. 270 ss.

(14) L. Bertacchi, cit. a nota 13.

di una datazione decisamente più alta, e cioè vicino alla costruzione della via Emilia (175 a.C.) sono anche i caratteri paleografici e il tipo di materiale impiegato (l'arenaria) (15). Questa ipotesi, come una serie di altre considerazioni, ad esempio il fatto che le dediche sono state eseguite da magistrati locali e la scelta topografica per il santuario fanno pensare, come è già stato notato dal Degrassi (16), a *dona sacra* piuttosto che a un bottino di guerra. A questo proposito si deve aggiungere che archeologicamente sono attestati effettivamente luoghi di culto preromani che sembrano risalire forse al V/IV sec. a.C., stando ad alcuni tipi di statuine di bronzo trovate nella zona (17). Essi dovevano, al momento della fondazione della colonia, essere in qualche misura «neutralizzati» o anche inglobati in santuari dei conquistatori romani, o addirittura rivalutati come è senz'altro il caso del dio Beleno, più tardi associato ad Apollo (18). Questo tipo di azione era senza dubbio connesso con la fase iniziale della colonia, nel momento in cui anche il territorio della città passava sotto il controllo dei Romani. L'alta antichità delle due dediche «*de doneis*», formula, come sembra, molto rara, potrebbe ulteriormente sostenere questa ipotesi. Un'altra dedica sacra, da parte di due duoviri, P. Babrinius e T. Apollonius (fig. 3), riferibile forse ad una fontana sacra, un altare circolare, o altra costruzione circolare, è stata trovata fuori della città, nell'agro aquileiese (19).

Tra le testimonianze riferibili ai primi decenni della colonia va inoltre citato un blocco di un fregio monumentale a girali (fig. 4), in calcare, diverso da quello di Aurisina, fatto questo importante per la cronologia (20). Il fregio, originariamente stuccato, alto 70 cm., doveva quasi certamente far parte della decorazione di un tempio. Il tipo di girale, ad onda lenta, con un nastro largo, avvolto intorno ad un doppio ramo, non scende oltre il secondo secolo a.C.; ma il fatto più particolare è che si tratta di un genere mai eseguito in pietra per un edificio aquileiese con esempi come quelli di terracotta da Cerveteri (21): un lavoro di questo tipo, come ha già notato la Cavalieri Manasse, poteva essere

---

(15) Bandelli, sopra nota 12. Per la data del 175 a.C., del secondo consolato di M. Emilio Lepido, vedi G. Radcke, cit. a nota 8, col. 1578.

(16) A. Degrassi, *ILLRP*, nota relativa a N. 306. Cfr. inoltre Bandelli, appendice NN. 3 e 4. Per il rapporto tra Roma e le divinità e i loro santuari preromani (o non-romani) al momento della conquista: M. Pape, *Griechische Kunstwerke aus Kriegsbeute und ihre öffentliche Aufstellung in Rom*, Hamburg, 1975, p. 37, le possibilità sono *evocatio*, oppure qualche forma di «Kultübertragung». Roma doveva impegnarsi ad acogliere gli dei delle comunità conquistate. Un'*evocatio* veniva p.es. fatta nel caso del tempio di *Juno Regina* di Veii (Liv., V, 21,3 e 22, 4-7).

Indicativo per i santuari repubblicani di Aquileia, in particolare nel caso di quello presso Ponte Orlando, è la posizione fuori città, fatto che sembra supporre in modo ancora più evidente l'esistenza di un culto precedente alla conquista romana. Cfr. inoltre: P. Catalano, *Linee del sistema sovrannazionale romano*, I, 1965, pp. 39 ss.; L.A. Springer, *Temple Treasures*, Philadelphia, 1949, pp. 66 s.

Per la zona dell'alto Adriatico: A. Degrassi, *Culti dell'Istria preromana e romana, Studi in onore di G. Novak*, Zagreb, 1970, pp. 615 ss. e G. Susini, *Culti idrici in area coloniaria, Studi in onore di L.A. Stella*, Trieste, 1979, pp. 397 ss.

(17) Cfr. P. Càssola Guida, *Aqu. Chiama*, VIII, 1979, pp. 8 ss. (statuina di Marte del V sec. a.C.); ibid. p. 11: statuetta da Muscoli presso Cervignano (territorio di Aquileia), datata al III sec. a.C. Ead., *Bronzetti a figura umana*, Venezia, 1978, N. 53, p. 68; ibid. da p. 16 ss. i bronzetti dell'importante stipe di Gretta, territorio di Trieste. Essa costituisce il complesso più ragguardevole per un'evidente esistenza di luoghi di culto preromani in questa zona. Per la fattura delle statuine non è da escludere un rapporto con officine di Adria (cfr. M. Tombolani, *Aqu. N.*, 45-6, 1974-5, p. 75).

(18) Cfr. sopra nota 16 (M. Pape). Su Beleno, già H. Maionica, (cfr. Bandelli, *AAAd*, 23, 1983), p. 29. Per le iscrizioni: *CIL* V, 1248, 1185, 1329, 1431. Inoltre, F. Maraspin, *Il culto di Beleno-Apollo ad Aquileia, Atti Ce.S.D.I.R.*, 1967-8, pp. 1 ss.; G. Brusin, *Beleno, nume tutelare di Aquileia, Aqu.N.*, 17-18, 1939, pp. 1 ss. Per la bibliografia recente sulla località: M. Buora, *Aqu.N.*, 50, 1979, pp. 445 ss.

(19) Cfr. Bandelli, 193 § 1; inoltre Verzar Bass, *AAAd*, 23, 1983, in corso di stampa.

(20) V. Scrinari, *Le terracotte architettoniche del Museo di Aquileia, Aqu.N.*, 24-5, 1953-4, fig. 1, pp. 27 ss. Ead., *Testimonianze di architettura italica in Aquileia, Studi aquileiesi offerti a G. Brusin*, Aquileia, 1953, pp. 21 ss.; G. Cavalieri Manasse, *AAAd*, 10, 1974, pp. 152 ss.; Ead., *La decorazione architettonica romana di Aquileia*, Trieste, Pola, Padova, 1978, pp. 72 s., N. 40.

(21) Per il fregio di Cerveteri: A. Andrén, *Architectural Terracottas from Etrusco-Italic Temples*, Lund, 1940, Pl. 21, V:1, N. 68, p. 60 s. Già in R. Vighi, *Le terracotte templari di Caere, SE*, 5, 1931, pp. 144 ss., tav. 13,7.

scolpito soltanto da un lapicida abile e abituato a questa tecnica di lavoro (22). Il fattore tecnico è qui senza dubbio determinante. Gli unici confronti in pietra che conosciamo sono quelli dell'architetture funeraria in Apulia e in Etruria (Ipogeo di Lecce, Tomba Ildebranda a Sovana) databili tra la fine del III e l'inizio del II sec. a.C. (23). Il caso della Puglia è qui particolarmente interessante, poiché si tratta di una regione che ha avuto intensi rapporti con l'alto Adriatico e con tutta la Cisalpina almeno per quanto sappiamo riguardo al commercio dell'olio (24). Oltre a queste informazioni siamo a conoscenza di un processo di rapida decadenza di quasi tutte le città dopo le guerre annibaliche e di una successiva emigrazione che probabilmente non era diretta soltanto a Roma, ma anche verso le nuove colonie (Liv., 42, 34) (25). A questo punto sarebbe opportuno approfondire la ricerca sull'onomastica, ma già dopo un controllo superficiale dei nomi presenti nelle località costiere della Puglia si può affermare che vi si trovano molti gentilizi attestati nell'Aquileia repubblicana. Uno degli esempi più evidenti è quello della famiglia dei Tampii, gentilizio raro, attestato a Roma, Preneste, Ascoli P., (Taranto), Mileto, Aquileia (26) - una simile distribuzione geografica si riscontra per esempio per il gentilizio Turpilius (cfr. Coarelli, negli stessi atti). Ad Aquileia è conservata una colonna con un capitello ionico ellenistico databile probabilmente ancora sullo scorcio del II sec. a.C., con una dedica di Tampia, figlia di Lucio, a *Diovei* (Giove), incisa su una specie di *tabula* risparmiata sul fusto della colonna (27) (fig. 5). Oltre a una colonna votiva di fronte al tempio di Apollo a Pompei (28), in Italia non mi è nota nessun'altra dedica fatta nella stessa maniera mentre questo tipo risulta assai frequente nelle città greco-orienali, dove si trova tra l'altro un monumento con dedica a un Romano eseguita nello stesso modo, su un quadretto applicato sul fusto della colonna, a Claros (proconsole Sex. Apuleius) (29).

Considerate le dimensioni delle colonne del nostro edificio (un altro pezzo è conservato a Padova (30)), si doveva trattare di una costruzione di ridotte dimensioni. Questo tempietto di Giove,

---

Per il fregio di Lecce: G. Bendinelli, *Ausonia*, 8, 1913, pp. 7 ss., tav. I. Inoltre: Th. Kraus, *Die Ranken der Ara Pacis*, Berlin, 1953. I confronti sono stati respinti da G. Cavalieri Manasse, *La decorazione*, cit., p. 73, nota 5. Per gli ultimi studi più importanti sui girali ellenistici, cfr. F. Coarelli - G. Sauron, *La tête Pentini, contribution à l'approche méthodologique du néo-atticisme*, MEFRA, 90, 2, 1978, pp. 727 ss., cfr. in particolare i girali dei mosaici di Pergamo e quelli dipinti della Villa dei Misteri. Inoltre: G. Sauron, *Les modèles funéraires classiques de l'art décoratif néo-attique au Ier s. av.J.-C.*, MEFRA, 91, 1, 1979, pp. 183 ss.

(22) *La decorazione*, cit. p. 72.

(23) Per l'ipogeo di Lecce, cfr. sopra nota 21. Per la tomba Ildebranda, R. Bianchi Bandinelli, *Sovana*, Firenze, 1929, pp. 70 ss.

(24) P. Baldacci, Importazioni cisalpine e produzione apula in *Recherches sur les amphores romaines, Collection Ec.Fr.* Rome, 10, Roma, 1972 (1975), pp. 8 ss.; id., *Le principali correnti del commercio di anfore romane nella Cisalpina, I problemi della ceramica romana di Ravenna, della Valle padana e dell'alto Adriatico*, Ravenna, 1969 (Bologna 1972), p. 103 ss.; L. Braccesi, *La più antica navigazione nelle Alpi orientali*, St. Class. Or., 18, 1969, pp. 129 ss.; S. Panciera, *Aqu. Chiama*, 20-21, 1973-4, pp. 7 ss.; E. Buchi, *Aqu.N.*, 45-6, 1974-5, p. 435.

(25) Cfr. oltre agli studi di P. Baldacci: A. Bernardi, *Incremento demografico di Roma e colonizzazione latina del 338 a.C. all'età dei Gracchi*, Nuova Riv.St., 30, 1946, 4-6, pp. 277 ss.

(26) Per i *Tampii*: a Praeneste, CIL I², 303-308 e un C. Tampius Tarentinus (CIL I², 1458). Ascoli P.: CIL IX, 5190. Per Roma: CIL, VI, cfr. soprattutto 27752, 4656, 2710, ecc. Due L. Tampii sono attestati a Mileto, di cui uno ancora nel I sec. a.C., cfr. J. Hatzfeld, *Les trafiquants italiens dans l'Orient hellénique*, BEFAR, 115, Paris, 1919, p. 161, nota 4; 104, nota 2.

(27) G. Cavalieri Manasse, *La decorazione*, cit., p. 48, N. 7; sulla iscrizione: cfr. Bandelli, pp. 181-182; per la colonna conservata a Padova, CIL I², 2171a.

(28) Cfr. A. e M. De Vos, *Pompei, Ercolano, Stabia, Guide archeologiche*, Laterza, Bari, 1982, p. 32; Th. Kraus, *Lebendiges Pompeji*, Köln, 1973, scheda 19, p. 35 con fotografia.

(29) K. Tuchelt, *Frühe Denkmäler Roms in Kleinasien, I, Roma und Promagistrate*, Ist.Mitt., 23, Beiheft, Tübingen, 1979, Klaros 09, p. 60, 110 e nota 44, 168; L. Robert, *La Carie*, II, Paris, 1954, p. 111, NN. 11 e 15.

(30) L'esistenza di due colonne uguali con la stessa dedica a Giove, sembra escludere la possibilità che si tratti di colonne onorarie, erette singolarmente, come è stato proposto: cfr. G. Cavalieri Manasse, *La decorazione*, cit. p. 48 nota 2. A. Moschetti, *Il Museo civico di Padova*, 1938, pp. 375 s., fig. 279.

assieme ad un frammento di un architrave con una iscrizione lacunosa [...]*pens. porticu*[...], databile nello stesso periodo, costituiscono due esempi certi per l'esistenza di un evergetismo quasi sicuramente prima della guerra sociale (31). Nel caso dei *Tampii*, altrimenti non attestati ad Aquileia, possiamo pensare a ricchi *negotiatores* coinvolti nel commercio con l'Oriente e probabilmente imparentati con la famiglia attestata con un *margaritarius* a Roma (32), mentre la forma «Diovei» per *Iovi* indicherebbe probabilmente la zona d'*origo*, cioè Praeneste (33). Nel caso della *porticus* ignoriamo purtroppo il nome del dedicante; invece, grazie ai caratteri molto arcaici, possiamo essere certi per quanto riguarda l'alta datazione, anteriore alla guerra sociale (34).

Non dopo l'inizio del I sec. a.C. è da collocare un frammento di un architrave recante l'iscrizione relativa a una *porticus duplex* con fregio dorico (35) (fig. 6), un tipo di architettura estremamente sontuosa e poco attestata nell'Italia repubblicana, ma caratteristica per le città greco-orientali (36). In Italia l'esempio più noto, databile al pieno II secolo a.C., è quello del portico eretto da Cn. Ottavio a Roma (37). Accettando l'interpretazione di *duplex-diplé* come doppia fila di colonne anziché quella di edificio a due piani o a due ali (38), ne risulterebbe un tipo di costruzione molto grandiosa che occupa un'area vasta, che secondo Vitruvio (39) poteva trovarsi o intorno al foro o nella palestra. Il blocco con epigrafe di Aquileia sembra essere stato rinvenuto fuori le mura (40), ma non è escluso che si possa trattare di una collocazione secondaria. Un esempio di portico utilizzato in un santuario extraurbano ci è noto dagli scavi di Monterinaldo, nel territorio di *Firmum* (41). Non solo con questo santuario piceno, ma anche con altre zone della stessa regione esistono strettissimi rapporti a vari livelli con Aquileia, fatto connesso presumibilmente con intensi rapporti commerciali. Il collegamento con Roma doveva essere più rapido, utilizzando fino alla costa picena, le vie marittime (42).

Di tutto il ricco materiale architettonico databile in questo periodo vorrei presentare altri due casi particolarmente significativi: il primo è quello di un capitello corinzio di grandi dimensioni, lavorato in più parti — tecnica tipicamente ellenistica — che presenta una piccola rosetta accanto alle volute (fig.

---

(31) Cfr. Bandelli, p. 181; cfr. invece M. Torelli negli stessi atti.

(32) *Diz.Ep.* s.v. *Margaritarius* (G. Mancinetti), di prossima apparizione. *CIL* VI, 37803.

(33) F. Crevatin, *Note a CIL* I², 21716 =V, 2799, *Aqu.N.*, 45₅6, 1974₅5, pp. 159 ss.

(34) Cfr. Bandelli, *AAAd*, 23, 1983 (in corso di stampa).

(35) Cfr. Bandelli, p. 195 § 10.

(36) P. Gros, *Les premières générations d'architectes hellénistiques à Rome*, *Mél. offerts à J. Heurgon*, I, Roma, 1976, pp. 587 ss.

(37) P. Gros, cit.

(38) J.J. Coulton, Διπλῆ στοά, *AJA*, 75, 1971, pp. 183-4.

(39) Vitr., 6, 1.1.

(40) *CIL* V, 1021 «extra moenia», cfr. G. Brusin, *Guida di Aquileia*, 1929, p. 242; inoltre G. Brusin, *Aqu.N.*, 6, 2, 1935, col. 35.

(41) Per l'appartenenza del santuario di Monterinaldo al territorio di Firmum, cfr. M. Torelli, (cfr., negli stessi Atti). Su Monterinaldo, cfr. L. Mercando, *L'ellenismo nel Piceno*, *Hellenismus in Mittelitalien*, I, *Kolloquium Göttingen 1974* (1976), pp. 170 ss.

(42) Rapporti sono stati osservati in varie occasioni. Nel caso di Monterinaldo sono da citare anche i capitelli, le lastre di rivestimento ed alcune sculture coroplastiche. Inoltre p.es. L. Beschi, *Da Aquileia a Venezia*, Milano, 1980, p. 348 relativo alle stele funerarie, C. Letta, *I Marsi dal 304 a.C. alla guerra sociale*, Atti *Ce.S.D.I.R.*, 3, 1972, p. 113 e nota 30. Per la ceramica cfr. p.es. A. Ricci, *I vasi potori a pareti sottili*, *Società romana e produzione schiavistica*, II, *merci, mercati e scambi nel Mediterraneo,*Bari, 1981, pp. 123 ss. Per quanto riguarda le lucerne: L. Mercando, *Not.Sc.*, 1974, pp. 287 ss. e 405 ss. (da Portorecanati); inoltre E. Di Filippo Balestrazzi, *Lucerne di tradizione ellenistica nel Museo di Aquileia*, Atti dell'Istituto Veneto, 141 1978-9, pp. 635 ss. Per le arule di terracotta: M.J. Strazzulla Rusconi, *Arule fittili di Aquileia*, *ACl*, 29, 1977, pp. 86 ss. Infine, oltre a vari gentilizi sono da notare alcuni cognomina come quelli di M. Herennius Picens (P. Baldacci, *Alcuni dei commerci nei territori cisalpini*, Atti *Ce.S.D.I.R.*, 1, 1969, in particolare pp. 27 e 28 oppure un Histrius, vedi A. La Regina, *Il gentilizio Histrius ad Alba Fucens*, Atti Soc. Istr., 67, 1967, pp. 33 s. Cfr. anche i casi dei Tampii e Turpilii, cit. sopra e nota 26. S. Diebner, *RM*, 89, 1982, 1, pp. 95 s.

7) (43). Un frammento di questo tipo sembra essere rinvenuto nelle vicinanze della basilica di epoca imperiale (44) ed è probabile che dalla stessa zona provenga una piccola ara con una dedica a Giove Ottimo Massimo (45). Per la datazione esistono due proposte: cesariano-protoaugusteo, sulla base del confronto tipologico con un gruppo di capitelli a Roma (46), oppure metà II sec. a.C. (47). Ambedue non mi sembrano pienamente soddisfacenti: la prima perché stilisticamente troppo bassa, e la seconda invece presupporrebbe un'introduzione dall'Oriente senza il tramite di Roma poiché un capitello appartenente a quest'epoca risulterebbe più antico che gli esempi urbani. Proporrei piuttosto una data verso la fine del II sec. a.C., in dipendenza dal tipo creato per il tempio della Concordia costruito da L. Opimio (48). Per questo capitello, come dimensioni tra i più grandi capitelli repubblicani di Aquileia, possiamo pensare ad uno degli edifici principali, forse collegato con la dedica a Giove sopra menzionata e topograficamente con la zona del foro. Come in tanti altri casi, per quanto riguarda il tipo di bottega, notiamo il rapporto molto stretto con ateliers attivi a Roma, nel Lazio o in Campania e non sembra forse sufficiente pensare, in questo periodo, alla semplice circolazione di cartoni, ma si tratta probabilmente di spostamenti di botteghe o almeno di singole persone, come nel caso proposto da A. La Regina per Pietrabbondante (49). Per Aquileia possiamo citare inoltre un altro caso molto interessante, benché non certissimo. La Cavalieri Manasse, esaminando un capitello corinzio aquileiese di un tipo poco diffuso (fig. 8), nota la evidente vicinanza tra questo, il capitello dell'Olimpieion costruito da M. *Cossutius* e di alcuni esemplari presenti a Roma, Palestrina e Pompei (tempio di Giove) (50). D'altra parte va ricordato in questo contesto uno studio di M. Torelli sul ramo equestre della famiglia dei *Cossutii* (51), impegnati nello sfruttamento e nel commercio di marmo, oltre ad essere noti nel campo dell'architettura e della scultura neoattica. Non solo il Torelli propone di agganciare l'epigrafe aquileiese riferentesi a due figli di un M. *Cossutius* all'albero genealogico della famosa famiglia, ma la carta di diffusione dei membri di questa famiglia o di persone ad essa legata corrisponde esattamente alla carta di diffusione del capitello «cossutiano» proposta dalla Cavalieri Manasse (52). Si potrebbe perciò proporre che i cartoni, o più probabilmente le botteghe, seguissero gli spostamenti dei membri di questa famiglia e la comparsa di questo tipo preciso di capitello ad Aquileia sia da connettere con la presenza dei fratelli *Cossutii* morti in questa città non dopo la metà del I sec. a.C. (53). Questo fatto sarebbe anche illustrativo per il grado di dipendenza da botteghe urbane in questo periodo.

A partire dalla fine del II sec. a.C. in tutto l'agro aquileiese cominciano a fiorire numerosi santuari disposti o lungo il corso dei fiumi o ai confini del territorio o probabilmente nei luoghi di culto

---

(43) G. Cavalieri Manasse, *La decorazione*, cit., pp. 58 ss., N. 25. Un altro esempio, forse parte di un'anta, è stato trovato recentemente.
(44) Ringrazio la dott.ssa L. Bertacchi per la gentile informazione.
(45) Una piccola ara con dedica di un A. Barbius a Giove Ottimo Massimo proviene probabilmente dallo stesso fondo Comelli. C. Gregorutti, *Le antiche lapidi di Aquileia*, Trieste, 1877, p. 14, N. 29; *CIL* V, 8232 add.
(46) W.D. Heilmeyer, *Korinthische Normalkapitelle, RM Erg.*, Heft 16, 1970, p. 37, tav. 6,1. D.E. Strong - J.B. Ward Perkins, *The Temple of Castor in the Forum Romanum, PBSR*, 30, 1962, pp. 4 s. [D.E. Strong, *Some Early Examples of the Composite Capital, JRS*, 50, 1960, p. 121].
(47) H. Bauer, *Das Kapitell des Apollo-Palatinus Tempels, RM*, 76, 1969, pp. 183 ss., in particolare pp. 202 ss.
(48) Citato dallo stesso Bauer, ibid., p. 202 e nota 49.
(49) A. La Regina, *Il Sannio, Hellenismus in Mittelitalien*, cit., I, pp. 242 s.
(50) G. Cavalieri Manasse, *La decorazione*, cit. pp. 110 s. N. 84 e pp. 56 s., N. 22; ead., *AAAd*, 12, 1977, pp. 160 ss.
(51) M. Torelli, *Industria estrattiva, lavoro artigianale, interessi economici, qualche appunto, MAAR*, 36, 1980 (*The Seaborne Commerce of Ancient Rome*), pp. 313 ss., sull'epigrafe di Aquileia p. 318.
(52) *AAAd*, 12, 1977, pp. 160 ss.
(53) Sulla datazione, cfr. Bandelli, p. 188.

preromani (54). Inoltre si diffonde, in periodo già molto antico, una serie di culti greci ed orientali (55), attestati da molte dediche, spesso erette da gente non-romana, come ad esempio quelle offerte a Esculapio o quella di un personaggio illirico ad Attis, ricordato in un'iscrizione su un altare circolare (56) (fig. 9). La maggior parte delle dediche alle divinità romane sono invece fatte da magistrati come duoviri, edili, questori ecc., oppure da ricchi personaggi, probabilmente *negotiatores*, come il già citato caso dei *Tampii*, ma forse anche i *Dindii*, *Magii* ecc. (57). Come dediche di magistrati locali, oltre a quelle già menzionate, è da ricordare l'altare rettangolare eretto da *T. Plausurnius* (fig. 10), nome estremamente raro, attestato con questo prenome per il periodo repubblicano nella forma di Plosurnius soltanto in una iscrizione a Roma (58).

Non conosciamo il tipo di dedica dovuta dal console C. Sempronio Tuditano, senz'altro già esistente fin dall'inizio della colonia, alle foci del Timavo (59). Il testo di un elogio trovato ad Aquileia, referentesi al trionfo del console è purtroppo lacunoso esattamente nel punto dove viene menzionato il tipo di dono fatto al Timavo. Le proposte di integrazione sono: *aedes, praeda, signa, sacra, statua, praeda vel dona* (60). Una base rinvenuta nel luogo del santuario recante l'iscrizione del Tuditano, databile presumibilmente poco dopo la sua vittoria, è molto probabilmente una parte di questo donario che quindi può escludere alcune delle ipotesi proposte per l'integrazione dell'elogio (per esempio *aedes*). La proposta più corrente è quella di una statua, ma anche questa è forse da scartare, dato che la base, più larga di un metro, mi sembra troppo grande per una statua singola. Delle rimanenti possibilità sembra attraente l'idea di un trofeo eretto in una posizione così significativa come era quella delle foci del Timavo (61).

Sullo scorcio del II sec. a.C. assistiamo dunque ad un grande sviluppo e notiamo una enorme crescita relativamente alle dediche — e in generale nell'edilizia sacra e pubblica, frutto senza dubbio di un grande arricchimento dell'aristocrazia locale chiaramente contemporaneo al grande sviluppo e alle importanti imprese edilizie attestate nel Lazio, nel Sannio, nel Piceno e in Campania (62). In questo

---

(54) P. es. l'altare trovato nel letto del Natissa, cfr. L. Bertacchi, *AAAd*, 15, 1, 1979, p. 276. Il santuario alle foci del Timavo; G. Brusin, *Un tempio del Timavo ad Aquileia, Aqu.N.*, 39, 1968, pp. 15 ss.; A. Degrassi, *Lacus Timavi, Arch. Triest.*, 1926, pp. 307 ss. Inoltre un sacello a Minerva a Prepotto: *II*, X, 4, 303.

(55) M.C. Budischovsky, *Les cultes orientaux à Aquilée et leur diffusion en Istrie et Vénétie, AAAd*, 12, 1977, pp. 99 ss. Inoltre G. Brusin, *Orientali in Aquileia romana, Aqu.N.*, 1953-4, col. 55 ss.

(56) Bandelli, *AAAd*, 23, 1983. Per il nome illirico, vedi *CIL* VI, 36869; inoltre H. Krahe, *Die Sprache der alten Illyrier*, I, Wiesbaden, 1955, pp. 113 s.; Verzár Bass *AAAd*, 23, 1983, in corso di stampa.

(57) Magistrati nei casi citati da Bandelli app. II.
L'edificio della Tampia, cfr. sopra note 26 e 30. C. Albius e C. Dindius dedicano un'ara a Ercole, cfr. A. Mayer, *Die Sprache der alten Illyrier*, I, Wien, 1957, pp. 232 s.
Iscrizioni di Magii alle Giunoni, *CIL* V, 781, alle stesse Giunoni ci sono una serie di altre dediche, una di Sex. Licinius (*CIL* V, 780).

(58) *CIL* V, 1040, iscrizione funeraria da Cervignano, per Roma essenzialmente: *CIL* VI, 24299a, e 24299 bis di un liberto di T. Plosurnius. Per un inquadramento tipologico e stilistico dell'ara di Aquileia cfr. Verzár Bass, *AAAd*, 23, 1983 (in corso di stampa).

(59) Per C. Sempronio Tuditano, cfr. Bandelli, nota 29, per il santuario alla foce del Timavo, cfr. sopra nota 54. Inoltre A. Calderini, *Aquileia romana*, Milano, 1930, pp. 24 ss. F. Cássola, *La politica romana nell'alto Adriatico, AAAd*, 2, 2, 1972, pp. 60 s.

(60) Per le varie integrazioni, cfr. A. Calderini, *Aquileia romana*, cit. alla nota 59.

(61) La base, conservata nel castello di Duino *II*, X, 317 è oggi ancora più rovinata e non più misurabile, ma la larghezza originale doveva essere più di un metro. Per quanto riguarda monumenti che rappresentano dei trofei, essi sono preferibilmente collocati in posti di particolare importanza e ben visibili da lontano come è il caso de La Turbie (J. Formigé, *Le trophée des Alpes (La Turbie), Gallia Suppl.*, II, 1949, e non sul luogo della battaglia, fatto che potrebbe dar ragione a una tale costruzione.

(62) Cfr. i contributi vari in *Hellenismus in Mittelitalien*, vol. I, in oltre F. Coarelli in questi stessi Atti.
La stessa tendenza di abbassamento della cronologia per i centri dell'Italia centrale, accusata e corretta in molti punti del

stesso periodo constatiamo ad Aquileia anche un salto di qualità nell'edilizia privata. A quest'epoca è per esempio riferibile una casa di straordinario lusso, della quale sono conservati alcuni raffinatissimi mosaici come quello con il ratto di Europa (63) (fig. 11), o di una soglia con rami di foglie legati da un grande fiocco (64) (fig. 12), e l'*asaroton* delicatissimo dal quale è stato strappato l'emblema (65), lavorato a parte e forse importato (66). I mosaici, ancora chiaramente ellenistici, trovano confronti nei migliori esemplari noti dalla Grecia ellenistica, da Pompei e da Praeneste (67). Da altre zone provengono pavimenti tessellati con inseriti pezzi di pietre colorate, *scutulatum*, secondo la Morricone (68), di livello artistico ugualmente alto, come lo sono anche alcuni capitelli di pilastri certamente provenienti da case d'abitazione (69) (fig. 13 e 14). E ancora di questo periodo è un ritratto di marmo che era parte di una statua onoraria, per la quale si offrono confronti tra i ritratti di Delo (70) (fig. 15). La testa di eccellente fattura, ma molto rovinata, potrebbe essere prodotta in una bottega greca.

Tutte queste evidenze trovano un corrispondente negli sviluppi politici esposti da Bandelli, come

---

colloquio sullo Hellenismus in Mittelitalien, si può constatare anche per quanto riguarda i monumenti di Aquileia. Si è creata così un'immagine di un'assenza quasi totale di documentazione archeologica per i primi cent'anni di vita.

(63) Da ultima: L. Bertacchi, *Da Aquileia a Venezia*, Milano, 1980, pp. 153 ss. fig. 122 (con la datazione al I sec. a.C.). Per le rappresentazioni di Europa: W. Bühler, *Europa*, München, 1968, pp. 62 ss. Per le pitture e i mosaici: S. Reinach, *Répertoire de peintures greques et romaines*, Paris, 1922, pp. 12-14. Aquileia ha l'unica rappresentazione di Europa nuda senza velo. Come schema più vicino si può citare un mosaico di Arles, cfr. oltre a Reinach, cit., Daremberg-Saglio, s.v. *Europa*, p. 862 e nota 7, inoltre s.v. *musivum opus*, p. 2118 e nota 7. Vedi anche: D. Levi, *Antioch Mosaic Pavements*, I, Princeton, 1947, pp. 170 s.

Importante è il confronto con il mosaico rinvenuto a Palestrina, databile ancora nella seconda metà del II sec. a.C. con uno schema diverso da quello riprodotto a Aquileia ma con un gusto abbastanza simile. A.B. Cook, *Zeus* III, Cambridge, 1940, pp. 626 s. confronta il mosaico di Praeneste con quello di Aquileia. È da ricordare che una famosa pittura di Antiphilos (fine IV sec. a.C.) raffigurante un momento del mito di Europa si trovava a Roma, secondo Plin., XXXV, 114 nel portico di Pompeo, mentre Martiale (II, 14) parla di un portico chiamato «di Europa», chiaramente non identico a quello di Pompeo.

Il mosaico di Praeneste era conservato nel Palazzo Barberini (Helbig, II³, pp. 395 s.), si trova ora nel Museo di Oldenburg, cfr. L. Budde, *Berichte der öldenburgischen Museumgesellschaft*, 8, 1967/8, non vidi. O. Schönberger, *Würzburger Jbb. für die Altertumswissenschaft*, N.F. Bd. 4, 1978, pp. 223 ss.

(64) L. Bertacchi, cit. alla nota precedente, p. 154, tav. 121. J. Lancha, *L'influence des ateliers de mosaïstes d'Aquilée et de la Vallée du Pô dans la Vallée du Rhône*, AAAd, 8, 1975, pp. 59 ss., fig. 6. M. Matini Morricone, *ACL*, 15, 1963, p. 233 ss. Cfr. i girali di una villa a Claterna, *Not.Sc.*, 1934, p. 13, fig. 1. Per il tipo di girale da ultimo: G. Sauron, *Notes sur la diffusion de frises de mosaïques hellénistiques à décor de rinceaux*, MEFRA, 1978, pp. 727 ss.

(65) L. Bertacchi, cit. a nota 63, p. 156, tav. 124. G. Brusin, *L'asaroton del Museo di Aquileia*, Anthemion, Scritti in onore di C. Anti, Firenze, 1955, pp. 93 ss. Con proposta di datazione bassa: R. Bianchi Bandinelli, *La cultura ellenistica, Le arti figurative, Storia e civiltà dei Greci*, 10 (Bompiani), Milano, 1977, pp. 500 s.

(66) Sull'importanza di mosaici ed il loro trasporto su nave, cfr. P.A. Gianfrotta e P. Pomey, *Archeologia subacquea* (Mondadori), Milano, 1981, pp. 225 ss. Facile da trasportare saranno stati gli emblemata. Sugli emblemata è in corso di stampa uno studio di M. Donderer.

(67) V. Spinazzola, *Le arti figurative in Pompei*, Firenze, 1928, pp. 182 ss. E. Blake, *The Pavements of the Roman Buildings of the Republic and Early Empire*, MAAR, 8, 1930, pp. 7 ss., lì confronto tra i mosaici sotto il Campanile ad Aquileia (Pl. 12,3 e 4) con quelli di Villa dei Misteri, Pl. 11, 1. E. Pernice, *Pavimente und figürliche Mosaiken*, Berlin, 1938, tav. 1, 6,1 e 3, 60 cfr. il motivo delle tracce ellenistiche. Pernice cfr. i girali di viti a p. 175 con quelli di Aquileia.

Inoltre D. Levi, *Antioch Mosaic Pavements*, Princeton, 1947 per i pavimenti ellenistici in Oriente; R. Bianchi Bandinelli, cit. a nota 65; G. Gullini, *I mosaici di Palestrina*, Roma, 1956.

(68) M. Morricone, *Scutulata Pavimenta*, Roma, 1980, con bibliografia precedente; per i pavimenti di Aquileia 13, nota 25 e p. 88.

L'esempio più raffinato di Aquileia è stato trovato nella part. cat. 425 con grandi pezzi quadrati di pietre colorate, su un fondo nero, circondato dalla stessa treccia che circonda i mosaici di Europa e dell'*asarotos oikos*, cfr. *Aqu.N.*, I, 2, 1930, pp. 78 ss. e II, 1, 1931, pp. 69 ss. e figg. 9 e 10, lì si accenna inoltre ad un *opus signinum* sottostante, con motivo a cancelli, che dovrebbe essere quindi del pieno II sec. a.C. Altri esempi, *Aqu.N.*, 11/12, 1933-4, pp. 101 ss. e *Not.Sc.*, 1927, pp. 264 ss.

(69) G. Cavalieri Manasse, *AAAd*, 12, 1977, p. 56 e figg. 6, 7, 9.

(70) Per i ritratti di Delo, cfr. C. Michalowski, *Les portraits hellénistiques et romains*, Exploration archéologique à Délos, XIII, Paris, 1932. Per i ritratti con «pathos ellenistico» nelle città dell'Italia, cfr. P. Zanker, *Zur Rezeption des hellenistischen Individualporträts, Hellenismus in Mittelitalien*, cit., in particolare p. 602 s.; cfr. id. in questo stesso volume.

per esempio nella precoce ascesa di alcuni aquileiesi al senato romano a partire dalla fine del II sec. a.C. (71).

Soltanto dopo la guerra sociale cominciano ad affermarsi con chiarezza vari livelli artistici ed una molteplicità di botteghe operanti contemporaneamente, botteghe e manifatture di arti minori, che hanno ormai sviluppato dei veri e propri stili locali. Accanto alle manifestazioni artistiche ormai molto numerose che sono testimonianza per una ricchezza ulteriormente accresciuta di una «borghesia» locale più vasta (ritratti, monumenti funerari, gemme, ambre, vetri preziosi, ecc.) (72), troviamo anche oggetti lavorati sicuramente in botteghe aquileiesi di qualità «urbana» e destinati per opere pubbliche o per acquirenti privati di livello molto alto. Ne possiamo essere certi nel caso di numerosi ritrovamenti provenienti da una bottega di scultura, dato che queste opere sono incompiute e costituiscono quindi uno scarto di bottega, attestante un'atelier in grado di produrre scultura colta di più alto livello *in loco*, almeno a partire della metà del I sec. a.C. (73). Ne danno prova una testa di Menandro (fig. 16) e una statua eroica più grande del naturale (fig. 17) (74). Alla stessa epoca si possono datare alcuni prodotti artistici di grande importanza come l'emblema con la rappresentazione di pesci (fig. 18) (75) proveniente da una casa suburbana, un cammeo rappresentante il supplizio di

---

(71) Cfr. Bandelli, cit.; J. D'Arms, *AAAd*, 15, 1979, p. 558 s.

(72) Per i ritratti: M. Borda, *I ritratti repubblicani di Aquileia*, RM, 80, 1973, 1, p. 35 ss. Inoltre P. Zanker, cit. a nota 70.

Per la scultura repubblicana in generale: L. Beschi, *Da Aquileia a Venezia*, cit., pp. 339 ss. Per i monumenti funerari, G. Brusin - V. De Grassi, *Il Mausoleo di Aquileia*, Padova, 1956. L. Quaglino Palmucci, *Architettura funeraria dell'Asia Minore: rapporto con Aquileia*, AAAd, 12, 1977, p. 165 ss., G. Cavalieri Manasse, cit. a nota 82. Per le gemme: G. Sena Chiesa, *Gemme del Museo Nazionale di Aquileia*, Padova, 1966; ead., *Gemme romane di cultura ellenistica ad Aquileia*, AAAd, 12, 1977, p. 197 ss.; ead., *Aqu.N.*, 1964, p. 1 ss.

Ambre: C. Calvi, *Le ambre romane di Aquileia*, Aqu.N., 48, 1977, p. 93 s.; ead., *Proposte per lo studio della provenienza e della lavorazione dell'ambra*, Aqu.N., 1978, p. 189 ss.; *Ambra, oro del Nord*, Mostra a Venezia, Palazzo Ducale, 1978.

Vetri: C. Calvi, *I vetri romani del Museo di Aquileia*, Padova, 1958; ead. *Motivi alessandrini nelle arti minori di Aquileia*, AAAd, 12, 1977, p. 185 ss. In generale: S. Panciera, *Vita economica*, cit., p. 22 ss. e 42 ss.

(73) I. Favaretto, *Sculture non finite e botteghe di scultura ad Aquileia*, Venetia II, Padova, 1970, p. 129 ss. Non sono chiari i dubbi dell'autrice relativi ad una bottega di scultura (p. 134 s.). In quanto il ritrovamento è stato fatto fuori città (posizione verosimile per una bottega), la Favaretto accenna anche ad usi in una necropoli.

(74) Di eccezionale livello un torso nudo, più grande del naturale, lavorato per portare un manto sulla spalla sinistra e sui fianchi, tipo caratteristico per statue eroiche del periodo giulio-claudio, o eventualmente per alcuni tipi di divinità (definito da V. Scrinari, *Catalogo delle sculture romane del Museo Nazionale di Aquileia*, Roma 1972, p. 3, cat. N. 1: elemento didattico (perché vi sono rimasti tre puntelli sul lato frontale), per es. il Nettuno di Dresda: S. Reinach, *Répertoire de la statuaire grecque et romaine*, I², Paris, 1920, p. 428, N. 1795, oppure Giove (a Dresda): ibid., p. 187, N. 676/7. Cfr. anche il fregio di Lagina: A. Schober, *Der Fries des Hekataions von Lagina*, Ist. Forschungen 2, Wien, 1933, N. 217, Nord IX-X. Rappresentazioni di Augusto: H. Jucker, *Mélanges offerts à P. Collart*, Lausanne, 1976, p. 237 ss.; H.G. Niemeyer, *Studien zur statuarischen Darstellung der römischen Kaiser*, Berlin, 1968, l'Augusto di Arles, tav. 23 e Tiberio di Tripoli, tav. 25. In generale per il tipo: H. Oehler, *Untersuchungen zu den männlichen römischen Mantelstatuen*, I, Der Schulterbauschtypus, Berlin, 1961.

Sul ritratto di Menandro: G.M.A. Richter, *The Portraits of the Greeks*, London, 1965, II, figg. 1641-1643 (Aquileia); I. Favaretto, cit., p. 142 ss.; V. Scrinari, Catalogo cit., N. 165 (come Agrippa).

(75) Mosaico con pesci: L. Bertacchi, *Da Aquileia a Venezia*, cit., con datazione flavia; ead. *Nuovi mosaici figurati di Aquileia*, Aqu.N., 34, 1963, p. 68 ss. e Aqu.N., 32, 1961/2, p. 60 ss. (il mosaico è stato trovato nella casa di Licurgo, nella part.cat. 427/6 DD, fuori le mura e proviene quindi da una ricca villa suburbana). G. Becatti, ed alii, *Baccano: Villa romana*, Mos. Ant. in Italia, Roma, 1970, p. 51, tav. XVII.

R.D. Depuma, *The Roman Fishmosaic*, Ann Arbor, 1969, pp. 72 s. Secondo l'autore, l'artista sarebbe "too unskilled" per essere collocato in periodo ellenistico, contro la quale datazione parlerebbero anche le ombre riportate (per questo problema cfr. l'apposito articolo "ombra portata" E.A.A., V, p. 676 ss. (R. Bianchi Bandinelli), ristampato in: R. Bianchi Bandinelli, *La pittura Antica*, (Ed. Riuniti) Roma, 1980, pp. 219 ss. Ultimamente sui mosaici con pesci: P.G.P. Meyboom, *I mosaici pompeiani con figure di pesci*, Medded. Inst. Ned. 39, 4, 1977, p. 49 ss.

(76) G. Sena Chiesa, AAAd, 12, 1977, pp. 207 ss. Inoltre M.L. Vollenweider EUA, VI, s.v. Glittica, p. 282. Gemme con schemi diversi: A. Furtwängler, *Die antiken Gemmen*, Leipzig-Berlin, 1900, tavv. 25, 22 e 41, 44. Per il "Toro Farnese": G. Lippold, *Zum Farnesischen Stier*, JdI, 29, 1914, p. 175 ss., importante la pasta vitrea della collezione Arndt (fig. 2), unico

Dirce (77), una preziosa coppa d'argento di gusto ancora ellenistico, con raffigurazione di Marco Antonio (78), ecc. E di uno di questi committenti di livello eccezionalmente alto si deve trattare nel caso del proprietario di una villa a Cavenzano, nell'agro aquileiese. Una statua lì rinvenuta, assieme a un vaso funerario di pietra e frammenti di una prua di nave (forse di guerra), il cosiddetto Navarca (figg. 19-21), è di un livello tecnico ed artistico così alto che può far pensare all'opera di una bottega urbana (79). Il personaggio, in nudità eroica con *gladius* e anello (forse gemmato) (80), potrebbe benissimo raffigurare uno dei senatori citati da Bandelli (Ottavio, Lucilio, Fruticio) (81). La nave forse con una torre di guardia, potrebbe indicare la partecipazione ad una battaglia navale, ricordata probabilmente anche nella metopa di un edificio pubblico ancora inedito (82).

Infine vorrei ricordare alcuni frammenti scultorei trovati, come sembra, fuori città e quindi in una villa. Si tratta dei resti di un famoso gruppo pergameno rappresentante Menelao con il cadavere di Patroclo, il cosiddetto Pasquino (figg. 22-23) (83). Basta il frammento con il braccio di Patroclo e la

---

confronto diretto per la gemma di Aquileia. E. Pfuhl, *RM*, 41, 1926, p. 227 ss. Il modello per il "Toro Farnese" era la nota pittura su una delle colonne del tempio di Apollo a Cizico, descritto in *Pal. Ant.*, III, 7, cfr. Verzár Bass, *AAAd*, 23, 1983, in corso di stampa.

Interessante è il ritrovamento di un mosaico con lo stesso tema a Pola (il ramo rappresentato sopra la scena potrebbe essere ispirato dalla bottega dell'*asaroton* di Aquileia), cfr. S. Mlakar, *Das antike Pula*, Pola, 1972², dove data fine I. sec.a.C./inizi I sec.d.C. (cfr. inoltre il mosaico di Acquincum, L. Nagy, *RM*, 40, 1925, p. 51 ss., figg. 1 e 2).

(77) G. Sena Chiesa, *AAAd*, 12, 1977, p. 197 ss.

G.M.A. Richter, *Engraved Gems of the Greeks, Etruscans and Romans*, London, 1971, III - I sec. a.C., cfr. NN. 46, 47, 48.

Per il tipo di cavaliere: F. Coarelli, *Alessandro, i Licinii e Lanuvio, L'art décoratif à Rome à la fin de la République et au début du principat*, Coll. Ec. Française, 55, 1981, p. 229 ss.

(78) La coppa d'argento, che si trova a Vienna è stata trovata a Monastero: cfr. *Aqu.N.*, 11, 1940, p. 43 ss.; F. Matz, *Marb. W. Pr.*, 1964, p. 26 ss. (identificato come Germanico), H. Möbius, *AA*, 1965, p. 867 ss.; H. Kyrieleis, *AA*, 1976, p. 88 ss. (M. Antonius) e bibliografia precedente.

(79) V. Scrinari, *ArchCl.*, 11, 1, 1959, p. 31 ss.; L. Bertacchi, *Aqu.Ch.*, 7, 1960, p. 7 ss.

G.A. Mansuelli, *RIASA*, 7, 1958, p. 90 ss.; J.M. Strazzulla, *AAAd*, 15, 1979, p. 344.

Questo tipo di statua eroica è assai diffuso in epoca cesariana: cfr. *statua a Chieti da Amiternum, AA*, 1959, p. 235 ss.; Diomede da Cuma (trovato nell'antro della Sibilla), Roma, 1930, A. Maiuri, *Diomede di Cuma*, Roma, 1930; H. Lippold, *Handbuch der Archäologie*, VI, 3, 1. *Die griechische Plastik*, München, 1950, p. 184, fig. 48, 4; Polytimus nel Mus. Capitolino: H. Lippold, *Kopien und Umbildungen griechischer Statuen*, München, 1923, p. 179 ss.; per la statua di C. Cartilius Poplicola a Ostia.

Cfr. da ultimo, F. Zevi, *Hellenismus in Mittelitalien*, cit., p. 56 ss. (con un monumento funerario che ricorda le sue imprese navali: R. Calza, *Scavi di Ostia, III, Le Necropoli*, Roma, 1958, p. 221 ss.); M. Antonius al Cairo: S. Walker Burnett, *The Image of Augustus*, fig. 16; statua dal teatro di Cassino con *gladius*, cfr. G.F. Carettoni, *Mem. Pont.*, VI, 3, 1943, p. 53 ss. Statua di Cicerone (?), probabilmente rinvenuta nella sua villa a Formia, cfr. B. Conticello, *Catalogo del Museo di Formia, Il c.d. "Thermenherrscher" da Tivoli (santuario di Ercole)*, cfr. Helbig, III⁴ N. 2304 e la statua di bronzo dal Quirinale, Helbig, III⁴ N. 2273. Il sostegno in forma di corazza ellenistica, come il Navarca mostra un alto rilievo di un monumento funerario della via Appia, F. Castagnoli, *Appia antica*, Milano, 1956, Abb. 31-2.

Sull'importanza della località di Cavenzano: S. Panciera, *Vita economica*, cit., p. 53.

(80) Per l'anello senatoriale: Daremberg-Saglio, s.v. *anulus aureus*, pp. 296 ss. A.A. Fourlas, *Der Ring in der Antike und im Christentum*, Münster, 1971, pp. 78 s.; M.L. Vollenweider, *Verwendung und Bedeutung der Porträtgemmen für das politische Leben der römischen Republik, Mus. Helv.*, 12, 1955, pp. 96 ss. Inoltre A. Alföldy, *Geburt der kaiserlichen Bildsymbolik, Mus. Helv.*, 7, 1950, pp. 1 ss. e numeri seguenti, in particolare, 10, 1953, p. 108.

Il *gladius* è segno di *imperium*, cfr. Dio Cass., XLII, 27, sul *cingulum* per esempio: A. Alföldy, *Insignien und Tracht der römischen Kaiser, RM*, 50, 1935, p. 64.

(81) Cfr. Bandelli, pp. 189; 195 § 8.

(82) Accenno di G. Cavalieri Manasse, *La decorazione*, ecc. cit. p. 71, nota 10. Inoltre vedi intervento di M.J. Strazzulla in questo convegno.

Sui fregi dorici nella Cisalpina: G. Cavalieri Manasse, in Atti su *Il territorio Veronese in età romana*, Verona, 1973, pp. 283 ss.

(83) G. Brusin, *Guida di Aquileia artistica e storica*, Aquileia, 1929, pp. 125 ss. e N. 36.

mano sinistra di Menelao per constatare che si tratta di una copia esatta di ottima fattura della grandezza dell'originale. Il lavoro potrebbe datarsi intorno alla metà del I sec. a.C. o poco dopo, come altre copie di gruppi pergameni a Roma (84). L'eccezionalità di questa testimonianza risulta subito evidente quando vediamo che si tratta dell'unica copia trovata con sicurezza fuori Roma e la Villa Adriana (85); per lo più sembra che un gran numero delle copie fedeli di questi famosi gruppi e di quest'epoca siano da collegare con una committenza del più alto livello, come quella di Cesare, Agrippa, Augusto (86). Non è quindi sufficiente pensare per i pezzi aquileiesi ad un ricco commerciante o ad un senatore aquileiese, ma i personaggi citati richiamano alla memoria i lunghi soggiorni di Cesare nell'inverno del 58 a.C. e di Ottaviano nel 39 a.C. e dell'Imperatore Augusto dal 12 a.C. in poi (87). Alla presenza di queste persone con familiari e con il loro seguito (88) si possono collegare senz'altro una serie di attività edilizie (grandi portici pubblici e un arco in onore di Augusto (89)), ma molto probabilmente anche la nota fioritura e grande ricchezza dell'artigianato di lusso che si sta sviluppando in modo particolare in questo periodo: gemme, cammei, vetri decorati, ambre lavorate e oreficeria.

MONIKA VERZÁR BASS

V. Scrinari, *Catalogo delle sculture*, cit., NN. 70-74.

G. Lugli, *Osservazioni sul gruppo di Menelao e Patroclo, volgarmente detto il Pasquino, Bd'A.*, 23, 1929, pp. 207 ss., fig. 12 a; B. Schweitzer, *Das Original der sogenannten Pasquinogruppe, Sächs. Abhandlungen*, 43, Leipzig, 1936, in particolare p. 9. Ultimamente A. Nitsche, *Zur Datierung des Originals der Pasquinogruppe, AA*, 1981, 1, pp. 76 ss.

(84) Cfr. F. Coarelli, a proposito del gallo morente e del gallo suicida in *I Galli e l'Italia*, mostra nella Curia 1978, Cat. 1979[2], pp. 231 ss.

(85) Cfr. B. Schweitzer, cit., le circostanze riguardo alcuni frammenti da Thyrea, Peloponneso (N. 4) sono poco chiare. Controllando il resto dell'elenco di Schweitzer, tutti risultano rinvenuti a Roma o nella Villa Hadriana.

(86) Il Menelao di Palazzo Braschi proviene probabilmente dalle Terme di Agrippa, dei due gruppi di Palazzo Pitti a Firenze, uno è stato rinvenuto nel Mausoleo di Augusto, l'altro davanti a Porta Portese, forse dai giardini di Cesare, cfr. P. Grimal, *Les jardins romains, BEFAR*, 155, Paris 1943, pp. 121 ss.

La copia del grande donario di Attalo I proviene, come ha dimostrato il Coarelli (cit. a nota 84, p. 234), dagli *horti Sallustiani*, che precedentemente erano gli *horti* di Cesare. Importante in questo contesto sarebbe l'identificazione del proprietario di un'enorme villa nei pressi di Settebagni, dove sono stati trovati, tra tante sculture, i resti in marmo greco del gruppo di Pentesilea e Achille (cfr. G. Lugli, *Bd'A.*, 20, 1926, pp. 193 ss.)

(87) A. Calderini, *Aquileia romana*, cit., p. 31.

Cfr. anche F. Rebecchi, *AAAd*, 17, 1980, pp. 85 ss.

(88) Cfr. per es. S. Fergus Millar, *The Emperor in the Roman World*, London, 1977, pp. 29 ss.

(89) F. Rebecchi, cit. a nota 87, in particolare p. 109.

I SANTUARI DEL LAZIO E DELLA CAMPANIA TRA I GRACCHI E LE GUERRE CIVILI

La lunga polemica sulla datazione del santuario di Palestrina — che ora sembra definitivamente risolta in favore di una cronologia alta (ultimo quarto del II secolo a.C.) (1) — non è solo una sterile disputa su un problema tutto compreso secondario, come può apparire lo spostamento di qualche decennio indietro o in avanti: essa coinvolge in realtà l'intera concezione della società romano-italica in un momento così delicato come quello compreso tra i Gracchi, la guerra sociale e la guerra civile tra Mario e Silla. È chiaro infatti che tutt'altro significato assumerà il monumento, a seconda che lo attribuiamo a un momento anteriore alla guerra sociale, e quindi all'iniziativa delle aristocrazie locali, oppure agli anni successivi alla colonia sillana, e quindi all'intervento, più o meno diretto, del dittatore. La soluzione del problema nel primo senso permette ora di affrontare globalmente, su un terreno finalmente sgombro da falsi problemi, l'esame di questo grandioso fenomeno, che non si esaurisce certo in Praeneste, anche se il tempio della Fortuna Primigenia ha finito per accentrare su di sé gran parte dell'interesse: il fenomeno cioè della ricostruzione in forme monumentali di quasi tutti i più importanti santuari dell'area centrale della penisola, dall'Umbria e dal Piceno fino alla Campania. E di affrontarlo non solo sotto un'angolazione prevalentemente architettonica e storico-artistica, come finora si è fatto, ma anche — e soprattutto — sul piano economico, sociale e storico-religioso.

Da una preliminare ricognizione — che andrebbe approfondita con una serie di studi di dettaglio, dei quali si sente acuta la mancanza — appare sufficientemente chiaro che il fenomeno si concentra in un ambito cronologico abbastanza preciso. I primi esempi databili — come Fregellae, Ferentino e Gabii — si collocano nei decenni centrali del II secolo a.C. (2), ma il momento culminante corrisponde ad un'epoca un po' più tarda, fra l'ultimo quarto del II e il primo quarto del I secolo a.C. A questi anni appartengono gli esempi classici di Palestrina, Terracina e Tivoli.

La precisa corrispondenza cronologica tra questi episodi edilizi — nei quali bisogna includere anche la totale ristrutturazione di città intere, specialmente nella zona campana, come risulta in particolare nel caso di Pompei (3) — e la presenza massiccia dei *negotiatores* italici in Oriente, testimoniata soprattutto dalle iscrizioni di Delo, è impressionante. Questa coincidenza potrebbe risultare casuale, se non fosse confermata da impressionanti concordanze onomastiche, del resto già più volte notate. Oltre alla coincidenza cronologica, va sottolineata quella geografica: contrariamente a quanto riteneva lo Hatzfeld, infatti, la stragrande maggioranza dei gentilizi degli Italici presenti a Delo, lungi dal dimostrare un'origine dalla Magna Grecia e dalla Sicilia, sembra riferirsi soprattutto al Lazio meridionale e alla Campania, cioè proprio alle zone dove più intensa è stata la ristrutturazione urbanistica ed edilizia (in particolare per quanto riguarda i santuari) negli anni a cavallo tra il II e il I

(1) Cfr. da ultimo A. Degrassi, *Epigraphica IV, Mem. Lincei*, ser. 8ª, 14, 1969, pp. 111-127 = *Scritti vari di antichità*, IV, Trieste, 1971, pp. 1-22; F. Coarelli, *Hellenismus in Mittelitalien*, II, Göttingen, 1976, pp. 336-339; H. Lauter, *JdI*, 94, 1979, pp. 390-415.

(2) Fregellae: F. Coarelli, *Fregellae*, Roma, 1982, pp. 31-48.

Gabii: lo scavo recente della Scuola Spagnola di Roma ha dimostrato la datazione del santuario alla metà del II secolo a.C. (cfr. *Cuadernos de trabajos de la Escuela Española*, in stampa). Per Ferentino, si veda sotto.

(3) Per Pompei, si veda da ultimo H. Lauter, art. cit., pp. 416-436; A. e M. De Vos, *Pompei, Ercolano, Stabia (Guide archeologiche Laterza)* Roma-Bari, 1982, passim.

secolo a.C. (4). La proposta di riconoscere uno stretto rapporto tra i due fenomeni (presenza dei *negotiatores* italici in Oriente e incremento dell'attività edilizia) sembra dunque oltrepassare il livello di una semplice ipotesi: si tratterà, in primo luogo, di un rapporto economico. Il caso dei magistri campani può, anche in questo caso, fornire una documentazione decisiva: come aveva notato il Frederiksen, accanto all'uso dei tesori templari (la cui particolare ricchezza in questa fase andrebbe comunque a sua volta spiegata), in queste iscrizioni viene sottolineato più volte anche l'intervento della munificenza privata (5).

La domanda sull'eventuale rapporto esistente tra l'intensa attività edilizia nell'Italia centrale e in Campania, in particolare per quanto riguarda i santuari, e le attività economiche degli Italici in Oriente (ma anche in Occidente) è collegata con l'altra domanda, sul collegamento tra queste attività e la politica delle aristocrazie municipali, responsabili di quelle stesse costruzioni, sia direttamente (dal punto di vista finanziario), sia indirettamente (in quanto investite dei poteri magistratuali). Fino a che punto la ricchezza proveniente dalle attività mercantili e finanziarie costituisce (accanto allo sfruttamento delle grandi proprietà terriere e alla preda bellica) la base economica di fortune politiche, che si manifestano in primo luogo nel monopolio delle magistrature locali, poi nell'accesso alla cittadinanza e al senato romano? E fino a che punto questi fenomeni, certamente molto estesi e importanti, e il tentativo di porvi un limite e di frenarli dal punto di vista politico sono da considerare tra le cause determinanti della guerra sociale? Il problema è stato posto da tempo, nei termini più espliciti, da Emilio Gabba (6) e, per quanto riguarda specificamente l'incidenza economica dei santuari, da Gabriella Bodei Giglioni (7). Quest'ultima indagine, puntuale ed accurata, non ha potuto — né del resto se lo proponeva — risolvere tutti i problemi relativi. In realtà, nella quasi totale mancanza di fonti letterarie in merito, e nella grande penuria anche di quelle epigrafiche, solo un'indagine interdisciplinare che affronti l'argomento utilizzando la totalità della documentazione, in particolare quella archeologica (di gran lunga la più abbondante, ma anche la meno sfruttata), secondo un'angolazione nuova, in funzione di questa problematica, potrà permettere di raggiungere risultati più soddisfacenti. È chiaro che in questa sede non sarà possibile realizzare una ricerca di questo genere, che richiederebbe ben altre forze e competenze. Si tenterà solo di fornire una prima ricognizione dei santuari del Lazio (e in un caso della Campania) a partire dalla documentazione archeologica, tentando, in primo luogo, di ricostruire una documentazione filologicamente corretta in una situazione notevolmente confusa, e tale da non offrire un solido terreno all'indagine. Per questo si è insistito particolarmente su aspetti, per così dire, «interni» all'indagine archeologica, quali la cronologia, le tecniche edilizie, l'identificazione dei culti, ecc., apparentemente marginali rispetto all'argomento del colloquio, ma in mancanza dei quali sarebbe impossibile avviare un discorso più ampio.

Gli sviluppi successivi, e più pertinenti in questa sede (identificazione, su base epigrafica e prosopografica, dei gruppi gentilizi responsabili del finanziamento e della ricostruzione dei santuari, e loro collegamenti con attività economiche, in particolare di *negotiatores*; carriera politica di membri di queste *gentes*, eventuale accesso al senato e alle magistrature romane, ecc.) sono qui solo accennati:

---

(4) Le idee di J. Hatzfeld sono espresse, come è noto, in *BCH*, 36, 1912, pp. 5-218; si veda, dello stesso, *Les trafiquants Italiens dans l'Orient Hellénique, BEFAR*, 115, Paris, 1919; *contra*, A.J.N. Wilson, *Emigration from Italy in the Republican Age of Rome*, New York, 1966, pp. 105-111.

(5) M.W. Frederiksen, *PBSR*, 27, 1959, p. 91.

(6) E. Gabba, *Le origini della guerra sociale e la vita politica romana dopo l'89 a.C.*, Athenaeum, n.s. 32, 1954, pp. 41-114, 295-347 (=*Esercito e società nella tarda repubblica romana*, Firenze, 1973, pp. 193-345, in particolare pp. 208-245). Si veda anche, dello stesso, *Mario e Silla*, ANRW, I, 1, Berlin-New York, 1972, pp. 785-92.

(7) G. Bodei-Giglioni, *Pecunia fanatica*, Riv. Storica Italiana, 89, 1977, pp. 33-76 = *Studi su Praeneste*, Perugia, 1978, pp. 3-46.

talvolta in modo più ampio, quando ciò è parso possibile sulla base dei documenti disponibili; talaltra in modo rapido e allusivo, più che altro per indicare ipotesi di ricerca da ampliare in seguito. È chiaro quindi che i risultati appariranno piuttosto alterni e spesso, se isolatamente considerati, del tutto ipotetici. Quello che fin da ora ipotetico non mi sembra è il quadro d'insieme, che questi dati e questi indizi contribuiscono in varia misura a identificare e a delineare: quadro che conferma, mi pare, gli strettissimi legami esistenti tra attività dei *negotiatores*, specialmente in Oriente; arricchimento di *gentes* italiche e loro accesso alle magistrature locali; intensa attività edilizia, in particolare in direzione dei santuari, nelle città dell'Italia centrale e della Campania; accesso eventuale di queste stesse *gentes* alla cittadinanza e al senato di Roma negli anni immediatamente precedenti la guerra sociale (particolare importanza sembrano rivestire i rapporti tra queste e la fazione mariana) (8).

Altri dati interessanti, che però non sarà qui possibile sviluppare, e ai quali si può solo brevemente accennare, si potranno desumere da un esame dei livelli ideologici, e in particolare del piano storico-religioso. L'introduzione dei culti orientali in Italia, specialmente del culto isiaco, sembra seguire canali significativi, lungo i quali Delo assume di nuovo un'importanza predominante (9). I santuari isiaci di Puteoli, Pompei, Praeneste (tutti risalenti ai decenni finali del II secolo a.C.) forniscono una documentazione particolarmente rilevante (10). Significativo in particolare è il caso di Palestrina, dove l'introduzione del culto di Iside sembra essere stata favorita dall'assimilazione della dea egiziana alla locale *Fortuna Primigenia* (11), assimilazione confermata anche dalla documentazione epigrafica di Delo.

Il caso del culto di Iside Capitolina a Roma, probabilmente introdotto dalla corporazione dei mercanti di schiavi, costituisce un significativo parallelo con quanto si verifica nel Lazio meridionale e in Campania (12).

FERENTINO

L'Acropoli di *Ferentinum* costituisce forse l'esempio più antico della nuova architettura monumentale che si sviluppa nella seconda metà del II secolo a.C. L'imponente costruzione dell'Acropoli era forse destinata a sorreggere un edificio di culto, anche se i resti ancora conservati all'interno dell'Arcivescovado non sembrano appartenere a un tempio. In ogni caso, l'edificio può essere inserito a buon diritto nel gruppo delle grandi sistemazioni monumentali e urbanistiche, delle quali i santuari costituiscono l'aspetto centrale.

Anche in questo caso, come per Palestrina, si è sviluppata una polemica in merito alla cronologia del complesso. La datazione tradizionale all'età sillana, riproposta dal Bartoli (13), è stata contestata dal Gullini, il quale ha proposto in un primo tempo una datazione al secondo quarto del II secolo (14), e recentemente addirittura intorno al 200 a.C. (15). I dati tecnici ed epigrafici giustificano in effetti una cronologia anteriore a quella del santuario di Palestrina, ma con questo si può risalire al massimo

---

(8) Sottolineata giustamente da Gabba nei lavori citt. a nota 6.

(9) Sui culti egiziani a Delo, P. Roussel, *Les cultes égyptiens à Délos*, Nancy, 1916; M.E. Baslez, *Recherches sur les conditions de pénétration et de diffusion des religions orientales à Délos*, Paris, 1977, pp. 35-65.

(10) Puteoli e Pompei: V. Tran Tam Tinh, *Essai sur le culte d'Isis à Pompéi*, Paris, 1964; idem, *Les cultes des divinités orientales en Campanie*, Leyden, 1972, pp. 3-27.

(11) M. Torelli, (R. Bianchi Bandinelli), *L'arte dell'antichità classica*, II, Torino, 1976, fig. 32; F. Coarelli, *Hellenismus in Mittelitalien, cit.*, p. 339.

(12) Su questo si veda il mio lavoro in stampa in *Studi in onore di A. Adriani*.

(13) A. Bartoli, *L'acropoli di Ferentino, Boll. d'Arte*, 34, 1949, pp. 293-306.

(14) G. Gullini, *I monumenti dell'Acropoli di Ferentino, Arch. Class.*, 6, 1954, pp. 185-216.

(15) G. Gullini, *ANRW*, I, 4, Berlin-New York, 1973, pp. 780-1.

alla metà del II secolo a.C. L'iscrizione permette di delimitare con relativa sicurezza il termine inferiore e quello superiore: la menzione dei *censores*, i magistrati della città federata, impone una data anteriore alla guerra sociale mentre i dati paleografici impediscono di risalire a prima del secondo quarto del II secolo (16). Ne risulta così confermata una datazione ai decenni centrali del secolo, con più probabilità per la metà o il terzo quarto, considerato l'uso ormai estensivo e preminente dell'*opus caementicium* (17).

Questa relativa precocità di *Ferentinum* rispetto agli altri centri dell'Italia centrale trova conferma e spiegazione in quello che si può dedurre dall'iscrizione dell'Acropoli, e dagli scarsi — ma importanti — dati delle fonti letterarie.

I due censori che hanno realizzato l'opera, *A. Hirtius A.f.* e *M. Lollius C.f.* (18), sono stati da tempo collegati con magistrati romani della fine della repubblica e dell'inizio dell'impero. Già il Borghesi identificava il primo con il padre dell'omonimo console del 43 a.C., perito nella guerra di Modena e il secondo con il padre del console del 21 a.C., *M. Lollius M.f.* (19). Alla luce della datazione dell'Acropoli di *Ferentinum*, proposta in precedenza, tale rapporto di parentela naturalmente non è possibile. Almeno due generazioni si interpongono tra i due consoli e i loro presunti ascendenti ferentinati, nei quali si potrà tutt'al più identificare i loro bisnonni. La rarità del nome, la sicura origine ferentinate della *gens*, e l'identità del prenome e della filiazione rende sicuro il rapporto di parentela nel caso di *A. Hirtius*; più problematico è invece il caso di *M. Lollius*, che è stato recentemene discusso, e per il quale si è voluta negare l'origine da *Ferentinum* (20). Tuttavia il fatto che il *Lollius Palicanus*, tribuno della plebe nel 71, sia probabilmente di origine picena non costituisce un'indicazione valida per ogni ramo della *gens* (21). Si deve inoltre considerare che in questi casi la conoscenza della tribù non costituisce un elemento di prova sufficiente per identificare l'*origo*: per famiglie che gestiscono magistrature in città federate nella seconda metà del II secolo a.C. è possibile l'ammissione alla cittadinanza ben prima della guerra sociale (22). Il caso di *Ferentinum* presenta comunque aspetti particolari, che sarà opportuno esaminare in dettaglio.

Si deve innanzitutto sottolineare che tanto gli *Hirtii* quanto i *Lollii* sono presenti nell'Oriente ellenistico già in età repubblicana. Un *M. Hirtius Pamphilus*, evidentemente un liberto, è segnalato a Calcide intorno alla metà del I secolo a.C. (23). Molto più interessante è però il caso dei *Lollii*.

È da notare in primo luogo che il gentilizio si trova a Delo in epoca piuttosto antica, già alla metà del II secolo a.C. (24), e a Capua, più o meno negli stessi anni (25). Una notevole presenza della *gens* si nota anche a Puteoli (26). La frequenza dei *Lollii* a Puteoli si presta a considerazioni di un certo interesse: è noto infatti che, al momento della deduzione della colonia, nel 194, tra i coloni erano

---

(16) *CIL*, I², 1524-1527 = X, 5837-5840 = *ILLRP*, 585-587. Dettagli fotografici delle iscrizioni sono in Gullini, art. cit. a nota 14, tavv. 56-57. Si notino la L non più ad uncino, la presenza delle apicature, i punti di separazione quadrati, ecc.

(17) Questa data è accettata anche da H. Solin, *Ferentinum, Supplementa Italica*, n.s. 1, 1981, pp. 23-69.

(18) Su di essi, si veda *R.E.*, VIII, 2, c. 1956, n. 1 (Münzer); *R.E.*, XIII, 2, c. 1377, n. 8 (Münzer). Altri *Hirtii* a *Ferentinum*: *CIL*, X, 5877-5878.

(19) B. Borghesi, *Oeuvres*, II, Paris, 1864, p. 400.

(20) L.R. Taylor, *Voting Districts of the Roman Republic*, Rome, 1960, pp. 226, in favore di un'origine ferentinate. *Contra*, E. Badian, *Gnomon*, 1961, p. 496, e *Historia*, 12, 1963, p. 137; T.P. Wiseman, *New Men in the Roman Senate*, Oxford, 1971, pp. 237-8.

(21) Per la quale depone la presenza fra i magistrati di *Ferentinum* in un'età notevolmente antica.

(22) Non è chiara la situazione di *Ferentinum* tra il 306 e la guerra sociale. Si veda da ultimo Solin, art. cit. a nota 17, p. 26.

(23) Hatzfeld, op. cit., p. 71, nota 1.

(24) *BCH*, 1912, p. 47; *CIL*, I², 2241; *ID*, 1731 = *ILLRP*, 747: *M. Lollius Q.f.* o *l.*: Ermaista intorno al 150; donatore nei santuari egiziani.

(25) *CIL*, X, 3784 (*M. Lollius M.f.*); *ILLRP*, 723 b (*M. Lollius Q.f.* e *M. Lollius L.f.*).

(26) *CIL*, X, 2661-2664.

compresi numerosi ferentinati (27). È anzi questo uno dei rari casi in cui si può seguire con sicurezza lo spostamento, nel II secolo a.C., di elementi della popolazione del Lazio meridionale alla Campania: fenomeno che appare notevolissimo sulla base dei dati onomastici (28). Si spiega così perfettamente anche la diffusione dei *Lollii* a Puteoli e a Capua, e la loro precoce presenza a Delo. Non sarà dunque un caso che l'acropoli di Ferentino, alla cui costruzione partecipa anche un membro della *gens*, sia una delle più antiche realizzazioni nel Lazio della nuova architettura italico-ellenistica.

Allo stesso modo, la costruzione molto precoce (2' quarto del II secolo a.C.) a Fregellae di un santuario - quello di Esculapio - che presenta già una sistemazione monumentale, con un tempio assiale entro uno spazio limitato da portici, posti su tre lati (secondo uno schema canonico, che si ritrova ad esempio a Gabii intorno agli anni centrali del secolo) può forse esser collegato con la presenza a Delo di Fregellani molto presto nel II secolo a.C. (29).

TIVOLI

La situazione generale della città è oggi meglio conosciuta, grazie al recente lavoro di C.F. Giuliani (30). I dati, diligentemente raccolti nel volume della *Forma Italiae*, richiedono però una migliore elaborazione critica, in particolare per quanto riguarda la cronologia e le implicazioni storico-economiche e storico-sociali.

Per quanto riguarda il primo aspetto, è evidente la tendenza generale a uno scivolamento verso il basso della datazione degli edifici repubblicani, per nulla giustificata dalla documentazione disponibile. Risulta quanto mai urgente una riconsiderazione globale delle tecniche edilizie tardo-repubblicane fuori del centro urbano, per verificare se la tendenza a datarle in epoca più bassa rispetto a Roma, per pretesi e generici motivi di «provincialismo», risulti accettabile (31). In realtà, il perdurare di una certa irregolarità nei paramenti di reticolato (che conservano un aspetto di quasi-reticolato fino alla fine) sembra dovuto al materiale per lo più utilizzato, il calcare, che non si presta a un taglio regolare dei *caementa*. Quando il calcare viene sostituito dal tufo, infatti, questa irregolarità non è più riscontrabile, e così pure il preteso ritardo rispetto al centro urbano. Del resto, la Campania e il Lazio, nel periodo successivo alla guerra annibalica, non sono certo «provinciali» rispetto al centro urbano, insieme al quale costituiscono un insieme strutturalmente omogeneo. L'utilizzazione dell'*opus incertum*, e ancor più dell'*opus reticulatum*, costituisce una singolarità all'interno dell'Italia antica, diffusa entro ambiti limitati, coerenti e strettamente legati all'area dominante del modo di produzione schiavistico (32). Parlare di «attardamenti» all'interno di questo complesso omogeneo, dove tra l'altro operavano probabilmente maestranze itineranti, è privo di senso.

A livello empirico un esame anche superficiale dell'ampia documentazione tiburtina di età tardo-repubblicana (reso ora possibile dal volume di Giuliani) costituisce un'evidente conferma di quanto si è andati affermando.

Il passaggio dal paramento in incerto a quello in reticolato può agevolmente seguirsi sulla base di una documentazione particolarmente ricca ed abbondante. Ma soprattutto, possiamo riconoscere una grandiosa ristrutturazione urbanistica realizzata in un periodo non brevissimo (che utilizza all'inizio

(27) Liv., XXXIV 42,5.

(28) È quanto risulta da un seminario sull'onomastica italica a Delo tenuto a Perugia, che sarà prossimamente pubblicato a cura di G. Mancinetti Santamaria.

(29) Hatzfeld, *BCH*, 1912, pp. 77-78; 130.

(30) C.F. Giuliani, *Tibur, pars prima (Forma Italiae*, I, 7), Roma, 1970.

(31) Si vedano, ad esempio, i dubbi di H. von Hesberg, *L'art decoratif à Rome*, art. cit., pp. 22-23, nota 19.

(32) F. Coarelli, *PBSR*, 45, 1977, pp. 1-23; M. Torelli, *Tecnologia, economia e società nel mondo romano*, Como, 1980, pp. 139-67.

paramenti in opera incerta, e alla fine in opera reticolata), contemporanea a quella di Praeneste e di altre città del Lazio e della Campania.

Si può anche ricostruire una cronologia relativa delle varie fasi, alcune delle quali sono databili con un certa sicurezza, e permettono così di pervenire ad una cronologia assoluta.

Un primo dato fondamentale è costituito dalla sistemazione delle più antiche mura in opera quadrata, il cui percorso viene «monumentalizzato» addossandovi delle costruzioni ad arcate cieche in opera incerta, specialmente intorno all'Acropoli (33). Allo stesso tempo viene ristrutturato il percorso del *clivus Tiburtinus*, con costruzioni in opera incerta (34): contemporanea è la creazione del criptoportico monumentale di piazza Tani, la cui facciata viene a costituire una quinta scenografica proprio in funzione del *clivus Tiburtinus* (35). Il percorso di questo, nel suo rifacimento tardo-repubblicano, è comunque anteriore alla ricostruzione del Tempio di Ercole Vincitore, il cui podio ne invase la sede, rendendo indispensabile la costruzione di un tunnel (comunque compreso nel progetto iniziale).

L'ampliamento monumentale dell'acropoli precede immediatamente la costruzione del tempio rotondo, che poggia in parte proprio sopra le sostruzioni a volta del lato meridionale (36). È evidente che queste sostruzioni sono più recenti del vicino tempio rettangolare. Esse sono realizzate in opera cementizia con paramento in opera incerta di tufo.

Immediatamente successive devono essere considerate le opere di ristrutturazione del Foro. Ad esse appartengono il cosiddetto Mercato, sostruzione monumentale della parte sud-orientale della piazza, che fu allora evidentemente ampliata (37), e l'aula absidata sottostante al Duomo, oltre ad alcuni muri della fase più antica della mensa ponderaria (38). Questi edifici sono realizzati in un'opera incerta un po' più regolare, tendente al quasi-reticolato. Un *terminus ante quem* sicuro per essi è fornito dalla costruzione in reticolato della *mensa ponderaria* e dell'*Augusteum*, databili, in base alle iscrizioni, tra il 30 e il 10 a.C. (39).

Nella prima età augustea si utilizza dunque un reticolato molto regolare, anche se realizzato nel travertino locale. Questo costituisce un preciso *terminus ante quem* per il quasi reticolato o reticolato irregolare, e ovviamente per l'*incertum*.

La sequenza relativa si può ricostruire come segue: 1) sistemazione della facciata esterna della città e delle vie di accesso (terrazzamenti lungo le mura e *clivus Tiburtinus*); 2) costruzione del tempio rotondo; 3) costruzione del tempio di Ercole Vincitore; 4) sistemazione del Foro. I termini *post quem* e *ante quem* di questa sequenza sono determinati rispettivamente dal tempio rettangolare dell'acropoli e dalla costruzione della *mensa ponderaria* e dell'*Augusteum*: tra la metà del II secolo (40) e il 30 circa a.C. Questo ultimo termine può essere notevolmente rialzato, perché l'uso del reticolato sembra iniziare a Tivoli già negli anni centrali del I secolo a.C. (ad esempio, criptoportico di via del Tempio di Ercole con pavimento in signino con disegni geometrici a tessere bianche, e archi con cunei molto allungati, ancora di età repubblicana) (41).

Sembra quindi ovvio attribuire la ristrutturazione del Foro ai decenni immediatamente precedenti

---

(33) Giuliani, *Tibur*, pp. 50-51, pp. 118-9, n. 73; pp. 132-3, n. 75; pp. 145-6, n. 80; p. 146, n. 81.

(34) Giuliani, *Tibur*, pp. 150-1, n. 94; pp. 156-7, n. 98.

(35) Giuliani, *Tibur*, pp. 95-107, n. 59.

(36) Giuliani, *Tibur*, pp. 132-3, n. 75.

(37) Giuliani, *Tibur*, pp. 218-22, n. 114.

(38) Giuliani, *Tibur*, pp. 56-62, n. 3 (Duomo); pp. 62-66, n. 4 (*mensa ponderaria*).

(39) Giuliani, *Tibur*, pp. 62-67, n. 4. Per la datazione, si veda M. Torelli, art. cit. a nota 32, pp. 160-1.

(40) Il Giuliani (*Tibur*, pp. 126-132, n. 75) non prende posizione sulla datazione del tempio rettangolare: il collegamento da lui accettato con il Tempio di Gabii rinvia comunque agli anni intorno alla metà del II secolo a.C. (cfr. nota 2 e 43).

(41) Giuliani, *Tibur*, pp. 82-7, n. 50 (con datazione troppo bassa alla fine del I secolo a.C. - inizio del I d.C.).

la metà del secolo (secondo quarto del I secolo a.C.), e quindi ad epoca leggermente più antica il Tempio di Ercole Vincitore: l'evidenza epigrafica conferma perfettamente questa cronologia, che si può fissare con sicurezza nel decennio successivo alla guerra civile, tra l'89 e l'82 a.C. (come si vedrà in seguito).

Di conseguenza, la sistemazione del *clivus Tiburtinus*, delle mura e del Tempio rotondo dell'Acropoli dovrà datarsi immediatamente prima: e cioè tra gli ultimi decenni del II e il primo decennio del I secolo a.C. (120-90 a.C. circa).

Questa prima, sommaria griglia può essere meglio precisata e determinata attraverso un esame puntuale dei due maggiori complessi cultuali di Tivoli: i templi dell'Acropoli e il santuario di Ercole Vincitore.

Come si è accennato in precedenza, il tempio pseudoperiptero è il più antico dell'Acropoli, e in origine sorgeva isolato (42). La sua cronologia può essere fissata, in base a vari elementi, nei decenni centrali del II secolo a.C. Vari elementi concorrono a questa datazione: l'uso esclusivo dell'opera quadrata, a differenza del vicino e più tardo tempio rotondo; il tipo delle modanature inferiore e superiore del podio, ambedue a semplice *cyma reversa* (43). Un sicuro *terminus ante quem* è fornito dalla datazione del tempio rotondo: questo infatti è certamente posteriore, perché costruito su un terrazzamento artificiale poggiante su ambienti a volta, realizzati in *opus incertum* di tufo, come il tempio, che quindi appartiene alla stessa fase edilizia. Come si è visto, questo ampliamento fa parte di una completa ristrutturazione urbanistica della città, che comprende inizialmente soprattutto la riqualificazione monumentale della cinta urbana, e che si può datare tra gli ultimi decenni del II secolo e gli inizi del I secolo a.C. L'uso dell'opera incerta di tufo (si badi, non di travertino) in un edificio di alto livello architettonico, quale è il tempio rotondo, in una località come Tivoli non potrà certo essere considerato un attardamento provinciale. Mentre per l'incerto di calcare e di travertino è sicura la persistenza fino agli anni 80, per quello di tufo sembra molto difficile scendere oltre la fine del II o i primissimi anni del I secolo a.C.: gli esempi romani più tardi si datano infatti intorno al 100 a.C. (e la tecnica sembra utilizzata tra l'altro solo per le fondazioni) (44). Anche per il tempio rotondo di Tivoli si impone una datazione intorno al 100 a.C., confermata tra l'altro dal tipo dei capitelli corinzio-italici, il cui uso nell'Italia peninsulare non oltrepassa di molto l'inizio del I secolo a.C. (45).

L'identificazione delle divinità alle quali i due edifici erano dedicati è stata molto discussa in passato (46). La tendenza attuale è piuttosto indirizzata verso una sospensione del giudizio (47). Questo scetticismo però sembra poco giustificato, se si tiene il debito conto delle notizie, abbastanza

---

(42) Si veda R. Delbrück, *Hellenistische Bauten in Latium*, II, Strassbourg, 1912, pp. 14-16; Giuliani, *Tibur*, pp. 126-132, n. 75.

(43) Nel corso della seconda metà del II secolo, la modanatura di coronamento del podio assume forme più articolate. Troppo bassa, di conseguenza, è la datazione del tempio rettangolare al 100 a.C. proposta da L.T. Shoe, *Etruscan and Republican Roman Mouldings*, MAAR, 28, 1965, p. 151.

Ad esempio, nel Tempio A di Pietrabbondante e nel Tempio A di Schiavi di Abruzzo (prima metà del II secolo a.C.) ambedue le modanature del podio presentano la *cyma reversa*. Questo non è più il caso per il tempio di Vastogirardi e per il Tempio B di Pietrabbondante, databili tra l'ultimo quarto del II secolo e i primi anni del I secolo a.C. Cfr. da ultimo A. La Regina, *Hellenismus in Mittelitalien*, I, pp. 226-30. Per Vastogirardi, J.-P. Morel, ibid., pp. 255-66.

(44) Coarelli, art. cit. a nota 32.

(45) Per i capitelli corinzio-italici, cfr. C. Weickert, RM, 59, 1944, pp. 205-219; L. Fagerlind, *Acta Inst. Rom. Regni Sueciae*, 2, 1932, pp. 123-7; P. Pensabene, *Scavi di Ostia*, VII, *I capitelli*, Roma, 1973, pp. 203-4; M. Cocco, *Cronache Pompeiane*, 3, 1977, pp. 57-155. Per la datazione precedente a Silla, H. Lauter, JdI, 86, 1971, p. 151.

(46) Si veda la discussione in Giuliani, *Tibur*, pp. 122-3; Weinstock, R.E., VI A¹ Tibur, pp. 833-5; H. Lingby, *Eranos*, 63, 1965, pp. 77-98; id., *Palladio*, 16, 1966, pp. 3-10.

(47) Giuliani, *Tibur*, p. 133: «Per quanto concerne l'identificazione va subito detto che non vi sono elementi che suggeriscano in alcun modo un'attribuzione».

ampie e precise, delle fonti letterarie, che a mio avviso permettono un'identificazione più che probabile dei due templi. I testi più significativi sono i seguenti:

Verg., *Aen.*, VII, 81 ss: *At rex sollicitus monstris oracula Fauni/fatidici genitoris, adit lucusque sub alta/consulit Albunea, nemorum quae maxima sacro/fonte sonat saevamque exhalat opaca mephitim.*

Serv., *ad loc.*: *Sub Albunea: in Albunea. Alta: quia est in Tiburtinis altissimis montibus. Et Albunea dicta est ab aquae qualitate, quae in illo fonte est: unde etiam nonnulli ipsam Leucotheam volunt. Sciendum sane unum nomen esse fontis et silvae.*

Hor., *Carm.* I 7, 11 ss: *quam domus Albuneae resonantis/et praeceps Anio ac Tiburni lucus et uda/mobilibus pomaria rivis.*

Ps. Acro, *ad loc.*: *Delectabile nemus est, consecratum Albuneae Nymphae, a qua et nomen accepit. Resonantis: aquarum sono. Et praeceps Anio: aut per devexa cadens aut rapidus. Tiburni lucus: silva iuxta civitatem eiusdem nominis.*

Tib., II, 5, 69 s.: *quidquid Amalthea, quidquid Marpesia dixit/Herophile, Phyto Graia quod admonuit/quasque Aniena sacras Tiburs per flumina sortes/portarit sicco pertuleritque sinu...*

Lact., *Inst.*, I, 6, 12: *decimam Tiburtem nomine Albuneam, quae Tiburi colatur ut dea iuxta ripas amnis Anienis, cuius in gurgite simulacrum eius inventum esse dicitur tenens in manu librum...*

Stat., *Silv.*, I, 3, 70 ss.: *Illic ipse antris Anien en fonte relicto/nocte sub arcana glaucos exutus amictus/hac illac fragili prosternit pectora musco/aut ingens in stagna cadit vitreasque natatu/plaudit aquas. Illa recubat Tiburnus in umbra/illic sulpureos cupit Albula mergere crines...*

La confusione e gli equivoci che si trovano già nelle fonti antiche hanno complicato il compito degli studiosi moderni. Tuttavia, è relativamente facile sgombrare il campo da essi. In primo luogo, l'oracolo di Fauno connesso da Virgilio con Albunea non è quello di Tivoli, come da tempo è stato visto (48), ma quello prossimo a Lavinio, probabilmente nella località Solforata.

Frequente inoltre, soprattutto nei commentatori moderni, è la confusione tra *Albunea*, la Sibilla Tiburtina, e *Albula*, la ninfa delle acque omonime, presso l'attuale Bagni di Tivoli. L'equivoco, ben comprensibile trattandosi di due divinità connesse con le acque, dal nome quasi identico, e ambedue localizzate a Tivoli, sembra apparire già in Stazio. Ma le altre fonti distinguono accuratamente tra le due, e collocano il culto di Albunea negli immediati paraggi della città, accanto alle cascate dell'Aniene. La vicinanza al fiume è sottolineata in modo non equivoco da Tibullo, Lattanzio e dallo stesso Stazio (che però, come si è visto, sembra confondere *Albunea* con *Albula*), mentre da Orazio e dal suo commentatore risulta chiaramente la vicinanza alle cascate. Questa localizzazione non si addice ad *Albula*, le cui acque sono ben distanti dall'Aniene (49). La stessa localizzazione si ritrova per il culto del fondatore di Tivoli, *Tiburnus*, il cui *lucus*, ricordato anche da altri autori antichi (50), era *iuxta civitatem* (Pseudo-Acro), presso le cascate (Stazio). Non a caso, quasi tutte le fonti collegano le due divinità e i rispettivi *luci*: il testo più chiaro, da un punto di vista topografico, è quello di Orazio (*domus Albuneae resonantis et praeceps Anio ac Tiburni lucus*), che tra l'altro costituisce la più bella descrizione del paesaggio delle cascate, ancora oggi conservato in condizioni molto simili a quelle antiche (51).

Sembra difficile, a questo punto, non collegare i due templi dell'Acropoli con i culti di *Tiburnus* e di *Albunea*: tra l'altro, il santuario del fondatore trova la sua sede appropriata nel luogo più eminente della città, e al tempo stesso ai margini di essa, accanto al *lucus* a lui dedicato, che era *iuxta civita-*

---

(48) Cfr. M. Guarducci, *Albunea*, *Studi in onore di G. Funaioli*, Roma, 1955, pp. 120-7.

(49) Cfr. la discussione in Giuliani, *Tibur*, pp. 24-25.

(50) Stat., *Silv.*, I, 3, 74; Plin., *N.H.*, XVI, 237; Suet., *Vita Hor.*, p. 7, 20 Vollm.

(51) Come ha dimostrato Giuliani, *Tibur*, pp. 274-287.

tem (52). La petizione di principio, che esclude l'esistenza di un tempio di *Albunea*, non ha alcun valore (53), contraddetta com'è dall'esistenza di una statua di culto, che la leggenda locale diceva ritrovata tra i gorghi dell'Aniene, e dei libri della Sibilla, che dobbiamo immaginare collocati al chiuso, in un edificio (54). A questo accennano certamente le fonti letterarie, ricordando la *domus Albuneae*, dove essa *colatur ut dea*.

Un dettaglio del tempio rotondo permette di riconoscere in questo il Tempio di *Albunea* (e di conseguenza nel vicino pseudoperiptero quello di *Tiburnus*): inserito al centro del muro di fondo si nota una teca lapidea, costituita da quattro lastre di pietra, nelle quali sono ancora conservati i fori per i cardini di due sportelli lignei destinati a chiuderla. Si tratta di un manufatto contemporaneo alla costruzione del tempio, e quindi previsto nel suo progetto, e funzionale al culto che vi si svolgeva (55). L'importanza di esso risulta evidente anche dalla posizione della teca, perfettamente in asse con l'ingresso, e certamente collocata dietro alla statua di culto, che doveva coprirla.

È inevitabile collegare questa sorta di tabernacolo con il libro della Sibilla Tiburtina, che sarebbe stato trovato, miracolosamente asciutto, in mano alla statua di culto trovata nell'Aniene: dimensioni e posizione di esso si addicono perfettamente a una simile funzione, e la stessa eccezionalità di questo elemento conferma l'aspetto particolare del culto cui il tempio rotondo era destinato.

Un caso fortunato ci ha conservato il nome del personaggio che dovette intervenire, in un modo che non ci è chiaro, nelle vicende del tempio. Sulla parte residua dell'architrave si legge ancora, perfettamente conservato, il tratto finale dell'iscrizione dedicatoria, in grandi lettere regolari: [- - -] *E.L. GELLIO L.F.* (56).

Si deve in primo luogo sottolineare la stranezza della formula: lo spazio residuo sulla destra dimostra che si tratta della fine dell'iscrizione, la quale, se fosse stata centrata sulla porta della cella, avrebbe contato, secondo i calcoli del Piranesi, circa 55 lettere (57). In genere si integra [*curant*]*e L. Gellio L.f.*; oppure [*curam agent*]*e L. Gellio L.f.* Tuttavia, una formula del genere costituirebbe un *unicum* in età repubblicana: se si trattasse del nome del costruttore (magistrato o privato) ci aspetteremmo che esso fosse collocato all'inizio, al nominativo, seguito dalle solite formule indicanti la cura e il collaudo dei lavori. L'indicazione di un nome all'ablativo alla fine del testo corrisponde invariabilmente alla data consolare: ma anche un'integrazione [*consul*]*e L. Gellio L.f.* va incontro a grandissime difficoltà, dal momento che l'indicazione del consolato si trova sempre posposta al nome del magistrato, e in forma abbreviata; inoltre, essa non appare praticamente mai in iscrizioni pubbliche di comunità indipendenti (58), dove la datazione è indicata, come è ovvio, dagli stessi nomi dei magistrati eponimi.

In conclusione, non esiste per ora la possibilità di ricostruire la formula dell'iscrizione: resta comunque importante la constatazione che si tratta di un caso del tutto isolato e singolare, isolamento e singolarità dei quali dovrà tener conto qualsiasi serio tentativo di spiegazione.

Un'altra singolarità è costituita dal fatto che l'iscrizione sembra averne sostituita una precedente,

---

(52) Ps.Acr., *in Hor. carm.*, I 7, 11, cit.

(53) Giuliani, *Tibur*, p. 122, secondo il quale il culto di Albunea, in quanto oracolare, doveva aver sede in una grotta: ciò che è possibile, ma che non esclude in alcun modo l'esistenza di un tempio (che sembra presupposta anche dall'esistenza di un *sacerdos Albuneae*: CIL, XIV, 4262 = *Inscr. It.*, IV, 1, 361).

(54) Come avviene per i *libri sibyllini*, conservati all'interno del Tempio di Giove Capitolino, in una teca lapidea (Dion. Hal., IV 62, 5).

(55) Per la prima volta notato da Giuliani, *Tibur*, p. 142, fig. 136.

(56) *CIL*, XIV, 3573 =*Inscr. It.*, IV, 1, 27.

(57) G. Piranesi, *Raccolta dei tempi antichi*, cap. I, tavv. 1-13; Delbrück, op. cit., p. 21.

(58) Unica eccezione è quella dei magistrati di Capua che si spiega per l'appunto con l'inesistenza in questo centro, dopo la guerra annibalica, di un'organizzazione cittadina autonoma, e quindi di magistrati eponimi. Frederiksen, art. cit. a nota 5.

225

alcune lettere della quale sono ancora visibili nello spazio vuoto tra la *E* e il prenome di *L. Gellius* (59). Un riesame accurato di tutta la zona iscritta — che per ora non è alla nostra portata — si impone. Ma fin da ora si deve riconoscere che l'attuale iscrizione non è quella originaria: ciò può forse contribuire a spiegare la stranezza della formula. Ma, prima di proporre qualsiasi ipotesi in merito, è necessario in primo luogo esaminare gli aspetti onomastici, attraverso i quali ci si può avvicinare all'identificazione del personaggio.

Si tratta di un nome di origine osca, come si deduce tra l'altro dal ricordo di *Statius Gellius* e *Gellius Egnatius*, comandanti dei Sanniti nella seconda e nella terza guerra sannitica (60). Un'origine italica è stata giustamente proposta per l'annalista *Cn. Gellius* (61), il quale nella sua opera introduce spesso motivi tratti da storie locali italiche, e in particolare relative ai Marsi e ai Sabini (62). Si è proposto di identificarlo con il *Cn. Gellius*, contro il quale Catone tenne un discorso nel 149 a.C., e con il *monetalis* omonimo, databile intorno al 140 a.C. (63). È interessante che nelle monete appaia la probabile rappresentazione di *Mars* e *Nerio Martis*, quest'ultima una divinità sabina (64); inoltre, la testa di Ercole, che potrebbe far supporre una possibile origine tiburtina della famiglia.

Il primo membro della *gens* che a nostra conoscenza ebbe accesso a una carica curule è *L. Gellius L.f. Poplicola*, pretore nel 94 e console nel 72 a.C. Non dovrebbe trattarsi di un *homo novus*, se crediamo all'affermazione di Cicerone, secondo il quale egli stesso sarebbe stato il primo *homo novus* a raggiungere il consolato da un certo numero di anni prima del 63 a.C. (65). L. Gellio apparteneva a una famiglia senatoria, che dovette accedere alle magistrature urbane nel corso della seconda metà del II secolo a.C., epoca per la quale la nostra documentazione sui fasti magistratuali è ridottissima.

L'identificazione del console del 72 con il personaggio menzionato nell'iscrizione di Tivoli sembra estremamente probabile (66). Essa potrebbe adattarsi alla cronologia del tempio rotondo di Tivoli, e cioè con gli anni intorno al 100 a.C. Si deve osservare in proposito che la carriera di L. Gellio Poplicola fu lentissima: quando egli ottenne la pretura, nel 94 a.C., aveva non meno di 42-45 anni, dal momento che era stato *contubernalis* di *C. Papirius Carbo*, il console del 120: sarà nato, di conseguenza, tra il 140 e il 136. Impressionante è il lasso di tempo tra pretura e consolato, ottenuto solo nel 72, e seguito quasi subito dalla censura, nel 70. L. Gellio era ancora vivo nel 55 — certamente il più vecchio dei consolari (67) — e morì poco prima del 52 (68). Dal momento che la famiglia era entrata nella cittadinanza romana ben prima della guerra sociale, a poco serve per determinarne l'*origo* la conoscenza della tribù, che era la *Tromentina* (come sappiamo dal decreto di Pompeo Strabone, nel cui *consilium L. Gellius appare, come più anziano dei praetorii,* al primo posto) (69).

---

(59) Ciò è stato già notato dal Delbrück, *Hellenistische Bauten* II, p. 21, che però spiega le lettere come tracce residue dell'iscrizione preparatoria. Cfr. Giuliani, *Tibur*, p. 139, nota 6.

(60) *R.E.*, VII c. 1000, n. 11; V, c. 1994, n. 9 (Münzer).

(61) T.P. Wiseman, *Greece and Rome*, 2a ser. 21, 1974, pp. 143-164 (soprattutto 162-164). Si veda la relazione di Wiseman in questo volume.

(62) H. Peter, *Hist. Rom. reliq.*, I, pp. CCIV-CCX; 148-157. La tribù della *gens* è la *Tromentina*, quella di *Fabrateria Vetus*, di *Fregellae* e di *Fabrateria Nova*. Si potrebbe supporre un'origine dalla Valle del Liri.

(63) *R.E.*, VII, 1, cc. 998-1000, n. 4 (Münzer). Cfr. P. Wiseman, *Greece and Rome*, 1974, art. cit., pp. 162-4.

(64) J.-P. Morel, *MEFR*, 74, 1962, pp. 10-16; *contra*, ma senza validi argomenti, M. Crawford, *Roman Republican Coinage*, Cambridge, 1974, p. 265, n. 265.

(65) Cic., *de lege agr.*, 2,3.

(66) Sul console del 72, cfr. *R.E.*, VII, 1, cc. 1001-3, n. 17 (Münzer); E.S. Gruen, *The last Generation of the Roman Republic*, Berkeley-Los Angeles-London, 1974, pp. 41, 44, 63, 95, 126; cfr. T.P. Wiseman, *Cinna the Poet*, Leicester, 1974, pp. 119-129.

(67) Cic., *in Pis.*, 6.

(68) Cic., *de leg.*, I 53.

(69) *CIL*, I², 709 = VI, 37045 = *ILS*, 8888 = *ILLRP*, 515. L. Cichorius, *Römische Studien*, 2a ristampa, Stuttgart, 1961, p.

I SANTUARI DEL LAZIO E DELLA CAMPANIA

Di un certo interesse risulta anche la storia dei *libri sibyllini* e di quello della Sibilla Tiburtina in particolare (70). Come è noto, i *libri*, conservati nel Tempio di Giove Capitolino in una teca lapidea (71), bruciarono nell'incendio del Campidoglio dell'83 a.C. (72). Le origini dell'incendio sono variamente spiegate dagli autori antichi, che riportano varie versioni, evidentemente contemporanee all'avvenimento: secondo una tradizione, l'incendio sarebbe stato casuale, ma ritorna anche insistentemente la versione dell'incendio doloso. Qui non interessa tanto stabilire la realtà dei fatti, cosa del resto impossibile, quanto sottolineare che l'ipotesi dell'incendio doloso veniva ritenuta verosimile, e spiegata con motivi politici (73). Tutto l'episodio (come del resto anche la complicata storia della ricostruzione ad opera di Lutazio Catulo) (74) è particolarmente indicativo del clima di quegli anni, quando la divinazione, pubblica e privata, venne ad assumere in misura inusitata il valore e la funzione di efficace arma politica.

Dopo l'incendio del Campidoglio, si volle ricostruire una collezione di oracoli sibillini. Vari passi, che risalgono direttamente a Varrone e a Fenestella (75), ricordano la missione affidata dal senato a tre legati, su richiesta dei consoli del 76 a.C., di raccogliere i *carmina* della Sibilla Eritrea. Altre missioni dovettero essere inviate contemporaneamente o subito dopo in altre località della Grecia e dell'Italia (76), per raccogliere altri oracoli sibillini. Tra questi furono certamente compresi quelli della Sibilla Tiburtina, i più celebri tra quelli italici. Tibullo infatti, nell'elegia in onore di Messalino (77), scritta in occasione dell'assunzione da parte di questi della funzione di *quindecemvir sacris faciundis*, ricorda, tra i testi sibillini che si potevano consultare a Roma, quelli delle Sibille Cumana, di Marpessos, di Delfi e di Tivoli.

Nel corso dei lavori per la ricostruzione del Tempio di Giove Capitolino (che sarà inaugurato nel 69 a.C.), i testi sacri di Albunea, conservati nella teca del tempio rotondo di Tivoli, furono dunque trasferiti a Roma e collocati in Campidoglio: ciò dovette avvenire nel 76 a.C. o subito dopo. Viene così a mente la strana ripresa della carriera di L. Gellio Poplicola, dopo più di venti anni di interruzione, con il consolato del 72 e la censura del 70 a.C.: si potrebbe forse pensare a un collegamento con un eventuale incarico a lui affidato di trasportare a Roma il *liber* della Sibilla Tiburtina. Si noterà che l'incarico di procurare i testi della Sibilla Eritrea era stato affidato, tra l'altro, a un *M. Otacilius* (78), nel quale il Cichorius ha proposto di riconoscere, con una lieve correzione del

139; N. Criniti, *L'epigrafe di Asculum di Cn. Pompeo Strabone*, Milano, 1970, pp. 9-94 (che però distingue ancora il pretore del 94 dal console del 72: si tratta in realtà della stessa persona).

(70) Si veda soprattutto J. Gagé, *Apollon romain*, BEFAR, 182, Paris 1955, *passim; R.E.* XXIV, 1, 1963, cc. 1114-48 (G. Radke).

(71) Dion. Hal., IV, 62, 5.

(72) Sull'incendio del Campidoglio, Gagé, *Apollon Romain*, pp. 432-4.

(73) Ibid., *Testimonia* in J. Lugli, *Fontes ad topographiam veteris urbis Romae pertinentes*, VI, 2, Roma 1969, pp. 296-98.

(74) Ibid., pp. 298-300.

(75) Lact., *de ira dei*, 22, 5; *inst.*, I 7, 6; 11-12; 14; Tac., *ann.*, IV, 12; Dion. Hal., IV, 62, 6. Si veda Gagé, *Apollon romain*, pp. 446-52.

(76) Lact., *inst.*, I, 6, 11: *ex omnibus civitatibus et Italicis et Graecis*; Tac., *ann.*, VI, 12: *per Africam etiam ac Siciliam et Italicas colonias*.

(77) Tib., II, 5, 69 s.: *quidquid Amalthea, quidquid Marpesia dixit / Herophile, Phyto Graia quod admonuit / quasque Aniena sacras Tiburs per flumina sortes / portarit sicco pertulerique sinu...* Ne risulta confermata la validità di un passo di Lattanzio (*inst.*, I, 6, 12), conservato in due codici molto antichi (il Parisinus 1663, del IX secolo, e il Parisinus 1664, del XII), che viene in genere espunto come interpolazione. L'autore cristiano, dopo il passo tratto da Varrone, in cui ricorda il mito di fondazione del santuario tiburtino (*cuius in'gurgite simulacrum eius inventum esse dicitur tenens in manu librum*), continua: *cuius sortes senatus in Capitolium abstulerit*. Alla luce di quanto si può ricostruire sulla base degli altri testi ricordati, il passo sembra autentico (contra, Wissowa, *RKR²*, p. 536, n. 6; S. Weinstock, *R.E.*, VI A, c. 833).

(78) Lact., *inst.*, I, 6, 14: *Siquidem Fenestella diligentissimus scriptor de quindecimviris dicens ait restituto Capitolo rettulisse ad senatum C. Curionem consulem, ut legati Erythras mitterentur, qui carmina Sibyllae conquisita Roman deportarent: itaque*

prenome, il *M.' Otacilius* che appare nel *consilium* di Pompeo Strabone, insieme a L. Gellio (79): sembra quindi che nelle commissioni incaricate di raccogliere i testi sibillini fossero predominanti le persone legate a Pompeo Strabone e, successivamente, a Pompeo (questo almeno è certo per L. Gellio) (80).

Sembra di scorgere, nello sfondo di questo episodio, una sorda lotta ideologica a colpi di oracoli, della quale si possono rilevare altre tracce. La raccolta di gran parte dei testi, anche privati, organizzata nel 76 si spiega, a mio avviso, con la volontà di rastrellare, concentrare, e quindi neutralizzare, questi testi, la cui pericolosità aveva avuto modo di manifestarsi nel corso della precedente guerra civile: si tratta, in altri termini, del tentativo della parte sillana di stabilire una sorta di «monopolio sibillino»: l'esempio sarà poi imitato, in forme ancora più rigorose, da Augusto dopo la seconda guerra civile, quando i libri sibillini furono trasferiti nel tempio di Apollo Palatino, sotto il personale e diretto controllo dell'imperatore (81). Che si trattasse proprio di questo risulta chiaro anche dal fatto che nei decenni successivi all'incendio dell'83 non si ha più ricordo della consultazione dei libri per la *procuratio* di prodigi (82), mentre il caso contrario si era verificato nei decenni immediatamente precedenti (83). Un caso particolarmente interessante e ben documentato dell'uso politico delle profezie sibilline è quello relativo a Lentulo, nel corso della *coniuratio* catilinaria (84). Questi aveva fatto circolare un oracolo, dal quale sarebbe risultato che tre Corneli erano destinati a regnare su Roma: Cinna, Silla e lui stesso. L'episodio, riportato da fonti contemporanee, è assolutamente sicuro. Molto interessante è anche il collegamento che si sarebbe trovato nell'oracolo tra la *coniuratio* e l'incendio del Tempio di Giove, avvenuto esattamente 20 anni prima (85): ciò conferma ulteriormente, se ce ne fosse bisogno, il carattere politico che si riconosceva all'incendio, attribuendone alternativamente la responsabilità alla parte mariana e a quella sillana. In genere, si afferma che l'oracolo sarebbe stato inventato in occasione della *coniuratio* di Catilina: tuttavia, sembra più probabile che si tratti di un vaticinio largamente noto già in precedenza (86). In tal caso, sembra ovvio attribuirne la responsabilità allo stesso Cinna, e forse un'ulteriore utilizzazione a Silla: non si può infatti credere che il secondo avesse propalato un oracolo in cui veniva assimilato a Cinna. Sembra cioè di cogliere un episodio di «guerra ideologica», avvenuto nel corso della precedente guerra civile, e poi ulteriormente sfruttato da Lentulo. Per quanto riguarda Silla, l'utilizzazione degli oracoli a fini politici è sufficientemente nota dalle testimonianze che ci sono pervenute: basterà ricordare la teoria antica che spiegava lo stesso cognome del dittatore come una contrazione di *Sibylla* (87). Altrettanto evidente è il simile uso dei *libri Sibyllini* fatto da Cn. Ottavio: questi, nell'87, li fece consultare, trovandovi la giustificazione per l'espulsione di Cinna (88). È abbastanza naturale che quest'ultimo lo abbia poi ripagato della stessa moneta. È probabile che solo più tardi si sia servito di altri oracoli, tra i quali i più noti ed accessibili erano quelli di Tivoli e di Preneste. Sappiamo che Cinna ricorse per aiuti

---

missos esse P. Gabinium M. Otacilium L. Valerium, qui descriptos a privatis versus circa mille Roman deportarunt. Idem dixisse Varronem supra ostendimus.

(79) Cichorius, *Römische Studien*, pp. 179-80.

(80) Su *M'. Otacilius*, cfr. *R.E.*, XVIII, 2, c. 1858, n. 5 (Münzer).

(81) Gagé, *Apollon Romain*, pp. 542-55.

(82) Gagé, *Apollon Romain*, p. 451.

(83) Gagé, *Apollon Romain*, pp. 427-32.

(84) Gagé, *Apollon Romain*, pp. 438-9.

(85) Sall., *Catil.*, I, 47, 2: *ex libris sibyllinis regnum Romae tribus Cornelis portendi: Cinnam atque Sullam antea, se tertium esse cui fatum foret urbis potiri; praeterea ab incenso Capitolio illum esse vicesimum annum, quem saepe ex prodigiis haruspices respondissent bello civili cruentum fore.* Gli stessi dati si ritrovano in Cic., *Cat.*, III, 9, e Plut., *Cic.*, 17, 5.

(86) Potrebbe trattarsi di un tipico episodio della «guerra degli oracoli» che caratterizzò il *Cinnanum tempus*.

(87) Macr., *Sat.*, I, 17, 27.

(88) Gagé, *Apollon Romain*, pp. 430-32.

proprio a queste due città, nelle quali il partito mariano era dominante (89): sembra ovvio dedurne che, oltre ad aiuti materiali, egli ne traesse anche armi ideologiche, non meno pericolose. L'intervento della Sibilla Tiburtina a fianco del partito mariano potrebbe essersi manifestato proprio con il noto vaticinio sui «tre Corneli» (originariamente forse in una forma diversa da quella tramandata, già riutilizzata dalla propaganda sillana). Non stupisce quindi che essa sia stata successivamente punita, con il trasferimento del suo *liber* a Roma forse proprio ad opera di L. Gellio Poplicola.

L'improvvisa ripresa della fortuna politica di questo personaggio, dopo più di vent'anni di eclisse, si spiega, come da tempo è stato visto, con l'appoggio di Pompeo. Il consolato nel 72 e la censura nel 70 vengono così a coronare una carriera, che secondo ogni verosimiglianza non avrebbe dovuto andare oltre la pretura, ottenuta nel 94. Tra gli incarichi che dovettero essere affidati a L. Gellio in questi anni, che corrispondono alla sua rinascita politica, uno ci è forse rivelato dall'iscrizione del tempio di Tivoli. Il nome del pesonaggio sostituisce, come si è visto, quelli dei magistrati precedenti, che avevano realizzato l'edificio. È difficile non riconoscere in questo fatto, da un lato, una sorta di *damnatio memoriae* di questi magistrati (forse compromessi, come molti altri Tiburtini, con la fazione mariana); dall'altro, l'intervento particolare di un senatore romano investito di un incarico speciale, nel quale non sembra azzardato riconoscere l'asportazione degli oracoli sibillini conservati nell'edificio. Ciò potrebbe spiegare anche la stranezza dell'iscrizione, che non si può integrare, ma che sarebbe ragionevole interpretare come un ricordo dell'operazione realizzata, e che si sarà conclusa con una formula del genere [*curant*]*e L. Gellio L.f.*, oppure [*auctor*]*e L. Gellio L.f.* La data fornitaci da Varrone (il 76, o poco dopo) precede di poco il consolato di L. Gellio: forse nell'intervento da questi compiuto sarà da riconoscere una delle benemerenze che determinarono l'improvvisa quanto inaspettata ripresa della sua carriera.

Qualcosa di simile dovette avvenire anche a Preneste, dove Cicerone ci testimonia una decadenza del culto di *Fortuna Primigenia* già nell'età tardo-repubblicana (90), in stridente contrasto con la grandiosa ricostruzione realizzata pochi decenni prima, che farebbe pensare a tutt'altra situazione. Il fatto è che nel frattempo la città, con i suoi dei, aveva preso posizione contro Silla, pagando con un durissimo assedio e con la strage dei suoi cittadini questo errore. I coloni sillani non avranno certamente manifestato troppa simpatia per una divinità politicamente così compromessa.

Se ci volgiamo ad esaminare l'altro santuario di Tivoli, il grande centro cultuale extraurbano di *Hercules Victor*, troveremo ulteriori conferme di quanto siamo andati finora esponendo.

L'edificio fu ricostruito in forme monumentali nel corso della totale ristrutturazione urbanistica della città, in una fase certamente posteriore rispetto alla sistemazione monumentale delle mura e alla costruzione del tempio rotondo. I dati tecnici e stilistici confermano questa relativa recenziorità, che però non può spingersi fino alla data proposta dal più recente editore, e cioè gli anni 60-50 a.C. (per la conclusione dei lavori addirittura l'età augustea) (91).

Alcune testimonianze epigrafiche permettono per fortuna di precisare l'epoca dei lavori, e ci forniscono inoltre una serie di informazioni sulla particolare situazione politica contemporanea. La prima di esse è conosciuta in due esemplari, con i nomi dei due magistrati alternati al primo posto, come d'uso (92): *L. Octavius L.f. Vitulus / C. Rustius C.f. Flavos iter(um) / (quattuor)vir(i) d(e) s(enatus) s(ententia) / viam integendam / curaver(unt).*

Le iscrizioni, una delle quali è perduta, erano incise sulle balaustre dei pozzi di luce dell'«Arco

---

(89) App., *b.c.*, I, 65, 294 (con il commento di E. Gabba, p. 183).

(90) Cic., *de divin.*, II, 41, 87.

(91) Giuliani, *Tibur*, p. 200. Cfr. F. Coarelli *Architecture et Société*, Colloquio dell'Ecole Française de Rome, in stampa.

(92) *CIL*, I^2, 1494 = XIV, 3667-8 = *Inscr. It.,* IV 1, 21; *ILS*, 5388; *ILLRP*, 679. È interessante notare che il gentilizio *Rustius*, piuttosto raro, si ritrova a Minturno (*ILLRP*, 727) e probabilmente a Delo (*ILLRP*, 758; Hatzfeld, *BCH*, 1912, p. 72) e a Tenos (Hatzfeld, *Trafiquants*, p. 85).

Scuro», il tratto cioè della via Tiburtina inclusa entro il podio del tempio, che veniva attraversato da essa in galleria. A questa galleria si riferisce il testo con l'espressione *viam integendam curaverunt*. La copertura a volta sarà stata realizzata al compimento delle sostruzioni monumentali sulle quali sorge il tempio, come ultima operazione di questa prima fase, evidentemente anteriore alla realizzazione delle sovrastrutture. Le iscrizioni ci forniscono dunque un preciso *terminus post quem* per questa fase dei lavori, fase che è successiva alla guerra sociale, dal momento che vi appaiono i magistrati del municipio. Non si può comunque escludere che l'inizio delle costruzioni sia anteriore alla guerra sociale, nel corso della quale i lavori poterono essere interrotti. In ogni caso, tutta l'architettura del tempio e dei portici circostanti è certamente posteriore a tale data. Gli elementi paleografici impediscono comunque di scendere troppo oltre l'89: essi si inquadrano perfettamente entro il periodo che si è convenuto di denominare «sillano» (93).

Una seconda iscrizione, questa perduta, fornisce un prezioso *terminus ante quem* per la fine dei lavori (94):

C. Luttius L.f. Aulian(us), Q. Plausurnius C.f. Varus / L. Ventilius L.f. Bassus, C. Octavius C.f. Graechin(us) / (quattuor)viri / porticus p(edum) CCLX et exsedram et pronaon / et porticum pone scaenam, long(am) p(edes) CXL / s(enatus) c(onsulto) f(aciendum) c(uraverunt).

Non si può dubitare dell'appartenenza di questa iscrizione al santuario di Ercole, i cui lavori dovevano essere alla fine. Il gruppo *porticus, exedra* e *pronaon* sembra da riferire al tempio vero e proprio: per *pronaon* la cosa è evidente; *exedra* potrebbe essere denominata la nicchia, sorta di *sancta sanctorum* isolato, destinato alla statua di culto (95), mentre *porticus* potrebbe riferirsi ai colonnati laterali del tempio pseudoperiptero, le misure dei quali coincidono con quelle fornite dall'iscrizione (96). La *porticus pone scaenam* era evidentemente collocata alle spalle della cavea teatrale antistante al tempio: anche in questo caso si tratta di lavori di completamento di strutture già realizzate anteriormente, come appunto il teatro. È ovvio che altre iscrizioni, ora perdute, avranno ricordato le fasi intermedie dei lavori, eseguiti anno per anno dai magistrati del municipio, secondo un uso che conosciamo anche altrove (per esempio, a Praeneste e a Capua) (97).

Datare questa iscrizione è dunque fondamentale per stabilire l'epoca della conclusione dei lavori. Gli elementi interni, linguistici e paleografici, mostrano che si tratta di un testo di età repubblicana abbastanza antica: così, la grafia *exsedram* e l'uso di punti di separazione quadrati, che cessa dopo l'età sillana. Che quest'ultimo termine cronologico non possa essere superato verso il basso è però dimostrato soprattutto dall'identificazione di uno dei magistrati menzionati, *C. Octavius C.f. Graechinus*. A proposito di questo, si deve anzitutto notare che si tratta certamente di un edile, considerata la sua posizione alla fine della lista. Inoltre, va sottolineata la frequenza con la quale membri della *gens* appaiono in rapporto con il culto dell'Ercole Tiburtino: oltre al *L. Octavius L.f. Vitulus*, citato nell'altra iscrizione relativa al santuario, che aveva ottenuto la cittadinanza romana solo al momento della creazione del municipio (come dimostra la menzione della tribù *Camilia* in un'altra iscrizione relativa allo stesso personaggio) (98), va ricordato il *M. Octavius Herrenus*, certamente di

---

(93) Si veda la riproduzione dell'iscrizione in F. Ritschl, *Priscae Latinitatis monumenta epigraphica*, Berlin, 1862, tav. LXXV.

(94) *CIL*, I², 1492 = XIV, 3664 = *Inscr. It.*, IV, 1, 19; *ILS*, 5546 = *ILLRP*, 680.

(95) Giuliani, *Tibur*, fig. 215 a p. 189.

(96) La misura dei lati lunghi del tempio è di circa 38,76 m.: la somma dei due portici laterali corrisponde a circa 77,34 m. I 260 piedi dell'iscrizione corrispondono a circa 77 m. Giuliani, *Tibur* (pp. 193-194) scioglie la *p* dell'iscrizione con *p(assuum)*, interpretazione che va contro l'uso attestato in migliaia di iscrizioni. Ancora recentemente il Giuliani ha ribadito la sua identificazione con *p(assus)* delle misure indicate nell'iscrizione tiburtina (*Atti Mem. Soc. Tiburt.*, 53, 1980, pp. 35-9).

(97) Coarelli, *Hellenismus in Mittelitalien*, II, pp. 422-3.

(98) *CIL*, I², 1495 = XIV, 3669 = *Inscr. It.*, IV 1, 22.

origine tiburtina, introduttore del culto a Roma negli ultimi decenni del II secolo a.C. (99). La *gens Octavia* è una delle più antiche di Tivoli, come si deduce dal sepolcro di un suo membro, databile ancora in età medio-repubblicana (100).

C. Octavius Graechinus appare anche in un'altra epigrafe di Tivoli dove è indicata la sua carica di *tribunus militum* (101). È probabile che si tratti anche in questo caso di un nuovo cittadino, se, come tutto porterebbe a pensare, appartengono alla stessa famiglia l'*Octavius C.f. Cam(ilia) Macra* e il *C. Octavius C.f. Cam(ilia) Vecula*, ricordati da iscrizioni tiburtine, forse ancora di tarda età repubblicana (102).

Il dato più importante è però la quasi certa identificazione di *C. Octavius Graechinus* con un personaggio noto dalle fonti letterarie: un *Octavius Graechinus* fu infatti *legatus* di Sertorio in Spagna tra il 76 e il 72 a.C. (103). La provenienza tiburtina di questo *Octavius*, e la sua più che probabile identificazione con il magistrato impegnato nella ricostruzione del Tempio di Ercole è stata sottolineata da tempo, ma il dato è rimasto sconosciuto agli archeologi che si sono occupati dell'edificio.

L'identificazione può essere ulteriormente confermata da alcune altre osservazioni: dopo lo scontro nel Foro tra Ottavio e Cinna, nell'87, quest'ultimo, sconfitto, fuggì da Roma e andò a cercare aiuti nelle città italiche di recente ammesse nella cittadinanza romana, come Tivoli, Preneste e Nola (104). Sembra che Sertorio, che aveva partecipato alla lotta contro Ottavio, abbia egli stesso contribuito all'operazione, che si rivolgeva, secondo Plutarco, alle nuove leve di Italici, ormai inserite nell'esercito romano (105). È possibile che allora sia nato il rapporto tra Sertorio e *Octavius Graechinus*: l'elezione di quest'ultimo al quattuorvirato, considerata l'epoca in cui avvenne, significa senza dubbio la sua appartenenza al partito mariano, che avrà controllato le elezioni nei municipi, come più tardi farà Silla. Più tardi, Ottavio avrà seguito Sertorio, nell'82, oppure forse al seguito di Perperna, nel 77. In ambedue i casi, è inimmaginabile che egli potesse divenire magistrato a Tivoli dopo il ritorno di Silla, nell'83. Altrettanto avventato sarebbe l'attribuire il suo quattuorvirato ad epoca immediatamente postsillana: la cosa diverrà possibile solo in età ciceroniana, con la riammissione dei figli dei proscritti ai diritti civili (106). Ma l'aspetto dell'iscrizione, al più tardi di età sillana, e gli stessi caratteri del Tempio di Ercole, costruito interamente in opera incerta (che a Tivoli non viene più utilizzata negli anni centrali del I secolo a.C., ed è sostituita dal reticolato), impediscono di scendere fino ad un'età così tarda.

In conclusione, il quattuorvirato del *C. Octavius Graechinus* menzionato nell'iscrizione di Tivoli va datato tra l'87 e l'83 a.C., forse piuttosto alla fine di questo breve periodo. Di conseguenza, agli stessi anni si dovrà attribuire la conclusione dei lavori del Tempio di Ercole, mentre la realizzazione della *via tecta*, certamente anteriore, e da collocare piuttosto agli inizi dell'impresa, sarà da datare ai primissimi anni del municipio, subito dopo l'89. Il grosso dell'opera occupò dunque gli anni tra l'89 e l'83 a.C., anche se è probabile che essa fosse stata iniziata prima, e conclusa subito dopo questo lasso di tempo.

---

(99) Coarelli, *DdA*, 45, 1971, pp. 179-181.

(100) *Inscr. It.*, IV, 1, 396; Th. Ashby, *PBSR*, 3, 1906, pp. 193-4.

(101) *CIL*, XIV, 3629 = *Inscr. It.*, IV, 1, 161.

(102) *CIL*, XIV, 3805, 3807 = *Inscr. It.*, IV, 1, 397, 399.

(103) Front., *Strat.*, II, 5, 31 (framm. del libro 91 di Livio); Plut., *Sert.*, 36, 2; *R.E.*, XVII n. 55; W. Drumann - P. Groebe, *Geschichte Roms*², Leipzig, 1908, p. 375, n. 4; H. Rudolph, *Stadt und Staat in römischen Italien*, Leipzig, 1935, pp. 105-107; Broughton, *MRR*, II, p. 120; E. Gabba, *Esercito e società*, p. 309, n. 315; M. Cébeillac-Gervasoni, *Ktema*, 3, 1978, p. 234.

(104) Cfr. nota 89.

(105) Plut., *Sert.*, 419.

(106) Si veda, a proposito del caso di Praeneste, la discussione di P. Harvey, *Athenaeum*, n.s. 53, 1975, pp. 46-47 = *Studi su Praeneste*, Perugia, 1978, pp. 198-9.

È interessante il quadro che emerge a proposito di questa *gens* tiburtina degli *Octavii*, forse presente a Delo e in Oriente (107), legata alle parti mariane, e che, anche se non scompare dopo Silla, viene tagliata fuori da ogni possibilità di carriera politica a Roma: un caso assai simile a quello di Sertorio. È significativo che questa *gens* sia così legata al culto di Ercole Vincitore, il protettore del commercio, il cui tempio sorge al di fuori di Tivoli, lungo il passo obbligato seguito dalle greggi transumanti provenienti dal paese degli Equi, in direzione del *Latium Vetus*. In ultima analisi, il caso di Tivoli si presenta assai vicino, anche se meno traumatico (e quindi in fondo più rappresentativo), a quello di Palestrina, dove il flusso delle aristocrazie locali nella classe dirigente romana, ininterrotto dal V all'inizio del I secolo a.C., venne bruscamente e definitivamente spezzato dal massacro sillano dell'82 a.C. Altri casi simili sono noti soprattutto attraverso il *corpus* ciceroniano: paradigmatico tra tutti quello narrato in dettaglio nella *pro Cluentio*, dove, attraverso il filtro avvocatesco, e i sordidi particolari di un «affaire» criminale di provincia, si riesce a cogliere il sottofondo politico e gli sconvolgimenti provocati negli equilibri locali dalla guerra civile tra Mario e Silla, quando i magistrati cittadini venivano deposti e sostituiti di autorità ad arbitrio del vincitore (108).

TERRACINA

Il santuario detto di *Iuppiter Anxur* a Terracina è tra i meno noti e studiati del gruppo laziale (109). Tutto e incerto su di esso: dalla divinità cui era dedicato, alla cronologia, alle circostanze della sua ricostruzione monumentale. La scarsità di testimonianze esplicite — tanto letterarie che epigrafiche — rende difficile, e talora impossibile, pervenire a soluzioni soddisfacenti e spesso ci si deve accontentare di procedimenti indiziari. Quanto sappiamo è però almeno sufficiente a demolire alcune illusorie certezze, che fanno parte ormai della vulgata, a partire dalla stessa identificazione della divinità cui il santuario era dedicato: nulla infatti giustifica l'attribuzione corrente a *Iuppiter Anxur*. Fino alla fine del secolo scorso, il complesso di Monte S. Angelo andava sotto il nome di Palazzo di Teodorico, tradizione locale del tutto inconsistente, che però è ancora avallata da M.R. de la Blanchère nel 1884. Solo nel 1894 lo scavo di L. Borsari (110) ne rivelava la natura di santuario, in seguito alla scoperta dei resti del tempio e delle altre testimonianze del culto. Fu allora che si impose definitivamente l'attribuzione dell'edificio alla divinità eponima di Terracina, *Iuppiter Anxur* che, nonostante alcune voci discordi, è da allora diventata canonica, restando indiscussa fino ad oggi. Ma questa attribuzione non resiste a un esame critico approfondito.

Già il la Blanchère, pur sviato dall'erronea attribuzione del complesso a Teodorico (anzi forse, paradossalmente, grazie ad essa) aveva posto il problema del santuario di *Iuppiter Anxur* nei termini corretti: «Au château était probablement le temple de Jupiter Anxur. J'ai parlé du soubassement massif, des traces d'une porte, d'une rampe, conduisant, dans cette partie élevée, soit à une *arx*, soit à un lieu saint. Dans les habitudes antiques, c'est la place de la divinité poliade» (111). Il tempio della divinità poliade, cioè, doveva essere sull'acropoli della città, che il la Blanchère collega con la zona del Castello (112). In realtà, l'acropoli va identificata con la collina di S. Francesco, che il Lugli chiama la

---

(107) Gli *Octavii* sono largamente testimoniati a Delo e in Oriente (Hatzfeld, *BCH*, 1912, pp. 57-58; *Trafiquants*, pp. 55, 59, 104, 166. Si ricordi il *M. Octavius Herrenus*, certamente tiburtino, e introduttore del culto di *Hercules Victor* a Roma (cfr. nota 99).

(108) Cic., *Pro Cluent.*, 8, 25.

(109) Si veda G. Lugli, *Forma Italiae*, I, 1, *Anxur-Tarracina*, Roma, 1926, cc. 166-76; F. Fasolo - G. Gullini, *Il santuario della Fortuna Primigenia a Palestrina*, Roma, 1953, pp. 327-331.

(110) L. Borsari, *NS*, 1894, pp. 96-111.

(111) M.R. de la Blanchère, *Terracine. Essai d'histoire locale*, BEFAR, 34, Paris, 1884, p. 91.

(112) Cfr. Lugli, op. cit. a nota 109, n. 55.

I SANTUARI DEL LAZIO E DELLA CAMPANIA

Piccola Acropoli, distinguendola da quella maggiore, il Monte S. Angelo, che sarebbe diventata la nuova arce della città in età sillana (113). In realtà, come ha dimostrato il Gullini (114), il Monte S. Angelo non fu mai un'acropoli: le mura che lo cingono non sono infatti in relazione con la città, ma costituiscono solo uno sbarramento della via Appia, creato in un'occasione bellica particolare. In ogni caso, il tempio di *Iuppiter Anxur*, considerata la sua antichità, non potrà essere collocato altrove che sulla vera (e unica) acropoli, il colle di S. Francesco. Ad esso dovremo attribuire quindi i resti di un tempio qui segnalati, al quale apparteneva il mosaico scoperto nel 1842, e poi scomparso, con l'iscrizione di un *Ser. Sulpicius Galba*, nel quale si deve identificare il console del 108 (piuttosto che quello del 144) (115). È interessante che questa importantissima famiglia senatoria, i cui legami con Terracina sono noti (116), abbia realizzato alla fine del II secolo a.C. un restauro del principale tempio urbano.

Quanto al complesso di Monte S. Angelo, si tratta con tutta evidenza di un santuario extraurbano, nel quale, già per questa semplice constatazione, sarebbe problematico identificare il tempio della divinità poliade di Terracina. Esistono comunque numerosi dati che permettono non solo di escludere la denominazione tradizionale, ma di identificare con sicurezza la divinità cui il santuario era dedicato. Già i materiali provenienti dagli scavi permettono di escludere l'attribuzione ad un culto maschile: non si è data alcuna importanza alla scoperta di due iscrizioni con dediche a Venere (117). La prima di esse, ancora di età repubblicana, è incisa sulla base di un piccolo donario: *Dexter / Veneri / Obsequenti /l(ibens) m(erito) don(at);* la seconda (sempre su una basetta) suona: *Carpinatia Fortunata Veneri v(otum) s(olvit) l(ibens) m(erito)*. Il Borsari le collega con un'altra iscrizione terracinese, ingiustamente considerata falsa (118): *ad Venere(m) Opsequente(m)*. Notiamo subito che ben due ex voto erano dedicati a *Venus (Obsequens)*, certamente venerata nel santuario. Inoltre, che ambedue sono dovuti a persone di estrazione servile: un servo (o un liberto), e una liberta. La prevalenza di culti femminili nel santuario è confermata dalla scoperta di un gruppo di oggetti votivi in piombo, che viene in genere considerato come una testimonianza del culto di *Iuppiter Puer*. Quello che caratterizza infatti questi ex-voto non è la dimensione minuscola (falsamente attribuita al loro carattere di giocattoli, di cosiddetto «larario puerile») (119): la miniaturizzazione è semmai funzionale al carattere votivo, mentre la connotazione è proprio quella femminile. Si tratta infatti di un servizio da tavola, con tavolini, seggio, candelabro, utensili da cucina, piatti con vivande ecc.: una caratterizzazione, come è ovvio, della funzione femminile in relazione ai lavori domestici, che sarebbe impensabile se gli oggetti fossero destinati a *Iuppiter Puer*. Anche l'epiclesi della divinità, *Obsequens*, si inserisce perfettamente in un campo ideologico femminile e/o servile: si tratta cioè della divinità dell'obbedienza, in tutti i suoi aspetti (120). Non è certo un caso se le dediche rimaste appartengono a uno schiavo e a una liberta. In conclusione, i dati emersi dagli scavi non solo non confortano l'identificazione tradizionale, ma anzi tenderebbero ad escluderla: le testimonianze convergono tutte in direzione di un

---

(113) Lugli, op. cit., pp. 98-99.

(114) G. Gullini, *ANRW*, I, cit. a nota 15 (che però collega la costruzione delle mura alla guerra annibalica: datazione insostenibile).

(115) *CIL*, I², 694 = X, 6323 = *ILLRP*, 338 = Ritschl, tav. LVII.

(116) Suet., *Galba*, 4.

(117) Borsari, *NS*, 1894, pp. 102-3; *ILS*, 3169 a; Roscher, VI, c. 202; *R.E.*, VIII A 1, cc. 844-5 (dove il tempio di Monte S. Angelo è attribuito a *Venus Obsequens*).

(118) *CIL*, X, 855.

(119) Cfr. il caso simile di Pesaro: L. Mercando, *Il «larario puerile» del museo Oliveriano di Pesaro, Studia Oliveriana* 13-14, 1966, pp. 129-48.

(120) Si vedano le varie accezioni di *obsequens* in *TLL* IX, c. 188: in particolare, l'iscrizione *CIL*, I², 2138 *«fui parens domineis senibus huic obsequens (marito)»*.

culto femminile, con connotazioni servili abbastanza pronunciate. Ciò non si accorda in alcun modo con il culto di *Iuppiter Anxur*. Del resto, la remota possibilità che quest'ultimo fosse il culto principale del santuario, e che i dati emersi dagli scavi testimonino solo di aspetti secondari di esso si può escludere in base a una testimonianza fondamentale, curiosamente trascurata fino ad oggi, e che invece fornisce senza possibilità di equivoco il nome della divinità cui il santuario era dedicato.

Si tratta di un passo di Plinio a proposito dei fulmini (121): «*In Italia, inter Tarracinam et aedem Feroniae turres belli civilis temporibus desiere fieri, nulla non earum fulmine diruta*».

Dunque, tra Terracina e il tempio di Feronia esisteva una fortificazione munita di torri, costruita nel corso delle guerre civili (122). Naturalmente, si è sempre pensato al santuario di Feronia lungo la via Appia, tre miglia prima di Terracina (123): ma, oltre al fatto che nessuna traccia ne è conservata, è veramente difficile giustificare l'esistenza di una simile opera, la cui funzione sarebbe incomprensibile. È curioso che nessuno abbia mai collegato questa notizia con l'effettiva esistenza di un muro di cinta con torri che unisce Terracina al santuario di Monte S. Angelo. Sembra ovvia quindi l'identificazione di questo con il tempio di Feronia menzionato da Plinio, tanto più che la fortificazione, come da tempo si è visto, è da attribuire al tempo di Silla (con *belli civilis temporibus* ci si riferisce qui, evidentemente, a quello tra Mario e Silla). Del resto, il santuario di Feronia sul Monte S. Angelo è facilmente distinguibile da quello a ovest di Terracina: quest'ultimo infatti viene chiamato *fons Feroniae, fanum Feroniae* (124), mentre Plinio parla di un *templum*. A un *templum* si riferisce anche un noto passo di Servio, che è opportuno qui citare per esteso: «*Feronia mater nympha Campaniae, quam etiam supra diximus. Haec etiam libertorum dea est, in cuius templo raso capite pilleum accipiebant... In huius templo Tarracinae sedile lapideum fuit, in quo hic versus incisus erat "bene meriti servi sedeant, surgant liberi". Quam Varro Libertatem deam dicit, Feroniam quasi Fidoniam*» (125).

Il *templum* cui si riferisce Servio (che dipende da Varrone) è certamente lo stesso di Plinio: non si tratta quindi del *fanum* presso la fonte al terzo miglio prima di Terracina, come si è sempre ritenuto, ma del santuario di Monte S. Angelo. La notizia sulle liberazioni di schiavi ci riporta ai dati desunti dalle iscrizioni scoperte in esso, con dediche di servi o liberti a *Venus Obsequens*: quest'ultima potrebbe facilmente identificarsi con Feronia, in quanto dea dell'obbedienza (che caratterizza gli schiavi *bene meriti*, quelli degni della manumissione); le basi sono forse sostegni di ex-voto offerti in ringraziamento per la liberazione.

Il passo di Plinio che ha permesso l'identificazione del santuario ci fornisce anche un importante dato cronologico. La creazione della cinta muraria munita di torri può essere fissata in un momento preciso: cioè quando, dopo lo sbarco di Silla, di ritorno dalla guerra contro Mitridate, e dopo i primi scontri, le operazioni furono interrotte dalla stagione invernale, con Silla ormai padrone della Campania, e i Mariani attestati al confine di questa per tentare di contendergli il passo verso Roma (126). È ovvio che, in tale situazione, i mesi dell'inverno tra l'83 e l'82 saranno stati impiegati da questi ultimi per sbarrare con fortificazioni la via Latina e la via Appia. Il passo di Terracina — le «Termopili d'Italia» — costituiva il luogo più appropriato per una fortificazione sulla via Appia, destinata ad arrestare un nemico proveniente dalla Campania. La cronologia delle mura di Monte S. Angelo (realizzate, come è stato da tempo sottolineato, con notevole fretta) certamente da fissare tra

---

(121) Plin., *N.H.*, II, 55, 146. *Belli civilis temporibus* è una felice correzione, dovuta a C. Mayhoff, del troppo vago *bellicis temporibus* tramandato dai codici. Nell'edizione di Jahn (Lipsia, 1870) si corregge *belli Caesariani temporibus*.

(122) Questa data coincide — assai meglio di quella proposta dal Gullini — alla tecnica impiegata e alle torri circolari, impensabili nel III secolo a.C.

(123) La Blanchère, op. cit., p. 76; Lugli, *Auxur - Tarracina,* op. cit., c. 2.

(124) *Fons:* Serv. in *Aen.* VII, 799; Porph, in Hor., *sat.* I, 5,7; *fanum:* Ps. Acro, ibid.; *templum:* Serv., in *Aen.,* VIII, 564.

(125) Ibid.

(126) E.T. Salmon, *Sulla redux, Athenaeum* n.s., 42, 1964, pp. 60-79.

la fine del II e i primi decenni del I secolo a.C.; la sicura attribuzione di esse ad una delle guerre civili, desumibile da Plinio; infine, la perfetta corrispondenza con la situazione militare venutasi a determinare con il ritorno di Silla permettono di datarle tra gli ultimi mesi dell'83 e i primi dell'82. Questa data costituisce verosimilmente un *terminus ante quem* per la ricostruzione del santuario nelle forme attuali, che sarà stata quindi realizzata negli anni immediatamente precedenti (con tutta probabilità contemporaneamente al santuario di Ercole a Tivoli).

Non disponiamo purtroppo, in questo caso, di elementi che permettano di identificare i responsabili dei lavori. Tuttavia, qualche dato può forse desumersi dal carattere stesso della divinità, e dalle funzioni del suo culto. Qui, come a Tivoli, si tratta di un santuario extraurbano, collocato lungo una importante (e obbligata) via di traffico, la cui origine risale forse all'occupazione volsca della città (e quindi all'inizio del V secolo a.C.). Sembra quindi probabile, fin dall'inizio, un collegamento con funzioni commerciali, che del resto caratterizzano anche altrove il culto di Feronia: si pensi ad esempio al *Lucus Feroniae* della via Tiberina (127). La ricostruzione del santuario in forme monumentali negli anni a cavallo tra II e I secolo a.C., come negli altri casi contemporanei del Lazio e della Campania, può spiegarsi con una nuova importanza assunta dal culto, sia in relazione allo sviluppo dei traffici che conosce in questi anni l'Italia centro-meridionale (dai quali tra l'altro proverranno almeno in parte i capitali necessari all'impresa), sia anche in chiave ideologica, in rapporto alla rivalutazione delle tradizioni locali, nel clima di tensione antiromana che porterà di lì a poco alla guerra sociale. Particolarmente significativa è l'importanza del santuario in relazione con le manumissioni: importanza tale, che la notizia, confluita in una fonte antiquaria romana, ha potuto giungere fino a noi. Ora, non sembra che questo aspetto, nei limiti molto ampi che la fonte rivela, possa essere originario: questa definitiva specializzazione di Feronia, come «dea della manumissioni» — identificata quindi con *Libertas* — (128) dovrebbe riferirsi a un momento storico preciso, e cioè al momento della massima ampiezza dello sfruttamento schiavistico, che in Italia ha inizio, come è noto, nel II secolo a.C. Essa rimanda inoltre ad una situazione locale in cui il fenomeno della schiavitù doveva aver assunto una rilevanza particolare (129).

È necessario dunque accennare, sia pure nei limiti ristretti che l'argomento impone, ai dati sulla situazione economico-sociale del Lazio meridionale costiero, e in particolare della pianura pontina, nel corso della tarda repubblica.

Livio, a proposito delle guerre contro i Volsci, accenna al numero notevole di liberti che abitavano, prima della definitiva conquista romana, la pianura Pontina, «*quae nunc vix seminario exiguo militum relicto servitia Romana ab solitudine vindicant*» (130). La prevalenza nella zona della popolazione servile, segnalata da Livio, si spiega con lo sfruttamento intensivo dell'area ad opera di grandi proprietari romani o italici, che vi avevano soprattutto sviluppato la produzione del vino a fini di esportazione. La presenza di grandi *praedia* fondati sul lavoro servile è segnalata assai presto: lo stesso Livio ricorda, subito dopo la fine della seconda guerra Punica, nel 198 a.C., un tentativo di rivolta degli schiavi di Sezze, dovuto al fatto che nella città erano concentrati gli ostaggi cartaginesi con il loro personale, e che «*ab ipsis Setinis captiva aliquot nationi eius empta ex praeda mancipia*» (131). La stessa fonte ricorda che numerosi schiavi, che avrebbero dovuto venir coinvolti nella rivolta, si trovavano anche nelle campagne di Norba e di Circei. Il tentativo fallì; gli schiavi riuscirono ad occupare *Praeneste*, ma furono presto domati, e cinquecento di loro vennero suppliziati.

(127) F. Coarelli, *Studi Classici e Orientali*, 24, 1975, pp. 164-5.

(128) Serv., *Aen.*, VIII, 564: *Varro Libertatem deam dicit, Feroniam quasi Fidoniam.*

(129) Si vedano ora i tre volumi su *Società romana e produzione schiavistica*, Roma-Bari, 1981.

(130) Liv., VI, 12.

(131) Liv., XXXII, 26, 4-16. M. Capozza, *Movimenti servili nel mondo romano in età repubblicana*, Roma, 1966, pp. 103-120.

La situazione, che qui cogliamo agli inizi, dovette svilupparsi nel corso degli anni successivi. Il censore del 179, M. Emilio Lepido, fece costruire «*molem ad Tarracinam, ingratum opus, quod praedia habebat ibi privatamque publica rei impensam inseruerat*» (132). Il fenomeno andò accentuandosi nei decenni successivi: grandi *praedia* dovettero possedere nella zona famiglie senatorie, come i *Sulpicii Galbae* nella seconda metà del II secolo a.C. (133) e altre famiglie locali, alcune delle quali riuscirono ad accedere al senato e agli *honores*. Gli interessi commerciali di alcune di queste sembrano sicuri: basterà qui ricordare i *Memmii* (134), i *Veveii* (135), i *Favonii* (136), i *Sabidii* (137). Il porto di Terracina divenne uno dei principali per quanto riguardava le grandi navi vinarie: da qui partì sicuramente la grande nave naufragata alla Madrague de Giens (138), e Ossequente ricorda la presenza di navi da carico nel porto di Terracina nel 130 a.C. (139). Le iscrizioni sembrerebbero dimostrare intensi rapporti con la Sicilia nel corso del I secolo a.C. (140), e la presenza di corporazioni commerciali è confermata da iscrizioni di *magistri* (141). Non sembra da escludere, anzi è probabile che vi si svolgesse anche un notevole commercio di schiavi: in età repubblicana è testimoniata la presenza di Terracinesi in importanti mercati di schiavi, come Delo e Efeso (142).

In questo contesto, la specializzazione di *Feronia* (=*Libertas* e *Venus Obsequens*) come dea dei liberti trova una evidente spiegazione, anche con una sua precisa funzione in direzione dei *bene meriti servi*, quelli appunto degni della manumissione. Cogliamo qui un tipico aspetto di integrazione, con il culto destinato a servire da valvola di sicurezza in direzione delle masse servili: funzione che altrove, ad esempio a Delo, ma anche in Italia, rivestiranno culti di origine orientale, come quelli egiziani e quello della *Dea Syria* (143). Allo stesso tempo, anche se non possiamo identificare i personaggi impegnati nella ricostruzione monumentale del tempio (che saranno probabilmente da ricercare tra le famiglie ricordate in precedenza) appare sufficientemente chiaro il contesto economico-sociale (e mediatamente politico) entro il quale si inquadra e trova la sua evidente spiegazione anche quest'altra imponente impresa edilizia.

CORI

Gli edifici sacri di Cori in età tardo-repubblicana, meno imponenti degli esempi classici di Tivoli, Palestrina e Terracina, si inseriscono comunque nello stesso quadro storico degli esempi già esaminati, con in più il vantaggio, specie rispetto all'ultimo, di una migliore documentazione epigrafica. Anche qui la ricostruzione dei principali santuari della città viene realizzata negli anni immediatamente

---

(132) Liv., XL, 51, 2.

(133) Cfr. nota 116.

(134) Sui *Memmii*, cfr. T.P. Wiseman, *The Classical Quarterly* n.s. 17, 1967, pp. 164-7 (con bibl. prec.). Gli stretti rapporti della *gens* con Terracina sono dimostrati da Cic., *de orat.*, II, 240. Da Efeso proviene un'iscrizione repubblicana dove è menzionato un *L.Memmius T.f. Ouf(entina) Tarrichinensis* (*CIL*, I², 2266 = III, 6086). Due membri della stessa famiglia, padre e figlio, *T.T. Memmi Rufi* (*CIL*, X, 6329) costruirono l'anfiteatro di Terracina.

(135) I *Veveii* (gentilizio rarissimo, di origine probabilmente setina: *CIL*, X, 6473) furono importanti produttori e esportatori del vino cecubo in Gallia meridionale (A. Hesnard, *MEFRA*, 89, 1977, pp. 157-168; 93, 1981, pp. 243-264).

(136) *Favonii*: *CIL*, X, 6316: dedica del *populus Agrigentinus*.

(137) *Sabidii*: *NS*, 1900, p. 97: dedica dei mercanti di Palermo.

(138) A. Tchernia, P. Pomey, A. Hesnard e altri, *L'épave romaine de la Madrague de Giens (Var), 34' Suppl. à Gallia*, Paris, 1978. Cfr. Hesnard, artt. citt. a nota 134.

(139) *Obseq.*, 28 (87).

(140) Cfr. note 136, 137 e *NS*, 1911, 347 (iscrizione di un palermitano).

(141) *CIL*, I², 1555 = *ILLRP*, 764.

(142) Cfr. nota 134.

(143) Si veda, da ultimo, D. Musti, *The Seaborne Commerce of Ancient Rome*, *MAAR*, 36, 1980, pp. 201-2.

precedenti alla guerra sociale, e fa parte del resto — come avviene anche altrove — di una massiccia ristrutturazione urbanistica che comprende le mura e i principali edifici pubblici (144).

All'area del Foro apparteneva infatti il Tempio di Castore e Polluce, probabilmente realizzato insieme alla colonia, agli inizi del V secolo a.C. La ristrutturazione tardo-repubblicana ha conservato, forse per motivi rituali, la pianta tuscanica, che ricalca certamente quella primitiva. Totalmente modificato invece è l'aspetto dell'alzato, che utilizza le nuove forme architettoniche dell'ordine corinzio, con capitelli del tipo «normale» (145): allo stesso modo furono probabilmente risolti i problemi posti dalla ricostruzione in età tardo-repubblicana dei templi arcaici di Roma, quali quello di Giove Capitolino e di Ercole all'Ara Massima (146).

La datazione del tempio, nel suo aspetto attuale, è stata a lungo discussa e abbassata fino alla fine dell'età repubblicana o addirittura all'inizio dell'età augustea. Recentemente, però, è stato dimostrato che l'uso dell'architrave a mensole, che si riteneva molto tardo, inizia in Italia già nei primi decenni del I secolo a.C. (147). Ciò permette di collocare nel suo giusto ambito cronologico l'edificio, anche se un esame dell'iscrizione, di età repubblicana abbastanza antica (certamente non posteriore ai primi decenni del I secolo a.C.), avrebbe dovuto permettere agli archeologi che si sono occupati dell'argomento di evitare una datazione troppo bassa. Le notizie sulle gravi distruzioni subite da Cori (come la vicina Norba) al momento della guerra civile tra Mario e Silla (148) rendono difficilmente proponibile una data posteriore all'82 a.C. I magistrati citati nell'iscrizione sono molto probabilmente da identificare con quelli della colonia, e non con i *quattuorviri* del municipio, come aveva già segnalato il Degrassi (149). La datazione quindi sarà da fissare negli anni immediatamente anteriori alla guerra sociale, tra il 100 e il 90 a.C.

L'iscrizione dedicatoria è conservata in due esemplari, uno dei quali, ancora parzialmente in situ, era inciso sull'architrave della facciata (150), mentre l'altro, con i magistrati menzionati in ordine inverso, era forse collocato sulla porta d'ingresso (come avviene nel cosiddetto Tempio di Ercole, sempre a Cori). Quest'ultimo testo è il più completo: [*M.?*]*Calvius P.f. P.n., C. Geminius C.f. Mateiclus aedem / Castoris Pollucis de s(enatus) s(ententia) faciendam pequn(ia) sac(ra) coeravere /M. Calvius M.f. P.n., C. Crassicius P.f. C.n. Verris d(e) s(enatus) s(ententia) prob[aver(unt) d]edicar(unt) [q(ue)]*.

Due persone dunque curarono la costruzione, mentre il collaudo (avvenuto in un anno successivo) fu dovuto ad altri due personaggi, uno dei quali, *M. Calvius M.f. P.n.*, potrebbe essere, a giudicare dalla formula onomastica, il figlio di *M. Calvius P.f. P.n.*

Si tratta certamente, come si è visto, dei censori (oppure pretori o duoviri) della colonia. Anche il fatto che il titolo magistratuale non sia menzionato costituisce una testimonianza in questo senso (151), come anche la menzione del *senatus*, che da sola non sarebbe determinante. Il denaro utilizzato in questo caso proveniva dal tesoro del tempio: *pequnia sacra*.

---

(144) Su Cori, P. Brandizzi-Vittucci, *Cora, Forma Italiae*, I, 4, Roma, 1968; F. Coarelli, *Lazio (Guide Archeologiche Laterza)*, Roma-Bari, 1982, pp. 254-65

(145) Sul Tempio dei Dioscuri a Cori, Brandizzi-Vittucci, *Cora*, pp. 58-66; H. Von Hesberg, *Konsolengeisa des Hellenismus und der frühen Kaiserzeit, R.M. 14. Ergänzungsheft*, Mainz, 1980, pp. 100-103; id., *L'art décoratif à Rome*, Roma, 1981, pp. 22-28.

(146) P. Gros, *Aurea templa*, BEFAR, 231, Roma, 1976, p. 69.

(147) Von Hesberg, lavori citt. a nota 145.

(148) Flor., I, 11, 6; Lucan., VII, 392.

(149) *ILLRP*, 60, p. 62, nota 1.

(150) *CIL*, I², 1560 = X, 6505 = *ILS*, 3386 = *ILLRP*, 60.

(151) Normalmente, i *quattuorviri* dei municipi sono sempre esplicitamente menzionati come tali, mentre lo stesso non avviene per i magistrati anteriori alla guerra sociale. Una ricerca sistematica in questa direzione sarebbe auspicabile.

Si tratta di nomi piuttosto rari, ciò che rende più probanti le convergenze che si possono proporre sulla base dell'onomastica.

Per quanto riguarda i *Calvii*, si deve anzitutto notare che il gentilizio riappare a Cori in un altare circolare databile ai primi decenni del I secolo a.C. (152): *Fortunae Opse[q(uenti)]* / *P. Peilius L.f., C. Calvius P.f.* / *cens(ores)*. La divinità è praticamente la stessa di *Venus Obsequens*, venerata a Terracina accanto a Feronia, il cui significato e la cui funzione sono stati già esaminati in precedenza. *C. Calvius P.f.* potrebbe essere lo stesso magistrato citato per primo nel Tempio di Castore e Polluce, o un suo figlio. La *gens* dovette essere una delle più importanti della colonia, fin dalla fondazione, avvenuta, secondo la tradizione, già all'inizio del V secolo a.C. (153): è interessante notare, a questo proposito, che il nome, ignoto ai fasti romani più recenti, vi appare invece nel V secolo: conosciamo infatti un *C. Calvius Cicero, tribunus plebis* nel 454 a.C. (154). La *gens* è presente in Campania (3 casi a Pozzuoli, 2 a Cales, 1 a Capua) (155), in Italia meridionale (Locri) (156) e a Delo (*M. Calvius A.f.*) (157). È interessante notare che essa accederà molto tardi al senato, solo con Claudio (158): effetto della politica filomariana di Cori?

Anche interessante è il caso dei *Geminii*: questi sono conosciuti a Praeneste — in epoca molto antica —, probabilmente a Tivoli e a Terracina (159). Anche in questo caso sembra accertata la presenza di interessi commerciali: particolarmente interessante è il *Geminius* di Terracina, nemico di Mario, e i liberti (dello stesso?) segnalati a Minturnae (160). Puntualmente, il nome riappare in Campania (*Puteoli, Neapolis, Stabiae, Salernum*) (161), oltre che in Sicilia e in Sardegna (162), e a Delo, nella cosiddetta «Agora des Italiens» (163).

Molto più raro è il gentilizio *Crassicius*, e di conseguenza ancora più interessanti le sue attestazioni. Un *Ti. Crassicius*, certamente un liberto, è garante nella *lex parieti faciendo* del 105 a Puteoli (164), e il nome è attestato anche a Taranto e a Catania (165). Ma ancora più importante è la presenza di un *C. Crassicius P.f.* a Delo, nel 113 a.C. (166): l'identità del nome (gentilizio prenome e filiazione), e della cronologia con il magistrato di Cori, unite alla rarità del gentilizio, potrebbero far pensare che in questo caso si tratti della stessa persona, o almeno di un suo stretto parente. Anche in questo caso, la famiglia non sembra esser entrata nel senato romano (sempre a seguito della sua posizione al momento della prima guerra civile?).

Volgiamoci ora all'altro tempio, quello sulla sommità dell'Acropoli, detto, ma senza motivo, di Ercole (167). Anche in questo caso l'edificio attuale fu preceduto da uno più antico, come dimostrano

---

(152) *CIL*, I², 1509 = X, 6509 = *ILS*, 3708 = *ILLRP*, 111.
(153) E.T. Salmon, *Roman Colonisation under the Republic*, London, 1969, p. 42.
(154) *R.E.*, III, 1, c. 1413, *Calvius* 2 (Münzer).
(155) Puteoli: *CIL*, X, 2220-2; Cales: *CIL*, X, 4644-5; Capua: *CIL*, X, 4056.
(156) *CIL*, X, 19.
(157) Hatzfeld, *BCH*, 1912, p. 24.
(158) *CIL*, X, 6520.
(159) Praeneste: *CIL* I², 62 = XIV, 2892 = *ILS*, 3419 = *ILLRP*, 132; *CIL*, I², 170= XIV, 3142 = *ILLRP*, 858; Tibur: Wiseman, *New Men*, p. 233, n. 195; Tarracina: Plut., *Mar.*, 36, 1; 38,1.
(160) Minturno: *ILLRP*, 724; 727; *CIL*, X, 6036.
(161) Puteoli: *CIL* X, 2478-9; Neapolis: *CIL*, X, 1507; Stabiae: *CIL*, X, 779; Salernum: *CIL*, X, 596.
(162) Mazara: *CIL*, X, 7206; Caralis: *CIL*, X, 7657.
(163) *CIL*, I², 2232 = III, 7212 = *ID*, 1685 = *ILLRP*, 750.
(164) *CIL*, I², 698 = X, 1781 = *ILS*, 5317 = *ILLRP*, 518.
(165) Taranto: Suet., *gramm.*, 18; Catana: *CIL*, X, 7062.
(166) *CIL*, I², 2504 = *ID*, 1753 = *ILS*, 9417 = *ILLRP*, 759.
(167) Brandizzi-Vittucci, *Cora*, pp. 77-96; Delbrück, *Hellenistische Bauten* II, pp. 23-36.

i resti di una stipe votiva, datati tra la fine del IV e il II secolo a.C. (168). Questi furono scaricati nel terrapieno antistante al nuovo tempio, sostenuto da un apposito muro di contenimento in *opus incertum*, per il quale la stipe costituisce un *terminus post quem*. La cronologia è del resto assicurata dall'iscrizione, nella quale sono ricordati i *duoviri* della colonia: *M. M[e]tlius M.f. L. Turpilius L.f. duomvires de senatus / sente[n]tia aedem faciendam coeraverunt eisdemque probavere* (169). Anche questo edificio è dunque anteriore alla guerra sociale, e andrà datato intorno al 100 a.C.

L'esame dei gentilizi si rivela anche in questo caso interessante. L'integrazione del primo in *M[e]tlius* per *Metilius* è quanto mai probabile. Sembra trattarsi anche in questo caso di un'antica famiglia di coloni, come si deduce dalla presenza del gentilizio nei fasti della più antica repubblica: conosciamo due tribuni della plebe omonimi (*M. Metilius*) nel 417 e 416 e nel 401 a.C. (170), oltre a un altro nel 217 (171). Puntualmente il nome riappare in Campania (2 casi a Puteoli, 1 a Capua, 1 a Ischia) (172), in Sicilia (173) e in Oriente (Cos) (174).

L'altro personaggio, *L. Turpilius L.f.*, è noto a Cori da un'altra iscrizione (175), ma soprattutto, con lo stesso prenome, a Delo, dove conosciamo un *Aristodemos* schiavo di un *L. Turpilius* intorno al 100 a.C. (176). Anche in questo caso, nome e prenome sono gli stessi del magistrato di Cori, e la stessa è anche la cronologia. Sembra abbastanza probabile che si tratti, se non della stessa persona, per lo meno di un parente.

Tutti i magistrati attivi nella ricostruzione dei santuari di Cori dei quali ci sono pervenuti i nomi sembrano dunque strettamente collegati a famiglie di *negotiatores* presenti in Campania (in particolare, fatto significativo, a Puteoli) e nell'Oriente ellenistico. È interessante inoltre che nessuna di queste *gentes* sembra accedere al Senato negli anni successivi alla guerra sociale e alla prima guerra civile: non possiamo non collegare questo fatto con la posizione politica di Cori, avversa a Silla, ciò che le costò gravissimi danni (come alla vicina Norba, che fu anzi definitivamente distrutta). Questa osservazione conferma inoltre la datazione anteriore alla guerra sociale della ristrutturazione urbanistica della città, della quale fa parte la ricostruzione dei santuari nelle nuove forme ellenistiche.

CAPUA

Un esame a parte merita anche la ricostruzione del santuario di Diana Tifatina, presso Capua, che alcune iscrizioni permettono di collocare nei decenni compresi tra il 135 e il 99 a.C. È anzi interessante notare che i lavori di rifacimento furono iniziati, in assenza di strutture politiche locali, da un personaggio della *nobilitas* romana, *Ser. Fulvius Flaccus* (177), il console del 135 a.C.: probabilmente in grazia delle clientele locali ereditate dal nonno, il console del 211, conquistatore di Capua (178). In

---

(168) Brandizzi-Vittucci, pp. 83-92; M. Roghi, *Quaderni del centro di studi per l'archeologia etrusco-italica*, 3 (*Archeologia Laziale*, 2), Roma, 1979, p. 228.

(169) *CIL*, I², 1511 = X, 6517 = *ILLRP*, 300.

(170) *R.E.*, XV, 2, c. 1398-9, n. 7 e n. 8 (Münzer).

(171) *R.E.*, XV, 2, c. 1399, n. 9 (Münzer).

(172) Puteoli: *CIL*, X, 1905; 2736; Capua: *CIL*, X, 4221; Aenaria: *CIL*, X, 6786.

(173) Mazara: *CIL*, X, 7214.

(174) Hatzfeld, *Trafiquants*, p. 100, nota 2.

(175) *CIL*, X, 6526.

(176) Hatzfeld, *BCH*, 1912, p. 86; *ID*, 1763. È interessante notare che a questi appartiene uno schiavo, Aristodemos, in comproprietà con un C. Veveius e con un P. Cispius: il primo nome, rarissimo, è diffuso solo nella zona tra Setia e Fundi.

(177) *CIL*, I², 635 = *ILS*, 22 = *ILLRP*, 332. L'iscrizione fu trovata in situ, inserita in un muro di *opus incertum*: *NS*, 1888, pp. 142-3.

(178) *R.E.*, VII, 1, cc. 243-6, n. 59 (cos. 211); c. 248, n. 64 (cos. 135) (Münzer); cfr. E. Badian, *Foreign Clientelae*, Oxford, 1958, pp. 156-8 (per il rapporto clientelare tra *imperatores* e città conquistate).

un secondo tempo invece i lavori furono portati avanti dai *magistri campani*, come risulta da due iscrizioni: quella ancora esistente sul mosaico conservato in S. Angelo in Formis (databile al 108 a.C., piuttosto che al 74, come proposto dagli editori) (179) e quella trovata ancora in opera nelle costruzioni occidentali, del 99 a.C. (180). Anche in questo caso, come in quello contemporaneo di *Praeneste*, l'intervento di Silla — supposto in base alle notizie sulla donazione di terre e fonti termali al santuario — sembra esser stato minimo, se non addirittura inesistente (181). Il caso dei *magistri campani* (il cui collegamento con i *collegia,* secondo l'ipotesi di Heurgon ripresa da Flambard, mi sembra di gran lunga preferibile alla vecchia ipotesi dei *magistri fanorum* del Mommsen, ripresa dal Frederiksen) (182) è per noi particolarmente importante, perché ci fornisce una cronologia precisa, in quanto basata, in mancanza di magistrati eponimi locali, sui consoli di Roma. Vediamo così come la massa delle iscrizioni si concentra negli anni compresi tra il 112 e l'84 (l'iscrizione Frederiksen 18 - del 74 a.C. — costituisce un caso a parte, come aveva già notato lo Heurgon).

FILIPPO COARELLI

---

(179) *ILLRP*, 721; A. Ferrua, *Rendiconti Pontif. Acc.,* 28, 1954-6, pp. 55-62; A. De Franciscis, *Templum Dianae Tifatinae,* Caserta, 1956. Tutto il problema andrebbe riesaminato.

(180) *CIL*, I², 680 = X, 3781 = *ILS*, 5561 = *ILLRP*, 717.

(181) Sulle donazioni di Silla, cfr. Bodei Giglioni, art. cit. a nota 7, p. 38.

(182) Si veda da ultimo J.-M. Flambard, *MEFRA*, 89, 1977, pp. 131-40, e art. pubblicato in questo volume.

EDILIZIA PUBBLICA IN ITALIA CENTRALE TRA GUERRA SOCIALE ED ETÀ AUGUSTEA: IDEOLOGIA E CLASSI SOCIALI

Il campo di osservazione che ci si propone di esaminare interessa i territori delle regioni augustee IV, V, VI e VII, quelli cioè approssimativamente corrispondenti alle aree occupate da Etruschi, Umbri, Piceni, Sabini e Sanniti. Malgrado la scarsa omogeneità dei livelli di sviluppo (1), i dati epigrafici ed archeologici consentono di confermare l'esistenza di alcune tendenze di fondo comuni di natura socio-economica.

In primo luogo va osservato che il fenomeno destrutturante della conquista romana del III sec. a.C., nel suo duplice aspetto di *ademptio* dei territori appartenenti alle singole comunità e di penetrazione di forme economiche e politiche romane (dalla colonizzazione diretta di diritto latino e romano alla circolazione della moneta e delle merci di provenienza latino-campana), ha avuto effetti abbastanza precisi sul tessuto sociale locale, rafforzando (o creando addirittura dove non fossero esistite) oligarchie locali e marginalizzando eventuali gruppi intermedi: in questo senso, le classi dirigenti italiche, considerate in un'ottica puramente locale hanno piuttosto la fisionomia di ristrette aristocrazie, cui l'alleanza romana, come nell'Etruria settentrionale (2), ha fornito un efficace strumento di difesa di vecchi interessi costituiti. Il significato della conquista romana si legge in genere in negativo o per contrasto: in comunità alleate essa si manifesta soprattutto come contrazione numerica di gruppi emergenti (come è evidente particolarmente nella documentazione delle necropoli), mentre i territori occupati in maniera diretta offrono subito un'immagine fortemente diversa da quella nota in precedenza. A quest'ultimo riguardo, molto significativa è la situazione della Sabina e del Sannio. La presenza di cospicui contingenti di coloni romani in Sabina e in territorio vestino con assegnazioni viritane (e il contemporaneo assorbimento dei vecchi abitanti, attraverso la concessione della cittadinanza nel 268 a.C.) è ben attestata dalla nascita improvvisa e quasi contemporanea di santuari con edifici templari etrusco-italici, con la funzione di centro organizzativo, politico ed economico di ampi comparti omogenei di territorio, notoriamente non urbanizzato: templi formali come quello di Villa S. Silvestro presso Cascia (3) o quelli di Fontecchio o di Incerulae (Navelli) in area vestina (4) o stipi votive di tipo etrusco-latino come quella di Trebula Mutuesca (5) sono le tangibili prove di questa presenza coloniale rispetto alle aree circostanti appartenenti a *socii*, dove nulla di simile ci viene offerto dalla documentazione archeologica. In altri casi, la fondazione di una colonia, come Alba Fucens, Carseoli o Aesernia, ancor più palesemente attesta la «importazione» di un modello urbano in territori ad assetto pagano-vicanico e la documentazione archeologica relativa, dalle mura al c.d. Capitolium di Alba (6) e fino alla imponente stipe di Carsoli (7), conferma assai bene l'impatto «romanizzatore» in queste zone nei suoi significati economici e ideologici.

---

(1) M. Torelli, *La cultura italica*, Pisa, 1980, pp. 75 ss.; cfr. anche le discussioni in *Società romana e produzione schiavistica*, I-II, Bari, 1981.

(2) Id., *Hellenismus in Mittelitalien*, Göttingen, 1976, I, pp. 97 ss.

(3) L. Sensi, *Manuali per il territorio - 1 Val Nerina*, Roma, 1977, pp. 353 s.

(4) A. La Regina, *Mem. Acc. Linc.*, XIII, 1968, pp. 387, ss., e pp. 403 ss.

(5) P. Santoro, *Archeologia Laziale*, II, 1979, pp. 215 s.; sul significato di queste stipi votive in rapporto alla romanizzazione, v. A.M. Comella, *Mél. Ec. Fr. Rome*, XCII, 1981, 2, pp. 717-803.

(6) J. Mertens, et al., *Alba Fucens*, I-II, *Et. phil. arch. hist. belg. Rome*, XII-III, 1969.

(7) A. Cederna, *NSc*, 1951, pp. 169 ss., A. Marinucci, *Stipe votiva di Carsoli*, Roma, 1976.

Prima di affrontare il complesso problema dell'evergetismo in quest'area tra II e I sec. a.C., occorre soffermarci sulla locale tipologia edilizia monumentale pubblica, sacra o profana, dei territori in questione tra la fine del III sec. e la metà del II sec. a.C. Il periodo anteriore all'espansione romana, tra gli inizi del IV e la metà del III sec. a.C., aveva visto un formidabile sviluppo socio-economico di tutta la penisola. Nelle aree già precedentemente urbanizzate, che coincidono interamente con l'Etruria, tale sviluppo si era accompagnato ad un'intensa attività edilizia, in prevalenza indirizzata verso edifici di culto e verso le mura, oltre ad un riassetto delle reti viarie urbane o periurbane; sul piano dell'edilizia privata, mentre si erano consolidate formule tipologiche già sperimentate dell'abitazione, lo sforzo principale si era concentrato in direzione di un rinnovamento della tipologia delle sepolture monumentali (8). Appena percepibili sono le differenze tra Lazio, Etruria — soprattutto meridionale — e Campania, un'area di *koiné* che costituisce la ben nota base della cultura c.d. «medioitalica». Nelle aree meno evolute, i secoli IV e III coincidono con una definitiva urbanizzazione (area umbro-picena) o con la prima monumentalizzazione delle strutture centrali — i santuari —, dell'*habitat* paganico (area sannitica): anche qui non si mettono in evidenza tipi edilizi particolari, dal momento che le forme architettoniche sono tutte senz'eccezione derivate dalle zone etrusco-laziali e campane.

In definitiva, la conquista romana ha luogo in un momento in cui le strutture sociali dell'Italia centrale stanno subendo un'evoluzione profonda, prevalentemente nel senso di un ampliamento più o meno sensibile dei singoli corpi civici, e di un assestamento di già collaudate forme urbane, ma senza un rivolgimento sostanziale delle forme politiche. L'involucro della vecchia *polis* di VI sec. a.C. viene in larga misura conservato nella nuova situazione socio-politica. Le architetture riflettono assai bene l'aspetto soprattutto politico della prima fase del mutamento: la nostra documentazione sulla Roma di IV sec. a.C. (9) conferma questo quadro, con un'edilizia tutta tesa a rinnovare il già esistente, templi e strutture pubbliche come il complesso curia-comizio o la cinta muraria. Utilissimo al riguardo è quanto emerge dall'edilizia collettiva di una colonia latina dell'epoca, Cosa (10), fondata nel 273 a.C., dove nella prima fase coloniale e fino agli inizi del II sec. a.C., le uniche strutture pubbliche sono le mura, i templi dell'*arx* e la piazza forense con la *curia*, il *comitium*, gli *atria publica*, e la piccola area sacra di *Concordia*. I tipi edilizi presenti a Cosa sono gli stessi dell'*urbs*: vale la pena sottolineare come gli unici edifici pubblici strutturalmente distinguibili dai complessi sacri (nei quali ricade anche la *curia* con il *comitium*), siano quelli che F. Brown (11), sulla linea delle felici intuizioni di E. Welin (12) circa analoghi complessi del foro di Roma, ha chiamato a ragione *atria publica*. Questi edifici, a Roma, svolgevano funzioni assai varie, da quelle sacre, come l'*atrium regium* o l'*atrium Vestae* e fino all'*atrium sutorium* sede dei *tubilustria*, a quelle amministrative, come l'*atrium Libertatis*, collegato all'attività dei censori, o come gli *atria Licinia*, sede delle vendite pubbliche. La terminologia, *atrium/atria*, e le scoperte di Cosa dimostrano che la tipologia di questi edifici è assolutamente identica a quella delle abitazioni private, il cui *vestibulum* è inquadrato da due o più *tabernae*. Molti di questi *atria* — come l'*atrium Titium* e l'*atrium Maenium* acquistati nel 184 a.C. con le relative *quattuor tabernae* da Catone *in publicum* per la costruzione della *basilica Porcia* (13) — dovevano essere di proprietà privata, eventualmente affittati — come gli *atria Licinia* — per usi pubblici; questo fatto, insieme con l'aspetto strettamente domestico del tipo edilizio, dimostra come, a livello sia materiale

---

(8) M. Torelli, *Storia degli Etruschi*, Bari, 1981, pp. 233 ss.

(9) V. *Roma medio-repubblicana*, Roma, 1973, *passim*.

(10) F. Brown, *Cosa - The Making of a Roman Town*, Ann Arbor, 1980.

(11) *ibid.*, pp. 33 ss.

(12) E. Welin, *Studien zur Topographie des Forum Romanum*, Lund, 1953, pp. 179 ss.

(13) Liv., XXXIX, 44.

che ideologico, il dominio delle strutture gentilizie fosse ancora per tutto il III sec. a.C. incontrastato. La tipologia architettonica è in questo senso altamente rivelatrice: l'attività edilizia della Roma del III sec. a.C., ben documentata soprattutto nella seconda metà del secolo, ricalca le linee già tracciate nel secolo precedente, a loro volta non dissimili dalla tradizione ben collaudata nella tarda età regia e nel primo periodo repubblicano.

Le colonie, in particolare quelle latine caratterizzate dall'alta densità di popolazione e dalla notevole estensione dell'area urbana, riprendono abbastanza da vicino gli indirizzi dell'edilizia pubblica dell'*urbs*, senza scarti, formali, materiali e cronologici, sensibili.

Una reale incrinatura di questo vero e proprio blocco storico, si può avvertire, sempre a livello delle strutture e delle tipologie architettoniche, solo nella prima metà del II sec. a.C. Fino a quel momento, i tipi edilizi di Roma, delle sue colonie, delle aree urbanizzate dei *socii* e, in larga misura, perfino nelle zone centro-italiche non urbanizzate (14), sono sostanzialmente gli stessi, così come assai simili sono anche le soluzioni tecniche e formali della decorazione architettonica, ben illustrata, ad esempio, dalle terrecotte di rivestimento templare, ancora per tutto il III sec. a.C. sufficientemente omogenee su tutta l'area in questione (15). Con l'iniziale II sec. a.C. e poi via via nel corso del primo cinquantennio del secolo, la già implicita divaricazione tra centro e periferia si accresce visibilmente, con una evidentissima funzione di guida che Roma assume in direzione dell'elaborazione di nuovi tipi edilizi e, in funzione di questi, di nuove tecniche costruttive.

Significativi al riguardo appaiono alcuni eventi: l'erezione dei *fornices Stertini* nel 196 a.C., la costruzione della *porticus Aemilia* e dell'*emporium* nel 193 a.C., la nascita delle prime sistemazioni monumentali ellenistiche con *porticus* bordanti vie urbane o periurbane (come la *porticus* dalla *porta Fontinalis* all'*ara Martis* nello stesso 193 a.C.), la creazione della prima basilica, quella Porcia nel 184 a.C., ed infine la grandiosa serie di realizzazioni dei censori del 179 a.C. In poco più di quindici anni il volto di Roma cambia, assumendo l'aspetto della città ellenistica (16). Che non si tratti di un'edilizia di pura facciata ci viene denunciato dall'introduzione di tipi interamente nuovi, come la basilica, che sostituisce nelle funzioni e spesso nel luogo i vecchi *atria* o come il *macellum*, che prende luogo e funzione del vecchio *forum piscarium* e del *forum cuppedinis* (17): se la basilica, quale che sia il rinvio ideologico diretto del nome, denuncia la matrice ellenistica con la sua forma architettonica, il *macellum* rivela con il suo stesso etimo un'origine punica del tipo, molto verosimilmente acquisito attraverso la mediazione siciliana, anche se la penetrazione di forme architettoniche cartaginesi può essere addirittura diretta, come sembrano rivelare altri «imprestiti» architettonici, dai *pavimenta punica*, ora così abbondantemente attestati dagli scavi tedeschi a Cartagine, ai *magalia*, gli *aedificia quasi cohortes rotundas* ricordati da Catone - forse le *tholoi* dei *macella* - e al tempo stesso nome dei sobborghi di Sinuessa e di Cartagine (18).

Cosa di questa improvvisa esplosione di ellenismo architettonico urbano passa nelle zone oggetto della nostra indagine? Anche se non disponiamo di molte città estesamente scavate, come Cosa ed Alba Fucens, per disegnare un quadro organico dell'attività edilizia anche di città non coloniali, alcune

---

(14) Si veda, ad esempio, l'edificio monumentale, verosimilmente ancora del III sec. a.C., ad Alfedena, nel cuore del Sannio, pubblicato oltre ottanta anni or sono dal Mariani ed appositamente riproposto all'attenzione degli studiosi da A. La Regina, *Hellenismus in Mittelitalien,* cit., I, pp. 219 ss.

(15) M.J. Strazzulla, *Società romana e produzione schiavistica,* II, cit., pp. 187 ss.

(16) A. Boethius - J.B. Ward Perkins, *Etruscan and Roman Architecture*, Harmondsworth, 1970, pp. 115 ss.; F. Coarelli, *Hellenismus in Mittelitalien,* cit., I, pp. 21 ss.

(17) Sul tipo, V. P. Nabers, *Macella: a study in Roman Archaeology, Diss. Princeton,* 1969, con L. De Meyer, *Ant. Class.,* XXXI, 1962, pp. 148 ss.

(18) Cat., *ap.* Serv. *Aen.,* I, 421 (ivi anche frr. di Sall., *Hist.* e Cass. Hem. con menzione di *magalia*); per Sinuessa Liv., XLI, 27; per Cartagine Plaut., *Poen.,* prol. 86 (cfr. Serv., *Aen.* I, 368).

considerazioni sono possibili. Non c'è dubbio che il contraccolpo dell'ellenizzazione architettonica in periferia sia stato piuttosto immediato. Un noto passo di Livio (19) illustra l'attività dei censori del 174 a.C.: mura, *tabernae* del foro a Calatia ed Auximum, a Pisaurum e Fundi, un acquedotto a Potentia, oltre ad opere minori (o non tutte comprensibili a causa delle lacune del testo) ad Auximum e Sinuessa. Questa iniziativa, che a detta di Livio suscitò entusiasmi locali ma anche un dissenso tra i censori, è di estremo interesse per i problemi che stiamo cercando di affrontare. Non c'è dubbio che l'attività di questi censori sia un fatto del tutto privo di precedenti: il caso dei censori del *lustrum* di dieci anni prima (20), autori di costruzioni e di opere viarie nei territori di Antium e di Formiae, fa parte delle normali iniziative censorie — almeno a partire dal 312 a.C., data di costruzione della via Appia — relative alle infrastrutture stradali del territorio romano o dai Romani controllato. Questo del 174 a.C. è invece una reale novità (al punto da suscitare un conflitto tra i censori) e costituisce una spia della nuova situazione politico-economica dell'Italia negli anni successivi all'avvento della *luxuria Asiatica*. Non si può non consentire con Mommsen (21) sulla liceità giuridica e amministrativa dell'intervento, tutto diretto verso l'*ager Romanus* e *coloniae civium Romanorum*; ma va anche osservato che l'attività dei due censori del 174 a.C., proprio perché indirizzata alle *coloniae civium Romanorum*, piuttosto che privilegiarle, intende porsi come surroga delle difficoltà incontrate da queste comunità, dove il regime di assegnazione dei suoli, a differenza delle colonie latine, non consentiva grandi accumulazioni e dunque iniziative evergetiche di un certo peso. Non è un caso che proprio in quegli stessi anni, nel 191 a.C. (22), si abbia documentata notizia delle difficoltà di quelle stesse *coloniae maritimae* nel fornire i normali contingenti militari e che, sempre nello stesso torno di tempo, le nuove fondazioni di colonie romane siano accompagnate da assegnazioni di terra ben maggiori di quelle tradizionali e da un numero elevato di coloni.

L'evergetismo censorio del 174 a.C. viene fortunatamente a renderci ragione di una serie di opere del tutto inusitate nelle aree di nostro interesse e della qualità degli interventi. Penso qui in maniera particolare a templi come quello di Tortoreto nell'area della colonia romana di Castrum Novum (23) o come quello di Civitalba in pieno Piceno (24), dalle splendide terrecotte architettoniche della metà circa del II sec. a.C., da spiegare appunto come doni di origine urbana (pensiamo qui ai templi fatti costruire dal censore del 174 a.C. Q. Fulvius Flaccus a Pisaurum) ai coloni di Castrum Novum e ai *cives* di Sena Gallica o ai coloni delle deduzioni viritane dell'*ager* piceno-gallico, ove sorge appunto Civitalba; queste ultime terrecotte sono qualcosa di paragonabile, come livello artistico, alle terrecotte di Luni, un'altra colonia romana del 177 a.C. fatta segno anche di altre beneficenze dell'aristocrazia senatoria dell'epoca (25). La testimonianza più illustre e significativa dell'interessamento dell'aristocrazia senatoria per le comunità periferiche romane resta comunque quella dei *tituli Mummiani*, doni *ex manubiis* (ma fatti nella sua censura, se crediamo ad *Epit. Oxyrh.*, LIII) a coloni di città fondate (Parma, Italica) o di deduzioni viritane (Sabini).

Nelle colonie latine, il già ricordato caso di Cosa fornisce utili indicazioni. Mentre a Roma veniva eretta la *basilica Porcia*, seguita a breve distanza dalle altre due e ben più grandi, la *Fulvia et Aemilia* e la *Sempronia*, a Cosa sorgono intorno al foro gli *atria*, caratteristici della tradizione precedente:

(19) Liv., XLI, 27; cfr. E. Gabba, *Hellenismus in Mittelitalien*, cit., II, p. 316, nota 3.

(20) L'episodio, indebitamente collegato a quello del 174 a.C., da A. Toynbee, *Hannibal's Legacy* I, Oxford, 1965, p. 233, è in Liv., XXXIX, 44.

(21) T. Mommsen, *Römisches Staatsrecht*, Stuttgart, 1888³, II, p. 429.

(22) Liv., XXXXVI, 3.

(23) V. Cianfarani, *Culture adriatiche d'Italia*, Roma, 1970, figg. 107-10.

(24) M. Verzár, *Hellenismus in Mittelitalien*, cit., I, pp. 122 ss.

(25) Sui frontoni di Luni, v. F. Coarelli, *St. Misc.* XV, 1970, pp. 86 ss.; a Luni anche la preda bellica da Scarphaea nella Locride Epicnemidia, donata da Acilio Glabrione *cos.* 191 a.C. (*ILLRP*, 321 a).

occorre attendere la metà del II sec. a.C. per la costruzione della basilica (26), la più antica finora nota al di fuori di Roma. Non è casuale che essa sia anche il primo edificio pubblico monumentale della città ad essere costruito in opera incerta, la cui estesa applicazione — se non la scoperta — è in stretto rapporto con il generale rinnovamento edilizio in senso ellenistico di Roma e dei centri più sviluppati dell'Italia nel Lazio e in Campania. Sempre un ventennio e più separa la costruzione del triplice fornice d'accesso al foro di Cosa dai più antichi prototipi di Roma, i *fornices Stertinii* (193 a.C.) e l'arco di Scipione Africano sul clivo Capitolino (190 a.C.) (27).

Il distacco fra centro e periferia si fa con il passare dei decenni sempre più vistoso. Nelle colonie latine l'enfasi viene posta sugli edifici di culto, piuttosto che sulle nuove tipologie ellenistiche. Il caso del grande santuario di Monterinaldo (28), con la sua *porticus duplex* e templi decorati da belle terrecotte architettoniche, del tardo II sec. a.C., va inquadrato nelle attività edilizie della colonia di Firmum; nella stessa Cosa lo sforzo principale sembra concentrato nella costruzione del monumentale «Capitolium» della metà circa del II sec. a.C. (29), mentre i pochi dati certi di Alba Fucens inducono a considerare non troppo diverso l'interesse preminente della committenza pubblica, orientato com'è verso edifici sacri, in questo caso i templi urbani sulla sommità delle alture periferiche (30).

Più complessa è la situazione delle comunità dei *socii*. Qui intervengono differenze strutturali assai profonde, che non è possibile sintetizzare in poche righe e che influenzano fortemente i diversi orientamenti dell'attività edilizia.

Nelle città etrusche (31), le differenze sono particolarmente vistose. Nel settentrione giganteggiano Volterra ed Arezzo, dove leggiamo con chiarezza l'esistenza di orientamenti dell'edilizia collettiva in direzione di grandi realizzazioni di edifici sacri, sull'acropoli a Volterra nel tempio urbano (donde provengono le ben note terrecotte) e nell'immenso santuario extraurbano con teatro-tempio di S. Cornelio ad Arezzo; in queste due città, dove non si hanno dati inequivoci su eventuali processi di superamento delle antiche forme di dipendenza, questo forte impegno edilizio si accompagna ad un significativo affermarsi di attività artigianali, dalla lavorazione dell'alabastro alla produzione del bronzo e della ceramica. Nelle altre due metropoli del settentrione, Chiusi e Perugia, dove invece sono abbastanza chiari gli indizi del processo di liberazione degli ex-servi, Chiusi mostra un quadro nettamente più arretrato di Perugia, città — come ha segnalato H. Rix — caratterizzata da una maggiore mobilità sociale: non a caso a Perugia è testimoniato un grandioso impegno edilizio collettivo costituito dalla poderosa cinta di mura ornata da eleganti porte di gusto ellenistico, impegno che sembra invece mancare a Chiusi. Se al declino delle città costiere (Populonia, Vulci) corrisponde il decollo di colonie latine, come Cosa, o di insediamenti romani (colonie e prefetture), come Saturnia, dalle poderose mura poligonali, o Heba, al cui territorio va forse attribuito il tempio del II sec. a.C. sull'altura di Talamonaccio, Tarquinia ha il volto di una città senza interventi edilizi di rilievo: anzi, il distacco di porzioni di territorio originariamente tarquiniese, con l'emergere di comunità indipendenti a Tuscana, Ferentium, Blera, Axia, nel corso del II sec. a.C. si accentua in maniera vistosissima.

Nelle comunità umbre, il caso di Assisi, trattato separatamente, mi esime dall'entrare in soverchi particolari. Le altre città, numerosissime in questa regione come nel vicino Piceno, sono avare di testimonianze monumentali con qualche eccezione per edifici templari, come quella di Monte Santo e di Porta Catena a Todi (32). Nel caso del Piceno vanno sottolineate due situazioni, quella di Ausculum

---

(26) F. Brown, *Cosa*, cit., pp. 56 ss.

(27) *ibid.* pp. 42 s.

(28) L. Mercando, *Hellenismus in Mittelitalien*, cit., I, pp. 171 s.

(29) F. Brown, *Cosa*, cit., pp. 51 ss.

(30) J. Mertens, *Alba Fucens*, II, cit.

(31) V. op. cit. a nota 8.

(32) AA. Vv., *Todi - Verso un museo della città*, Todi, 1981, *passim.*

con il grande santuario del colle dell'Annunziata (33) e quella del santuario extraurbano di Cupra (34), testimonianze rispettivamente dell'impegno dei *Picentes socii* e dei *Picentes Romani*. Per i territori della *regio IV*, le considerazioni qui presentate a parte sul Sannio Pentro e le indagini di A. La Regina, J.-P. Morel e F. Van Wonterghem (35) sono più che sufficienti a dare partitamente un quadro delle singole situazioni.

Possiamo a questo punto trarre alcune conclusioni provvisorie, relative all'edilizia monumentale nel II sec. a.C. Il grande rinnovamento edilizio di Roma dagli inizi del secolo in poi trova in tutta l'Italia centrale, Campania e Lazio esclusi, una rispondenza assai parziale. Nelle colonie romane, dove è noto o è ipotizzabile un intervento diretto di Roma, gli sforzi sono indirizzati o all'edilizia collettiva primaria (mura, strade) o alle realizzazioni di notevole impatto ideologico in senso molto tradizionale, sia che si tratti di edifici templari sia che si tratti di statue predate concesse come *dona ex manubiis*: in particolare alcuni templi, come quelli di Civitalba e di Talamone, sembrano associabili a intenti commemorativi connessi con il ricordo di celebri scontri romano-gallici di III sec. a.C., intenti particolarmente sentiti nel corso del II sec. a.C. nel clima delle conquiste e della colonizzazione delle aree celtiche della Transpadana e della Transalpina.

In questo senso vanno anche interpretati i doni di prede belliche di L. Mummio ai centri sabini di Trebula, Cures e Nursia da una parte e ai *cives romani* di Parma e di Italica dall'altra (36): l'enfasi posta sulla Sabina, probabile sede delle clientele del conquistatore di Corinto, trova rispondenza nelle due deduzioni di veterani di Cisalpina e di Spagna, come segnale della probabile *origo* di questi coloni.

In ogni caso, l'evergetismo nelle colonie romane, pur promanando dal centro, si esplica in forme tradizionali che bene esprimono un persistere di mentalità e di strutture sociali più antiche. Tale fenomeno di ·persistenza, con la parziale eccezione di Cosa, si ripete nelle colonie latine e nelle comunità più sviluppate, dei *socii* ad Arezzo come ad Ausculum, o nei centri religiosi tradizionali delle aree poco o nulla urbanizzate, a Cupra come a Pietrabbondante. La documentazione epigrafica di queste realizzazioni è scarsissima, praticamente inesistente per tutta l'Etruria e il Piceno, ed appena nota nell'Umbria e nelle regioni più settentrionali del Sannio. Solo nel Sannio meridionale, a contatto più stretto con la Campania, i dati epigrafici si fanno un po' più numerosi e indicano in maniera inequivoca come autori di questi interventi edilizi gli strati più elevati della società. Se attraverso la combinazione dei dati epigrafici delle necropoli dell'Etruria riusciamo a farci un quadro abbastanza preciso delle aristocrazie locali, nell'Umbria e soprattutto nel Piceno gli aspetti strutturali della società del II sec. a.C. ci appaiono quanto mai vaghi e imprecisi. Laddove le oligarchie locali sono più consistenti e socialmente robuste, come a Volterra e ad Arezzo, le attività edilizie appaiono più sviluppate, pur nell'evidente privilegio di forme e di tipi edilizi tradizionali, templi e mura nella sfera pubblica e sepolcri in quella privata; nei casi in cui la destrutturazione operata da Roma, come a Tarquinia, a Falerii o a Vulci, è stata più forte, la documentazione epigrafica illustra molto bene il progressivo ingresso nella compagine sociale locale di elementi allotri (come accade verso la metà del II sec. a.C. a Tarquinia) francamente latini e romani, come avviene, forse per effetto di assegnazioni graccane, nelle stesse città del tardo II sec. a.C. (37).

In linea generale, dai dati in nostro possesso si possono formulare le seguenti deduzioni:

— le colonie romane o comunque le aree popolate da *cives Romani*, a partire dal secondo quarto

---

(33) M. Pasquinucci, *Ausculum - I*, Pisa, 1975, pp. 52 s. (cfr. M. Torelli, *Athenaeum*, LV, 1977, p. 441).

(34) M. Gaggiotti, *Umbria-Marche (Guida archeologica Laterza)*, Bari, 1980, pp. 283 ss.

(35) In *Hellenismus in Mittelitalien*, cit., I, pp. 219 ss.

(36) *ILLRP*, 327-31; ora un *titulus Mummianus* è segnalato anche da Fabrateria Nova, probabilmente proveniente dallo spoglio di Fregellae (da ultimo, L. Pietilä Castrén, *Arctos*, XII, 1978, pp. 115 ss.). Sull'argomento delle prede belliche, v. da ultimo G. Waurick, *Jahrb. röm. - germ. Zentralmus. Mainz*, XXII, 1975, pp. 1 ss.

(37) Cfr. M. Torelli, *Elogia Tarquiniensia*, Firenze, 1975, pp. 187 ss.

del II sec. a.C., sono fatte segno di frequenti interventi evergetici da parte dell'aristocrazia senatoria, sotto forma di attività censorie o di dona *ex manubiis* con evidenti motivazioni clientelari;

— le colonie latine presentano un certo ritardo e in generale una sorta di indifferenza all'acquisizione dei nuovi modelli urbani; sempre in generale, le realizzazioni in campo edilizio, orientate verso forme tradizionali, templi e santuari in primo luogo, sono costantemente anonime; le iscrizioni dedicatorie anteriori alla guerra sociale sono scarsissime (38);

— nelle comunità dei *socii*, si distinguono: zone più vicine all'*urbs* (come nell'Etruria e nell'Umbria meridionale) dove, come effetto della pressione economico-sociale romana, si ha una visibile stasi nelle attività edilizie; zone più sviluppate e socialmente omogenee (come ad esempio Perugia, Arezzo e Volterra in Etruria, Ausculum nel Piceno, Assisi e Gubbio in Umbria, area peligna e pentra nel Sannio) dove si hanno testimonianze di cospicui sforzi nel campo dell'edilizia monumentale, orientata tuttavia nel senso tradizionale degli assetti urbanistici e delle costruzioni sacre; anche in questo caso la documentazione epigrafica è particolarmente scarsa, con la parziale eccezione dell'area umbra e sannitica (39).

L'impressione che si ricava è che in tutti questi territori, romani, latini o italici, lo scarto tra centro e periferia è notevole: i nuovi tipi ellenistici tardano a penetrare, in ragione della natura socio-economica prima ancora che culturale di quello scarto, e gli sforzi si concentrano soprattutto verso forme tradizionali, espressioni aggreganti di una mentalità ancorata alla vecchia cultura di *koiné*, con qualche rara concessione ai modelli ellenistici (come ad esempio il diffondersi — peraltro funzionale agli usi giudiziari — degli orologi ellenistici), e ciò piuttosto a livello privato che pubblico.

Funzionale ai nuovi tipi edilizi è anche il diffondersi dell'opera incerta (40): non è un caso che, mentre a Cosa, dalla metà del II sec. a.C., la nuova tecnica edilizia di origine latino-campana trova un impiego quasi universale, altrove essa stenta a penetrare fino alla fine del secolo e spesso anche più tardi, se non per fondazioni o riempimenti a sacco. Manca ancora una mappa della diffusione dell'*incertum* al di là del Lazio e della Campania, mappa che meglio di ogni altra cosa illustrerebbe la profonda dicotomia esistente all'interno della penisola tra aree «progressive» ed aree «conservative». La scarsa documentazione epigrafica di opere pubbliche — per l'Etruria non romana tutt'altro che per caso è totalmente assente — conferma la diagnosi fin qui formulata: il peso che ha l'edilizia pubblica come strumento di lotta ideologica e politica interna è, a differenza di Roma, assai ridotto e le grandi imprese monumentali della periferia, dove esistono, sembrano piuttosto voler riaffermare in maniera concorrenziale lo *status* delle aristocrazie locali di fronte a quella urbana e al tempo stesso l'egemonia esercitata sulle classi subalterne del luogo.

Se confrontiamo questa situazione con quanto sappiamo dell'area campano-laziale, dai casi più macroscopici, come Praeneste e Capua, o meglio noti archeologicamente, come Pompei, e via via fino ai più modesti municipi, come la piccola Alatri, con lo straordinario catalogo di opere del nuovo stile di attrezzature urbane realizzate a proprie spese da Betilieno Varo (41), emerge con assoluta chiarezza l'enorme divario economico e culturale tra l'area più ricca ed evoluta dell'Italia e il resto della penisola, dove pure troviamo livelli diversissimi di sviluppo, dalla desolazione della Magna Grecia alle popolatissime campagne umbro-picene.

---

(38) Molto materiale è purtroppo ancora inedito: si veda ad es. l'allusione a munificenze di una peraltro oscura *gens Tongilia* a Cosa in F. Brown, *Cosa*, cit., p. 45, nota 4. Si confronti tuttavia l'imbarazzante povertà epigrafica *ante* 90 a.C. di colonie come Aesernia, Alba Fucens, Narnia o Spoletium (v. *contra* Firmum Picenum *ILLRP*, 593-4, e Castrum Novum del Piceno *ILLRP*, 566).

(39) Materiali in E. Vetter, *Handbuch der italischen Dialekte*, Heidelberg, 1953 e P. Poccetti, *Nuovi documenti italici*, Pisa, 1979 (qui ad es. una meridiana da Mevania con iscrizione umbra, n. 4, pp. 22 ss.).

(40) F. Coarelli, *Pap. Br. Sch. Rome*, XLV, 1977, pp. 1 ss.

(41) F. Zevi, *Hellenismus in Mittelitalien*, cit. I, pp. 84 ss.

Gli anni della guerra sociale e la nuova realtà politica espressa dalla concessione della cittadinanza romana alle popolazioni italiche inaugurano un diverso indirizzo nel senso, già sperimentato da Roma nel II sec. a.C., dell'edilizia monumentale locale, destinato a svilupparsi fino alla prima età giulio-claudia: non più soli templi, ma teatri, anfiteatri, terme, mercati, basiliche, archi, acquedotti e fontane, oltre alle strade ed alle infrastrutture urbane (substructione, porticus, pontes), sono ora le realizzazioni più frequenti. La politica delle cooptazioni nella curia di Roma tra Silla e Cesare costituisce una prima, importante linea discriminante (42). Le alte aristocrazie locali vengono in larga misura ammesse in senato: è così per i vertici degli antichi cantoni sannitici, dai marrucini Asinii, ai marsi Vettii Scatones e Poppaedii Silones, ai vestini Salvidieni, ai pentri Papii Mutili, o per alcune famiglie di *principes* etruschi, come: Carrinates e i Caecinae di Volterra, i Perpernae, i Vibii Pansae e i Volcacii di Perusia, i Saenii di Siena, o di comunità picene: da Ausculum, con i Ventidii e gli Herennii, a Cupra con gli Afranii e i Minucii, mentre l'area umbra sembra complessivamente più in ritardo rispetto a quelle circostanti.

Questa prima cooptazione porta in larga misura lontani dalle terre d'origine i neo-senatori e le loro famiglie. Ma non sempre il laticlavio comporta l'abbandono completo di pratiche evergetiche in sede locale: all'inizio del I sec. a.C. i Caecinae fanno costruire a loro spese il teatro a Volterra; negli anni del primo triumvirato, T. Labienus interviene attivamente nella sua città d'origine, Cingulum, un *oppidum* che egli, secondo Cesare (nel 49 a.C.), *constituerat suaque pecunia exaedificaverat*; nell'8 a.C. C. Asinius Gallus dona un acquedotto alla propria città, Teate. Ma non possiamo dimenticare che questi rapporti di evergetismo stanno tuttavia di fronte ad investimenti di proporzioni enormi nella capitale — per restare ai soli Asinii, pensiamo alla biblioteca di Asinio Pollione nell'*atrium Libertatis* — e in particolare per il consumo privato, ville d'*otium* e di produzione, che tra la metà del I sec. a.C. e l'epoca giulio-claudia, dalle loro terre di elezione latino-campane, si diffondono in tutta l'area centro-settentrionale della penisola.

A livello locale, le nuove *élites* emergenti equestri sposano ora il modello evergetico su vasta scala, adottando linee d'intervento le più svariate a seconda delle diverse situazioni locali. Nel Sannio, al parziale abbandono degli antichi santuari «federali», come a Pietrabbondante, a Schiavi o a Vastogirardi, fa riscontro un intenso processo di urbanizzazione: il caso, da me altrove ricordato di Cluviae in territorio carecino, con la costruzione unitaria di mura, teatro e terme, è inscindibile dall'ascesa sociale, dalle locali aristocrazie al seggio in senato, degli Helvidii Prisci. Non meno significativi sono una serie di interventi noti dall'archeologia o dall'epigrafia, tra la metà del I e gli inizi del I sec. a.C. Ricordiamone qui alcuni: quelli di Sepino, collegati alla figura di Naevius Pansa, antenato di consolari Neratii; quello di Granius Cordus ad Allifae, donatore dell'acquedotto e avo di senatori d'età tiberiana; quello di Sex. Pedius Lusianus Hirrutus, costruttore dell'anfiteatro di Interpromium ed antenato di senatori di età flavia; quello di Octavius Sagitta, padre di un senatore, e donatore di varie opere pubbliche nel *pagus* peligno di Superaequum; quello di Octavius Laenas anch'egli avo di senatori, con opere stradali a Marsi Marruvium. Tutti costoro sono *equites*, padri o avi di senatori: l'evergetismo è dunque pagante e l'esempio contagioso. Innumerevoli sono gli esempi piccoli e grandi di interventi edilizi effettuati nei *vici* e nei *pagi*: ciò, oltre a dimostrare — come ci ha ricordato il compianto M.W. Frederiksen (43) — la grande vitalità dell'insediamento minore centro-italico tra tarda repubblica e primo impero, è il segnale della profondità raggiunta nella psicologia collettiva dal modello evergetico e dalle realizzazioni ellenistiche.

---

(42) Tutta questa problematica in relazione all'Etruria, all'Umbria e al Sannio è trattata da M. Torelli, L. Sensi, M. Gaggiotti, *Epigrafia e ordine senatorio* (Atti Conv. Roma, 1981), in stampa.

(43) M.W. Frederiksen, in *Hellenismus in Mittelitalien*, cit., II, pp. 341 ss.

E in questa fase e sotto questa spinta che interessa tutta la vastissima area dell'Italia antica, l'*habitat* pagano-vicanico, tra Sannio, Umbria e Piceno appenninici, acquisisce un volto urbano, come ha così bene illustrato E. Gabba (44), spesso attraverso interventi globali di persone o di famiglie autorevoli, come Labieno a Cingoli, Quintius Valgus nell'anonimo centro presso Frigento, o gli Helvidii Prisci a Cluviae.

Altrove, nelle zone già urbanizzate come nelle antiche colonie latine e romane, il fervore sembra in parte attenuarsi. Non mancano casi significativi, dal già citato teatro di Volterra ai radicali interventi edilizi nella colonia di Castrum Novum presso Cere ad opera di L. Ateius Capito, avo del celebre giurista e console del 5 a.C., ed alla straordinaria realizzazione, diluita nell'arco di oltre un secolo, del santuario di Assisi, che confermano la diffusione del modello in queste aree. Tuttavia non si può negare che il processo qui subisca un notevole rallentamento: il caso di Alba Fucens, già colonia latina, che riceve solo nei tardi anni '30 del I sec. a.C. un teatro e un anfiteatro ad opera della munificenza dell'ex-*praefectus praetorio* Q. Naevius Sutorius Macro, dopo moltissimi decenni di stasi edilizia, è rivelatore della situazione. Non si tratta soltanto di una relativa assenza di necessità di siffatti interventi in aree già fornite di modelli urbani: che Tarquinia, ad esempio sia priva di teatro e anfiteatro e debba attendere l'avanzato I sec. d.C. per avere un moderno complesso termale, conferma questo assunto. La spiegazione va piuttosto ricercata nel concorrere di due diversi e pur connessi fattori, da un lato la minore vitalità economico-sociale di molte città della zona e dall'altro la già avvenuta cooptazione delle *élites* locali in quella urbana, senza un reale ricambio a livello locale. Presto infatti all'evergetismo «borghese» vediamo subentrare quello di ceti libertini in ascesa: l'anfiteatro di Lucus Feroniae donato da un M. Silius Epaphroditus in epoca claudio-neroniana (45), la strada fatta costruire dal *medicus* P. Decimius P. l. Eros Merula ad Assisi o dagli *Augustales* a Falerii (46) sono esempi eloquenti dell'emergere anche in questo settore della nuova realtà dei Trimalchioni e della forza della componente evergetica nell'ideologia dominante, di cui i «parvenus» libertini, veri eredi delle aristocrazie locali, sono — sia pur a livello scaduto — portatori (47).

È ora possibile trarre alcune linee di interpretazione del fenomeno evergetico in quest'area. La profonda trasformazione dell'architettura in senso ellenistico nel II sec. a.C. è un fenomeno squisitamente urbano. Le colonie e gli insediamenti di *cives Romani* vengono in qualche modo coinvolti in questo processo di trasformazione, grazie ad interventi censori e a beneficenze di membri dell'aristocrazia senatoria, anche se le realizzazioni sono orientate piuttosto verso forme tradizionali, templi e prede belliche: ciò avviene per l'intrecciarsi di diversi motivi, dalla inadeguatezza delle finanze locali al tradizionalismo culturale e sociale delle zone, alle esigenze clientelari dell'aristocrazia urbana. Le colonie latine partecipano in misura ancor più ridotta al rinnovamento: tranne Cosa, che può a buon diritto e per precise indicazioni economiche ritenersi parte integrante della più sviluppata zona latino-campana in virtù della sua collocazione marittima, questi insediamenti — soprattutto quelli nel centro della penisola — appaiono poco inclini ad accettare le novità tecniche e formali di Roma, se non tardivamente e sotto la spinta di un inserimento diretto della classe dirigente locale nella lotta politica romana, se non inaugurato, certo accelerato dalle conseguenze del tragico episodio di Fregellae. Ancor più modesta — con qualche eccezione, come nel Sannio — è l'attività edilizia nei territori dei *socii*.

La vera trasformazione si colloca nel I sec. a.C., quando le aree poco o nulla urbanizzate dell'Italia centrale vedono l'ingresso prepotente del modello cittadino, archeologicamente ed

(44) E. Gabba, *St. Cl. Or.*, XXI, 1972, pp. 73 ss.; id., *Hellenismus in Mittelitalien*, cit., II, pp. 315 ss.

(45) *ILS*, 6859.

(46) *ILS*, 5369, 5373.

(47) Aa. Vv., *St. Misc.*, X, 1966; R. Bianchi Bandinelli, *Dial. Arch.*, I, 1967, pp. 3 ss.

epigraficamente ben documentato per tutta l'area oggetto dell'indagine, e quando nelle più prospere zone di antica urbanizzazione fanno la comparsa i nuovi tipi edilizi. Il fenomeno presenta vari aspetti, ideologici, sociali, economici. Sul piano ideologico, è stato già da tempo messo in risalto (48) il significato che l'urbanizzazione e la nuova tipologia edilizia hanno per l'esibizione dell'*urbanitas*, centrale per il costituirsi del nuovo *consortium* politico emerso dalla guerra sociale. Per le aristocrazie locali, per i ceti intermedi che al seguito di queste si affacciano alla politica di Roma, l'immagine della città di origine è indubbiamente essenziale per la loro stessa immagine in quanto classe dirigente locale in una società dove il modello urbano è ritenuto condizione di partenza per l'appartenenza alla comunità civile. Dove tutto ciò già esiste, assume allora grande importanza ideologica la valorizzazione di un passato glorioso o comunque «civile» (49): di qui la insistenza su tradizioni patrie in luoghi di antichissima civiltà e su documenti famosi di grande significato storico, che vediamo affiorare in città etrusche o monumenti significativi, siano essi l'«Ara della Regina» di Tarquinia o il santuario di Nortia di Spello.

L'ideologia si salda così alla stessa struttura sociale, divenendo cardine per la riproduzione di questa. Ma a tale processo non è estraneo un più profondo meccanismo economico, di cui le tecniche costruttive impiegate per tutte queste realizzazioni sono una spia altamente rivelatrice.

La fase più antica di ingresso dei nuovi tipi edilizi nell'iniziale II sec. a.C., come si è accennato, è contraddistinta dalla introduzione dell'*opus incertum* su vasta scala: la sua diffusione prevalentemente latino-campana, segna i limiti stessi della diffusione, tra gli ultimi decenni del II e la metà del I sec. a.C. dei nuovi tipi edilizi.

Mentre questa tecnica gradualmente si diffonde oltre i limiti dell'epicentro latino-campano, l'*urbs* intanto elabora la nuova tecnica reticolata in stretto rapporto con i processi di «razionalizzazione» del modo di produzione schiavistico più avanzato (50). Come ho altrove messo in rilievo, questa tecnica edilizia non ha più l'ampiezza di epicentro di sviluppo della precedente tecnica incerta, ma è ristretta nei suoi usi più ampi all'area intorno a Roma e a quella flegrea, in pieno accordo con i connotati di edilizia speculativa e di lusso, per i consumi privati prima ancora che pubblici. Aldilà di questo epicentro, l'*opus reticulatum* è impiegato proprio per le grandi imprese edilizie dell'evergetismo municipale tra tardo I sec. a.C. e metà del I sec. d.C. Ma anche questa diffusione della tecnica è rivelatrice della nuova situazione socio-economica: nella zona oggetto di questa analisi, la tecnica reticolata si rarefà a vantaggio dell'antico incerto e della sua variante a blocchetti via via che ci si allontana dall'epicentro e che si realizzano edifici tipologicamente consuetudinari. Non è un caso che Vitruvio, espressione tra le più genuine della mentalità e della tradizione culturale delle «borghesie» italiane, parli di una *consuetudo italica* e al tempo stesso registri come *antiquum*, ma più solido e sicuro, l'*opus incertum*. Il momento aureo delle nostre «borghesie» si colloca dunque a cavallo tra II e I sec. a.C. e Vitruvio, attivo proprio in questa zona, ne registra tra il 40 e il 30 a.C. fedelmente gli umori di fronte agli indirizzi produttivi più evoluti: non è solo attaccamento ad una mentalità conservativa, ma è anche coscienza che quegli indirizzi più evoluti sono sostanzialmente estranei agli interessi economici dei ceti municipali di cui egli è espressione.

MARIO TORELLI

(48) V. nota 43.

(49) M. Torelli, *Elogia,* cit., pp. 191 ss.

(50) Id., *Tecnologia, economia e società nel mondo romano*, Como, 1980, pp. 139 ss.

(51) V. nota 16.

ZUR BILDNISREPRÄSENTATION FÜHRENDER MÄNNER IN MITTELITALISCHEN UND CAMPANISCHEN STÄDTEN ZUR ZEIT DER SPÄTEN REPUBLIK UND DER JULISCH-CLAUDISCHEN KAISER

Im Rahmen dieses Colloquiums war es meine Aufgabe zu prüfen, ob sich den in den italischen Städten gefundenen Bildnisstatuen bzw. Porträtköpfen Aussagen abgewinnen lassen, die für eine Geschichte der "bourgeoisies municipales" von Interesse sind. Dabei befinde ich mich, was das Material anlangt, in keiner beneidenswerten Situation. Denn zum einen sind nur ganz wenige Statuen mit der zugehörigen Inschrift erhalten. Das heißt: Wir können zwar sagen, daß der Dargestellte in der entsprechenden Stadt eine Rolle gespielt hat, nicht aber, wer er war. Man kann also in der Regel nicht sicher zwischen 'domi nobiles' und stadtrömischen Großen unterscheiden. Zum andern sind die meisten Denkmäler nur mittels stilistischer Kriterien datierbar. Bei der Spärlichkeit sicher datierter Denkmäler in der späten Republik kann man allgemeinere Aussagen also nur für sehr weite Zeitperioden machen. Endlich ist bislang nur ein kleiner Teil des erhaltenen Materials hinreichend publiziert, z.B. sind nicht einmal die in Herculaneum gefundenen Porträts mit ihren z.T. aufschlußreichen Fundorten wissenschaftlich befriedigend erschlossen. Unter solchen fast hoffnungslos stimmenden Prämissen stehen die folgenden Bemerkungen.

1. Die kurze Blütezeit der Bildnisrepräsentation in den italischen Städten.

Die Entstehungszeit der Bildnisstatuen scheint, so vage die Zeiträume auch einzugrenzen sind, eine wichtige Aussage zu enthalten. Der weitaus größte Teil aller in mittelitalischen und campanischen Städten gefundenen Bildnisstatuen aus Stein stammt aus den letzten Jahrzehnten der Republik und aus der Augustuszeit. Bereits in der Zeit des Tiberius und Claudius geht die Zahl der Denkmäler stark zurück (1). Daß es schon früher in den hellenistischen Städten und Heiligtümern qualitätvolle bronzene Bildnisstatuen gab, zeigen die äußerst seltenen Funde (2). Die zahlreichen Terrakotta-Statuen z.T. großen Formats mit Bildnischarakter dienten wohl ausschließlich als Votive. Die Zahl der im öffentlichen Bereich errichteten Ehrenstatuen kann jedenfalls nicht groß gewesen sein. Aus dem samnitischen Pompeji (vor 89 v.Chr.) z.B. sind keine Inschriften erhalten, die man sicher auf Ehrenstatuen beziehen könnte (3). Obwohl man sich im zweiten Jh.v.Chr. die öffentliche Architektur und den privaten Wohnluxus der hellenistischen Städte begierig aneignete, scheint die im Osten so verbreitete Statuenrepräsentation noch keine große Rolle gespielt zu haben. Ganz anders als in Rom, wo die

Die diesem Beitrag zugrundeliegenden Studien wurden von der Deutschen Forschungsgemeinschaft im Rahmen einer Forschergruppe gefördert. Die Zeit zur Ausarbeitung verdanke ich einer Einladung ins Institut for Advanced Study in Princeton. Für die Beschaffung von Abbildungsvorlagen danke ich S. Diebner, H. Sichtermann und S. Steingräber. - Die Abkürzungen entsprechen denen der Archäologischen Bibliographie und des Jahrbuchs des Deutschen Archäologischen Instituts.
(1) Von den in Pompeji gefundenen und bei A. de Franciscis (*Il Ritratto romano a Pompei*, 1951) veröffentlichten Porträts z.B. stammen 21 aus spätrepublikanischer und augusteischer Zeit. Nur 6 sind später entstanden (die Bildnisse der jul.-claud. Familie nicht mitgerechnet).

(2) z.B. Bronzeporträt aus S. Giovanni Lipioni: E. Babelon-I. Blanchet. *Cat. Bronzes Ant. de la Bibl. Nat.*, 1895, Nr. 857. G. Kaschnitz v. Weinberg, *Römische Bildnisse*, 1965, Taf. 14.

(3) Vgl. Vetter, *Handbuch der italischen Dialekte*, Nr. 2ff.

PAUL ZANKER

Beamten 156 v.Chr. auf dem Forum die offenbar wegen ihrer Fülle als störend empfundenen, abusiv aufgestellten Ehrenstatuen abräumen ließen (4). Die Familien Pompeji's konnten die Geschichte ihrer Stadt zu dieser Zeit wahrscheinlich noch in einem ganz vom Herkommen bestimmten Klima lenken, in dem ihre Stellung nicht unter Konkurrenzdruck stand und keiner öffentlichen Bestätigung und Erinnerung bedurfte. Die Situation änderte sich offenbar erst, als sich nach dem Bundesgenossenkrieg für viele der führenden Familien in den italischen Städten neue Möglichkeiten politischen Wirkens in Rom und in der Provinzverwaltung eröffneten. Den Ehrenstatuen auf den Plätzen der Städte Italiens wächst in dieser veränderten Situation eine neue Funktion zu. Sie führen fortan nicht mehr nur den Mitbürgern die Verdienste der Geehrten vor Augen, sie zeigen auch den auswärtigen Besuchern und Durchreisenden, wer in der Stadt eine herausragende Rolle spielt, wer zu den 'domi nobiles' gehört. Sie fördern also auch das Ansehen der Geehrten in Rom, und wenn diese dort oder sonstwo im Reich erfolgreich waren, verkünden es die Statuen den Leuten der eigenen Stadt.

Wie im Osten und wie in Rom werden Fora, Theater und Heiligtümer die begehrtesten Aufstellungsplätze für Bildnisehrungen. Besonders wirkungsvoll war natürlich ein Platz vor oder in einem vom Geehrten selbst erbauten oder renovierten Bauwerk. Repräsentationslust und -zwang der sich immer schärfer formierenden und immer größere Kreise der Bevölkerung einbeziehenden Konkurrenzgesellschaft der späten Republik erfaßte bald auch die mittleren Vermögensschichten der italischen Städte. Ihnen bot das an einem möglichst verkehrsreichen Punkt der Ausfallstraßen errichtete Grabmal die begehrte Gelegenheit, Erfolg und Leistung ihres Lebens zu verkünden und das errungene Ansehen wachzuhalten. Die Gräber vor den Toren Pompeji's, besonders vor der Porta Nocera, geben eine gute Vorstellung davon (5). Sie zeigen, in wie starkem Maße in den Jahrzehnten nach Gründung der Kolonie auch Freigelassene, die nicht zur politischen Führungselite gehörten, bis hin zu solchen mit bescheidenem Vermögen an Bildnisstatuen oder 'Büsten' interessiert waren (6). Die Zeugnisse der Bildnisrepräsentation dieser mittleren Schichten sind noch weitgehend unbearbeitet. Sie versprechen für die Zukunft aber durchaus interessante Aussagen. Diese Schichten übernehmen natürlich die Bildsprache der Oberschicht, ändern sie jedoch oft in bezeichnenden Details und in regional unterschiedlicher Weise. Hier gehört das aber nicht zum Thema.

2. Die Statue des C. Ofellius Ferus auf Delos.

Die frühesten uns erhaltenen Ehrenstatuen für führende Männer italischer Städte stammen nicht aus Italien, sondern aus Delos (7). Auf der sog. Agora der Italiker, dem mutmaßlichen Sklavenmarkt (8), wurden neben Fragmenten von Marmorstatuen eines der eindrucksvollsten unter den delischen Porträts (Abb. 1) und der ganze Körper der Statue eines C. Ofellius Ferus (Abb. 5) gefunden (9). Die mit dieser Statue verbundenen Probleme der Übernahme griechischer Repräsentationsformen durch die Römer sind von grundsätzlicher Bedeutung für das Verständnis eines Teils der Ehrenstatuen in Rom und in den italischen Städten. Ich will deshalb etwas näher auf sie eingehen.

---

(4) Plin., *n.h.*, 34, 30. H. Jucker, *Vom Verhältnis der Römer zur bildenden Kunst der Griechen,* 1950, 16.
(5) V. Kockel, *Die Grabbauten vor dem Herkulaner Tor in Pompeji,* 1983. Döhl-Zanker in '*Pompei 79*' ed. F. Zevi (1979 Privatdruck Mobil Oil Italiana), 192f.
(6) Verf., *JdI,* 90, 1975, 274 Abb. 6.
(7) Was natürlich nicht bedeutet, daß ich annehme, es seien die ersten überhaupt gewesen, wie R.R.R. Smith, *JRS,* 71, 1981, 30A58 fälschlich unterstellt.
(8) M. Cocco, *La Parola del Passato,* 25, 1970, 446ff.
(9) Th. Homolle, *BCH,* 5, 1881, 390ff. Taf. 12. C. Michalowski, *Delos,* XIII, 1932, 21f. Abb. 13. J. Marcadé, *Au Musée de Délos,* 1969, 117f. (mit früherer Lit.). F. Coarelli *Studi Misc.,* 15, 1970, 79 Taf. 24,1. A. Stewart, *Attika,* 1979, 67, 143ff. und passim. K. Tuchelt, *Frühe Denkmäler Roms in Kleinasien,* I, 1979, 88.

Die Statue stand in einer der zahlreichen, in die Wände der Säulenhallen eingetieften Nischen. Diese lag höher als die Porticus und war mit Mosaik und Marmor reich ausgeschmückt. Auf hohem Podium aufgestellt muß die Statue in ihrem Schrein fast kultbildartig gewirkt haben (10).

Auf dem reichen Gesims des Podiums konnte man die Dedikation lesen

Γάιον Ὀφέλλιον Μαάρκου υἱὸν Φερὸν Ἰταλικοὶ
δικαιοσύνης ἕνεκα καὶ φιλαγαθίας τῆς εἰς ἑαυτούς
Ἀπόλλωνι.

Auf dem hohen Sockel stand die Künstlersignatur (11)

Διονύσιος Τιμαρχίδου
καὶ Τιμαρχίδης Πολυκλέους
Ἀθηναῖοι ἐποίησαν.

Der Geehrte muß einer der großen Kaufmannsfamilien aus den campanisch-oskischen Städten angehört haben. Ofellii sind vor allem in Capua und Benevent bezeugt (12). Daß C. Ofellius Ferus nicht "un simple negotiator" (Marcadé) war, sondern unter den Italikern auf Delos eine ganz herausragende Rolle spielte, zeigen der für die Statue betriebene Aufwand und der Aufstellungsort gleichermaßen. Nach Aussagen der allerdings nicht sehr zahlreichen Inschriften waren in den übrigen Nischen der Agora der Italiker vor allem Statuen römischer Promagistrate und Militärs aufgestellt. Die Aufstellung des Zivilisten an einer der zentralsten Stellen der 'Agora' spricht für seinen Rang. Die Italiker rühmen ihrem Landsmann nicht nur Φιλαγαθία sondern auch δικαιοσύνη nach. Vielleicht hatte er eine entscheidende Vorstandsposition inne, die ihm Entscheidungsvollmachten einräumte. Wenn die Ergänzung des Inschriftenfragmentes ID, 1683 (13) das richtige trifft, war C. Ofellius Ferus auch ein prominenter Stifter. Er hätte dann die westliche, dorische Porticus der 'Agora' bezahlt.

Der hohe Rang der Ehrung kommt endlich auch darin zum Ausdruck, daß die Italiker die Statue in einem der besten und traditionsreichsten attischen Ateliers bestellten. Die seit dem späten 3. Jh.v.Chr. nachweisbare Bildhauerfamilie mit den Namen Polykles, Timarchides, Dionysios und Timokles (14) arbeitete bereits um 180 für die römischen nobiles (Timarchides I). Um 146 beauftragte A. Caecilius Metellus Macedonicus die Söhne des Timarchides I, Dionysios und Polykles, mit der Ausführung des Kultbildes in seinem neuen Tempel für Jupiter Stator auf dem Marsfeld (Plin. n.h. 36,35), dessen Architektur Hermodorus von Salamis (Vitr. III, 2, 5) entworfen hatte (15). Der eine der beiden Meister der Ofellius-Statue ist wahrscheinlich mit dem um 146 in Rom tätigen Dionysios identisch, der andere wohl ein Sohn des in Rom tätig gewesenen Polykles. Da verschiedene Mitglieder dieser Bildhauerfamilie immer wieder wichtige öffentliche Ämter in Athen bekleidet haben - der um 146 am Jupiter arbeitende Polykles scheint mit dem attischen Münzmeister von 148/7 identisch zu sein - muß man annehmen, daß das Zentrum der Werkstatt immer in Athen blieb. Auswärtige Aufträge können also ganz oder zum Teil dort ausgeführt worden sein, wenn man nicht - wie im Falle eines großen Kultbildes wohl unvermeidlich - eine temporäre Werkstatt vor Ort aufschlagen mußte. Das alles ist für die Bewertung der Statue des C. Ofellius Ferus wichtig. Wir können folgern: Die griechischen Bildhauer waren mit den Römern als Auftraggeber seit langem vertraut, und es waren die führenden attischen Bildhauer ihrer Zeit (16).

---

(10) E. Lapalus, *Delos,* XIX, 1939, 54.

(11) J. Marcadé, *Recueil des signatures de sculpteurs grecs,* II, 1957, 41. F. Durbach, Choix Nr. 131. *Inscr. Délos,* 1688

(12) Re XVII, 2, 2039ff. J. Hatzfeld, *BCH,* 36, 1912, 57ff. A.J.N. Wilson, *Emigration from Italy,* 1966, 109, 120, 153.

(13) Vgl. *BCH,* 45, 1921, 473. *Delos,* XIX, 89f.

(14) F. Coarelli, *Studi Misc.,* 15, 1970, 77ff. A. Stewart, *Attika,* 1979, 42ff. (mit früherer Lit.).

(15) Vgl. P. Gros, *Méfra,* 85, 1973, 137.

(16) Chr. Habicht wird sich im nächsten Band der AM auch mit dem Problem der Polyklesfamilie beschäftigen. Er kehrt zum alten Stemma von Kirchner zurück. Dem Gespräch mit Chr. Habicht verdanke ich wichtige Anregungen und Hinweise. -Leider läßt

PAUL ZANKER

Die Italiker ließen ihren Landsmann von den griechischen Bildhauern nackt mit über Schulter und Arm geworfener Chlamys darstellen. Wie man am Halsansatz sehen kann, war der Kopf pathetisch nach links oben gedreht. Die Körperformen zeigen der Tradition der attischen Werkstatt entsprechend eine Ausrichtung an spätklassischen Werken. Auch das Statuenschema des sog. Schulterbauschtypus stammt aus dem Repertoire der spätklassischen Kunst (17), das Bewegungsschema ist wahrscheinlich von hellenistischen Herrscherstatuen übernommen (18). Die Rechte hielt keine Lanze, wie das bei Herrscherstatuen z.B. der Fall war, sondern war im Gestus der Ansprache oder des Zurufs erhoben. Und anders als es z.B. schon für Alexanderstatuen überliefert ist, fehlt in der Linken das Schwert, obwohl die Haltung der Hand dem genau entspräche. Gerade an diesem Detail wird deutlich, daß die Bildhauer ein ihnen vertrautes Statuenschema verwendet haben, dessen Attribute aber für den Zivilisten nicht paßten und deshalb einfach weggelassen wurden!

Man muß sich den Kopf des Ofellius in wirklichkeitsnahen Formen ausgeführt denken, ähnlich dem des ebenfalls auf Delos gefundenen "Pseudoathleten" (18a), der wohl auch einen negotiator darstellte.

Für den modernen Betrachter ergibt sich so der Eindruck eines Pasticcio aus griechischen und römischen Formen. Man stellt sich den Sklavenhändler in Aktion vor und empfindet seine Statue als absurden Widerspruch zu seiner Existenz. Aber Stewarts Beschimpfung als pure kitsch und monster of inauthenticity (19) führt ebensowenig zu einem Verständnis wie die von ihm attackierte rein formale Etikettierung der Statue als 'eklektisch'. Wie kam es zu dieser erhöhenden Darstellungsform, was bedeutet die Nacktheit hier? Die griechische Dedikationsinschrift zeigt, daß die Italiker primär an griechisch sprechende Betrachter dachten, im Gegensatz zu späteren Dedikanten auf der 'Agora', die römische Inschriften setzten (20). Man wandte sich also primär an die ganze griechisch sprechende Geschäftswelt (aber auch die meisten der zum Verkauf anstehenden Sklaven sprachen griechisch). Das kolossale Format (ca. 2,80 m, Höhe des Erhaltenen 2,43 m) der Statue, neben der sich die Panzerstatue des Praetors und Proconsuls C. Billienus (21) mit 2,35 m fast bescheiden ausnahm, und die aufwendige Aufstellung zeigen, daß den Dedikanten an einer besonderen, die 'normale' Form der Ehrung eines Bürgers einer griechischen Polis übersteigenden Form lag. Auftraggeber und Bildhauer standen also vor der Frage, wie man den verdienstreichen und hoch angesehenen negotiator möglichst eindrucksvoll darstellen könnte. Die in griechischen Städten für Politiker übliche Form der Ehrenstatue war seit dem vierten Jahrhundert die Darstellung in der Chlamys. Diese auch für römische Beamte verwandte Form der Ehrung (22) empfanden die Auftraggeber offenbar als zu gering für C. Ofellius Ferus. Als italische Form wäre nur die Darstellung als Togatus in Frage gekommen. Aber die Toga war keinesfalls repräsentativer und zu dieser Zeit allenfalls an den Gewandzipfeln von der Chlamys zu unterscheiden. Die eindrucksvollen Schemata einer Panzer- oder gar Reiterstatue aber kamen für die zivilen Kaufleute

sich dem von Habicht verbesserten Stemma keine genauere Datierung der Statue des Ofellius abgewinnen. Die früheste Möglichkeit wäre um 140, die späteste um 100. Mit stilistischen Argumenten läßt sich die Frage nicht entscheiden. Wenn die von Hatzfeld (*BCH*, 36, 1912) begründete späte Datierung der 'Agora' um 110 stimmte, müßte man dem Stemma von Kirchner und Habicht wohl eine weitere Generation von Bildhauern hinzufügen. Aber die Datierung der 'Agora' bedarf dringend einer Überprüfung.

(17) H. G. Oehler, *Untersuchungen zu den männlichen römischen Mantelstatuen. Der Schulterbauschtypus*, 1961, 35.

(18) Vgl. Bronzestatuette Alexanders d.Gr., Baltimore Walters Art Gall. Inv. 54.1045. D. Kent Hill, *Cat. Classical Bronzes in the Walters Art Gall.*, 53f. Nr. 190, Taf. 27. E. Buschor, *Das hellenistische Bildnis*, 1949, 37, Abb. 4. - Torso aus Pergamon: M. Bieber, *The Sculpture of the Hellenistic Age*, 1955, 109, Abb. 429. Tuchelt a.O.81. Worauf Ch. Picard seine Behauptung gründete, der Dargestellte sei als Hermes zu verstehen und habe den caduceus gehalten, ist nicht zu ersehen: *REG*, 64, 1951, 512.

(18a) Athen, *Nat.Mus.*, 1828. C. Michalowski, *Delos*, XIII, 17, Taf. 14-19. Marcadé a.O. 103, 523 und passim.

(19) Stewart a.O.144.

(20) *Delos*, XIX, 51, 54. *Inscr. Délos*, 1696f.

(21) Marcadé a.O. 329, Taf. 75. Tuchelt a.O. 96f.

(22) Tuchelt a.O.95.

nicht in Frage. So blieb nur eine Statue in 'heroischer Nacktheit', mit der die Bildhauer den Wünschen ihrer Auftraggeber nach einer gesteigerten Repräsentationsform entsprechen konnten. Die aber drückte für den griechischen Betrachter übermenschliche Fähigkeiten aus und wies auf gottähnliche Kräfte hin.

Denn im Laufe des vierten Jahrhunderts war die Nacktheit als Ausdruck der Καλοκαγαια in der Bildkunst der griechischen Städte außer Brauch gekommen. Man stellte nur noch Knaben und junge Männer im Palästraalter (und gelegentlich Krieger) nackt dar. So konnte der nackte Körper in den Statuen Alexanders d.Gr. und der Diadochen eine neue Aussage gewinnen. Man verwandte die vertrauten Schemata nackter Götter- und Heroenstatuen hierbei, um die übermenschlichen Kräfte der Herrscher anschaulich zu machen und verband diese Körper mit pathetischen und z.T. bereits auch mit sehr wirklichkeitsnahen Porträtköpfen. Kopf und Körper erhielten also bei entsprechenden Statuen schon damals verschiedenartige Aussagen, waren keineswegs mehr 'homogene' Gebilde. Diese herrscherliche Repräsentationsform wird in der Folge auch für andere mächtige Personen verwandt worden sein, die man als Soter, Ktistes oder als heroengleiche Tote verehrte. Als Ehrenstatue eines verdienstreichen Politen aber war diese Form gewiß ganz ungewöhnlich (23).

Indem die griechischen Bildhauer diese herrscherliche Repräsentationsform faute de mieux für die Statue des negotiator aus dem Westen verwandten, maßen sie diesem Qualitäten zu, die ihm in ihren eigenen Augen wohl kaum zukamen, die aber auch die Auftraggeber für den Geehrten gar nicht in Anspruch nehmen wollten, wie die Inschrift zeigt. Das Problem war, daß es im Repertoire eines griechischen Künstlers für die neue Erscheinungsform von privater, rein materieller Macht, wie sie die Gestalt des Großkaufmanns aus dem Westen verkörperte, keine entsprechende Bildchiffre gab. Selbst die besten Bildhauer mußten sich deshalb mit der problematischen Übertragung einer Bildform behelfen, deren Aussage festgelegt und nicht wirklich adäquat war. Ihre Sprache reichte nicht aus für die neuen Bedürfnisse!

Auf der anderen Seite standen die negotiatores aus dem Westen mit ihrem großen Repräsentationsbedürfnis. Eine wirkliche Teilhabe an der Macht war ihnen von den Römern versagt, ihre Tätigkeit aufs Geldverdienen eingeschränkt. Ihr Selbstgefühl gründete sich auf der täglichen Erfahrung ihrer z.T. immensen Reichtümer, die ihnen große Wirkungsmöglichkeiten in Ost und West gab. Man denke nur an ihre Leistungen als Bauherren in den italischen Städten (24). Sie standen wie viele römische nobiles der griechischen Kultur zwar als ganzer bewundernd gegenüber, aber sie lebten nicht in ihr, kannten deshalb nicht das komplizierte Geflecht der Bedeutungen und Assoziationen, wie es sich im Laufe der Zeit beim griechischen Betrachter herausgebildet hatte. Der nackte Körper mag ihnen einfach als etwas typisch 'Griechisches' und als solches Schönes im Sinne von 'Kunst' erschienen sein. Die großen Griechen der Vergangenheit waren ja auch nackt dargestellt worden. Man kann sich vorstellen, daß sie gerade die nackte Statue als eine vor dem griechischen Publikum besonders geeignete Form der Selbstdarstellung empfanden. So betrachtet erweist sich die Statue des C. Ofellius Ferus als ein charakteristisches Produkt einer bestimmten historischen Situation in der komplizierten, an Mißverständnissen reichen Geschichte der Rezeption hellenistischer Kultur durch die Römer und Italiker.

Wahrscheinlich war das Phänomen von Römerstatuen in Form von effigies nudae, wie sie Plinius d.Ä. trocken nennt, schon nichts ungewöhnliches mehr, als die Statue des Ofellius entstand (25). In den

---

(23) Das zeigen auch die vielen Grabreliefs, die z. T. direkt die Statuenrepräsentation in der Polis imitieren. Auf den hunderten bei E. Pfuhl - H. Möbius (*Die ostgriechischen Grabreliefs*, I-II, 1977-79) veröffentlichten Grabreliefs gibt es nur 5 nackte Männer und zwar im Zusammenhang mit Kriegerheroisierung (Nr. 1439f., 177, 286f).

(24) Zusammenfassend P. Gros, *Architecture et Société (Coll. Latomus,* 156, 1978) passim.

(25) Vgl. Tuchelt a.O.98. Der verdienstvollen Arbeit verdanken wir ein differenzierteres Bild der Statuenehrungen für die römischen Beamten im Osten. Problematisch erscheint mir dabei lediglich, daß Tuchelt auszuschließen versucht, was nicht eindeutig überliefert ist. Die Statuenbasen erlauben in Bezug auf die effigies nudae keine eindeutigen Aussagen. Ich kann mir nicht vorstellen,

italischen Städten des späteren 1. Jahrhunderts v.Chr. jedenfalls waren sie bereits sehr beliebt und sind es durch die ganze Kaiserzeit auch geblieben. Die Aussage ist aber vieldeutig geblieben, die fremde Bildform des nackten Körpers hat nie eine präzise, allgemein gültige Bedeutung gewonnen.

Ein aufmerksamer, an Physiognomik interessierter Betrachter konnte auf Delos aber vielleicht auch an den Köpfen der Statuen erkennen, ob ein Römer bzw. Italiker oder ein Grieche dargestellt war (26). Es scheint, daß die Italiker das Haar meist kurz geschnitten getragen haben, wodurch die Schädelformen betont und die Einbuchtungen über den Schläfen freigelegt wurden. So zeigen es die meisten der delischen Köpfe, auch der in der Agora der Italiker gefundene (Abb. 1-2) (27). Die entsprechende Haartracht ist an vielen Bildnissen aus den verschiedensten italischen Städten zu finden. Ein frühes Beispiel bietet der sog. Arringatore (27a). Dagegen tragen die meisten der in Griechenland und Kleinasien gefundenen späthellenistischen Porträts längeres, meist gelocktes Haar. Die kurz geschorenen Köpfe aus Delos sind heftig bewegt, wie es auch für den der Ofellius-Statue zu erschließen war. Aber anders als z.B. an entsprechend pathetisch bewegten Herrscherbildern sind die Gesichter der 'Römer' voll energischer allerdings meist später zu datierenden - Porträts von 'Griechen' ist ein (Abb. 3-4) anderer (28). Hier findet man keine Zeichen von Anstrengung und Energie, sondern versonnene, ernst und reflektiert wirkende keine Zeichen von Anstrengung und Energie, sondern versonnene, ernst und reflektiert wirkende Gesichter. Es handelt sich bei dem den verschiedenen Bildnissen eigenen Ausdruck um ein ausgesprochenes 'Zeitgesicht', in dem wahrscheinlich ein auf einer gesellschaftlichen Konvention beruhendes Selbstverständnis zum Ausdruck kommt. Man müßte bei der Interpretation dieses

---

daß zwar ein negotiator mit nacktem Heroenkörper dargestellt wurde, nicht aber die großen Feldherrn des 2. und früheren 1.Jhs. Zumindest in Fällen, in denen der Geehrte kultische Ehren erhielt, wird man auch mit einer effigies nuda rechnen dürfen.

(26) Zu den delischen Porträts zuletzt ausführlich A. Stewart a.O. 65ff. mit vernünftigen Überlegungen zur Datierung der meisten Porträts vor 88 v.Chr. und mit Betonung verschiedenartiger, wohl gleichzeitiger Bildnisauffassungen. Eine höhere Datierung der stilistisch älteren unter den delischen Porträts wird auch durch historische Fakten nahegelegt. Ein großer Zustrom westlicher negotiatores ist bereits nach der Zerstörung Korinths bezeugt: Strabo, X, 5,4.

Die alte Frage, ob und wie Bildnisse von Griechen und Römern zu unterscheiden seien (vgl.z.B. G. Kleiner, *MüJb*, 1, 1950, 9f.), wird jetzt erneut diskutiert von R.R.R. Smith (*JRS*, 71, 1981, 24ff.). Smith meint, die "very realistic portraits of Romans", die sich von denen der Griechen grundsätzlich unterschieden, seien dem Umstand zu verdanken, daß die griechischen Künstler die Römer als Ausländer anders und - wenn auch nicht voll bewußt - negativ distanziert dargestellt hätten (inborn cool objectivity towards them as a foreign race). Die z.T. erfrischenden Darlegungen Smith's leiden daran, daß für ein sehr komplexes Phänomen eine Patentlösung angeboten wird (the one fact which can fully explain this distinctivness) und dabei alles über einen Kamm geschoren wird. Vor allem die formalen Sachverhalte werden simplifiziert. So ist z.B. der sog. Realismus des delischen 'Römer' ein anderer als der der späteren Porträts aus den italischen Städten. Man schaue nur die 'schönen' Münder aller delischen 'Römer' an! Und wie groß sind die Gegensätze z.B. zwischen dem Porträt Cicero's und Caesars. Ich zweifle sehr, ob Smith das Porträt des jüngeren Cato als das eines Römers erkannt hätte, wenn es nicht darunter geschrieben stünde. Und warum soll die wirklichkeitsnahe Beschreibung eigentlich eine negative oder distanzierte Aussage enthalten, wo doch die Griechen selbst sie bereits seit dem späten 4.Jh.v.Chr. im Herrscher- und Philosophenporträt positiv verwenden? Auch im Einzelnen ist die Argumentation z.T. nicht glücklich. So wenn die Mithridates-Bildnisse denen des Pompeius gegenübergestellt werden mit dem Anspruch, hier Grundsätzliches zu sehen. Wie würde Smith argumentieren, wenn man das Bronzebüstchen Ptolemaios' XII Auletes (H. Kyrieleis, *Bildnisse der Ptolemäer* [1975], 77f., Taf. 68, 6-7) mit dem des Pompeius in Venedig vergliche? Auch verwickelt sich der Autor in Widersprüche. Einerseits ist er ein sehr kritischer Mann und sagt z.B. S.28 ganz richtig, daß verschiedene Stilrichtungen in den späthellenistischen Werkstätten nebeneinander existierten und Datierungen closer than to a century impossible seien (was denn doch als Regel etwas übertrieben ist). Auf der andern Seite aber weiß er S.26 genau, daß das Phänomen der 'realistischen' Römerporträts im 2.Jh. plötzlich aufgetreten ist. Mir scheint, daß weder Ausgangspunkt noch Ergebnis von Smith's Überlegungen zu halten sind.

(27) Delos, Museum Inv.A 4186. Stewart a.O.89 Nr. 10 Abb. 19d. Michalowski in *Delos* XIII, Taf. 27f.

(27a) T. Dohrn, *Der Arringatore*, 1968. K. Fittschen, *RM*, 77, 1970, 177 ff.

(28) Das entsprechende Material ist nur z.T. publiziert und bisher nicht monographisch zusammengestellt. Vgl. E. Buschor, *Das hellen. Bildnis*, 1949; G. Hafner, *Späthellenistische Bildnisplastik*, 1954; Stewart a.O. Abb. 17b,c; 24-26c; 27a, 28d. Unter den auf Delos gefundenen Bildnissen: Michalowski, *Delos*, XIII, Taf. 1,8,21,43. Vgl. auch das neue Porträt aus Pergamon (W. Radt, *AA*, 1975, 356, Abb. 9), das nach der Frisur allerdings auch ein 'Römer' sein könnte.

Zeitgesichts von den Verhaltensidealen ausgehen, die in den hellenistischen Philosophenschulen gelehrt wurden, und die alle ein reflektiertes, von Einsicht in die menschlichen Bedingtheiten erfülltes Leben predigten. Es scheint, als hätten die griechischen Bildhauer in den energiegeladenen Porträts ihrer italischen Auftraggeber ein aktivistisches Gegenbild formuliert (29). Eine solche Unterscheidung zwischen Bildnissen von Griechen und Römern ist jedoch hochgradig hypothetisch, denn sie beruht auf zu wenigen Beispielen, und außer der Haartracht gibt es kein Unterscheidungskriterium. Auffällig bleibt immerhin die Ähnlichkeit der kurzhaarigen Frisur der Porträts aus Delos mit derjenigen der späteren italischen Bildnisse. Falls die Unterscheidung also überhaupt etwas Richtiges trifft, so wären es nicht die mehr oder weniger ausgeprägt wirklichkeitsnahen Formen, der immer wieder als 'römisch' beschworene 'Realismus' der Bildnisse, sondern der mimische Ausdruck, das 'Zeitgesicht', was den Unterschied ausmachte. Der mimische Ausdruck der großen negotiatores aus dem Westen wird sich auch in Wirklichkeit von dem der Absolventen griechischer Philosophen- und Rhetorikschulen unterschieden haben. Man wird ihnen nur zu gut angesehen haben, wer sie waren!

3. Die Körperschemata der Ehrenstatuen in den italischen Städten zur Zeit der späten Republik.

Fast alle in italischen Städten gefundenen Ehrenstatuen sind, soweit ich das beurteilen kann, um oder nach 50 v.Chr. entstanden (was natürlich nicht bedeutet, daß es vorher keine gegeben hat). Trotz mancher Ähnlichkeiten mit den delischen Porträts besteht kein unmittelbarer stilistischer Zusammenhang (30). Vorbilder für die zahlreichen lokalen Werkstätten in den größeren Zentren Mittelitaliens und Campaniens waren die in Rom tätigen führenden Bildhauer und dorthin schauten natürlich auch die Auftraggeber. Dementsprechend stimmten Statuenschemata, Attribute und Bildnisauffassung wohl weitgehend mit dem überein, was wir über die Bildnisrepräsentation der nobiles in Rom wissen (31).

Die traditionelle Form der Bildnisstatue war hier wie dort die Togastatue, deren Aussage durch Attribute differenziert werden konnte. In Rom blieb die Togastatue wohl bis in sullanische Zeit die einzige Form offizieller Ehrungen durch den Senat. Für die nach dem Bundesgenossenkrieg neu in die Bürgerschaft aufgenommenen Italiker besaß die Toga aber eine besondere Bedeutung. Für sie wurde sie zum Zeichen für den neuen, so lange erstrebten Status des civis Romanus. Das gilt auch für die Gebiete, in denen man traditionsgemäß ein togaähnliches Gewand trug: Fortan war die Toga eben eine römische und als solche enthielt sie für die Neubürger eine ähnlich wichtige Aussage wie für die vielen Freigelassenen, die in den letzten Jahrzehnten der Republik eine so große Rolle in der römischen Gesellschaft zu spielen begannen. Man kann seit etwa der Mitte des 1. Jhs. v.Chr. sowohl an den Statuen aus den italischen Städten als auf den Grabreliefs der stadtrömischen Freigelassenen (32) eine deutliche Zunahme der Stoffülle der Togae und entsprechend aufwendigere Drapierungen beobachten. Es liegt nahe, den Grund für diese Veränderungen im Repräsentationsbedürfnis der Neubürger und Freigelassenen zu vermuten. Die Bedeutung, die die Toga für beide Gruppen der Gesellschaft besaß, erforderte eine Verdeutlichung der Form, vor allem eine klarere Absetzung von der kürzeren und knapperen griechischen Chlamys. Als Beispiel mögen altmodische Togati mit kurzer Toga aus Benevent (Abb. 6-7) und gravitätischere mit längerer Toga aus Chiusi (ca. 40-30 v.Chr.) dienen (33) (Abb. 8-9).

---

(29) Als 'Zeitgesicht' verstanden ist die etwas naiv formulierte Meinung G. Richters (*Three critical periods*, 1951, 60) gar nicht so "bald" und "strange", wie es Smith a.O. 34 erscheint.

(30) Gewisse Gemeinsamkeiten der delischen und italischen Porträts im Sinne direkter Abhängigkeit m.E. überbewertet bei Stewart a.O. 74ff.

(31) Vgl. T. Hölscher, *RM*, 85, 1978, 324ff.

(32) Verf., *JdI*, 90, 1975, 267ff.

(33) Benevent, Museo del Sannio. Hier Abb. 6,7. Chiusi, Museo Civico. Hier Abb. 8,9. (Vgl. die bei O. Vessberg, *Studien zur*

PAUL ZANKER

Römische Beamte bekamen in Griechenland und im Osten neben den Statuen im Mantel seit dem früheren 2.Jh.v.Chr. auch Reiter und Panzerstatuen gesetzt (34). Und man braucht m.E. nicht zu bezweifeln, daß gelegentlich auch nackte Statuen in Götter-oder Heroenpose vorkamen. Das legen schon die zahlreichen Umschreibungen der Inschriften von Statuen nahe. Auch in Rom selbst hielten solche Statuenschemata in der Tradition hellenistischer Herrscherrepräsentation schon im 2.Jh.v.Chr. ihren Einzug, obwohl sie aller republikanischen Tradition widersprachen. Da der Senat kein militärisches Gepränge innerhalb des pomerium duldete und den vom Charisma hellenistischen Gottmenschentums faszinierten Imperatoren gegenüber auf Einordnung ins Glied bestand, kann es sich bei den entsprechenden Statuen nur um 'private' Dedikationen gehandelt haben. Man kann sich diese z.B. in den neuen Heiligtümern der Triumphatoren auf dem Marsfeld oder in den horti der Großen (35) aufgestellt denken. Das erste offizielle Reiterdenkmal - wenn man von den im späten 4.Jh.v.Chr. errichteten absieht - wurde erst für Sulla errichtet (vor den Rostra) (36), offizielle Ehrungen im Götterschema sind erst für Caesar und Octavian bezeugt (37). Entsprechend dem autokratischen und charismatischen Selbstverständnis mancher Triumphatoren werden solche Statuen zumindest in deren Kreisen auch die in der hellenistischen Welt üblichen Assoziationen hervorgerufen haben, also dem ursprünglichen Sinngehalt entsprechend rezipiert worden sein. Was sich die Plebs dabei dachte, ist eine andere Frage. Die Inschrift der Statue Caesars auf dem Capitol nannte den Geehrten ἡμίθεος. Daß die Inschrift griechisch geschrieben war, ist bezeichnend für die Rezeptionsebene.

In den italischen Städten gab es keinen Senat und keine entsprechenden Traditionen, die der Rezeption charismatischer Bildformen entgegengewirkt hätten. Panzerstatuen sind nur sehr selten überliefert (38) und meines Wissens nie mit einem Namen zu verbinden. Daß man sich indes nicht scheute, in einem Heiligtum selbst eine Kolossalstatue im Panzer zu errichten, zeigt ein Relief aus dem Amphitheater in Capua (39) (Abb. 10). Es wird eine Ehrung für einen der großen Feldherrn aus Rom gewesen sein. Häufiger waren Ehrungen in Form einer nackten Statue. Im Falle der vor dem Herculestempel in Ostia aufgestellten Statue des Cartilius Poblicola (40) galt die Ehrung dem mit Abstand bedeutendsten Mann der Stadt in der Zeit des zweiten Triumvirats und der früheren Augustuszeit. Er war nicht weniger als achtmal duumvir. Die Funktion der Statue war wohl die einer Weihestatue im Herculesheiligtum, vielleicht hängt die Wahl des heroischen Schemas auch damit zusammen. Der uns unbekannte Auftraggeber wählte für die Statue des duumvir die bekannte Götterpose mit aufgestütztem Fuß, die schon früh für hellenistische Herrscher verwandt worden war (41). Es ist dasselbe Schema, in dem Caesar und Octavian dargestellt worden waren. Um den Arm ist eine Chlamys gewickelt, und in der

---

Kunstgeschichte der römischen Republik, 1941, Taf. 85 publizierten Statuen derselben Zeit und Werkstatt in Chiusi).

(34) Vgl. Tuchelt a.O.92.

(35) Letzteres gilt nach dem Fundort wohl für die kolossale Sitzstatue im Zeustypus in der Sala Rotonda des Vatikan (Helbig[4] I Nr. 42). Es ist das Verdienst H. Juckers, den Zustand des Kopfes dieser Statue untersucht und photographiert zu haben: Sie stellte zunächst einen hellenistischen Herrscher dar, dessen Züge dann in die eines römischen nobilis umgearbeitet wurden.

(36) Appian, *BC*, 1,97. Vgl. Hölscher a.O. 339f.

(37) Statue Caesars: Cass. Dio, 43, 14. Das Schema könnte das des Jupitertypus wie auf dem Relief von Ravenna (zuletzt ausführlich H. Jucker, *Mélanges P. Collart* [1976], 237ff.) oder das der Octaviansstatue mit hochgestelltem Bein gewesen sein. - Octavian: Statuen auf Denaren der sog. Actiumserie: Brit. Mus. Cat., Matingly 100 Nr. 615 Taf. 15,5; 103 Nr. 633-636 Taf. 15,15. - J.-B. Giard, *Bibl. Nat. Cat. Monnaies de l'Empire Rom.*, I, 1976, 66, Taf. 1,13-17; Taf. 2,68-72.

(38) z.B. J.Sieveking, *Eine röm. Porträtstatue in der Münchner Glyptothek*, 91. BerlWPr., 1931. Vgl. K. Stemmer, *Untersuchungen zur Typologie, Chronologie und Ikonographie d.Panzerstatuen*, 1978, 139ff.

(39) G. Pesce, *I rilievi dell'anfiteatro Campano*, 1941, Taf. 15a.

(40) R. Calza, *Scavi di Ostia*, III, 221ff. Taf. 44-46. Helbig[4] IV, Nr. 3028.

(41) Vgl. Bronzestatuette Neapel, Mus.Naz. Inv. 5026. Guida Ruesch Nr. 1606. G. Richter, *The Portraits of the Greeks*, III, 1965, 256, fig. 1743.

258

einen Hand darf man entsprechend einer ähnlichen Statue aus Cassinum das Schwert ergänzen. F. Zevi (42) hat aus dem Fries des Mausoleums des Cartilius Poblicola erschlossen, daß dieser als duumvir eine Verteidigungsaktion der Ostienser gegen Sextus Pompeius geleitet hat. Die Stifter hatten also Grund, die virtus des ersten Mannes der Stadt zu rühmen.

Aus mehreren anderen italischen Städten sind nackte Ehrenstatuen überliefert oder aus entsprechend heftig bewegten Köpfen zu erschließen. Diese Statuen zeigen, soweit erhalten, den Dargestellten immer mit Waffen. Als Beispiele seien neben der schon genannten Statue aus Cassino (43), der sog. Tivolifeldherr (44) und eine Statue aus Chieti (45), vor allem aber die beiden neuaufgefundenen Statuen aus Formia genannt (46). Das Bildnis der einen Statue (Abb. 11/12) erinnert physiognomisch ans Cicero-Porträt, was angesichts der für Formia bezeugten Cicero-Villa zu Spekulationen verlocken könnte. Die Statue gehört nach Bewegungsrhythmus und Einzelformen eindeutig in voraugusteische Zeit. Die nackte Darstellung wird demnach in den italischen Städten vor allem als Chiffre für militärische Verdienste verwandt. Als solche stellte sie sicher der 'normalen' Togastatue gegenüber eine Auszeichnung dar. Wie das Verhältnis zur Panzerstatue empfunden wurde, ist schwer zu sagen. Vielleicht umgab sie den Geehrten doch auch mit einer heroischen Aura. In den Jahrzehnten der Bürgerkriege gab es ja unter den Männern der italischen Städte viele, die auf militärische Leistungen hinweisen konnten. Und diese werden oft genug übertrieben propagiert worden sein. Wie hoch schon ein vergleichsweise bescheidener militärischer Rang ohne militärische Leistungen in den italischen Städten eingeschätzt wurde, zeigt die bekannte, freilich schon späteraugusteische Panzerstatue des M. Holconius Rufus (47).

Der führende Mann Pompeji's läßt seinen Rang in der römischen Armee als *tribunus militum a populo* (48) vor seiner glänzenden kommunalen Ämterfülle nennen und sich in keinem geringeren Statuentyp als dem der neuen Panzerstatue des Mars Ultor in Rom darstellen. Natürlich wollte er sich damit ebensowenig dem römischen Kriegsgott angleichen, wie die nackten Körper der städtischen Großen auf göttliche Kräfte oder übermenschliches Herrscher-Charisma hinweisen sollten. Man übernahm, wie die Italiker auf Delos, eine Ausdrucks-Chiffre, deren erhöhende Wirkung man durch die Statuen der römischen Imperatoren kannte. Und als virtus-Chiffre lebte in abgeschwächter und abstrakterer Form dann wohl auch noch etwas von der ursprünglichen Bedeutung der nackten Körper fort. Die in den einzelnen Orten bestehenden Beziehungen zwischen dem Geehrten und seinen Mitbürgern sorgten bei letzteren für eine den tatsächlichen Gegebenheiten entsprechende entmythisierte Aufnahme der 'Botschaft' der nackten Körper.

Die repräsentativste Form der offiziellen Ehrenstatue in Rom war seit Sulla das hellenistische Reiterdenkmal, der wirkungsvollste Aufstellungsort dafür neben oder auf den Rostra auf dem Forum, wo 43 v.Chr. auch der vergoldete equus für den gerade 20-jährigen Octavian errichtet wurde (49).

Wie die Basen von Reiterdenkmälern auf dem Forum von Pompeji (50) zeigen, war das in den italischen Städten nicht anders. An der West- und Südseite des Forums standen offenbar schon in spätrepublikanischer Zeit etwa gleichgroße Reitermonumente in enger Reihung, ganz wie wir es aus

---

(42) F. Zevi, *'Hellenismus in Mittelitalien' (Abh.Akad. Göttingen*, III, Nr. 97, 1976) I, 56ff.

(43) G. Carettoni, *MemPontAcc*, 6, 1943, 53ff. Taf. 1-4. R. Herbig, *RM*, 59, 1944, 85f. Taf. 15-17.

(44) Helbig⁴, III, Nr. 2304. Vessberg a.O. Taf. 48f.

(45) Th. Kraus, *Das röm. Weltreich*, 1967, Nr. 284.

(46) B. Conticello, *Antiquarium di Formia*, 1978, Nr. 1. Höhe 2,00 m., gefunden 1970.

(47) Verf., AA 1981, 349ff. A. de Franciscis, *Il ritratto romano a Pompei, MemNap*, 1, 1951, 37ff. Abb. 24-26.

(48) C. Nicolet, *Méfra*, 79, 1967, 65ff.

(49) Vell.Pat., 2,61,3. Appian, *BC*, 3,51,209. Cass.Dio, 46,29.

(50) Pläne: A.Mau, *Pompeji in Leben und Kunst*, 1908, 43ff. Plan II. Vgl. zuletzt den Plan von H. Eschebach, *Die städtebauliche Entwicklung von Pompeji*, (*RM*, Erg. h. 17, 1970). Zu den Statuen auf dem Forum: A.Mau, *RM*, 11, 1896, 150ff. Vgl. auch H.Döhl in seiner noch ungedruckten Habilschrift *Plastik aus Pompeji*, Göttingen, 1976.

PAUL ZANKER

hellenistischen Heiligtümern kennen. Es war die aufwendigste Form der Ehrenstatue. Die einzige an einer der Basen erhaltene Inschrift nennt einen Mann, der nicht nur jahrelang als duumvir an der Spitze der Gemeindeverwaltung stand, sondern auch patronus coloniae war: SALLUSTIO.P.F.II.VIR.ID.QVINQ. PATRONO.D.D. (*CIL* X, 792) (51). Wahrscheinlich stammt die Inschrift an dem in augusteischer Zeit versetzten Denkmal aus spätrepublikanischer Zeit. Aber auch noch in der Zeit des Nero wurde der duumvir A. Umbricius A.f. Scaurus, aus einer Familie, die vor ihm noch nicht zur politischen Führungsschicht gehört hatte, postum mit einem Reiterstandbild geehrt (*CIL* X, 1024) (52). Da er ohne militärischen Rang war, wird er mit der Reitertunica und Toga dargestellt gewesen sein, wie sie das aus verschiedenen in Pompeji gefundenen Fragmenten zusammengesetzte Pasticcio in Neapel zeigt (53).

4. Die Statuen des M. Nonius Balbus und seiner Familie.

Die eng nebeneinander gereihten Statuenbasen auf dem Forum von Pompeji lassen vermuten, daß man mit dieser höchsten Form der Statuenehrung nicht gerade sparsam umging. Das war offenbar an anderen Orten nicht anders. Im Theater von Herculaneum sollen mindestens 6 Reiterdenkmäler gestanden haben. Das beste Beispiel für die Häufung von Statuenehrungen für einen Mann und seine Familie bietet der Fall des M. Nonius M.f. Balbus in Herculaneum (54). Er stammte aus dem benachbarten Nuceria und brachte es zum Praetor und Proconsul von Kreta -Cyrene. Die Herculanenser machten ihn zum *patronus* ihrer Stadt. Er war zur Zeit des Augustus ihr größter Wohltäter. Eine Bauinschrift berichtet, er habe *basilicam portas, murum pecunia sua* errichten lassen (*CIL* X, 1425). In dem nach seinem Tode gefaßten Ehrenbeschluß der Dekurionen heißt es, daß er *cum plurima liberalitate singulis universisque praistiterit*. Auch im Theater erinnerte eine Ehreninschrift an ihn (*CIL* X 1427). Es war selbstverständlich, daß man diesen Mann in der aufwendigsten Weise ehrte. Nach seinem Tode beschlossen die Dekurionen u.a. *"statuam equestrem ei poni quam celeberrimo loco ex pecunia publica inscribique: M. Nonio M.f. Men. Balbo pr. procos. patrono universus ordo populi Herculaniensis ob merita eius"* (55). A. Maiuri und zuletzt L. Schumacher meinten, diese Statue sei mit einer der beiden marmornen Reiterstatuen identisch, die 1745 am Eingang der sog. Basilica gefunden worden sind (56). Dagegen spricht eindeutig die bei der einen Reiterstatue gefundene Inschrift: M.NONIO.M.F.BALBO.PR. PRO.COS.HERCVLANENSES (*CIL* X, 1426). Die Inschrift stimmt nicht nur im Wortlaut der Dedikanten nicht mit der im Ehrenbeschluß eigens festgehaltenen Formel überein, es fehlt auch der Hinweis auf die *merita* und vor allem der Ehrentitel *patronus*. Bei der Bedeutung des Patronats wird man sich mit Schumachers Erklärung, das habe sich beim Bekanntheitsgrad des Geehrten erübrigt, keinesfalls zufrieden geben. Viel wahrscheinlicher ist, daß das marmorne Reiterstandbild, dessen jugendlicher Porträtkopf ursprünglich erhalten war und erst 1799 von einer Kugel zerschmettert wurde, eine frühere Ehrung der 'Herculanenses' für ihren Gönner war, errichtet bevor man ihm das Patronat übertragen

(51) vgl. P. Castrén, *Ordo Populusque Pompeianus*, 1975, 216.
(52) Castrén a.O. 232.
(53) De Franciscis a.O 60 Abb. 68f. H. von Roques de Maumont, *Antike Reiterstandbilder*, 1958, 73, Abb. 37.
(54) Zuletzt ausführlich L. Schumacher, *Chiron*, 6, 1976, 165ff.
(55) A. Maiuri, *RendAccLinc*, VII, 3, 1943, 253ff. Schumacher a.O. 169ff.
(56) Guida Ruesch Nr. 23 (sog. Balbus Pater) und Nr. 59 (M. Nonius Balbus). Abbildungen: R. Paribeni, *Il ritratto nell'arte antica*, 1934, II, Taf. 162f.; v. Roques de Maumont a.O. Abb. 41a-b; Th. Kraus, *Das röm. Weltreich*, 1967, Nr. 295. - Zum Fundort A.Allroggen-Bedel, *CronErc*, 4, 1974, 102 Anm. 44.

hatte. Der Vergleich zwischen dem von Maiuri gefundenen Porträtkopf des M. Nonius Balbus (s.u.) (hier Abb. 13/14) (57) und den modernen Kopien des zerstörten Kopfes der marmornen Reiterstatue (Abb. 17/18) (58) bestätigt diese Vermutung. Der Geehrte war zur Zeit der Ehrung mit dem gefundenen Marmormonument erheblich jünger als bei der späteren Statuenehrung vor der Stadtmauer. Ein drittes Reiterdenkmal des M. Nonius Balbus ist in der zweiten Marmorstatue erhalten, die im 18. Jh. mit einer Kopie des Balbus pater ergänzt wurde (Abb. 23/24). Es liegt nahe, die in der Nähe gefundene Inschrift M.NONIO.M.F.BALBO.PROCOS.NVCHERINI.MVNICIPES.SVI (*CIL* X, 1429) auf diese Statue zu beziehen, wie es schon Mommsen erwogen hatte. Da der Reiter hier denselben Panzer mit Mantel und Parazonium trägt, ist die Benennung Balbus pater mit Sicherheit auszuschließen, denn dieser hat kein Amt bekleidet (*CIL* X, 1439). Es muß sich um eine Person mit militärischem Rang gehandelt haben, war also höchstwahrscheinlich eine Reiterstatue für M. Nonius Balbus, errichtet von den Einwohnern der Stadt Nuceria für ihren berühmten Sohn.

Für den Archäologen ist dieser Fall auch in anderer Hinsicht höchst aufschlußreich. Die beiden Reiterstatuen stammen zweifellos aus derselben Werkstatt, das zeigt z.B. die Ausarbeitung der beiden Mähnen (Abb. 22/24). Beide Statuen wiederholen aber auch dasselbe Modell mit nur geringfügigen Abweichungen (vgl. z.B. Abb. 21/23). Die Nucherini und Herculanenses haben also ihre Ehrenmonumente in derselben wohl campanischen Werkstatt bestellt. Und es kam ihnen dabei offensichtlich in keiner Weise auf ein in kunsthistorischer Hinsicht originelles Denkmal an. Material und ordentliche Ausführung werden neben dem Preis die entscheidenden Kriterien bei Auftragserteilung und bei der Abnahme der Statuen gewesen sein. Doch damit noch nicht genug. Die Inschrift *CIL* X, 1430 wurde zusammen mit Fragmenten einer bronzenen Reiterstatue gefunden. Diese war nach dem Fundbericht nicht weit von den beiden marmornen Reiterdenkmälern, also vor oder in der sog. Basilica aufgestellt (59). Die Statue war vom *comune Cretensium patrono* errichtet. Von demselben Mann sind also nicht weniger als 4 Reiterstatuen in enger räumlicher Nachbarschaft nachzuweisen, wahrscheinlich waren es noch mehr.

Doch das waren nur die Reiterstatuen. Vier Inschriften bezeugen weitere Ehrungen von Seiten der dankbaren ehemaligen Provinzialen. Es waren Statuen unbekannten Schemas und zwar zwei weitere Ehrungen von seiten des *comune Cretensium (CIL* X, 1431/32), eine von der *colonia Julia Cnossus (CIL* X, 1433) und eine von der Stadt Gortyn. Auch die neben der Ara am Verbrennungsplatz des M. Nonius Balbus vor dem Eingang der späteren terme suburbane errichtete Statue (60), von der nur die Basis, die Plinthe mit den Füßen und der Kopf erhalten ist (Abb. 13/14), könnte eine Ehrung der Kreter gewesen sein. Denn die Bildhauerarbeit des Porträtkopfs läßt sich gut mit im Osten gefundenen Bildnissen, kaum jedoch mit der präzisen und 'kühlen' Formensprache römischer Bildnisse vergleichen (61). Der Einsatzkopf läßt eine Panzerstatue erschließen (62). Die nackten Füße sind kein Indiz für eine postume Datierung (63). Im Gegenteil spricht die Tatsache, daß die Statue hinter dem hochaufgestellten Altar stand, und von diesem zum Teil verdeckt wurde (Abb. 25), für eine Errichtung vor dem Tode des Geehrten. Die Züge des Porträts aber weisen auf ein reifes Alter des Prätors hin. Die im Theater gefundene und belassene Inschrift (*CIL* X 1427 supra portam sinistram) gehörte wohl ebenso zu einer

---

(57) Maiuri a.O. Taf.

(58) Inst.Neg.Rom.76.1123f.

(59) Allroggen-Bedel a.O. 106.

(60) Vgl. Maiuri a.O.

(61) Am besten vergleichbar scheinen mir Bildnisse aus dem Umkreis von Rhodos, z.B. Hafner a.O. R9, R16 (früher), R22. Aber auch Bildnisse wie Nr. NK 2 Taf. 20, NK 10 Taf. 22 oder A 32 sind nicht unähnlich.

(62) F. Zevi vermutet die Zugehörigkeit eines noch unpublizierten mit Reliefdarstellungen versehenen Panzertorsos im Magazin des Neapler Mus. Naz.

(63) Vgl. K. Fittschen, *JdI*, 91, 1976, 208.

Statue wie die Inschrift *CIL* X, 1428, die bei einer Togastatue gefunden wurde. In beiden Fällen handelte es sich um Ehrungen, die die Herculanenses dem Prätor und Proconsul vor Übertragung des Patronats errichteten (64). Die zuletzt genannte Togastatue war bei der Auffindung mit jugendlichem Bildnis und Händen vorzüglich erhalten. Ihre Identifizierung mit der Statue im Museo Nazionale Inv.Nr. 6246 (Abb. 15/16) ist jedoch umstritten (65). Die Statue des Proconsuls war offenbar zusammen mit den Statuen der Mutter und des Vaters aufgestellt (66). Es war also eine 'Familiengalerie', die ganz auf den Proconsul zugeschnitten war. Denn die Eltern werden auf den Inschriften explizit als Mutter (*CIL* X, 1440) bzw. Vater (*CIL* X, 1439) des großen Mannes geehrt. Eine solche Galerie, für die es im Osten und Westen Parallelen gibt, war natürlich eine weitaus gewichtigere Ehrung als es eine vereinzelte Togastatue gewesen wäre. Die Bildnisse des Balbus pater (67) und der Viciria. A.F. Archais (68) (Abb. 19/20) gehören stilistisch eher in die spätere Augustuszeit (circa ab 10 v. Chr.). Interessant ist die zu dieser Zeit bereits sehr konservative Porträtauffassung, vor allem die stark ausgeprägten Alterszüge der Viciria. Auch die Frau des M. Nonius Balbus wurde mit Statuen geehrt. Inschriften von drei Statuen sind erhalten (*CIL* X, 1435- 37), als Dedikanten werden die *decuriones* von Herculaneum, *decuriones* und *plebs* und die *VETERES* genannt, was darauf schließen läßt, daß sie selbständig als Wohltäterin tätig war.

Da nur ein Teil der Stadt ausgegraben ist, darf man annehmen, daß es weitere Statuen der Balbi gegeben hat. Man muß in der kleinen Stadt auf Schritt und Tritt auf eine ihrer Statuen gestoßen sein. Der Fall zeigt in eindrucksvoller Weise, welche Ausmaße die Statuenehrung für einen Mann auch in einer kleinen italischen Stadt annehmen konnte. Wie in den hellenistischen Städten und in Rom lag die wirkungsvollste Steigerung dieser Repräsentationsform in der Vielzahl (69). Die Aneinanderreihung gleichartiger Monumente bedeutete ebenso eine Steigerung wie die Ehrung seiner oft verdienstlosen Familienangehörigen. Im Falle des M. Nonius Balbus sieht man auch, wie hoch Ehrungen von Seiten Auswärtiger eingestuft wurden. Die Kreter haben sich zu den kostspieligen Statuenstiftungen sicher nicht ohne starke Motivationen entschlossen, sie werden sich der Wertschätzung ihres Tuns von Seiten des Geehrten sicher gewesen sein. Die Statuen des Prätors, seiner Eltern und seiner Frau führten den

---

(64) Das schließt m.E. die Kombination L. Schumachers a.O. 177 aus, der hier den Aufstellungsort für die im postumen Ehrenbeschluß genannte sella vermutet.

(65) Guida Ruesch 12 Nr. 24. Zuletzt Allroggen-Bedel a.O. 101. Neuaufnahmen (Inst. Neg. 76. 1099-1102) zeigen m.E. nicht nur, daß der Kopf antik ist, sondern legen auch die Vermutung nahe, er stamme aus derselben Werkstatt wie die Statue des Balbus Pater (Anm. 67) und der Viciria (Anm. 68). Der Einsatzkopf wirkt zwar etwas zu klein auf der Statue und der Halsausschnitt scheint zu eng für das Einlaßloch zu sein, aber das kommt häufig vor (heute mit Gips verschmiert). Durch die noch unpublizierten Untersuchungen von Stefania Adamo Muscettola kann die Jugendlichkeit des 1799 zerstörten Porträts auf der einen marmornen Reiterstatue (Abb. 17, 18, 21) als gesichert gelten. Eine Bisquit-Nachbildung zeigt nämlich, daß der Bildhauer Brunelli sein Vorbild nicht verjüngt hat. Der Bisquitkopf scheint zudem differenzierter. Er gibt eine breitere Gesichtsform, die mit der des Kopfes von Inv. 6246 nicht unvereinbar ist. Auch läßt sich m.E. das mutmaßlich östliche Porträt der Panzerstatue von den terme suburbane (Abb. 13/14 Anm. 55) als Bildnis desselben Mannes in höherem Alter verstehen. Wir hätten, wenn diese freilich notwendig subjektiven Annahmen zuträfen, Bildnisse des Prätors aus drei verschiedenen Altersstufen. - Ich danke Frau Adamo Muscettola für ihre Hinweise und für die Überlassung von Photographien der Bisquitnachbildung. Vgl. den Korrekturzusatz.

(66) Die 'Galerie' müßte ursprünglich allerdings an einem andern als dem Fundort aufgestellt gewesen sein, wenn A. Allroggen-Bedels Rekonstruktion der Fundumstände zutrifft. Vgl. zu den Fundumständen jetzt aber auch G. Guadagno, *CronErc*, 11, 1981, 129ff.

(67) Guida Ruesch 18 Nr. 60; Inv. 6167. Th. Kraus, *Pompeji u. Herculaneum*, 1973, 126, Abb. 146. Verf., *AA*, 1981, 358 Abb. 17-18.

(68) Guida Ruesch 11 Nr. 20 Inv. 6168. Allroggen-Bedel a.O. 101f. Abb. 5. A. Hekler, *Die Bildniskunst der Griechen und Römer*, 1912, 205. Das Bildnis drückt das Alter in seltener Deutlichkeit aus. Die Frisur mit Mittelscheitel, aber noch hochsitzendem Knoten entspricht einer auf der Ara Pacis nachzuweisenden Frisur (K. Polaschek, *TrZschr*, 35, 1972, 147).

(69) Ein schönes Beispiel aus dem Osten bieten die Ehrungen für Diodoros Pasparos aus Pergamon (vgl. *RE* Suppl., XII, 224, Nr. 61, D. Kienast). Zur Datierung Chr. Jones, *Chiron*, 4, 1974, 183 ff. Für die frühe Kaiserzeit vgl. W. Eck, *Hermes*, 100, 1972, 461ff.

Rangunterschied zwischen den Nonii und allen übrigen Honoratioren der kleinen Stadt überdeutlich vor Augen. Ein Besucher aus Rom erhielt hier ein eindeutiges Bild von Ansehen und Bedeutung des M. Nonius Balbus in seiner Stadt. Sicher ist der Fall nicht zu verallgemeinern. Ich kenne keine vergleichbar dominante Bildnisrepräsentation eines Mannes, der nicht zur kaiserlichen Familie gehörte, aus einer anderen italischen Stadt. Obwohl es auch im Westen noch während der Kaiserzeit Anhäufungen von Ehrenstatuen selbst für einen Freigelassenen (70) gab, ist die Fülle aufwendigster Monumente an den zentralsten Aufstellungsorten für einen römischen Magistrat nur in der späten Republik und der früheren Augustuszeit, nicht aber in der späteren Zeit der julisch-claudischen Familiengalerien denkbar. Dasselbe gilt, wie L. Schumacher gezeigt hat, für die postumen Ehrungen, die z.T. dem griechischen Heroenkult nachgebildet sind. Die archäologischen Zeugnisse, der Stil der Statuen ebenso wie die Ornamente der Memorial-Ara (71) (Abb. 26) vor den terme suburbane sprechen ebenfalls eindeutig für eine Datierung in augusteische Zeit. Die alte Vermutung Mommsens, daß M. Nonius Balbus mit dem bei Dio Cass., 50,2 genannten Volkstribunen identisch sei, der am 1. Januar 32 v. Chr. erfolgreich zugunsten Octavians gegen die Anträge des Consuls C. Sosius intervenierte, behält große Wahrscheinlichkeit. Da das jugendliche Porträt des etwa 30jährigen gut in den Jahren um 30 v. Chr. entstanden sein kann, darf man ein Sterbedatum des 50-60jährigen *patronus* um die Zeitenwende vermuten.

5. Werkstätten und Porträtgestaltung.

Die Werkstattzusammenhänge der spätrepublikanischen Bildnisse sind noch nicht erforscht und vielleicht auch nicht wirklich zu klären (72). Bei der Unterscheidung zwischen in Rom und in den italischen Städten gefundenen Marmorporträts kann man vorderhand nur auf schwer zu definierende Qualitätsunterschiede und, wenn das zufällig Erhaltene nicht täuscht, auf gewisse Eigenarten im 'Porträtgeschmack' hinweisen. Sichere Kriterien gibt es nicht. Ich habe den Eindruck, daß die meisten der qualitätvolleren spätrepublikanischen und augusteischen Porträts aus den mittelitalischen und campanischen Städten nicht in Rom selbst, sondern in Ateliers hergestellt wurden, die in den größeren Städten des Landes ansässig waren und bei Bedarf auch vor Ort arbeiten konnten. Daneben gab es noch zahlreiche, z.T. sehr bescheidene lokale Werkstätten, die vor allem die Grabmonumente für die mittleren Bevölkerungsschichten ausführten. Frägt man nach ikonographischen Besonderheiten der qualitätvolleren unter den munizipalen Porträts, so sind m.E. trotz aller Abhängigkeit von den stadtrömischen Bildnissen zwei Besonderheiten zu beobachten. Zum einen fällt auf, daß die Zahl der Bildnisse alter Männer und Greise die jeder anderen Altersgruppe bei weitem übertrifft, und daß die Alterszüge mit besonderer Eindringlichkeit geschildert werden. Das hängt wohl damit zusammen, daß die führenden Männer in den Städten in der Regel ältere Herren waren, und daß das Alter in der Politik noch mehr als Gütezeichen galt als in Rom selbst, wo immer wieder jugendliche Imperatoren die Altersschranken durchbrochen haben und zu Ehren gekommen sind. Bei manchen Bildnissen hat man den Eindruck, das Maß an virtus hänge unmittelbar mit der Vielzahl der Hautfalten im Gesicht zusammen (Abb. 27)! In

---

(70) Vgl. den freilich extremen Fall des L. Licinius Secundus, sevir augustalis in Tarraco und in Barcino: G. Alföldy, *Homenaje a García y Bellido* IV (*Rev. de la Universidad Complutense,* Vol. 18, Nr. 118, 1979) 221ff.

(71) Ich kann auf dieses wichtige chronologische Indiz hier nicht näher eingehen. obwohl natürlich qualitativ zweitrangig, kann man die Ornamente mit ziemlicher Sicherheit in die spätere Augustuszeit datieren. Vergleichbar sind z.B. Ranken der Kapitelle des Castor-Polluxtempels auf dem Forum (7.n.Chr. eingeweiht). H. Lauter und V. Kockel bin ich für ihre Hilfe bei der Datierung der Ornamente sehr dankbar.

(72) Vgl. zum Folgenden Verf., *Hellenismus in Mittelitalien* a.O., II, 597ff.

solchen Formen kommt aber auch ein naives Porträtverständnis zum Ausdruck, das frei von ästhetischen und intellektuellen Traditionen ist. Auftraggebern und Werkstätten kam es vor allem auf die 'richtige' Wiedergabe der tatsächlichen Physiognomie mit allen Zufälligkeiten und Unregelmäßigkeiten, einschließlich Warzen, Zahnlosigkeit und Kahlheit an. Es ging um nüchtern deskriptive Erfassung des Faktischen, nicht um künstlerische Wirkung oder gar psychologische Charakterisierung.

Zum andern meine ich aber auch in der Mimik eine Eigenart der Honoratiorenbildnisse feststellen zu können: Es ist der Ausdruck von Energie, Tatkraft und Durchsetzungsvermögen, der meist in einem zusammengepreßten Mund konzentriert ist (Abb. 27-30) (73). Kein Zweifel, die Stadthonoratioren werden solche Gesichter oft genug zur Schau getragen haben, wie es bei den sogenannten Machern auch heute der Fall ist. Man denke nur an die angestrengten Gesichter der Politiker, Wirtschafts- und Gewerkschaftsführer, die uns allabendlich so ernst, energisch und bedeutend aus dem Fernsehschirm anblicken. So konnte und sollte man auch den führenden Männern der italischen Städte Härte, Entschlossenheit und Führungsqualitäten ansehen. Es handelt sich hier offenbar um ein ausgeprägtes Zeitgesicht, das für eine bestimmte soziale Gruppe charakteristisch ist.

Die Porträts der römischen *nobiles* sehen gewöhnlich anders aus (74). Angestrengtheit war nie ein Aristokratenideal. Im Vergleich zu den äußerst differenzierten Bildnissen der *nobiles* haben die Porträts aus den Landstädten oft formelhafte Züge und die einfache Form plastischer Durchgestaltung läßt die Falten schärfer, die Übergänge härter erscheinen. In Rom dagegen stellen erstklassige griechische Porträtisten ihre Auftraggeber mit lebendigem, momentan wirkendem Ausdruck und mit charakteristischer Kopfbewegung als unverwechselbare Individuen dar und versuchen dabei z.T. auch psychische Dimensionen zu erfassen. Falls es gewünscht war, steigerten sie aber auch den Ausdruck der wirklichkeitsnah beschriebenen Gesichter mittels der Pathosformeln des hellenistischen Herrscherbildes. Auch diese Bildnisform findet man gelegentlich in den Städten, meist bei Bildnissen jüngerer Männer.

Seit der Zeit des Tiberius ist die Zahl der Bildnisehrungen von Personen, die nicht zur kaiserlichen Familie gehörten, stark zurückgegangen. Die Funde aus Pompeji, aber auch aus den übrigen Städten Italiens sprechen hier eine eindeutige Sprache (s.o.). Die Qualität der spärlich gewordenen Statuen und Porträtköpfe ist jedoch insgesamt erheblich höher und von der der stadtrömischen Bildnisse nicht mehr zu unterscheiden. Wenn es zu Ehrungen kam, bestellte man offenbar oft in einem römischen Atelier. Die munizipalen Ateliers scheinen um die Mitte des 1.Jhs.v.Chr. weitgehend ausgestorben zu sein.

6. Übernahme der neuen offiziellen Statuenschemata des Kaiserhauses.

Zwei gute Beispiele für qualitätvolle, wahrscheinlich von einem römischen Atelier gearbeitete Porträtstatuen bieten die beiden nach dem Erdbeben von 63 n.Chr. im Macellum von Pompeji aufgestellten Statuen (75). Wie hier übernahm man auch in anderen Städten die für den Princeps und seine Familie benutzten Statuenschemata. Das eindrucksvollste Beispiel dafür bietet eine in Formia gefundene Statuengruppe, bei der es sich höchstwahrscheinlich um eine 'Familiengalerie' handelt (76). Die Statuen sind von höchster Qualität und wahrscheinlich in einem römischen Atelier gearbeitet worden. Togaform, Haartracht der Frau und Bildnisstil geben sichere Anhaltspunkte für eine Datierung in die späte Zeit des Augustus.

---

(73) Abgebildete beispiele aus Osimo (P. Marconi, *Bd'A*, 29, 1935/6, 301); Chieti, Mus.Naz. (Vessberg a.O. Taf. 84, 3-4); Terracina, Mus.Arch.; Perugia, Mus. Arch.

(74) Vgl. Verf. a.O. 587ff.

(75) De Franciscis a.O. 63f. Abb. 70ff.

(76) S. Aurigemma, *Bd'A*, 2. Ser. 1, 1921/2, 309ff. und 10, 1930/1, 211ff. F.W. Goethert, *RM*, 54, 1939, 182ff.

Das mutmaßliche Familienoberhaupt und einer der jungen Männer (Söhne?) sind in der Toga mit verhülltem Haupt dargestellt, fromm wie der Kaiser und mit demselben schönen Ernst der Mienen. Der ältere Togatus ist nicht mit der Opferschale, sondern mit einer Handhaltung gezeigt, die ein Attribut wie den lituus vermuten läßt (77). Zwei weitere Männer, ein älterer und ein jüngerer, wurden im sog. Hüftmanteltypus dargestellt. Es ist dies ein Statuenschema, das schon in der späten Republik gelegentlich benutzt worden war, dann aber durch die Kultstatue des Divus Julius Eingang in die offizielle Kunst gefunden hatte (78).

In einer klassizistischen Neuprägung mit 'polykletischen' Körperformen wurde der zunächst wohl nur für verstorbene Prinzen und Herrscher kreierte Typus in der julisch-claudischen Bildnisrepräsentation häufig verwendet (79). Dem Verewigten wurde durch die Nacktheit eine erhöhte Qualität zugesprochen, der ursprüngliche Sinngehalt der 'heroischen' Nacktheit blieb also in gedämpfter Form und mit spezifischer Aussage erhalten. Wahrscheinlich handelt es sich bei den beiden in diesem Statuentypus geehrten Männern ebenfalls um Verstorbene, anders wäre der Kontrast zu den gleichzeitigen Togastatuen kaum zu erklären. Ein weiterer noch sehr junger Mann ist ganz nackt im sog. Schulterbauschtypus dargestellt. Das entspricht genau den Statuen der Prinzen Gaius und Lucius Caesar aus der Basilica von Korinth (80). Auch zwei Frauenstatuen sind erhalten. Die klassischen Statuentypen und die Frisurmode entsprechen denen der Damen des Kaiserhauses. Viciria, die Mutter des M. Nonius Balbus dagegen, war noch in einem üppigen späthellenistischen Gewand dargestellt worden.

Die Gesichter der Statuen aus Formia zeigen allesamt die geglätteten und gestrafften Formen der späten Augustus-Zeit. Das Porträt auf der nackten Jünglingsstatue ist nicht nur in ästhetisch-formaler Hinsicht mit den offiziellen Bildnissen verwandt, die ganze Physiognomie ist den klassisch proportionierten Porträts von G. und L. Caesar angeglichen (81). In den Bildnissen sehr junger Männer findet man dieses Phänomen der Angleichung an Prinzenbildnisse in den Landstädten auch sonst gelegentlich, während bei den Bildnissen älterer Männer an den alten ikonographischen Typen festgehalten wird, freilich in verfeinerter Ausführung und mit gedämpfter Charakterisierung der individuellen Formen, besonders der Alterszüge. Das Porträt des älteren Mannes im Hüftmantel aus Formia ist ein gutes Beispiel dafür.

In der späten Republik hatte man in den Städten Mittelitaliens und Campaniens (82) die Statuenrepräsentation der römischen nobiles nachgeahmt. Und es hatte dabei kaum ein Schema gegeben, das man als zu hoch gegriffen empfunden und deshalb vermieden hätte. Kaum legt man in Rom eine neue, den Bedürfnissen des Prinzipats entsprechende Ordnung statuarischer Repräsentation für den Princeps, für die lebenden und verstorbenen Prinzen und für die Divi fest, da werden diese in den Landstädten auch schon für die dort führenden Männer und deren Familien übernommen. Die alten pathetischen Schemata mit Heroen- und Götterkörpern kommen jetzt zwar aus der Mode und Toga und fromme Haltung kommen zu Ehren. Aber man trägt auch keine Scheu, die neuen erhöhenden Schemata mit nackten Körpern für die verstorbenen Honoratioren (nur für diese?) anzuwenden. Waren vorher die nobiles in

---

(77) Vgl. die Gegenüberstellung mit der Ara der Vicomagistri in den Uffizien bei F.W. Goethert a.O. Taf. 39.

(78) Zuletzt Fittschen a.O. 183ff.

(79) Das Material gesammelt bei A. Dähn, *Zur Ikonographie und Bedeutung einiger Typen der römischen männlichen Porträtstatuen* (Diss. Marburg, 1973) 18ff., 84ff.

(80) Ausführlich zu dieser Statue H.G. Oehler, *Untersuchungen zu den männlichen römischen Mantelstatuen*, 1961, 49ff. (m. früherer Lit.).

(81) Vgl. die Replikenliste bei K. Fittschen, *Katalog der antiken Skulpturen in Schloß Erbach*, 1977, 35ff. Besonders ähnlich die Bildnisse auf den Statuen aus Korinth: Verf., *Studien zu den Augustus-Porträts* I. *Der Actium-Typus* (*AbhAkadGöttingen*, Nr. 85, 1973) Taf. 35f.

(82) z.B. in Pompeji: De Franciscis a.O. Abb. 30f., 32f., 44f.

Sachen Statuenrepräsentation vorbildlich, so ist és jetzt der Princeps und seine Familie und zwar nicht nur für die führenden Familien und Honoratioren der italischen Städte, sondern auch für die *nobiles* in Rom (83). Andererseits verleiht der Princeps bzw. der Senat offenbar keine nackten Statuen als postume Ehrung, nicht einmal wenn die Ehrung so reichlich ausfällt wie für den Konsular L. Volusius Saturninus zur Zeit des jungen Nero (84).

Man sah in den klassisch geformten halb- und ganz nackten Körpern der verewigten Prinzen und Herrscher offenbar keinen Ausdruck einer einzigartigen Qualität, die den so Dargestellten von anderen verdienstvollen Toten eindeutig abgehoben hätte. Ebensowenig wie man früher einen solchen in den pathoserfüllten Götterposen der *nobiles* gesehen hatte. Wie es ja überhaupt eine der charakteristischen Eigenarten des römischen Herrscherbildes ist, daß es keine eindeutig 'herrscherlichen' Formen ausgebildet hat, die den Kaisern vorbehalten geblieben wären - mit der einzigen Ausnahme der Jupiterschemata.

Die führenden Männer der italischen Städte orientieren sich an dem, was in Rom geschieht. Aber sie tun es in selbstbewußter Weise. Was der Kaiser und seine Familie für Rom und das ganze Reich waren, das war man selbst bis zu einem gewissen Grade für seine Stadt. Dem Princeps hatte man 2 v.Chr. den Ehrentitel *pater patriae* verliehen. Dem M. Nonius Balbus werden seine postumen Ehren laut Ehrendekret zuteil, weil er *parentis animum cum plurima liberalitate singulis universisque praistiterit* (85).

Freilich dauerte das nicht lange. Fortan beherrschten die Statuen des Princeps und seiner Familie mehr und mehr die Plätze, Basiliken, Theater und Heiligtümer. Und ihnen gegenüber traten die Statuen der führenden Männer der lokalen Politik nicht nur zahlenmäßig zurück. Die Ehrenstatuen des Kaiserhauses besetzten überall die prominentesten Plätze. Sie wurden gelegentlich auch auf Bögen gehoben und in kolossalem Format ausgeführt. Auch das wird an den Statuenbasen auf dem Forum von Pompeji deutlich sichtbar. Die Familiengalerien des Herrscherhauses waren oft umfangreich, reichten über mehrere Generationen und schlossen Divi ein. Mit solchen Bildnisehren der kaiserlichen Familie war nicht zu konkurrieren. Und das war zweifellos einer der Gründe für das erlahmende Interesse an Statuenehrungen. Nicht selten werden die Statuen der städtischen Honoratioren jetzt neben den von ihnen gestifteten kaiserlichen Galerien gestanden haben. Aber das waren in den Städten Mittelitaliens meist auch nicht mehr Mitglieder der alten Familien, der einstigen *domi nobiles,* sondern neue Leute aus Familien, die vorher nicht im politischen Leben tätig gewesen waren (86) oder Nachkommen der Freigelassenen der alten Familien, wie jener M. Nonius Balbus, der in Herculaneum die schöne Statue für den Kaiser Titus gestiftet hat (*CIL* X, 1420) (87).

PAUL ZANKER

---

(83) Vgl.z.B. die Grabstatue (tiberisch) vom Grab des C. Sulpicius Platorinus, die durch das in der Linken gehaltene Schwert zugleich auf die Militärkarriere des Dargestellten hinweist: Helbig[4] III, Nr. 2168 (mit Lit.). Gute Abbildung bei B. Andreae, *Römische Kunst,* 1973, Abb. 325.

(84) W. Eck, *Hermes,* 100, 1972, 461ff.

(85) Zum Verständnis der Stelle Schumacher a.O. 172.

(86) Wie es Castrén a.O. für Pompeji gezeigt hat.

(87) Vgl. Schumacher a.O. 167.

Korrekturzusatz.

Die in Anm. 65 genannte Arbeit von Stefania Adamo Muscettola ist inzwischen erschienen: Prospettiva 28, 1982, 2ff. Die grünliche Untersuchung kommt zu wichtigen neuen Einsichten, die z.T. das hier Engedeutete bestätigen. Lediglich der Identifizierung der bisher mit der Inschrift des Balbus pater verbundenen Togastatue vermag ich nicht zuzustimmen. Der vor den terme suburbane gefundene Kopf Das Prokonsulszeigt bereits einen älteren Mann. Es scheint mir unmöglich daß der Kopf der Statue Inv. 6167 dieselbe Person darstellt.

LE PASSAGE DES CITOYENNETÉS LOCALES A LA CITOYENNETÉ ROMAINE ET LA CONSTITUTION DE CLIENTÈLES

«Nos sumus Romani, qui fuimus antea Rudini», tel est le vers célèbre d'Ennius (1) qui manifeste la fierté de l'étranger devenu membre de la communauté des citoyens romains. L'octroi de la citoyenneté romaine à une personne, avant le premier siècle av. J.-C., est généralement une récompense accordée pour des services très exceptionnels rendus à Rome. En cherchant à connaître les possibilités d'accès individuel à la citoyenneté romaine, j'ai tenté de m'intéresser à quelques-uns des mécanismes concrets de l'enregistrement des noms et de proposer quelques hypothèses pour répondre aux questions qu'ils peuvent poser, en particulier à celles qui concernent le poids respectif des contraintes légales et de l'initiative de ceux qui ont le pouvoir d'inscrire un individu sur les listes municipales qui vont servir à l'établissement du cens, registre d'une cité que l'on crée romaine (une colonie) ou d'une cité qui devient romaine (les cités d'Italie après la Guerre Sociale).

Pour inclure une personne dans la citoyenneté romaine, il faut une loi, souvent précédée d'un senatus-consulte. Les exemples en sont nombreux; c'est ainsi que L. Mamilius, dictateur de Tusculum (2), ainsi que la *turma salluitana* (3), furent récompensés pour des hauts faits militaires; mais la citoyenneté peut être aussi donnée en fonction de considérations religieuses; Cicéron rappelle que le culte de Cérès, importé de Grèce, a toujours été desservi à Rome par des prêtresses grecques auxquelles Rome a tenu à transmettre sa citoyenneté par une loi *«ut deos immortales scientia peregrina et externa, mente domestica et civili precaretur»* (4).

L'accès à la citoyenneté romaine peut aussi utiliser le recours à une loi dans d'autres circonstances et selon d'autres procédures: la création d'une colonie fait toujours l'objet d'un vote, et une clause des lois coloniales peut parfois autoriser le fondateur à donner la citoyenneté à des individus qui deviennent des colons. Peu de textes le signalent; ils sont difficiles à interpréter; ils permettent cependant de suggérer quelques réflexions sur les pouvoirs des fondateurs de colonies à un moment où la demande d'intégration est forte. L'observation de ces quelques cas peut être associée à celle d'autres faits liés aux conséquences de la Guerre Sociale et, en particulier, aux modalités pratiques de l'application des lois d'assimilation des Italiens; c'est ainsi que les possibilités d'action des notables et des puissants dans des situations parallèles d'attribution de la citoyenneté romaine, mais dans un cadre politique élargi aux dimensions de l'Italie, seront mises en relief.

L'exemple d'Ennius est le premier cas connu d'un individu devenu citoyen lors d'une déduction de colonie, en 184 av. J.-C. Originaire de Rudies en Messapie, il devint célèbre après sa rencontre avec Caton en Sardaigne, il fut aussi l'ami des Scipions et des Fulvii; Marcus Fulvius Nobilior, consul en 189, l'emmena avec lui en Etolie, Cicéron (5) nous apprend que les Romains lui donnèrent leur

---

(1) Cic., *Orat.*, 3, 42, 168.

(2) T.-L., 3, 29, 9 *«eo die L. Mamilio Tusculano, approbantibus cunctis, civitas data est»*.

(3) *CIL* I², 709; sur cette inscription, cf. N. Criniti, *L'epigrafe di Asculum di Gn. Pompeo Strabone*, publ. dell'Università cattolica del S. Cuore, Milano, 1970.

(4) Cic., *Balb.*, 24, 55 *«Calliphana Veliensis, sacerdos Cereris, de senatus sententia C. Valerius Flaccus, praetor urbanus, nominatim ad populum tulit, ut ea civis Romana esset»*. Val. Max. rappelle le même épisode, mais il donne à la prêtresse de Cérès un autre nom (Calcitana ou Calliphenna), I, 1. Sur cet épisode, cf. H. Le Bonniec, *Le culte de Cérès à Rome des origines à la fin de la République*, Paris, 1958, pp. 381 et sq.

(5) *Pro Archia*, 22.

citoyenneté «*maiores nostri in civitatem receperunt*». Cette phrase a, depuis longtemps déjà, été mise en relation avec un autre texte de Cicéron (6) «*qui etiam Q. Ennium, qui cum patre in Aetolia militaverat, civitate donavit, cum triumvir deduxisset*» ainsi qu'avec une phrase de Tite-Live (7) qui signalait que Q. Fulvius Nobilior participa à la fondation de deux colonies de citoyens romains en 184 av. J.-C., une à Potentia (Santa Maria di Potenza) et l'autre à Pisaurum (Pesaro). Nous ignorons dans laquelle de ces deux fondations Q. Ennius fut considéré comme colon. Il est vraisemblable que les magistrats fondateurs des colonies savaient qu'un colon comme Ennius ne serait pas résident; il faut donc, dans son cas, distinguer l'endroit où il est inscrit comme citoyen du lieu où il habite, Rome.

La personnalité d'Ennius aurait pu expliquer une mesure aussi exceptionnelle, mais il est possible que, dès cette epoque, les magistrats chargés de fonder une colonie aient disposé d'un pouvoir qui les autorisait à privilégier un certain nombre d'individus, parmi ceux qu'ils choisissaient comme colons, tout en respectant la loi de fondation. Je croirais volontiers que cette marge d'initiative des organisateurs de colonies peut être décrite, ou du moins qu'ils est possible d'essayer de la définir à partir du texte suivant (Tite-Live, 34, 42, 5): «*Novum ius eo anno a Ferentinatibus temptatum, ut Latini qui in coloniam Romanam nomina dedissent cives Romani essent. Puteolos Salernumque et Buxentum adscripti coloni qui nomina dederunt, et cum ob id se pro civibus Romanis ferrent, senatus iudicavit non esse eos cives Romanos*». «Les habitants de Ferentinum tentèrent cette année-là de faire reconnaître un nouveau droit, à savoir que les Latins qui avaient donné leur nom pour une colonie romaine étaient citoyens romains. Des colons qui s'étaient portés volontaires furent enrôlés à Pouzzoles, Salerne, Buxentum et quand, à cause de cela, ils commencèrent à se conduire eux-mêmes comme s'ils étaient citoyens romains, le Sénat décida qu'ils n'étaient pas citoyens».

L'étude de ce texte conduit à distinguer trois opérations successives: des habitants de Ferentinum (8) se portèrent volontaires pour devenir colons dans trois villes que, si l'on en croit Tite-Live (9), le peuple de Rome décida de fonder en 197. *Nomen dare* (10) est un terme qui appartient au vocabulaire militaire, c'est être volontaire pour. L'action suivante est l'inscription sur une liste, qui rend *adscriptus*, inscrit, celui qui a donné son nom. *Adscriptus* (11) peut signifier aussi bien être inscrit sur une liste initiale de colons que faire partie d'un contingent supplémentaire. Ensuite vient le droit de se conduire en citoyen (12). Il est donc possible de déduire de ceci deux niveaux d'interventions des

---

(6) *Brut.*, 79.

(7) T.-L., 39, 44, 10. L'exemple d'Ennius est utilisé par H.H. Scullard, *Roman Politics*, Oxford, 1951, p. 169, n. 2, pour montrer qu'il y avait des non-Romains parmi les colons déduits à Potentia et Pisaurum; E. Badian s'est interrogé sur la personne des fondateurs de ces colonies, *Ennius and his friends, Entretiens de la fondations Hardt sur Ennius*, Vandoeuvre, 1972, pp. 151-195; il pense que celui qui donna la citoyenneté romaine à Ennius n'est pas un Q. Ennius qui aurait été trop jeune, mais peut-être un M. Fulvius Nobilior qui devint consul en 159.

(8) T.-L., 34, 42, 5; les habitants de Ferentinum sont des Herniques qui, en 306 av. J.-C., ont obtenu le droit latin; sur cet épisode, cf. M. Humbert, *Municipium et civitas sine suffragio*, Rome, 1978, p. 213.

(9) T.-L., 32, 29, 3-4.

(10) *Nomen dare* est utilisé à propos du recrutement militaire aussi bien chez Cicéron, (par. ex. *Att.*, VII, 21, 1), que chez Tite-Live, (par ex. 2, 27, 10), Tacite (par ex. *Hist.*, 2, 97), César (par ex. *B.C.*, 3, 110, 4). Cf. aussi les mots d'esprit de Plaute, *Poenulus*, 47, à propos de la comédie; le sujet de la pièce est défini comme le territoire d'une colonie; on y trouve les expressions caractéristiques: *nomen dare, finitor, regiones, limites, confinia* la décision de partir pour une colonie est un acte volontaire; ceci est bien souligné par Cicéron à propos du départ des citoyens de droit romain dans les colonies de droit latin, *de domo sua*, 77 «*qui cives Romani in colonias Latinas proficiscebantur, fieri non poterant Latini nisi auctores facti nomenque dederant*». L'expression *auctores* est intéressante aussi; elle a été commentée par W. Seston, *La lex Iulia et les Italiens, C.R.A.I.*, 1978, p. 541.

(11) Etre *adscriptus* se dit d'un inscrit dans une tribu, cf. Festus, 312 L, dans une cité, cf. *Balb.*, 30 ou *Arch.*, 6,8, 10 ou *Fam.*, XIII, 30 (cf. *infra*, note 47) et dans une colonie; les exemples en sont nombreux chez Tite-Live, cf. par ex. 8, 14, 7. L'expression est aussi utilisée pour l'inscription de nouveaux colons, cf. par ex. T.-L., 33, 24, 8 et Tacite, *Ann.*, 14, 27.

(12) L'expression *pro cive gerere* a été discutée par P. Frezza, *Pro cive gerere, Note esegetiche di diritto pubblico romano.*

fondateurs de la colonie, le choix des colons parmi ceux qui ont été volontaires et la répartition de ces individus dans trois colonies différentes, la rédaction des listes de colons pouvant être utilisée comme document officiel pour l'enregistrement sur les listes publiques de citoyens romains. Contrairement à l'opinion la plus souvent admise, je pense que si le Sénat refusa de considérer les nouveaux inscrits comme des citoyens romains alors qu'ils se conduisaient déjà comme tels, c'est qu'ils n'avaient pas encore acquis ce droit, la fondation des colonies en 195 précédant d'un an la rédaction des registres du cens de 194. Festus distingue d'ailleurs bien les deux opérations complémentaires «*adscripti dicebantur qui in coloniam nomina dedissent ut essent coloni*» (13).

Le commentaire du texte de Tite-Live conduit à des interprétations très différentes de l'attitude romaine à l'égard des Ferentinates. On a parlé de la dureté romaine à l'égard des Latins, on a invoqué une décision du Sénat à la suite d'une plainte des gens de Ferentinum qui auraient refusé la migration d'une partie de leur population, on a même affirmé que les habitants de Ferentinum furent rayés des listes de citoyens (14). Des textes montrent cependant qu'un citoyen de droit latin pouvait abandonner la citoyenneté latine pour se faire inscrire dans une colonie latine, et, par ce moyen, obtenir le droit de

---

Acquisto della cittadinanza romana e iscrizione nel censo, Studi in onore di P. de Francisci, I, Milano, 1865, pp. 201-206; il utilise malheureusement un corpus de textes qui n'inclut pas l'épisode des habitants de Ferentinum.

(13) Festus, 11, 20 L.

(14) Ce texte de Tite-Live a suscité de nombreuses polémiques, C. Castello, *Il cosiddetto ius migrandi dei Latini a Roma*, *B.I.D.R.*, 41-42, 1958, pp. 209-269, suggère même, à la note 126, que la loi de fondation n'avait pas prévu le cas de l'inscription de nouveaux citoyens et que, donc, les habitants de Ferentinum s'étaient inscrits en fraude (note 115). Selon M. Humbert, le *ius migrandi* des Latins, qu'il définit, *op. cit.* p. 108, comme «le droit pour un latin, de troquer sa citoyenneté d'origine contre la citoyenneté romaine en s'installant sur le sol romain et en se faisant enregistrer comme *civis romanus* lors des opérations de recensement, «a été interprété d'une manière nouvelle et abusive (*novum ius*) par certains Herniques en 195, cf. note 71; à son avis le Sénat rejeta cette conception nouvelle; les Ferentinates furent rayés des listes; c'est un souci de sécurité militaire qui pourrait expliquer ce refus du Sénat qui, par ailleurs, a parfois accepté des non-Romains comme citoyens. Alors que ce passage a souvent été utilisé pour montrer que les non-Romains ne devaient pas faire partie des colonies de citoyens romains, je pense, au contraire que les Romains avaient invité les Latins à proposer leurs noms comme colons; il est, à cette période, parfois difficile de recruter des colons (cf. l'exemple de Buxentum, T.-L., 39, 23, 3). D'autres auteurs, qui croient qu'en vertu du *ius migrandi* les habitants de Ferentinum peuvent participer à des fondations de colonies romaines, écrivent qu'il n'était pas nécessaire de leur conférer la citoyenneté, c'est le cas de V. Ilari, *Gli Italici nelle strutture militari romane*, Milan, 1974, p. 14, note 30 et de G. Luraschi, *Foedus, ius latii, civitas*, publ. de l'Université de Pavie, Padoue, 1979, p. 22, note 33 et p. 73, note 140; la coexistence de deux communautés de statut différent est difficile à imaginer, cf. *infra*, pour Côme; je pense plutôt, comme l'auteur de l'article *Colonia* dans le *Diz. Epigr.* que, dans la loi coloniale, une clause permettait exceptionnellement l'admission d'étrangers. Sur l'inscription possible des Ferentinates dans les trois colonies, cf. aussi H. Galsterer, *Herrschaft und Verwaltung im republikanischen Italien*, Munich, 1976, p. 162.

Dans la première édition de son livre *The Roman Citizenship*, A.N. Sherwin-White, Oxford, 1939, p. 92, affirmait que l'inscription des Latins dans les colonies romaines était impossible; dans la deuxième édition, de 1973, p. 100 il suggère que l'exclusion postérieure des Latins est sans doute due aux protestations du gouvernement de Ferentinum; c'est aussi l'hypothèse que propose H.H. Scullard, *Roman Politics*, 220-150 B.C., 2ème éd. Oxford, p. 169, note 2. G. de Sanctis, le premier, avait bien vu que le fait de s'inscrire dans une colonie de citoyens romains était un moyen d'acquérir la citoyenneté romaine à un moment où apparaissaient clairement les avantages d'une participation à celle-ci, sans attendre une inscription directe sur les registres des censeurs à Rome, il pensait que l'annulation de l'inscription sur les registres de la colonie paraissait justifiée dans la mesure où Rome tenait à se réserver les profits de l'attribution de la citoyenneté romaine, *Storia dei Romani*, t. IV, 1969, p. 547. A.H. Mac Donald, *Rome and the Italian confederation, 200-186 B.C.*, *J.R.S.*, 34, 1944, p. 10, soulignait aussi que l'inscription des Latins dans les colonies romaines leur permettait d'accéder à la citoyenneté romaine; cette hypothèse est reprise par R.E. Smith, *Latins and Roman Citizenship in Roman colonies*, *J.R.S.*, 44, 1954, p. 18 sq. A son avis, le droit d'émigrer à Rome vaut pour une colonie romaine, simple extension de Rome, mais dans le contexte de 195, les colons voulaient créer un précédent, *novum ius*, en affirmant que ce n'était pas le *census* mais le fait de proposer leurs noms qui leur conférait la citoyenneté. Face à ce désir d'anticipation, le Sénat refusa; Smith note à juste titre que, s'il avait accepté, il aurait été impossible ensuite d'empêcher la fraude car, si donner son nom était devenu suffisant, des gens qui n'avaient pas du tout l'intention de se rendre dans les colonies auraient pu s'inscrire comme colons. Sur le problème de l'inscription au cens liée à la reconnaissance de la prétention à devenir citoyen romain, cf. H. Last, *The Servian reforms*, *J.R.S.*, 35, 1945, pp. 36 sq. ainsi que D. Daube, *Two*

cultiver une plus vaste surface de terre (15). C'est d'ailleurs la même expression *«nomen dare»* qui est utilisée, en latin, pour parler de ceux qui perdent volontairement la citoyenneté romaine pour devenir colons dans des colonies de droit latin *«qui cives Romani in colonias proficiscebantur fieri non poterant Latini nisi auctores facti nomenque dederant»* (16).

L'accès aux colonies de droit romain a pu être symétriquement possible aux citoyens latins ou même pérégrins pour peu qu'une clause de la loi coloniale le précise (17), l'inscription sur les listes de colons constituant une procédure de recensement qui ne pouvait être validée que lors de la transmission des registres de la colonie au *census* de Rome (18); ici, un an après la fondation de la colonie, en 194, les nouveaux colons purent vraisemblablement être considérés comme des citoyens romains.

Il paraît, dans ces circonstances, important de mettre l'accent sur le témoignage donné par ce texte sur la liberté d'action personnelle des fondateurs de colonies; celle-ci est évidemment difficile à mesurer; néanmoins, dans un autre domaine, cette initiative personnelle a été récemment soulignée par C. Nicolet, dans un article des *Annales* (19). les fondateurs de colonies ont le droit de réserver une partie du terroir de la colonie pour eux-mêmes ou pour leurs amis, sur les *«agri excepti»* de la colonie *«inscribuntur quaedam excepta, quae aut sibi reservavit auctor divisionis et assignationis, aut alii concessit»* «certaines parcelles sont appelées exclues, ce sont celles que se réservait pour lui-même le responsable de la distribution ou de l'assignation des terres, ou qu'il concédait à un autre».

La loi coloniale romaine laissait donc vraisemblablement aux membres des commissions triumvirales une part d'initiative qui leur permettait d'offrir une partie des terres à leurs amis, d'inscrire comme colons des gens qu'ils voulaient favoriser et, parfois, de cette manière, de donner la citoyenneté romaine. Ainsi, l'état romain leur permettait de gratifier leurs clients ou de se constituer de nouvelles clientèles. L'exemple d'Ennius (20) n'apparaît alors plus isolé, il peut se rattacher à d'autres cas connus, celui de Marius, qui «distribua» la citoyenneté romaine grâce à la *lex Appuleia*, et celui de César qui fit de même à Côme par la *lex Vatinia* en 59 av. J.-C.

Un texte de Cicéron est le seul document conservé qui fait mention du droit qu'eut Marius de donner la citoyenneté à quelques individus en les inscrivant comme colons (21). On menait à Rome

---

early patterns of manumission, J.R.S., 36, 1946, pp. 57, 75 qui montre bien que parallèlement, lors de la fondation d'une colonie latine, le changement de statut pour un Romain semble se réaliser au premier *census* qui suit; c'est à ce moment-là que les deux citoyennetés deviennent incompatibles.

(15) Cic., *pro Caec.*, 98; *de domo sua*, 77.

(16) Cic., *de domo sua*, 77; sur la symétrie possible des procédures, cf. *supra*, note 14, fin.

(17) Lors de la fondation d'Antium, par exemple, on accepta d'inscrire les anciens habitants de la cité, cf. T.-L., 8, 14, 7. La rédaction de clauses particulières concernant le recrutement des colons de chaque colonie explique sans doute en partie l'opposition de certains Romains à la fondation de la colonie gracchienne de Carthage; elle pouvait, selon Appien, *B.C.*, I, 24, accueillir comme colons des alliés italiens.

(18) Je n'entre pas ici dans le détail des procédures de recensement.

(19) C. Nicolet, *Economie, société et institutions à Rome au IIème siècle av. J.-C., Annales*, 1980, pp. 888, cite le texte de Siculus Flaccus (157, 7-8) sur les *agri excepti*.

(20) E.T. Salmon, *Roman colonization from the second Punic War to the Gracchi, J.R.S.*, 36, 1946, pp. 47-67, est à ma connaissance le seul à associer les données concernant Ennius à un texte tardif de St. Jérôme, Eusèbe, *ad an ol.*, 160, 2, qui contient une allusion vraisemblablement erronée à un *fundus Accianus* près de Pisaurum, qui doit correspondre au souvenir qu'un poète connu participa à la colonisation de Pisaurum *«quia illuc inter colonos fuerat ex urbe deductus»*. L'attribution de la citoyenneté romaine va de pair avec l'inscription sur une liste de colons, c'est - à - dire d'individus gratifiés d'un lot de terre dans une colonie romaine.

(21) *Pro Balb.*, 48 *«Itaque cum paucis annis post hanc civitatis donationem acerruma de civitate quaestio Licinia et Mucia lege venisset, numquis eorum qui de foederatis civitatibus esset civitate donatus in iudicium est vocatus? nam Spoletinus T. Matrinius unus ex iis quos C. Marius civitate donasset, dixit causam ex colonia Latina in primis firma et inlustri. Quem cum disertus homo L. Antistius accusaret, non [Spoletinus] dixit fundum Spoletinum populum non esse factum, videbat enim populos*

une information très rigoureuse pour réprimer l'obtention illégale du droit de cité, après le vote de la *lex Licinia Mucia*, en 95 av. J.-C. qui suivit une série d'inscriptions frauduleuses sur les registres du cens en 97-96, et c'est alors que L. Antistius accusa T. Matrinius, de la colonie latine de Spolète. Ce personnage, sur l'identité duquel on discute (22), affirma que puisque la *lex Appuleia*, votée en faveur de Marius, l'autorisait à donner la citoyenneté romaine à trois personnes par colonie, établies en vertu de cette loi (23), la disposition favorable à Matrinius n'était plus valide car cette mesure avait été annulée. Il est remarquable que T. Matrinius fut le seul de ceux qui reçurent de cette manière la citoyenneté romaine qui fut accusé. Dans ce cas, le droit de Marius de créer un certain nombre de nouveaux citoyens par colonie (trois, *ternos* plutôt que trois cents, *trecenos*) (24) n'est pas mis en cause, donc la pratique n'a pas semblé illégale (25), mais la contestation porte sur la validité de cette faveur, soit parce que les colonies ne furent jamais créées, soit parce que la législation d'Appuleius fut invalidée. Les registres des censeurs de 97 purent conserver les traces des générosités de Marius puisque, seul accusé, Matrinius fut acquitté, grâce à l'influence personnelle, à l'*auctoritas*, de Marius. Il semble, en effet, qu'à la même époque ne furent pas contestées les attributions des droits de citoyens que fit Marius à des soldats *«virtutis causa»* (26), mais seulement des dispositions juridiquement plus contestables (27). T. Matrinius est originaire d'une famille dont on connaît les

---

de suo iure, non de nostro fundos fieri solere - sed cum lege Apuleia coloniae non deductae, qua lege Saturnius C. Mario tulerat ut in singulas colonias ternos cives Romanos facere posset, negabat hoc beneficium re ipse sublata valere».

(22) G. Niccolini, *I Fasti dei tribuni della plebe*, Milan, 1934, p. 214, suggère qu'il s'agissait de L. (Antistius) Reginus qui accompagna Q. Caepio l'ainé en exil à Smyrne.

(23) Des colonies devaient être fondées en Sicile, Achaie, Macédoine, peut-être aussi en Sardaigne et en Corse (à cause de la *colonia mariana* citée par Pline, *N.H.*, III, 80).

(24) Saturninus proposa une loi agraire d'une large portée en 100 av. J.-C., mais W. Ilne, *Römische Geschichte*, Leipzig, 1879, p. 231, note 3, est convaincu qu'il faut remplacer le chiffre de trois bénéficiaires par colonies par celui de trois cents. Les autres, aussi bien F.W. Robinson, *Marius, Saturninus und Glaucia, Beitrage zur Geschichte der Jahre 106-100 B.C.*, Bonn, 1912, *Jenaer Historische Arbeiten*, 3, p. 68, que les éditeurs des collections Teubner, C.F.W. Müller, Loeb, R. Gardner, Oxford Texts, G. Peterson, que W.H. Harris, *Rome in Etruria and Umbria*, Oxford, 1971, p. 196, E. Badian, *Historia*, XI, 1962, p. 219, note 87, P.A. Brunt, *Italian aims at the time of the Social War*, *J.R.S.*, 1965, p. 106, ou E. Gabba, dans son commentaire à Appien, *B.C.*, 1, 29, 132 gardent *ternos*. Niccolini, *Fasti, op. cit.*, ne se prononce pas. A. Passerini, *Caio Mario come uomo politico*, *Athenaeum*, XII, 1934, p. 119 et note 3, discute ce chiffre ainsi que G. Samonati, *L. Appuleio Saturnino e i federati*, *Bull. Museo Imp. Rom.*, 8, 1937, p. 35. J. Carcopino, *Des Gracques à Sylla*, Paris, 1926, p. 343, note 162, se rattache en revanche à la tradition de Ilne et suppose une erreur de copie tant le chiffre est minime.

(25) Cette pratique a semblé tellement surprenante à H.M.D. Parker, *On Cicero pro Balbo*, 21, 48, *Cl. Rev.*, LII, 1938, 1, p. 8, qu'il affirme que les colonies en question n'étaient pas des fondations romaines mais latines et qu'en conséquence, les citoyens romains y constitueraient une classe privilégiée; il souligne qu'à l'époque de Marius, l'accès à la citoyenneté était une faveur donnée à celui qui avait géré une magistrature dans une colonie latine et donc pour lui, les trois hommes sont les magistrats des colonies latines créées; curieusement, il explique que la chiffre de trois hommes par colonie reproduit une institution familière à Arpinum (d'où Marius était originaire: trois magistrats appelés édiles jusqu'à l'époque du principat, une autre hypothèse, aussi peu vraisemblable, a été émise par G. Niccolini, *Saturnino e le sue leggi, Stud. Ital. Fil. Class.*, 1897, p. 441-486; il suppose, en effet, que le droit de donner la citoyenneté romaine à trois habitants par colonies sanctionnait l'acte arbitraire qui avait permis à Marius de faire citoyens sur le champ de bataille les soldats de deux cohortes de Camerinum et lui permettait de multiplier les actes de ce genre à l'avenir.

(26) Cf. en particulier, sur l'attribution *«virtutis causa»* de la citoyenneté romaine à deux cohortes de Camerinum, P.J. Cuff, *Two cohorts from Camerinum*, dans *The ancient historian and his materials, Essays in honour of C.E. Stevens*, Oxford, 1975, pp. 77-91.

(27) La plupart des auteurs insistent sur le fait que la loi Licinia Mucia n'était pas faite pour affronter directement Marius, pour oser directement mettre en cause ses attributions de citoyenneté *«virtutis causa»* mais se limite à contester des cas plus douteux; ils insistent aussi sur le prestige personnel de Marius qui défendit lui-même son client. Mais ils s'opposent sur le problème de l'invalidation de la loi coloniale; E. Gabba, *Ricerche su alcuni punti di storia mariana, Athenaeum*, 1951, p. 12-24, spécialement p. 17, note 2, soutient que les lois de 103 ne furent pas supprimées mais que celles de 100 le furent, cf. aussi *Athenaeum*, 1953, p. 266; il lui semble que, bien que la loi ait été abrogée, il aurait été trop difficile d'invalider la citoyenneté romaine de ceux qui l'avaient ainsi reçue. E. Badian, au contraire, pense que la loi était encore valide, mais que, puisque les

descendants à Spolète (28), il appartient vraisemblablement à une famille de notables, amis de Marius, il n'avait sans doute pas le désir de s'installer comme colon dans une ville outre-mer; il est plutôt un de ces *principes Italicorum populorum* dont parle Asconius (29), qui réussirent, à cette époque, de différentes manières, à figurer au *census*.

La fondation césarienne de Côme fournit un autre exemple du rattachement artificiel d'individus à une colonie afin de donner une base à leur citoyenneté tout fraîche, ainsi que des possibilités d'action des fondateurs de colonies en faveur de leurs amis et clients (30). Elles sont, 40 ans après les lois de Saturninus, très élargies. Le changement est considérable puisque cette fois-ci, le responsable de la fondation coloniale, César, avait le pouvoir de donner, dans une même ville, la citoyenneté romaine à 500 Grecs qui, sans doute, ne s'y installèrent pas, ce qui pose le problème de la mise en valeur des terres ainsi attribuées. La *lex Vatinia*, qui permit à César de se constituer ainsi une clientèle de notables grecs, est malheureusement connue par des attestations fragmentaires et discordantes et les opinions des critiques sur ce dossier difficile sont très différentes. Le texte de Strabon, le plus détaillé, pose lui-même problème (31): «εἶτα ὁ Θεὸς Καῖσαρ πεντακισχιλίους ἐπισυνῴκισεν ὧν οἱ πεντακόσιοι τῶν Ἑλλήνων ὑπῆρξαν οἱ ἐπιφανέστατοι · τούτοις δὲ καὶ πολιτείαν ἔδωκε καὶ ἐνέγραψεν αὐτοὺς εἰς τοὺς συνοίκους οὐ μέντοι ᾤκησαν αὐτόθι ἀλλὰ καὶ τοὔνομά γε τῷ κτίσματι ἐκεῖνοι κατέλιπον · Νεοκωμῆται γὰρ ἐκλήθησαν ἅπαντες, τοῦτο δὲ μεθερμηνευθὲν Νοβουμκῶμουμ λέγεται.»

J'avais fait une communication, le 4 mai 1979, au congrès qui s'était tenu à Strasbourg sur la citoyenneté romaine (32), sur l'accès d'une série de Grecs et d'Orientaux à la citoyenneté à la fin de la République et j'avais commenté ce texte en le mettant en relation avec une lettre de recommandation de Cicéron (33). En effet, en 45 av. J.-C., Cicéron recommande à M'. Acilius Caninius, gouverneur de Sicile, un de ses hôtes siciliens, Avianius Philoxenus. La relation d'hospitalité implique la résidence en Sicile, de même que la formule utilisée par Cicéron «*in numero tuorum habeas*».

Dans sa lettre, Cicéron mentionne que Philoxène est devenu citoyen de Côme grâce à la faveur de César «*quem Caesar... in Novocomensis rettulit*. et qu'il prit le nom d'Avianius Flaccus «*nomen autem Aviani secutus est*» avec lequel il était lié. Philoxène avait peut-être aussi des relations commerciales avec Avianius Flaccus, négociant en blé de Pouzzoles, que ses activités professionnelles entrainaient souvent en Sicile.

Cette lettre constitue une confirmation du fait que César donna la citoyenneté à 500 Grecs dont le *domicilium* devait être largement en dehors de Côme, cependant ce fait est encore controversé, et suscite de larges discussions; d'importants débats, en particulier, ont porté sur le statut de la colonie de

---

colonies ne furent jamais fondées, l'octroi de la citoyenneté romaine par Marius aurait pu être annulé, cf. *Caepio et Norbanus*, *Historia*, VI, 1975, pp. 318-346 et *Historia*, XI, 1962, p. 87.

(28) Sur les Matrinii de Spolète, cf. *CIL* XI, 2, 4888, L. Matrinius, et *CIL* XI, 2, 4889, Cn. Matrinius et ses affranchis.

(29) Asconius, p. 54, 13-18, éd. Stangl. p. 68-69, par. 60, éd. Clark.

(30) A. Mocsy, *Die Novocomenses von Cäsar und die fingierte Heitmatsangage der Soldaten*, Oikumene, 1, 1976, p. 125-130, le signale en mettant en relation cette pratique avec celle qui fut répandue sous l'Empire pour les soldats; sur de nombreuses inscriptions militaires, l'*origo* indiquée ne révèle pas le lieu d'origine du soldat mais la colonie dans laquelle il a été inscrit.

(31) Strabon, V, 1, 6. En effet, en ajoutant un mot au texte grec, l'éditeur des Belles Lettres, F. Lassère, transforme la signification de la phrase, il ajoute μόνον entre οὐ et μέντοι, ce qui donne la traduction suivante: «puis le dieu César accrut la colonie de 5000 nouveaux habitants, dont les plus illustres, au nombre de 500, se trouvaient être des Grecs. Ils reçurent de lui le droit de cité et furent inscrits au nombre des colons. Or non seulement ces Grecs n'habitèrent pas la ville, mais encore ils laissèrent leur nom à la nouvelle fondation. Ils furent, en effet, tous désignés sous le nom de Neocometes dont la traduction a donné Novum Comum»; il ne semble pas nécessaire d'ajouter ce mot pour mettre l'accent sur la non-résidence des Grecs.

(32) A paraître dans *Ktèma*, 1982, sous le titre «*Civitate donati, Naples, Héraclée, Côme*».

(33) *Fam.*, XIII, 35; l'étude de lettres de recommandation de Cicéron fait partie de la thèse que je prépare sous la direction de Monsieur C. Nicolet.

Côme, qui reçut ces citoyens grecs, et sur le recrutement de ceux-ci. En effet, le problème du statut de la ville est rendu plus complexe par l'existence de textes postérieurs qui décrivent un évènement étrange: en mai 51, c'est-à-dire au moment où César brigue un nouveau consulat, le consul M. Claudius Marcellus fait fustiger un citoyen de Novum Comum qui était venu à Rome; il lui ordonne même d'aller montrer ses plaies à César, et donc de montrer à César qui lui a donné la citoyenneté romaine, qu'à Rome on ne le considère pas comme un citoyen romain, qu'il ne jouit pas de la *provocatio*. Cicéron ajoute «*est ille magistratum non gesserit, erat tamen Transpadanus*» (34). Cicéron a compris que l'action de Marcellus ne pouvait être considérée comme illégale que si l'habitant de Côme était magistrat de sa cité, cité qui n'aurait eu que le droit latin.

Pour montrer que les habitants de Novum Comum n'eurent que le droit latin, ce texte, ainsi que ceux d'Appien et de Plutarque fourniraient de bons arguments si un passage de Suétone ne pouvait leur être associé. Suétone (35) est, en effet, le seul à rapporter que l'année de son consulat, Marcellus fit une *relatio* au Sénat pour demander que le droit de cité fût enlevé aux colons conduits par lui à Novum Comum, sous prétexte qu'il le leur avait été donné par ambition et en outrepassant les prescriptions de la loi (36) «*rettulit etiam, ut colonis quos rogatione Vatinia Novum Comum deduxisset, civitas adimeretur, quod per ambitionem et ultra praescriptum data esset*». C'est dans l'interprétation de ces textes que les théories des érudits sont très différentes (37); pour les uns, César fonda une colonie latine, et il essaya de faire passer quelques colons comme citoyens romains (38), pour d'autres, Novum Comum est un municipe de droit latin que César, outrepassant ou non les facultés à lui imparties par le plébiscite vatinien, avait érigée en colonie de citoyens romains (39), ou bien certains proposent l'hypothèse d'une double communauté et d'une différence de statut entre la majorité des colons de droit latin et un petit groupe de 500 Grecs privilégiés, mêlés à quelques Transpadans qui auraient obtenu la citoyenneté romaine (40). C'est l'abus de ce privilège dans le choix des destinataires et donc une mauvaise interprétation de la loi qui aurait entraîné son annulation.

L'existence de deux communautés paraît peu vraisemblable. En revanche, il est possible de penser qu'une clause de la *lex Vatinia*, confiant à César l'installation d'une colonie de citoyens romains à Côme, l'ait autorisé à inscrire sur ses listes de colons 500 Grecs auxquels il aurait donné la citoyenneté romaine mais que, quelques années plus tard, son adversaire Marcellus, patron de la région de Côme, ait saisi un prétexte, l'existence d'un nombre excessif de colons nouveaux citoyens, pour essayer de supprimer cette loi et réduire les habitants de Côme au statut des autres habitants de Cisalpine, c'est-à-dire au droit latin. Quelle a pu être la portée d'une telle mesure? Il est certain qu'en 45, l'accès à la citoyenneté de tous les colons de Côme n'avait pas été remise en cause, la lettre de

---

(34) Cet épisode est rapporté par Cicéron, *Att.*, V, 11, 2, Plutarque, *Caes.*, 29, 1, Appien, *B.C.*, II, 26; il est commenté dans l'article à paraître dans *Ktèma*.

(35) Suet., *Caes.*, 28.

(36) D'autres exemples d'annulation de lois sont connus au 1er siècle av. J.-C., cf. par ex. une partie de la législation de Saturninus ou bien une partie des lois d'Antoine.

(37) Un bon état de cette difficile question avait été fait par G. Luraschi, *La lex Vatinia de colonia Comum deducenda ed i connessi problemi di storia costituzionale romana*, *Atti del Convegno celebrativo del Centenario della Rivista Archeologica Comense*, Côme, 1974, pp. 363-400, qui a élargi ses perspectives dans un livre cité *supra* note 14. Une mise au point bibliographique a aussi été donnée par H. Wolff, *Caesars Neugründung von Comum und das sogenannte ius Latii*, *Chirón*, 9, 1979, pp. 169-187.

(38) G. Tibiletti, *Per la storia di Comum nel 1er sec. a.C.*, *Riv. Arch. dell'antica provincia e diocesi di Como*, 1977, p. 143.

(39) J. Carcopino, *César*, réed. Paris, 1968, p. 349; J.S. Reid, *On some questions of Roman public Law*, *J.R.S.* 1, 1911, pp. 69-77, et G. Luraschi, *op. cit.* p. 436 pour la double communauté.

(40) P. Baldacci, *Comum et Mediolanium, Rapporti tra le due città nel periodo della romanizzazione*, édité par E. Frézouls, *Thèmes de recherche sur les villes antiques d'Occident*, coll. C.N.R.S., Paris, 1977, pp. 99-116, et G. Luraschi, *op. cit.*, pp. 441 et sq.

ELIZABETH DENIAUX

Cicéron le montre. Beaucoup plus que des commerçants (41), ou même des artistes (42), les protégés de César à Côme devaient être des notables, des gens illustres (43); le mot de Strabon qui les désigne doit garder toute sa valeur «ἐπιφανέστατοι».

Mais, sans doute, la majorité d'entre eux, comme Philoxène, bénéficiaient à Rome de puissantes protections qui pouvaient leur garantir la citoyenneté acquise. Les exemples précédemment étudiés permettent de constater des possibilités de faveurs individuelles. Elles existent aussi, je crois, à un niveau différent, et dans un autre contexte historique, après la Guerre Sociale; l'étude de quelques procédures concrètes d'enregistrement des citoyens le montre.

Deux lois, la *lex Julia* et la *lex Plautia Papiria* donnèrent successivement la citoyenneté romaine aux Italiens, et il se peut que dans les années immédiatement postérieures, certaines mesures de ce qu'on a appelé la *lex Julia Municipalis* aient été appliquées (44); deux sont intéressantes ici, la première concerne l'obligation d'organiser, dans les 60 jours qui suivent l'institution d'un *census* à Rome, la même procédure dans toutes les cités d'Italie (45), la seconde impose aux Italiens qui avaient plusieurs domiciles en Italie de se faire recenser à Rome (46). Le problème de la rédaction des cens locaux est ainsi soulevé, ainsi que celui de la résidence et de la non-résidence. La non-résidence était prévue par une clause de la *lex Plautia Papiria*, citée dans la *pro Archia* 7, «*si quis foederatis civitatibus adscripti fuissent, si tum, cum lex ferebatur, in Italia domicilium habuissent, et si sexaginta apud praetorem professi*»; la loi accorda donc la citoyenneté romaine à ceux qui s'étaient trouvés inscrits dans les cités fédérées, si, au moment du vote de la loi, ils avaient leur domicile en Italie, et si dans les 60 jours (c'est le délai imposé par la *lex Julia Municipalis* pour faire le *census* dans les cités) ils avaient fait une déclaration devant le préteur.

Pour ceux dont la *civitas* et le *domicilium* coïncident, la méthode d'enregistrement est simple, décentralisée; à l'offre de la *lex Julia* peut correspondre une inscription collective, et la transmission d'un registre à Rome; les étrangers qui ont reçu la citoyenneté d'une ville et qui résident dans celle-ci sont intégrés au même titre que les habitants de cette ville; L. Manlius Sosis qui, originaire de Catane,

---

(41) L'hypothèse de G. Tibiletti, *op. cit. supra*, note 38 est en partie reprise par G. Luraschi, *op. cit.*, p. 462, selon lequel Philoxène était parti en Sicile chercher de nouveaux marchés.

(42) Selon l'hypothèse de M. Rebecchi, qui intervint au Colloque pour montrer, par l'examen d'une série de documents figurés, l'existence d'un courant d'influences hellénistiques.

(43) F. d'Ippolito, *L'organizzazione degli «intellettuali» nel regime cesariano, Quaderni di Storia*, IV, 8, 1978, pp. 245-272, a suggéré que, de cette manière, César avait tenté de rallier des intellectuels à son nouveau régime.

(44) Il existe une importante bibliographie sur ce thème, cf. récemment, F. de Martino, *Nota sulla «lex Iulia Municipalis»* dans *Diritto e società nell'antica Roma*, Rome, 1979, pp. 339-356, qui commente une étude récente de E. Schönbauer, *Die Tafel von Heraclea in neuer Beleuchtung, Anz. d. Oester Ak. d. Wiss. phil. hist. klas.*, 1952; ils pensent que cette loi peut être datée de la période de réorganisation de l'Italie qui suivit la Guerre Sociale; dans cette hypothèse, la loi pouvait être en application à Larinum à l'époque syllanienne. Le problème du recensement au premier siècle av. J.-C. est un problème difficile et controversé. Il est vraisemblable que, pour des raisons de commodité, on ait imposé aux municipes italiens des conditions de recensement semblables à celles de Rome, que respectaient sans doute déjà les colonies romaines, cf. l'exemple de Ferentinum *supra*. Th. Mommsen le supposait, *Ant. Rom.*, IV, p. 45, en citant l'exemple de Larinum, qui sera examiné plus tard. Mais les opinions des autres chercheurs sont parfois différentes, cf. en particulier T.P. Wiseman, qui avait écrit en 1969 qu'il existait un seul *census* à Rome «*The census in the first century B.C., J.R.S.*, 59, 1969, pp. 60-75, mais ne soutient plus cette hypothèse maintenant. Parmi d'autres arguments qui sont utilisés pour prouver l'existence d'un recensement unique à Rome le texte de Cicéron, 1 *Verr.*, 18, 54, est souvent avancé; en 70, Cicéron faisait allusion aux foules venues à Rome pour se faire recenser «*comitiorum ludorum censendi causa*»; mais il est possible d'expliquer cette affluence par l'arrivée des Italiens qui ont plusieurs domiciles en Italie (si on admet que la *lex Julia Municipalis* est antérieure à César), des habitants des cités d'Italie qui entrent dans la catégorie des *adscripti* de la *lex Papiria Plautia*, comme Archias, cf. *infra*, et, enfin, — et je remercie Monsieur C. Nicolet d'avoir bien voulu me le suggérer —, des notables qui souhaitaient se faire recenser à Rome pour entrer dans l'ordre équestre.

(45) *F.I.R.A.*, n° 13, l., 144 et 153.

(46) *ibid.* l., 157.

était devenu décurion de Naples, en est un bon exemple «*L. Manlius Sosis est. Is fuit Catinensis sed una cum reliquis Neapolitanis civis Romanus factus decurioque Neapoli; erat enim adscriptus in id municipium ante civitatem sociis et latinis datam*» (47). L. Manlius Sosis était inscrit sur la liste des citoyens de Naples avant 90; la *lex Julia* a pu être appliquée. On pourrait néanmoins s'interroger sur les mécanismes de cette inscription; par qui était-elle accomplie? Comment la loi romaine concernant le recensement était-elle exécutée? Comment les censeurs de Rome pouvaient-ils contrôler les registres locaux? N'y avait-il pas des possibilités de fraude ainsi que des contestations? Une lecture du discours de Cicéron en faveur d'Archias le suggère.

Archias fut accusé en 62 av. J.-C., par un certain Grattius, d'avoir usurpé la citoyenneté romaine. La *lex Papia*, qui fut votée en 65 av. J.-C., frappait d'exil tout étranger jouissant indûment des droits du citoyen à Rome. Il était pourtant un poète célèbre; né à Antioche, il était arrivé en Italie à 17 ans, il avait été protégé par Marius et surtout par Lucullus et sa famille. Il habitait Rome et se comportait en citoyen romain (48), mais son nom n'était pas inscrit sur les registres des censeurs. Il était, semble-t-il d'après Cicéron, bénéficiaire de la *lex Papiria Plautia*, puisque, citoyen inscrit à Héraclée mais résident à Rome, il était allé faire, dans les délais, une déclaration devant un préteur à Rome, mais les registres d'Heraclée avaient brûlé; seuls les témoignages des habitants de la ville d'Heraclée, ainsi que le registre du préteur pouvaient authentifier son inscription (49).

A travers le discours que fit Cicéron pour défendre Archias, il est possible de constater que l'inscription sur les registres d'une cité, qui doit mener au *census* de Rome, peut dépendre de la volonté d'une ville qui est fière de compter tel ou tel notable étranger parmi ses concitoyens, Tarente, Rhegium, Naples ont gratifié Archias de leur citoyenneté à cause de ses talents (50); du désir d'un individu qui souhaite se faire inscrire dans une cité: le *pro Archia* fait allusion à des gens qui se glissent de cette manière dans les registres d'une cité «*sed etiam post legem Papiam aliquo modo in eorum municipiorum tabulas inrepserunt*» (51), mais signale aussi l'insistance d'Archias pour se faire donner la citoyenneté d'Heraclée «*adscribi se in eam civitatem voluit... cum ipse per se dignus putaretur*» principalement parce qu'elle jouissait d'un traité de grande égalité avec Rome (52); de l'appui d'un puissant protecteur qui aide, par son influence, à décider les responsables d'une cité: la faveur de Lucullus permit à Archias d'être citoyen d'Heraclée «*tum auctoritate et gratia Luculli ad Heracliensibus impetravit*» (53). mais d'autres facteurs favorables peuvent aussi confirmer une inscription douteuse, et

(47) Cic., *Fam.* XIII, 30, la lettre de Cicéron n'est pas liée à une question de citoyenneté, Cicéron le recommande à un gouverneur de Sicile pour qu'il puisse bénéficier de l'héritage de son frère resté là-bas. La situation d'une série de citoyens de Naples, Manlius Sosis, Archias et Philostrate d'Ascalon a été étudiée dans l'article à paraître dans *Ktèma* 1982.

(48) *Arch.*, 11.

(49) *Arch.*, 7 et 8.

(50) *Arch.*, 5 *itaque hunc et Tarentini et Regini et Neapolitani civitate ceterisque praemiis donarunt et omnes... cognitione atque hospitio dignum existimarunt*. Ce texte pose le problème de l'hospitalité et de la citoyenneté honorifique qu'avaient abordé W. Seston, *op.cit.*, C.R.A.I., 1978, p. 534 et M. Humbert, *Municipium... op.cit.*, p. 32, note 74. Le terme utilisé pour définir la citoyenneté donnée par ces villes à Archias est le même que celui qui désigne son inscription sur les registres des citoyens d'Héraclée «*adscriptus*», cf. *Arch.*, 10 «*cum aliis quoque in civitatibus fuerit adscriptus*». C'est aussi, cf. *supra*, le terme utilisé pour le colon, qui a donné son nom pour faire partie d'une colonie, et dont le nom a été retenu; il semblerait donc que ce terme puisse avoir une même valeur dans tous les cas, que l'inscrit décide ou non de faire usage de ses droits, ce qui pose un problème institutionnel: faut-il faire une différence entre les *adscripti* et les citoyens traditionnels, comment sont considérés, dans les registres du cens des cités, les différentes catégories d'*adscripti,* les résidents, les non-résidents, les «citoyens d'honneur»?

(51) *Arch.*, 10.

(52) *Arch.*, 6 «*quae cum esset civitas aequissimo iure ac foedere*».

(53) *Arch.*, 6. La biographie d'Archias, cf. Th. Reinach, *De Archia poeta*, Paris, 1890, comporte des incertitudes. Cependant, la protection des Luculli est un des faits les mieux attestés de celle-ci. Accompagnant L. Lucullus en Asie lors de son commandement de la seconde guerre contre Mithridate, Archias célébra par un poème la campagne de son patron. Le *carmen Mithridaticum* d'Archias est d'ailleurs contemporain du groupe de cavaliers offerts par les Luculli à Lanuvium,

permettre aussi l'acquisition de la citoyenneté romaine, la témoignage unanime des habitants d'une cité peut remplacer la lecture d'un nom dans un registre municipal quand celui-ci a disparu (54); enfin le bon vouloir du préteur qui reçoit les déclarations faites en fonction de la *lex Papiria Plautia* doit jouer aussi un rôle important; ce n'est sans doute pas par hasard qu'Archias s'est présenté devant un ami, le préteur Q. Metellus. Le passage de Cicéron qui y fait allusion indique aussi que parfois les registres des préteurs étaient raturés, ce qui peut laisser supposer d'autres possibilités de fraude (55)...

Il me semble, enfin, que l'inscription sur les *«tabulas publicas»* des municipes pouvaient aussi être l'objet de malversations, d'abus de pouvoir des magistrats municipaux. Un discours comme le *pro Cluentio* de Cicéron est rempli de renseignements précieux sur la vie à Larinum, l'écho des luttes politiques romaines y parvient, mais aussi des allusions à des actes que les Romains contrôlaient mal; ce discours décrit, en effet, des affrontements entre familles et entre clans, et des pratiques qui peuvent surprendre, comme l'utilisation du recensement à des fins politiques.

La chronologie du *pro Cluentio* est mal connue et volontairement même bouleversée (56); l'interprétation de certains passages est difficile (57); cependant, l'épisode qui a permis à Oppianicus de devenir magistrat à Larinum est célèbre. Oppianicus, qui bénéficiait de la faveur de Sylla, était l'auteur d'un coup de force: il remplaça les magistrats, *quattuorviri*, du municipe et prit la place de l'un d'entre eux. Il avait, en effet, déclaré que Sylla l'avait désigné ainsi que trois autres personnes pour prendre la place de magistrats régulièrement élus (58).

Deux autres passages du *pro Cluentio*, ont, semble-t-il, peu retenu l'attention jusqu'à présent. Ils signalent, à deux reprises, que l'ami de Sylla a falsifié les registres publics, et même les registres du cens (59) *«illum tabulas publicas Larini censorias corrupisse decuriones universi iudicaverunt»*, et, plus loin, *«dum vero eum fuisse Oppianicum constabit qui tabulas publicas municipi iudicatus sit»*. C'est dans un autre paragraphe du *pro Cluentio* que Cicéron décrit une affaire qui lésait gravement Larinum et dans laquelle Cluentius fut envoyé à Rome défendre les intérêts de son municipe. Le client de Cicéron échappa alors de justesse à une tentative d'assassinat fomentée par Oppianicus (60).

Cluentius avait été chargé de protester contre le changement arbitraire des statut de *Martiales* de Larinum, serviteurs du dieu Mars, qu'Oppianicus avait libérés et considérait comme citoyens romains *«repente Oppianicus eos omnis liberos esse civisque Romanos coepit defendere»* (61). La *libertas* et la *civitas* ont été données aux *Martiales* par Oppianicus, c'est la raison pour laquelle je pense que ce texte

---

récemment étudiés par F. Coarelli qui démontre que cet ensemble est la traduction plastique d'un des principaux épisodes du poème cf. *Alessandro, i Licinii e Lanuvio, L'art décoratif à Rome à la fin de la République et au début du Principat*, Table ronde de l'Ecole française de Rome, 1981.

(54) *Arch.*, 7.

(55) *Arch.*, 7 *«cum hic domicilium Romae multos iam annos haberet, professus est apud praetorem Q. Metellum, familiarissimum suum»*; cf. *Arch.*, 9 pour les registres raturés des autres préteurs (et peut-être falsifiés...).

(56) D. Berger, *Cicero als Erzähler, Forenseische und literarische Strategien in den Gerichtsreden*, Frankfurt am Main, 1978, souligne bien que la volonté de démonstration de Cicéron l'emporte sur le souci de respecter la chronologie.

(57) Je remercie Ph. Moreau de m'avoir amicalement aidée à établir le bibliographie du *pro Cluentio*.

(58) Le *pro Cluentio*, 25 est le plus ancien texte littéraire qui mentionne des *quattuorviri* dans un municipe; cf. à propos d'Oppianicus *«se a Sulla et alios tres praeterea factos esse dixit»*. Sur l'illégalité de l'action d'Oppianicus mise en relation avec les proscriptions, cf. la communication de F. Hinard, *infra*. M. Torelli, *Una nuova iscrizione di Silla da Larino*, Athenaeum, 1973, pp. 336-354 a récemment insisté sur le rôle d'Oppianicus, «fautore» di Silla (p. 342).

(59) *Pro Cluentio*, 41 et 135. Il est possible de s'interroger sur la valeur du verbe *iudicare*, spécialement dans la deuxième phrase; s'agit-il du jugement d'une *quaestio* à Rome, et si c'est le cas, de laquelle? La *lex Licinia Mucia*, en vertu de laquelle T. Matrinius a été jugé, peut-elle-être utilisée dans ce cas?

(60) Je n'ai rien trouvé concernant l'étude des registres falsifiés dans G. Pugliese, *Aspetti giuridici della pro Cluentio di Cicerone*, Iura, 21, 1970, pp. 155 et sq. pas plus que dans G.S. Hoenigswald, *The murder charge in Cicero's pro Cluentio*, *T.A.Ph.A.*, XCIII, 1962, pp. 109-123, qui veut montrer la culpabilité du client de Cicéron.

(61) *Pro Cluentio*, 43.

peut être mis en relation avec ceux qui font allusion à la falsification des *tabulas publicas* de Larinum. Dans cette hypothèse, l'action d'Oppianicus serait conforme à la procédure prévue par la *lex Julia*; les *Martiales* sont résidents à Larinum; ils seraient donc entrés, s'il avaient été libres, dans la catégorie des Italiens qui reçurent la citoyenneté romaine par cette loi (62). En les inscrivant comme citoyens de Larinum sur les registres du cens local, Oppianicus a pu, ainsi, leur faire acquérir d'une manière frauduleuse la citoyenneté romaine, et se constituer à Larinum, une clientèle sur le modèle de celle qu'avait formée Sylla en accordant la liberté à un bon nombre d'esclaves de ces adversaires vaincus (63). Mais les 10.000 Cornelii libérés par Sylla sont des anciens esclaves de proscrits alors que les *Martiales* sont les serviteurs officiels du dieu Mars (64); Cicéron les compare d'ailleurs aux *Venerii* (65) attachés au sanctuaire du Mont Eryx qui, d'après les Verrines, font preuve de compétences politiques aussi bien qu'administratives et semblent avoir été très nombreux.

Il est impossible de savoir si les *Martiales* exerçaient une influence semblable à Larinum (66); dans ce cas, le souci des décurions de ce municipe de faire porter, par l'intermédiaire de Cluentius, l'affaire à Rome, serait encore mieux comprise. L'enjeu était important; il s'agissait peut-être d'un changement de majorité politique, Oppianicus tentant de renverser celle-ci à son profit en donnant la citoyenneté romaine à un groupe de clients (67). Il est remarquable que l'usage abusif d'une procédure de recensement prévue par Rome soit la cause de ces troubles politiques. Ceci laisse supposer que le pouvoir du magistrat municipal chargé de l'inscription sur les listes devait être considérable. Il est malheureusement très rare de pouvoir signaler les limites et les conséquences politiques de l'action des magistrats responsables du recensement, car l'application des lois romaines dans les colonies et les municipes est très mal connue.

La littérature classique fournit pourtant quelques exemples concrets de procédures d'enregistrement. Malgré la diversité des situations entrevues dans cette étude, il me semble que de larges possibilités d'interaction existaient, dans les cités, entre les notables et les hommes qu'ils voulaient favoriser ainsi qu'avec les hommes qui avaient le pouvoir, à Rome, de proposer l'attribution de la citoyenneté. L'inscription sur les registres du *census* peut alors s'insérer dans un système de relations clientélaires.

ELIZABETH DENIAUX
UNIVERSITÉ DE CAEN

---

(62) Cf. l'exemple de L. Manlius Sosis, cité *supra*.

(63) M. Torelli, *op. cit.*, le souligne, pp. 340 et 342. Cf. Appien, *B.C., I, 100 et 104*.

(64) *Pro Cluentio*, 43 «*Martiales quidam Larini appellabantur, ministri publici Martis atque ei deo veteribus institutis religionibusque Larinatium consecrati. Quorum cum satis magnus numerus esset, cumque item ut in Sicilia permulti Venerii sunt sic illi Larini in Martis familia numerarentur*». R.M. Haywood, *Some traces of serfdom in Cicero's Day, Am. Phil.*, 4, 54, 1933, pp. 145-153, explique cet épisode en disant que les *Martiales* étaient des serfs; il n'explique en rien les procédures utilisées pour leur donner la citoyenneté, mais suggère que serfs, les *Martiales* avaient le statut de clients, ce qui implique la citoyenneté; Rome aurait eu tout à gagner à leur donner sa propre citoyenneté, ils auraient «bien accompli leurs devoirs», quant aux mobiles d'Oppianicus, ils auraient pu être «le sens du devoir, l'espoir d'un gain, ou simplement le désir d'ennuyer le peuple de Larinum».

(65) Sur les esclaves attachés à ce sanctuaire, cf. tout récemment, G. Martorana, *La Venus di Verre e le Verrine, Kokalos*, XXV, 1979, pp. 73-103.

(66) Il semble qu'on ait découvert à Larinum, cependant, un important sanctuaire, cf. A. La Regina, *Sannio, Pentri e Frentani dal VI secolo al I secolo a.C. Isernia, ott. dic. 1980*, spécialement pp. 289-290.

(67) Comme l'a suggéré E. Gabba, dans sa communication, *supra*; en donnant la citoyenneté romaine à des groupes, Rome transformait la structure des communautés, cette mesure pouvait être défavorable à la classe dirigeante traditionnelle.

NOTABLES MUNICIPAUX ET ORDRE ÉQUESTRE À L'ÉPOQUE DES DERNIÈRES GUERRES CIVILES

Les liens étroits entre les notables municipaux et les membres de l'ordre équestre au dernier siècle de la *libera res publica* sont bien connus (1); ceux-ci forment le vivier où se recrutent une partie des chevaliers, et ceux-ci constituent le séminaire de l'ordre sénatorial (2). On peut cependant s'interroger sur le développement et l'évolution de cette situation, à partir du moment où l'Italie entière, Cisalpine comprise, a joui du droit de cité romain et a formé un ensemble cohérent du point de vue civique, et de surcroît à un moment particulièrement troublé de l'histoire de Rome, où accords et renversements d'alliances, conflits civils inexpiables, luttes acharnées pour le pouvoir semblent s'accompagner d'un bouleversement social (3) et surtout d'une écrasante prépondérance des structures militaires, avec l'intervention permanente de l'armée, ou plutôt des armées.

En fait, et avant même d'exposer les résultats de l'enquête qui nous a menés de 43 av. J.-C. jusqu'à la bataille d'Actium, il faut insister sur quelques aspects du statut et des caractères propres de ces notables municipaux que nous allons accompagner dans leur élévation personnelle, depuis leur cité, petite ou grande, jusqu'à la métropole romaine, où ils sont admis dans les ordres supérieurs. Cependant, il me semble important de préciser immédiatement que nous considérons la société romaine comme relativement ouverte; cela revient à dire que les rapports sociaux n'y sont ni mécaniques, ni rigides, et que le statut juridique se double toujours d'un statut personnel ou familial qui fait intervenir des paramètres d'une autre nature. Les possibilités de promotion sociale y existent certainement plus largement que nos sources ne le rapportent, d'autant plus qu'elles reflètent souvent des préjugés plus que la réalité; mais on peut aussi penser qu'elle joue plus aux échelons moyens de la société qu'à son sommet (4).

En revanche, on ne peut négliger, dans le type de recherche menée ici, un facteur très important: tout individu qui a atteint un certain niveau social, et qui appartient aux ordres supérieurs ne dissimule pas son rang, et surtout s'il est le premier à hausser la dignité de sa famille, le marque toujours. Et on

---

Toutes les dates s'entendent avant l'ère chrétienne. On a employé les abréviations suivantes:

T.R.S. BROUGHTON, *MRR: The Magistrates of the Roman Republic*, I, New York, 1951; II, Cleveland, 1952; Supplement, *ibidem*, 1960.

C. NICOLET, *OE 1: L'ordre équestre à l'époque républicaine*, t. I: *Définitions juridiques et structures sociales*, Paris, 1966.

C. NICOLET *OE 2*: t. II: *Prosopographie des chevaliers romains*, Paris, 1974.

A. STEIN, *RR: Der römische Ritterstand*, Münich, 1927.

R. SYME, *RR: The roman revolution*, Oxford, 1939; toujours cité dans la traduction française de R. STUVERAS, Paris, 1967.

R. SYME, *RP: Roman Papers* edited by E. BADIAN, Oxford, 1979.

T.P. WISEMAN: *New Men in the Roman Senate, 139 B. C. - 14 A. D.*, Oxford, 1971.

(1) C. NICOLET, *OE* 1, pp. 387 et s., rappelant, entre autres, les travaux de R. SYME et d'E. GABBA; T.P. WISEMAN, pp. 89 et s.

(2) T.L., 42, 61, 5.

(3) R. SYME, *RR,* pp. 233 et s.: pp. 333 et s.

(4) Cf. les remarques de K. HOPKINS, *Elite Mobility in the Roman Empire, Past and Present*, 32, 1965, pp. 12-26 et *Conquerors and Slaves*, Cambridge, 1978, pp. 71-91.

ne peut par exemple, réduire — ou élargir — l'ordre équestre à l'aristocratie municipale, surtout si les notables ne font pas montre de leur condition personnelle. Même le fait, pour une *gens* donnée, de contracter une alliance flatteuse avec une famille sénatoriale, ne préjuge pas de son rang réel (5).

En s'interrogeant sur la définition — ou sur les définitions — des notables municipaux, on doit mettre en oeuvre des critères très différents, qui ne se recoupent pas toujours nécessairement, surtout si on les compare systématiquement avec les qualification de l'ordre équestre. Ainsi, en ne prenant qu'un exemple, l'on pourrait opérer entre les deux catégories une classifications de type économique: dans les deux cas, il faut posséder une certaine fortune, qui s'exprime par la qualification censitaire; et il ne s'agit pas ici d'une définition vague de la fortune, mais de la possession d'un patrimoine d'abord foncier (6), quelle que soit par ailleurs la nature des autres revenus comme celle de leur investissement. La possession d'un cens minimal effectue déjà une sélection au sein de la communauté civique, en réservant aux plus riches la gestion de la cité, dans le cadre des magistratures locales. Certes, il existait une qualification censitaire exigée du simple décurion — dont le rang est le moins élevé dans la hiérarchie locale — (7), mais elle variait d'une cité à l'autre, et devait souvent rester faible. A côté des petits possédants, il existait de riches propriétaires, dont les biens au soleil dépassaient largement ceux de leurs voisins, et pouvaient même atteindre le montant du cens équestre, comme nous allons le voir. Ces distorsions qui accentuent le caractère hétérogène des élites locales, se retrouvent tout naturellement au sein de l'ordre équestre, par exemple; l'existence d'un cens minimum, commun jusqu'à Auguste aux sénateurs et aux chevaliers (8) n'empêchait pas les disparités: et ces chevaliers au cens *uix equester* (9) cotôyaient les magnats de l'ordre equestre, comme Atticus ou d'autres, tels les présidents des compagnies de publicains, dont les investissements et les profits atteignaient des montants (10) considérables.

Cette hétérogénéité se marque aussi dans un autre domaine assez proche, celui de la définition "légale" des notables municipaux, si l'on privilégie, dans une enquête comme la nôtre, l'analyse des carrières publiques comprenant les fonctions assumées au sein d'une collectivité locale. A première vue, on pourrait croire à l'existence d'une hiérarchie séparant le modeste conseiller municipal des magistrats supérieurs, tout comme elle devait exister au sein du sénat romain, entre les consulaires et ces sénateurs qui ne parvenaient pas au consulat; on pourrait même essayer de trouver des corrélations entre l'accession au duovirat ou au quattuorvirat, par exemple, et l'ouverture de l'ordre équestre à certains de ces magistrats (11). Mais, malgré les silences ou les omissions, volontaires ou non, de nos sources, il apparaît qu'il n'en était rien: il arrivait même que de simples décurions possédâssent une dignité personnelle bien plus élevée que celle de leurs collègues.

A titre d'illustration, je mentionnerai l'histoire d'un certain L. Aemilius, qui appartenait au conseil municipal de Pérouse, et qui aurait dû subir le sort de ses pairs après la reddition de la ville à

---

(5) Voir plus bas, p. 282, l'exemple que nous avons pris avec la famille de Vespasien.

(6) Sur la nature du patrimoine sénatorial et équestre, cf. C. NICOLET, *Les classes dirigeantes romaines sous la République: ordre sénatorial et ordre équestre, Annales, E.S.C.,* 1977, pp. 726-755; *Economie, société et institutions au II s. av. J.-C., ibidem,* 1980, pp. 871-894; P. VEYNE, *Mythe et réalité de l'autarcie à Rome, REA,* 81, 1979, pp. 263-280.

(7) W. Liebenam, *Städteverwaltung im römischen Kaiserreiche,* Leipzig, 1900, p. 234, qui indique l'un des rares chiffres connus pour l'Italie, celui donné pour Côme par Pline (*Ep.*, 1,19): cent mille sesterces. W. LANGHAMMER, *Die rechtliche und soziale Stellung der magistratus municipales und der decuriones,* Wiesbaden, 1973, p. 191, en conclut que ce montant était la règle alors que les disparités locales et régionales peuvent se déduire assez bien du montant, par exemple, des *summae honorariae.*

(8) Voir en dernier lieu C. NICOLET, *Le cens sénatorial sous la République et sous Auguste, JRS,* 66 1976, pp. 21-38.

(9) CIC., *Fam.,* 9, 13, 4.

(10) On pourra faire des remarque similaires pour les membres de l'ordre sénatorial; cf. I. SHATZMAN, *Senatorial Wealth and Roman Politics,* Bruxelles, 1975.

(11) STEIN, *RR,* p. 130.

Octave par L. Antonius: ils furent arrêtés et exécutés (12). Aemilius échappa à la mort et fut grâcié par le vainqueur, à cause d'une péripétie dont il avait été le héros trois ans auparavant: en 43, lors du procès engagé contre les assassins de César et leurs affidés en vertu de la *lex Pedia*, il fit partie des jurés, et déclara haut et fort qu'il voterait le châtiment suprême (13), ce qui lui valut plus tard, la vie sauve. Or le recrutement des *quaestiones* avait été limité par César et restreint aux membres des ordres sénatorial et équestre (14); L. Aemilius appartenait donc au moins à celui-ci, tout en se contentant dans sa patrie de l'obscur rang de décurion (15). Cela doit être mis en parallèle avec d'autres exemples, connus quelques années auparavant, de sénateurs du peuple romain qui acceptaient de suivre le cursus local dans leur patrie (16).

Pourtant certains possédants ne tenaient pas à participer à la vie publique, et préféraient, même dans leur patrie, le calme de la vie privée à l'agitation, aux dangers et aux honneurs d'une carrière officielle (17); en témoigne ainsi le sage ami d'Horace, Sex. Oppidius de Canusium, *diues antiquo censu*, qui, sur son lit de mort, convoqua ses deux fils Aulus et Tiberius, à qui il laissait deux domaines, et qui leur fit part de son ultime volonté: l'interdiction, pour l'un et pour l'autre, à cause de leur caractère, de briguer une charge publique (18); pourtant la *gens Oppidia* devait compter dans la société de la ville apulienne, comme dans la capitale.

Si, en adoptant une perspective plus sociologique, nous essayons de comparer les différentes strates qui composent une double hiérarchie, celle des notables municipaux et celle des chevaliers romains, il faut d'abord relever une évidence: les cités italiennes possédaient leurs propres élites, qui, devenues romaines, étaient appelées à s'intégrer plus ou moins rapidement aux couches supérieures de la société romaine. Dans bien des villes, les membres des familles princières ou sacerdotales locales, qu'elles aient obtenu le droit de cité avant ou après la Guerre Sociale, ont reçu la dignité équestre (puis sénatoriale) dans des délais assez brefs, surtout si elles avaient su choisir leur camp dans les conflits politiques.

Ainsi, Mécène descendait d'une famille royale d'Arretium, et son grand-père déjà appartenait à l'ordre équestre (19). On peut de même et toujours dans le contexte étrusque, évoquer la *gens Saluia* de Ferentium, *ex principibus Etruriae* (20), qui parvint au rang équestre à l'époque de Cicéron (21); mais l'arrière-grand-père de l'empereur Othon, qui fut le premier chevalier de la famille, avait des parents, tous magistrats municipaux à cette époque.

Les acteurs de la Guerre sociale, quel que fût le parti qu'ils aient embrassé, ne furent pas exclus des structures de la société romaine. On ne s'étonnnera pas, bien entendu, des récompenses octroyées aux fidèles partisans de Rome, comme Minatius Magius d'Aeclanum, dont les deux fils furent préteurs

(12) APPIEN, *BC,* 5, 48.

(13) VELL. PAT., 2, 69, 5.

(14) SUET., *Iul.,* 41.

(15) R. SYME, *RR*, p. 204; C. NICOLET, *OE* 2, p. 766, n° 12.

(16) T.P. WISEMAN, pp. 86-89.

(17) Nous ne recourrons pas aux exemples trop connus d'Atticus ou de Sextius Niger; cf. A. STEIN, *RR,*p. 198; C. NICOLET, *OE* 1, pp. 700-706.

(18) HOR., *Sat.,* 2, 168-181.

(19) C. NICOLET, *OE* 2 p. 933, n° 210.

(20) SUET., *Oth.,* 1,1: *Maiores Othonis orti sunt oppido Ferentio, familia uetere et honorata, atque ex principibus Etruriae. Auus M. Saluius Otho, patre equite R., matre humili incertum an ingenua...*

(21) F. MUNZER, *RE,* I A, 1914, *s. v.* Saluius, n° 66, col. 2021; R. SYME, *RR*, p. 342; A. DEGRASSI, *Il sepolcro dei Saluii di Ferento, Atti Acc. Pont. Arch.,* 34, 1961-2, pp. 59-77 = *Scritti Vari*, III, Rome, 1967, pp. 155-172; E. BADIAN, *Notes on Roman Senators of the Republic, Historia,* 12,1963, pp. 129-143; T.P. WISEMAN p. 259, n° 376; L. GASPERINI, *Arch. Classica,* 29,1977, pp. 114-127.

entre 89 et 81 (22). Mais même la descendance directe des chefs de l'insurrection fut admise dans les rangs des chevaliers et des sénateurs, et le processus fut accéléré par César; qu'il suffise de mentionner ici la parentèle du Marrucin Herius Asinius, du Marse Poppaedius Silo et de son compatriote Vettius Scato, du Picénin Herennius (23). Mais nous nous trouvons là en présence de familles considérables, les premières de leur cité, dont la prépondérance locale justifiait les égards pris par Rome envers elles: elles formaient ces aristocraties indigènes qui viennent renforcer l'élite romaine (24), pour constituer ces réseaux, dont j'emprunterai la définition à Marguerite Yourcenar (25) "ces groupes de familles apparentées ou alliées l'une à l'autre, qui finissent par couvrir, comme un filet, tout un territoire".

A côté d'elles, cependant, il existe toutes ces *gentes,* honorables et aisées, qui parviennent à une place importante dans leur collectivité, quelle qu'en soit la nature, mais qui ne peuvent se réclamer d'ancêtres prestigieux, détenteurs du pouvoir depuis des générations. Pour se voir reconnaître par l'Etat romain une dignité supérieure, ces familles doivent recourir aux relations personnelles, au patronage des puissants, aux alliances avec des familles plus huppées, et profitent même, quand les circonstances s'y prêtent, des bouleversements politiques. Pour préciser ma pensée, je rappellerai l'histoire de la famille de Vespasien: le grand-père de l'empereur participa du côté de Pompée à la guerre civile, puis se retira dans sa patrie Reate, où il pratiqua le métier de commissaire-priseur. Son fils, Sabinus, employé d'une société de publicains en Asie, fut ensuite *faenerator* en Helvétie, ce qui implique un certain niveau de fortune; il prit femme dans une famille de Nursie, qui, elle, avait déjà accédé au rang équestre en la personne du grand-père de l'empereur Vespasius Pollio, tribun militaire, et qui parvint même à la dignité sénatoriale avec l'oncle de Vespasien, un *nouus senator* parvenu jusqu'à la préture, et qui devait soutenir les débuts de ses deux neveux, Sabinus et Vespasianus (26);le terme même *d'honestus* appliqué par Suétone à la *gens Vespasia* convient parfaitement à une famille de notables locaux.

Tout pareillement, l'analyse de la composition de l'ordre équestre révèle le caractère hétérogène de celui-ci: il est loin de présenter une parfaite cohésion. Les seuils de recrutement jouent un rôle déterminant, et rendent sensibles les différences séparant sur le plan social les *equites.* Au sommet de cette hiérarchie interne, qui n'est pas sanctionnée par le droit, il faut placer les fils de sénateurs, qui sont chevaliers romains, avant d'être élus questeurs et de passer dans l'ordre sénatorial; ils appartiennent à ce que j'appellerai le milieu sénatorial, notion que j'emploie de préférence à celle de classe, et qui englobe les sénateurs, leur descendance et leur parenté directe.

---

(22) VELL. PAT., 2, 16, 3: *quippe multum Minatii Magii, ataui mei, Aeclanensis, tribuendum est memoriae, qui nepos Decii Magii, Campanorum principis, celeberrimi et fidelissimi uiri, tantam hoc bello fidem praestitit... cuius illi pietati plenam populus Romanus gratiam rettulit ipsum uiritim ciuitate donando, duos filios eius creando praetores, cum seni adhuc creantur.* Cf. F. MUNZER, *RE,* XIV, 1,1928, *a. v.,* col. 439 n° 8, col.; T.P. WISEMAN, p. 239, n° 240; 241; 242; C. NICOLET, *OE* 2, p. 936, n° 213.

(23) VELL. PAT., 2, 16, 1: *Italicorum autem fuerent celeberrimi duces Silo Popaedius, Herius Asinius, Insteius Cato, C. Pontidius, Telesinus Pontius, Marius Egnatius, Papius Mutilus;* R. SYME, *Caesar, the Senate and Italy, PBSR,* 14,1938, p. 21 = *RP,* I, p. 109; *RR,* p. 93-94; T.P. WISEMAN, p. 6 et p. 25.

(24) On peut faire les mêmes remarques pour les grandes familles de l'Asie sous la domination romaine; cf. H. HALFMANN, *Die Senatoren aus dem östlichen Teil des Imperium Romanum bis zum Ende des 2. Jh. n. Chr.,* Göttingen, 1979, pp. 16 et ss.

(25) M. YOURCENAR, *Les yeux ouverts,* entretiens avec M. Galey, Paris, 1980.

(26) SUÉTONE, *Vesp.,* 1, 3-5: *T. Flauius Petro, municeps Reatinus, bello ciuili Pompeianarum partium centurio an euocatus, profugit ex Pharsalica acie domumque se contulit, ubi deinde uenia et missione impetrata, coactiones argentarias factitauit. Huius filius, cognomine Sabinus, expers militiae... publicum quadragesimae in Asia egit... Postea faenus apud Heluetios exercuit ibique diem obiit superstitibus uxore Vespasia Polla et duobus ex ea liberis... Polla Nursiae honesto genere orta patrem habuit Vespasian Pollionem, ter tribunum militum praefectumque castrorum, fratrem senatorem praetoriae dignitatis.* Pour les débuts de Vespasien, se reporter à A. CHASTAGNOL, *Le laticlave de Vespasien, Historia,* 25,1976, pp. 235-242.

NOTABLES MUNICIPAUX ET ORDRE ÉQUESTRE

Très proches de ces fils de sénateurs, les fils de chevaliers font partie du milieu équestre, pour lequel nous proposerons une définition identique à la précédente. Même s'ils ne sont pas coupés de leurs attaches municipales, joue en leur faveur l'*equestris hereditas*. Cependant, ces deux milieux ne sont ni isolés, ni clos sur eux-mêmes, et ils se recoupent: les futurs sénateurs s'y recrutent tout naturellement. On doit les assimiler aux familles de dynastes locaux dont nous avons parlé plus haut.

A cette strate supérieure de l'ordre équestre se sont ajoutés, à partir du Triumvirat ce que l'on pourrait appeler les chevaliers "auliques": compagnons et amis d'Octave, chargés par lui de toutes sortes de missions militaires et civiles, et qui jouissent d'une puissance personnelle considérable; mais en même temps, ils refusent de jouer officiellement les premiers rôles, en laissant les places d'apparat aux sénateurs, mais ils inspirent souvent la politique du prince dont ils partagent les secrets: plus encore que Mécène, qui encourut la disgrâce, il faut nommer ici C. Sallustius Crispus (27), qui préféra dissimuler son influence sous des dehors indolents et dans l'ombre du cabinet impérial.

Cependant, à un niveau moins élevé, on rencontre des nouveaux venus dans le second ordre: ce sont ces notables municipaux, d'origine moins prestigieuse, qui réussissent à obtenir la dignité équestre, et dont on pourrait dire que ce sont des *equites noui,* comme il existe des *senatores noui*(28). Mais ceux-là se sont déjà vu reconnaître dans leurs cités respectives une place non négligeable. C'est par leur enrôlement dans les centuries équestres que passe l'essentiel du renouvellement des cercles supérieurs de la société romaine. D'ailleurs, dans la mentalité romaine est ancré un schéma de promotion sociale qui conduit du premier rang des "municipes et colonies" au rang équestre, et de là à la dignité sénatoriale (29). Cette voie permet la progression sociale aux membres des aristocraties municipales, et ils la parcourent plus ou moins rapidement, selon les appuis qu'ils trouvent sur leur chemin.

Mais, à la différence de ce que l'on peut observer pour les notables municipaux, il est d'autres circuits qui permettent de gagner le rang équestre, sans jouir de soutiens familiaux, ni de protections personnelles prestigieuses, ou en sautant l'étape intermédiaire que constitue le passage par les responsabilités locales (30). Ainsi, au cours du Ier siècle, on peut enregistrer, particulièrement aux moments les plus troublés, un afflux de nouveaux chevaliers, "enfants de leurs propres oeuvres", selon la célèbre expression de Tibère (31). On pense ici tout naturellement aux fils d'affranchis, par exemple, comme Horace lui-même, ou le puisssant Vedius Pollion, l'ami d'Auguste, sinon à certains affranchis eux- mêmes (32), ou encore à ces officiers subalternes, anciens *caligati* devenus *equites*, dont

---

(27) TAC., *Ann.*, 3, 30, 3.

(28) Voir en dernier lieu l'étude de M. DONDIN-PAYRE, *Homo novus: un slogan de Caton à César, Historia*, 30,1981, pp. 22-81.

(29) Cf. par exemple TAC., *Ann., 3, 55, 3: Postquam caedibus saeuitum et magnitudo famae exitio erat, ceteri ad sapientiora conuertere. Simul noui homines, e municipiis et coloniis atque etiam prouinciis in senatum crebo adsumpti, domesticam parsimoniam intulerent, et quamquam fortuna uel industria plerique pecuniosam ad senectam peruenirent, mansit tamen prior animus.*
L'un des exemples typiques, au niveau des notables provinciaux, reste celui de la *gens Annaea* de Cordoue. Sénèque le Père rapporte lui-même (*Controv.*, 1, pr. 11) que la guerre civile l'a retenu dans sa patrie: *Omnes autem magni in eloquentia nominis, excepto Cicerone uideor audisse nec Ciceronem quidem aetas mihi eripuerat, sed bellorum ciuilium furor, qui tunc orbem totum peruagabatur, intra coloniam meam me continuit.* Mais il obtint cependant le rang équestre, comme l'atteste son fils, le Philosophe (TAC., *Ann.*, 14, 53: *Egone equestri et prouinciali loco ortus proceribus ciuitatis adnumeror?*); deux de ses fils entrèrent dans le sénat.

(30) Voir encore, sous Claude, les modalités de la montée sociale décrite par l'empereur lui-même dans l'édit sur le droit de cité des Anauni, *CIL* V, 5050 (= *D.*, 206) Val di Non: le service militaire dans le prétoire impérial, l'obtention du centurionat, la judicature. Th. Mommsen corrigeait le texte: *nonnulli COLLECTI in decurias Romae res iudicare* en *ALLECTI;* voir la dernière édition du texte dans P. CHISTE, *Epigrafi trentine dell'età romana*, Rovereto, 1971, N° 128.

(31) TAC., *Ann.*, 11, 21, 3 (à propos de Curtius Rufus).

(32) Voir plus loin, n. 67 et 68.

nous reparlerons plus bas. Il faudrait encore y joindre — mais cela dépasse le cadre géographique que s'est fixé ce Colloque —, ces intellectuels célèbres, d'origine grecque, princes de la vie de l'esprit, admis au droit de cité et promus chevaliers, tel Théophane de Mytilène, le préfet des ouvriers de Pompée, ou ces philosophes grecs dont Octave aimait la compagnie (33).

Pourtant, avant de déterminer les voies d'accès à la dignité équestre sous le Triumvirat, et ses incidences sur le milieu municipal, je voudrais revenir brièvement sur la situation de l'ordre équestre lors des ultimes guerres civiles. Dans ce domaine précis, il faut bien reconnaître que l'histoire du second ordre a été occultée et éclipsée par celle du premier. En effet, toutes nos sources déplorent, avec la répétition lassante d'un lieu commun, les transformations apportées par César d'abord, puis par les Triumvirs, et surtout Octave au recrutement du Sénat: il fut fortement renforcé entre 49 et 44 (34) et ouvert à des personnages jugés en partie indignes par l'opinion publique (35) du rang de sénateur du peuple romain (36). Après la disparition du dictateur, en des temps troubles et incertains, se glissèrent indûment parmi les sénateurs bien des citoyens (37), simples chevaliers et plébéiens. Et cela se répéta: Dion Cassius rapporte avec réprobation qu'en 39, Octave procéda à un accroissement des effectifs du sénat, en y admettant "non seulement des alliés, des soldats, des fils d'affranchis, mais même des esclaves" (38).

En revanche, le destin de l'ordre équestre n'est que trop rarement évoqué; nous ne possédons que des témoignages indirects de l'accroissement du recrutement légal de *l'ordo*. Par exemple, la réforme des jurys par César, que j'ai mentionnée plus haut (39) eut pour effet de supprimer la décurie des *tribuni aerarii,* admis depuis 70 parmi les juges (40). Quelles qu'aient été les qualifications des tribuns du trésor (41), dont certains sortaient de la plèbe (42), il apparaît assez sûrement que ceux d'entre eux qui possédaient le cens équestre ont été admis parmi les chevaliers romains (43). Mais ensuite, l'on doit attendre l'établissement du principat pour que réapparaisse l'ordre équestre, lorsqu'Auguste se vit dans l'obligation de remodeler et d'aménager ses structures.

Cependant, il est hors de doute que *l'ordo equester* a subsisté, et même qu'il a dû, tout comme le sénat, connaître un renouvellement assez sensible de ses effectifs. En effet, plus encore que sous Sylla ou César, durant les treize années qui séparent les Ides de mars de la bataille d'Actium, les deux ordres supérieurs se sont vidés de leur substance, et ont subi une véritable hémorragie. Je rappellerai simplement ici quelques étapes de cette histoire tourmentée, sans m'attarder, pour commencer sur les proscriptions, en laissant la discussion à plus compétent que moi sur ce sujet: trois mille chevaliers (44) auraient été portés sur les listes des condamnés. Les opérations militaires successives et leurs conséquences entraînèrent aussi des coupes sombres dans l'élite de la société romaine; Velleius Paterculus (45) déplore ainsi le massacre qui suivit la défaite des Républicains à Philippes en 42, tant

---

(33) G. BOWERSOCK, *Augustus and the greek world,* Oxford, 1965; H. HALFMANN, *o. c.,* pp. 19-20.

(34) CAES., *BC,* 3, 1, 4; SUET., *Iul.,* 41,1; D. C., 42,51; 43, 27, 2; 43, 47, 3.

(35) Mais César pratiqua aussi une épuration du Sénat, par l'exclusion des condamnés pour concussion, SUET., *Iul.,* 43, 1.

(36) Cf. R. SYME, *Caesar, the Senate...,* p. 12-18 = *RP,* I, pp. 99-105; *RR,* p. 82; T.P. WISEMAN, pp. 141-2.

(37) Voir les remarques de Dion Cassius, 52, 42, 1.

(38) D.C., 48, 34, 4: ἐς Τε βουλευτήριον πλείστους ὅσους οὐχ ὅτι τῶν συμμάχων ἤ καὶ στρατιώτας παιδάς τε ἀπελευθέρων ἀλλὰ καὶ δούλους ἐνέγραψαν.

(39) Voir plus haut p. 281.

(40) SUET., *Iul.,* 41,4; C. NICOLET, *OE* 1, pp. 595-596.

(41) A ce sujet, se reporter en dernier lieu à C. NICOLET, *Tributum,* Bonn, 1976, pp. 52-56, et H. BRUHNS, *Ein politischer Kompromiss im Jahr 70 v. Chr.: die lex Aurelia iudiciaria, Chiron,* 10, 1980, pp. 263-272.

(42) D. C., 43, 25, 1.

(43) Th. MOMMSEN, *Droit Public,* VI, 2, p. 84 et p. 134; C. NICOLET, *OE* 1, pp. 623-624.

(44) T. L., *Per.,* 120; FLORUS, 2, 16, 3; PLUT., *Cic.,* 46; *Brutus,* 27; *Ant.,* 20. APP., *BC,* 4,20 et 5,28.

(45) VELL. PAT., 2, 71, 2.

sur le champ de bataille qu'après la fin des combats, par suicide ou par condamnation à mort (46):
ainsi mourut les armes à la main l'un des princes de l'ordre équestre, C. Flauius, le préfet des ouvriers
de Brutus (47).

On ne sait trop en revanche, s'il faut accorder un crédit entier au récit de la vengeance exercée par
Octave après la reddition de Pérouse en 40, sur les partisans de Lucius Antonius (48); aux dires de
Suétone, qui hésitait lui-même à se fier à la source qui l'inspirait, trois cents chevaliers et sénateurs
auraient été immolés devant l'autel du divin Jules (49). Même si après la paix de Brindes quelques
exilés rentrèrent à Rome, se fiant à la paix provisoirement retrouvée (50), les membres des deux
ordres qui avaient suivi Sex. Pompée, survivants (51) de Philippes ou partisans de la première heure,
furent exécutés dans leur majorité en 36 (52).

Les fidélités personnelles ont précipité aussi les destins individuels, comme ceux de deux
chevaliers. Ainsi, ce Volumnius, de famille équestre, tout dévoué à son ami M. Lucullus, tué sur
l'ordre d'Antoine en 42, qui refusa la fuite et la vie sauve qui lui étaient offertes, et exigea du
vainqueur d'être supplicié comme son compagnon (53). Ou encore l'oncle de Velleius Paterculus, qui
avait été le préfet des ouvriers de Pompée, de M. Brutus, et de Ti. Claudius Néron, âgé et égrotant, se
suicida en 40, car il ne pouvait accompagner celui-ci hors de la Campanie (54).

Enfin, certains choix politiques influèrent aussi sur la transformation de la composition des
ordres: l'adhésion de certaines cités d'Italie à la cause de l'un ou l'autre des Triumvirs (55), ou encore
les préférences affichées, à partir de 36, pour le parti d'Antoine, contre celui d'Octave, qui devaient se
marquer en 32 par le départ massif et précipité d'une partie du Sénat, venue se ranger sous les
enseignes de l'époux de Cléopâtre (56); cela n'empêcha pas Octave, quand il prit le départ pour
l'ultime combat, de se faire escorter, pour les surveiller, par les plus puissants des sénateurs et des
chevaliers (57).

Il fallait donc combler les vides causés par la mort ou la défection, trouver des candidats non
seulement aux honneurs, mais aussi à la dignité équestre, issus d'abord des rangs de ceux qui, dès le
début, s'étaient attachés aux triumvirs, ou s'étaient progressivement ralliés à leur cause. On a déjà

---

(46) SUET., *DA,* 13,2; D.C., 47, 49, 4.

(47) PLUT., *Brutus,* 51, 2: Μετὰ δὲ μικρὸν, τῶν ἐν τῇ μάχῃ πρὸ αὐτοῦ πεσόντων ἑταίρων ἕκαστον ὀνομάζων μάλιστα τῇ
Φλαβίου μνήμῃ καὶ τῇ Λαβεῶνος (βροῦτος) ἐπεστέναξεν. ἦν δ'αὑτοῦ πρεσβευτὴς ὁ Λαβέων, ὁ δὲ Φλάβιος ἔπαρχος τῶν
τεχνιτῶν.
Cf. C. NICOLET, *OE* 2, p. 880, n° 148.

(48) SUET., *DA,* 15, 2; D. C., 47, 14, 4.

(49) En revanche, Appien, *BC,* 5, 48, ne souffle mot de ces exécutions à caractère religieux, et ne mentionne que la mise à
mort des décurions de Pérouse; voir plus haut, pp. 280-281.

(50) APP., *BC,* 5, 74.

(51) D. C., 47, 49, 4.

(52) D. C., 49, 12, 4.

(53) VAL. MAX., 4, 7, 4; *Qui (T. Volumnius) ortus equestri loco, cum M. Luculllum familiariter coluisset, eumque M.
Antonius, quia Bruti et Cassii partes secutus fuerat, interemisset, in magna fugiendi licentia, exanimi amico adhaesit...* Cf. H.
Gundel, *RE,* 16 A 2, 1961, *s. v.* Volumnius, col. 876, n° 6 et C. NICOLET, *OE* 2, p. 1082, n° 400.

(54) VELL. PAT., 2, 76, 1: *Eo non fraudabo auum meum. Quippe C. Velleius, honoratissimo inter illos CCCLX iudices
loco a Cn. Pompeio lectus, eiusdem Marcique Bruti ac Ti. Neronis, praefectus fabrum, uir nulli secundus, in Campania digressu
Neronis a Neapoli, cuius ob singularem cum eo amicitiam partium adiutor fuerat, grauis iam aetate et corpore cum comes esse non
posset, gladio se ipse transfixit.*

(55) L'exemple de Bologne, cliente d'Antoine, est bien connu; la cité fut dispensée du serment à Octave. Pour l'attitude de
Pompei, cf. P. Castrén, *Ordo populusque Pompeianus,* Rome, 1975, p. 92.

(56) SUET., *DA,* 17, 1; D. C., 50, 2, 7 et 50, 9, 4. Il faut noter aussi que certains partisans d'Antoine prirent le chemin
inverse vers Octave.

(57) D. C., 50, 11, 5.

remarqué depuis longtemps que les premiers partisans d'Octave, par exemple, étaient des chevaliers, ou des *senatores noui* (58), comme d'ailleurs ses bailleurs de fonds.

Mais sur quelles bases pouvait s'effectuer le recrutement des nouveaux chevaliers? En principe, les censeurs devaient procéder à l'examen des chevaliers, distinct du cens général, à l'exclusion de certains d'entre eux, et à l'admission d'autres (59). Mais après 70, les opérations censoriales ne purent se dérouler normalement (60), ni en 65, (61), ni en 61 (62), ni en 55 (63), comme en 50, où le lustre fut interrompu par la guerre civile (64). Cependant, après un intervalle de huit années, deux censeurs furent élus en 42, mais eux non plus n'accomplirent pas leur tâche (65). Cette déshérence de la censure contraignait à la remplacer, ou à lui substituer d'autres modes de nomination des chevaliers. Certains d'entre eux sont connus dès les débuts du Ier siècle (66), comme l'achat d'un office de scribe ou d'appariteur, — ce fut la pratique du fameux Sarmentus, qui se faisait passer pour chevalier romain et acheta une *decuria quaestoria* (67) — ou le don de l'anneau d'or, promesse de la dignité équestre (68). Il est évident que dans ce domaine, la pratique des Triumvirs et singulièrement celle d'Octave ne tendait pas aux innovations systématiques, mais se tenait dans le droit fil des méthodes suivies par César (69), qui infusa un sang nouveau dans des institutions usées.

Il était donc indispensable de trouver d'autres modalités permettant de désigner des chevaliers, dans la mesure où les mécanismes normaux ne fonctionnaient plus, telles la censure ou l'accession à la judicature. Or dans les années 40, apparaissent des personnages dont le rang équestre est assuré par toute une série d'indices, qui viennent d'abord des affirmations des historiens ou des allusions — trop rares — des poètes. Ainsi, l'affranchi de T. Vinius, Philopoemen, qui avait sauvé son patron des proscriptions, reçut en récompense la dignité équestre d'Octave, sans que nous possédions de précisions sur le moyen légal adopté alors (70). On pourrait encore citer un autre *libertus*, Menas ou Menodoros, l'un des amiraux de Sex. Pompée, qui quitta son service pour celui d'Octave et en fut récompensé par le don de l'anneau d'or, afin qu'il puisse devenir chevalier (71); mais il s'agit là de cas exceptionnels, puisqu'ils touchent des affranchis. Cependant ces données littéraires se doublent des ressources documentaires supplémentaires offertes par l'épigraphie.

Le fil conducteur qui nous a guidés dans notre enquête vient d'une célèbre (72) pièce d'Horace,

---

(58) R. SYME, *RR*, pp. 128-129. Je n'ai pu consulter la thèse de GLAUNING, *Die Anhägerschaft des Antonius und des Oktavian* (1936).

(59) Cf. C. NICOLET, *OE* 1, p. 69 et s.

(60) Th. MOMMSEN, *Droit Public*, VI, 2, pp. 79-80; C. NICOLET, *OE* 1, 91.

(61) T.R.S. BROUGHTON, *MRR*, II,p. 157.

(62) *Id., ibid.*, II, p. 179.

(63) *Id., ibid.*, II, p. 215.

(64) *Id., ibid.*, II, p. 247; cf. d. c., 40, 63, 4.

(65) *Id., ibid.*, II, p. 358. Cf. *Fasti Colot.*, *I. It.*, XIII, 1, p. 273, 1. 13: *([C. A]ntonius, P. Sulpicius cens(ores) lustrum n(on) f(ecerunt)*.

(66) A. STEIN, *RR*, p. 128; C. NICOLET, *OE* 1, p. 99 et s.

(67) PORPHYRIO, ad HOR. *Ser.*, 1, 5, 51-2; SCH. *ad IUV.*, 5, 3-4; PLUT., *Brutus*, 59; cf. A. STEIN, *RR*, p. 41.

(68) A. STEIN, *RR*, pp. 33-38; A. ALFÖLDI, *Der frühe Reiteradel und seine Ehrenabzeichen*, Baden-Baden, 1952, pp. 26-35; C. NICOLET, *OE* 1, pp. 139-141.

(69) R. SYME, *Who was Decidius Saxa?*, JRS, 27, 1937, p. 128 = *RP*, I, p. 32.

(70) SUET., *DA*, 27, 4: *in cuius tamen pertinaciae paenitentiam postea T. Vinium Philopoemenem quod patronum suum proscriptum celasse diceretur equestri dignitate honorauit.*
D. C., 47, 7, 5: Τὸν δὲ Φιλοποίμενα ‹ ἐς τὴν › ἱππάδα κατατάξαι.

(71) SUET., *DA*, 74, 2: *Valerius Messala tradit neminem unquam libertinorum adhibitum ab eo cenae excepto Menae sed asserto in ingenuitatem post proditam Sex. Pompei classem.*
APP., *BC*, 5, 80: Μηνόδωρόν τε ἐλθόντα ἐλεύθερον εὐθὺς ἀπέηνεν ἐς ἀπελεύθερου.
D. C., 48, 45, 8: Ἐν τιμῇ μεγάλη ἤγαγε δακτυλίοις ᵗε χρυσοῖς ἐκόσμησε καὶ ἐς τό τῶν ἱππέων τέλος ἐσέγραψε.

(72) HOR., *Ep.*, 4.

écrite en 37-36, et qui fustige un ancien esclave encore, en qui il faut non pas identifier (73) un contemporain parfaitement individualisé, mais au contraire un type social (74). Ce poème mérite une analyse rapide: le poète, après avoir exprimé l'antipathie qu'il ressent pour son héros, l'apostrophe violemment, lui dont la fortune n'a pas changé la naissance; ce parvenu qui se pavane dans des vêtements ostentatoires, exhibe certains caractères et certains privilèges de tout chevalier romain: il possède mille jugères (deux cent cinquante hectares) d'excellentes terres de Campanie (c'est-à-dire le type de patrimoine requis de l'*eques*); il siège dans les lieux de spectacles, dans les quatorze rangs réservés aux chevaliers en vertu de la *lex Roscia*, et plus particulièrement dans les deux travées réservées aux tribuns militaires, placés avant les autres chevaliers: cet individu a donc obtenu le tribunat des soldats, circonstance qui aggrave l'écoeurement du poète, exprimant son dégoût par l'ultime vers: *hoc, hoc, tribuno militum* (75).

Cette courte pièce éclaire tout à fait le débat qui nous occupe: pour Horace et ses contemporains, le tribunat militaire marque la possession du rang équestre (76).

En effectuant les recherches qui nous ont permis de connaître, sinon d'identifier parfaitement plus de cinquante chevaliers qui ont vécu ou survécu aux années 40 et 30, il se dégage une constante; sources littéraires et documents épigraphiques se recoupent et se rejoignent pour exprimer le rang de chevalier par l'obtention de fonctions militaires; on peut même préciser que c'est le cas de vingt personnages, connus essentiellement par l'épigraphie, et qui, dans leur grande majorité, ont revêtu le tribunat des soldats.

Certes, à cette époque, ne sont pas encore en usage d'autres expressions du rang, qui devaient connaître la vogue plus tard, et qui font appel à des fonctions comme la judicature ou la préfecture des ouvriers (77), ou encore à la qualité de chevalier sous la forme des titulatures équestres. A cet égard, le seul titre équestre apparu dans l'épigraphie de la *libera res publica* reste celui d'*eques*, encore qu'on en connaisse peu de titulaires (78).

Cependant, en affinant l'analyse, on peut déterminer plusieurs groupes dans cet ensemble. Nous ne discuterons guère du premier, car nous l'avons réservé à ces personnages connus essentiellement par des sources littéraires postérieures, qui se contentent de décerner à tout chevalier le titre "canonique" *d'eques Romanus* ; beaucoup plus rarement, certaines activités de type militaire sont suggérées, pour tel ou tel acteur de l'histoire de cette époque troublée. Ainsi, Septimius, le cher ami d'Horace, a été son "commilito" (79), et l'on sait que l'expérience militaire d'Horace s'est limitée à

---

(73) Les scholiastes d'Horace proposaient déjà différents personnages, comme ce Sex. Pompeius Menas ou Menodoros dont nous venons de discuter, ou Vedius Pollio, l'ami d'Auguste, ou encore un inconnu, Vedius Rufus.

(74) Cf. le Commentaire des Odes et Epodes (deuxième édition, Heidelberg, 1890) de A. KIESSLING, et son article in *Hermes*, 35, 1900, p. 257; F. JACOY, *ibid.*, 49, 1914, p. 459; H. FRÄNKEL, *Horatius*, Oxford, 1957, p. 57 et S. Treggiari, *Roman freedmen during the late Republic*, Oxford, 1969.

(75) V. 20.

(76) A. STEIN, *RR*, p. 112; R. SYME, *RR*, p. 336.

(77) On me permettra de réserver pour une plus ample discussion le cas de C. Atilius ou Acilius Glabrio, *IIIIuir quinquennalis* à Pérouse, puis préfet des ouvriers et préfet de cohorte, *CIL* XI, 1934 (= *D.*, 2865 = *ILLRP*, 638, Perusia); sa carrière à été attribuée à la décennie précédant la destruction de la ville en 40,; cf. E. BORMANN, *CIL* XI, *sub numero*; K.J. BELOCH, *Römische Geschichte bis zur Beginn der punischen Kriege*, Berlin, 1926, p. 503; H. RUDOLPH, *Stadt und Staat im römischen Italien*, Leipzig, 1935, p. 113; A. DEGRASSI, *Quattuorviri in colonie romane e in municipi retti da duoviri*, Atti Acc. Lincei, ser. VIII, II, 1950, p. 328 = *Scritti Vari*, I, Rome, 1962, p. 124; C. NICOLET, *OE* 2, p. 789, n° 37; H. DEVIJVER, *Prosopographia militiarum equestrium quae fuerunt ab Augusto ad Gallienum*, I, Louvain, 1976, A. 176; M. DONDIN-PAYRE, *Les Acilii Glabriones de Pérouse: ascension sociale et relations sénatoriales de magistrats municipaux*, MEFRA, 91, 1979, pp. 651-670.

(78) C. NICOLET, *OE* 1, pp. 243-246, avait déjà établi une liste des titulaires républicains du titre d'*eques*; on y ajoutera C. Agrius C. f. eq. (*AE*, 1974,198, Collatia) et C. Rosius C. f. f. Arn. (W. Eck, *Epigraphica*, 41, 1979, p. 108, n° 16, Blera).

(79) PORPHYRIO, *ad. HOR. Od.*, 2, 6 1-4 et *ad Ep.*, I, 9.

SÉGOLÈNE DEMOUGIN

son engagement dans les rangs de l'armée de Brutus, où il fut nommé tribun (80) et à sa fuite rapide du champ de bataille de Philippes: le métier des armes, même occasionnel, n'était pas fait pour lui. Ou bien, il est précisé la nature exacte de la fonction dévolue à un officier: ainsi en 36, lors de la mutinerie qui ébranla l'armée d'Octave, un certain Ofilius prit la défense des révoltés: Appien le présente comme χιλίαρχος, tribun militaire (81).

En revanche, les témoignages épigraphiques vont me retenir plus longtemps. On regroupera d'ailleurs tous nos chevaliers en tenant compte de l'ensemble de leur carrière connue. Tout d'abord, pour quelques personnages, seule la carrière militaire est mentionnée: ils sont tous, à une exception près, tribuns militaires, et ont vraisemblablement été entraînés dans les incessantes campagnes du second Triumvirat (82).

Les attaches familiales de ces officiers ne manquent pas d'intérêt, quand elles sont parvenues à notre connaissance. Ainsi, M. Mindius Marcellus (83) était le fils d'un chevalier, M. Mindius, et le neveu de L. Mescinius Rufus, questeur de Cicéron (84). Parmi les simples tribuns, on relèvera d'abord le nom de Feridius, fils d'un ami de Caelius, donc vivant dans la "bonne société" romaine, et qui prit le parti d'Octave (85). Peut-être, parmi ces membres de l'élite romaine, faut-il placer Q. Pinarius L. f. Aem. (86), enseveli avec son épouse et affranchie Pinaria Doxe à Ephèse: il était peut-être lié à l'un ou l'autre des Pinari équestres de la fin de la République, L. Pinarius Natta, et L. Pinarius Scarpus (87).

Plus modestement, et hors ce cercle prestigieux, nous pouvons décrire l'ascension d'une famille de Bléra: le grand-père, C. Rosius, fut fait citoyen romain après la Guerre Sociale; son fils, C. Rosius C.f.f. appartint à l'ordre équestre dont il porte la titulature habituelle, celle d'*eques*; des deux petit-fils, le premier mourut trop jeune pour entamer une carrière publique, mais le second, C. Rosius C.f.f. Arn. Sabinus fut tribun militaire de la quatrième légion. Tous ces personnages n'éprouvent pas le besoin d'évoquer leurs origines municipales; en revanche, ils tiennent, surtout pour ceux dont nous connaissons la famille, à rappeler leurs fonctions équestres. Nous sommes enclins à y voir en majorité des membres de ce milieu équestre que nous avons défini plus haut.

L'unique exception est constituée par le jeune Appuleius L. f., qui est vraisemblablement le fils (88) de deux affranchis, et qui, sur son relief funéraire montre fièrement à la fois son glaive et l'anneau d'or qu'il porte à la main: il y a là connexion parfaite entre les deux attributs de l'anneau d'or, qui symbolise à la fois le rang de chevalier romain et aussi la fonction de tribun militaire (89).

---

(80) HOR., *Sat.*, 1, 6, 46. L. R. TAYLOR, *Horace's equestrian career, AJ Ph*, 1925, pp. 161-170.

(81) APP., *BC*, 5, 128; voir plus bas, p. 293.

(82) Se reporter à l'Appendice, tableau I.

(83) Il est honoré à Velitrae, berceau de la famille des Octauii, par les navarques et triérarques de César, qui dédient l'inscription "*patrono*"; il est difficile de voir en cette fonction le patronat de la ville.

(84) C. NICOLET, *OE* 2, p. 952, n° 233.

(85) *Id., ibidem*, p. 876, n° 143.

(86) L'épitaphe de ce personnage est rédigée en grec; il s'était donc installé à Ephèse.

(87) C. NICOLET, *OE* 2, p. 979, n° 270 et 271: L. Pinarius Natta mort probablement en 56, et L. Pinarius Scarpus, un général d'Antoine.
Il nous est malheureusement impossible de faire des rapprochements entre ce personnage et les Pinari de rang équestre connus sous Auguste et Tibère, comme le chevalier Pinarius, tué en 43 (?), (SUET., *DA*, 27,6); les tribuns militaires Pinarius Sex. f. Clu. de Tuder, *CIL* XI, 4746; Pinarius T. f. Clu. Natta, d'Interamna Nahars, *CIL* XI, 4189; L. Pinarius L. f. Gal. Natta, d'Abellinum, *CIL* X, 1129 (= *D.*, 2698), Atripalda, prope Abellinum.

(88) Voir plus haut sur les fils d'affranchis qui entrent dans la carrière équestre, p. 283.

(89) *CIL* XIV, 3948. Le relief a été étudié bien des fois. On se reportera aux études suivantes: A. Nibby, *Analisi storico-topografica antiquaria della carta dei dintorni di Roma*, Rome, 1848, II, p. 412; G. TOMASETTI, *Della campagna romana nel Medio Evo, Arch. Soc. Rom. St. Pat.*, 14, 1891, p. 98; P. ZANKER, *Grabreliefs römischer Freigelassener, JDAI* (Rom), 90, 1975, pp. 305-6, abb. 44; O. PALA, *Nomentum, Forma Italiae, Regio I*, vol. 12, Rome, 1978, p. 68, n° 8, tav. 166.

288

Le second groupe (90) que l'on peut isoler présente tout autant d'intérêt: il est formé par les officiers qui ont effectué un séjour plus ou moins long à l'armée, et qui, de retour dans leur patrie, ou dans une colonie, y ont suivi le cursus local. Il est d'ailleurs bien entendu que nos remarques se fondent sur une analyse rigoureuse des cursus qui, à cette époque, suivent l'ordre ascendant (91).

On doit distinguer ici deux cas: tout d'abord nos tribuns militaires appartiennent à des familles de notables locaux, et sont les premiers de leur *gens* à obtenir ce grade. Ainsi, les deux frères Tillii de Pompei (92); en fait la gens Tillia est originaire d'Arpinum, où le père C. Tillius Rufus, fut édile *iure dicundo*, et où il épousa une Fadia, d'une famille équestre de la ville; il était en outre au moins propriétaire à Veroli, où il fut désigné comme augure, et il s'intalla enfin à Pompei, où il revêtit deux fois le duovirat quinquennal; ses deux fils furent tribuns de la dixième légion *Equestris* (93) et le premier revêtit aussi l'augurant à Veroli (C. Tillius Rufus), et le second (L.?) Tillius le duovirat à Pompei même.

Dans la même série, on regrettera que l'épitaphe du tombeau familial des Dupilii d'Aricie, érigé par le tribun militaire Cn. Dupilius, qui franchit ensuite toutes les étapes du cursus local, aligne simplement les noms des membres de la famille, sans préciser leur qualité, mais peut-être s'agit-il là d'une *gens* qui s'etait tenue à l'écart de la vie publique. (94)

Le second cas a dû se présenter relativement souvent, lors de la fondation des colonies militaires: les vétérans furent installés là (95) avec leurs officiers, appelés tout naturellement à prendre la direction de la nouvelle cité. Ainsi Q. Caecilius Atticus, tribun de la quarante-et-unième légion accompagna-t-il les colons de cette unité à Tuder, où il prit résidence, et fut élu régulièrement aux magistratures de la cité. Nous retrouverons d'autres exemples semblables avec notre dernier groupe, celui des officiers subalternes. S'il faut caractériser sur le plan de l'identité sociale cette catégorie, l'on peut conclure que l'on se trouve devant des personnages dont le rang familial leur offrait un espoir de franchir un nouvel échelon dans la promotion sociale; et c'est dans le milieu municipal qu'ils se recrutent.

La dernière section de cette première série correspond, en revanche, aux personnages qui ont commencé à parcourir les échelons du cursus local (96), avant d'être nommés tribuns militaires. On y comptera, par exemple, Aclutius Gallus, dont nous ignorons le statut antérieur, et qui, après avoir participé à la fondation (97) de la colonie de Venafrum, en 41 (98), et y avoir été élu duovir, obtint

---

Cf. aussi G. FABRE, *Libertus, patrons et affranchis à Rome*, Rome, 1981, p. 203.

Le relief est daté par référence à celui des Gessii, actuellement conservé au Museum of Fine Arts de Boston: *CIL* I², 3012 (= *ILLRP*, 503). On trouvera une bibliographie exhaustive chez P. ZANKER, *l. c.*, p. 304, suivi par G. FABRE, *o. c.*, surtt. pp. 205-206.

(90) Se reporter à l'Appendice, tableau II.

(91) Voir les remarques de P. CASTRÉN, *o. c.*, p. 98, sur le soi-disant caractère honoraire du tribunat militaire *a populo*; en fait aux dires de Suétone, que l'on n'a pas de raison de mettre en doute, c'est Claude qui inventa ce type de milice (SUET., *Cl.*, 25, 1).

(92) P. CASTRÉN, *ibidem*, p. 93 et p. 229.

(93) Sur cette unité, on consultera Ph. PETSAS, *Arch, Analecta Ath.*, 4, 1971, pp. 112-115; P. CASTRÉN, *Arctos*, 8, 1974, pp. 5-8; J.G.P. BEST, *Talanta*, 3, 1971,pp. 1-10; M. P. J. MILLER, *The Anc. World*, 2, 1979, pp. 193-244. R. FREI-STOLBA, *Legio X Equestris, Talanta*, 10-11, 1978-9, pp. 44-61.

(94) Ni le père, Cn. Dupilius M. f. Hor., ni le frère, M. Dupilius Cn. f. Hor. du chevalier n'ont revêtu de charges locales; peut-être ont-ils vécu à Rome même, en négligeant la carrière locale.

(95) Cf. E. GABBA, *Esercito e società nella tarda repubblica romana*, Firenze, 1973, p. 136 et s. Pour des centurions devenus duovirs, *AE*, 1961, 310 Ausculum.

(96) Se reporter à l'Appendice, tableau III.

(97) S. DIEBNER, *Aesernia - Venafrum, Untersuchungen zu den römischen Steindenkmälern zweier Landstäde Mittelitaliens*, Rome, 1979, p. 70.

(98) Cf. P. A. BRUNT, *Italian Manpower*, Oxford, 1971, p. 326.

successivement deux tribunats militaires, ou encore M. Cincius, titulaire du même grade à la légion *Gemella,* après la gestion du quattuorvirat de Falerii. Nous sommes mieux renseignés sur la riche *gens Sergia* de Pola: elle donna à la nouvelle colonie deux de ses magistrats supérieurs, Cn. Sergius C. f., quinquennal, et L. Sergius L. f., duovir et époux de Saluia Postuma (99); le fils de celui-ci, après avoir été élu édile, comme l'avait été son père avant lui, fut nommé *tribunus* dans une des légions qui participèrent à l'ultime affrontement entre Octave et Antoine.

Enfin, nous rapellerons l'existence à Saturnia d'un anoyme, tribun militaire à deux reprises, et qui aurait géré des magistratures municipales dans la ville, s'il faut interpréter ainsi les bas-reliefs qui ornent son tombeau (100).

La carrière de ces officiers illustre parfaitement le type de promotion offerte à certains *domi nobiles:* ils se sont fait reconnaître au sein de leur communauté et quittent le cadre local pour être intégrés à l'ordre équestre par une voie nouvelle, qui dépendait d'abord du pouvoir concédé temporairement à une seule personne; celle-ci, investie de *l'imperium,* peut à discrétion nommer une partie des officiers de son armée.

L'on sait que sous la République, il existait en fait deux sortes de tribuns: les uns, ceux des quatre premières légions, étaient élus (101): les autres étaient choisis par le commandant en chef (102): les nominations n'étaient pas dues au hasard des rencontres: les liens familiaux, les relations personnelles, les échanges de bons procédés y jouaient un rôle capital (103), et l'on ne manque pas, pour la fin de la République, de ces lettres de recommandation, qui sollicitaient fortement les *imperatores.*

A partir du moment où l'armée devint permanente, les *imperatores* purent renforcer leur emprise en choisissant à leur gré la majorité de leurs officiers; et quand *l'imperium* fut confisqué au profit d'une seule personne, comme par exemple César, celle-ci, tout naturellement, était appelée à désigner en fait tous les tribuns militaires.

Lors de l'établissement officiel du Triumvirat par la *lex Titia* du 27 novembre 43, les trois nouveaux maîtres de l'Empire, *triumuiri rei publicae constituendae* (104) reçurent, avec d'autres pouvoirs, *l'imperium* consulaire (105) pour une période de cinq années. Ce système fut renouvelé et maintenu en 37 pour la même durée (106), et continua de fonctionner après la déposition de Lépide. Sans entrer ici dans le débat sur la situation légale d'Octave et d'Antoine en 32 (107), je rappellerai que les deux adversaires conservèrent l'ensemble de leurs pouvoirs avant l'affrontement décisif. De

(99) A. DEGRASSI, *La data della fondazione della colonia romana di Pola, Atti Ist. Vento,* 102, 2, 1942-3, pp. 667-8 = *Scritti Vari,* II, Rome, 1962, pp. 913-924.

(100) Voir les commentaires de A. MINTO, *NS,* 1930, pp. 296-299. Sur les tombeaux monumentaux augustéens, on se reportera à F. COARELLI, *Su un monumento funerario romano nell'abbazia di San Guglielmo al Goleto, Dia. Arch.,* 1, 1967, pp. 46-71.

(101) FESTUS, p. 316 L.

(102) J. SUOHLATI, *Junior officers of the roman army in the republican period,* Helsinki, 1952, pp. 35-37; J. HARMAND, *L'armée et le soldat à Rome de 107 à 50 avant notre ère,* Paris, 1967, p. 349; C. NICOLET, *Armée et société à Rome sous la République: à propos de l'ordre équestre, Problèmes de la guerre à Rome,* sous la direction de J.-P. BRISSON, Paris, 1969, p. 135.

(103) On pourrait citer ainsi Trebatius Testa, le juriste, recommandé en 54 par Cicéron à César (*Fam.,* 7, 5); ou plus tard, les Velleii appuyés par les Vinicii de Cales, et jouissant de la faveur des Claudii, c'est-à-dire, du père de Tibère, puis de Tibère lui-même.

(104) *Res Gestae,* 1 et 7.

(105) APP., *BC,* 4, 2 - 3. Cf. aussi D. C., 48, 54, 56.

(106) APP., *BC,* 5, 95 et D. C., 48, 54, 6.

(107) De MARTINO, *Storia della costituzione romana,* 4, 1, Naples, 1962, p. 81 et s., résume commodément les deux thèses en présence sur la nature des pouvoirs d'Octave en 32: ou bien le pouvoir triumviral ne prenait pas fin automatiquement, aux dates fixées par la loi, mais ne disparaissait qu'à la renonciation expresse du triumvir, ou bien il expirait au moment établi par la loi (en l'espèce, le 31 décembre 33), et durant l'année 32 c'est un coup d'état qui aurait maintenu Octave; voir aussi p. 85.

toutes façons, les triumvirs disposèrent régulièrement du droit de procéder à des nominations de responsables militaires.

Cela amène à poser le problème de la valeur exacte de ce tribunat militaire, et de son rôle dans l'accession au rang équestre. En effet, la nomination à un tribunat des soldats ne laisse pas d'être ambiguë: on considère habituellement "qu'il implique la dignité équestre" (108); on en conclut donc que tous les officiers de ce rang sont au moins des *equites* (par exemple fils de sénateurs, ou fils de chevaliers). Mais par ailleurs, l'affectation à ce grade permet aussi de faire passer dans l'ordre équestre des personnes qui normalement n'auraient pu y appartenir d'emblée.

C'est ici que se place une césure dans le recrutement de l'ordre, et qu'apparaît notre second groupe équestre (109), celui des officiers subalternes, qui sont devenus tribuns militaires. Cl. Nicolet a déjà insisté sur ces centurions républicains — essentiellement des primipiles — qui, dans l'armée de Sylla, de Pompée ou de César, ont été promus dans les camps tribuns, donc chevaliers (110).

Cependant cette procédure, ne touchant d'abord que des personnalités exceptionnelles, s'est développée durant le Ier siècle av. J.-C. Pour l'expliquer, on ne doit pas perdre de vue que le recrutement des centurions lui-même s'opère à deux niveaux: les uns sortent de la troupe, les autres ont pu avoir un statut originel plus élevé. Comme l'ont fait remarquer R. Syme et E. Gabba (111), et malgré la distance qui sépare la *caliga* du haut commandement, il n'est évidemment pas exclu que de jeunes chevaliers, têtes brûlées préférant l'aventure militaire et ses risques à la routine de la vie civile, se soient engagés dans les rangs; mais ce n'était pas la majorité.

En outre, était offerte à quelques centurions la possibilité, après de longues années passées sous les enseignes, d'abandonner le cep de vigne pour arborer l'anneau du tribun, et de devenir ainsi chevaliers romains (112).

Dans la littérature augustéenne encore en reviennent les échos; ainsi, dans les *Fastes,* Ovide retrace une rencontre qu'il fit, lors des *Ludi Megalenses,* alors qu'il se trouvait au début d'une carrière publique vite interrompue; il se trouvait assis, dans les travées équestres, à côté d'un vieil homme, qui évoqua devant lui son passé et sa carrière: il fut nommé tribun militaire par César, et gagna ainsi sa place parmi les chevaliers (113). Mais les rencontres du poète avec d'anciens militaires ne furent pas toujours aussi sereines; dans ses entreprises amoureuses, il lui arriva de devoir céder la place à l'un de ces nouveaux chevaliers, un ancien soudard aux mains ensanglantées, qui avait mérité sa nouvelle dignité à la pointe de l'épée (114). Le poète reflétait là ce qui apparaissait comme une évidence — et

---

(108) H. HILL, *The Roman Middle Class,* Oxford, 1952, p. 29; C. NICOLET, *Problèmes...* p. 146. Cf. aussi J. HARMAND, *o. c.,* p. 349 et s.

(109) Se reporter à l'Appendice, tableau IV.

(110) C. NICOLET, *Problèmes...* pp. 146-7; J. HARMAND, *o. c.,* p. 327 et s.

(111) R. SYME, *Who was Decidius Saxa?,* JRS, 27, 1937, p. 128 = *RP,* I, p. 32; *Caesar, the senate and Italy,* PBSR, 14, 1938, p. 13 = *RP,* I, p. 100; E. GABBA, *l. c.,* p. 86; J. HARMAND, *o. c.,* p. 335 et p. 342.

(112) W. SCHMITTHENNER, *Politik und Armee in der späten römischen Republik,* Hist. Zeitschrift, 190, 1960, pp. 15 et s.

(113) *Fasti,* 4, 381-4:

Dux mihi Caesar erat, sub quo meruisse tribunus
glorior; officio praefuit ille meo.
Hanc ego militia sedem, tu pace parasti
inter bis quinos usus honore uiros.

(114) *Am.,* 3, 8, 9-10:

Ecce, recens diues parto per uulnera censu
Praefertur nobis sanguine pastus eques.
15-16:
Laeua manus, cui nunc serum male conuenit aurum
Scuta tulit.

aussi un scandale — aux contemporains: le renouvellement partiel de l'ordre équestre semblait passer par ces parvenus issus des rangs de l'armée; à ce moment, celle-ci, de préférence à toute autre voie, ouvre l'accès à l'ordre équestre.

Cela se vérifie aussi bien pour le vétéran que pour le jeune, ou le moins jeune magistrat municipal. L'un et l'autre deviennent tribuns militaires; mais, bien entendu, ils n'obtiennent pas leur nomination ni au même âge, ni dans les mêmes conditions; le premier a gagné son grade à la sueur de son front, le second a profité de la place de sa famille et des relations qu'elle a su établir avec les puissants du jour.

C'est dans ce cadre qu'il convient de présenter les exemples connus de ces promotions. Tout d'abord L. Firmius, qui servit comme centurion, puis comme primipile, parvint au tribunat militaire, et retiré à Sora, y géra le quattuorvirat; lorsque la cité devint colonie, après Philippes, il y fut le premier pontife. Il était devenu chevalier avant de revenir dans sa patrie; nous n'ignorons pas que vétérans et centurions revenaient chez eux après leurs campagnes, à moins qu'ils n'aient reçu des terres ailleurs. Les anciens officiers subalternes essayaient d'y tenir le haut du pavé: rappelons ici les *magni pueri magnis e centurionibus orti* de Venouse, daubés par Horace (115).

Nous évoquerons aussi un exemple très célèbre, l'un des modèles de l'ingratitude, cloués au pilori par Valère Maxime, Marius, d'Urvinum Mataurense, pour lequel nous possédons un cursus épigraphique. Valère Maxime insiste sur ses débuts extrêmement modestes: d'extraction très simple, sans aisance, compté parmi les sans-grade — *ab infimo militiae loco* —, il parvint aux plus hauts honneurs militaires — *ad summos castrenses honores* — (116), c'est-à-dire d'abord au tribunat des soldats. Mais l'inscription qui rappelle ses mérites et ses activités "gomme" totalement ses débuts, alors que, de toute évidence, il servit dans la *caliga* puis fut centurion, et ne met en valeur que les étapes les plus flatteuses de sa carrière: les dignités qu'il obtint dans sa patrie, et un cursus militaire où figure d'abord un tribunat légionnaire, qui manifeste son rang social (117).

C'est d'ailleurs par le passage à l'armée qu'est caractérisée la montée sociale de l'un ou l'autre des acteurs des dernières années de la République. Sans insister ici sur le trop connu Saluidienus Rufus, dont Velleius Paterculus et Suétone ont noté à plaisir les origines modestes (118) et la carrière fulgurante, de la plèbe à l'ordre équestre, et de là au consulat, en sautant les étapes intermédiaires (119), je préfère mettre l'accent sur la personnalité de L. Tarius Rufus, consul suffect en 16, dont Pline l'Ancien a synthétisé l'histoire (120), toute pareille à celle de Marius d'Urbino, ingratitude en moins: "*infima natalium humilitate consulatum militari industria meritus*"; nous n'avons malheureusement pas d'autres détails sur cette carrière militaire, mais nous savons qu'il commandait quelques bateaux à Actium (121).

---

(115) *Sat.*, 1, 6, 72-3.

(116) VAL. MAX., 7, 8, 6: *Neque aliis dignus fuit T. Marius Urbinas; qui ab infimo militiae loco beneficiis diui Augusti imperatoris ad summos castrenses honores perductus eorumque uberrimis quaestibus locuples factus, non solum ceteris uitae temporibus ei se fortunas suae relinquere a quo acceperat, praedicauit...*
Pour les *summi castrenses honores*, comparer avec *CIL* IX, 3158 (= *D.*, 2682) Corfinium.

(117) Cf. E. GROAG, *Klio*, 14, 1914, pp. 51-57; A. Stein, *RR*, p. 161 et p. 373; R. SYME, *RR*, p. 335; C. NICOLET, *OE* 2, p. 946, n° 226; H. DEVIJVER, *o. c.*, II, M., 35.

(118) Sur la dépréciation systématique des origines des acteurs de l'histoire républicaine, cf. M. GELZER, *Die Nobilität der römischen Republik*, Leipzig-Berlin, 1912, pp. 11 et s. = *Kleine Schriften*, I, Wiesbaden, 1962, pp. 29 et s.

(119) VELL. PAT., 2, 76, 4: *natus obscurissimis initiis;* SUET., *DA*, 66, 2: *ex infima fortuna.*

(120) PLIN., *NH*, 18, 37: *L. Tarius Rufus infima natalium humilitate consulatum militari industria meritus, antique alias parsimoniae circiter M HS liberalitate diui Augusti congestorum usque ad detrectationem heredis exhausit agros in Piceno coemendo colendoque in gloriam.*
Pour l'origine de Tarius, cf. G. ALFOLDY, *Epigraphische Notizien aus Trieste*, Atti Mus. Trieste, 9, 1976-7, pp. 53-59, et *Ein nordadriatischer Gentilname und seine Beziehungen*, ZPE, 30, 1978, pp. 123-136.

(121) D.C., 50, 14, 1-2.

NOTABLES MUNICIPAUX ET ORDRE ÉQUESTRE

Le même schéma se répète donc pour deux groupes sociaux différents: leur montée sociale se fonde sur un modèle identique, c'est-à-dire la nomination au tribunat militaire. Mais il faut tenir compte d'une autre réalité: les conditions dans lesquelles s'effectuait l'accès à la dignité équestre différaient. Pour les *domi nobiles* ce passage avait lieu alors qu'ils occupaient déjà un certain rang dans leur collectivité; pour les seconds, il permettait, le moment de la retraite sonnée, et à un âge plus avancé, de s'intégrer à la bonne société locale, et d'y jouer un rôle à la mesure de leurs moyens. Il y avait certes des possibilités de rencontres, des zones de contact, des passerelles. Mais ainsi on n'envisage qu'un seul aspect de cette situation en considérant le cas des officiers subalternes devenus *equites,* puis notables locaux; il faut envisager aussi l'inverse, c'est-à-dire l'avenir du vétéran rentré dans ses foyers. En effet, il n'était pas exclu pour l'ancien soldat de gagner d'emblée une position personnelle lui permettant d'espérer prendre place parmi les notables, et de là dans l'ordre équestre, sinon pour lui, du moins pour ses fils.

Dans cette optique, j'analyserai un incident tout à fait symptômatique, conté à la fois par Appien et Dion Cassius, qui se place en 36. Octave venait de vaincre Sex. Pompée et d'éliminer Lépide, lorsqu'éclata une mutinerie dans l'armée qu'il avait rassemblée, les soldats réclamant leur congé (122); mais les récits divergent sur les moyens pris par l'héritier de César pour juguler la révolte. D'après Appien, dans le discours adressé par Octave à ses troupes pour les calmer, il annonça qu'il donnerait aux légions de nouvelles couronnes, et aux officiers — centurions et tribuns — des vêtements bordés de pourpre et le rang de décurion dans leurs cités. Dion Cassius, moins affirmatif, rapporte que le Triumvir donna l'espoir aux hommes du rang et surtout aux centurions qu'il les ferait prendre dans les curies de leurs patries.

Cependant, pendant qu'Octave distribuait d'autres récompenses honorifiques, un tribun nommé Ofilius s'exclama que couronnes et pourpres n'etaient que des jouets d'enfants, et que seuls χωρία καὶ χρήματα, des terres et de l'argent, pouvaient récompenser une armée. L'officier, acclamé par les mutins était-il un provocateur — il disparut d'ailleurs mystérieusement le lendemain — ou bien ce porte-parole des aspirations des soldats représentait-il le type du soldat professionnel, devenu tribun, exigeant, après les fatigues de la guerre une juste récompense (123)? Or, si l'on considère justement le cas des centurions qui nous intéresse ici, terres et argent, en plus de la solde et du butin, constituaient justement ces biens qui leur permettaient, de retour dans la société civile, de dépasser leur condition antérieure, et d'entrer dans le cercle des *boni ac locupletes* de leur colonie ou de leur municipe. La promesse d'Octave leur donnait en revanche, non pas les moyens, mais l'assurance de parvenir à ce but, et de recevoir les mêmes avantages que leurs futurs collègues, y compris les espoirs de promotion sociale; mais les avantages immédiats séduisaient plus à ce moment-là que les engagements à plus ou moins long terme.

C'est ainsi que les clivages fonctionnels entre civils et militaires, les contrastes sociaux jouant parmi les notables municipaux, se retrouvent au sein de l'ordre équestre dont le recrutement continue de s'opérer sur des bases hétérogènes, même si son accès passe, à cette époque, essentiellement par le tribunat militaire. D'ailleurs, fils de sénateurs et fils de chevaliers s'opposaient, sur le plan social, aux "nouveaux" chevaliers, notables municipaux, ou membres de familles de notables, et anciens officiers subalternes, alors que tous servaient dans le même cadre et sous les mêmes enseignes.

On retrouve même, déjà sous le Triumvirat, les prémices du système de nomination des officiers équestres, tel qu'il devait être pratiqué sous l'Empire, et dont les grandes lignes ont été dégagées par E. Birley (124), avec leur division en trois catégories dépendant étroitement de l'âge du recrutement

---

(122) APP., *BC*, 5, 128; D. C., 49, 114, 3.
(123) Cf. R.E. SMITH, *Service in the post-roman army*, Manchester, 1958, pp. 67-8.
(124) E. BIRLEY, *The equestrian officers of the roman army, Roman Britain and the roman army*, Kendal, 1961, pp. 135 et s.

dans la milice équestre: avant ou après la trentaine, puis après la quarantaine. Ces divisions traduisent aussi les différences des niveaux de recrutement social des officiers. Et elles sont particulièrement importantes pour les magistrats municipaux, puisque diverses contraintes ponctuent le déroulement des carrières locales, et en particulier l'obligation d'avoir trente ans révolus pour briguer les magistratures supérieures dans "les municipes, colonies, préfectures", à moins d'avoir accompli trois campagnes à cheval ou six campagnes à pied, comme cela ressort de la Table d'Héraclée (125). Aussi fils de sénateurs, comme fils de chevaliers s'acquittent tôt de leurs obligations militaires, essentiellement le tribunat, avant l'âge de se présenter, pour une partie d'entre eux, aux magistratures du peuple romain; cela ne les empêche pas de reprendre éventuellement du service, comme ce M. Feridius, *eques Romanus,* déjà en 51, et qui participa au siège de Pérouse en 41 (126).

Tout pareillement, et à un niveau moins élevé socialement, les fils des *domi nobiles* sont admis à la milice équestre avant de gravir les échelons du cursus local, à moins qu'ils ne puissent passer directement dans l'ordre sénatorial après l'élection à la questure, comme ce fut le cas de bien des partisans d'Auguste (127), avant les indispensables épurations du Sénat opérées par le *princeps.*

En revanche, les anciens magistrats municipaux n'ont été nommés tribuns militaires qu'après avoir eu des responsabilités locales: plus âgés que les précédents, ils voyaient leur position personnelle confortée brillamment par leur nouvelle dignité. Le choix d'officiers équestres parmi les premiers de chaque cité annonçait d'ailleurs une pratique développée plus tard par Auguste lui-même: celle du recrutement des *tribuni militum a populo* (128) fait par l'empereur sur recommandation des cités italiennes sélectionnant en leur sein les plus dignes. Elle fut abandonnée vraisemblablement quand la rénovation de l'ordre équestre et son élargissement permirent sans difficulté de trouver des candidats aux fonctions militaires.

Enfin, certains primipiles, répondant aux conditions censitaires, méritaient leur promotion dans les camps, s'ils survivaient aux opérations militaires; de retour chez eux, il leur était loisible de jouer un rôle non négligeable dans leur cité, et de se joindre au petit groupe des notabilités locales (129). C'était la conséquence de l'ouverture de l'ordre équestre à quelques centurions; elle s'était produite sous la dictature de Sylla, et se prolongea jusque sous Claude, signe évident de l'importance de l'armée non seulement comme groupe de pression politique, mais aussi comme relais social.

L'ordre équestre, à ses origines, avait une vocation toute militaire, qui était considérée comme le fondement de son rôle dans les structures civiques, politiques et sociales de Rome; ses membres, dont les obligations étaient à la mesure du rang qui leur était accordé, acceptaient les plus lourdes charges, mais se recrutaient aussi parmi la fine fleur de l'aristocratie romaine. Quand l'*ordo* s'inséra officiellement entre la plèbe et le Sénat, cette caractéristique ne fut pas oblitérée, alors que d'autres fonctions et d'autres devoirs parachevaient sa définition juridique et sociale, et que son recrutement avait débordé le cadre relativement étroit des cercles de l'élite de Rome même.

Lorsque la République agonise, cette destination militaire retrouve toute son importance: l'entrée

---

(125) *CIL* I², 593 (= *D.*, 6085), l. 89-91. Pour l'époque impériale, nous disposons d'une autre donnée venant de la *lex Malacitana, CIL* II, 1964 cf. p. 876 (= *D.*, 6089), ch. 54: cet âge a été abaissé à 25 ans.

(126) C. NICOLET, *OE* 2, p. 876, n° 143.

(127) Comme par exemple Sulpicius Quirinius, TAC., *Ann.*, 3, 48; il y aurait d'ailleurs bien des réflexions à faire sur la soigneuse occultation par les sources des origines d'Agrippa.

(128) Cf. C. NICOLET, *Problèmes...,* p. 149; id., *Tribunus militum a populo, MEFRA,* 79, 1969, pp. 29-76. P. CASTRÉN, *o. c.,* p. 93.
Il ne faut pas oublier ces chevaliers romains recommandés pour leur nomination par la plèbe, comme ils apparaissent à Narbonne, *CIL* XII, 4333 (=*D.*, 112); cf. A. STEIN, *RR*, p. 130; C. NICOLET, *L'inscription de Narbonne et la commendatio des chevaliers, Latomus,* 22, 1963, pp. 721-732; M. GAYRAUD, *Narbonne antique des origines à la fin du IIIe siècle,* Paris, 1981, p. 353 et p. 362.

(129) *Res Gestae,* 35.

dans l'ordre s'opère par l'obtention du grade équestre par excellence, le tribunat militaire; être nommé officier, c'est aussi se voir reconnaître comme *eques Romanus.* L'ancienne aristocratie de Rome fut remplacée par une nouvelle aristocratie, issue des rangs d'abord des élites municipales. Celles-ci, qui entraient dans l'ordre équestre en assumant des fonctions militaires, trouvaient une confirmation de leur propre *dignitas,* et accédaient aux strates supérieures de la société romaine. Cela se traduisait pour elles par un double avantage: dominer sans conteste à l'intérieur même de la communauté d'origine, et s'assurer une place privilégiée dans le système des *ordines*; d'ailleurs, l'admission dans le second ordre ne permettait-il pas d'espérer une élévation dans le premier?

Mais le mode même de recrutement en vigueur sous le Triumvirat entraîna une autre conséquence: les aristocrates locaux ne furent pas les seuls à profiter du renouvellement et de l'élargissement de l'ordre équestre; ils ne purent se les réserver, et durent partager avec d'autres, ces plébéiens qui avaient emprunté une autre filière. Puisque le passage à l'armée ouvrait l'accès à la dignité équestre, des officiers subalternes n'en furent pas écartés, et l'enrôlement de ces nouveaux chevaliers (comme d'ailleurs, dans d'autres conditions, d'affranchis) marque l'hétérogénéité de l'ordre équestre.

Cependant, tous ces élément si divers se fondirent dans un seul ordre qui devait se joindre aux autres composantes de l'Etat; le Sénat, l'Ordre Equestre, et le Peuple Romain tout entier (130), officiellement unanimes, apportèrent leur soutien au fondateur du principat.

SÉGOLÈNE DEMOUGIN

APPENDICE

Cet Appendice répertorie les cursus épigraphiques des chevaliers connus sous le Triumvirat, en présentant successivement les carrières ne comprenant que des fonctions militaires, les carrières où interviennent, avant ou après la milice, des charges municipales, et enfin les carrières primipilaires.

Dans ces tableaux, on a essayé de rassembler toutes les données nécessaires qui sont développées dans notre exposé, et on a adopté les conventions suivantes: toutes les dates s'entendent avant Jésus-Christ; l'ordre alphabétique a été suivi, de préférence à l'ordre chronologique; mais quand on disposait d'une date précise pour une fonction donnée, on l'a toujours indiquée. On a tenu aussi à rappeler le nom des villes où des magistratures locales ont été assumées. Seul échappe à cette règle le dernier tableau, où l'on trouvera trois rubriques: la carrière militaire I a été suivie avant le cursus municipal qui précède la carrière militaire II; il ne comprend pas non plus d'indications sur le statut familial des primipiles que nous ignorons dans l'état actuel de la documentation.

---

(130) *Res Gestae,* 35.

1) CARRIÈRE MILITAIRE
A) Préfet de la flotte

Noms	Date	Origo	Fonctions	Militaires	Statut Familia	Références
1) M. Mindius M.f.	36	Velitrae??	praefectus classis	patronus (navarchorum et trierarchorum)	Fils de chevalier Neveu de sénateur	AE, 1925, 93 Velitrae

B) Tribuns militaires

Noms	Date	Origo	Statut antérieur	Tribunat	Statut familial	Références
1) L. Appuleius L.f.		Nomentum??		tr. mil.	Fils d'affranchis	CIL XIV, 3948 Nomentum
2) M. Feridius	51 41	??	eques Romanus	tr. mil. 1. XI	Fils d'un ami de Caelius	Fam. 8, 9, 4 CIL XI, 6721 glans perusina
3) Q. Pinarius L.f. Aem.		??				JOAI, 2, 1913, Beib., p. 83= (D. 8882); Rep. Eph. 705 a Eph.
4) P. Quinctius P.f. Rom.		Italicus		[tr.] mil. leg. XVI		CIL VI, 3533 Roma
5) C. Rosius C.f.f Arn. Sabinus		Blera		[trib.] mil. leg. IIII	Fils de chevalier	Epigr., 41, 1979, p. 108, n. 16 Blera
6) M'. Titius M'.f. Fab.		Patavium		trib. mil. leg. VIII		CIL V, 2163 Altinum
7) — —		??		trib. m[il. legionis] XXXI		AE, 1933, 199 Priansos

296

II) CARRIÈRE MILITAIRE PRÉCÉDANT LA CARRIÈRE MUNICIPALE

Noms	Date	Origo	Carrière militaire	Carrière municipale	Statut familial	Références
1) C. Baebius T.f. Clu.	31	Umbria	tr. mi[l. leg.] XX uel [X]XX, praef. ora[e marit. His] pan. citer[ioris b]ello Actiensi	IIIIuir i.d. (Forum Liuii)		*CIL* XI, 623 (=D., 2672), Forum Liuii
2) Q. Caecilius Q.f. Atticus		Installé à Tuder	tr. mil. (leg. XXXXXI) trib. mil.	praef. frument. (Tuder) IIuir quinq. (Tuder) patronus, IIuir quinq. (Tuder)		*CIL*, XI, 4650 (D., 2230) Tuder; *CIL* XI, 4651, *ibidem*; *CIL* XI, 4653, *ibidem*; *CIL* XI, 4652, *ibidem*
3) Cn. Dupilius Cn.f. Hor.		Aricia	tr. mil. in leg.	flam. Mart..,, aed., dictat. Ariciae	Fils d'un simple citoyen	*CIL* XIV, 2169 (= D., 6139) Aricia
4) C. Tullius C.f. Cor. Rufus		Famille d'Arpinum, possessionnée à Verulae, installée à Pompei	tr. mil. leg. X	augur (Verulae)	Fils d'un magistrat municipal (à Arpinum, Verulae, Pompei) apparenté par sa femme à une famille équestre d'Arpinum	Inscription inédite de Pompei cf. P. Castrén, *Ordo...*, p. 93
5) [L?] ʾTillius C.f. [-]		»	[tr. mil.] leg. X Equestris	duouir i.d. (Pompei)	Frère d'un tribun militaire	mêmes références

III) CARRIÈRE MUNICIPALE PRÉCÉDANT LA CARRIÈRE MILITAIRE

Noms	Origo	Carrière municipale	Carrière militaire	Statut familial	Références
1) C. Acclutius L.f. Ter. Gallus	Venafrum	duouir urbis moeniundae bis (Venafrum) praefectus iure deicundo bis (Venafrum) duouir iure deicundo (Venafrum)	tr. mil. legionis [pr]imae, tr. militum legionis secundae Sabinae		*CIL* X, 4876 (=D., 2297) Venafrum
2) M. Cincius L.f. Hor.	Falerii	IIIIuir i.d. (Falerii)	trib. milit. legionis Gemellae		*CIL* XI, 7495 Falerii
3) L. Sergius L.f. Lepidus	Pola	aed. (Pola)	tr. mil. leg. XXIX	Fils d'un magistrat de Pola Neveu d'un magistrat de Pola	*CIL* V, 50 (=D., 2229); *I.It.*, X, 1, 72 Pola
4) [-]s [S] ab.	Saturnia	magistratures municipales à Saturnia??	[trib.] mil. leg. VI et XXIX		*AE*, 1931, 95 Scansano

IV) CARRIÈRE MUNICIPALE

Noms	Date	Origo	Carrière militaire I	Carrière municipale	Carrière militaire II	Références
1) L. Firmius L.f.	ap. 41	Sora	tr. mil. prim. pil.	IIII uir i.d., colonia deducta primus pontif.		CIL X, 5713 (=D., 2226 = ILLRP, 498 a) Sora
2) T. Marius C.f. Stell. Siculus	36	Uruinum Mat.	ab infimo militiae loco ...	aed., IIIIuir i.d., pontifex	ad summos castrenses honores tr. mil. leg. XII, praef. duor. prin., praef. in classe Cn. Lentuli praet. in Sicilia	Val. Max., 7, 8, 6 CIL XI, 6058 Uruinum Mat. CIL VI, 32935 Roma
3) [-] f. Pap. [-] us		Italicus??	[pp. in leg. Mace]donica [tr. mil. leg. Ge]mellae [praefectus]fabr.			

DOMI NOBILES AND THE ROMAN CULTURAL ÉLITE

It is notorious that Roman literature was very largely written by men who were not themselves Romans - the Campanian Naevius (1), Plautus from Umbrian Sassina (2), Ennius from Messapian Rudiae (3), Pacuvius, Lucilius and the dramatist L. Pomponius from the Latin colonies of Brundisium, Suessa Aurunca and Bononia (4), and so on. At the turn of the second and first centuries B.C., as Cicero knew, literary culture flourished more in the towns of Latium and the rest of Italy than in Rome (5). The two most conspicuous exponents of it at that time were Q. Valerius from the Latin colony of Sora, «litteratissimus togatorum omnium» (6), and L. Aelius of Lanuvium (7). (The latter was at least born a Roman citizen, and was indeed *eques Romanus* (8), but he was a *municipalis* all the same, his origin comparable with that of M. Cato of Tusculum or M. Cicero of Arpinum.) In the first century itself, the familiar figures of Catullus, Horace, Virgil, Livy and Ovid need no comment: three of them were born in Transpadane territories with no more than the *ius Latii*, the other two in towns enfranchised only in their fathers' time (9).

To understand the phenomenon, it is essential - and appropriate to the theme of this colloquium - that we look at it not from a Roman standpoint, as our literary sources naturally predispose us to do, but from the point of view of the Italian towns themselves. Men who at Rome appeared as upstarts, *ignoti homines et repentini* (10), might well be aristocrats in their home towns, the heirs to generations of wealth and pride. We must think of them not as «new men», but as *domi nobiles* (11).

* * *

I begin with the proceedings of the 1974 Göttingen colloquium *Hellenismus in Mittelitalien* (12),

---

(1) That is the most natural explanation of Gell., *NA*, I, 24.2 on Naevius' *superbia Campana*.

(2) *Jer., Chron.* ad Ol. 145.1, Festus, 274 L.

(3) Enn., *Ann.*, 377 V (Cic., *de or.*, III 168); Cic., *Arch.*, 22, Strabo, VI, 281, Sil. It., *Pun.*, XII, 393-7, etc.

(4) Jer., Chron., ad Ol. 156.3 (Pacuvius), 172.4 (Pomponius); Juv., *Sat.*, I, 20 and Schol., Auson., *Epist.*, 15.9 for Lucilius.

(5) Cic., *de or.*, III, 43 (L. Crassus *loquitur*): «nostri minus student litteris quam Latini». *Arch.*, 5 (of the years immediately before 102 B.C.): *erat Italia tum plena Graecarum artium ac disciplinarum; studiaque haec et in Latio vehementius tum colebantur quam nunc isdem in oppidis, et hic Romae propter tranquillitatem rei p. non neglegebantur* (note the significant difference between the *oppida* and Rome itself).

(6) Cic., *de or.*, III, 43; cf. *Brut.*, 169 (*Q.D. Valerii Sorani, docti et Graecis litteris et Latinis*). For his ἐπόπτιδες (Plin., *NH*, pref.), compare L. Cincius' antiquarian *Mystagogica* (Festus, 498L): ἐποπτεία was the highest stage of initiation into the mysteries, here no doubt used as a metaphor for cultural erudition.

(7) Cic., *Brut.*, 205: *eruditissimus et Graecis litteris et Latinis, antiquitatisque nostrae et in inventis rebus et in actis scriptorumque veterum litterate peritus.* Varre, *LL*, VII 2 (*homo in primis in letteris Latinis exercitatus*) and ap. Gell., *NA*, I, 18.2 (*litteris ornatissimus memoria nostra*).

(8) Suet., *Gramm.*, 3.1: *eq. R. multi ac varii et in doctrina et in re publica usus.* Cf. Cic., *Brut.*, 205-7.

(9) Verona, Mantua, Patavium: *ius Latii* 89 B.C. (Asc., 3C), Roman citizenship 49 B.C. (Dio, XLI, 36.3). Venusia, Latin colony; Sulmo, capital of allied Paeligni; both enfranchised after the Social War.

(10) Cic., *Brut.*, 242, on the *Caepasii*.

(11) Cic., *Cluent.*, 23, 109, 196, on the local aristocrats of Larinum; Sall., *Cat.*, 17.4, on Catiline's followers from the *coloniae* and *municipia*. Cf. Q. Cic., *comm. pet.*, 24 on *homines in suis vicinitatibus et municipiis gratiosi*.

(12) *Hellenismus in Mittelitalien*, Kolloquium in Göttingen vom. 5 bis 9. Juni 1974, herausgegeben von Paul Zanker (*Abhandlungen der Akademie der Wissenchaftes in Göttingen, philologisch-historische Klasse, dritte Folge*, n. 97), Göttingen, 1976. Abbreviated below as *HMI*.

which revealed with great clarity that remarkably widespread and ambitious building programmes were being undertaken in various areas of non-Roman Italy at the end of the second century B.C. In Pompeii the big theatre and the basilica, in Praeneste the great Fortuna Primigenia complex, in northern Samnium the theatre and temple at Pietrabbondante, in the Paelignian territory the terraced sanctuary of Hercules Curinus (13) - all those and many others attest the Hellenistic taste and financial resources of local aristocrats - recently enriched, as it is convincingly argued, by the commercial exploitation of the Greek East (14).

The *domi nobiles* used their wealth, at least in part, in public munificence, adorning their native towns - or, where there were no towns in the proper sense, the common cult centres of their peoples - with splendid new buildings and works of art that reveal how great an impression the culture of the Greek world had made on them. The theatres and temples were an expression of the wealth, status and generosity of the local grandees who paid for them, but also of an aspiration to create a cultural environment comparable to that of a Greek *polis*. *Hellenismus* means more than just stone and stucco. The buildings were not merely beautiful objects; they were built to be used.

One naturally thinks first of drama. Of course the Διονυσιακοὶ τεχνῖται must have performed in the new theatres, at Pompeii and Praeneste, and as far afield as Pietrabbondante. Publilius Syrus a generation later made his reputation as a producer of mimes *in Italiae oppidis* before ever he went to Rome (15). But it would be a mistake to think that Hellenistic theatres were intended only for the performance of plays. Poets too performed in theatres (16), and the theatres put up by the commercially active *domi nobiles* of the Italian towns may have been particularly appropriate for two types of poetry - *pragmatika* and *emporika* - which otherwise remain wholly mysterious to us (17). More important, however, the regular association of theatres with temples reminds us that they were primarily intended for religious festivals, at which another sort of performance took place as well.

What could be more appropriate to a πανήγυρις than a πανηγυρικὸς λόγος? Of all the «carriers» of Hellenistic culture, the most characteristic was not the architect, nor the sculptor, nor even the «Dionysiac artist»: it was the *rhetor*, the sophist, the master of epideictic eloquence. The so-called «second sophistic», which we associate with its spectacular heyday in the second century A.D., had in fact begun with Aeschines, and the professional rhetorician was an indispensable part of Greek culture throughout the intervening period (18). He was therefore particularly sought after, as a guarantee and certificate of that culture, by aspiring communities on the periphery of the Hellenistic world, like Seleucia-on-Tigris, which tried to tempt the Athenian *rhetor* Amphicrates. He declined a permanent

---

(13) *HMI*, pp. 50f (Hercules Curinus), pp. 233 etc. (Pietrabbondante), pp. 337f (Praeneste), pp. 357f (Pompeii, cf. P. Castrén, *Ordo Populusque Pompeianus*, Rome, 1975, pp. 40f). For municipal building projects in general, see the inscriptions listed in Index Xb (pp. 488-92) of *ILLRP* vol. 2.

(14) *HMI*, pp. 16f, 337-9; cf. G. Bodei Giglioni, *RSI*, 89, 1977, pp. 73-6, and E. Gabba, *SCO*, 21, 1972, pp. 92f. For the background, see M.H. Crawford, *Econ. Hist. Rev.*, 30, 1977, pp. 42-52.

(15) Macr., *Sat.*, II, 7.7.

(16) Athen., XIV, 620, b-d (citing Clearchus, Chamaeleon, Dicaearchus etc) on the poems of Homer, Hesiod, Archilochus, Minnermus, Phocylides, Simonides and even Empedocles being «performed» in theatres at festivals. For the Roman period see for instance Hor., *Sat.*, I, 19.41, Petr. *Sat.* 90; cf. also Serv., *Ecl.*, 6.11, Donatus, *vita Verg.*, 26.

(17) Proclus Grammaticus *ap*. Photius *Bibl.*, 320a8 (Henry, vol. 5, p. 159) on varieties of poetry classified under lyric but in reality «invented by the poets themselves»: τούτων δε ἐστι πραγματικά, ἐμπορικά, ἀποστολικά, γνωμολογικά, γεωργικά, ἐπισταλτικά. Proclus' date is unknown (perhaps second century A.D.), but he drew on Hellenistic sources: cf. D.A. Russell, *Criticism in Antiquity*, London, 1981, pp. 155, 201.

(18) Philostratus, *vit. soph.*, I, 481. For Hellenistic rhetoric, cf. for instance Pol. XII, 25a.5 (on Timaeus), Philodemus, *Rhet.*, II, 233-46 Sudhaus (Teubner). See now the introduction to D.A. Russell and N.G. Wilson, *Menander Rhetor*, Oxford, 1981.

position («you can't keep a dolphin in a stew-pan»), but clearly was glad to show off his skills in such places «on tour», before an enthusiastic provincial audience (19).

The surviving Greek cities of Italy will have had their own *rhetores*, though whether it was they or their imitators in Latin (objects of suspicion to the authorities in Rome) (20) who performed with prose hymns and panegyrics at the festivals of Fortuna Primigenia or Hercules Curinus, we cannot tell. No doubt there were some who came from the great cities of the Hellenistic kingdoms to seek their fortunes in the newly affluent West, just like the poet Archias of Antioch, or the philosopher Sosus of Ascalon who took up residence at Teanum Sidicinum. A visit by a real «star» of Greek rhetoric would presumably draw crowds on a scale similar to those that Crates of Mallos and Carneades, in their different ways, had drawn in Rome earlier in the second century (21).

When a *rhetor* arrived in a city or a country, his first task was to praise it - its position and natural advantages, its buildings (and no doubt also those whose munificence had provided them), but above all its founders. On that the rhetorical handbooks give detailed and explicit instructions, varying according to the founder's status - a god, a hero, a king, a general - and the antiquity of the foundation (22).

The epic poet with his *ktisis*, the dramatist with his material from heroic legend, the historiographer with his tale of «genealogies, myths, the planting of colonies, the foundations of cities and their ties of kinship» (as Polybius contemptuously put it) - all these had much in common with the epideictic orator, and with each other (23). Their material was the common culture of the Hellenistic world, their physical milieu the theatres and colonnades of Hellenistic architecture, and their audience the festival crowds in Hellenistic - or Hellenized - communities (24).

It is against that background that we should consider the foundation-legends of the towns of Italy, of which Virgil (and his scholiasts), Silius Italicus, Justin and Solinus give us a representative selection. To us it may seem absurd to attribute the foundation of Tibur to the sons of Amphiaraus after the fall of Thebes, but no doubt it sounded sensible enough to a Tiburtine audience in the great *exedra* of Hercules Victor (25).

*   *   *

Although there was a certain amount of early material for such stories, from Hesiod (or pseudo-Hesiod) on Latinus the son of Circe, through Sophocles' *Inachus* and *Triptolemus*, to Hellanicus, Herodotus and Antiochus of Syracuse, it was clearly Timaeus who provided the most

---

(19) Plut., *Luc.,* 22.5; cf. A. Momigliano, *Alien Wisdom: the Limits of Hellenization,* Cambridge, 1975, p. 139.

(20) Gell., *NA,* XV, 11.1-2, Suet., *Rhet.,* 25.1 (161 and 92 B.C.).

(21) Cic., *Arch.,* 4-6 (Archias); *Index Stoicorum Herculanensis,* lxxv, p. 95 Traversa (Sosus: I owe this reference to Miss E. Rawson); Suet., *Gramm.,* 2 (Crates, 168 B.C.); Plut., *Cato minor,* 22 etc. (Carneades, 155 B.C.).

(22) Ps.-Dionysius, 257R (on panegyrics), 275-6R (on addresses); Menander Rhetor, 353-5, who gives most detailed instruction; Quintilian, III 7, 25-6. See now I.M.le M. DuQuesnay, *Papers of the Liverpool Latin Seminar,* 3, 1981, p. 149, n. 196.

(23) Pol., IX, 1.4. History and tragedy: F.W. Walbank, *Historia,* 9, 1960, pp. 216-34, esp. 230f. History and epic: T.P. Wiseman, *Clio's Cosmetics,* Leicester, 1979, pp. 143-53, esp. 150f. History and epideixis: P.A. Brunt, in φίλας χάριν: *Miscellanea in onore di Eugenio Manni,* Rome, 1979, pp. 311-40, esp. 330f.

(24) Historians performing in public: Lucian, *Herodotus,* 1, Thuc., I, 21.1, 22.4 (ἀκρόασις), Athen., X, 432b (Mnesiptolemus), Cic. *fin.,* V, 52, Lucian, *de hist. conscr.,* 14-32 passim; T.P. Wiseman, *History,* 66, 1981, pp. 383-7.

(25) Note the Tiburtine altar *CIL* XIV, 3555 = *Inscr. It.,* IV, 1.60: *Iovi Praestiti Hercules victor dicavit, Blandus pr. restituit*; as at Rome (the Ara Maxima story), so too at Tibur the presence of Hercules was accepted as a historical datum. Foundation-legends: Virg., *Aen.,* VII, 641ff, Sil. It., *Pun.,* VIII, 356-616, Justin, XX, 1, Solinus, 2.5-18.

systematic *archaiologia* for the lands of Italy (26). And from Timaeus and his successors it came into Latin literature through Cato's *Origines* and the *Histories* of Cassius Hemina (27). Two generations after those pioneering works, Cn. Gellius wrote his lengthy history, of which so tantalisingly little survives (28). Gellius is an interesting character from more than one point of view, and particularly for our purposes, in that he was a contemporary of those proud and ambitious Italian aristocrats who spent their wealth in Hellenizing their homelands in the decades before the war of the allies.

One fragment in particular illustrates the intellectual background of their activities - an Italian «heroic past», no doubt created by Hellenistic poets and historians and suitably celebrated in Hellenistic theatres and recital-halls (29):

Hic [Cacus], ut Gellius tradidit, cum a Tarchone Tyrrheno, ad quem legatus venerat missu Marsyae regis, socio Megale Phryge, custodiae foret datus, frustratus vincula et unde venerat redux, praesidiis amplioribus occupato circa Vulturnum et Campaniam regno, dum adtrectare etiam ea audet, quae concesserant in Arcadum iura, duce Hercule qui tunc forte aderat oppressus est. Megalen Sabini receperunt, disciplinam augurandi ab eo docti.

Like Cassius Hemina, Gellius was a Euhemerist and a rationaliser. Marsyas, therefore, was not a presumptuous satyr, but king of the Phrygians. Worsted by Apollo, he left his home and settled in Italy, founding a city by the Fucine Lake and giving his name to the Marsi (30). The Phrygians were the originators of the science of augury, which messengers from Marsyas taught to the peoples of Italy, as Megales the Phrygian teaches the Sabines in this extract (31). (Like his contemporary, the learned L. Aelius of Lanuvium, Gellius was interested in *inventa*) (32).

Marsyas' embassy comes to «Tarchon the Tyrrhenian». In Herodotus' story, Tyrrhenus, son of the Lydian king Atys, leads the colonists from Lydia to Etruria and gives his name to the newly-settled people. Later elaborations made Tarchon the son of Tyrrhenus, appointed by him as οἰκιστής to found the twelve cities of Etruria (33). (The implied chronology suggests that Gellius did not accept the alternative story, in existence already by the time of Lycophron, that Tarchon and Tyrrhenus were brothers, sons of the Mysian Telephus, and that Aeneas met them - and Odysseus - when he came to Caere and Pisae) (34).

One of Marsyas' messengers is imprisoned by Tarchon, but escapes «back to where he had come

---

(26) Hesiod, *Theog.*, 1011-6; Dion. Hal., I, 12.2, 25.4 (Sophocles), 26.2, 35.1-2 (Hellanicus, Antiochus); Hdt, I, 94. See especially L. Pearson, *YCS*, 24, 1975, pp. 171-95, on Timaeus and his predecessors.

(27) On which see, respectively, A. Astin, *Cato the Censor*, Oxford, 1978, pp. 227-31, and E. Rawson, *Latomus*, 35, 1976, pp. 690-702.

(28) Rawson, *op. cit.*, 713-7; for his date, see T.P. Wiseman, *CQ*, 29, 1979, pp. 142-4 on Cic., *div.*, I, 55.

(29) Solinus, 1.8-9 (Gellius, fr. 7P).

(30) Sil. It., *Pun*, VIII, 502-4; Pliny, *NH*, III, 108 (from «Gellianus», accepted by Peter as Gellius fr. 8P) and Solinus, 2.6 call Marsyas «dux Lydorum», which is unexplained.

(31) Serv., *Aen.*, III, 359; cf. Cic., *div.*, I, 92, 95, II, 80 on Phrygian augury, I, 132 (from Ennius?), II, 70 on Marsic augury; Hor., *Sat.*, I, 9.29f on Sabine fortunetelling. Marsic magic and snake-charming were attributed to descent from Circe (Pliny, *NH*, VII, 15, XXV, 10, Gell., *NA*, XVI, 11.1-2), or to instruction from Angitia, whom some (Serv., *Aen.*, VII 750) identified as Medea, others as the sister of Medea and Circe (Sil. It., *Pun.*, VIII, 495-501, «C. Coelius» *ap.* Solinus, 2.27-30, accepted by Peter as Gellius, fr. 9P), though admitting that Medea's son was king of the Marsi («Coelius», *loc.cit.*).

(32) Cic., *Brut.*, 205 (n. 7 above); Gellius, frr. 2-3P (letters), 4P (brick-making), 5P (medicine), 6P (weights and measures).

(33) Hdt, I, 94, Strabo, V, 219, Cato, fr. 45P. Strabo and Cato refer to Tarquinii and Pisae respectively; Flaccus and Caecina *ap.* Schol. Ver., *Aen.*, X, 200 name Tarchon as the founder of Mantua (i.e. attributing to him the supposed twelve cities of Transappennine Etruria as well?), and Sil. It., *Pun.*, VIII, 472f calls Cortona «proud Tarchon's home», though Nicholas Horsfall (*JRS*, 63, 1973, p. 71) sees this as a reference to Tarquinii.

(34) Lyc., *Alex.* 1238ff, with N. Horsfall, *JRS*, 63, 1973, p. 73 on the story of Telephus as the founder of the Etruscans, and 77f on its connection with the Roman foundation story.

from» - not to the Marsic land, much less to Phrygia, but to the plain of northern Campania, where he sets up a sort of barony in the territory later occupied by the Roman citizen colonies of 194 B.C., Volturnum and Liternum. Cacus is a villain, as his very name implies, and it is tempting to see the story of his seizure of this territory, *praesidiis amplioribus*, as a reflection of Campanian resentment at the loss of their land to Roman colonists (35).

Next, Cacus tries to encroach on the land granted to Evander's Arcadians. Solinus' phraseology is not very clear (what is the subject of *concesserant*?), but he seems to mean that it had been granted to them by Marsyas' embassy and Tarchon. The usual story is that Faunus, king of the Aborigines (later Latini), received Evander's small group of colonists with hospitable generosity and gave them land at the site of the future Rome (36). Marsyas' embassy is dated *regnante Fauno* by Servius, and Dionysius' story of Cacus as a δυνάστης βάρβαρος - which is clearly similar to that of Gellius - includes Faunus and the Aborigines along with Evander and the Arcadians as the allies of Herakles' army in the defeat of Cacus. They captured his fortresses by siege, killed him, and took over his territory (37). Perhaps it was only after that, in Gellius' version, that Faunus and his people settled in the territory of Laurentum.

*   *   *

Wherever Herakles went in his western journeys, he fathered genealogically significant children. According to Silenus of Caleacte, who accompanied Hannibal to Italy and wrote the history of his campaigns, Herakles ravished Palanto the daughter of Hyperboreus, who bore him Latinus (and gave her own name to the Palatine). In Dionysius' version, the girl was a hostage whom Herakles had brought with him from the Hyperboreans; having made her pregnant he married her to Faunus, who was thus supposedly Latinus' father. Pompeius Trogus makes Latinus the son of Herakles by Faunus' daughter; in this version Faunus' wife is Fatua, a prophetess (38). Herakles paid his attentions to Evander's daughters too: Pallantia (another Palatine eponym), and Lavinia, on whom he fathered Pallas. The first of the Fabii was born to a local girl whom Herakles ravished in a pit by the Tiber - not a very flattering origin, and if it were not for the Latin etymology implied by *fovea*, one would suspect the hand of the pro-Carthaginian Silenus in the story. Later versions made it more honorific: the mother was a nymph, or else (again) a daughter of Evander (39).

But we must not be side-tracked on to Roman origins. The importance of the Gellius fragment is that it illustrates the pseudo-history of independent Italy. Moreover, that history was derived from the immemorially ancient Phrygians and Arcadians, bringers of augury and letters, and from the triumphant progress of Herakles, the civilising hero *par excellence*. (Literally triumphant, in fact, since Pompeii was named after his triumphal procession) (40). Any poet, rhetor or historian could make

---

(35) Livy, XXXII, 29.3-4, XXXIV, 45.1-2 (*ager divisus est qui Campanorum fuerat*).

(36) Dion. Hal., I, 31.2 (δεξάμενος κατὰ πολλὴν φιλότητα), Justin, XLIII, 1.6 (*benigne*), *Origo gentis Romanae* 5.3 (*hospitaliter benigneque*), etc. *Faunus* was derived from *fauere*.

(37) Serv., *Aen.*, III, 359; Dion. Hal., I, 42.1-3 (cf. 41.1 on Heracles' establishment of civilised communities, and mixing of Hellenes and barbarians). The Aborigines were so called, in one version, from their mountain homes (ὄρη: Dion. Hal., I, 9.2, 13.3, *Origo g.R.*, 4.1); in another they were Aberrigines, from their wanderings (Dion. Hal., I, 10.2, *Origo g.R.*, 4.2); either version is consistent with their having been first settled in Latium by Herakles.

(38) Silenus, *FGrH* 175F8 (Sol. 1.15), Festus (Paulus), 245L; Dion. Hal., I, 43.1; Justin, XLIII, 1.8-9. Fatua: Plut., *Mor.*, 268d-e, Arnobius, *adv. nat.*, V, 18 (from Sex. Clodius); cf. T.P. Wiseman, *Cinna the Poet and other Roman Essays*, Leicester, 1974, p. 135f on the different accounts of Fatua, who was also identified as the Bona Dea.

(39) Pallantia: Serv., *Aen.*, VII 51. Lavinia: Dion. Hal., I, 43.1. *Fabii*: Festus (Paulus), 77L, Plut., *Fab.*, 1.2 (who adds the «nymph» variant), Sil. It., *Pun.*, VI, 627-36 (Evander's daughter).

(40) Antiquity of Phrygians: Hdt, II, 2. Of Arcadians: Aristophanes, *Clouds*, 398, Steph. Byz., *s.v. Arkas*, Ap. Rhod.

that into a story more honorific than Aeneas' defeated Trojans or the fratricidal nurslings of the she-wolf. If the Romans appear at all in this dignified and edifying world, it is under the guise of Cacus the bandit.

Let us return to the physical background of these stories, the newly Hellenized towns and cult centres of central Italy. Hellenistic learning provided an honorific past not only for the communities themselves but also for the local *principes* whose wealth adorned them. Our knowledge of the legendary genealogies of Italian aristocratic families is very fragmentary - as compared, for example, with the Roman *familiae Troianae* - but enough survives to give us an idea of what the poets and historians provided, and the rhetor's flattery elaborated.

Telegonus, son of Odysseus and Circe, founded Tusculum; his daughter Mamilia may already have been the eponymous ancestor of the Tusculan Mamilii in the days of the city's independence in the fourth century B.C. Ennius was supposedly descended from Messapus, who left Boeotia to settle in Messapia, and the Dasii of Apulian Arpi claimed descent from Diomedes. (The Dasummus who founded Lupiae, however, may owe his existence only to the consular Dasumii of the second century A.D.) (41).

As for the characters of Gellius' narrative, Tarchon appears among the local worthies whose honorific *elogia* were set up at Tarquinii in the early empire - one thinks naturally of the *gentes* Tarquinii and Tarquitii as his descendants - and Faunus was the ancestor of the Vitellii of Nuceria, his wife Vitellia bearing a name clearly derived from Hellanicus' ancient etymology of Italy from *vitulus* (42). Herakles and his forces had passed through what was later the Sabine country, and one of the hero's companions was supposedly buried beside the Via Salaria; an attempt to trace Vespasian's descent from him was ridiculed by the emperor himself, but no doubt there were Sabine families more ancient than the Flavii who did claim an origin from Herakles, or from the Aborigines whose «cities» were recorded by Varro. It is worth remembering, too, that the Paelignian cult centre of Hercules Curinus (surely a Sabine name?) was on a *tratturo*, where the story of Herakles and the cattle of Geryon would have a particular relevance (43).

Gellius' own family is of some interest in this context. I have suggested elsewhere that it may have derived its legendary origin from Gello (alias Lamia), daughter of Poseidon and queen of the Laestrygonians (44). In historical geography, that points to the Volscian territory - according to Alexander Polyhistor the Volsci were named after the son of the Laestrygonian Antiphata - and in

---

Arg., IV, 264, etc. (προσέληνοι). Augury: n. 31 above. Letters: Fabius Pictor, Cincius Alimentus and Gellius *ap*. Mar. Victor. *Gramm. Lat.*, VI 23K, Cato and Varro, *ap*. Lyd. *de mag.*, I, 5, etc; E. Gabba, *Miscellanea di studi alessandrini in memoria di Augusto Rostagni*, Turin, 1963, pp. 188-94. Pompeii: Serv., *Aen.*, VII, 662..

(41) Mamilia: Festus, 116L, Livy, I, 49.9. Dion. Hal., IV, 45.1; M.H. Crawford, *Roman Republican Coinage*, Cambridge, 1974, pp. 219f, 375-7 (coins of 189-190 and 82 B.C.); Hor., *Epod.*, 1.29f, *Odes*, III, 29.6-8, Prop., II, 32.4, Ovid, *Fasti*, III, 91 for Telegonus. Messapus: Strabo, IX, 405, Steph. Byz., *s.v. Messapion*, Serv., *Aen.*, VII, 691. Dasii: App., *Hann.*, 31, Sil. It., *Pun.*, XIII, 30-2; cf. Livy, XXI, 48.9f, XXVI 38.6 for *Dasii* of Brundisium and Salapia. Dasummus: Marius Maximus *ap*. HA M. *Aur.*, 6.1; *PIR²* D. 13-17 for the *Dasumii*.

(42) M. Torelli, *Elogia Tarquiniensia (Studi e materiali di etruscologia e antichità italiana*, XV), Florence, 1975, pp. 142-6; Suet., *Vit.*, 1.2-3 (from a work addressed to Q. Vitellius, *quaestor divi Augusti*), cf. Hellanicus *ap*. Dion. Hal., I, 35.2 (*FGrH* 4F111).

(43) Suet., *Vesp.*, 12; cf. Varro *ap*. Dion. Hal., I, 14 for the *conditores Reatini*. Curinus: *HMI* (n. 12 above), pp. 147, 151, 242, 261 n. 18.

(44) T.P. Wiseman, *Greece and Rome*, 21, 1974, pp. 153-64, esp. 162f. The argument there involves the interpretation of the so-called «altar of Domitius Ahenobarbus», on which see now T. Hölscher, *Arch. Anz.*, 1979, pp. 337-42, and soon also M. Torelli's forthcoming Ann Arbor lectures on Roman historical reliefs. Whatever view one takes of that monument - and I still think the legendary genealogy of L. Gellius *cens.* 70 is a likely interpretation - the combination of Gello (Schol. Theocr., 15.40) and the Minturnae inscription (see below) may still suffice to place the Gellii in a Volscian context.

particular to the town of Formiae, where the wealthy and distinguished Aelii Lamiae claimed descent from the Laestrygonian king Lamus. At Minturnae, next to Formiae, a Gellius of the Roman senatorial family was a magistrate in the first century A.D. (45).

Formiae, like Fundi and Arpinum, received the full Roman citizenship only in 188 B.C. The first known Cn. Gellius is attested at Rome in the following generation by the title of Cato's (undated) speech *pro L. Turio contra Cn. Gellium*; then there is a moneyer of 138 B.C., who may perhaps be the historian as a young man (46). The moneyership implies a senatorial family, and so the L. Gellius who became praetor in 94 - and then, in his old age, consul in 72 and censor in 70 - is likely to have been closely related, possibly a son, or even brother, of the historian. The praetor was a man of cultural interests (offering, it was said, to arbitrate between the Athenian philosophical schools!); his son too was an intellectual and something of a philosopher, mocked by Cicero as a *Graeculus*; his grandson, who became consul in 36 B.C., was a friend - later enemy - of Catullus, and shared his Callimachean tastes (47).

If Gellius' historical work gives us an insight into the mental world of the Hellenized *domi nobiles*, his family offers an example of how, on receiving the Roman citizenship, they could pass swiftly into the élite of Rome itself. The Aelii of Formiae offer an exact parallel two generations behind: first attested at Rome in the nineties B.C., in Cicero's day they were represented by L. Aelius Lamia, *princeps ordinis equestris, praestantissimus et ornatissimus*, a man with wide business interests in Syria, Asia Minor and Africa; their first consul held office in A.D. 3, and by Juvenal's time their name was synonymous with high nobility (48). For many Italian aristocrats, of course, the process only begins after the war of the allies (49).

It is no accident that much of our evidence for Italian legendary genealogy comes from the biographies of emperors (in addition to those mentioned above, there is the descent of Galba's mother from Pasiphae) (50); by the end of the Julio-Claudian dynasty, some Italian families were so high in the new Roman aristocracy that they could without absurdity aim at the highest place of all. After all, they were descended from kings and gods; and if some of them considered themselves as good as Roman patricians of merely Trojan descent, so far as wealth, pride and munificence were concerned perhaps they were right (51).

* * *

As for the world of literary culture, the phenomenon from which we began may perhaps be regarded as a direct result of the «Italianisation» of the Roman élite, especially in the two generations

---

(45) Son of Antiphata: Alexander Polyhistor *ap.* Isid., *Orig.*, IX, 2.88 (Lindsay). *Aelii Lamiae*: Hor., *Odes*, III, 17.1-9 (with Porph.), cf. Schol. Hom., *Od.*, X, 81 on Lamus son of Poseidon. Formiae: Cic., *Att.*, II, 13.2, Hor., *Odes*, III, 16.35, Pliny, *NH*, III, 59, Sil. It., *Pun.*, VII, 276, 410, VIII 529 (Caieta), Solinus, 2.22. Minturnae: *CIL* X, 6017.

(46) Livy, XXXVIII, 36.7-8 (188 B.C.); Gell., *NA*, XIV, 2.21, 26 (Cato fr. 206 Malc.); Crawford, *op. cit.* (n. 41 above) p. 265. See now R.J. Evans, *LCM*, 5.9, November 1980, pp. 201-3, though I do not think it likely that Cato's opponent, the moneyer and the historian could all be the same man.

(47) Cic., *leg.*, I, 53, *Sest.*, 110, Cat., 91.7, 116.2; for the relationships, see *Cinna the Poet* (n. 38 above), pp. 119-29.

(48) Cic., *de or.*, II, 262 (father of Cicero's friend?); *fam.*, XI, 16.2, *Pis.*, 64, *QF*, II, 11.2 (Syria), *fam.*, XIII, 62 (Cilicia, Bithynia), XII, 29 (Africa); Juv., *Sat.*, IV, 154, VI, 385 («quaedam de numero Lamiarum ac nominis Appi»).

(49) T.P. Wiseman, *New Men in the Roman Senate 139 B.C.-A.D. 14*, Oxford, 1971, esp. pp. 6-12.

(50) Suet., *Galba*, 2 (cf. Sil. It., *Pun.*, VIII, 470f); Wiseman, *op. cit.* (n. 44 above) p. 156, suggesting a connection with Serv., *Aen.*, VII, 796 on the origin of Labici.

(51) For intermarriage between *domi nobiles* of different parts of Italy (including the *nobiles* of Rome), see *New Men* (n. 49 above), pp. 59-64.

immediately following the war of the allies. Already in the years before the war, as Cicero recognised, many of the towns and cities of central Italy were culturally more sophisticated than Rome. What happened in the course of the first century B.C. was that their *domi nobiles* became *equites* and senators, based on Rome itself rather than their own *patriae*, just at the time when the extension of direct Roman rule over the kingdoms of Pergamum, Cyrene, Bithynia, Pontus, Syria, Cyprus and Alexandria was turning Rome into the centre of patronage for the whole Greek cultural world (52). In this newly-hellenized Rome, the already-hellenized senators and *equites* from the towns of Italy naturally became the leaders of the intellectual élite.

The figure who stands out, of course, is C. Maecenas, descended from Etruscan kings - and ultimately, no doubt, from Tarchon or Tyrrhenus, though his poet friends had the good taste to leave it impressively vague (53). And if those poets themselves were not all *domi nobiles*, the degree of their literary sophistication is testimony to the cultural hellenization of their native towns. Horace, son of an ex-slave, grew up in a region where people were conscious of Daunus and Diomedes; Virgil, son of a smallholder, in the newly civilised Transpadane area where respectably ancient founders, like Tarchon or Manto the prophetess, were even more eagerly insisted on (54).

In the previous generation, Catullus' family was certainly *domi nobilis*; the owners of Sirmio were senatorial in rank under Augustus, consular under Tiberius, and high in the friendship of Caligula and Domitian (55). Catullus' antiquarian friend Veranius belonged to a family (probably Sabine or Umbrian) which reached the consulship under Claudius, and might have boasted an empress if Galba's succession plans had worked out (56). But the most characteristic of all these hellenized Italian aristocrats was a man whose works are wholly lost, though Seneca thought his style second only to Cicero. A. Caecina, «in parte Italiae minime contemnenda facile omnium nobilissimus», was a wealthy *eques* with business interests in Asia Minor, who wrote on the characteristically Etruscan subject of brontoscopy, but also on legendary Italian origins; his family, which included two consuls under Augustus and a trusted confidant of the emperor Claudius, was responsible for the erection of the theatre in its native Volaterrae (57).

The theatre brings us back to *Hellenismus in Mittelitalien*. Building programmes in the towns of Italy went on in the first century B.C. as they had in the second (58), though the munificent local

---

(52) Cicero: see n. 5 above. Effect of direct rule: *Clio's Cosmetics* (n. 23 above), pp. 154-7.

(53) Prop., III, 9.1; Hor., *Sat.*, I, 6.1, *Odes*, I, 1.1, III, 29.1 etc. For Etruscan pride of birth, cf. Persius, 3.28 and the Tarquinii *elogia* (n. 42 above).

(54) Hor., *Sat.*, I, 5.92 (Diomedes), *Odes*, III, 30.11, IV, 14.26 (Daunus); Serv. *Aen.*, X, 198 (Manto), cf. n. 33 above.

(55) Mattingly and Sydenham, *Roman Imperial Coinage* I, 81 (Augustan moneyer); *CIL* XIV, 2466 (*cos. suff.* A.D. 31); Suet., *Gaius*, 36.1; Pliny, *Ep.*, IV, 22.5 etc on L. Valerius Catullus Messallinus. For a history of the family, see T.P. Wiseman, *Le grotte di Catullo: una villa romana e i suoi proprietari*, Brescia, 1983.

(56) Cat., 9.6-8; for their origin, see R. Syme, *CQ*, 7, 1957, pp. 123-5; *Roman Papers*, Oxford, 1979, pp. 333-5; Suet., *DA*, 86.3 (antiquarian - identical with Catullus' friend?); *AE*, 1953, 251 for the *cos.* A.D. 49, *adlectus inter patricios* by Claudius; *CIL* VI, 31723 and Tac., *Hist.*, I, 14-15 for the wife of L. Piso, Galba's adopted successor.

(57) Sen., *Quaest. Nat.*, II, 56.1; Cic., *fam.*, VI, 6.9 (cf. 6.3 on his father, *nobilissimus atque optimus vir*), Caec., 104 (*amplissimo totius Etruriae nomine*); S. Weinstock, *PBSR*, 36, 1962, 102-30 on brontoscopy; Schol. Ver., *Aen.*, X, 200 for Caecina on the foundation of Mantua. Consuls: A. Caecina Severus *suff.*, 1 B.C., A. Caecina Largus *suff.* A.D. 13, C. Caecina Largus *cos. ord.* A.D. 42 (on whom see Tac., *Ann.*, XI, 33-4). Theatre: *Not. Scav.*, 1955, p. 145, M. Torelli, *Etruria (Guide archeologiche Laterza)*, Bari, 1980, pp. 260f. In general on A. Caecina, see P. Hohti in P. Bruun et al., *Studies in the Romanization of Etruria (Acta Instituti Romani Finlandiae V)* Rome, 1975, pp. 409-33.

(58) See E. Gabba, *Urbanizzazione e rinnovamenti urbanistici nell'Italia centro-meridionale del I. sec. a.C.*, *SCO*, 21, 1972, pp. 74-112. Professor Gabba's mastery of the archaeological and social-historical evidence for Roman Italy is matched by his brilliant assessment of the cultural significance of Hellenistic historiography: see for instance his recent articles in *RSI*, 86, (1974), 625-42, *Rend. Lincei*, 30, 1975, 35-49, *Contr. Ist. Storia Antica*, 4, 1976, pp. 84-101, *Athenaeum*, 55, 1977, pp. 49-74; his

principes who paid for them were now also Roman citizens of equestrian or senatorial rank. Hellenization was now also Romanization - a gradual merging of two traditions which finds its reflection both in the monumental architecture of Rome and Italy and in the great works of Augustan literature. Hellenism had been, as it were, successfully digested; the resulting organism was something simultaneously Greek, Roman and Italian, and it was largely the hellenized *domi nobiles* of Italy who had made it so.

T.P. WISEMAN
University of Exeter

forthcoming Sather Lectures on Dionysius are eagerly awaited. This paper, which tries, in a very limited way, to explore some of the same ground, has been written in the constant awareness of my debt to Professor Gabba's work, and the hope that he in particular will find in it something of interest.

LES ORATEURS DES MUNICIPES À ROME:
INTÉGRATION, RÉTICENCES ET SNOBISMES.

Il ne suffit pas qu'un italien soit citoyen pour qu'il soit accepté. L'intégration dans la communauté ne se mesure pas seulement au statut juridique. Des notions plus fines interviennent et doublent la hiérarchie des catégories civiques d'un jeu subtil d'acceptation et de rejet. Les cercles aristocratiques surtout, n'accordent leur reconnaissance aux *domi nobiles* ambitieux qu'avec difficulté. Il leur imposent des procédures sévères d'évaluation de la conformité au modèle dont ils sont les détenteurs légitimes. Ils pèsent tout: la naissance, le vêtement, le ton de la voix, l'élévation de la pensée, l'intelligence des situations... et marquent les distances — les distinctions — nécessaires à la reproduction de leur propre pouvoir en jouant de la condescendance ou du snobisme.

Toutes les sociétés connaissent la force et l'importance de ces pratiques (1). A Rome cependant, l'âpreté des conflits sociaux et politiques fait que ces nuances dans l'échelle sociale deviennent autant de barrières à l'accès au pouvoir. Les magistratures, les commandements et les honneurs ne procèdent pas que du vote. Ils sont la contre-partie spontanée de la place que, de l'accord de tous, on tient dans la cité. C'est le regard critique que le groupe porte sur les conduites de chacun qui, avant toute procédure juridique, détermine les chances d'un individu à la reconnaissance collective. C'est dire l'importance des comportements oratoires qui mettent en vue, donnent à observer, à écouter et à juger.

L'éloquence judiciaire devient ainsi un bon moyen d'apprécier le degré d'intégration des *domi nobiles* à la communauté romaine. Elle ne nécessite aucune qualification juridique particulière: n'importe quel citoyen jouissant de ses capacités, a le droit d'en accuser ou d'en défendre un autre. Elle permet à tout inconnu de se faire des clients et d'acquérir la notoriété. Il n'est donc pas surprenant que, comme Cicéron, de nombreux jeunes italiens y aient investi leurs ambitions de petits notables soucieux de promotion. L'histoire littéraire devient ainsi un document précieux sur l'accueil que fit le public romain à ces nouveaux venus. Les jugements, les réticences et les applaudissements, le rire surtout, sont autant de critères qui permettent d'apprécier les formes de l'acceptation ou du refus.

Le *Brutus,* ce précieux dialogue sur l'éloquence, apporte des indications importantes. Cicéron y énumère en les jugeant, les orateurs qui l'ont précédé. Il y cite comme tels ceux qui viennent des villes d'Italie et surtout, les regroupe. Or les listes qu'il donne sont — on le sait — classées par ordre chronologique (2). Il faut donc que l'origine municipale entraîne une différence sensible de style ou de comportement pour que Cicéron interrompe sa classification et mette ces personnages de côté.

La première série est celle des paragraphes 167 à 172. C'est la plus importante. Elle constitue un véritable *excursus* à l'intérieur du dialogue puisque Cicéron y renverse l'ordre chronologique pour citer L. Papirius de Frégelles:

eiusdem fere temporis fuit eques Romanus C. Titius, qui meo iudicio eo pervenisse videtur quo potuit fere Latinus orator sine Graecis litteris et sine multo usu pervenire. huius orationes tantum argutiarum tantum exemplorum tantum urbanitatis habent, ut paene Attico stilo scriptae esse videantur.

---

(1) Cf. bien entendu, P. Bourdieu, *La Distinction, critique sociale du jugement,* Paris, 1979.

(2) Cf. en dernier lieu, G.V. Sumner, *The orators in Cicero's Brutus, Prosopography and chronology,* Toronto, 1973.

easdem argutias in tragoedias satis ille quidem acute sed parum tragice transtulit. quem studebat imitari L. Afranius poeta, homo perargutus, in fabulis quidem etiam, ut scitis, disertus. fuit etiam Q. Rubrius Varro, qui a senatu hostis cum C. Mario iudicatus est, acer et vehemens accusator, in eo genere sane probabilis. doctus autem Graecis litteris propinquus noster, factus ad dicendum, M. Gratidius, M. Antoni perfamiliaris, cuius praefectus cum esset in Cilicia est interfectus, qui accusavit C. Fimbriam, M. Mari Gratidiani pater.

Atque etiam apud socios et Latinos oratores habiti sunt Q. Vettius Vettianus e Marsis, quem ipse cognovi, prudens vir et in dicendo brevis; Q. D. Valerii Sorani, vicini et familiares mei, non tam in dicendo admirabiles quam docti et Graecis litteris et Latinis; C. Rusticelius Bononiensis, is quidem et exercitatus et natura volubilis; omnium autem eloquentissimus extra hanc urbem T. Betutius Barrus Asculanus, cuius sunt aliquot orationes Asculi habitae; illa Romae contra Caepionem nobilis sane, quoi orationi Caepionis ore respondit Aelius, qui scriptitavit orationes multis, orator ipse numquam fuit. apud maiores autem nostros video disertissimum habitum ex Latio L. Papirium Fregellanum Ti. Gracchi P.f. fere aetate; eius etiam oratio est pro Fregellanis colonisque Latinis habita in senatu.

Les autres séries sont moins homogènes et en tout cas beaucoup plus courtes. Au paragraphe 180, on ne voit apparaître que Q. Sertorius et C. Gargonius:

sed omnium oratorum sive rabularum, qui et plane indocti et inurbani aut rustici etiam fuerunt, quos quidem ego cognoverim, solutissimum in dicendo et acutissimum iudico nostri ordinis Q. Sertorium, equestris C. Gargonium.

Aux paragraphes 241-242, les noms de L. Octavius, d'Aelius Staienus et des frères Caepasii, suivent ceux d'orateurs de style *popularis*:

et L. Octavius Reatinus, qui cum multas iam causas diceret, adulescens est mortuus — is tamen ad dicendum veniebat magis audacter quam parate —, et C. Staienus, qui se ipse adoptaverat et de Staieno Aelium fecerat, fervido quodam et petulanti et furioso genere dicendi: quod quia multis gratum erat et probabatur, ascendisset ad honores, nisi in facinore manifesto deprehensus poenas legibus et iudicio dedisset. Eodem tempore C.L. Caepasii fratres fuerunt, qui multa opera, ignoti homines et repentini, quaestores celeriter facti sunt, oppidano quodam et incondito genere dicendi.

Ils précèdent ceux de C. Cosconius Calidianus et de Q. Arrius que l'on serait tenté de retenir si ce n'était que rien ne signale leur origine municipale.

Au paragraphe 271 enfin, apparaissent deux chevaliers romains de Spolète et de Pisaurum:

itaque ne hos quidem equites Romanos amicos nostros, qui nuper mortui sunt, < omittam >, P. Cominium Spoletinum, quo accusante defendi C. Cornelium, in quo et compositum dicendi genus et acre et expeditum fuit; T. Accium Pisaurensem, cuius accusationi respondi pro A. Cluentio, qui et accurate dicebat et satis copiose. eratque praeterea doctus Hermagorae praeceptis.

Un tableau d'ensemble permet de mieux saisir l'image que par leur style oratoire, ces personnages ont pu dégager d'eux-mêmes, ou plutôt celle que Cicéron a établie ou recueillie de leurs contemporains ou successeurs.

Nom	Origo	Jugements
C. Titius, *RE,* n° 7; *ORF,* n° 51 Sumner, n° 112.	? (3)	

---

(3) Les *Titii* sont nombreux et rien ne permet d'identifier l'*origo* de celui-ci. Le terme *latinus orator* sous lequel Cicéron le désigne s'oppose à l'éducation grecque qu'il n'avait pas reçue (*sine graecis litteris et sine multo usu pervenire*). De toutes façons, il ne peut être de droit latin car précédant Q. Rubrius Varro de Casinum et M. Gratidius d'Arpinum dans l'énumération, il est comme eux, citoyen romain. Bien sûr, rien n'exclut une origine municipale, mais il faut qu'il ait été très intégré dans la vie politique romaine pour pouvoir prononcer une *suasio legis Fanniae* (cf. C. Cichorius, *Untersuchungen zu Lucilius,* Berlin, 1908, pp. 264-267, à mon sens toujours valable).

Q. Rubrius Varro, *RE*, n° 24; Sumner, n° 113.	Casinum (4)	*acer et vehemens accusator, in eo genere sane probabilis,*
M. Gratidius, *RE*, n° 2; *ORF*, n° 54; Sumner, n° 114.	Arpinum	*doctus Graecis litteris... factus ad dicendum*
Q. Vettius Vettianus, *RE*, n° 18; Sumner, n° 115.	*e Marsis*	*prudens vir et in dicendo brevis*
Q.D. Valerii, *RE*, n° 54 & 345; Sumner, n° 116-117.	*Sorani* (5)	*non tam in dicendo admirabiles quam docti et Graecis litteris et Latinis; De Or.,* III, 43: *ex istis... urbanis, in quibus minimum est litterarum, nemo est quin litteratissimum togatorum omnium Q. Valerium Soranum levitate vocis atque ipso pressu et sono facile vincat.*
C. Rusticelius, *RE*, n° 2; Sumner n° 118.	*Bononiensis*	*et exercitatus et natura volubilis*
T. Betutius Barrus, *RE*, n° 1; *ORF*, n° 84; Sumner n° 119.	*Asculanus*	*omnium autem eloquentissimus extra hanc urbem*
L. Papirius, *RE*, n° 19; *ORF*, n° 11; Sumner, n° 120.	*Fregellanus*	
T. Tinca, *RE*, s.v. Tinca; Sumner, n° 121.	*Placentinus*	*facetissimus;* Quint., I, 5, 12: *nam duos in uno nomine faciebat barbarismos si reprehendenti Hortensio credimus.*
Q. Sertorius, *RE*, n° 3; *ORF*, n° 81; Sumner, n° 140.	Nursia	*omnium oratorum sive rabularum, qui et plane indocti et inurbani aut rustici etiam fuerunt ... solutissimum in dicendo et acutissimum iudico nostri ordinis Q. Sertorium, equestris C. Gargonium.*
C. Gargonius, *RE*, n° 4; Sumner n° 141.	Picenum, Campanie ou Ombrie (6)	
L. Octavius, *RE*, n° 28; Sumner, n° 188.	*Reatinus*	*ad dicendum veniebat magis audacter quam parate.*
C. Staienus, *RE*, I, n° 98, col. 525; IIIa, col. 2133-2136; Sumner, n° 189.	? (7)	*fervido quodam et petulanti et furioso genere dicendi;* cf. *Pro Clu.,* 70; 72.

---

(4) Sur les Rubrii de Casinum, cf. T.P. Wiseman, *New Men in the Roman Senate*, Oxford, 1971, p. 257; *CIL* X, 5169; 5419; cf. aussi l'épitaphe d'origine et de date inconnue du jeune M. Rubrius Varro, *CIL* VI, 25 528.

(5) L'identification que C. Cichorius, *Zur Lebensgeschichte des Valerius Soranus, Hermes*, 41, 1906, pp. 59-68, puis F. Della Corte, *Per l'identità di Valerio Edituo con Valerio Sorano, Riv. Filol.*, 14, 1935, pp. 68-70; E. Gabba, *Le origini della guerra sociale, Athenaeum*, 32, 1954, p. 102, n. 1 et T.P. Wiseman, *New Men*, n° 457, p. 269, font avec Valerius Aedituus et l'érudit Q. Valerius mis à mort par Pompée (Plut., *Pomp.*, 10, 8) reste très tentante malgré les réserves de Sumner, *Orators*, p. 101.

(6) T.P. Wiseman, *New Men*, n° 195, p. 235, Ombrie? et C. Nicolet, *L'ordre équestre à l'époque républicaine*, Paris, 1974, II, n° 167, p. 896 qui cite *ILLRP*, 304: Hadria; 714: Campanie.

(7) On ne connaît pas son origine de toutes façons assez humble (cf. Cic., *Pro Clu.*, 87). T.P. Wiseman, *New Men*, p. 262,

C.L. Caepasii, *RE*, s.v. Caepasius; *ORF*, n° 115-116; Sumner n° 190-191.	Italie du Sud (8)	*ignoti homines et repentini... oppidano quodam et incondito genere dicendi;* cf. *Pro Clu.*, 57.
P. Cominius, *RE* n° 4; 8; *ORF*, n° 143; Sumner, n° 214.	*Spoletinus*	*compositum dicendi genus et acre et expeditum fuit.*
T. Accius, *RE*, Sup. I, n° 1a; *ORF*, n° 145.	*Pisaurensis*	*et accurate dicebat et satis copiose, eratque praeterea doctus Hermagorae praeceptis; Pro Clu.*, 156: *bonus et disertus.*

Grâce au *Brutus*, on dispose ainsi d'un échantillon à peu près homogène d'orateurs d'origine municipale. C'est ce critère en effet qui les isole du reste de l'énumération chronologique. Les jugements que Cicéron porte sur leur style oratoire ont donc toutes les chances d'associer origine et comportement et donc d'être caractéristiques de l'image du *domi nobilis* tentant son intégration à Rome.

On distingue ainsi deux séries d'appréciations. Les unes portent sur des qualités d'intelligence ou de comportement: la richesse d'invention, la force ou la véhémence de l'action oratoire; les autres sur des qualités de naissance ou de formation: la connaissance du grec ou des préceptes, le ton ou le son de la voix.

Presque toutes les premières renvoient à des formes typiques de l'*eloquentia popularis* (9): *acer et vehemens accusator* (Q. Rubrius Varro), *rabula* (Q. Sertorius et C. Gargonius) *ad dicendum veniebat magis audacter quam parate* (L. Octavius) *fervido quodam et petulanti et furioso genere dicendi* (C. Aelius Staienus), *compositum dicendi genus et acre et expeditum* (P. Cominius) ou à des formes atténuées mais qui impliquent une action oratoire animée: *et exercitatus et natura volubilis* (C. Rusticelius), *solutissimus in dicendo et acutissimus* (Q. Sertorius et C. Gargonius), *et accurate dicebat et satis copiose* (T. Accius). La seule exception véritable est représentée par Q. Vettius Vettianus: *prudens vir et in dicendo brevis*.

Un tel lien entre l'origine municipale et l'*eloquentia popularis*, même s'il n'est pas surprenant, mérite qu'on cherche à l'expliquer. Je l'avais déjà remarqué dans un article précédent, mais c'était en étudiant l'accusation populaire. A partir des Gracques, l'élargissement du droit pour tous d'accuser un sénateur coupable de malversations, permettait à des orateurs venus de toutes les villes d'Italie, de se faire une place sur le Forum de Rome. Dans une certaine mesure, le fait de prendre publiquement la parole, pour la première fois dans une procédure de *iudicium publicum,* les mettait dans une situation comparable à celle des *homines novi*. Ils étaient donc contraints à une éloquence agressive qui correspondait à la fois à la nécessité pour un accusateur de *suscitare invidiam* et à leur position de challenger face à un aristocrate sûr de la légitimité d'un pouvoir hérité et reconnu (10).

---

cite un centurion L. Staienus au *CIL* VI, 3600; Münzer, *RE, ad loc.,* indique que le gentilice Staius est osque. Il est invraisemblable cependant qu'il soit passé dans la *gens Aelia* par adoption fictive. Cicéron indique en effet qu'il prit le *cognomen* Paetus pour s'identifier aux Aelii Paeti. Il fallait donc qu'il fût déjà un Aelius pour que cette usurpation eut des chances d'être efficace. Toutefois, une origine municipale reste envisageable. Le mot de Cicéron *hoc (Paetus) enim sibi Staienus cognomen ex imaginibus Aeliorum delegarat ne, si se Ligurem fecisset, nationis magis suae quam generis uti cognomine videretur.* ˙ ˙ ˙isse au moins imaginer, même s'il ne prouve évidemment pas qu'il était réellement d'origine ligure.

(8) C'est l'hypothèse de C. Nicolet, *OE*, II, p. 818.

(9) «*Eloquentia popularis*» et *conduites symboliques des orateurs de la fin de la République: problèmes d'efficacité, QS,* 12, 1980, pp. 171-211.

(10) *Promotion civique et droit à la parole: L. Licinius Crassus, les accusateurs et les rhéteurs latins, MÉFRA,* 91, 1979, pp. 135-181, en part., p. 156.

Cette forme d'intervention oratoire n'est attestée que pour Q. Rubrius Varro (11), M. Gratidius (12), T. Betutius Barrus (13), P. et C. Cominius (14) et T. Accius (15). Mais notre documentation est très lacunaire et l'on ne sait pas grand-chose de l'activité des autres orateurs. Il est très possible qu'ils aient participé à une accusation devant une *quaestio* sans que nous n'en sachions rien. C'était là, en effet, un des moyens les plus accessibles à qui voulait se faire une place dans la classe politique de Rome.

Mais ne réduisons pas! Le choix de l'*eloquentia popularis* correspond aussi à une situation plus générale. Un bon nombre de ceux qui viennent ainsi de leurs municipes, apparaissent isolément sans l'appui du groupe serré d'amis qui protège et assure à l'inconnu la confiance du public. Cicéron dit bien que les frères Caepasii étaient des *ignoti homines et repentini* (16) et ajoute dans le *Pro Cluentio* que c'est *inopia et necessitate coactus* que Fabricius... *ad Caepasios fratres confugit, homines industrios atque eo animo ut quaecumque dicendi potestas esset data in honore atque in beneficio ponerent* (17). Asconius rappelle surtout que lorsque en 66, les frères Cominii accusèrent C. Cornelius le tribun de 67, ils furent entourés par les amis de leur adversaire, menacés de mort et contraints à la fuite (18). Jamais, les uns ou les autres, s'ils s'étaient intégrés dans un solide réseau clientélaire, n'auraient eu à subir de tels jugements ou de telles mésaventures.

Accusateurs téméraires ou gagne-petit de la reconnaissance, ces orateurs d'origine municipale interviennent directement sur le Forum de Rome. Ils n'attendent pas d'avoir reçu l'agrément de l'aristocratie et évitent ainsi l'itinéraire compliqué de l'intégration à ses clientèles. Ils ne recherchent pas la caution que sa légitimité pourrait leur donner et refusent le rapport de subordination qu'ils devraient accepter en échange. Comme Marius lorsqu'il se présenta au consulat (19), ils cherchent à gagner directement la faveur populaire et adoptent avec l'*eloquentia popularis,* un comportement qui s'adapte à cette fin (20). Ils rompent ainsi avec les modèles de mesure et de refus du pathétique d'une aristocratie soucieuse de ne pas mettre en jeu l'autorité héréditaire que lui accorde la reconnaissance publique. Ils s'épargnent ainsi les coûteux investissements sociaux et symboliques qu'eût exigé le droit de ne prendre la parole en public qu'après avoir obtenu le statut que la tradition rendait nécessaire.

Ce rapport entre norme sociale et style oratoire est d'une extrême importance. Il explique que la réaction aristocratique à l'accusation populaire et à l'*eloquentia popularis* ait pris l'aspect d'un rejet

---

(11) cf. *ibid.,* p. 179.

(12) cf. *ibid.,* p. 177.

(13) cf. *ibid.,* p. 176.

(14) En 74-73, ils accusent et font condamner C. Aelius Staienus *de maiestate* (Cic., *Pro Clu.,* 100; 102; cf. 2 *Verr.,* II, 79; Ps. Ascon., p. 219 St.; Schol. Pers., *Sat.,* 2, 19; et aussi Cic., *Top.,* 75; E.S. Gruen, *The Last Generation of the Roman Republic,* Berkeley & Los Angeles, 1974, p. 524). Ils réapparaissent en 66, quand ils tentent d'accuser C. Cornelius *de maiestate*. Menacés de mort, par les amis de leur adversaire, ils s'enfuient. En 65, P. Cominius revient à la charge mais échoue (Ascon., p. 59-60; 61; 81 C.; cf. R.A. Bauman, *The Crimen Maiestatis,* Johannesbourg, 1967, pp. 71-75; A.M. Ward, *Politics in the trials of Manilius and Cornelius,* TAPhA, 101, 1970, p. 554-556; Gruen, *o.c.,* p. 263-265; M. Griffin, *The tribune C. Cornelius,* JRS, 63, 1973, pp. 196-213, en part. 211-213).

(15) Il intervient aux côtés du fils d'Oppianicus dans l'accusation *de sicariis et veneficiis* qu'ils portent contre A. Cluentius Habitus en 66. Mais il est le seul à plaider vraiment. Il faut donc le considérer comme un quasi-professionnel (Cic., *Pro Clu.,* 62; 65; 156-157; 160; 186; cf. 84; 86; 100; 135; 138; 143; 147-150; sur le fond de l'affaire, cf. G. Hoenigswald, *The murder charge in Cicero's Pro Cluentio,* TAPhA, 93, 1962, pp. 109-123; E. Van Ooteghem, *L'affaire Cluentius,* Mel. Renard, II, 1969, pp. 777-788 et surtout C.J. Classen, *Die Anklage gegen A. Cluentius Habitus,* ZRG, 89, 1972, pp. 1-17).

(16) *Br.,* 242.

(17) *Pro Clu.,* 57; *deterrimus obscurissimusque patronus* (ibid.).

(18) Ascon., p. 59-60 C.: *circumventi sunt ante tribunal eius accusatoris a notis operarum ducibus ita ut mors intentaretur, si mox non desisterent. Quam perniciem vix effugerunt interventu consulum qui advocati reo descenderant.*

(19) cf. *MÉFRA,* 91, 1979, p. 155.

(20) cf. *QS,* 12, 1980, pp. 182-183.

violent de formes d'apprentissage ou de comportements oratoires. Les mots que Cicéron emploie ici, en sont l'expression. Ils sont caractéristiques du vocabulaire d'invective qui dénonce et qui exclut. J'ai déjà eu l'occasion de les étudier ailleurs, je n'y reviendrai pas (21). Je m'arrêterai davantage sur les jugements qui évaluent le degré de formation rhétorique ou d'élégance de l'expression. On y retrouve spontanément l'association du raffinement et du style oratoire.

Ceux qui ont adopté l'*eloquentia popularis,* sont en même temps les plus mal formés: Q. Sertorius et C. Gargonius, *plane indocti et inurbani aut rustici*; L. Octavius *magis audacter quam parate;* C. et L. Caepasius, *oppidano quodam et incondito genere dicendi.* Le lien n'est pas fortuit; le modèle éducatif traditionnel passe aussi par une intégration aux relations clientélaires. L'exemple de Cicéron le prouve (22). C'est au cours du *tirocinium fori* que s'opère l'apprentissage simultané des règles de la rhétorique et des normes de conduite en public. C'est en s'agrégeant à l'entourage d'un aristocrate que l'on apprend, en l'imitant, à parler et à se comporter. Mais c'est ainsi aussi que l'on se subordonne publiquement à son jugement et à son autorité. On peut certes apprendre les règles de l'éloquence auprès des maîtres de rhétorique. Mais, à partir de 92 a.C., leur enseignement est interdit (23); et même s'il ne l'était pas, ils ne pourraient apporter la caution sociale que donne l'intégration au sein de la classe politique romaine.

Or cette intégration reste difficile pour ceux qui viennent des municipes. Il ne suffit pas en effet de vouloir être admis, encore faut-il être reçu. Et, les jugements que Cicéron porte sur les meilleurs, le montrent bien: il leur manque l'*urbanitas.*

Nostri minus student litteris quam Latini. Tamen ex istis, quos nostis, urbanis, in quibus minimum est litterarum, nemo est quin litteratissimum togatorum omnium Q. Valerium Soranum leuitate uocis atque ipso oris pressu et sono facile uincat (24).

ou plus précisément, ce passage essentiel du *Brutus* qui suit la première énumération des orateurs d'origine municipale (25),

Tum Brutus: quid tu igitur, inquit, tribuis istis externis quasi oratoribus?

Quid censes, inquam, nisi idem quod urbanis? praeter unum, quod non est eorum urbanitate quadam quasi colorata oratio.

Et Brutus: qui est, inquit, iste tandem urbanitatis color?

Nescio, inquam; tantum esse quendam scio. id tu, Brute, iam intelleges, cum in Galliam veneris; audies tu quidem etiam verba quaedam non trita Romae, sed haec mutari dediscique possunt; illud est maius, quod in vocibus nostrorum oratorum retinnit quiddam et resonat urbanius. nec hoc in oratoribus modo apparet, sed etiam in ceteris. ego memini T. Tincam Placentinum hominem facetissimum cum familiari nostro Q. Granio praecone dicacitate certare.

Eon', inquit Brutus, de quo multa Lucilius?

Isto ipso; sed Tincam non minus multa ridicule dicentem Granius obruebat nescio quo sapore vernaculo; ut ego iam non mirer illud Theophrasto accidisse, quod dicitur, cum percontaretur ex anicula quadam quanti aliquid venderet et respondisset illa atque addidisset 'hospes, non pote minoris', tulisse eum moleste se non effugere hospitis speciem, quom aetatem ageret Athenis optumeque loqueretur omnium. sic, ut opinor, in nostris est quidam urbanorum sicut illic Atticorum sonus. sed domum redeamus, id est ad nostros revortamur.

---

(21) *MÉFRA*, 91, 1979, pp. 156-157; *QS*, 12, 1980, pp. 181-182.

(22) Sur l'éducation de Cicéron et son intégration clientélaire, cf. en dernier lieu, K.A. Neuhausen, *Ciceros Vater, der Augur Scävola und der junge Cicero, WS*, 92, 1979, pp. 76-87.

(23) *MÉFRA*, 91, 1979, pp. 156-160; 169.

(24) *De Or.*, III, 42-43.

(25) *Br.*, 170-172.

LES ORATEURS DES MUNICIPES À ROME

L'*urbanitas* est une notion difficile à saisir car elle est chargée de plusieurs valeurs sémantiques. Elle signifie d'abord ce qui est propre à Rome; *urbani,* comme dans ce dernier texte (§ 170), signifie les gens de la Ville. Mais elle signifie en même temps les manières, la langue et le goût de Rome, le sens de l'humour, et rejoint aussi la notion stoïcienne d'"ἀστεϊσμός. On a beaucoup étudié les rapports qui lient, d'un auteur à l'autre, ces diverses significations (26). Il n'est pas nécessaire d'y revenir ici. Essayons simplement, en suivant Cicéron, d'examiner concrètement ce dont sont dépourvus ces malheureux italiens.

Leur premier défaut est de mal prononcer le latin. Q. Valerius de Sora est un érudit raffiné, mais le premier romain venu l'emporte sur lui par la légèreté de la voix et le modelé du son. Il faut donc croire qu'il existait une façon de prononcer spécifiquement romaine, faite de nuances insensibles et inaccessibles à qui n'avait pas passé sa petite enfance à Rome même. C'est ce qu'indique cette notion si imprécise d'*urbanitatis color* (27) que Cicéron ne peut définir que négativement. On ne la perçoit qu'en quittant Rome et en sentant, par exemple en Gaule Cisalpine, les différences de prononciation ou d'accentuation du latin, plus caractéristiques encore que l'emploi d'un mot peu courant. La comparaison avec Théophraste finit d'éclairer la difficulté (28). Celui qui n'est pas né dans une ville, qui n'y a pas appris à parler, ne peut en avoir acquis l'accent (29). Le son de la voix opère ici la fonction de distinction.

Il est évident que personne ne peut, même en y séjournant longtemps, avoir assimilé tous les idiotismes et surtout, toutes les nuances d'intonation du latin de Rome. Commettre une faute en la matière, c'est alors se laisser identifier comme étranger (30). Ce ne serait rien si l'on ne désirait au contraire se fondre dans la communauté romaine. Cette nuance, ou plutôt cet écart, parce qu'il est à la fois insurmontable et insupportable, devient alors décisif dans la procédure de promotion et d'intégration sociale des *domi nobiles.*

Le sens de l'humour est l'autre aspect de l'*urbanitas* que Cicéron oppose aux orateurs des municipes. Il rappelle en effet cette joute oratoire où Q. Granius, le *praeco*, rivalisant de plaisanteries avec T. Tinca de Plaisance (31), l'emporta sur son adversaire. Curieusement, cet argument s'insère dans le développement sur l'*urbanitas*-son de la voix et ce n'est pas l'association d'idées qui lie T. Tinca à la Gaule Cisalpine qui peut l'expliquer. Pour Cicéron, les plaisanteries de Granius doivent leur

---

(26) Cf. O. Lutsch, *Die Urbanitas nach Cicero, Festgabe für W. Crecelius,* Elberfeld, 1881, pp. 80-95, qui fait un bilan de ces différentes valeurs; H. Bléry, *Rusticité et urbanité romaine,* Paris, 1909 (sans intérêt, mélange de lieux communs sur la «civilisation» des Romains et de paraphrases d'auteurs anciens); E. Frank, *De vocis urbanitas apud Ciceronem vi atque usu,* Diss. Berlin, 1932, insiste beaucoup sur l'influence de la notion stoïcienne d'"ἀστεϊσμός, en particulier sur l'*urbanitas*-humour; E. De Saint-Denis, *Evolution sémantique de «urbanus-urbanitas»,* Latomus, 1939, pp. 5-24, qui croit pouvoir discerner la chronologie de l'évolution sémantique: l'*urbanitas*-politesse n'apparaîtrait qu'au Ier s.; et surtout E.S. Ramage, *Early Roman Urbanity,* AJPh., 81, 1960, pp. 65-72; *Urbanitas, Cicero and Quintilian, a contrast in attitudes,* AJPh, 84, 1963, pp. 390-414; *Ciceron on extra Roman speech,* TAPhA, 92, 1961, pp. 481-494; *Urbanitas. Ancient Sophistication and refinement,* Cincinnati, 1973, qui insiste à très juste titre sur le fait que l'*urbanitas* chez Cicéron est une attitude d'exclusivisme à l'égard des autres qui s'appuie sur des qualités naturelles que l'on ne peut acquérir (cf. en part. *AJPh.,* 84, pp. 390; 393; 403; *Urbanitas,* p. 5; 55). Cf. aussi A. Haury, *L'ironie et l'humour chez Cicéron,* Paris, 1955, pp. 19; 55-59.

(27) Cf. Cic., *De Or.,* III, 161: *nam et odor urbanitatis et mollitudo humanitatis et murmur maris et dulcitudo orationis sunt ducta a ceteris sensibus.*

(28) Cf. O. Lutsch, *Festg. Crecelius,* pp. 82-83; E. De Saint-Denis, *Latomus,* 1939, p. 19; A.H. Travis, *Parallels to Patavinitas,* CP, 48, 1953, pp. 174-175; et surtout E.S. Ramage, *TAPhA,* 92, 1961, pp. 481-494; *AJPh,* 84, 1963, pp. 400-403; *Urbanitas,* pp. 59-62.

(29) Sur l'importance de l'apprentissage d'une langue correcte au cours de la petite enfance, cf. Cic., *Br.,* 258; Quint., I, 1, 4-6.

(30) A l'inverse une prononciation rustique est, de la part d'un Romain authentique, un signe d'affectation. Cicéron en fait le reproche à Aurelius Cotta (*De Or.,* III, 42).

(31) On ne le connaît que par ce passage. Tinca-Tinga est un *cognomen* celtique, cf. Münzer, *RE,* VIa, col. 1372, 1936.

meilleure efficacité à *nescio quo sapore vernaculo.* Il ne peut s'agir seulement de l'intonation avec laquelle Granius parlait. Ses plaisanteries devaient avoir un sel particulier qui résidait dans les énoncés eux-mêmes. Mais alors quel lien avec le son de la voix qui relève de l'énonciation?

Il ne peut être que dans la connivence, qui lie tous ensemble les membres de la communauté romaine, public de la scène. De même que l'accent n'est pas autre chose qu'un contexte de l'énonciation qui associe tous ceux qui le partagent, la plaisanterie n'a de sens que dans un contexte social tellement riche et complexe que la connaissance n'en est accessible qu'à ceux qu'unit une longue familiarité. Le raisonnement n'y a pas de place. Le rire est l'effet d'une surprise, d'une énigme qui se résout dans l'intuition d'un sens caché. Il faut donc que le code que tous les participants partagent spontanément, soit très largement inexplicite pour que l'effet d'intrigue puisse opérer (32). Seul le partage d'une culture commune dans toute son étendue peut permettre le plaisir de la finesse. Nul doute que l'orateur issu d'un municipe ne soit vite perdant à ces compétitions et n'y révèle sa réelle origine. L'*urbanitas*-plaisanterie est donc elle aussi un facteur de distinction (33). Comme pour la prononciation du latin, elle est un écart révélateur. Mais il est d'autant plus insurmontable cette fois, qu'à la différence d'un accent qui évolue peu, la culture commune change constamment et que le snobisme a pour effet d'inventer de nouvelles subtilités qui augmentent encore la distance à parcourir.

Cette inégalité devant l'humour invite à poursuivre. Les orateurs d'origine municipale, si défavorisés dans l'emploi de la plaisanterie, n'en seraient-ils pas aussi les victimes désignées? Il faudrait tenter une sorte de prosopographie de la moquerie en public et profiter des quelques recueils de bons mots dont on dispose (34), pour faire l'essai d'un sondage.

Le premier, le plus important aussi parce qu'il est contemporain de notre période, est celui que Cicéron propose dans le *De Oratore* (35). C. Iulius Caesar Strabo y donne en effet quelques conseils sur l'emploi du rire dans l'éloquence et apporte quelques exemples de plaisanteries, sortes de duels où deux individus s'opposent en public. Certes les non-romains n'y apparaissent pas plus souvent que les autres puisqu'on ne peut compter comme tels que L. Aelius Lamia (36) (§§ 262; 269), Helvius Mancia (37) (§ 266), Septimuleius d'Anagni (38) (§ 269) et M. Antistius de Pyrgi (39) (§ 287). Cette faible

---

(32) Cf. en particulier M. Hodgart, *La Satire,* Paris, 1969, pp. 107-108.

(33) Sur l'association *urbanitas* et sens de l'humour, cf. Cicéron qui indique très explicitement que, moins qu'ailleurs, il ne saurait y avoir de préceptes en matière de rire, *De Or.,* II, 216: *quae etiam si alia omnia tradi arte possunt, propria certe neque ullam artem desiderant;* cf. 217; 220; 229; 232; et aussi *Br.,* 143; 177; *De Or.,* I, 17; 159; II, 217; 227; 228; 231; 269; *De Fin.,* I, 7; 39; II, 103; *De Off.,* I, 104; *De Dom.,* 92; *Pro Cael.* 6; *Fam.,* VII, 32, 2-3; IX, 15, 2; O. Lutsch, *Festg. Crecelius,* p. 85-91; E. Frank, *De vocis urbanitas,* p. 37-51; A. Haury, *L'ironie,* p. 57-59; E. De Saint-Denis, *Latomus,* 1939, pp. 11-14; E.S. Ramage, *AJPh,* 84, 1963, pp. 396-399; *Urbanitas,* pp. 56-59.

(34) Sur les recueils de bons mots, cf. outre les ouvrages cités n. 35, H. Peter, *Die Litteratur des Witzwortes in Rom und die geflügelten Worte im Munde Caesars, NJPhP,* 155, 1897, pp. 853-860, en part., pp. 853-856.

(35) II, 216-290; cf. A. Plebe, *La teoria del comico da Aristotele a Plutarco,* Turin, 1952, pp. 64-75; et surtout, A. Michel, *Rhétorique et Philosophie chez Cicéron,* Paris, 1960, pp. 271-283; A. Manzo, *Dalla teoria alla prassi del faceto in Cicerone. Rend.Ist.Lomb.Cl.Lett.,* 100, 1966, pp. 397-411 et G. Monaco, ed. *Cicéron, L'excursus de ridiculis (De Or., II, 216-290),* Palerme, 1968, en part., pp. 22-28: sur les sources de Cicéron et sa conception du comique.

(36) Cf. Klebs, *RE,* I, n° 74, col. 522, 1893. L'anecdote donne l'impression qu'Aelius Lamia relativement jeune encore, est écrasé par la maturité de Crassus. Ce procès devrait donc se situer dans la première décennie du Ier siècle, mais il est impossible de le dater avec plus de précision (cf. *ORF*⁴, p. 253, ad n° XI). Aelius Lamia est probablement le père du préteur de 42 (cf. Nicolet, *OE,* II, p. 764, n. 3) et donc aussi un ami de Cicéron (*Pro Sest.,* 29). Comme son client, Marius Gratidianus, et son adversaire, Visellius Aculeo, il appartient donc sans doute à ce milieu équestre d'origine municipale (Arpinum et Campanie) proche des Tullii (cf. *De Off.,* III, 67; *De Or.,* II, 2).

(37) Cf. Münzer, *RE,* VIII, 1, n° 15, col. 229, 1912; *ORF*⁴, n° 71, p. 270-271; *MÉFRA,* 91, 1979, p. 177; Val.Max., VI, 2, 8: *Formianus.*

(38) Cf. Münzer, *RE,* IIa, s.v. Septumuleius, coll. 1621-1622.

(39) Cf. Klebs, *RE,* I, n° 17, col. 2547, 1896.

fréquence n'a bien sûr aucune signification: on ne peut demander à un tel texte d'être un relevé statistique. Ce qui en revanche mérite d'être relevé, c'est que si les deux derniers sont victimes de jugements moraux, L. Aelius Lamia et Helvius Mancia subissent des railleries qui portent sur leur physique ou leur formation intellectuelle. Le dernier surtout est donné en exemple de moquerie par révélation de défauts corporels: *valde autem ridentur etiam imagines, quae fere in deformitatem aut in aliquod vitium corporis ducuntur cum similitudine turpioris* (40). De telles plaisanteries n'auraient aucun effet si leurs victimes n'étaient peu connues du public. C'est le manque de familiarité qui les rend possibles. T. Pinarius, l'autre exemple de moquerie physique n'est peut-être pas originaire d'un municipe, mais lui aussi est un inconnu (41). En fait, il manque à ces personnages d'être déjà des hommes publics au moment où ils prennent la parole. Ils éviteraient ainsi ces rires qui sont autant de rejets. Le malheureux Lamia a beau s'excuser en disant qu'il n'est pas responsable de son visage, Crassus lui refuse tout esprit. On naît romain, on ne le devient pas.

Les exemples de l'autre grand *excursus* consacré au rire, celui de Quintilien (42), confirment cette impression. Certes, il est beaucoup plus tardif, mais les anecdotes y sont presque toutes empruntées à Cicéron et l'on peut l'utiliser, au moins à titre de comparaison. On y retrouve Helvius Mancia (43) et Caepasius (44), et, à côté d'eux, M. Plaetorius (45), Tuccius (46), P. Vatinius (47) et Lartius (48). Or, si on laisse de côté les épisodes trop obscurs qui mettent en scène Tuccius et Lartius ainsi que celui qui concerne Caepasius et qui relève davantage d'un comique de situation, on constate que là encore, les plaisanteries portent sur la naissance (Plaetorius) ou l'aspect corporel (P. Vatinius). Autant de qualités ou de défauts dont les intéressés ne sont pas maîtres (49), et qui rendent ces bons mots particulièrement brutaux.

Certes, la valeur statistique de ces recueils de plaisanteries est nulle. Mais le choix que Cicéron et Quintilien ont opéré, se veut exemplaire. Ces moqueries ont valeur de modèle; elles répondent donc à des normes sociales (50). Comment ne pas être frappé alors par le caractère nécessaire de cette liaison entre l'origine municipale ou plus simplement modeste de ceux dont on se moque et la propension à faire porter la plaisanterie sur l'aspect physique ou la naissance? La plupart des non-romains qui apparaissent dans ces anecdotes sont victimes de brocards de ce genre et, réciproquement, quand

---

(40) § 266; cf. 239.

(41) Münzer, *RE*, XX, 2, n° 7, col. 1398, 1950. La *gens* est patricienne et a donné des magistrats aux V-IVème s., puis de nouveau à la fin du IIIème et au début du IIème s. Il est peut-être le père de l'autre T. Pinarius que l'on connaît, le *familiaris* de Cicéron (*RE*, n° 8).

(42) *Inst. Or.*, VI, 3; cf. G. Monaco, ed. *Quintiliano, Il capitolo de risu (inst. or. VI, 3)*, Palerme, 1970.

(43) VI, 3, 38.

(44) cf. *supra*. L'anecdote est celle que raconte Cicéron dans le *Pro Cluentio*, 58-59.

(45) M. Plaetorius Cestianus, Münzer, *RE*, XX, 2, n° 16, coll. 1950-1952, 1950; Wiseman, *New Men*, n° 320, p. 251. Il est certainement un Cestius de Préneste adopté par un Plaetorius de Tusculum, sans doute M. Plaetorius, tué sur ordre de Sylla en 82.

(46) Sans doute M. Tuccius Galeo, cf. Münzer, *RE*, VIIa, 1, n° 6, col. 767, 1939. A. Villius est incertain. Ce nom est assez répandu en Campanie (cf. *ILLRP*, 709; 735; 744; 745; cf. aussi 634 à Ostie) et on peut se demander s'il ne descend pas d'un des colons installés en 186 à Siponte ou à Buxentum par M. Tuccius, le préteur de 190.

(47) Cf. H. Gundel, *RE*, VIIIa, 1, n° 3, coll. 495-520 avec L. Ross Taylor, *VDRR*, p. 262-263; Wiseman, *New Men*, n° 467, p. 270.

(48) Cf. Münzer, *RE*, XII, n° 1, coll. 877-878, 1924; Wiseman, *New Men*, n° 223, p. 237, qui fait l'hypothèse d'une origine à Castrum Novum; cf. aussi les Larcii de Campanie: *ILLRP*, 745; 833; 977.

(49) Cf. aussi la plaisanterie dont est victime Sex. Clodius Phormio, sans doute un affranchi (VI, 3, 56).

(50) Une liste complète des plaisanteries à caractère corporel montrerait évidemment que les non-romains ne sont pas les seuls à être visés, cf. *e.g.* le «choix» de J.-P. Cèbe, *La caricature et la parodie dans le monde romain antique*, Paris, 1966, pp. 129-131 et les listes de J. Opelt, *Die lateinischen Schimpfwörten und verwandte sprachliche Erscheinungen*, Heidelberg, 1965, pp. 149-151; 153.

Cicéron ou Quintilien se mettent à traiter des plaisanteries sur l'aspect corporel (51), ce sont eux qu'ils mettent en scène. Reprocher son visage, son père ou sa mère à un non-romain est donc aussi une recette d'école, un lieu commun de l'humour oratoire. Or, le caractère radical de ces reproches saute aux yeux: rien ne peut modifier une naissance ou un visage. En cela, cet humour se rapproche de l'invective (52). Pires que les définitions outrageantes qui rejettent les orateurs de l'*eloquentia popularis* hors du cercle des gens bien élevés, ces bons mots contestent à leurs victimes le droit d'être des hommes: ils visent à rejeter et à exclure.

Mais ils ne peuvent anéantir complètement. Ceux qu'ils visent sont capables de réparties et la plaisanterie tourne vite au duel oratoire (53). Surtout, le mécanisme du rire est plus complexe que celui de la colère. Les plaisanteries du *De Oratore* sur Aelius Lamia et Helvius Mancia en sont de bons exemples. Dans la tension que crée l'altercation, l'attente des réparties se transforme brusquement en éclat de rire. Celui qui se moque, révèle une image de son adversaire que tous pressentaient sans la voir. En provoquant l'intuition d'un travers, il rend évidente la connivence qui le lie à son public. Il gagne la reconnaissance d'un groupe qui trouve dans le rire un plaisir d'autant plus partagé qu'il naît de l'inconscient du code. Celui dont on se moque, n'est pourtant pas complètement exclu. Comme le dit Cicéron, le rire désarme, il ne rend pas odieux (54). Il mutile ses victimes, il ne les tue pas. Par le plaisir qu'il donne, il retient et repousse à la fois, il écarte et met à distance.

Les orateurs qui viennent des municipes ont donc tout à perdre à l'emploi de plaisanteries. Moins efficaces que de vieux romains quand ils s'y essaient, plus durement touchés quand ils en sont victimes, ils y révèlent l'écart qui les sépare de la communauté romaine. Ne pas y être né, ne pas avoir longtemps vécu à Rome, interdit d'en partager le code dans toute sa profondeur. Faut-il donc s'étonner que lorsqu'ils prennent la parole, ils aient tendance à solliciter des sentiments plus universels de pitié ou de colère. L'émotion et le rire sont le plus souvent incompatibles (55). Ceux qui choisissent l'*eloquentia popularis,* déplacent le débat sur un terrain plus sûr, moins accessible en tout cas à l'ironie d'un adversaire assuré de sa place au sein du groupe civique.

Tout cela serait bien simple, si — étrangement — les moqueurs n'étaient pas eux-mêmes originaires de bourgades d'Italie. Cicéron en est le meilleur exemple. C'est lui, le fils de notables d'Arpinum, qui se moque de Plaetorius, de Sex. Clodius Phormio et de Vatinius. C'est lui qui écrit le *De Oratore* et rappelle avec complaisance les bons mots de Crassus ou de Caesar Strabo — des romains légitimes ceux-là — sur Aelius Lamia ou Helvius Mancia. N'est-ce pas paradoxal de la part d'un homme qui a eu lui-même à souffrir au cours de sa carrière du rappel injurieux de son origine municipale (56)?

Mais ne s'agirait-il que de Cicéron! Trois autres personnages méritent que l'on s'intéresse à eux: Q. Granius, Lucilius et Varron. Les deux premiers surtout, présentent en effet ce caractère étrange d'être à la fois d'origine municipale et des modèles d'*urbanitas.* Cicéron, par exemple, les cite lorsqu'écrivant à son ami Paetus, il regrette le temps heureux où Rome n'était pas envahie par les provinciaux amenés par César.

---

(51) On pourrait ajouter les deux apophtegmes cités par Plutarque qui portent sur le corps: ils visent P. Vatinius (8) et un Octavius originaire de Libye (9); cf. Plut., *Cic.,* 26, 3; 5.

(52) Cf. *e.g.* le passage de Crassus de la plaisanterie à l'invective lorsqu'il plaide contre Iunius Brutus (*De Or.,* II, 222-227; cf. A. Michel, *Rhétorique et philosophie,* pp. 287-288), et surtout R.C. Elliot, *The power of satire, magic ritual, art,* Princeton, 1960, qui associe la satire au pouvoir magique de négation ou de destruction par les mots, en part., pp. 49-99 et pp. 127-128 (sur les traces du *malum carmen* dans la satire latine classique).

(53) Cf. la boutade lancée par Helvius Mancia à Antoine, Cic., *De Or.,* II, 274, et le duel déjà cité de Granius et de T. Tinca.

(54) *De Or.,* II, 236: (*Hilaritas*) *vel quod frangit adversarium, quod impedit, quod elevat, quod deterret quod refutat...*

(55) Cic., *De Or., ibid.*

(56) Cf. Plut., *Apopht. Cic.,* 6; *Cic.,* 26, 9; Cic. *Pro Sull,* 22-25; Sall., *Cat.,* 31, 7; cf. Ps. Sall., *In Cic.,* 1; 4; 7.

Ego autem — existimes licet, quod lubet — mirifice capior facetiis, maxime nostratibus, praesertim cum eas videam primum oblitas Latio tum, cum in urbem nostram est infusa peregrinitas, nunc vero etiam braccatis et transalpinis nationibus, ut nullum veteris leporis vestigium appareat. Itaque, te cum video, omnes mihi Granios, omnes Lucilios, — vere ut dicam — Crassos quoque et Laelios videre videor (*Fam.*, IX, 15, 2).

Mieux encore, ils ont en commun de s'attaquer à ces orateurs au latin incertain ou à l'éloquence braillarde issus souvent comme eux d'une ville d'Italie.

Q. Granius est moins connu que les deux autres (57). Il était *praeco*, c'est-à-dire héraut de magistrat, et appartenait au cercle des amis de Crassus et de Cicéron (58). On a de bonnes raisons de penser qu'il était originaire de Pouzzoles (59). C'est lui qui, on l'a vu, l'emporte sur T. Tinca de Plaisance dans cette joute de réparties plaisantes. C'est lui aussi qui se moque d'Albius, le questeur de Mucius Scaevola (60). Dans le *Pro Plancio*, Cicéron en fait un exemple de franc-parler: il n'hésite pas à dire son fait à P. Scipion Nasica et à Livius Drusus (61). Surtout, il brocarde un mauvais orateur — sans aucun doute un orateur de l'*eloquentia popularis* — qui, à force de crier, avait perdu sa voix (62). En fin de compte, il est un des exemples les plus parfaits d'*urbanitas* (63).

Lucilius d'ailleurs l'apprécie tellement que: *conicere in versus dictum praeconis volebam Grani* (64). Il le cite à plusieurs reprises (65) et c'est sans doute lui qui fournit à Cicéron la plupart de ses anecdotes (66). Bien qu'originaire de Suessa Aurunca (67), Lucilius aussi est aux yeux de Cicéron un modèle d'*urbanitas* (68). Cela ne l'empêche pas de se moquer des autres italiens qui ont la malchance de conserver leur accent natal. C'est le cas en particulier d'un Vettius au parler prénestin que l'on doit probablement identifier avec le *Vettius Vettianus e Marsis* que cite Cicéron (69). Il n'hésite pas enfin à

---

(57) Münzer, *RE*, VII, 2, n° 8, col. 1818, 1912; C. Nicolet, *OE*, II, pp. 905-906.

(58) Cf., Cic., *Br.*, 172: *familiari nostro; De Or.*, II, 244: *familiarem vestrum;* 254: *tuus amicus, Crasse.*

(59) Cf., Nicolet, *l.c.;* Wiseman, *New Men*, p. 234.

(60) Cic., *De Or.*, II, 281.

(61) *Pro Planc.*, 33.

(62) Cic., *De Or.*, II, 282.

(63) Cf. *supra*.

(64) XI, 411-412 M.

(65) II, 95 M; 1181-1182 M.

(66) Cf., *Br.* 172; F. Marx, *Lucili Carminum reliquiae*, Leipzig, 1904, II, p. 44; 153 (sur Granius); N. Terzaghi, *Lucilio*, 1934, cf. Syme, *Historia*, 1964, p. 117, à propos du Gargonius de Hor. *Sat.*, I, 2, 27; 4, 92, p. 382-383.

(67) Sur l'origine et la famille de Lucilius, cf. en dernier lieu, W. Krenkel, *Lucilius Satiren*, Leiden, 1970, pp. 18-29; *Zur Biographie des Lucilius, ANRW*, I, 2, 1972, p. 1240; J. Christes, *Lucilius, ein Bericht über die Forschung, ANRW*, I, 2, pp. 1185-1196 (qui donne la bibliographie antérieure et fait le point de la question); Nicolet, *OE*, II, n° 204, pp. 926-929; et F. Charpin, ed. *Lucilius Satires*, Paris, 1978, I, pp. 8-11.

(68) Cf. *Fam.*, IX, 15. 2; *De Fin.*, I, 7; Cic., *De Or.*, I, 72; II, 25.

(69) Quint., I, 5, 56 (= Lucil., 1322 M.): *taceo de Tuscis et Sabinis et Praenestinis quoque (nam et eorum sermone utentem Vettium Lucilius insectatur).* F. Marx, II, p. 424, identifie ce Vettius avec Vettius Philocomus, un *familiaris* (Suet., *Gramm.*, 2). Il est suivi par N. Terzaghi, *Lucilio*, p. 398; W. Strzelecki, *RE*, VIIIa, n° 13, coll. 1851-1853, 1958. C. Cichorius, *Untersuchungen zu Lucilius*, Berlin, 1908, p. 348-349, doute que Vettius Philocomus, sans doute un Grec, soit le Prénestin de Lucilius et renvoie à tous les autres Vettii. W. Krenkel, *Zur literarischen Kritik bei Lucilius, Wiss.Z.Univ.Rostock.-Ges.Sprachwiss.*, 7, 1957-1958, p. 280, fait le rapprochement avec Vettius Vettianus en soulignant qu'entre les Marses et les Prénestins, il n'y a pas plus de 40 km (cf. aussi son édition de Lucilius, II, p. 708-709). T.P. Wiseman, *New Men*, p. 273, pense aussi au Vettius défendu par C. Gracchus (Plut., *C.Gr.*, 1), mais aucun indice ne vient renforcer cette hypothèse. Dans ce passage du *Brutus*, Cicéron est très probablement influencé par Lucilius dans sa définition de l'*urbanitas*: il commence par C. Titius que Lucilius citait (Macr., *Sat.*, III, 16, 3; cf. N. Terzaghi, *Lucilio*, pp. 328-329) et il finit par T. Tinca et Q. Granius. Le Vettius à qui Lucilius reprochait finalement son manque d'*urbanitas*, a donc de bonnes chances d'être Q. Vettius Vettianus que cite Cicéron. Sur les formes dialectales de Préneste, cf., A. Ernout, *Le parler de Préneste d'après les inscriptions, MSL*, 13, 5, pp. 293-349.

accabler d'invectives les orateurs populaires (70).

Le cas de M. Terentius Varro est moins net, mais tout de même, on se souvient que lui aussi, natif de Rieti, n'a pas hésité, dans ses Satires Ménippées, à se moquer des *rabulae*, élèves de L. Plotius Gallus, le rhéteur latin (71).

Cicéron, Q. Granius, Lucilius, Varron, quatre exemples de *domi nobiles* venus à Rome, plus ou moins intégrés à la classe politique romaine, et qui prétendent donner à d'autres des leçons d'*urbanitas*. Pourquoi et comment en prennent-ils le droit?

Si on laisse Cicéron de côté, la première remarque que l'on peut faire est que dans les trois autres cas, les moqueries et les invectives, n'ont pas le poids de l'autorité politique. Cet humour, ces plaisanteries, ne quittent pas, le plus souvent, le niveau du discours privé, de la conversation. Les attaques de Lucilius et de Varron s'insèrent dans des satires, un genre littéraire qui reste du domaine de la critique privée des mœurs publiques (72). Le banquet y prend ainsi une place importante: c'est un banquet offert par Granius à Crassus que Lucilius veut commémorer. Au temps de Cicéron, il n'y avait plus que cette satire qui rappelât que le tribunat de Crassus avait eu lieu cette année-là, et il est très probable que les orateurs d'origine municipale y furent l'objet de multiples plaisanteries (73).

Dès lors, on comprend mieux ce que signifie l'*urbanitas* de Granius ou de Lucilius. C'est la courtoisie, le sens de l'humour de personnages raffinés, capables de se jouer plaisamment des ridicules d'hommes publics. Elle s'exprime au sein des cercles aristocratiques: Lucilius est un familier de Laelius et de Scipion (74); Granius est un ami de Crassus (75). Varron, lui, est lié à Pompée et à Cicéron (76). Ainsi s'opère la rencontre de la plaisanterie, du bon goût et du raffinement spécifiquement romain qui définit l'*urbanitas*. Elégance de banquets et de conversations privées, elle est avant tout un critère de distinction aristocratique.

Dans un commentaire à la lettre de Cicéron à Paetus que l'on a citée tout à l'heure, J.H. D'Arms

---

(70) VI, 261-262: *haec, inquam, rudet ex rostris atque heiulitabit, concursans, veluti Ancarius, clareque quiritans*, cf. F. Marx, *ed. Lucilius*, II, p. 99; C. Cichorius, *Untersuchungen*, pp. 281-286, qui identifie ce personnage avec C. Memmius, le tribun de 111; N. Terzaghi, *Lucilio*, p. 346; Krenkel, *ed. Lucilius*, I, pp. 200-201.

(71) *Sat. Men.*, p. 186, 6 R = *Papiapapae* XI; 157 R; cf. *MÉFRA*, 91, 1979, p. 157; L. Deschamps, *L'attitude de Varron face à la rhétorique dans les satires Ménippées, Scritti in onore di B. Riposati*, Milan, 1979, I, pp. 157-166. Sur Varron, cf. en dernier lieu, A. Garzetti, *Varrone nel suo tempo, Atti Congr. intern. Studi Varroniani, Rieti, 1974*, Rieti, 1976, I, pp. 91-110.

(72) U. Knoche, *Die römische Satire*, Göttingen, 1957, p. 21; W. Krenkel, *Römische Satire und römische Gesellschaft, Wiss. Z. Univ. Rostock. Ges. Sprachwiss.*, 15, 1966, pp. 471-477; E.G. Schmidt, *Diatribe und Satire, ibid.*, pp. 507-515; E.S. Ramage, D.L. Sigsbee, S.C. Fredericks, *Roman Satirists and their Satire, the fine art of criticism in ancient Rome*, Park Ridge, 1974, pp. 31-32.

(73) Cic., *Br.*, 160; cf. N. Terzaghi, *Lucilio*, pp. 7; 324-336; J. Martin, *Symposion, Die Geschichte einer literarischen Form*, Paderborn, 1931, pp. 214-216. F. Marx, *ed. Lucilius*, I, p. XLIX; 39 (suivi par W. Krenkel, *ed. Lucilius*, pp. 332-333; F. Charpin, *ed. Lucilius*, Paris, 1979, II, pp. 105-106, mais avec une erreur p. 263) identifie les quelques fragments du livre XX avec la description de ce repas. Il pense, en effet, très justement que c'est à Licinius Crassus qu'il faut attribuer les mots de rage à l'égard de la *lex Calpurnia* puisqu'en 106, l'année suivante, il soutenait la *lex Servilia Caepionis* en s'opposant aux accusateurs assoiffés de sang (*MÉFRA*, 91, 1979, pp. 142-143; 165; 167-168). Il est très tentant d'imaginer qu'au cours de ce banquet ait été mise en scène une satire des accusateurs et orateurs populaires d'origine municipale qui aurait fourni à Cicéron les principaux matériaux du *Brutus* et du *De Oratore*. Les vers 575-576 contiennent une allusion —bien peu claire, il est vrai— à un Marse magicien et c'est peut-être là que se seraient trouvés les vers 1174-1176 qui sont la citation de C. Titius (cf. Marx *ad loc.* et *supra* n. 69). On comprendrait ainsi la spontanéité avec laquelle Cicéron cite dans le *Brutus*, 160, le rôle de Crassus dans la *lex Servilia Caepionis*, tout de suite après l'évocation de ce banquet.

(74) Cf. en dernier lieu, B. Zucchelli, *L'indipendenza di Lucilio*, Florence, 1977.

(75) Cf. *supra* pag. 319 et n. 57.

(76) A. Garzetti, *o.c.*, cf. aussi, bien que très générales, les remarques d'H. Bardon, *La notion d'intellectuel à Rome, Stud.Class.*, 13, 1971, pp. 96-101.

remarquait naguère que tous ces personnages que Cicéron présentait comme des modèles d'*urbanitas*, étaient liés à la Campanie (77). Il imaginait ainsi que cette lettre était une allusion à la tradition régionale de l'humour campanien. En fait si la Campanie est un haut lieu de l'*urbanitas*, c'est parce qu'elle est un des sites préférés de villégiature des sénateurs romains. Comme autrefois la Normandie et Paris, la baie de Naples et Rome sont les deux centres privilégiés de l'élégance et du raffinement. Des hommes comme Q. Granius et Lucilius, originaires de la région, peuvent s'insérer dans le réseau clientélaire de cette aristocratie et être admis à ses mondanités. Certes, on ne mettra pas les deux hommes sur le même plan. Lucilius est un chevalier romain et d'un rang social finalement très proche de celui de ses amis. Mais le mécanisme est le même. Les cercles aristocratiques reçoivent en leur sein des personnages issus de l'élite locale de Pouzzoles ou de Suessa Aurunca qui doivent pour être admis perdre tout accent, tout soupçon de rusticité. Nul doute que ces *domi nobiles* n'effacent tout stigmate, toute trace de non-romanité (78). En reconnaissant symboliquement la supériorité des normes culturelles dont ils ne sont pas les détenteurs légitimes, ils se placent ainsi dans une position subordonnée et révérencieuse (79). La récompense est le droit de se mêler à cette sociabilité toute privée de la conversation savante et raffinée. Le banquet, avec son jeu de réparties et de plaisanteries élégantes en est un des temps forts. C'est là en effet que la fausse égalité de rapports amicaux autorise d'autant plus les critiques et le franc-parler qu'ils sont socialement et politiquement inoffensifs.

Cette procédure de déculturation et d'acculturation est aussi un mode d'intégration et de contrôle, car le prix à payer de ce droit à la plaisanterie privée est une exclusion de fait de la parole publique.

Bien qu'un peu particulier, le cas de Q. Granius est parfaitement net. Le rôle social d'un *praeco* est en effet d'être le porte-parole du magistrat qui l'emploie. Muet politique, ses discours sont condamnés à l'inefficacité et à l'irresponsabilité. Il ne faut pas s'étonner qu'en échange de son exclusion de la sphère publique, il ait pu —sorte de fou du roi— s'autoriser une liberté de parole qu'on lui contestait d'autant moins qu'elle avait peu d'importance. Comme la plupart de ses collègues, il revalorisait par la boutade ou le bon mot, une voix mutilée par la perte de sa valeur publique (80).

De la même façon, les conversations et plaisanteries qui s'échangent dans les cercles aristocratiques restent sans effet politique. Cette sociabilité-là inverse souvent les valeurs de la sociabilité publique. Le banquet surtout est un moment de forte transgression des normes civiques (81). Il oppose au modèle public de frugalité et de tempérance qui caractérise la *gravitas* aristocratique, la consommation raffinée et ludique de vins et de mets travestis. En défi aux règles du mariage, il autorise les jeux érotiques de l'homosexualité. Les règles qu'il édicte pour son organisation propre, parodient les lois de la cité. Rien de tout ceci n'est innocent. Ces violations rituelles du code

---

(77) *Two passages from Cicero's Correspondance*, AJPh, 88, 1967, pp. 200-202; et, d'une façon générale, *Romans on the bay of Naples*, Cambridge Mass., 1970.

(78) E.S. Ramage, *AJPh*, 84, 1963, p. 398; *Urbanitas*, p. 57; remarque que la notion d'*urbanitas* passe pour Cicéron par la vie à Rome et l'association avec des romains raffinés.

(79) Dans un article éclairant, A. Pennacini, *Docti e crassi nella poetica de Lucilio*, A.Acc.S.Torino, 1965-1966, pp. 293-360, a montré que Lucilius prétendait viser un public intermédiaire entre les *doctissimi* aristocrates et les *indoctissimi* populaires et ouvrir la communication à une aire sociale et ethnique qui aurait compris Romains et Italiens. Lucilius se plaçait donc dans une position où il échangeait la reconnaissance de la supériorité aristocratique contre le droit d'être distingué des classes populaires. Il espérait y intégrer avec lui ses compagnons de classe sociale, *domi nobiles* et classes intermédiaires de Rome (cf. ceux qu'il cite comme son public: les Tarentins, les Consentins, les Siciliens, M. Iunius Congus et D. Laelius qui ne sont sénateurs ni l'un ni l'autre, peut-être chevaliers, mais rien ne le prouve).

(80) Cf. Mommsen, *Dr. Pub.*, I, pp. 416-420 et surtout F. Hinard, *Remarques sur les praecones et le praeconium dans la Rome de la fin de la République*, Latomus, 35, 1976, pp. 730-746, en part. p. 733 et pp. 742-746: on doit ajouter que l'infamie qui les frappe tient certainement à cette mutilation symbolique (cf. l'image de la prostitution de la voix, Cic., *Pro Quinct.*, 13;95).

(81) Cf. J. Martin, *Symposion*, et surtout, F. Dupont, *Le plaisir et la loi*, Paris, 1977.

officiel sont la condition même de la vie politique. Fête ou carnaval permanent d'une aristocratie soumise aux fortes tensions d'une compétition sans pitié, il libère des frustrations qu'engendre l'obligation d'un comportement conforme à la tradition familiale et civique.

On voit bien ainsi comment un nouveau venu admis à ces jeux, peut s'y enfermer et perdre tout espoir de carrière autonome. Les qualités d'élégance mondaine dont il est obligé de faire preuve ne lui sont d'aucun secours dans les conflits politiques. Au contraire même, les transgressions auxquelles il est parfois contraint dans une surenchère coûteuse, le desservent. Les efforts qu'il fait pour être admis à la compagnie des grands, l'enfoncent de plus en plus dans la dépendance clientélaire.

Il y a donc, pour un *domi nobilis*, une sorte de contradiction entre l'intégration aux cercles aristocratiques et la reconnaissance publique que le cas de Valerius Valentinus illustre assez bien. Ce personnage est originaire de Vibo Valentia, une ville de droit latin, en Italie du Sud. Il se mêle à l'entourage de L. Opimius, le consul de 121, l'ennemi des Gracques. Là, en parfaite conformité avec les règles de la sociabilité aristocratique, il compose des vers et même une loi de banquet: la *lex Tappula,* une parodie des lois *populares*, dont on a la chance d'avoir conservé une copie épigraphique. Plus tard, son patron est exilé et il tente sa chance au jeu de la promotion civique. Vers 105-95, il accuse *de repetundis*, un certain C. Cosconius. Sans doute espérait-il obtenir la citoyenneté romaine. C'est un échec car son adversaire cite de lui des vers érotiques qu'il avait composés naguère. La place qu'il avait tenue dans le cercle d'Opimius, ses transgressions des normes sociales, lui interdisent l'accès au statut civique qu'il prétendait obtenir (82).

Deux voies s'ouvrent donc aux *domi nobiles* italiens soucieux de s'intégrer à la classe politique romaine. La première est celle de l'admission au sein des clientèles aristocratiques et de la progression dans l'amitié d'un grand. Elle exige des qualités d'*urbanitas,* d'élégance et de raffinement. Certes, elle n'interdit pas que l'on mène une carrière politique, mais elle la subordonne étroitement à l'appui et à la reconnaissance active de l'aristocrate auquel on s'est lié. A partir de la fin du IIème siècle, de nouvelles filières apparaissent qui permettent de gagner directement la confiance populaire; l'accusation devant les *iudicia publica,* l'exercice du tribunat de la plèbe sont de celles-là. Elles passent par l'emploi d'une éloquence violente faite d'appels à l'émotion et au pathétique. On comprend que, surtout dans les années qui précèdent la guerre sociale, certains de ceux qui ont payé l'intégration aux cercles aristocratiques d'un renoncement à la politique, perçoivent comme une usurpation la promotion rapide d'orateurs d'origine municipale à peine formés à une rhétorique de l'efficacité immédiate. Des hommes comme Granius et Lucilius sont ainsi parmi les premiers à railler et à invectiver ces nouveaux venus, à leur refuser le bénéfice d'une reconnaissance sociale trop facilement gagnée. Après la guerre sociale, le mouvement d'unification juridique, politique et culturelle de l'Italie enlève sans doute de son acuité au problème. Il persiste néanmoins. Cicéron d'Arpinum n'hésite pas à reprocher leur physique ou leur naissance à certains de ses adversaires, comme lui, d'origine municipale. Lui qui s'est formé au contact de L. Licinius Crassus et de M. Antonius, et a hérité de leur dégoût pour une formation hâtive, n'accepte pas que l'on puisse ne pas respecter le modèle de comportement aristocratique. Bien sûr, lui aussi accuse et cherche à se rendre populaire. Mais il ne le fait que tardivement, après une longue période de formation et de plaidoiries modestes. Il respecte les étapes d'une intégration progressive et méritante dans la classe politique (83). Il ne supporte pas que d'autres brûlent les étapes qu'il a dû respecter.

En somme, l'intégration des notables locaux dans la classe politique romaine n'est pas une chose facile. Celui qui emprunte la voie disons "marienne" des honneurs que l'on obtient directement du

---

(82) Cf. *MÉFRA*, 91, 1979, pp. 151-152; 180; et aussi, B. Zucchelli, *L'indipendenza di Lucilio*, p. 115, n. 112.

(83) Cf. E. Rawson, *Homo novus Arpinas ex M. Crassi familia*, [*Sallust*], *Cic.*, 3, *LCM*, 1, 1976, pp. 93-95, qui modifie M. en L. L'auteur de l'invective reproche donc à Cicéron à la fois son origine et son intégration clientélaire.

peuple en s'appuyant sur ses aspirations et sa sensibilité, rencontre l'hostilité de la noblesse. Celui qui au contraire, emprunte la voie "lucilienne" de l'admission aux cercles aristocratiques, s'enferme dans des relations clientélaires qui le subordonnent aux grands. Il ne peut accéder au pouvoir qu'autant qu'ils le permettent. Certes, il n'est pas exclu que l'on puisse, comme Cicéron, emprunter l'une et l'autre en essayant de conserver une relative indépendance: c'est même sans doute là, la pratique la plus générale, surtout quand, après la guerre sociale, l'Italie s'unifie. Il n'en reste pas moins que ces deux pôles de l'exclusion ou de l'intégration, comme on voudra, demeurent. Ils sont l'image de l'illégitimité de la promotion sociale. Valerius de Sora ou Gargonius de Bologne pourront être des modèles de *gravitas* ou de frugalité, ils resteront des paysans. Valerius Valentinus est un poète: ses vers lui valent de ne pas être jugé digne de défendre la cité. Un noble n'a pas à craindre de telles mésaventures. Sa légitimité le met au-dessus de la censure: pour lui, transgresser une norme, c'est en fonder une nouvelle.

Jean-Michel DAVID
CNRS-ERA 757 Paris

LA PROSCRIPTION DE 82 ET LES ITALIENS

Depuis Mommsen, il n'est pas, concernant les événements de 82/81, d'opinion plus répandue, d'affirmation plus souvent et plus fermement répétée que celle d'une épuration massive des Italiens à la faveur de la proscription (1). Or si on examine avec un peu d'attention l'ensemble des sources dont nous disposons sur ce sujet, force est de constater que les habitants de l'Italie, ceux qui n'appartenaient pas à l'élite sociale romaine, quel que fût leur statut dans leur cité d'origine, sont restés étrangers à la proscription, qu'ils ne pouvaient pas être inscrits sur les listes qui désignaient à l'épuration les deux ordres supérieurs de la cité Romaine.

Cela ne signifie évidemment pas qu'il ne s'est pas produit, dans ces milieux, des épurations et que des populations entières n'ont pas été anéanties; simplement la procédure suivie pour cet anéantissement n'a rien à voir avec la proscription, même si les historiens modernes les ont, le plus souvent, amalgamées, comme pour amplifier l'horreur de ce qu'on a appelé, par un passage expressif au pluriel, *les proscriptions*.

Notre propos n'est évidemment pas de reprendre ici l'examen détaillé de la procédure de proscription. Nous n'avons pas non plus l'intention d'établir ni de discuter le dossier prosopographique des victimes de cette forme particulière d'épuration (2). Nous souhaitons simplement esquisser les arguments qui démontrent que la proscription est une mesure qui n'a frappé que des citoyens Romains avant d'examiner quelles formes a prises la purge ordonnée par les vainqueurs dans les milieux qui leur avaient montré de l'hostilité.

* *

*

Au nombre des thèmes qu'a suscités, dans la littérature des anciens, la guerre civile, P. Jal a montré qu'avait une importance particulière celui du *cruciatus uirorum illustrium* (3). Cela tient évidemment à la "nature" de la littérature qui les véhicule ou les développe et qui est, bien sûr, aristocratique. Mais on ne peut manquer d'être frappé par le fait que, lorsqu'il s'agit de la proscription de 82, les textes qui l'évoquent disent ou laissent entendre que ses victimes étaient des citoyens appartenant à l'*uterque ordo*.

Il suffit de rappeler rapidement quelques exemples pour se convaincre que la proscription est directement liée à l'idée de citoyenneté: on se souvient sans doute que, dans la cinquième *Verrine*, lorsqu'il évoque l'exécution par Verrès de citoyens romains, et alors que le préteur devait en principe évoquer pour sa défense qu'il s'agissait de transfuges de l'armée de Sertorius (4), Cicéron fait observer

---

(1) *Histoire romaine,* livre IV, chap. 60. Mommsen considérait que le chiffre total de victimes, qu'il estimait à 4.700 (Val. Max, IX, 2, 1), s'expliquait par l'addition au chiffre partiel de ceux qui avaient été tués par Marius et par Sylla de 2.100 "personnages de second ou de troisième rang". Pour une conception "extensive" de la proscription uid. notamment E. BADIAN, *Lucius Sulla, the Deadly Reformer, The Todd Memorial Lectures,* Toronto, 1976, 53: "Now came the proscriptions - the reign of terror in which hundreds, perhaps thousands, were arbitrarily killed...".

(2) C'est l'objet même de notre thèse, qui porte sur les deux proscriptions.

(3) P. JAL, *Remarques sur la cruauté à Rome pendant les guerres civiles (de Sylla à Vespasien), BAGB,* 1961, 395-414.

(4) *Quid enim defendit? Ex Hispania fugientes se excepisse et supplicio affecisse dicit. (2Verr.,* 5, 151).

que ce système de défense revient à s'accuser d'avoir renouvelé la proscription. *Meum enim crimen auaritiae te nimiae coarguit; tua defensio furoris cuiusdam et immanitatis et inauditae crudelitatis et paene nouae proscriptionis* (§ 154). Le fait que la seule occasion où Cicéron se permette d'assimiler Verrès à un proscripteur se trouve dans le texte du *de Suppliciis*, précisément quand sont rappelés les supplices infligés par le préteur aux C.R. de Sicile, nous paraît très significatif: la proscription est bien un traitement qui leur est réservé.

On constate d'ailleurs que les emplois que fait Cicéron des termes qui désignent la proscription confirment en tous points cette observation. Rappelons simplement que, dans le discours qu'il prononça *de domo sua* devant les pontifes, le 30 septembre 57, l'orateur définit la proscription comme *poenam in ciues Romanos nominatim sine iudicio constitutam* (§ 43). Et l'on sait bien, par ailleurs, qu'il associait si étroitement proscription et ordre équestre qu'il avait voulu accréditer l'idée que Sylla avait été animé d'une véritable "haine de classe" contre les chevaliers dont il aurait entrepris d'épurer les rangs (5).

Ces observations et constatations devraient suffire à démontrer le caractère sélectif d'une procédure d'épuration qui, effectivement, ne concernait que les sénateurs et les chevaliers: la prosopographie des proscrits vient étayer cette démonstration. Sur les 75 personnages à propos desquels nous considérons que les textes qui les évoquent permettent de conclure qu'ils avaient été proscrits, il ne nous a, en effet, pas été possible d'en isoler un seul qui pût nous permettre d'affirmer qu'il n'était pas de statut équestre.

Mais surtout, un certain nombre de textes historiques confirment de façon éclatante la limitation aux deux ordres supérieurs de la procédure de proscription. Qu'il suffise ici de citer Florus et Appien. Florus, tout d'abord: "... on afficha l'immense liste et, dans l'élite de l'ordre équestre et sénatorial, on choisit deux mille hommes qui devaient mourir." (6). Appien, ensuite, qui — avec des chiffres qui font difficulté, il est vrai — indique que Sylla, immédiatement après son discours au peuple, "proscrivit 40 sénateurs et environ 1.600 chevaliers" (7).

Au total on ne peut pas s'étonner que seuls des membres des ordres équestre et sénatorial aient été visés par la proscription; il suffit d'évoquer brièvement sa "procédure" pour comprendre qu'elle ne devait concerner que des membres de l'aristocratie romaine: l'affichage des noms comme pratique en elle-même déshonorante, les exécutions sur le forum, l'exposition des têtes sur les rostres sont les phases essentielles d'une épuration ostentatoire qui ne se comprend que si les personnages auxquels elle s'applique sont eux-mêmes particulièrement "en vue" et dont le caractère "urbain" est trop évidemment marqué pour qu'il soit nécessaire d'y insister. Et, dans le même sens, comment ne pas voir que les conséquences de la proscription — comme la *damnatio memoriae* ou les atteintes portées au statut des *liberi proscriptorum* — témoignent de son caractère éminemment "aristocratique"? On a du mal à imaginer, dans ces conditions, qu'un "personnage de second ou de troisième rang" ait pu être pris dans cette mécanique de l'extermination qui n'avait de sens que si elle avait un caractère

---

(5) *Cluent.*, 151: *... pro illo odio quod habuit in equestrem ordinem* ... Les historiens modernes ont montré que c'était une charge injustifiée contre Sylla (notamment C. NICOLET, *Les Chevaliers victimes de Catilina dans le Commentariolum Petitionis, Mél. SESTON,* Paris, 1974, 381-395) et nous avons tenté d'en expliquer l'origine à partir des données prosopographiques que nous avons rassemblées.

(6) Flor., II, 9, 25: *... proposita est ingens illa tabula, et ex ipso equestris ordinis flore ac senatu duo milia electi, qui mori iuberentur...*

(7) App., *B.C.*, I, 95, 442. Les chiffres d'Appien sont très contestables à la fois parce qu'ils sont en contradiction avec ceux que nous fournissent certaines autres sources plus précises sur la procédure (Orose, par exemple), parce qu'on peut retrouver plus de sénateurs proscrits que n'en indique l'historien grec et parce que cela donne un nombre total de victimes évidemment beaucoup trop élevé.

exemplaire pour ceux qui en étaient les témoins, c'est-à-dire que s'ils étaient en mesure d'identifier les noms sur les listes ou de reconnaître les têtes sur les rostres.

Mais on ne peut manquer d'observer, dans le même temps, qu'on n'a aucun exemple d'une proscription municipale qui nous permette de dire qu'il y avait eu une adaptation locale de la procédure d'épuration mise en oeuvre à Rome. Ce qu'on sait de ce qui s'est passé dans les cités italiennes incite au contraire à penser que c'est à des moyens plus expéditifs qu'on a eu recours pour éliminer les adversaires vaincus.

Toutefois, avant d'examiner quelques exemples précis, il convient de revenir sur le cas de Larinum. On sait que Cicéron, lorsqu'il assura la défense de Cluentius en 66, fit allusion à des faits qui remontaient à l'année 82, précisément au moment de la victoire: pour charger Oppianicus, il mêle des considérations politiques à son récit. Selon lui, Oppianicus qui se trouvait dans le camp de Q. Metellus, aurait été contraint de quitter Larinum parce que A. Aurius le menaçait de le poursuivre pour le meurtre de M. Aurius (8), et son retour à Larinum où il avait fait régner la terreur lui aurait été une occasion de se débarrasser des personnages qui devenaient bien gênants pour sa sécurité.

C'est une façon de présenter les événements qui tend à accréditer l'idée qu'Oppianicus avait réglé ses comptes personnels à la faveur des violences qu'avait occasionnées la victoire de Sylla (9). Mais à y regarder d'un peu plus près, on peut supposer que les choses n'ont pas été si simples: si Oppianicus a dû quitter Larinum, c'est aussi, vraisemblablement, parce que ceux qui assuraient la direction du municipe avaient fait un choix politique différent du sien en embrassant la cause de Marius. Et on ne peut pas ne pas remarquer que son retour semble s'être fait dans des conditions tout à fait officielles: il est revenu avec une troupe (*cum armatis*) dans un municipe qui avait tout à redouter des vainqueurs (*in summo timore omnium*), avec une mission précise qui était de punir les *IIIIuiri* pour installer un nouveau collège dont lui-même faisait partie: ... *se a Sulla et alios tres praeterea factos esse dixit et ab eodem sibi esse imperatum ut A. Aurium (...) et alterum A. Aurium et eius C. filium et Sex. Vibium (...) proscribendos interficiendosque curaret* (10).

Cicéron ne conteste absolument pas le fait qu'Oppianicus ait été chargé d'éliminer les *IIIIuiri* de Larinum: comment le pourrait-il puisque trois autres personnages — dont il tait le nom — se trouvaient remplir la mission en même temps que lui; il ne l'accuse pas non plus d'en avoir fait plus qu'il ne lui en avait été demandé par Sylla et cela nous paraît très important: Oppianicus n'a fait exécuter que les quatre personnages qui sont nommément désignés par l'orateur et en qui on est bien contraint de voir les *IIIIuiri* marianistes, tous chevaliers Romains (11). Certes l'avocat de Cluentius affirme qu'Oppianicus avait fait régner la terreur mais comment ne pas voir que s'il avait pu l'accuser d'avoir outrepassé sa mission Cicéron n'aurait pas manqué de le charger sur cette affaire, alors qu'il se contente de conclure: "Et encore ce n'est là que peu de choses" (12).

Ce récit nous renseigne en définitive assez bien sur l'impact de la proscription dans les municipes: seuls devaient être exécutés — et seuls ont été effectivement exécutés, semble-t-il — ceux que Sylla avait désignés et inscrits sur la liste. Cela implique que la proscription est bien une procédure spécifiquement romaine et que, si elle connaît des "applications" municipales, c'est que copie des listes a été transmise pour affichage local. C'est, selon nous, le sens de l'expression dont use Cicéron: *proscribendos interficiendosque curaret*.

---

(8) *Cluent.*, 24: *Itaque cum A. Aurius is qui antea denuntiarat clamore hominum ac minis insequi coepisset, Larino profugit et se in castra clarissimi uiri, Q. Metelli, contulit.*

(9) Ibid., 25: ... *per illam L. Sullae uim atque uictoriam Larinum in summo timore omnium cum armatis aduolauit...*

(10) Ibid.

(11) Sur ces personnages uid. notamment C. NICOLET, *Ordre Equestre* II, s. nn.

(12) *Cluent.*, 25: *Atque haec parua sunt...*

En d'autres termes, la proscription a été entièrement supervisée par Sylla et très strictement circonscrite par lui aux cercles dominants Romains. On ne connaît qu'une seule "bavure": l'initiative qu'avait prise Crassus, dans son propre intérêt, de proscrire quelques personnages dans le Bruttium et qui lui avait valu de se voir écarté par Sylla de toute charge officielle (13).

* *

*

Mais il ne faut évidemment pas déduire de ce que tous les notables municipaux n'avaient pas été inscrits sur les listes de proscription qu'ils avaient été épargnés au lendemain de la victoire. En réalité le traitement a été différent selon qu'ils appartenaient à des cités qui avaient ou non participé activement à la résistance armée contre Sylla.

Dans le premier cas on constate que l'élimination a été massive et brutale. Nous n'évoquerons que pour mémoire l'exécution des prisonniers dans la *uilla publica* après la bataille de la porte Colline: il s'agit d'un cas un peu à part et qui n'est évidemment pas représentatif de l'attitude des vainqueurs à l'égard de l'Italie (14). Nous ne discuterons pas ici le fait de savoir s'il s'agit véritablement d'un génocide Samnite (15); observons simplement qu'une telle exécution, survenue trois jours après la bataille décisive (16) et pratiquement sur les lieux mêmes où s'étaient livrés les combats, ne peut pas avoir le même sens qu'une épuration à la dimension de l'Italie et probablement prolongée sur plusieurs mois.

Pour ce qui est du traitement qui fut réservé à un certain nombre de cités italiennes, les indications que fournissent nos sources sont, comme on pouvait s'y attendre, d'importance très inégale; mais elles nous paraissent plus intéressantes que celles qui concernent les massacres de la *uilla publica* parce qu'elles ne nous racontent pas l'exécution de prisonniers de guerre, c'est-à-dire d'un groupe hétérogène à la fois pour ce qui concerne l'origine et pour ce qui est du statut, mais qu'elles évoquent le sort qui fut réservé à des communautés civiques.

L'exemple le plus fréquemment développé (et qui, de ce fait n'est peut-être pas entièrement représentatif du traitement infligé à l'ensemble des cités hostiles à Sylla) est celui de Préneste, bastion marianiste, s'il en fut: c'est là que Marius le Jeune s'était réfugié et c'est là qu'il fut contraint au suicide malgré cinq tentatives faites par les adversaires de Sylla pour dégager le consul (17). Or les événements qui suivirent la capitulation nous paraissent tout à fait éclairants sur l'attitude des syllaniens à l'égard des non-Romains. La plupart des sources nous disent, en effet, que Sylla fit désarmer puis exécuter tous les Prénestins: ... *omnes Praenestinos inermes concidi iussit...* (18). Mais pour se faire une idée plus précise de ce qui se passa alors, il convient d'examiner ce qu'écrivent sur ce sujet Orose et — surtout — Appien.

Le premier affirme que Sylla "s'étant rendu à Préneste, fit mettre à mort tous les chefs de l'armée de Marius, c'est-à-dire les légats, les questeurs, les préfets et les tribuns" (19). Orose ne parle pas, par

---

(13) Plut., *Crass.*, 6, 8.

(14) Les sources anciennes sur cette exécution sont nombreuses et les chiffres de victimes varient considérablement: App., *B.C.*, I, 93, 432 (8.000 hommes); Plut., *Sulla*, 30, 2-4 & Oros., V, 21, 1 (3.000); Flor., II, 9, 24 (4.000); Val. Max., IX, 2, 1 (4 légions); Sen., *Ben.*, V, 16, 3 (2 légions); *uir. ill.*, 75, 9 (9.000).

(15) Sur cette question uid. en particulier E. PAIS, *Ricerche sulla storia e sul diritto pubblico di Roma*, Roma, 1915-1921 (notamment IV, 295) et E.T. SALMON, *Samnium and the Samnites*, Cambridge, 1967.

(16) Strab., V, 4, 11.

(17) Sur ces opérations militaires uid. R.G. LEWIS, *A Problem in the Siege of Praeneste, 82 B.C.*, PBSR, 1971, 32-40.

(18) Liu., *Per.*, 88; cf. Val. Max., IX, 2, 1.

(19) Oros., V, 21, 10: *Inde Praeneste profectus omnes Marianae militiae principes, hoc est legatos, quaestores, praefectos et tribunos iussit occidi.*

ailleurs, du sort réservé aux Prénestins et ne s'intéresse donc qu'aux seuls chevaliers et sénateurs Romains. La distinction ainsi opérée est très significative, d'autant qu'elle est confirmée par le récit, assez détaillé, d'Appien (20). L'historien grec explique, en effet, que Q. Lucretius Ofella, dès qu'il fut entré dans la ville, fit mettre à mort une partie des membres du sénat qui servaient sous Marius (τῶν ἀπὸ τῆς βουλῆς ἐνταῦθα Μαρίῳ στρατηγούντων τοὺς μὲν αὐτίκα ἀνῄρει) et qu'il fit emprisonner les autres que Sylla fit égorger quand il arriva. Cette différence entre ceux qui furent tués à l'initiative de Lucretius Ofella et ceux dont l'exécution fut différée jusqu'à la venue de Sylla peut sembler faire difficulté: en réalité, les premiers devaient avoir été inscrits sur la liste de proscription mais pas les seconds.

Pour ce qui est des autres personnages qui se trouvaient dans Préneste à ce moment, Sylla les fit sortir sans armes de la ville puis sépara ceux qui avaient fait quoi que ce fût pour son service — et ils n'étaient pas bien nombreux (21)! — avant de partager les autres en trois groupes: celui des Romains, celui des Samnites, celui des Prénestins. Cela fait, il s'adressa aux Romains en leur remontrant que leur conduite mériterait la mort mais conclut en annonçant qu'il leur pardonnait. En revanche il fit passer les deux autres groupes par les armes (τοὺς δὲ ἑτέρους κατηκόντισεν ἅπαντας). La différence de traitement est tout à fait remarquable et illustre bien la volonté de Sylla d'épargner ceux des Romains qui n'avaient pas exercé des responsabilités de premier plan. Cela va d'ailleurs dans le même sens que la déclaration qu'il avait faite précédemment, lors de la *contio* qu'il avait tenue avant d'afficher l'*edictum* de proscription, et selon laquelle il comptait "châtier vigoureusement les chefs militaires, questeurs et tribuns et, d'une façon générale, ceux qui avaient collaboré avec ses adversaires depuis le jour où Scipion avait rompu les accords qu'ils avaient conclus" (22). Il ne faut évidemment pas forcer le sens des paroles de Sylla pour lui faire dire qu'il cherchait systématiquement à épargner les Romains de souche; mais on doit quand même constater que, pour Appien, s'il fit exécuter les prisonniers après la victoire de la porte Colline, c'est parce qu'ils étaient en majorité Samnites et on peut d'ailleurs penser qu'à cette occasion il avait traité différemment les Romains puisque l'historien grec, tout de suite après avoir raconté cette exécution en masse, ajoute que Sylla fit égorger Marcius et Carrinas "sans les épargner comme Romains" (23).

Pour en revenir à l'épuration de Préneste, Appien ne dit pas pourquoi Sylla avait fait deux groupes différents, l'un pour les Prénestins, l'autre pour les Samnites; en apparence le traitement de l'un et de l'autre fut identique. On peut penser, encore que cela ne figure dans aucune source, que le mode d'exécution n'avait pas été le même; mais surtout on se rappellera que, comme l'ont très opportunément signalé E.T. Salmon et E.S. Gruen (24), Sylla avait voulu faire de la guerre civile une croisade contre les plus vieux et les plus redoutables ennemis de l'Etat romain: les Samnites. l'isolement des prisonniers de cette origine confirme bien cet aspect de sa propagande.

Quoi qu'il en soit, il faut admettre que toutes les cités d'Italie n'ont pas subi le même sort que Préneste qui semble bien présenter un cas limite (25). Sans vouloir reprendre chacun des exemples qui

---

(20) *B.C.*, I, 94, 436-438.

(21) Plutarque affirme qu'il ne s'en trouva qu'un seul. Il faut dire que le biographe de Sylla raconte les faits (*Sulla*, 32, 1) de façon un peu différente: "Sylla se rendit à Préneste et commença par juger et punir chaque citoyen en particulier puis comme cette manière de faire exigeait trop de temps, il les rassembla en masse au même endroit et ordonna de les égorger tous, au nombre de 12.000, ne faisant grâce qu'à son hôte".

(22) *B.C.*, I, 95, 441.

(23) Ibid., 93, 433: Καὶ οὐδὲ τῶνδε φειδόμενος οἷα Ῥωμαίων ἔκτεινεν ἄμφω ...

(24) E.T. Salmon, *Sulla Redux, Athenaeum*, 42, 1964, 60-79; E.S. Gruen, *Roman Politics and Criminal Courts, 149-78 B.C.*, Harvard U.P., 1968, notamment p. 254.

(25) Il semble bien pourtant que Sulmone, qui a été rasée, a subi un sort identique: *Nam Sulmonem (...) quo modo morte damnati duci iubentur, sic damnatam ciuitatem iussit Sulla deleri* (Flor., II, 9, 28).

nous sont parvenus, nous noterons simplement que pour aucune d'entre elles on n'entend parler d'une exécution massive dans des conditions comparables. Le cas le plus dramatique, après celui de Préneste, est la chute de Norba dont les habitants, surpris par l'irruption des troupes syllaniennes, se suicidèrent collectivement, notamment en allumant des incendies qui se propagèrent et détruisirent la cité toute entière (26).

Moins connus mais très révélateurs nous paraissent deux faits par l'examen desquels nous voudrions terminer cet aperçu sur les épurations en Italie. Tout d'abord Granius Licinianus affirme que les habitants de Volaterres, avant de se rendre, avaient fait sortir de la ville les proscrits qui s'étaient réfugiés chez eux et qu'un détachement de cavalerie romaine fut dépêché pour les exécuter (27). Déjà l'année précédente Nola avait fait de même (28): cette pratique, qui correspond vraisemblablement à un accord entre assiégeants et assiégés pour limiter les représailles, revient à faire des proscrits les "coupables" privilégiés, ceux sur lesquels il convenait de faire porter le châtiment le plus sévère — ce qui ne veut évidemment pas dire que certains notables locaux n'avaient pas été exécutés et que les cités n'avaient pas subi collectivement les conséquences de leur attitude. On sait assez l'ampleur qu'avaient prise les colonisations et assignations sur leur territoire (29); on n'ignore pas non plus que certaines d'entre elles avaient subi l'*ademptio ciuitatis* (30).

Mais on oublie trop souvent, et c'est là le deuxième fait sur lequel nous voulions insister avant de conclure, que les épurations n'ont pas toutes été aussi expéditives que celle de Préneste. Appien affirme en effet, après avoir évoqué la proscription proprement dite, que "des jugements sévères furent rendus, à travers toute l'Italie, sur des accusations hétéroclites" (31), accusations dont il donne des exemples qui, en réalité, ne sont pas faits pour nous surprendre si on songe que les Romains avaient une conception de la complicité plus extensive que la nôtre. Ce qui nous paraît important, dans cette affirmation d'Appien, c'est que se trouve attesté le recours à des procédures judiciaires (κρίσεις) dans un contexte où l'on imagine, d'ordinaire, des exécutions sommaires ou, en tout cas, collectives.

On n'a malheureusement pas conservé de traces de ces procès pour l'Italie. En revanche, on ne pourra pas manquer d'évoquer le cas de ce Sicilien, Sthenius, accusé de marianisme et que Pompée "renvoya des fins de la poursuite" (32). Il n'y a pas grand risque à penser que le cas de ce Sthenius présente une bonne illustration de ce qui se passait alors en Italie: les chefs d'accusation retenus contre lui (les liens d'intimité et d'hospitalité qu'il avait entretenus avec C. Marius) (33) figurent précisément dans la liste de ceux qu'Appien affirme avoir provoqué les procès dont il parle (Ἐγκλήματα δ'ἦν καὶ ξενία καὶ φιλία...) (34).

---

(26) App., *B.C.*, I, 94, 439.

(27) Gran. Lic., 32 Fl.: *Et Volaterrani se Romanis dediderunt (...) et proscriptos ex oppido dimiserunt quos equites a consulibus Claudio et Seruilio missi conciderunt.*

(28) Ibid.: *Iam ante [anno superiore] et Samnites qui Nolae erant idem fecerant metu obsidionis.*

(29) Sur ces problèmes uid. particulièrement E. GABBA, *Esercito e società nella tarda repubblica romana*, Florence, 1973, 172-174.
Florus affirme qu'à côté des châtiments individuels appliqués à Rome, pour ce qui est de l'Italie ce sont les municipes les plus florissants qui furent vendus à l'encan. Et il cite Spolète, Interamnium, Préneste, Florence (II, 9, 27).

(30) Notamment Volaterres et Arretium: Cic., *dom.*, 79. Sur cette question uid. A.N. SHERWIN-WHITE, *The Roman Citizenship*, 2ème éd. Oxford, 1973, 102 sqq.

(31) *B.C.*, I, 96, 446: Κρίσεις τε ἦσαν ἐπὶ τούτοις ἀνὰ τὴν Ἰταλίαν ὅλην πικραὶ καὶ ἐγκλήματα ποίκιλα...

(32) Plut., *Pomp.*, 10.

(33) 2Verr., 2, 113: *... quod propter C. Mari familiaritatem et hospitium contra rem publicam sensisse eum inimici et accusatores eius dicerent...*

(34) *B.C.*, I, 96, 446.

LA PROSCRIPTION DE 82 ET LES ITALIENS

* *

*

On ne peut évidemment pas établir un bilan à partir d'un aperçu aussi rapide que celui que je vous ai présenté. Il conviendrait, pour ce faire, d'examiner de plus près les procédures d'épuration, notamment les modes d'exécution, chaque fois que cela est possible; il faudrait aussi envisager le sort réservé aux femmes et aux enfants des Italiens ainsi frappés et définir le statut juridique de leurs biens; on devrait enfin établir des comparaisons avec d'autres épurations comme, entre autres, celle de Capoue sur laquelle Tite-Live nous fournit des indications précieuses (35).

Nous reviendrons sur tous ces problèmes dans le cadre d'un travail plus vaste; pour l'heure nous nous contenterons d'observer que la proscription n'a pas été le massacre indifférencié de Romains et d'Italiens de toute origine qu'on imagine parfois. Et si on peut voir en ces pratiques d'épuration au lendemain de la guerre civile un révélateur des mentalités, on doit constater que l'Italie était loin de présenter, quelque dix années après la Guerre Sociale, le visage d'un ensemble bien intégré. Ce qui nous intéresse, en l'occurrence, c'est moins ce qui ressortit à la volonté des vainqueurs d'humilier les vaincus italiens ou de faire porter à certains d'entre eux la responsabilité d'une guerre qui cessait, de ce fait, d'être une guerre civile pour devenir un *bellum externum,* que le fait même que les syllaniens aient spontanément mis en place une procédure de purge qui ne concernait que les milieux dirigeants romains alors que, dans le même temps, on assistait ou bien à des épurations collectives d'Italiens ou bien à des procès dirigés contre leurs notables (et contre eux seuls, semble-t-il, puisqu'on n'entend parler d'aucun procès de ce type instruit contre un habitant de Rome). Et en définitive certaines cités italiennes, celles qui livrèrent leurs proscrits au massacre pour assurer leur salut, ont "réfléchi", et donc cautionné, cette image que Rome donnait de son rapport avec le reste de la péninsule.

FRANÇOIS HINARD

---

(35) Liu., 26, 12-16 & 33-34.

LES GENS DE THÉÂTRE ORIGINAIRES DES MUNICIPES.

Nous disposons d'au moins deux listes d'acteurs romains pour l'époque républicaine, l'une, ancienne, datant de 1919, due à G. K. Henry et recensant quelques 37 acteurs républicains (1), l'autre, plus récente, publiée en 1972 par Ch. Garton (2) avec 152 numéros. Nul doute qu'un certain nombre de trouvailles épigraphiques non exploitées permettrait d'enrichir ce catalogue. Par ailleurs, les gens de théâtre ne se réduisent pas aux seuls acteurs, mais comprennent les entrepreneurs de spectacle, les peintres de décors, enfin les poètes qui, en règle générale, ne jouent pas leurs oeuvres. Pour ceux-ci également les ouvrages d'histoire littéraire, d'histoire du théâtre donnent dans leurs *indices* des collections de noms.

Je n'ai pas voulu suivre cette voie, non seulement par manque de goût et de compétences, mais surtout parce que, dans le cas qui nous concerne, celui des gens de théâtre italiens, elle tournait court trop vite, ce que j'illustrerai à partir de la liste de Ch. Garton. Si l'on exclut d'emblée les 40 anonymes qui y figurent par un parti pris de l'auteur à première vue un peu étonnant (3), si l'on en exclut les 30 acteurs grecs qui n'ont sans doute jamais joué en Italie (4), si l'on en exclut quatre personnalités (5) comme Pison le Censeur qui ne sont évidemment pas des gens de théâtre (6), si l'on en exclut onze fantômes, êtres mythiques, personnages de comédie ou transcriptions fautives (7), il reste seulement 65 noms. La majorité de ce nombre est constituée d'affranchis probables: 49 (8). Quatorze acteurs ont un nom romain ou latin qui ne permet pas de déceler leur origine (9). Les seuls ingénus italiens sont L. Atilivs Praenestinvs, nommé dans les didascalies de Térence (10), Catienvs nommé par Hora-

---

(1) G.R.G. Henry, *Roman Actors, SPh*, 16, 1919, pp. 334-384.

(2) Ch. Garton, *Personal Aspects of the Roman Theatre*, Toronto, 1972, pp. 231-265.

(3) Ch. Garton s'en explique: il a pensé que la mention de représentations, même si le nom des acteurs a été omis ou a disparu, peut être utile à l'historien du théâtre (*Personal Aspects*, p. 232).

(4) Ils portent, dans la liste de Ch. Garton, les numéros 1, 2, 3, 47, 49, 51, 52, 54, 64, 71, 75, 77, 80, 82, 86, 88, 89, 91, 93, 94, 96, 98, 100, 104, 107, 119, 121, 127, 145, 152. Il s'agit d'acteurs portant un nom grec, parfois citoyens de villes grecques comme Athènes, parfois, certes, originaires de Grande Grèce, mais dont l'existence n'est attestée que par des inscriptions grecques relatant des représentations en Grèce ou en Asie Mineure à époque romaine.

(5) Dans la liste de Ch. Garton numéros 59, 60, 99, 138.

(6) Contrairement à ce que suggère Ch. Garton (*Personal Aspects*, p. 248) Cicéron ne dit nullement en *Prou. Cons.*, 14, que Pison ait jamais joué, simplement qu'il a banqueté avec des acteurs dans un théâtre: *in exostra helluatur, antea post siparium solebat.*

(7) Dans la liste de Ch. Garton, numéros 62, 76, 95, 109, 114, 120, 122, 133, 136, 139. Cela va du type comique comme Dossénus, en passant par Salius, contemporain d'Enée, à la simple faute de transcription, comme Pompilius pour Pomponius.

(8) Dans la liste de Ch. Garton, numéros 5, 46, 48, 50, 53, 56, 61, 65, 67, 68, 69, 70, 72, 73, 74, 78, 79, 81, 83, 84, 85, 87, 92, 97, 101, 102, 103, 108, 110, 111, 112, 115, 116, 117, 118, 124, 126, 132, 134, 135, 142, 146, 147, 148. Je présume affranchis, faute de renseignements supplémentaires, tous les noms ou surnoms grecs et toutes les femmes: il peut pourtant s'agir d'ingénus grecs ou d'ascendance libertine.

(9) Dans la liste de Ch. Garton, numéros 4, 58, 90, 123, 125, 129, 130, 140, 141, 143, 144, 149, 150, 151. Il est évident qu'il peut y avoir des affranchis parmi eux, mais un simple gentilice comme Sergivs (n° 140) ne permet pas de le dire, qu'il peut également y avoir des Italiens, sans que rien ne l'indique.

(10) N° 55 de Ch. Garton: didascalies de *Andr., Eun., Phorm., Adelph.*

ce (11), Cincivs Faliscvs, l'un des premiers acteurs à jouer masqué d'après Donat (12), Lvscivs Lanvvinvs, le vieux rival de Térence (13), T. Maccivs Plavtvs, Cn. Naevivs, Q. Roscivs Gallvs, à supposer qu'il ne soit pas affranchi (14), P. Rvsticelivs, peut-être danseur, connu par une inscription de Tibur (15), Savnio (16), bouffon d'origine latine qui à la veille de la Guerre Sociale monta sur une scène après que les Romains présents eurent tué un de ses collègues qui avaient manifesté leur ressentiment contre Rome; les Picentins voulurent le mettre en pièces à son tour; il sauva sa vie en plaidant qu'il n'était pas romain non plus (17).

Sauf pour ce dernier, sauf pour des auteurs fameux comme Névius ou Plaute, et ce grâce à leurs oeuvres, nous n'avons guère plus que des noms où se lit une origine municipale ou alliée. Et nous serions bien en peine, à partir de ces simples noms, de déduire en quoi leur origine a pu influencer leurs attitudes, marquer leur oeuvre.

En revanche, nous savons qu'une série des plus grands auteurs du théâtre romain furent des ingénus italiens ou municipaux: Névius, Plaute, Ennius, Pacuvius, Accius. Et, avec ce qui subsiste de leur oeuvre, on pourra peut-être tenter d'évaluer ce qu'ils doivent à leur naissance.

L'origine de Névius paraît solidement attestée. Comme l'a montré E. Marmorale, si le poète en rédigeant son épitaphe a manifesté sa *Campana superbia,* cette expression implique avec certitude sa naissance campanienne et très probablement capouane (18). Peut-on établir une influence de cette origine sur le contenu de l'oeuvre de Névius, sur sa signification politique, sociale ou religieuse? (19).

Une extrême prudence sera plus que jamais de rigueur. La subtilité et surtout l'imagination des exégètes se sont faites inversement proportionnelles à la maigreur et à l'ambiguïté des misérables fragments qui représentent tout ce qui reste de Névius, de l'incertitude des rares renseignements que la tradition nous ait conservés sur lui. Non sans hésitations et polémiques l'érudition a esquissé la personnalité historique, politique, voire religieuse de Névius. Le *Bellum Punicum,* poème qui relie les origines de Rome à la première guerre et où le poète mentionne qu'il fut lui-même un combattant de

---

(11) N° 63 de Ch. Garton. Horace raconte qu'il eut du mal, lors d'une représentation de l'*Iliona* de Pacuvius, à réveiller son camarade Fufius endormi (*Sat.,* 2, 3, 61). Les passages cicéroniens cités par Garton (*Sest.,* 126 etc.) concernent bien le même passage de l'*Iliona* mais n'ont pas de rapport avec l'anecdote de Catienus. Aussi, cet acteur pourrait être aussi bien d'époque augustéenne.

(12) N° 66 de Ch. Garton: "*Personati primi egisse dicuntur comoediam Cincius* [*et*] *Faliscus, tragoediam Minucius* [*et*] *Prothymus*", Donat, *de Coem.,* 6, 3. Cette information est probablement fausse (W. Beare, *The Roman Stage,* pp. 302-309), le masque ayant toujours été utilisé.

(13) N° 105 de Ch. Garton. Les chapitres 2 à 5 de l'ouvrage de Ch. Garton, *Personal Aspects...,* constituent précisément désormais l'étude la plus complète sur cet auteur, dont nous ne possédons rien.

(14) N′ 128 de Ch. Garton. S. Treggiari, *Roman Freedmen during the Late Republic,* Oxford, 1969, p. 139, estime qu'il était probablement de naissance libre, en se fondant sur Cic., *Nat. Deor.,* 1, 79. G. Fabre, *Libertus,* Rome, 1981, p. 384, n. 383, en dépit de la bibliographie qu'il cite, ne discute pas le problème. Je ne pense personnellement pas que Q. Lutatius Catulus aurait pu écrire et diffuser des vers sur la beauté d'un jeune homme dont il était épris (Cic., *Nat. Deor.,* 1, 79) si celui-ci avait été de condition libre.

(15) N′ 131 de Ch. Garton.

(16) N′ 137 de Ch. Garton.

(17) Ἦν γάρ τις Λατῖνος ὄνομα μὲν Σαυνίων, γελωτοποιὸς δὲ καὶ χάριτας ὑπερβαλλούσας ἔχων εἰς ἱλαρότητα... Διὸ καὶ παρὰ Ῥωμαίοις μεγάλης ἀποδοχῆς ἐν τοῖς θεάτροις ἐπηξιοῦτο. οἱ δὲ Πικεντῖνοι τὴν ἀπόλαυσιν καὶ τέρψιν ταύτην τῶν Ῥωμαίων ἀφελέσθαι βουλόμενοι τοῦτον διέγνωσαν ἀποκτεῖναι. Ὁ δὲ προαισθόμενος τὸ μέλλον τελεῖσθαι προῆλθεν ἐπὶ τὴν σκηνὴν καὶ τῆς τοῦ κωμῳδοῦ σφαγῆς ἄρτι γεγενημένης, Ἄνδρες, εἶπε, θεαταί, καλλιερούμεν ἐπ' ἀγαθῇ δ'εἴη συντετελεσμένον τὸ κακόν · οὐ γὰρ εἰμι Ῥωμαῖος, ἀλλ' ὅμοιος ὑμῶν ὑπὸ ῥάβδοις τεταγμένος περινοστῶ τὴν Ἰταλίαν καὶ χάριτας ἐμπορευόμενος ἡδονὰς καὶ γέλωτας θηρῶμαι. Διὸ φείσασθε τῆς κοινῆς ἀπάντων χελιδόνος, ᾗ τὸ θεῖον ἔδωκεν ἐν ταῖς ἁπάντων οἰκίαις ἐννεοττεύειν ἀκινδύνως· οὐ γὰρ δίκαιον ὑμᾶς πολλὰ κλαίειν. DS., 37, 12.

(18) E. Marmorale, ed. *Ennius Poeta,* Florence, 1950, pp. 15-20. Cf. H.T. Rowell (*MAAR,* 19, 1949, pp. 17-37), pp. 17-19.

(19) Même problématique à propos de Lucilius chez A. La Penna, *Aspetti e conflitti della cultura latina dai Gracchi a Silla* (*DDA,* 1971, 2-3, pp. 193-211), pp. 194-195.

ce premier conflit, atteste un patriotisme certain (20) chez un Névius conscient d'appartenir, quel que puisse être son statut (21), à la collectivité romaine et propagandiste de la grandeur romaine. Il existe un dossier difficile, contradictoire, des démêlés de Névius avec le pouvoir, avec la noblesse, ce qui revient au même (22). Nous ne saurons sans doute jamais ni quand mourut Névius, ni s'il termina sa vie en prison, en exil ou dans la suite de Scipion l'Africain (23): vraies ou imaginaires, les informations dont nous disposons ne s'expliqueraient de toute façon pas si Névius n'avait pas ouvertement pris parti dans les conflits politiques de son temps (24). Certains fragments de son oeuvre théâtrale paraissent valoriser particulièrement l'idée de liberté, comprise essentiellement comme liberté d'expression et présentée comme menacée (25). Cette attitude de revendication s'accorderait évidemment avec les déboires de Névius (26). A. Pastorino (27) est allé plus loin: il a vu un lien entre le contenu d'une tragédie de Névius, le *Lucurgus*, et les persécutions que l'auteur a subies: Névius aurait été l'une des premières victimes de la répression anti-dionysiaque, quelque vingt ans avant l'affaire des Bacchanales (28).

Or, si les thèses d'A. Pastorino étaient fondées, elles apporteraient un élément de réponse à notre question: l'influence de l'origine de Névius sur le contenu de son oeuvre et sur les positions qu'il a défendues.

Les vingt-cinq ou trente brefs fragments du *Lucurgus* de Névius ne supportent pas les reconstitutions trop précises de l'action comme celles d'A. Pastorino (29), encore moins les attributions aux différents personnages, comme celles qu'a imprimées E. Warmington (30). N'empêche que le titre même, ce que l'on sait de la façon dont Eschyle avait traité la légende, la version qu'en donne Apollodore (31) des analogies entre les fragments mêmes et les *Bacchanales* d'Euripide (32) ne laissent aucun doute sur l'interprétation générale de la pièce. Tel le Penthée d'Euripide, Lycurgue, investi du pouvoir, s'oppose à la pénétration sur son royaume du culte orgiastique de Dionysos. Ordre a été donné d'emprisonner les Bacchants (33). On menace le roi de la

---

(20) E. Marmorale, *Ennius Poeta*, p. 34. Cf. sur l'inspiration patriotique, M. Barchiesi, *Nevio Epico*, Padoue, 1962, pp. 440-463.

(21) E. Marmorale, *Ennius Poeta*, pp. 21-26, examine la question de savoir si Névius fut citoyen romain et conclut qu'il fut, en tant que Capouan, *ciuis sine suffragio*, sans doute transformé en citoyen complet par son installation à Rome (*op. cit.*, p. 24, 25); cf. A.N. Sherwin White, *The Roman Citizenship*², Oxford, 1973, p. 47. La situation juridique des Campaniens, même de ceux d'entre eux qui avaient été fidèles à Rome, fut loin d'être claire après 210 (Liv., 36, 34).

(22) E. Marmorale, *Ennius Poeta*, pp. 40-131.

(23) *Ibid.*, p. 101. W. Kroll, *Der Tod des Naevius* (*Hermes*, 66, 1931, pp. 469 ss.), p. 471, voit au contraire dans la mort de Névius à Utique la preuve que celui-ci, loin d'être un adversaire de Scipion, en était le client.

(24) "Even if we reject all the stories as mere gossip, it remains true that this was the sort of gossip which attached itself to Naevius", W. Beare, *The Roman Stage*, Londres, 1964, p. 41.

(25) *Tarentilla*, fr. 1 Marmorale (toutes les références de textes néviens données ici renverront, sauf indication contraire, à l'édition de Marmorale); *Incerta Fab.*, 5. *Agitatoria*, fr. 3. Cf. *infra*.

(26) Cic., *Rep.*, 4, 10-11 Z. Cf. Marmorale, *Ennius Poeta*, p. 53-63.

(27) A. Pastorino, *Tropaeum Liberi*, Arona, 1955.

(28) A. Pastorino, *Tropaeum*, p. 73 ss.

(29) A. Pastorino, *Tropaeum*, pp. 36-40.

(30; E.H. Warmington, *Remains of old Latin*, Londres, 1936, 2, pp. 122-135.

(31) Apd, *Bibl.*, 3, 5, 1.

(32) *Vt uideam, Volcani opera, haec flammis flora fieri* (*Lycurgue*, 20): embrasement du palais de Lycurgue, comme celui de Penthée s'embrase chez Euripide, à la suite d'un ordre similaire de Dionysos.

Ἇπτε κεραύνιον αἴθοπα λαμπάδα
συμφλεγε σύμφλεγε δώματα Πενθέως. (*Bacch.*, 594-595)

(33) *Vos qui regalis custodias*
agitatis, ite actutum in frondiferos locos
ingenio arbusta ubi nata sunt, non obsitu... (*Lyc.*, 5).

vengeance divine. Dionysos, avec l'aide des autres dieux, l'accomplit.

Il n'y a pas lieu à discussion. Névius raconte le triomphe de Dionysos et compose une pièce à la gloire du dieu. La vengeance divine, que les fragments ne permettent pas de préciser, mais que la connaissance que nous avons par ailleurs de la légende laisse imaginer, peut paraître sanglante, terrifiante. Elle est juste à la mesure de la disproportion qui existe entre le pouvoir divin et le pouvoir humain qui ose le braver: *Caue sis tuam contendas iram contra cum ira Liberi* (34). Au demeurant le dramaturge, fidèle à la tradition mystique dont il s'inspire, a placé les torts initiaux du côté du roi auquel on n'a pas ménagé les avertissements qui auraient pu le ramener à la raison. La pièce ne dénonce pas les menaces que ferait courir le dionysisme mais le danger qu'il y a à s'opposer au dionysisme.

C'est légitimement qu'on a enrichi du dionysisme de Névius l'interprétation de ses appels à la liberté. Isolé, le fait qu'un personnage dise préférer la liberté à l'argent (35), qu'un autre réclame la franchise et les discours sans ambages, ne nous renseignerait pas forcément sur l'attitude de Névius en dehors de tout contexte si d'autres passages ne faisaient série avec ceux-ci. Il s'agit d'abord d'un fragment de la *Tarentilla* très difficile à interpréter. Un esclave, sans doute, se vante de son pouvoir que même les rois n'oseraient contrarier, tant, dans sa situation, la servitude l'emporte sur la liberté: *Quanto libertatem hanc hic superat seruitus* (36). M. Barchiesi avait certainement raison en interprétant *hanc* et *hic* comme des équivalents de *in theatro*: l'esclave de théâtre est l'être le plus libre et le plus puissant (37). Enfin, un vers isolé met expressément la liberté de parole en relation avec la fête dionysiaque:

libera lingua loquemur ludis Liberalibus (38)

"Nous parlerons d'une langue libre lors des jeux de Liber". On a fait observer que les *Liberalia* ne comportaient pas de représentations théâtrales à Rome et renvoyaient aux Dionysies grecques (39). N'empêche que par ce vers Névius, comme le fera souvent Plaute, dénonce ou déchire un instant l'illusion théâtrale, rappelle au public que la comédie est représentation, non réalité. Il ne vise, à ce moment précis, que le public romain présent, l'endroit où se joue la pièce, Rome, non Athènes qui n'est que le lieu de l'action, que le moment religieux du calendrier romain qui occasionne les jeux scéniques. Dans la conception de Névius le théâtre, à Rome, est un moment de la fête de Liber, un rite dionysiaque. Le temps privilégié de la fête dionysiaque, temps des miracles et des révélations, commande la liberté de parole. Le lien étymologique qui existe entre l'adjectif et le nom Liber, en latin et non en grec, montre l'évidence de cette exigence: ce n'est pas, comme le dit malencontreusement E. Marmorale, un "calembour" (40), mais un oracle.

Je laisserai de côté, ici, le problème de savoir si l'incarcération de Névius eut pour fondement légal précisément les attaques verbales contenues dans ses pièces, comme semblent le dire les sources antiques (41) ou, comme le veut A. Pastorino, un délit religieux constitué par la propagande

---

(34) *Lyc.*, 13.

(35) *Ego semper pluris feci*
   potioremque habui libertatem multo quam pecuniam. (Agitatoria, 3).

(36) *Quae ego in theatro hic meis probaui plausibus*
   ea non audere quemquam regem rumpere
   Quanto libertatem hanc hic superat seruitus! (Tarentilla 1).

(37) Voir M. Barchiesi, *Plauto e il "metateatro" antico (Il Verri, n° 31, pp. 113-130), p. 126; M. Barchiesi, La Tarentilla Revisitata*, Pise, 1978, p. 164.

(38) *Fab. incert.*, 5.

(39) A. Pastorino, *Tropaeum*, p. 67; E. Marmorale, *Ennius Poeta*, p. 44. Voir la source: P. Fest., p. 103 L. *Liberalia Liberi festa, quae apud Graecos dicuntur Διονύσια, Naevius...*

(40) E. Marmorale, *Ennius Poeta*, p. 227.

(41) Cic., *Rep.*, 4, 10-11Z; Gell. 3, 3, 15; Hier., *Chron.*, ann 816, p. 135 H.

dionysiaque à laquelle s'était livré Névius dans son oeuvre théâtrale, en particulier avec son *Lycurgue* (42). La première explication se heurte à beaucoup de difficultés ou du moins d'inconnues juridiques (43). La deuxième également (44). Mais, d'une façon ou de l'autre, le dionysisme est en cause, puisque c'est à Liber que Névius demande de couvrir ses écarts de langage.

Or on voit, avec Dionysos, apparaître l'un des liens qui peuvent exister entre l'origine campanienne de Névius, sa conception du théâtre et son attitude politique.

La présence et l'importance de Dionysos en Campanie et en Grande Grèce sont trop connues, illustrées par trop de documents et éclairées par trop d'études pour qu'il soit nécessaire d'insister. Je voudrais simplement me livrer à quelques brefs rappels portant essentiellement sur la documentation céramique.

Bien des auteurs ont souligné la fréquence sur les vases d'Italie du Sud de thèmes dionysiaques et théâtraux (45) que les poteries attiques n'ignoraient évidemment pas, mais dont elles faisaient un usage relativement bien moindre. Il existe une liaison entre les deux séries de thèmes.

Des scènes mythologiques, qui paraissent s'inspirer de la tragédie, appartiennent au cycle de Dionysos. En particulier, l'épisode de la folie de Lycurgue qui massacre son fils et sa femme a servi de sujet à plusieurs peintres lucaniens et apuliens qui s'inspiraient peut-être des *Edonoi* d'Eschyle (46). L'un d'eux a représenté sur l'avant-bras de Lyssa deux serpents noués qui fournissent peut-être l'explication d'un vers obscur du *Lucurgus* de Névius: *alte iugatos angues in sese gerunt* (47). Quoi qu'il en soit, un siècle avant Névius, ces vases attestent la popularité de la légende de Lycurgue dans le Sud de l'Italie. Ils font de Névius, pour son *Lycurgue,* le continuateur d'une tradition qui, à Rome, vient du Sud de l'Italie.

La rencontre de Dionysos et du théâtre peut se matérialiser autrement que grâce à un thème de sa légende déjà illustré par la littérature dramatique. Sur un cratère célèbre du Metropolitan Museum dû au peintre de Tarporley, en face d'un jeune satyre qui s'apprête à lui faire une libation, Dionysos contemple son propre masque (48): l'accessoire de théâtre devient un objet rituel que des données mythiques expliquent sans doute (49).

Les vases dits phlyaques sont à cet égard significatifs. Ils ne s'inspirent plus du théâtre en en reproduisant seulement les sujets comme lorsque sont traités des thèmes tragiques. Ils soulignent qu'il y a représentation théâtrale; ils font apparaître sur les personnages les masques et les costumes de scène de telle sorte que l'on distingue, par exemple, aux chevilles, aux poignets, au cou la séparation entre le costume d'homme nu et la véritable chair nue; on a peint, pour éviter toute hésitation, jusqu'aux tréteaux sur lesquels évoluent les personnages. Comme le feront plus tard, avec les procédés propres à leur art, Névius et Plaute, on dénonce et on interrompt l'illusion comique, on affirme que le théâtre est théâtre. Or il ne s'agit nullement de tableaux de genre dont le seul souci serait d'évoquer, de façon réaliste, une représentation théâtrale.

---

(42) A. Pastorino, *Tropaeum,* pp. 73 ss.

(43) Voir E. Marmorale, *Ennius Poeta,* pp. 53-57.

(44) Le délit religieux fait problème. Les fondements légaux des poursuites des Bacchanales en 186 ne sont pas éclaircis.

(45) A.D. Trendall, A. Cambitoglou, *The Red-Figured Vases, I. Early and Middle Apulian,* Oxford, 1978, p. LI. H. Metzger, *L'imagerie de Grande-Grèce et les textes littéraires à l'époque classique* (*Atti del sesto convegno di studi sulla Magna Grecia, 1966*), pp. 157 ss. *Et alii.*

(46) L. Séchan, *Etude sur la Tragédie Grecque dans ses rapports avec la Céramique,* 2è éd., Paris, 1967, pp. 70-72: les huit vases ou fragments de vase regroupés par L. Séchan pour l'étude du thème de Lycurgue sont tous italiques. A. Trendall, T. Webster, *Illustrations of Greek Drama,* Londres, 1971, pp. 49-53.

(47) *Lyc.,* 2; cratère calice du peintre de Lycurgue, British Museum F 271, A. Trendall, T. Webster, *Illustrations...,* n° III, 1, 15, pp. 49 et 51.

(48) New York Museum L. 63, 21. 5. A. Trendall, A. Cambitoglou, *The Red-Figured Vases,* p. 46 et planche 13.

(49) Cf. M.P. Nilsson, *The Dionysiac Mysteries,* Lund, 1957, pp. 26 ss.

Parfois plusieurs types de spectacle se mélangent: danseuse ou acrobate nue et acteurs de phlyaque; parfois acteurs comiques, ménades et satyres se tiennent compagnie (50); bien souvent le dieu lui-même est présent: par exemple assis sur le côté de la scène (51). Tout fait ressortir le lien qui existe entre le théâtre et Dionysos (52). Sur un vase, l'évocation d'une représentation théâtrale comme celle d'un sacrifice ou d'une procession a, d'abord, une valeur religieuse. Le théâtre est l'endroit privilégié où se manifeste le dieu.

A peine un siècle sépare les vases phlyaques de Névius. L'homme de théâtre qui avait composé le *Lycurgue,* qui réclamait pour le temps de la représentation la liberté de la fête dionysiaque, avait en commun avec les peintres de vases la même conception du théâtre: c'est celle de l'Italie du Sud, de l'Apulie, de la Lucanie et de la Campanie. C'est au reste de là qu'est venu à Rome le théâtre, créé par le Tarentin Andronicus avec qui rivalisa, au bout de peu de temps, le Campanien Névius. Justement, Névius est sans doute d'origine capouane, mais il vit à Rome, crée pour un public romain, s'exprime dans la langue des Romains. Il est difficile de savoir s'il acquit ou non la citoyenneté romaine et, dans l'affirmative, de quel type de citoyenneté il peut se prévaloir. Il est néanmoins fier de son passé d'ancien combattant aux côtés des Romains, il se sent solidaire de la communauté romaine: le *Bellum Punicum* le montre suffisamment. L'oeuvre et la vie de Névius ont dû se caractériser par une tension entre son origine capouane et sa vocation romaine. Le dionysisme et, sous son couvert, la prétention d'avoir son mot à dire dans la politique romaine sont les deux aspects d'une revendication d'élargissement de la cité romaine, d'unification que la défection de Capoue a dû rendre bien difficile à soutenir.

Il n'y a guère, en définitive, de raison de mettre en doute l'origine sarsinate de Plaute. De toute façon, il affecte toujours vis-à-vis des Romains une distance qui le situe en dehors de leur communauté et qui dénonce l'allié, le non-citoyen. Doit-on s'attendre à une attitude analogue à celle de Névius, parce que les deux auteurs ont en commun leur naissance extérieure à Rome? Doit-on plutôt s'attendre, au contraire, à une opposition en raison des différences culturelles qui pouvaient séparer le Nord de l'Ombrie et la Campanie? En fait, où qu'il l'ait acquise, la culture grecque de Plaute a dû le rapprocher de Névius, sans parler des liens personnels peut-être plus étroits. Et la marginalité par rapport à Rome a suscité chez le Sarsinate le même désir d'unification, véhiculé per le même engagement religieux et la même conception du théâtre.

On peut juger des sentiments de Plaute à l'égard de Névius grâce au *Miles Gloriosus.* Périplectomène décrit les attitudes de Palestrion qui réfléchit à la ruse à ourdir. A un moment l'esclave appuie son menton sur son poing et Périplectomène s'écrie:

> *Apage, non placet profecto mihi illaec exaedificatio:*
> *nam os columnatum poetae esse indaudiui barbaro,*
> *cui bini custodes semper totis horis occubant* (53).

On sait par Festus que le poète barbare, c'est-à-dire écrivant en latin, est Névius. Le problème de la signification littérale de l'*os columnatum* demeure secondaire. Névius a été emprisonné, Plaute le dit, à son habitude, de façon imagée, métaphorique. Il importe de savoir pourquoi Plaute signale le fait et ce qu'il en pense. On a généralement interprété cette intervention comme une marque de sympathie. Par deux fois M. Barchiesi a contesté cette interprétation. Quels que soient les sentiments de Plaute, le *apage* marque un refus de suivre la voie de l'engagement politique qui a fait le malheur

---

(50) P. ex. Ruvo, Jatta coll. 1402: A. Trendall, T. Webster, *Illustrations,* n° IV, 12, pp. 128-129; n° IV, 11, p. 128 (Lipari, inv. 927).

(51) A. Trendall, *Phlyax Vases,* 2è édition, p. 14. Voir en particulier le vase de Lipari cité n. 50.

(52) Cf. A. Trendall, *loc. cit.,* et M. Bieber, *The History of Greek and Roman Theater,* 2è éd., Princeton, 1961, p. 143.

(53) *Mil.,* 209-211.

de Névius: il faut rester dans le monde fictif de la *palliata* (54). L'analyse pénétrante de M. Barchiesi ne tient pas compte d'une donnée. Si l'on admet, comme il le fait et comme on doit le faire, que Névius s'est attiré sa disgrâce par ses critiques trop vives et nominatives contre des personnalités importantes, Plaute recommanderait donc de s'abstenir de telles attaques. C'est peut-être bien là le sens de la tirade de Périplectomène. Mais le *Miles Gloriosus* est également la seule pièce où Plaute ait égratigné nommément un contemporain de haut rang, un Claudius Pulcher, dont il attribue le *cognomen* à Pyrgopolynice:

> MILPHIDIPPA: *Pulcher, salue.*
> PYRGOPOLYNICES: *Meum cognomentum commemorauit* (55).

Plaute fait ce qu'il se serait défendu de faire. Il y a là en tout cas une provocation habile, par laquelle, en faisant ce qu'on reproche à Névius, Plaute se proclame indubitablement solidaire de lui. Je suis ici l'interprétation du passage donnée par L. Ferrero (56). E. Marmorale a repoussé cette interprétation avec un certain aveuglement, sous prétexte qu'il ne pourrait s'agir que d'Appius Claudius Pulcher, consul en 212, ou de son père P. Clodius Pulcher, consul en 249. Plaute n'aurait pas osé s'attaquer à la mémoire du fils qui venait de mourir, en 211, auprès de Capoue, le père était trop loin pour qu'on se souvînt de lui (57). Il est pourtant impossible que le public n'ait pas senti la dérision du *cognomen* nobiliaire en général, de celui des Claudii Pulchri en l'occurrence. Plaute cherche à ruser avec la loi et à se maintenir dans la légalité: s'attaquer à un mort constitue peut-être le biais rêvé et les Romains n'avaient pas toujours le même sentiment de l'élégance que nous. Enfin et surtout, P. Claudius Pulcher n'était pas tellement oublié, puisqu'il semble avoir été l'une des cibles, précisément, de Névius, qui l'aura remis en mémoire grâce à son *Bellum Punicum* (58): Plaute et Névius apparaissent décidément très unis.

Les raisons de cette solidarité peuvent être multiples: Plaute doit éprouver de la sympathie pour un confrère, se sentir concerné par la défense de la liberté; il a peut-être aussi travaillé pour les décors de Névius ou encore collaboré avec lui dans certaines pièces. Les affinités sont en fait beaucoup plus profondes: Plaute et Névius combattent pour une même cause sacrée. Nous avons reconnu en Névius un propagandiste du culte orgiastique de Dionysos. On dit en général le contraire de Plaute, et on a bien tort. On prétend en effet que les allusion multiples de Plaute aux Bacchantes les présentent toujours comme des êtres bruyants et dangereux et expriment l'hostilité soit officielle, soit populaire aux sociétés de dévots de Dionysos.

Un examen un peu moins superficiel des passages plautiniens qui font allusion aux Bacchanales conduit à des conclusions inverses. Il faut au moins les replacer dans leur contexte.

Ménechme II, que l'on prend pour Ménechme I, doit affronter une femme et un homme en colère: l'épouse de son jumeau et son beau-père qui le prennent pour son frère. Ménechme II essaie de se tirer de cette situation embarrassante en simulant la folie pour faire peur à ses antagonistes. Il invoque une fois Bacchus, plus souvent Apollon:

---

(54) M. Barchiesi, *Plauto e il "metateatro"*, p. 26; M. Barchiesi, *La Tarentilla*, p. 56.

(55) *Mil.*, 1037-1038.

(56) L. Ferrero, *Un passo del "Miles" plautino ed il primo capitolo della letteratura latina* (*MC* 11, 1940, pp. 88-101), pp. 94-95.

(57) E. Marmorale, *Ennius Poeta*, p. 38, n. 51.

(58) V. M. Barchiesi, *Nevio Epico*, p. 462. Par ailleurs, le vers de Névius:

> *Superbiter contemtim conterit legiones* (Bellum Punicum, 47)

se retrouve dans le *Poenulus* (537) sous la forme *ne nos tam contemptim conteras*. Le vers était gravé dans la mémoire de Plaute mais sans doute aussi dans celle des spectateurs, sinon l'effet parodique ne se ferait pas sentir.

... Bromie, quo me in siluam uenatum uocas? (59)

Le décor évoqué est celui du mythe de Penthée, lequel suggère la violence.

De même, dans un fragment de la *Vidularia*, un personnage non identifiable déclare:

Eiusdem Bacchae fecerunt nostram nauem Pentheum (60)

ce qui signifie que le navire a été mis en pièces: allusion au mythe de Penthée, l'absence de contexte interdit d'en dire plus.

Le jeune *mercator*, privé de ses amours par la volonté paternelle, dit son désespoir:

Pentheum diripuisse aiiunt Bacchas; nugas maxumas

Fuisse credo, praeut quo pacto ego diuorsus distrahor.

Qur ego uiuo? Qur non morior? (61)

Le déchirement suggère le mythe de Penthée, mythe terrible et sanglant. On ne doit pas oublier, pour interpréter ces passages de Plaute, que ce sont les dévots de Dionysos qui popularisent ce mythe, non ses détracteurs. Ou alors, en suivant la logique d'A. Bruhl, d'A.J. Toynbee, de C. Gallini (62) et de bien d'autres, la présence du démon flagellant dans les fresques de la villa des Mystères doit faire interpréter celles-ci comme des oeuvres de propagande anti-dionysiaque. Le cuisinier de l'*Aululaire*, mis à la porte brutalement par Euclion, s'enfuit en criant:

Neque ego umquam nisi hodie ad Bacchas ueni in Bacchanal coquinatum;

Ita me miserum et meos discipulos fustibus male contuderunt.

Totus doleo atque oppido perii (63).

Indubitablement les rites dionysiaques s'associent, dans les images courantes, à la bastonnade. Il y a peut-être dans la suite de la scène des allusions cachées au dionysisme (64): l'*Aululaire* n'est pas la comédie où elles se laissent le plus facilement percer.

Amphitryon arrivé à Thèbes le matin et que son épouse prétend avoir vu la nuit voudrait d'elle des éclaircissements supplémentaires. Sosie l'en dissuade:

Non tu scis? Bacchae bacchanti si uelis aduersarier,

Ex insana insaniorem facies, feriet saepius (65).

La bacchante demeure associée aux coups de bâtons et aux délires. Notons pourtant qu'en dépit de sa bêtise et malgré lui échappent à Sosie, de temps à autre, des intuitions de la vérité, que le drame est construit suivant un schéma initiatique, une initiation jupitérienne (66) qui ressemble fort à une initiation dionysiaque (67), qu'enfin, et surtout, le personnage assimilé à une bacchante, Alcmène, est un personnage sympathique et positif.

Casina est une petite fille trouvée que l'on a recueillie et qui est devenue grande: le fils de la maison s'en amourache, le père aussi. La mère veille sur Casina. Chacun des deux prétendants veut se l'assurer par le subterfuge d'un mariage fictif avec un esclave de confiance: pour le fils son écuyer, pour le père son fermier qui fut aussi son mignon. La volonté du père l'emporte et le mariage a lieu

---

(59) *Men.*, 836.

(60) *Vid,* frg. 1, Ernout.

(61) *Merc.*, 469-471.

(62) A. Bruhl, *Liber Pater*, Paris, 1963, p. 111; A.J. Toynbee, *Hannibal's Legacy*, Londres, 1965, 2, p. 391; D. Van Son. *Livius' Behandeling*, Amsterdam, 1960, pp. 9; 99-102; C. Gallini, *Protesta e integrazione nella Roma antica*, pp. 42 et 51.

(63) *Aul.*, 406-409.

(64) Voir par exemple: *Quid tu, malum, curas*
           Vtrum crudam an coctum ego edim (Aul., 429-430)
et M. Detienne, *Dionysos mis à mort ou le rôti bouilli*, ASNP, 4, 1974, pp. 1193-1234.

(65) *Amph.*, 703-704.

(66) Cf. Fl. Dupont, *Signification théâtrale du double dans l'*Amphitryon *de Plaute*, REL, 54, 1976, pp. 129-141, cf. p. 141.

(67) Le palais d'Amphitryon s'embrase comme celui de Penthée, avant la révélation faite à Amphitryon (acte V).

avec le fermier. Lysidame, très pressé, mène la noce tambour battant et entraîne les nouveaux époux dans la maison voisine. La mariée, comme le veut l'usage, est entièrement voilée. Le fermier, qui veut consommer le mariage en hâte avant son maître, a la surprise, en écartant les voiles de sa promise, de mettre la main sur un énorme phallus (68). L'écuyer s'était substitué à Casina: il peut prendre sur le fait les deux compères et en profite pour les rosser. Lysidame, le père, en piteux état se sauve lorsque sa femme lui barre le chemin et lui demande des explications:

CLEOSTRATA.	*Quin responde: tuo quid factum est pallio?*
LYSIDAMUS.	*Bacchae hercle, uxor...*
CL.	*Bacchae?*
LY.	*Bacchae hercle, uxor...*
MYRRHINA.	*Nugatur sciens.*
	Nam ecastor nunc Bacchae nullae ludunt.
LY.	*Oblitus fui.*
	Sed tamen Bacchae...
CL.	*Quid Bacchae?* (69)

On interprète assez généralement *nunc Bacchae nullae ludunt* comme une allusion à l'interdiction des Bacchanales en 186 (70). Plaute aurait dénoncé l'insécurité qu'elles faisaient régner auparavant dans les rues de Rome. Plusieurs objections s'y opposent. Un certain nombre de critères dramaturgiques, thématiques, stylistiques placeraient plutôt la comédie parmi les premières de Plaute. Ensuite, et surtout, si tel avait été le sens, Plaute aurait écrit *iam* et non *nunc* (71): qu'il n'y ait pas en ce moment de réunion bachique ne signifie pas qu'il n'y en aura jamais plus, mais simplement qu'elles auront lieu plus tard, peut-être la nuit. Enfin, encore une fois, les personnages assimilés aux Bacchantes sont les tenants de la bonne cause qui châtient l'odieux vieillard lubrique. On reconnaît, en outre, sur le mode parodique et comique, quelques éléments d'une véritable initiation bachique avec non seulement les menaces de coups mais le dévoilement du phallus sur lequel Plaute insiste. Cette évocation crée une complicité entre le poète initié et ceux des spectateurs qui le sont, constitue aussi une sorte d'initiation par la représentation théâtrale préalable à la véritable initiation.

Dans *Les Bacchides* la morale qu'enseigne le sévère précepteur Lydus réprouve les plaisirs charnels. Pistoclère, son élève innocent, commence par repousser les avances de la courtisane Bacchis et lui en donne la raison:

Quia, Bacchis, Bacchas metuo et Bacchanal tuum (72).

Plus tard, pourtant, il succombera et obligera son professeur à le suivre comme page à la partie de plaisir qui se déroulera chez les courtisanes; le vieux maître s'enfuit en criant:

Pandite atque aperite propere ianuam hanc Orci, obsecro;
Nam equidem haud aliter esse duco; quippe quo nemo aduenit
Nisi quem spes reliquere omnes, esse ut frugi possiet.
Bacchides non Bacchides, sed Bacchae sunt acerrumae.
Apage istas a me sorores, quae hominum sorbent sanguinem (73).

---

(68) *Cas.*, 905-914.
(69) *Cas.*, 978-981.
(70) A. Bruhl, *Liber Pater*, p. 111; *et alii.*
(71) "... doch ist die scharfe Pointierung des *nunc*, wenn man auch eher *iam* erwarten möchte" (V. Püttner, *Zur Chronologie der plautinischen Komoedien*, cité par K. Schutter, *Quibus annis comoediae Plautinae primum actae sint quaeritur*, Leyden, 1952, p. 50).
(72) *Bac.*, 53.
(73) *Bac.*, 368-373.

JEAN CHRISTIAN DUMONT

Une tirade de théâtre s'interprète mieux si l'on examine qui parle et de qui on parle. La première assimilation aux Bacchantes, assimilation qui est en même temps dénonciation, vient du jeune Pistoclère à un moment où il n'a pas encore trouvé son autonomie et ne fait que répéter la parole du maître. La seconde dénonciation, la plus dure et la plus précise dans ses termes, est due au maître lui-même. Or, Plaute disqualifie ce personnage en le ridiculisant précisément par son manque de sens des proportions. Son langage outré et faux devient sensible même aux autres personnages qui le prient de ne pas s'occuper de ce qu'il ne comprend pas et le congédient sèchement dès le début de la pièce. Quant aux soeurs Bacchis, ainsi nommées par Plaute pour permettre le jeu de mots, l'intrigue les fait triompher et sollicite pour elles et leurs alliés la sympathie du public. De plus, dans l'original, en ridiculisant Lydos, Ménandre s'en prenait sans doute à l'éloquence du tyran déchu Démetrios de Phalère (74), l'un des modèles proclamés, à Rome, de Caton. Dans la querelle des Bacchanales, les diatribes de Lydus ne pouvaient évoquer, pour le public romain, que Caton. La date des *Bacchides* les rapproche, en effet, de 186, et dans cette querelle, comme l'avait bien vu A. De Lorenzi (75), Plaute a nettement pris le parti des Bacchants, contre Caton.

L'esclave Lurcion du *Miles Gloriosus*, pressé de questions par Palestrion, l'architecte des ruses, avoue avoir volé du vin dans son office d'aide-sommelier:

LVRCIO.   *Vbi bacchabatur aula, cassabant cadi.*
PALAESTRIO. *Abi, abi intro iam. Vos in cella uinaria*
            Bacchanal facitis (76).

Palestrion assimile le vol bruyant du vin à une bacchanale. Le culte de Bacchus est lié à celui du vin, la célébration a lieu dans un endroit souterrain, la *cella uinaria*; les coupables craignent la divulgation de leur mystère. Pourtant ce ne sont que de faux mystes auxquels l'initiation n'a pas donné accès à la vérité. L'aide-sommelier Lurcion et le sommelier en chef Scéledrus, fidèle au militaire, sont maintenus dans l'erreur par les ruses de Palestrion. Plaute désignera plus tard les vrais mystes, ceux qui peuvent exhiber le signe de leur appartenance:

Cedo signum, si harunc Baccharum es (77).

Boyancé a montré toute l'importance de ce vers (78). Ceux qu'il assimile à des Bacchants sont Palestrion, l'esclave rusé, Périplectomène, l'aimable vieillard complice, Pleusiclès, le jeune homme dépouillé de ses amours par le militaire, Philocomasie, la maîtresse involontaire du soldat, Acrotéleutie, la courtisane qui bernera celui-ci, Milphidippa, la servante d'Acrotéleutie, en bref tous les personnages sympathiques de la pièce regroupés par leur entreprise commune. Leur victoire signifiera le triomphe de l'intelligence sur la force brutale, de l'amour sur la contrainte, de la paix sur la guerre. Comme pour les *Bacchides*, l'allusion aux bacchants n'est plus épisodique mais résume toute la comédie, tandis que l'initiation comique symbolise la véritable initiation.

Les passages plautiniens dont on a voulu, en les séparant de leur contexte, faire la preuve de l'hostilité que nourrissait Plaute vis-à-vis du dionysisme montrent, dès qu'on les confronte à l'ensemble de chaque comédie dont ils sont tirés, exactement le contraire. La structure des pièces construites, tels *Les Captifs* avec la descente aux enfers, comme des initiations, le thème de l'enfant perdu et retrouvé, peut-être la contestation des valeurs traditionnelles, l'universalisme seraient sans doute des éléments à verser au dossier du dionysisme de Plaute.

Plaute et Névius, hommes de théâtre exerçant à Rome, mais tous deux natifs de cités alliées, se font les défenseurs du dionysisme dans son intégralité, du culte officiel sans doute aussi bien que de la

(74) F. Della Corte, *Da Sarsina a Roma, Ricerche Plautine,* Florence, 1967, p. 113.
(75) A. De Lorenzi, *Cronologia ed evoluzione plautina,* Naples, 1952, pp. 187-189.
(76) *Mil.,* 856-858.
(77) *Mil.,* 1016.
(78) P. Boyancé, *Une allusion de Plaute aux Mystères de Dionysos, Mél. Ernout,* Paris, 1940, pp. 29-37.

religion orgiastique que pratiquent les sociétés de dévots. D'une part, ils intègrent à ce dionysisme des revendications politiques qui vont de la liberté d'expression aux droits des alliés à Rome. D'autre part, aussi mal éclairées que demeurent les raisons de la répression de 186, il semble que les rapports entre Rome et ses sujets italiens aient été l'un des enjeux. Certains auteurs ont, très justement, insisté sur le fait qu'à Rome le théâtre dépendait de Jupiter et non de Dionysos (79). Telle fut assurément la volonté des autorités romaines. Mais les hommes de théâtre venus d'ailleurs avaient hérité d'une tradition qui ne pouvait séparer Dionysos de la scène et des masques: ils voyaient plutôt dans le théâtre dionysiaque une sorte de cheval de Troie qui leur permettrait d'entrer à Rome et de s'y faire entendre.

Certains savants, comme A. Pastorino (80) ou E. Flores (81), ont cru pouvoir, dans les lettres et le théâtre du troisième et du second siècle, distinguer deux courants, l'un relativement populaire, celui de Névius et de Plaute, l'autre au service de l'aristocratie avec Livius Andronicus, Ennius, Térence, Pacuvius, Accius. De telles constructions, même si leurs auteurs ont su les nuancer, n'expriment qu'une partie de la réalité.

Br. Bilinski a justement insisté sur l'indépendance d'Ennius vis-à-vis de ses protecteurs (82): au demeurant leur multiplicité et leurs désaccords assuraient son autonomie. Je voudrais brièvement rappeler deux points communs chez Névius et Ennius.

Premièrement, tous deux naquirent hors de Rome et, venus dans la ville après, pour tous deux, en service militaire aux côtés des Romains, ils ont, l'un comme l'autre, recherché leur intégration dans le monde romain tout en restant fidèles à leur origine. On sait qu'Ennius parlait de ses *tria corda* (83), sa triple nature grecque, osque, latine. Il proclame dans les *Annales:*
Nos sumus Romani, qui fuimus ante Rudini (84).
Ils ont, l'un après l'autre, avec le *Bellum Punicum*, chanté la grandeur de Rome.

Deuxièmement, comme Névius, Ennius s'est inspiré de la légende dionysiaque dans son oeuvre tragique. L'histoire d'*Athamas*, similaire de celle de Lycurgue, raconte le châtiment de ceux qui voulurent détourner la ménade Ino du dionysisme. Il est dommage qu'on ne puisse dater la pièce par rapport à la répression de 186: mise en garde, ou appel postérieur à la vengeance divine? Le fragment conservé reproduit les cris rituels des *Bacchantes*. A. Pastorino se met en contradiction avec lui-même lorsqu'il veut que le *Lycurgue* témoigne du dionysisme de Névius et que l'*Athamas* exprime, au contraire, l'hostilité d'Ennius: celui-ci aurait voulu montrer les dangers du ménadisme (85). On ne dénonce pas la malfaisance d'un dieu au théâtre, surtout du dieu du théâtre et, comme pour celle de Lycurgue, la légende d'Athamas situe nettement les responsabilités chez les contempteurs du dieu, non chez le dieu. Un autre fragment d'Ennius, d'origine incertaine, vante un sanctuaire de Liber à l'époque où l'on prétendait détruire les *bacchanalia* (86). Ennius est, en matière de dionysisme, un insoumis (87).

---

(79) P. Grimal, *Le théâtre à Rome* (*Actes du IXe congrès Budé*), Paris, 1975, pp. 249-305, cf. p. 254.

(80) A. Pastorino, *Tropaeum Liberi, passim.*

(81) E. Flores, *Letteratura Latina e ideologia del III-II A.C., passim.*

(82) Br. Bilinski, *Rôle idéologique de la tragédie romaine sous la République. I. L'Alexandre d'Ennius et les premières révoltes d'esclaves,* Wroclaw, 1954, pp. 17-18.

(83) Gell., 17, 1.

(84) Cité par Cic., *De Or.,* III, 168.

(85) A. Pastorino, *Tropaeum,* pp. 111-112 (cf. *ibid.,* p. 72).

(86) *O terra Thraeca ubi Liberi fanum inclutum*
    Maro locauit
    (Ennius, *Trag. incert.,* 424-5W)

(87) Q. Fulvius Nobilior fait bénéficier Ennius d'un lot dans une colonie en 184: Liv., 39, 44, 10; Cic., *Arch.,* 22; *Brut.,* 20, 79. Etait-ce un moyen d'éloigner Ennius de Rome alors que la répression anti-dionysiaque devait continuer?

Ce qui est vrai pour Ennius l'est également pour son petit-fils ou, plus probablement, neveu Pacuvius (88), natif de Brindes et dont le gentilice trahit l'origine osque. Il a composé un *Penthée* dont l'intrigue reprend celle des *Bacchantes* d'Euripide: les quelques différences avec la pièce grecque (Dionysos n'apparaîtrait pas lui-même) ne permettent en aucun cas d'imaginer que le *Penthée* de Pacuvius avait une autre signification religieuse et politique que les oeuvres dionysiaques de ses prédécesseurs. L'*Antiope* comprenait un choeur secondaire de ménades (89). Dans la *Periboea*, un temple de Liber (90), lieu de refuge, accueille l'héroïne.

A son tour, Accius écrira des *Bacchantes* qui, sauf pour les parties lyriques, suivent de très près celles d'Euripide. Il composera aussi des *Stasiastae siue Tropaeum Liberi:* "Les rebelles ou le triomphe de Liber". Les quatre brefs passages conservés évoquent troubles et meurtres sanglants; il se peut, comme on l'a supposé, que la tragédie ait, elle aussi, pour sujet la légende de Lycurgue: rien ne l'indique sûrement (91). Mais, dans le cas contraire, il doit s'agir d'une histoire très semblable dont la conclusion est la même; en tout cas le titre parle. Or Accius, si ses parents furent peut-être affranchis, naquit lui-même ingénu à Pisaurum, dans la colonie fondée par Q. Fulvius Nobilior en 184 où Ennius avait peut-être obtenu un lot (92). On sait aussi qu'il séjourna à Brindes et y rencontra Pacuvius, le neveu d'Ennius. Quelles qu'aient été par ailleurs ses options politiques, Accius partage avec les auteurs précédents, de Névius à Pacuvius, une naissance en dehors de Rome, même si les modalités furent différentes, et une même conception du théâtre comme lieu de culte de Dionysos, une même tradition dionysiaque.

Or, le théâtre pouvait se détacher de son dieu fondateur et c'est peut-être ce qu'avaient désiré les autorités romaines. Le théâtre n'était chose de Dionysos que dans l'esprit de ses dévots ou dans la tradition gréco-osque. Le dionysisme affiché par Névius, Plaute, Ennius, Pacuvius, Accius ne saurait être mis en évidence à partir de fragments de Cécilius Statius, esclave gaulois, affranchi à Rome et qui n'avait pu acquérir que dans la Ville sa culture. Il ne reste sans doute de son oeuvre que des fragments, mais de Térence subsistent des comédies entières. Chez cet esclave africain, lui aussi instruit et affranchi à Rome, on chercherait également en vain le même dionysisme. Cécilius fut pourtant ami d'Ennius, Ennius et Térence eurent pourtant le même genre de protecteurs, sinon les mêmes. Ces anciens esclaves, comblés par rapport à ce qui pouvait leur faire espérer leur condition précédente, à la dévotion de leurs patrons et protecteurs, entrés par leur affranchissement directement dans la cité romaine sans revendications ni traditions, n'avaient que la formation donnée par leurs maîtres.

---

(88) Pacuvius est fils de la soeur d'Ennius d'après Pline, 35, 9; fils de la fille d'Ennius d'après Hier., *Chron.*, ann. 1863.

(89) *DIRCE: ceruicum*

    floros dispendite crines.

Fr. 16-17, Warmington, *Remains of old Latin*, 2, p. 166. C'est un rapprochement avec Hyg., *Fab.*, 8 (*In eudem locum Dirce per bacchationem Liberi tum delata est*) qui fait attribuer ces paroles à Dircé et introduire le thème du thiase dans la pièce. Tout cela est très fragile et ne suffit pas à présenter, comme le veut A. Pastorino, *Tropaeum*, p. 118, le thiase sous un jour sinistre: de toute façon, Antiope sera sauvée et le dieu apparaîtra innocent.

(90) Pacuvius, *Periboea*, frg. 310-314, Warmington, *Remains*, 2, p. 278.

(91) *Non uides quam turbam, quantos belli fluctus concites?* (609 W)

Corporare abs tergo es ausus (610 W)

Tum si ibi de dolore hoc anima corpus liquerit (611 W)

Vulnere teatro deformatum

suo sibi lautum sanguine tepido (612-613 W, *Remains*, 2, pp. 534-536).

La première citation peut être un avertissement à Lycurgue ou à Penthée. Dans la seconde, il s'agit d'un meurtre: celui de Lycurgue, celui de Dryas par Lycurgue, ou encore celui de Dionysos, si, avec Pastorino, on corrige le *Tropaeum* du titre en *Trophoi*, les nourrices (A. Pastorino, *Tropaeum*, p. 121). Le quatrième fragment peut évoquer un σπαραγμός: celui du dieu, ou des adversaires du dieu, ou des victimes de ses adversaires.

(92) Hier., *Chron.*, ann. 1878. Pline, 7, 128.

LES GENS DE THÉÂTRE ORIGINAIRES DES MUNICIPES

On peut se demander si, dans ce très petit échantillonnage de gens de théâtre, les seuls dont, grâce à ce qui subsiste de leurs oeuvres, nous puissions deviner quelque chose, le dionysisme revendicateur n'est pas ce qui sépare les ingénus italiens et les affranchis romains.

JEAN CHRISTIAN DUMONT

ROMA E LE CITTÀ GRECHE O ELLENIZZATE NELL'ITALIA MERIDIONALE

Dopo la relazione di Franco Sartori tenuta al 15° Convegno di Studi sulla Magna Grecia nel 1975 a Taranto su «Le città italiote dopo la conquista romana», abbiamo avuto delle monografie, specialmente per quelle città che ci interessano, a sottolineare delle differenze rispetto alla classe dirigente e dominante romana. È inutile stare a ricordare i lavori di Gasperini sul municipio tarentino, le cose che Costabile ha detto per Locri e che sta preparando per Reggio, i lavori ormai vecchi di Mello su Paestum e il mio ancor più vecchio lavoro sulla Neapolis greco-romana, e perciò non vorrei entrare nei dettagli, ma riflettere invece partendo da certe osservazioni di Andreau e di Torelli sui divari che noi veniamo ad avere quando guardiamo a città italiote e in parte anche a città ellenizzate, come il titolo suggerito dalla Cébeillac diceva (1).

Per il divario che noi finiamo con l'avere con la classe dirigente romana, naturalmente non parlerei di «bourgeoisie», ma piuttosto di «notabilità» — buon termine trovato da Andreau — e credo che bisogna tener presente quello che Torelli ha già notato: cioè questo ampio pluralismo di classi dominanti che poi confluisce in una unità, con una serie di passaggi, di articolazioni complesse che ancor di più costringono a riflettere sul problema del rapporto con Roma.

La questione è anche più complicata per l'Italia meridionale, perché in realtà c'è da fare i conti con situazioni economiche e strutture produttive plurime dietro le classi dominanti delle singole città greche. Già questo presuppone la premessa metodica di non considerare l'ambito italiota come un ambito unitario; c'è una tendenza, per esempio, in chi va a studiare la lega italiota a conguagliare le situazioni. In realtà questo è un procedimento formale, ma direi che nella strutturazione stessa, nei comportamenti, anche della lega italiota interferiscono circostanze concrete precise dei singoli centri, che ci fanno vedere come esista tutta una gamma di situazioni e di gruppi dirigenti in queste città. Si aggiunga che noi dobbiamo tener conto di quello che è avvenuto con la «barbarizzazione» da parte di Lucani, di Bretti, e più a nord, di Campani.

Ci sono quindi tutta una serie di complicazioni e di sfumature che sovvertono totalmente il quadro di questa «grecità», per così dire, sicché alla fine di essa non troviamo più gran traccia, nemmeno delle sue tradizioni sociali, e piuttosto in ambiti cosiddetti «ellenizzati» o «indigeni» perdura l'assimilazione di certi abiti e di certe tradizioni elleniche, con centri propulsori, specialmente nell'Italia orientale iapigia: penso a Brindisi da una parte, penso alla Daunia dall'altra, che ancora in parte rappresentano certe eredità, con tutte le trasformazioni che dobbiamo ammettere.

Questo quadro vale come premessa generale.

Se andiamo a vedere la varietà delle città italiote, direi che emblematicamente ci troviamo di fronte a due estremi tipologici di classi dirigenti, e tra questi due estremi abbiamo tutta una serie

---

(1) Cfr. in ogni modo F. Sartori, *Le città italiote dopo la conquista romana, La Magna Grecia nell'età romana.* Atti del XV Convegno di Studi sulla Magna Grecia (Taranto, 5-10 ottobre 1975), Napoli, 1976, pp. 83-137; di L. Gasperini, oltre *Il municipio tarentino. Ricerche epigrafiche, Terza miscellanea greca e romana,* Roma, 1971, pp. 143-209; *Tarentina epigraphica, Settima miscellanea greca e romana,* Roma, 1980, pp. 364-384; F. Costabile, *Municipium Locrensium. Istituzioni ed organizzazione sociale di Locri romana,* Napoli, 1976; e *Problemi relativi alla costituzione quattuorvirale di Regium Iulium,* annunciato ivi n. 6 di p. 65; nonché M. Mello-G. Voza, *Le iscrizioni latine di Paestum,* voll. 2, Napoli, 1968-1969; E. Lepore, *La vita politica e sociale, Storia di Napoli,* vol. I, Napoli, 1967, pp. 141-371. V. pure E. Bayer, *Rom und die West-Greichen bis 280 v. Chr., Aufstieg und Niedergang der römischen Welt,* I, 1, Berlin, pp. 305-340.

sfumata di situazioni; i due estremi sono facilmente individuabili in Locri e in Taranto. Da una parte c'è la tradizione di ristretta oligarchia locrese a carattere sacerdotale, come impostazione originaria, dall'altra c'è il *demos* tarentino, *beltion,* sempre più rappresentato da quelli che Zonara chiamava ὀλίγα ἢ μηδὲν ἔχοντες all'epoca della guerra di Pirro (2). Questo ci fa vedere la distanza che separa questi tipi di classi dirigenti dalla oligarchia romana, e questo aveva già fatto sottolineare ad alcuni studiosi, Badian ad esempio, come si dovesse esser cauti nel considerare sempre presenti alleanze tra gli *optimates* romani e i cosiddetti *optimates* di città greche dell'Italia meridionale, e Badian insisteva su Locri in particolare; su Locri son tornato ad insistere anche in altri lavori e quindi mi contenterò solo di farne un accenno; questa differenza per cui la *multitudo* locrese finisce per essere filoromana più dei *principes*, quale che sia il tentativo di difesa di questa classe dirigente oligarchica locrese, che qualche studioso come Costabile ha tentato di fare, resta il problema che questa classe dirigente è stata filocartaginese, anche se con aggiustamenti, quando è dovuta venire incontro a ceti greci di città come Crotone al momento del passaggio di Annibale (3).

Credo che il punto di partenza, per quanto ci riguarda è proprio quello del III secolo e della guerra annibalica. Questa situazione viene ancor più a complicare o a meglio spiegare l'imbarbarimento di cui parla Strabone, con questi scambi e penetrazioni brettie e lucane in certe città, e semmai anche il passaggio di abiti ellenici a queste popolazioni.

È inutile fare la cronistoria della situazione che viene a crearsi dopo la guerra annibalica, però forse alcune cose vanno sottolineate. Le nostre fonti, e specialmente il passo di Strabone, VI 1,2 C 253 che ho già citato e che eccettua dal processo di imbarbarimento Taranto, Reggio e Napoli, citandole esplicitamente, finiscono anche per farci vedere, quando poi si soffermano anche su altre realtà, in altri passi, per es. ancora Strab., VI 3,4 C 280 e VI 3,1 C 278, su Taranto in maniera più particolare quello che è stato il dopoguerra annibalico, prima ancora che nel II secolo si cominciasse ad avere una serie di fondazioni coloniali latine, di colonie *civium romanorum*, marittime, ecc. Questo momento di perdita della *eleutheria* è un fenomeno molto simile a quello che si è verificato in Campania per Capua. Noi abbiamo espliciti accenni a questa momentanea perdita di *eleutheria* delle città greche; l'accenno più esplicito è soprattutto per Taranto. Poi invece abbiamo una serie di notizie sia per Locri sia di nuovo per Taranto, ma in maniera differente, di un ritorno a quella che sembrerebbe, ed è stata sottolineata come tale da alcune delle nostre fonti, una rifioritura.

Io credo che si debba prima di tutto fare una riflessione su questo particolare momento, cioè la perdita di *eleutheria*; che cosa ha significato per lo sviluppo del tessuto economico-sociale di queste città. Se mai abbiamo presente l'analogia di Capua, così come M. Frederiksen ci ha ottimamente descritto nella sua «Capua repubblicana», noi dobbiamo come canone metodologico tener presente che il momento in cui avviene l'abolizione di ogni autorità politica e di ogni amministrazione autonoma in questi centri è anche il momento di massimo sviluppo spontaneo di un certo tessuto che è in quel posto, che si sviluppa anche eterogeneamente in un certo senso, per esempio con la crescita di elementi di origine servile e così via (4); un momento che può effettivamente rappresentare un

---

(2) Sul *demos* tarentino cfr. soprattutto L. Moretti, *Problemi di storia tarantina, Taranto nella civiltà della Magna Grecia.* . Atti del X Convegno di Studi sulla Magna Grecia (Taranto, 4-11 ottobre 1970), Napoli, 1971, pp. 21-65, spec. 40-50; e l'intervento di chi scrive, *ibidem*, p. 198, e cfr. Zon., VIII, 2.

(3) Cfr. su Locri, Liv., XXIII, 30, 8 e XXIV, 1-3, con E. Badian, *Foreign clientelae*, Oxford, 1958, pp. 147-148; e E. Lepore, *L'Ιταλία nella formazione della comunità romano-italica*, Klearchos, V, 1963, pp. 102, 111, 113; e più recentemente *Geografia del modo di produzione schiavistico e modi residui in Italia meridionale*, Società romana e produzione schiavistica, vol. I, *L'Italia: insediamenti e forme economiche*, a cura di A. Giardina e A. Schiavone, Bari, 1981, pp. 79-85, 480-482, spec. p. 82. *Contra*, Costabile, *Municipium Locrensium, cit.*, pp. 66-67 con n. 9, ma con deboli argomenti.

(4) Cfr. M.W. Frederiksen, *Republican Capua: a Social and Economic Study, Papers of the British School at Rome*, XXVII (n.s. XIV), 1959, pp. 80-130, spec. 88-94.

rinnovamento di quella che è la tradizione, e che deve aver rappresentato fino ad un certo punto qualcosa di nuovo con la ripresa di certe determinate tradizioni. Io direi che in particolare, anche per le testimonianze straboniane su Taranto, questo momento noi lo dobbiamo fissare proprio fra la fine della guerra annibalica e la fondazione della colonia Neptunia di età graccana nel 123, tenendo poi presente come l'altra notizia di Strabone parli di una rifioritura del centro tarentino tra il 123 e il 90 per l'*esychia* che la colonia Neptunia ha rappresentato per Taranto. Naturalmente bisogna fare una tara su quello che ha rappresentato effettivamente questa *esychia*.

Lo sbocco di questo processo è la *contributio* per il centro tarentino e la colonia di età graccana, di cui in realtà la nostra tradizione, probabilmente risalente a Posidonio, non ha coscienza perché le nostre testimonianze in fondo si arrestano prima che si abbia una chiara menzione della fusione del centro coloniale con il centro cittadino (5), e semmai si svilupperà dopo la guerra sociale quella che è la storia del municipio tarentino, che del resto vediamo svilupparsi in pari tempo per gli altri centri che fruivano dello statuto municipale in altre località.

Il primo punto su cui dobbiamo quindi riflettere è il significato di questa momentanea perdita di *eleutheria*, di sviluppo particolare di certe città e poi di quello che ha rappresentato per molte di esse l'affiancamento di centri coloniali a partire dalla prima metà del II secolo a.C. fino all'età graccana, di quello che in alcuni di essi ha rappresentato la presenza di colonie marittime *civium romanorum*, con la trasformazione totale e l'arresto, in un certo senso, di questo processo senza controllo, che si era venuto a verificare fino a un certo momento.

Che cosa possiamo dire sul momento successivo del II secolo e su quello che in questo II secolo si è venuto a svolgere? Voi avete tutti presente quello che noi sappiamo per la colonizzazione del 192 a Thurii e a Vibo (6) e nello stesso tempo per altri centri che si sono venuti costituendo fino poi ad arrivare al 123 dove, sia a Taranto sia a Scolacium, abbiamo praticamente l'impostazione di età graccana come altro momento che bisognerebbe andare a guardare.

Se noi guardiamo a un momento prima della fondazione delle colonie di Thurii e di Vibo, noi troviamo una situazione del Bruzio differente rispetto all'area tarentina. La situazione del Bruzio è maturata a lunghi tempi perché molti fenomeni, io penso, risalgono addirittura a tutto il processo del IV sec., al di là di quello che nella guerra annibalica si è venuto svolgendo. Direi che assistiamo in questo processo, al costituirsi in fondo, di due entità che noi potremmo simbolizzare nell'*ager Thurinus* da una parte, nell'*ager Tarentinus* dall'altra. Resterà ancora più ad est il problema dell'*ager Brundisinus* con il sorgere della colonia latina e con la romanizzazione dell'*ager*, che dei lavori recenti del gruppo che lavora a Brindisi intorno al museo o di collaboratori dell'Università di Lecce, come Marangio, stanno andando approfondendo (7).

Queste tre entità si presentano soprattutto come *agri* e pongono immediatamente il problema del rapporto con la città che grosso modo dovrebbe rappresentare una continuità di dominio su questa vecchia *chora*, che naturalmente si sta completamente ristrutturando. Se un'altra entità si volesse ancora indicare a Ovest dell'*ager Thurinus*, a parte la *chora* di Locri, potremo ricordare quell'*ager Vibonensis* che ha sollevato una serie di problemi anche per l'altezza temporale e cronologica della

(5) Oltre Moretti, *Problemi, cit.*, pp. 61-62, cfr. sulla *contributio* Tarentum-Neptunia U. Laffi, *Adtributio e Contributio. Problemi del sistema politico-amministrativo dello stato romano*, Pisa, 1966, pp. 109-117.

(6) Cfr. soprattutto le pagine di G. Tibiletti, *Ricerche di storia agraria romana, Athenaeum*, n.s. XXVIII, 1950, pp. 184 ss., spec. 198-199, 240-244; e *Lo sviluppo del latifondo in Italia dall'epoca graccana al principio dell'Impero, Relazioni X Congr. Int. di Scienze Storiche*, II, Firenze, 1955, pp. 237 ss., spec. 256 in nota e n. 2 di pp. 279-80, troppo dimenticate e suscettibili di approfondimento e sviluppo. V. anche F. Cantarelli, *Alcune osservazioni sui rapporti romano-turini e l'episodio di Copiae, La Parola del Passato*, 1975, pp. 212-217.

(7) Cfr. p. es. C. Marangio, *La romanizzazione dell'Ager Brundisinus, Ricerche e studi*, Museo Archeologico Provinciale di Brindisi, VIII, 1975, pp. 105-133.

penetrazione romana che sembra, stando a quello che Tibiletti aveva già notato da molto tempo, anteriore di parecchio alla stessa guerra annibalica. Dunque da occidente ad oriente siamo di fronte all'attestazione dell'*ager Vibonensis*, al problema del territorio locrese che però comincia esso stesso ad entrare in crisi e in declino, a quelli dell'*ager Thurinus, Tarentinus* e *Brundisinus*.

Se guardiamo alle spalle di queste testimonianze formali, per certi aspetti, ci troviamo dinanzi sempre alla citazione della lista dei *teorodochoi* delfici del 198-194 (*SGDI*, 2580) con la presenza di Locri e Reggio, ma anche con la presenza di Petelia e Taisia, che ci fa capire come sia incommensurabile in un certo senso un certo tipo di tradizioni, come questa epigrafica delle liste dei *teorodochoi*, con il resto della tradizione che noi riusciamo a recuperare dalle fonti letterarie; cioè voglio dire che ci sono documenti che ci segnalano fenomeni microstorici, molte volte impalpabili, e ci sono, dunque, delle situazioni che non quadrano con il resto che noi andiamo vedendo. E qui devo subito dire che la tendenza a minimizzare i problemi di declino e di decadenza dell'ambito italiota, al tempo della romanizzazione, dipende proprio dall'ottica microstorica che una serie di contributi hanno finito per imporre, ma che secondo me non modifica in nulla l'impressione che noi riceviamo da una osservazione di tipo macrostorico. Voglio dire che se si ha voglia di fare dei ritocchi su quella che è la realtà di questa zona in età romana, le cose vanno mantenute in calibri molto ridotti, molto modesti, e non bisogna esagerare questa o quella scoperta microstorica, che si riesca a fare in certi determinati centri; quindi i tentativi dell'ultimo Sartori di rivalorizzare una serie di problemi, gli atteggiamenti che affiorano da altri studi, diciamo, locali, anche se non di tratta di studiosi locali, dalle monografie sui municipii — in altri termini —, tese poi, specialmente in storia economica e sociale, a rilevare l'ultima briciola di evidenza, per affermare che questo o quel municipio aveva ancora una sua vitalità, vanno del tutto stroncati.

Del resto, il lavoro di Morel concomitante con la relazione di Sartori a Taranto sulla Magna Grecia romana (8), e quanto ci ha detto l'altro giorno lo stesso Morel, deve indurre a riflettere fortemente sull'attribuire uno sviluppo economico, presunto e inesistente, a questa area. Che cosa sappiamo in sintesi di questi tipi di sviluppo che sono poi legati soprattutto agli *agri*? Il problema dell'*ager Vibonensis* è anche il problema di Locri, col ritorno alla *societas* dopo la guerra annibalica e con le attività navali cui assistiamo ancora per un po' di tempo nel II sec. Problemi come questi vanno considerati con una particolare attenzione, perché naturalmente non rappresentano sviluppi solo locali (di Locri o di Hipponion, p. es.), ma rappresentano sviluppi nell'ambito generale dell'organizzazione dell'*ager Bruttius*, come lo potremo definire genericamene, se facciamo attenzione alla tradizione liviana (p. es. XXXV, 40, 6), che ogni volta che cita un centro colonizzato da romani avverte: «Bruttiorum proxime fuerat ager; Bruttii ceperant de Graecis», cioè questo *ager* era stato poco prima dei Bruttii e i Bruttii l'avevano tolto ai Greci. Insomma, nel filtro della rappresentazione cosciente della storiografia antica questo è l'*ager Bruttius* ed è passato ai Romani quando i Bruttii arrendendosi lo hanno consegnato nelle mani dei Romani, e resterà fino alla guerra sociale compresa ormai fortemente improntato dalla romanizzazione; direi che non ci sono fenomeni che distacchino — l'avevo già osservato in un vecchio lavoro sull'*Italía* e la formazione della comunità romano-italica (9) — il Bruzio da Roma. Il problema lucano resta invece un problema diverso come diversi restano altri problemi dell'Italia meridionale, nella stessa guerra sociale, come secondo momento dopo la guerra annibalica. C'è il problema della Sila, delle grandi risorse lignee, una tradizione anche di dominio, di

---

(8) Cfr. J.-P. Morel, *Aspects de l'artisanat dans la Grande Grèce romaine, La Magna Grecia nell'età romana, cit.*, pp. 264-324; e v. anche dello stesso, *La laine de Tarente, Ktema*, 3, 1978, pp. 93-110.

(9) Cfr. E. Lepore, *L'Italía, cit.*, pp. 89-113; sul problema sono tornato in una relazione *La romanizzazione dell'ager Bruttius*, al V Congresso Storico Calabrese, 1973, rimasta inedita: vedine un riassunto di C. Turano, con accenni alle discussioni, nella rivista locale di Reggio Calabria *Historica*, XXV, 1973, pp. 201-202 e 204.

archè, che è cominciata con Dionisio I e che continua nell'epoca romana, se si deve concepire un'*archè* antica senza modernizzazione: i generi di prima necessità, tra cui questo legno (10), sostanziano la potenza, in questo caso anche navale, naturalmente di una organizzazione nuova che sorge e che passa dall'*egemonia eti kai dynasteia* dell'epoca dei Fabii (Polyb., II, 21, 8; Diod., XX, 80, 3) al dominio diretto, diciamo così, sulla terra conquistata.

Se passiamo all'*ager Thurinus* ci troviamo di fronte, a parte la fondazione della colonia di Copiae accanto a Thurii e tutto quello che questo significa, a una decadenza *in nuce*, per come si è andata a costituire questa colonizzazione.

Vi ricordate tutti il famoso passo di Livio (XXXV, 9, 7 sgg.) appunto sulla colonizzazione di Thurii, dove si assegna solo una parte del territorio di Thurii e se ne lascia un'altra che andrebbe ancora assegnata: «Apustio auctore tertia pars agri dempta est quo postea si vellent novos colonos ascribere possent». Ma in realtà questo tipo di assegnazione programmata non porta a nessuna programmazione ulteriore (11) e l'*ager Thurinus*, e quindi anche la vitalità dei centri cittadini di quella zona, entra in una completa isteresi probabilmente con una serie di trasformazioni, anche di proprietà, che noi possiamo forse cogliere dal passo della *Pro Tullio* ciceroniana (6, 14), dove parlando appunto del «fundus... paternus in agro Thurino...» di Marco Tullio, si dice che quello accanto è stato acquistato da P. Fabio Asiatico che lo ha comprato da Caio Claudio senatore e lo vuole estendere più con la violenza che con le leggi, perché ha dissipato il suo denaro. Questo fondo viene descritto come «sane magno, dimidio fere pluris incultum exustis villis omnibus, quam quanti integrum atque ornatissimum carissimis praetiis ipse Claudius [emerat]», con una lacuna finale notevole. Insomma, voglio dire che se noi, partendo dalle assegnazioni programmate e non eseguite del II sec. a.C. arriviamo all'età della *Pro Tullio* di Cicerone, noi cogliamo tutto uno spessore evolutivo che ha portato all'*incultum exustis villis omnibus* di questo territorio, processo che ci mostra in un certo senso come dobbiamo essere anche cauti con letture di piccola e media proprietà in certi determinati ambiti, e come dobbiamo valutare il problema dei latifondi tenendo anche presenti le trasformazioni che si sono diacronicamente compiute e che però noi purtroppo non possiamo seguire puntualmente. Se, infatti, andiamo a vedere la nostra documentazione, quella epigrafica presenta una lacuna netta nel II e I sec., e riprende poi in età imperiale, ed è assai difficile andare a trovare in tutta questa zona, e negli altri *agri* che abbiamo visto una documentazione che ci permetta di seguire passo a passo e che ci spieghi questi fenomeni. Indubbiamente c'è stata questa aggregazione con distruzione di tipi di gestione che ha portato ad una situazione statica; è la situazione che dall'età ciceroniana fino a quella augustea troviamo in queste zone dove, più che sentir parlare di ceti dirigenti — indubbiamente ci saranno stati dei padroni di quei *pastores* — sentiamo continuamente parlare di *pastores* e di *servitia*. Io qui non sto più a sottolineare le cose che ho menzionato nella relazione pubblicata nei volumi

---

(10) Sull'*ager Vibonensis* e la Sila, dopo le pagine citate del Tibiletti, richiamarono l'attenzione al XV Convegno di Studi sulla Magna Grecia, F. Cantarelli e F. Costabile, *La Magna Grecia nell'età romana, cit.*, pp. 340 e 463-464.

(11) Il Tibiletti, *loc. cit.*, pensava che la *centuria Populiana* della *pro Tullio* 7, 16 e 17; 8, 19; 9, 21 poteva riferirsi a successivi interventi, p. es. del Popilio dell'iscrizione di Polla, ma riconosceva lo scarso interesse della politica coloniaria romana negli anni della fondazione di Thurii. La tesi della Cantarelli, *art. cit.*, tende appunto a minimizzare il problema di *Copiae* (= *militiae*), identificando questa denominazione con il presidio romano costante fino ad età annibalica, la colonia del 194-93 con il *castrum Frentinum*, forse Morano con l'area a sud-est di essa. Va tuttavia notata la continuità nel «carattere militare delle colonie latine... il cui principale compito era schiettamente militare», Tibiletti, *Ricerche, cit.*, p. 224, della colonia: l'acuta identificazione topografica di essa suggerita da P. Zancani Montuoro, *Da Sibari a Lupiae, Rend. Acc. Naz. Lincei, Cl. di Sc. mor. stor. e filos.*, S. VIII, XXVIII, 1973, pp. 1-2, spec. 6-8, non autorizza a forzare il testo di Strabone, VI, 1, 13 C 263, chiara sintesi di eventi cronologicamente disparati, dei quali la fondazione di Copiae è l'ultimo (il cambiamento di fonte, da Timeo a Polibio, attraverso Artemidoro è forse segnato dall'οἰδὲ): *Copia* o *Copiae* vale anche (cf. Liv., XXXV, 9, *pro copia agri*) per abbondanza, di mezzi di sussistenza, p. es., *copiae frumenti, copiae omnium rerum*, ecc.

dell'Istituto «Gramsci» (12), perché dovrei fare una storia «from above» e non «from below», ma in realtà mi accorgo e devo dire che è difficile fare in questo spazio una storia «from above», è molto più facile farla «from below», quale che sia la voglia di aggiornare il nostro marxismo con il senso dello stato, che per esempio, si manifesta in un Perry Anderson. Noi in questo caso siamo legati alla struttura di base, alla campagna che dobbiamo osservare e che ci mostra una scarsa evoluzione non dico della «borghesia», ma di ceti dirigenti di una qualche entità, in queste città dove andiamo a considerare e a guardare delle cose.

Se noi passiamo all'aspetto tarentino, su questo è stato già molto detto, sia per lo studio che ne ha fatto Moretti, sia per la relazione e gli altri lavori di storia economica romana di Morel; noi potremmo solo nel corto periodo assistere al ciclo di limitato sviluppo tarentino immediatamente dopo la guerra annibalica e poi tra il 123 e il 90, che se non sbaglio è il periodo in cui la Mancinetti individuava la presenza e la concessione, anche tarentina, di cittadinanza ad orientali.

Credo che l'intervento di Coarelli dell'altro giorno vada a saldarsi bene a quello che aveva già osservato Morel sul commercio della lana (13), quindi non starò ad insistere ulteriormente su questo punto. Voglio solo ricordarvi un interessante passo che non ho trovato, almeno a mia conoscenza, molto citato: il fr. 9 della *Corneliana II* di Cicerone dove si dice appunto: «neque vero ornamenta ista villarum quibus Lucium Paulum et Lucium Mummium qui rebus his Urbem Italiamque omnem referserunt ab aliquo video perfacile Deliaco aut Syro potuisse superari»; ed il brano era cominciato con «neque me divitiae movent, quibus omnis Africanos et Lelios multi venalicii mercatoresque superarunt». Mi pare questa una testimonianza molto interessante di Cicerone per andare a capire, diciamo così, il problema dell'inserzione di certi elementi transmediterranei del grande traffico ellenistico nelle città italiote; essi naturalmente non rappresentano, a differenza di quello che si verifica più a nord, in Campania, a Puteoli, ecc., una vera vitalizzazione duratura delle strutture locali, ma semmai traggono profitto da certe strutture locali. Così non esagererei altre notizie che qualche volta vengono prese in considerazione come l'*emporium* metapontino di Varrone (*de re rust.*, II, 9, 6) che invece bisognerebbe capissimo meglio cosa sia veramente; cioè io credo che bisogna tener presente sempre tutto il movimento del commercio granario, cerealicolo, che si va a svolgere in queste zone, sia sul versante ionico, come potrebbe far pensare questo *emporium* metapontino, sia naturalmente sui versanti adriatici, dove le ἡμιονικαὶ ὁδοὶ di Strabone (p. es. VI, 3, 7), le vie fluviali di tutti i fiumi che sfociamo sulla costa adriatica e che sono legati a centri granari o alla penetrazione verso l'interno o all'esodo verso l'esterno della *mesogaia* campano-sannita, chiamiamola così, ci danno l'impressione di certi movimenti. Questi movimenti possono aver rappresentato naturalmente un certo traffico, ma bisognerebbe che sapessimo anche meglio nelle mani di chi essi erano; noi in realtà assistiamo, quando andiamo a guardare quel poco di dati che abbiamo a disposizione, soprattutto a un trapianto di popolazione romana o centro-italica in tutte queste zone. Proprio il caso di Taranto ormai ne ha cambiato completamente la faccia, e giustamente mi pare che Moretti voglia limitare la grecità tarentina in quest'epoca di romanizzazione poiché con la presenza di tutti gli elementi centro-italici nati dall'onomastica non possiamo più parlare di continuità persistente ancora in questa zona (14).

Prima dicevo che, con la guerra sociale sia quelli che hanno combattutto contro Roma, sia quelli che sono rimasti fedeli a Roma, entrano nel grosso processo di municipalizzazione cui noi andiamo ad assistere. Ora il problema è semmai di fermarsi un momento su alcune situazioni che noi abbiamo, o alla vigilia della guerra sociale o subito dopo, e che investono anche dei settori, un po' diversi da quelli che abbiamo trattato fino adesso. Per esempio, c'è l'angolo dauno, cioè Arpi. Anche lì, ho

(12) Cfr. Lepore, *Geografia, cit.*, pp. 79-85, 480-482.
(13) V. sopra a nota 8.
(14) Cfr. Moretti, *Problemi, cit.*, pp. 62-64.

l'impressione che lo sviluppo della zona resta, accanto alla presenza delle colonie latine che circondano questo territorio, uno sviluppo soprattutto di un dominio «signorile» su una campagna probabilmente anche etnicamente eterogenea rispetto ad Arpi. Esso favorisce quei ceti elevati di particolare carattere, in Arpi, i quali mantengono una distanza rispetto a Roma, e non a caso animano — dall'età annibalica alla guerra sociale — una vivace opposizione; alleati di Annibale, come i Dasii, sono ancora presenti in questo cosiddetto patriziato dauno; ricodiamoci i Dauni della guerra annibalica, ma ricordiamoci la ancora viva vita che noi troviamo fino alla guerra sociale nella stessa zona (p. es. a Salapia).

Altre situazioni di distanza anche sociale rispetto all'aristocrazia romana, le ho più volte sottolineate; noi per esempio le riscontriamo dopo la guerra sociale in certe città dove questi ceti erano più avanzati e progressivi. Pensiamo ai *chariestatoi* napoletani, e a quello che l'attività economica di Neapolis ha rappresentanto fino a Silla e poi con la repressione sillana ha cessato di rappresentare; anche se Morel ha già buttato acqua sul fuoco precisando i limiti cronologici di questa attività napoletana, io ho l'impressione che ancora fino a Silla essa conservi importanza, forse ha significato anche in rapporto a quel che Puteoli è diventata o va diventando. La Mancinetti ha sottolineato certe concessioni a ceti che provenivano dalla Siria; del resto la tradizione di rapporti sirî con Neapolis non cesserà mai, siano essi commerciali o culturali, o poi di nuovo commerciali, fino alla guerra greco-gotica. C'è da tener presenti anche certe costanti di lungo periodo che noi dovremmo conoscere un po' meglio di quello che la nostra evidenza ci fa conoscere.

Direi che il processo di municipalizzazione che inizia con la guerra sociale, e che può essere analizzabile attraverso le monografie che ho già nominato, per l'Italia meridionale ci fornisca tuttavia un quadro stagnante, statico della situazione, e in fondo confermi ancora una volta, se ce ne fosse bisogno, certe osservazioni sugli esiti centro-meridionali e soprattutto meridionali della municipalizzazione, che Gabba ha fatto più volte nei suoi lavori e dove ha mostrato come il processo di urbanizzazione a sud non raggiunga risultati positivi anche forse per gli sforzi concentrati a nord (sembra una vecchia storia che ci ricorda altre, recenti cose), e finisce per esaurire e disfare, invece che aggregare, quel poco di tessuto che ancora rimaneva in Italia meridionale (15). È anche per questo che tutti i tentativi che ci sono stati anche per l'estremo Bruzio, per Scolacium e per altre zone intorno a Crotone, per valorizzare, diciamo così, la documentazione archeologica a fini economico-sociali, con la tendenza a voler vedere un'urbanizzazione dell'*ager* senza che si possa spiegare funzionalmente la realtà monumentale che si va ad individuare (16), mi lasciano freddo e esorterei anche gli altri a fare lo stesso, perché mi sembra estremamente pericoloso, e io temo anche sotto influenze ideologiche di una moderna politica di terziarizzazione, questo tentativo di rivalutazione di una fioritura di opere di un certo tipo, a cui noi assistiamo in certe zone municipalizzate dell'Italia meridionale. Con questa esortazione a vigilare perché non si deformi una realtà antica e con la considerazione tra l'altro che i servizi, con un modo di produzione schiavistico, non sono produttivi per una popolazione, né nutrono una classe dirigente sul posto, che poi — tra parentesi — non è più locale per tutte le trasformazioni

---

(15) Per le considerazioni sul processo di urbanizzazione e municipalizzazione in Italia meridionale cfr. E. Gabba, *Urbanizzazione e rinnovamenti urbanistici nell'Italia centro-meridionale del I secolo a.C.*, Studi classici e orientali, XXI, 1972, pp. 73-102; idem, *Considerazioni politiche ed economiche sullo sviluppo urbano in Italia nei secoli II e I a.C.*, Hellenismus in Mittelitalien, herausgegeben von P. Zanker, Göttingen, 1976, pp. 315-326; e soprattutto *Il problema dell'unità dell'Italia romana*, La cultura italica, Atti del Convegno della società italiana di glottologia (Pisa, 19-20 dicembre 1977), Pisa, 1978, pp. 11-27, spec. 21-22. V. anche E. Lepore, *Per una storia della società italiana in età antica, Storia della società italiana*, vol. I; *Dalla preistoria all'espansione di Roma*, Milano, 1981, pp. 87-103, spec. 100.

(16) Si vedano spec. E.A. Arslan, *relazione al Convegno Calabrese*, e per le mie osservazioni il riassunto di Turano *cit.* a nota 9 sopra, p. 204; e dello stesso l'intervento in *La Magna Grecia nell'età romana, cit.*, pp. 331-336.

cui abbiamo accennato, io chiudo la mia relazione. La quale resta critica rispetto al processo storico di romanizzazione in Italia meridionale e al suo studio con una certa mentalità idilliaca che secondo me non può essere più conservata al di là dei tentativi di Kahrstedt e della scuola milanese, in una prospettiva non modernistica e non etnocentrica.

ETTORE LEPORE

LES ITALIENS EN THESSALIE AU IIe ET AU Ier S. AV. J.-C.

La présente étude ne prétend pas apporter beaucoup de nouveauté sur la présence des Italiens en Thessalie au IIe et au Ier s. av. J.-C., ni sur leur mode d'installation dans cette province. Pourtant, depuis les travaux classiques de J. Hatzfeld (1), un certain nombre de documents renforcent les lignes du tableau dressé par ce savant, et quelques autres éclairent peut-être d'une manière nouvelle cette présence italienne: des listes de concours locaux, quelques décrets de la Confédération thessalienne ou des cités fournissent des éléments à l'analyse. Mais c'est surtout, je crois, l'examen d'un matériel souvent négligé pour une telle étude, stèles funéraires et actes d'affranchissement, qui conduit à dresser un tableau aujourd'hui plus intéressant, sinon complet, de l'installation des Italiens dans la province. Enfin, plus que dans une connaissance assurée, l'intérêt de cette information se trouve dans les questions auxquelles elle conduit: quel est le statut exact de ces Italiens? Quel degré ont-ils atteint dans leur intégration à la vie locale? Quelle est leur capacité économique dans ce pays thessalien de grands domaines agricoles? Un des éléments de réponse est sans doute à attendre d'une analyse plus précise des documents qui font connaître ces Italiens, si l'on peut espérer tirer avantage de l'étude des gentilices. Telle est la raison principale de ma participation à ce colloque sur les bourgeoisies municipales italiennes.

Pour construire une image de la présence romaine en Thessalie, on ne peut pourtant se dispenser de recenser tout d'abord le passage ou le séjour dans la région de ceux que l'on peut appeler les «officiels»: consuls, proconsuls, gouverneurs, commissaires du Sénat, magistrats en mission (2). Cette partie du dossier, tant soit peu négligée par Hatzfeld, n'est pourtant pas sans importance. Nous constatons en effet que ces officiels ont développé souvent d'étroites liaisons avec les autorités fédérales et municipales thessaliennes, qu'ils sont intervenus dans le domaine non seulement politique, mais aussi économique. Tel est le cas, semble-t-il, de T. Quinctius Flamininus, comme le montre un texte célèbre, sa lettre aux habitants de Chyretiai. Pour l'essentiel, ce document décide de rendre aux citoyens leurs terres, toutes les terres du domaine municipal, qui par droit du vainqueur avaient été confisquées (3). Conformément à la coutume, les terres confisquées devaient entrer dans l'*ager publicus,* et servir soit à l'exploitation par la population, soit à une installation de vétérans ou de colons romains. Rien ne dit qu'ailleurs en Thessalie, cette règle - si ce n'est pas déjà une politique - n'a pas été appliquée. Certains indices, beaucoup plus tard dans la période hellénistique, semblent orienter nos interprétations en ce sens (4).

Mais, pour le IIe s. av. J.-C. en tout cas, il faut aller plus loin dans l'analyse des activités assurées par les personnages officiels en Thessalie: plusieurs d'entre eux ont développé systématiquement leurs relations avec la Thessalie, construisant ainsi sur des liens personnels de véritables traditions familiales

---

(1) J. Hatzfeld, *Les trafiquants italiens dans l'Orient grec,* 1919: pour la Thessalie, cf. pp. 23-25 et 65-66; il n'y a rien de plus, pour la Thessalie, dans l'ouvrage de A. J. N. Wilson, *Emigration from Italy in the Republican Age of Rome,* 1966.

(2) Cf. S. Accame, *Il dominio Romano in Grecia dalla guerra Acaica ad Augusto,* Rome, 1946, spécialement les passages où est analysée la situation des cités thessaliennes.

(3) Cf. l'édition et le commentaire dans R. K. Sherk, *Roman Documents from the Greek East,* n° 33.

(4) Pour le problème d'ensemble, cf. une fois encore, S. Accame, *op. cit.,* pp. 22-24.

que quelques inscriptions ne manquent pas de rappeler (5). Un décret récemment découvert illustre cette situation: il s'agit d'un décret de la confédération thessalienne relatif à la réquisition de blé présentée par un Quinctus Caecilius Metellus comme une demande privée, dans les années 145-130 av. J.-C. environ (6). Le texte rappelle à deux reprises les bienfaits que les Thessaliens ont déjà reçus des ancêtres de ce Metellus (I. 19-20 et 24-26):

ἀνενεώσατο τὰς γεγενη/μένας εὐεργεσίας ὑπὸ [τ]ῶν προγόνων αὐτοῦ et μνημονευόντ/ας τῶν γεγενημένων ε[ὐε]ργετημάτων εἰς τὸ ἔθνος ὑπὸ Κοίντου καὶ τῶν προγόνων αὐτοῦ καὶ τῆς συγκλήτου καὶ τοῦ δήμου τ[οῦ]['Ρωμαίων.

Des inscriptions déjà connues montrent qu'il ne s'agit pas ici de formules sans signification concrète. La famille des Metelli a pendant deux siècles porté intérêt à la Thessalie:

— M. Caecilius L. f. Metellus, peut-être déjà comme membre de la commission sénatoriale qui a négocié à Tempé en 196 av. J.-C. les conditions de la paix avec Philippe V, est nommé par une dédicace de la confédération thessalienne à Larisa (7).

— Q. Caecilius Metellus, non mentionné par nos inscriptions, a dirigé une ambassade en Macédoine en 186, pour régler les conflits provoqués par Philippe V avec ses voisins, en particulier les Thessaliens(8).

— Q. Caecilius Q. f. Metellus, proconsul de Macédoine en 148-146, a été honoré par la confédération des Ainianes à Hypata (9).

— Q. Metellus Pius Scipio, fils de Scipion Nasica entré par adoption dans la famille des Metelli, stationne à Larisa en 48 avec son armée et y fait sa jonction avec Pompée (10). Ce sont là, ténus assurément, mais sans doute correctement enchaînés, des éléments qui assurent aux formules du décret évoqué ci-dessus une valeur pertinente, plus forte que celle d'une simple phraséologie appliquée à n'importe quel haut personnage.

Conservant en mémoire l'exemple des Metelli, il nous paraît donc intéressant de recenser les «officiels» de la République en Thessalie, en insistant sur les documents thessaliens. Une liste certainement non exhaustive, assortie de quelques commentaires, devrait suffire pour faire bref, quand il s'agit de faits et de personnages bien connus.

Pour la période de la deuxième guerre de Macédoine, parmi les généraux, consuls et proconsuls, il faut citer en premier lieu T. Quinctius Flamininus, dont nous avons déjà évoqué la lettre à Chyretiai. Une autre lettre, réduite à la formule de salutation malheureusement, a été adressée à la cité de Métropolis (11). Il faut citer aussi le décret de proxénie de Larisa, dont le bénéficiaire est, je le crois fermement, T. Quinctius Flamininus, même si la date fait encore question (12). Une dédicace de statue enfin, provenant de Scotoussa, montre que Flamininus a eu affaire avec des cités de toutes les

---

(5) Cf. déjà, à partir des témoignages littéraires surtout, A. Aymard, *Premiers rapports...*, p. 287 (à propos. de Flamininus), et E. Badian, *Foreign Clientelae.*

(6) Décret présenté par C. Gallis au 2e Congrès des Etudes Thessaliennes à Larisa en septembre 1980. Pour la date, quelques hésitations peuvent subsister: le personnage n'est pas identifié avec certitude, car, comme il arrive souvent, la date de l'édilité n'est pas exactement connue pour de nombreux magistrats romains (cf. T.R.S. Broughton, *The Magistrates of the Roman Republic,* à ces noms).

(7) A. S. Arvanitopoulos, *Arch. Eph.,* 1910, col. 374, n° 22.

(8) Tite-Live, 39, 24, 13 (avec M. Baebius et T. Claudius).

(9) *IG,* IX, 2, 37.

(10) César, *Bell. Civ.,* III, 82.

(11) Document encore inédit, découvert il y a déjà plus de dix ans; j'ai pu l'utiliser dans une étude, encore inédite, sur la sympolitie entre Gomphoi et Ithomé, et sur l'importance de Métropolis aux yeux des responsables militaires et politiques romains à partir de la défaite de Philippe V.

(12) Publié par A. S. Arvanitopoulos, *Arch. Eph.,* 1910, col. 344, n° 3; pour la date, F. Stählin, dans *RE,* s.v. Larisa, a proposé les environs de 186 av. J.-C..

régions de la Thessalie (13). Le même T. Quinctius Flamininus fait encore partie d'une ambassade en Grèce en 183/2 (14).

En 196 encore, une commission sénatoriale a été envoyée en Grèce et à la Conférence de Tempé. La composition de cette commission n'est pas exactement connue: on peut compter parmi ses membres P. Lentulus, L. Stertinius, L. Terentius, C. Cornelius (15).

Pour la période de la guerre contre Antiochos III (192-191 av. J.-C.) on peut retenir les noms de plusieurs magistrats ou militaires romains. Au début du conflit en 192/1, *M. Baebius Tamphilus et A. Atilius Serranus* sont préteurs en Macédoine; on retrouvera le premier d'entre eux en Thessalie un peu plus tard, puis pendant la troisième guerre de Macédoine. En 191/0 av. J.-C., une commission sénatoriale a été envoyée en Achaïe, à Athènes, Chalcis, en Thessalie et à Démétrias; sa composition n'est pas exactement connue (16).

La guerre, conduite par M' Acilius Glabrio, donna à un autre personnage l'occasion de se distinguer: *Appius Claudius Pulcher,* qui avait déjà participé à la guerre contre Philippe, commandait alors en Macédoine. De là, il se rendit à marches forcées jusqu'à Larisa en passant par le Bas-Olympe et Gonnoi (17). On retrouve Appius Claudius quelques années plus tard en Thessalie, à la tête de l'ambassade envoyée à Philippe V en 185/4 av. J.-C. (18). D'autres chefs importants ont fait campagne en Thessalie pendant cette guerre: L. Scipio Africanus, M. Fulvius Nobilior, T. Sempronius Gracchus, L. Valerius Flaccus.

Avant la troisième guerre de Macédoine, les relations entre Thessaliens et Romains s'intensifient encore. En 184/3, Perrhèbes et Thessaliens ont adressé une ambassade à Rome pour se plaindre de la conduite du roi de Macédoine, d'autres ambassades avec le même objet suivirent. Dans ces échanges, il faut peut-être citer ici le nom d'un habitant de Brindisi, L. Rammius Brundisinus, si le nom est exact (19). Ce personnage, *princeps* de sa cité, accueillait de nombreux étrangers, les ambassadeurs grecs débarquant pour se rendre à Rome (20); cela explique sans doute qu'il ait témoigné contre Persée au moment de la déclaration de guerre décidée à Rome, en 172 av. J.-C. Cela n'est pas sans rappeler l'existence d'une stèle funéraire latine trouvée à Larisa et qui donne le nom de P. Ram(m)ius P. f. Nic(e) p(h)or(u)s (21). L'écriture et la formule *H(ic) S(itus)* ne nous semblent nullement tardives; la pierre elle-même, avec une épitaphe de la fin du 4e ou de la première moitié du 3e s. av. J.-C., appartient à la typologie d'Atrax au tout début de l'époque hellénistique. Le remploi pour l'épitaphe latine peut assurément se situer assez haut dans la période républicaine.

On retrouve Appius Claudius Pulcher dans la commission sénatoriale qui fut chargée, en 174/3, de régler la situation issue de durs conflits sociaux qui s'étaient développés dans les cités thessaliennes (22). Les autres commissaires connus sont M. Popilius Laenas, M. Claudius Marcellus, qui avaient déjà participé eux aussi à la guerre contre Persée. Dans les mêmes années, un décret de Kiérion (23)

---

(13) Publiée par E. Mastrokostas, *REA,* 1964, pp. 309-310.

(14) Tite-Live, 39, 33.

(15) Tite-Live, 33, 30.

(16) Tite-Live, 35, 31, 1-2.

(17) Cf. mon étude *Gonnoi,* I, 1973, p. 100, sur cet épisode.

(18) Tite-Live, 35, 23, 4-9 et 31, 1-2.

(19) D'autres sources l'appellent Herennius, cf. *RE,* s.v. n° 1 (Münzer).

(20) Tite-Live, 42, 17, 2 *hospitioque et duces Romanos omnes et legatos exterarum quoque gentium insignis, praecipue regios, accipiebat.*

(21) *IG,* IX, 2, 858; le gentilice Rammius paraît rare; la lecture du surnom n'est pas assurée: la pierre donne les lettres NICPORS.

(22) Tite-Live, 42, 4, 5-6; cf. mon étude *Gonnoi,* I, 1973, p. 118.

(23) *IG,* IX, 2, 258.

honore de la proxénie plusieurs officiels romains: M. Perpenna L. f., qui fut légat en Illyrie en 168 av. J.-C.; un M. Popilius C. f., mal identifié, puisque ne se confondant ni avec M. Popilius Laenas, ni avec P. Popilius légat en 174; un Q. Pactumeius M. f.; enfin encore au moins un autre personnage, peut-être un second Pactumeius (24); le décret est daté par le stratège thessalien Peissarétos, que l'on situe vers 168 av. J.-C. (25).

La cité d'Hypata a honoré de la proxénie, dans la première moitié du IIe s. av. J.-C. apparemment, un S. Cornelius M. f.; le texte du décret est inclus dans une lettre adressée aux autorités d'une autre cité, dont le nom est perdu (26). Ce S. Cornelius ne semble pas avoir attiré l'attention des spécialistes de la prosopographie romaine, et n'a pas été identifié à ma connaissance. Peut-être faut-il le rattacher, si l'on considère le prénom de son père, Marcus, à la branche des Cornelii Maluginenses; peut-être est-il à mettre en relation avec ce M. Cornelius Mammula qui fut envoyé à la cour de Persée en 173 av. J.-C. (27).

Les officiels romains que nous avons évoqués ci-dessus ont été présents en Thessalie pendant les vingt et quelques années qui ont séparé la guerre contre Antiochos de la troisième guerre de Macédoine, et pendant ce dernier conflit. *La guerre contre Persée* a conduit en Thessalie un grand nombre de personnages importants. Ce sont tout d'abord les généraux et commandants chargés des opérations: P. Licinius Crassus, Q. Marcius Philippus, A. Atilius, A. Hostilius Mancinus, L. Aemilius Paullus, Sp. Lucretius, d'autres encore, parmi lesquels on retrouve M. Popilius (28).

En différentes cités thessaliennes, on a le témoignage du passage ou de l'intervention de certains de ces officiels romains. A Chyretiai, un Sextus Orfidienus, préfet sous les ordres de Baebius, a été honoré de la proxénie (29); le personnage n'a laissé aucune autre trace dans nos témoignages. On trouve mention, à Gyrton, d'un T. Minucius Rufus, qui en 172/1 commande le siège de la ville en même temps que le stratège thessalien Hippias (30). Il serait intéressant de reconnaître un membre de la même famille dans une épigramme datée de la fin du IIe s. av. J.-C.: le personnage honoré a, semble-t-il, combattu et repoussé des incursions galates (31). On a pensé à M. Minucius Rufus, le vainqueur des Scordisques et des Triballes, en 106 av. J.-C..

A Echinos, enfin, une base de statue découverte il y a quelques années, donne le nom de Cn. Octavius Cn. f. Cn. nep., préteur commandant la flotte romaine en 168 av. J.-C. (32).

Pour la période qui, de la troisième guerre de Macédoine au Bellum Achaicum, couvre les années 168-146 av. J.-C., apparaissent encore, dans les documents thessaliens, quelques autres personnages. On connaît un Sénatus-Consulte d'un P. Servilius, consul, à propos d'un conflit territorial à Trikka

---

(24) La lecture de la l. 9 est douteuse; des corrections ont été proposées par Wilamowitz et Hiller von Gaertringen pour l'édition des *IG*, IX, 2; mais elles ne sont pas satisfaisantes; la pierre paraît perdue, et l'on est réduit à des conjectures.

(25) Cf. H. Kramolisch, *Die Strategen des thessalischen Bundes, Demetrias* II, 1978, p. 56.

(26) *IG*, IX, 2, 1, daté d'avant 146 par la mention d'archontes à Héracleia; la cité destinataire de la lettre serait, d'après Hiller von Gaertringen, Démétrias; mais on ne voit guère le rapport qui peut s'établir entre Héracleia et Démétrias en cette affaire. Ne pourrait-il s'agir de Rome même?

(27) Tite-Live, 42, 6, 5; Cf. *RE*, s.v. Cornelius, col. 1406.

(28) Je ne détaille pas les différents événements bien connus par les sources, et qui ont été souvent étudiés; pour les actions sur le terrain, on peut se reporter à la présentation que j'ai donnée d'un point de vue «local» à propos de Gonnoi, cf. *Gonnoi*, I, p. 102-104. On doit citer encore, pour la connaissance approfondie des affaires thessaliennes chez des officiels romains à cette époque, l'inscription de Delphes, rééditée par J. Bousquet, *Le roi Persée et les Romains, BCH*, 105, 1081, pp. 410-416.

(29) Décret de Chyretiai, A.S. Arvanitopoulos, *Arch. Eph.*, 1917, no 301; cf. Tite-Live, 36, 13, 4; sur le personnage on ne sait à peu près rien, cf. T.R.S. Broughton, *The Magistrates...*, I, p. 355.

(30) Tite-Live, 42, 54, 7; cf. H. Kramolisch, *Die Strategen...*, pp. 54-55.

(31) *IG*, IX, 2, 1135; pour le texte très mutilé, plusieurs identifications ont été avancées avec des officiels romains entre la fin du IIe s. av. et le milieu du 1er s. ap. J.-C.; J. et L. Robert, *Bull.*, 54, p. 152, ont songé à M. Minucius Rufus; pour les autres essais d'identification, cf. *Bull.*, 66, 231 et 68, 313.

(32) *Arch. Delt.*, 22, 1967, Chronika, p. 247; cf. J. et L. Robert, *Bull.*, 69, p. 329.

avant le milieu du IIe s. av. J.-C. (33). La même ville a été la destinataire d'une lettre adressée par un magistrat romain dont le nom n'a pas été conservé, dans la période suivante, avant la fin du IIe s. av. J.-C. (34).

La crise de 146 et les mesures édictées par L. Mummius n'entraînèrent pas, pour la Thessalie, de bouleversement considérable (35), même si, comme on peut en avoir le sentiment, le traitement des affaires thessaliennes prend pour Rome de plus en plus d'importance. Ce qui nous intéresse ici une fois encore, est, en rassemblant les noms des officiels romains, de faire apparaître les relations que certaines familles ont entretenues, d'une génération à l'autre, avec les cités thessaliennes. De ce point de vue, on retiendra ici l'importance du Sénatus-Consulte rendu à l'instigation du préteur C. Hostilius, fils du consul A. Hostilius. Celui-ci commandait les opérations militaires contre Persée en Thessalie en 170 av. J.-C. Son fils est intervenu dans le conflit de frontières qui opposait Narthakion et Meliteia (36). On a beaucoup discuté sur l'intervalle qu'il faut maintenir entre la préture de C. Hostilius et son consulat, qui se situe en 137 av. J.-C.; l'accord se fait aujourd'hui pour ne pas dater cette préture après 140. J.-C., ce qui fournit aussi un *terminus* pour le document de Narthakion (37).

Dans les inscriptions thessaliennes de la fin du IIe et du Ier s. av. J.-C., on ne trouve plus de témoignages sur les officiels romains avant les guerres mithridatiques. Un texte de Diodore signale la présence de troupes thessaliennes en Sicile pendant la guerre sociale (103 av. J.-C.), dans l'armée de L. Licinius Lucullus (38). Le même personnage apparaît dans une dédicace à Hypata, vers 87 (39). Dans la même période, sans doute, un *legatus pro praetore* a été honoré à Hypata également, pour avoir rétabli et restauré la cité (40). L'activité militaire de ces années 88-80 a conduit plusieurs cités thessaliennes à honorer les officiels romains du moment. Q. Braitius Sura, légat de C. Sentius Saturninus préteur de Macédoine de 89 à 87 av. J.-C. a été honoré à Larisa par les Athamanes (41). La présence en Thessalie de L. Cornelius Sylla, des généraux démocrates, s'est également traduite par des interventions dans les affaires thessaliennes, et des relations réciproques dont les Thessaliens n'ont peut-être pas toujours tiré avantage.

Ce ne sont pas non plus des avantages, apparemment, que les Thessaliens ont retirés des activités de certains gouverneurs de Macédoine, dans les années qui ont précédé les guerres civiles. On connaît l'appréciation de Cicéron sur la politique suivie par L. Calpurnius Pison, gouverneur en 57-56 av. J.-C.: *omnis erat tibi* (šcil. Pisoni) *Achaia, Thessalia, Athenae, cuncta Graecia* (42). Mais nous ne possédons aucun document proprement thessalien sur ce point. En revanche, le passage de Pompée, au moment de la guerre des pirates (66-62 av. J.-C.), a été l'occasion d'au moins une consécration, avec la qualification d'εὐεργέτης, à Démétrias (43).

Les guerres civiles ont été, elles aussi, une période ambiguë pour les Thessaliens: il fallait sans

---

(33) Publié *Arch. Eph.*, 1934-35, p. 149, et identifié par L. Robert, *Etudes épigraphiques et philologiques*, pp. 287-288, n. 1; pour la date, cf. T.R.S. Broughton, *Magistrates...*, II, p. 465 (App. II).

(34) *IG*, IX, 2, 301, cf. R. K. Sherk, *Roman Documents*, p. 233, n° 45.

(35) Cf. S. Accame, *Il dominio Romano*, ... On peut peut-être compter comme membre de la familia de L. Mummius le Λεύχιος Μόμμιος qui apparaît à une date postérieure (non déterminée) à Méthoné (*IG*, IX, 2, 1200); cf. *RE*, XVI, Nachträge, col. 1203, s.v. L. Mummius.

(36) *IG*, IX, 2, 89.

(37) Cf. en dernier lieu H. Kramolisch, *Die Strategen...*, pp. 68-69 avec renvoi à T.R.S. Broughton, *The Magistrates...*, I, p. 480.

(38) Diodore, 37, 8, 1; cf. S. Accame, *Il dominio Romano...*, p. 225.

(39) *IG*, IX, 2, 38 (Sylloge³, 743); cf. S. Accame, *o. l.*, p. 227.

(40) *IG*, IX, 2, 10, avec un décret de proxénie.

(41) *IG*, IX, 2, 613.

(42) Cicéron, *in Pisonem*, 40, 96.

(43) *IG*, IX, 2, 1134.

aucun doute prendre parti. Quelques témoignages subsistent des interventions attribuables à César lui-même, ou à tel de ses lieutenants: César à Démétrias (44), Cassius Longinus qui a réaménagé la route de Tempé en 48 av. J.-C. (45). Un peu plus tard, un légat d'Antoine, L. Sempronius Vesta Atratinus a été honoré d'une statue à Hypata, vers 40 av. J.-C. (46). Nous ne parlerons pas ici des honneurs accordés par les Thessaliens à Octave-Auguste: les conditions créées par le principat et les aménagements fondamentaux qu'Auguste a apportés à l'organisation de la Thessalie, introduisent une situation très différente dans l'intervention des officiels romains en Thessalie.

Si nous voulons maintenant considérer, non plus les officiels, militaires et magistrats, mais les citoyens romains qui ont résidé à un titre quelconque en Thessalie, nous devons, à la suite de Hatzfeld, introduire dans la présentation des documents une division chronologique qui aboutit à un classement en deux groupes successifs. Le premier correspond au IIe s. av. J.-C. ou à peu près: il rassemble essentiellement des décrets de proxénie pour des citoyens romains, dont la qualité n'est le plus souvent pas définie. Il semble toutefois qu'il s'agit de simples particuliers, dont les activités sont couvertes par le terme commode employé par Hatzfeld, celui de *negotiatores*. La liste des inscriptions qui les mentionnent est courte:

1 - Le décret de proxénie de Larisa pour T. Quinctius T.f. Flamininus rappelle les τηβεννοφοροῦντες qui ont quitté la ville sous la pression des événements militaires (κινδυνευούσης τῆς πόλεως), peut-être la menace représentée par Antiochos III en 191. Le décret a été publié par A.S. Arvanitopoulos, *Arch. Eph.*, 1910, col. 344, n° 3 (47).

2 - Quatre autres citoyens romains ont reçu, au cours de la première moitié du IIe s., la proxénie et d'autres droits (dont certains sont intéressants du point de vue économique), à Gonnoi, sans que l'on puisse reconnaître en eux des personnages «officiels»:

— les noms de deux d'entre eux sont connus: G. Flavius Apollonius et son fils Gaius Flavius Bucco (*Gonnoi*, II, n° 42). La lecture du gentilice Flavius est assurée (48).

— l'état de conservation des pierres n'a pas permis de déchiffrer exactement les noms des deux autres (*Gonnoi*, II, n° 20 et 47) malgré les tentatives qui ont été faites (49).

3 - Un autre Italien a été honoré à Olosson: L. Acutius L.f., pour avoir rendu service pendant son séjour, παρεπιδημία (A.S. Arvanitopoulos, *Arch. Eph.*, 1917, p. 13); la date, sûrement avant 146, reste mal établie (50).

4 - Un autre enfin, dont le nom est perdu, a été honoré à Démétrias, vers la fin du IIe s. av. J.-C. (*IG*, IX, 2, 1105). La date est établie grâce à la prosopographie des magistrats locaux.

---

(44) *Arch. Eph.*, 1916, p. 121; *Arch. Deltion*, 1936, parart., p. 51, *Arch. Eph.*, 1929, p. 142.

(45) *CIL*, III, 588.

(46) *IG*, IX, 2, 39.

(47) Pour cet événement, cf. le passage de Tite-Live, 36, 10: la ville fut sauvée grâce à la marche forcée qu'Appius Claudius Pulcher entreprit de Macédoine à Larisa à travers le Bas-Olympe (cf. mon étude de ce passage dans *Gonnoi*, I, 1973, p. 100). A la différence de Hatzfeld (*o.l.*, p. 24 et n. 1) je considère — avec l'éditeur, A.S. Arvanitopoulos et plusieurs autres historiens — que le personnage honoré est bien le vainqueur de la 2e guerre de Macédoine, T. Quinctius Flamininus. En revanche, il me semble, comme à Hatzfeld, que le terme de τηβεννοφοροῦντες désigne non des militaires (hypothèse de M. Holleaux), mais plutôt des civils, des *negotiatores* précisément.

(48) Plusieurs collègues m'ont consulté à ce sujet ou ont cherché à vérifier sur l'original: c'est que le gentilice Flavius, à cette époque, semblé faire problème. La solution de la difficulté est à chercher non dans une erreur du graveur, à Gonnoi, mais dans ce que nous pouvons savoir de l'histoire de ce gentilice lui-même.

(49) Cf. A.S. Arvanitopoulos, *Arch. Eph.*, 1912, p. 66, n° 93, puis les observations de J. Hatzfeld, *o.l.*, p. 24, n. 6 sur une lecture ΑΤΑΛΗΙΟΣ, et mes propres lectures, *Gonnoi*, II, n° 20 et 47.

(50) Le décret d'Olosson est connu depuis longtemps (cf. *IG*, IX, 2, 1292) et a été revu en dernier lieu par A.S. Arvanitopoulos; pour la date, cf. H. Kramolisch, *Zur Strategen des perrhäbischen Bundes*, *La Thessalie, Actes de la Table Ronde, de Lyon, 1975*, Coll. Maison de l'Orient, 1979.

LES ITALIENS EN THESSALIE

Dans cette dernière ville, grand port international, notre information apporte d'ailleurs matière à quelques réflexions. Les stèles funéraires trouvées par A.S. Arvanitopoulos en 1910, inconnues de J. Hatzfeld par conséquent, livrent les ethniques de quelques Occidentaux:

— deux Σίκελοι, Σύμμαχος / Τιττάλου / Σ. et Ζώπυρος / Ἀντα.. / Σ;

— un Ὑριατεινός;

ce personnage possède un nom illyrien, Δᾶζος Πλαρια; il semble pourtant bien porter l'ethnique de la cité d'Hyria, ville d'Apulie ou de Campanie (51).

Il est intéressant de ne voir figurer dans cette série aucun nom romain, alors que l'ensemble couvre, selon la datation que nous avons désormais établie, la période qui va de la fondation de Démétrias en 294/3 av. J.-C. jusqu'aux guerres mithridatiques, à la fin de la première décennie du Iᵉʳ s. av. J.-C. (52). On attendrait donc mention des Italiens ou des Romains à Démétrias comme à Délos (53). Pourtant, hors *IG*, IX, 2, 1105, il n'en apparaît aucun. Le corpus des décrets de Démétrias est certes peu fourni, et la série des stèles funéraires, plus de six cents pièces, provient d'une seule des nécropoles de la cité, celle du Sud; il est assuré qu'il en existait d'autres, d'où nous sont parvenus apparemment quelques autres monuments funéraires que nous pouvons identifier. Mais nous devons considérer aussi deux faits. D'une part, les décrets de Démétrias que nous connaissons sont tous groupés sur quelques décennies, à la fin du IIᵉ s. av. J.-C.: un seul citoyen romain y figure. D'autre part, dans les stèles funéraires ainsi emmurées d'un coup dans le rempart sud et exhumées de même, les étrangers paraissent en nombre important: ils sont presque sur-représentés, avec près de 40% d'ethniques étrangers. Une impression se dégage donc de cette situation: avant les guerres mithridatiques, les grands commerçants italiens, Ῥωμαῖοι, si bien installés à Délos, n'étaient probablement pas ou presque pas présents à Démétrias, malgré l'importance que ce port revêtait pour les intérêts militaires et politiques de Rome en mer Egée (54).

Une fois encore l'inscription sur le blé éclaire la situation: celle-ci ne paraît pas momentanée, mais générale. «Les Thessaliens n'ont pas de bateaux», ἐπεὶ οὐχ ὑπάρχει πλοῖα τοῖς Θεσσαλοῖς dit le décret, ils n'en ont ni à Démétrias, ni au Démétrieion, près de Thèbes de Phthiotide (55), ni à Phalara sur le golfe lamiaque. Les autorités thessaliennes demandent à Quinctus Caecilius Metellus d'en trouver et de les envoyer dans ces ports; s'il n'y parvient pas, les Thessaliens traiteront avec les armateurs qu'ils trouveront sur place. Cela signifie, je crois, qu'ils s'adresseront aux Orientaux ou aux autres Grecs qui résident à Démétrias ou dans les ports qui servent de débouché maritime aux villes de Thessalie (56); il n'est en tout cas pas question d'Italiens ni d'Occidentaux. On peut en conclure que les Italiens n'avaient aucune installation conséquente à Démétrias, car, dans le cas contraire, ils auraient reçu eux-mêmes la charge d'exécuter cet important contrat de transport (57).

---

(51) Les épitaphes des Σίκελοι sont inédites; la première citée par O. Masson, *BCH*, 1972, p. 388; celle de l'Italiote (?) d'Hyria a été publié par A.S. Arvanitopoulos, *Polemon*, 4, 1949-50, n° 300 [308]; pour Hyria, cf. *RE*, s.v. qui, d'après les sources, distingue une ville de ce nom en Apulie, une autre en Campanie, à moins qu'il faille se rallier à l'indication de Pline, qui fait de ce toponyme un autre nom de Zakynthos.

(52) Cf. mon étude sur les Ateliers lapidaires de Thessalie, *Actes du VIIe Congrès international d'épigraphie grecque et latine*, Constantza, 1977, pp. 63-90, ainsi que les études de C. Wolters et V. von Graeve in *La Thessalie, Actes de la Table Ronde de Lyon, 1975*, Coll. Maison de l'Orient, 1979, pp. 81-110.

(53) Cf. M. Th. Couilloud, *Les monuments funéraires de Rhénée*, EAD, XXX, 1974, pp. 328-331, pour les stèles funéraires, directement en parallèle avec la série de Démétrias.

(54) Est-ce par respect du statut d'alliés? On observera que, dans la campagne contre Antiochos en 191, et par la suite encore, c'est Skiathos qui est utilisée comme base par la flotte romaine. Un stratégos Marcus Statius Modius dans le décret *IG*, IX, 2, 1107, pour un prêtre d'Isis est à mentionner, cf. ci-dessous.

(55) Il s'agit de l'actuelle Pyrasos - Néa Anchialos; cf. F. Stählin, *Hell. Thess.*, p. 173, n. 9.

(56) Le décret indique clairement que dans chaque tétrade les cités utilisent le port qui leur est le plus proche.

(57) Il ne faut peut-être d'ailleurs voir dans cette absence des Italiens à Démétrias rien d'autre qu'une conséquence de la

Ainsi les quelques inscriptions du IIe s. av. J.-C. que nous pouvons utiliser ne font pas apparaître une activité intense des Italiens en Thessalie. Il est bien clair que le rôle principal est tenu, pendant cette période, par les officiels, les représentants du pouvoir sénatorial et les militaires. C'est que la Thessalie constitue une Confédération autonome, et qu'elle relève d'un statut d'alliance. Pourtant, une fois encore, nous parvenons à entrevoir, dans la confrontation entre les documents émanant des autorités locales, l'amorce d'une évolution. Il nous faut revenir ici à deux décrets récemment découverts, et qui sont publiés par C. Gallis, éphore des Antiquités de Thessalie (58). Le premier d'entre eux est un décret de Larisa pour deux grands officiers d'Eumène, roi de Pergame, honorés pour les services rendus à la ville pendant la 3e guerre de Macédoine, en 171 av. J.-C. Ces deux dignitaires de la cour attalide ont eu affaire, apparemment, avec une commission municipale chargée d'organiser avec eux les rapports entre Lariséens—Thessaliens et les troupes royales (59). Une telle commission, on doit le supposer, a eu à traiter aussi avec les représentants du Consul romain: le récit des événements par Tite-Live montre bien qu'il y a eu concertation régulière entre le consul, le roi et le stratège fédéral des Thessaliens. Ces derniers ont été, en ces circonstances, traités comme des alliés de droit. Ce traitement s'est manifesté d'ailleurs avec éclat, lorsque la cavalerie thessalienne se fit tuer sur place, au cours de la bataille de Callinicos, en juin 171, quelques semaines après le vote du décret précité, pour sauver l'armée romaine en péril (60). Honneur fut rendu par les Romains à ces héros après la bataille: un concours funèbre fut institué, et s'est perpétué d'année en année pour les héros morts à la bataille des Stena, puisque tel est le nom que les Thessaliens lui avaient donné: τοῖς προκινδυνεύσασιν ἐπὶ τῶν Στενῶν (61). Nous reviendrons sur ce concours un peu plus loin. Nous retiendrons ici que les Thessaliens sont alors reconnus comme des alliés.

Trente ou quarante ans plus tard, c'est d'une tout autre manière que sont traités les Thessaliens. Le décret fédéral pour le transport d'environ 3.500 tonnes de blé nécessaire à l'approvisionnement de Rome le montre bien. Qui en effet notifie aux Thessaliens la répartition de ce précieux froment? Ce Q. Caecilius Metellus déjà nommé, un personnage dont la famille, comme on peut le dire à partir des témoignages évoqués ci-dessus, a fait entrer la Thessalie dans sa clientèle. Le décret montre que le personnage n'est pas encore un magistrat de haut rang: il est ἀγορᾶνομος Ῥωμαίων ἀποδεδειγμένος, édile désigné de Rome, et à ce titre chargé de l'annone. Il s'est présenté en personne à l'assemblée fédérale, avant sa prise de charge. Il a demandé aux Thessaliens une livraison de blé. Mais les termes du décret font ressortir les exigences de la réquisition, auxquelles les cités ne peuvent se soustraire, les pleins pouvoirs donnés au stratège et aux magistrats fédéraux, les amendes encourues en cas de non livraison ou de retard, la répartition des quantités par tétrades dans la province. Tout cela conduit à supposer une contribution de la Thessalie fondée sur une connaissance précise de ses ressources et de son économie, une certaine organisation des moyens de production, de stockage, de transport. C'est assurément l'intérêt de ce document de nous montrer, ce dont Hatzfeld doutait faute de preuves (62),

situation géographique de ces ports sur la côte orientale de la mer Egée; le trafic y est certainement davantage orienté vers l'Orient que vers l'Occident: pour aller en Italie depuis Démétrias, il faut contourner toute la péninsule hellénique. Pour le transport du blé thessalien, c'est néanmoins une route maritime qui est prévue par le décret et non un itinéraire continental, l'un de ceux que les armées romaines ont suivis depuis le début du IIe s.: les marchandises ont toujours dû circuler dans d'autres conditions que les hommes.

(58) Documents présentés et commentés par mon ami C. Gallis au 2e congrès international d'Etudes thessaliennes, à Larisa, septembre 1980; c'est à cette présentation que j'emprunte l'essentiel des observations faites ici.

(59) Sur ces deux personnages et leur rôle à Larisa en 171 av. J.-C., cf. mon étude *Grands dignitaires attalides en Thessalie pendant la 3e guerre de Macédoine*, Ath. Ann. Arch., 1981, pp. 296-301.

(60) Cf. Tite-Live, 42, 57-60.

(61) On doit à J. et L. Robert d'avoir rapproché les deux appellations et ainsi identifié les concours funèbres, concours locaux, distincts des Eleutheria, concours panhelléniques, cf. *Bull. Epigr.*, 1964, 227, p. 177.

(62) Pour J. Hatzfeld, *Trafiquants italiens...*, pp. 217-219, la Grèce n'exportait pas de blé vers l'Italie; de toute façon, son

que la production du blé thessalien était déjà à disposition des autorités romaines, qui pouvaient y recourir sans pour autant passer par des *negotiatores*. Mais il nous faut retenir aussi, et c'est ce qui nous intéresse ici, qu'en cette affaire, les Thessaliens ne paraissent plus comme des alliés, même s'ils le demeurent en droit: ils sont plutôt traités comme des assujettis, dans un pays qui semble bien systématiquement exploité.

Cette exploitation, pour autant qu'il y paraît, laisse intacte dans sa structure l'organisation politique et économique de la Thessalie du IIe s., avec ses cités et leurs territoires. Peut-être y a-t-il eu, dès cette époque, dans cette vaste province, des terres confisquées — mais si tel fut le cas, il a dû s'agir non de terres civiques (63), mais de domaines royaux macédoniens, ces βασιλικὰ ἔγγαια dont il semble exister trace dans notre documentation épigraphique (64). Quoi qu'il en soit, c'est plus souvent à un mode d'administration et de contrôle économique que renvoient les documents très officiels que nous avons cités dans les pages qui précèdent.

*
* *

Avec un tout autre caractère nous apparaît la présence des Italiens *à la période suivante,* qui couvre approximativement — car il est difficile de préciser trop pour l'instant, *le Ier s. av. J.-C. et le tout début du principat d'Auguste.* Que nous apprennent donc les documents épigraphiques de cette période? Ils nous montrent tout d'abord que les Italiens résidents existent et paraissent même en assez grand nombre. Les inscriptions qui les désignent proviennent pour la plupart de la région de Larisa. Mais, faut-il le dire, cette provenance n'est pas totalement significative: Larisa est la capitale de la Thessalie, le siège des autorités fédérales. De Larisa, en réalité, on rayonne sur toute la province; résider à Larisa n'exclut donc pas, au contraire, pour les Italiens d'avoir eu affaire dans toute la région.

Un recensement de tous les noms italiens dans les inscriptions thessaliennes correspondant au dernier siècle de l'époque républicaine porte sur différentes catégories de documents, sur la nature desquels nous devons d'abord dire quelques mots. Il s'agit en effet:

— de stèles funéraires;
— de listes d'affranchis;
— de listes de consécrations;
— de catalogues de vainqueurs à des concours.

Cette dernière série de documents a déjà été utilisée par Hatzfeld, mais sans qu'il ait pu introduire la distinction, établie clairement depuis par J. et L. Robert (63), entre les catalogues agonistiques des Eleutheria, concours internationaux, et les listes de vainqueurs à des concours locaux, auxquels prenaient part les citoyens et ceux qui résidaient en permanence dans la province. Aux concours de la première catégorie participaient des étrangers, les spécialistes des différentes épreuves constituant le concours, qui ne séjournaient à Larisa que pour cela, le temps de la fête, avant de

---

commerce en Orient échappait aux *negotiatores:* il était entre les mains des publicains (en Asie par exemple) ou des spéculateurs orientaux (en Egypte, etc.).

(63) Elles ont sans doute été rendues à leurs propriétaires, comme en témoigne la lettre de Flamininus aux citoyens de Chyretiai, cf. ci-dessus, p. 355.

(64) Cf. *Gonnoi,* II, n° 98 (lettre de Philippe V) et commentaire; on doit évoquer aussi, dans cette perspective, les recensements cadastraux connus à Larisa à la fin du IIIe ou au début du IIe s. av. J.-C.: terres civiques, domaines sacrés (ou royaux?), terres communes, de tels recensements ont évidemment pour objet de délimiter les uns et les autres.

(65) Cf. ci-dessus, note 61.

reprendre la route pour un autre concours, dans un sanctuaire célèbre ou une autre grande ville. Quelques Italiens ou Occidentaux faisant partie de ces spécialistes ont remporté des épreuves aux Eleutheria de Larisa. Leur origine est précisée par leur ethnique:

— un Napolitain portant un nom grec, bien évidemment, — ης Ἰσιδώρου, vainqueur au concours de cithare (*IG*, IX, 2, 528, I. 15, entre 116 et 80 av. J.-C.);

— un Italien, qualifié de Ῥωμαῖος, au nom incomplètement déchiffré, a remporté un peu plus tard la même couronne (*IG*, IX, 2, 534, l. 8, vers le milieu du 1er s. av. J.-C.).

Mais les autres Italiens recensés par Hatzfeld, nous le savons désormais, sont des vainqueurs aux concours locaux, ces concours mêmes qui furent établis en l'honneur des morts aux Stena (ou Callinicos), et auxquels participaient les gens du pays. Ces Italiens qui y sont mentionnés, et y figurent sans ethnique, avec leurs seuls *tria nomina*, sont donc des résidents.

De la même façon, des listes de consécrations à certaines divinités par des personnages d'origine évidemment locale, contiennent aussi des noms romains. Ce sont des consécrations collectives du taureau par les vainqueurs à des concours, sans doute les mêmes que nous avons évoqués ci-dessus, ou des offrandes présentées par les φρουροί et leur responsable, l'ἀρχίφρουρος, groupe de jeunes gens enrôlés dans un système d'éducation militaire qui doit être, pour les cités thessaliennes, ce que l'éphébie était à Athènes et ailleurs (66).

Nous comptons ainsi comme résidents des personnages qui sont présentés, dans toutes ces inscriptions, avec les *tria nomina* (67):

1 - Liste de vainqueurs aux concours locaux, inédite [Code 3366] datée par l'écriture du début ou de la première moitié du 1er s. av. J.-C.; on ne peut pas reconstruire à coup sûr la liste des épreuves, mais on trouve:

l. 1: mention d'un Ἀλφήιος

l. 10: Πόπλιος Τίνιος Ποπλ[ίου υἱός]

l. 12: Λεύκιος Ἀτίνιος Γα[ίου υἱός].

2 - Liste de vainqueurs aux concours locaux publiée par D.R. Théocharis, *Arch. Deltion*, 16, 1960, p. 185, datée par le stratège Monimos, probablement vers le milieu du 1er s. av. J.-C. [code 3177]:

l. 1: Πόπλιος Οὐέττιος Σέξτου υἱός, tage du premier district et agonothète.

l. 8: Γάιος Ὄκκιος Φρόντωνος υἱός, vainqueur à la course des jeunes chevaux.

l. 18: Πόπλιος Τίτιος Ποπλίου υἱός, vainqueur à la course du stade des enfants.

3 - Liste de vainqueurs aux concours locaux *IG*, IX, 2, 531, datée par le stratège Hégésias du début du règne d'Auguste [code 3087]:

l. 11 et 18: Μᾶρκος Ἀρρόντιος, vainqueur à la course de taureaux et à la course aux flambeaux

l. 21: Γάιος Κλώδιος Γαίου υἱός, vainqueur au stade des enfants

l. 44: Κόιντος Ὄκκιος Κοίντου υἱος, vainqueur à l'éloge funèbre en prose.

4 - Liste de vainqueurs aux concours locaux *IG*, IX 2, 532, datée par le stratège Kyllos du début du règne d'Auguste [code 3088]:

l. 30: – – ος Σεμ[πρώνιος – – – υἱός], (restitution de Hatzfeld), vainqueur du diaule des hommes.

---

(66) Sur cette institution, cf. *Gonnoi*, I, 1973, pp. 145-146.

(67) Je reviens plus bas sur la chronologie et le contenu de ces diverses inscriptions. La datation des listes de vainqueurs aux concours des Stena a donné lieu à beaucoup de flottement, depuis les observations des premiers éditeurs (E. Miller, pour *IG*, IX, 2, 531 et F. Durrbach pour *IG*, IX, 2, 532) en passant par l'étude de E. Preuner, *Griechischen Siegerliste, AM*, 1903, pp. 370-382, jusqu'à celles de J. et L. Robert, *Bull.*, 64, et l'étude de H. Kramolisch, *Die Strategen*, pp. 135-136.

5 - Consécration du taureau, liste de dédicants *IG*, IX 2, 535, datée par la prosopographie de la 2ᵉ moitié du Iᵉʳ s. av. J.-C. (68) [code 3091]:
    l. 32: Κόιντος Ἄττιος [– – Σέ] ξτου υἱός.

6 - Consécration dédiée par les φρουροί à Zeus Perphérétas, *IG*, IX 2, 1057, datée de la 2ᵉ moitié du Iᵉʳ s. av. J.-C. (69) [code 4162]:
    l. 14: [Γ]ναῖος Ποπίλ[ιος].
    l. 15: Λούκιος Αὐφών[ιος].
    cf. l. 8: aussi un Πρῖμος – – –

Il faut ajouter à ces noms ceux des maîtres qui ont affranchi des esclaves. Selon la législation fédérale thessalienne, l'affranchi indique, dans le libellé de sa nouvelle identité, le nom de son maître ou patron, au génitif, suivi de la mention ἀπελεύθερος (70). C'est là un usage propre à la Thessalie, tout à fait parallèle à l'usage romain — et cela non sans raison: les lois régissant l'affranchissement en Thessalie, selon un mode civil et par déclaration aux autorités civiques, et non par consécration religieuse, relèvent, je pense pouvoir le montrer dans une étude en préparation, d'une inspiration romaine.

Pourtant, dans les catalogues de déclarations des affranchis, on ne relève, à ma connaissance, aucun Occidental, parmi plusieurs autres étrangers qui possédaient, par droit de résidence ou pour d'autres raisons, la capacité d'affranchir selon la législation thessalienne. Mais d'autres documents apportent des compléments utiles: les stèles funéraires mentionnent elles aussi des patrons et des affranchis portant des noms latins. Ainsi:

— *IG*, IX 2, 853 [code 1787]: Λεύκιος Δέκμιος Λευκίου υἱὸς Οὐελίνα Βάσσος et son affranchi Λεύκιος Δέκμιος Λευκίου υἱὸς Οὐελίνα ἀπελεύθερος ΜΕΔ – – – (71).

— *IG*, IX 2, 854 [code 1604]: Ἑλενὴ Ἀλφιηνὴ Βάσσου ἀπελευθέρα (72)

Il faut consacrer encore davantage d'attention aux stèles funéraires thessaliennes, pour le sujet qui nous occupe ici. De fait, cette catégorie de documents a été peu utilisée; Hatzfeld n'en a cité que

---

(68) Pour la date, on note l'usage du dialecte, et la mention d'un Amométos fils de Philoxénidas, personnage bien connu, et qui réapparaît dans la liste *IG*, IX, 2, 532: cf. ci-dessous, p. 376.

(69) Le texte peut être considérablement amélioré par rapport à l'édition de O. Kern; je lis et restitue l'intitulé de la manière suivante:
Διὶ Φερφερέτα · Ἀρισ-
τοκ[ρά]της Μελίννο[υ]
ἀρχ[ιφ]ρου[ρήσας καὶ οἱ]
[σ]ύν[φρ]ου[ροι στρατηγοῦ]-
ντος Ε– – – – – – –
A la l. 14, Kern transcrit ΝΑΙΟΣ, qui me semble être plutôt un [Γ]ναῖος qu'un [Γ]άιος. Les mêmes restitutions dans H. Kramolisch, *Die Strategen*, p. 119, n. 99, pour le début. Ce document entre dans une série de consécrations, attribuées par les éditeurs à la cité de Mopsion (cf. O. Kern, *IG*, IX, 2, 1057-1064) à cause du lieu de trouvaille (Megalo- ou Mikrokeserli, c'est-à-dire les villages modernes d'Elateia et Sykourion). Dans une étude consacrée à cette série, je propose d'y voir plutôt des consécrations des groupes d'éphèbes (φρουροί) de Larisa et des cités de la région, toutes datées de la seconde moitié ou de la fin du 1ᵉʳ s. av. J.-C.; on note dans *IG*, 1057 la gravure des *rhô* avec boucle carrée, caractéristique des dernières années de la République et du début du règne d'Auguste.

(70) Sur la législation fédérale thessalienne de l'affranchissement, cf. mon article *Phenix*, 1976, pp. 143-158.

(71) L'indication ΜΕΔ - qui figure dans le texte à la suite est restée sans interprétation jusqu'ici: peut-être un ethnique (par exemple Μεδ[ιολαν]έ puisque la forme est ici au vocatif). Dans tous les cas, il semble que l'affranchi vienne lui aussi d'Italie, et ait été affranchi avant son arrivée en Thessalie, selon le droit romain (avec inscription dans la tribu de son *patronus*) et non selon le droit thessalien.

(72) La forme du gentilice est bien Ἀλφιηνή sur la pierre, pour Ἀλφηνίη apparemment (pour le gentilice Alfenius, cf. *RE*, s.v.).

quelques-unes. Il est vrai que la plupart d'entre elles sont mal datées, mal étudiées, mal interprétées dans les publications. L'étude systématique que j'ai entreprise depuis 1970, en collaboration avec C. Wolters et V. von Graeve, a permis de mieux définir les différentes typologies des monuments funéraires thessaliens, et de mieux les classer dans le temps. En nous tenant aux stèles funéraires de la fin du IIe et du Ier s. av. J.-C. — avec un terme qui correspondrait à peu près à la fin du règne d'Auguste — nous pouvons considérer qu'un nombre relativement intéressant de monuments peut être ici retenu.

Quels sont donc les critères typologiques sur lesquels peuvent se fonder nos classements? Nous trouvons tout d'abord des stèles à couronnement de type hellénistique traditionnel, un anthémion portant feuilles d'acanthe, volutes et palmettes: ce type de monument cesse, selon notre interprétation, d'être utilisé — sinon en remploi — vers la fin du Ier s. av. J.-C. ou au début du Ier s. ap. J.-C. (73). Vers le début ou au cours de la première moitié du Ier s. av. J.-C., on voit apparaître en revanche un autre type de stèle, avec un couronnement ogival, sans mouluration, qui porte pour ornement soit une simple rosette, soit un portrait peint ou sculpté. Il s'agit dans ce dernier cas d'un type qui semble bien relever d'une tradition romaine et qui se trouve répandu dans la province, comme aussi ailleurs, à partir de cette époque (74). Ce type ne se maintiendra en Thessalie qu'assez peu de temps à vrai dire, puisque le portrait cédera de plus en plus la place, reflétant en cela l'évolution des mentalités, à la représentation du cavalier à pied près de sa monture ou à cheval, près d'un autel et d'un arbre autour duquel s'enroule un serpent (75). Quelques autres monuments funéraires suivent d'autre part un type encore plus nettement votif, hellénistique lui aussi, celui du *naiskos* à épistyle horizontal ou à fronton triangulaire, petit temple dont la façade, entre les deux colonnes extrêmes seules représentées, sert de champ à une représentation le plus souvent peinte, mais parfois aussi sculptée. On y rencontre assez souvent des figures debout, alignées comme en famille, dans de longs vêtements drapés: représentations, parfois très naïves ou maladroites, de *togati* ou d'Herculanaises selon un schéma gréco-romain qui se répand de plus en plus.

Dans tous les cas, en plus de la typologie et du style des figures, deux critères chronologiques interviennent pour faire la décision. On se fonde sur le style de l'écriture, tout d'abord, que l'on peut dater avec assez d'exactitude lorsque les inscriptions comportent quelques formes de lettres significatives, par exemple le *rhô* à boucle carrée, caractéristique des inscriptions de la fin de l'époque républicaine et du tout début de l'Empire. Tout aussi indicatif reste l'emploi de la formule funéraire ἥρως χρηστὲ χαῖρε, surtout lorsque le nom du défunt est lui-même transcrit au vocatif. L'usage de cette formule, caractéristique de la période hellénistique, tend à se restreindre en Thessalie à partir du milieu du Ier s. ap. J.-C. et dans les premiers temps de l'époque impériale. D'autres formules entrent alors en usage, plus détaillées, notamment dans l'expression des liens de parenté, et dans le rappel du souvenir, μνήμης χάριν. On peut encore ajouter à ces éléments l'altération ou la disparition de la représentation d'Hermès Chthonios, si caractéristique des stèles funéraires thessaliennes d'époque hellénistique. Cette figure prend, vers la fin de la période — environ au Ier s. av. J.-C. — un aspect de plus en plus ornemental, que l'on voit s'affirmer, pourrait-on dire, dans la mesure même où sa signification religieuse s'altère ou se perd. Très rapidement, sur les stèles de l'époque impériale, la

---

(73) Sur tout cela, cf. C. Wolters, *Recherches sur les stèles funéraires hellénistiques de Thessalie, La Thessalie, Actes de la Table Ronde de Lyon, 1975*, cf. pp. 91-95.

(74) Cf. pour les portraits sur les stèles de Macédoine, les études d'A. Alexandrescu; pour le portrait romain de la fin de l'époque républicaine, cf. l'étude de P. Zanker, présentée au même colloque de Naples.

(75) Ce motif n'est pas nouveau dans la province et figure déjà sur les grands *naiskoi* funéraires du II[er] s. av. J.-C. (cf. par exemple *Gonnoi*, II, n° 278, du 3e ou 2e s. av. J.-C.), mais il tend à devenir, à partir du milieu du Ier s. ap. J.-C., le motif dominant, qui occulte tous les autres: c'est alors que l'on enregistre la disparition — l'oblitération dans les remplois — quasi complète de l'anthémion hellénistique, sauf quelques reconstructions de style «naturaliste» (cf. C. Wolters, *o.l.*, p. 93).

figure d'Hermès disparaît, ainsi que l'inscription votive par laquelle on l'invoquait; seules les stèles en remploi le conservent encore, quand cela était indifférent à l'utilisateur; sinon, la figure et la dédicace étaient oblitérées ou supprimées. Tous ces éléments, écriture, formules et symboles funéraires, reflètent, comme les changements des figures et la dissolution de toute règle typologique cohérente dans le choix des monuments funéraires, le changement qui s'est produit à partir du Iᵉʳ s. ap. J.-C. dans les mentalités et les représentations religieuses.

Sur ces critères, nous pouvons établir une liste des épitaphes qui fournissent des noms italiens représentatifs pour la fin de l'époque républicaine en Thessalie, même si les *tria nomina* n'y figurent pas toujours: mais tel nom de femme, tel nom d'affranchi faisant mention de son *patronus* paraît à cette époque renvoyer à une origine italienne beaucoup plutôt qu'à un simple phénomène de diffusion des noms latins en pays grec (76). Pour mettre en évidence cette difficulté d'interprétation, je classe ici les documents en quelques catégories, des cas les plus significatifs aux plus douteux.

a) les citoyens libres: plusieurs d'entre eux portent un troisième nom grec, ce qui ne saurait nous étonner, si l'on considère ce nom grec comme un surnom, comme cela se rencontre en Italie même à la fin de l'époque républicaine (77); les éléments d'assimilation que nous mettons en évidence ci-dessous, éducation et culture en milieu grec, en rendent bien compte. La liste est la suivante (78):

---

(76) On a pu noter à plusieurs reprises, dans les inscriptions de la fin du Iᵉʳ s. av. J.-C. ou du début du règne d'Auguste, le caractère très stable de l'onomastique thessalienne traditionnelle, cf. par exemple dans l'inscription de Kiérion que j'ai publiée *Rev. Arch.*, 1977, pp. 27-28.

(77) Cf. les observations présentées au cours du colloque de Naples par H. Solin.

(78) Je donne ici la concordance entre les numéros d'archives notés [code XXXX] et les publications, quand elles existent, ainsi que quelques observations sur le texte, le cas échéant:

[1260] inscription inédite, au musée de Larisa. Elle a été mentionnée par C. Wolters, *Stèles funéraires de Thessalie, La Thessalie, Actes de la Table Ronde de Lyon, 1975*, Coll. Maison de l'Orient, 1979, p. 92 (avec illustration pl. 7, 1).

[1277] la lecture Δούκιος est sûre; il n'y a pas, me semble-t-il, à la corriger en (Λ)ούκιος (cf. J. et L. Robert, *Bull.*, 68, 311), car on peut sans doute l'identifier comme le nom Docius ou Doccius (cf. *CIL*, II, 2633; *RE*, Suppl. VII, s.v.).

[1263] stèle inédite au musée de Larisa.

[1576] *IG*, IX, 2, 845; la pierre porte bien AKOYIE, à corriger, à mon sens, en Ἀκού[τ]ιε plutôt que Ἀκου[τ]ε, pour le gentilice Acutius.

[1081] Stèle inédite provenant d'Elatia, près de Tempé; au musée de Volos (inv. E. 1262).

[3575] *IG*, IX, 2, 841; le nom, Πορέλλει (?) pour O. Kern, est à lire comme Ποπελλει (vocatif?), renvoyant à un Popellius (déformation de Popillius)? Une interprétation du nom comme diminutif du déterminatif *porrum*, «poireau» me paraît plus douteuse (on attendrait Πορρ-), bien que dans l'onomastique ce type de sobriquet soit très normal (cf. pour les noms grecs tirés de πράσιον, L. Robert, *Noms indigènes*, p. 171).

[2400] *IG*, IX, 2, 835, retenue ici à cause de la formule funéraire.

[2627] A.S. Arvanitopoulos, *AE*, 1910, col. 371, n° 17, datée 2ᵉ-1ᵉʳ s. av. J.-C.

[2410] *IG*, IX, 2, 855.

[1416] Stèle inédite au musée de Larisa, en brèche verte de Chasambali (cf. ci-après).

[2353] *IG*, IX, 2, 749.

On doit faire quelques observations sur les transcriptions des noms latins en grec, dans ces épitaphes. Sur deux points au moins, des difficultés d'adaptation phonétiques ont entraîné des flottements: pour les sons avec *yod* (i) et pour les sons [ou] et [o]. En voici des exemples pris dans les inscriptions citées ici:

- flottement entre: Ἄκουτος et Ἀκούτιος (Ἄκουιος?)

Κόιντος	Κοίντιος
(Κόιντα)	(Κοιντία)
Δέκμος	Δέκιμος, Δεκίμιος
Πόπλιος	Ποπίλιος
Τίτος	Τιτίος

- avec souvent des problèmes de déplacement du -i- et marque de iotacisme:

Ἀλφιηνή	pour Ἀλφηνίη
Τίνιος	pour Τινήιος (Tineius)

Γνάιος Δομέτιος Δέκμος [1260]
Δούκιος 'Ρούσκιος Πρεῖμος [1277]
Λεύκιος Κορνήλιος Λευκίου υἱός [1710]
Λεύκιος 'Ακού(τ)ιος "Ιλαρος [1576]
Λούκιος Λουκίλιος Εὔτυχος [1081]
Γάιος Ποπέλλ(ι)ος Θεογένης [3575]
Γάειος Σωλφίκιος [2627]
Τίτος Πούπιος Πρωτογένης [2400]

b) les femmes, dont les noms ne sont pas toujours complets (79):

Κλωδία Κλωδίου θυγατὴρ Πρείμα [2999]
Κοίντα Στατία 'Επιγονή [1506]
Κοκκηία 'Αριστονείκη γυνὴ δὲ 'Αφροδείτου [2399]
Οὐεσσία 'Ελενή [4727]
Οὐεττία Πρείμα [1254]
Σακόνδα Λαιλία γυνὴ δὲ 'Αντιγόνου [1473]
Κοιντία Οὐενόστα [1086]
Οὐεννία Γαίου [1489]
Σεκόνδα Ποπλίου [928]
Σεκόνδα Ποπιλίου [1856]
Σολφικία Σολφικίου [1662]

----

mais Γάειος, Γαεία   pour Γάιος, Γαία
- transcription flottante de o et u latins:
'Ροῦφος   pour Rufus
mais Βόκκων   pour Bucco
Δούκιος   Doccius
'Ρούσκιος   Roscius
et flottements:
Λούκιος / Λεύκιος
Σεκούνδα / Σακόνδα

(dans la plupart des cas, le flottement repose aussi sur des homonymies).

(79) Je donne, dans l'ordre, les noms complets, incomplets, soit avec gentilice, soit avec patronyme;
[2999] Inédit au musée de Larisa, provient de l'église Agioi Saranda.
[1506] *IG*, IX, 2, 837 (Larisa).
[2399] *IG*, IX, 2, 829 (Larisa).
[4727] C. Gallis, *Arch. Delt.*, 27, 1972, *Chronika*, p. 419 (*Bull.*, 78, 320; *BCH*, 101, 1977, *Chron.*, p. 598; *SEG*, 27, 206); le lemme des publications pour ce petit autel s'est accru déraisonnablement des Notes de lecture répétées de G. Daux (*BCH*, 102, 1978, p. 622; *AJPhil*, 100, 1979, pp. 14-15; *BCH*, 105, 1981, pp. 588-589). Date: le stratège Epicratès, au début du règne d'Auguste (cf. H. Kramolisch, *Die Strategen, s.v.*). Provenance: Larisa.
[1254] *IG*, IX, 2, 833 (Larisa).
[1473] *IG*, IX, 2, 1054 = *Gonnoi*, II, n° 283.
[1086] Inédit au musée de Volos.
[1489] *IG*, IX, 2, 832 (Larisa).
[982] Inédit au musée de Volos, deux épitaphes, dont celle qui comporte les noms romains sur un martelage.
[1856] Inédit au musée de Volos; cette inscription ne se confond pas avec la précédente. Pour l'hésitation entre le gentilice et le patronyme (Πόπλιος/Ποπίλιος) cf. les observations de la note précédente.
[1662] *IG*, IX, 2, 836 (Larisa).
[1351] Y. Béquignon, *BCH*, 1964, p. 396, n° 1 (d'Elasson).
[424] *BCH*, 1953, *Chronique*, p. 220.
[1222] Inédit au musée d'Halmyros; provient de la région de l'aéroport, c'est-à-dire Thèbes de Phthiotide. Le nom au génitif me paraît être celui du père. La forme Γαεία avec iotacisme ne fait pas de difficulté.

'Αλεξάνδρα Σέξστου [1351]

'Αθηνὼ Φήλικος [424]

Γαεία Μετώπου [1222]

c) les affranchis, dont nous avons déjà parlé ci-dessus (80)

Λεύκιος Δέκμιος Βάσσου ἀπελεύθερος [1787]

Νίκη Φήλικος ἀπελευθέρα [1550]

Μαρκία Λουκία Ζωσίμη 'Αφροδεισίου ἀπελευθέρα [1436]

Ἑλενὴ 'Αλφιηνὴ Βάσσου ἀπελευθέρα [1473]

d) certains personnages dont le nom est grec, et le patronyme est latin (81):

Σύμμαχος Ποπιλίου [1736]

'Αλεξάνδρα Σέξστου [1351]

e) quelques cas plus douteux, spécialement si le nom est latin et le patronyme grec (82):

Πρεῖμος 'Ασιδήμου [1409]

"Ακουτος Λυκίσκου ἀπελεύθερος ξενικῇ [1576]

'Ρεπεντινὸς προμισθωτής [1588]

Γάιος 'Ανκείλιος 'Αμύντας [932]

Πρεῖμος Κρατεύα [2062]

Je ne retiendrai pas ici les noms d'esclaves, 'Ρούφα, 'Ρώμη, Σαλβία, etc., qui apparaissent dans les listes d'affranchissement à la fin du IIᵉ et au Iᵉʳ s. av. J.-C. (83). Mais l'emploi de ces noms dans les *familiae* témoigne sans doute aussi du mélange des populations qui s'est produit en Thessalie au cours de cette période.

Nous retenons ainsi au total une quarantaine de noms des documents thessaliens, alors qu'Hatzfeld n'en recensait qu'une dizaine. C'est à la fois peu et beaucoup. Peu en chiffres absolus, et nous nous garderons d'utiliser ces éléments pour construire des statistiques démographiques. Beaucoup si l'on songe à la relative concentration de ces témoignages sur une seule période de l'histoire thessalienne (84).

Laissant de côté la démographie statistique, essayons de porter attention à la prosopographie, en considérant principalement la liste des gentilices.

---

(80) La plupart, sauf un, ont des maîtres portant des noms latins:

[1787] *IG*, IX, 2, (Larisa)

[1550] *IG*, IX, 2, 856 (Larisa)

[1436] C. Gallis, *Arch. Delt.*, 20, 1965, *Chronika*, p. 317 (Larisa)

[1743] *IG*, IX, 2, (Larisa)

(81) [1736] *IG*, IX, 2, 750 (Larisa).

(82) [1409] Inédit au musée de Larisa.

[1576] *IG*, IX, 2, 845 (Larisa): le nom de l'esclave Acutus est bien latin; mais on ne peut conclure, comme Hatzfeld et d'autres après lui, que la mention ξενικῇ atteste de son origine étrangère; cette interprétation de l'adverbe ne correspond à aucune réalité, cf. ci-dessous, note 88.

[1588] *Arch. Eph.*, 1910, col. 371, n° 16; je reviens ci-dessous sur cette inscription et ce personnage.

[932] Inédit au musée de Volos; l'épitaphe est gravée sur un fragment de naiskos remployé tel quel pour cet usage, sans aucun souci d'assurer à la stèle une forme ou une intégrité. La forme 'Αγκείλιος n'est peut-être pas un gentilice.

[2062] *IG*, IX, 2, 353; *Arch. Eph.*, 1913, p. 154 = *Arch. Eph.*, 1917, p. 132, n° 349; H. Biesantz, *Thessalische Grabreliefs*, 1965, Catalogue, n° 1; de Chyretiai. La stèle est un relief classique remployé à une époque plus récente (1ᵉʳ s. av. - 1ᵉʳ s. ap. J.-C.)

(83) Cf. par exemple dans la liste récemment publiée par C. Gallis, *Analekta Arch. Athens*, 13, 1981, pp. 260-261 (milieu du Iᵉʳ s. av. J.-C.): Σαλουιά (l. 3) 'Ρούφα (l. 18) Μαρκία (l. 23); les maîtres portent des noms grecs.

(84) On peut noter aussi une différence, dans leur nature et leur nombre, entre ces noms latins de la fin de l'époque républicaine et ceux de l'époque impériale: cf. les noms de magistrats de cette période, dans les listes d'affranchissements, et ceux des défunts dans les épitaphes (voir *IG*, IX, 2, Index). Cette différence — ou cette évolution — mériterait une étude plus développée.

Gentilice	Documents thessaliens	Observations sur le gentilice
Acutius	*IG,* 1292 [1576]	pas attesté avant 100 ap. J.-C.
Alfeius (pour Alfius)	Liste agonistique inédite de Larisa [3366], l. 1	
Alfenius	[1604]	forme Ἀλφιηνή dans l'inscription
Ancilius (ou Accilius, Acilius?)	[932]	cf. note 82
Arruntius	*IG,* 531 [3087], l. 11, 18	peut-être gentilice?
Atinius	[3366], l. 12	*gens* plébéienne (d'Aricia)
Attius, Atius	*IG,* 535, l. 12 [Code 3091]	*gens* plébéienne (d'Aricia)
Aufonius (ou Offonius, Ofonius)	*IG,* 1057, l. 12	
Cassius	[1443]	
Clodius	*IG,* 531 [3087], l. 21 [2999]	
Cocceius	[2399]	
Cornelius	[1643] [1856]	
Decimius	[1787]	*gens* originaire du Latium
Domitius	[1260]	
Flavius	*Gonnoi,* II, n° 42	*gens* plébéienne, Italie du Sud
Laelius	[1473]	*gens* plébéienne, émerge vers l'époque des Scipions.
Lucilius	[1081]	*gens* d'origine italienne, déjà bien connue à l'époque républicaine
Occius	*IG,* 531 [3087], l. 44 *Deltion,* 16, 1960, [3177], l. 8	
Octavius	[1710]	*gens* plébéienne
Popilius	[1710] [928] *IG,* 1057, l. 14	
Pupius	[2400]	*gens* plébéienne, Rome
Roscius	[1277]	*gens* qui émerge vers la fin de la République
Sempronius	*IG,* 532 [3088], l. 30	
Statius	[1506]	*gens* italienne (Campanie)
Sulpicius	[1662]	
Tinius (ou Tineius)	liste agonistique inédite de Larisa [3366], l. 10	*gens* italienne, fin de l'époque républicaine
Titius	*Deltion,* 16, 1960 [3177], l. 18	*gens* italienne, fin de l'époque républicaine
Velleius	[2541]	
Vennius	[1489]	
Vettius	*Deltion,* 16, 1960 [3177], l. 1 [1254]	*gens* italienne (Picenum) à partir de la 2e moitié du 2e s. av. J.-C.
Vibius		*gens* d'origine osque, époque républicaine

Cette liste amène à deux constatations. Une fois encore, il est peu probable qu'il s'agisse de Grecs portant des noms romains. Cela paraît d'autant moins vraisemblable que la chronologie et la géographie des gentilices rencontrés, pour autant que l'on peut les reconstruire, avec prudence, semble être le reflet d'une distribution cohérente. Pour la plupart des *gentes* en question, les témoignages se placent seulement à la fin de l'époque républicaine et ces familles n'arrivent au rang sénatorial qu'à l'époque suivante, au cours du premier siècle de l'Empire. Pour la plupart enfin, ces familles italiennes se localisent au Sud de Rome, dans l'Italie «centrale-méridionale», ou, pour reprendre la conclusion des spécialistes présents au colloque de Naples, entre Picenum et Campanie du Sud.

Le recensement de ces noms italiens conduit à d'autres observations. De fait, les inscriptions thessaliennes ne nous apprennent pas seulement l'existence des Italiens. Nous pouvons en tirer aussi des indications sur la manière dont ils étaient intégrés aux communautés helléniques au milieu desquelles ils vivaient.

Nous les voyons tout d'abord participer aux concours et aux fêtes religieuses. Le fait est bien attesté (85). Mais cela est d'autant plus intéressant lorsqu'il s'agit particulièrement de ces concours locaux célébrés pour les héros des Stena: Thessaliens et Romains y avaient combattu ensemble, et célébraient ensemble le souvenir de cette bataille. Mais il paraît aussi intéressant de souligner les titres des épreuves remportées par les Italiens résidents:
- course du stade des enfants, παίδων στάδιον,
  IG, 531 [3087], l. 21.
- course à cheval (poulains ou yearling), κέλητι πωλικῷ,
  Deltion 16, 1960 [3177], l. 8.
- course de taureau, ταυροθηρία,
  IG, 531 [3087], l. 11.
- course au flambeau ἀφιππολάμπας,
  IG, 531 [3087], l. 18.
- diaule des hommes δίαυλον,
  IG, 532 [3088], l. 30.
- éloge funèbre en prose, en grec bien sûr: ἐγκώμιον λογικόν,
  IG, 531 [3087], l. 44.

Rien d'étonnant, par conséquent, à rencontrer aussi des Italiens dans les listes de ceux qui, peut-être après telle de ces épreuves, ont consacré, à la mode thessalienne, le taureau, οἱ τὸν ταῦρον πεφειρακότες (*IG*, IX, 2, 535). Rien d'étonnant non plus à les rencontrer dans les listes de φρουροί, sous ce terme usuel en Thessalie pour désigner les éphèbes (ou *peripoloi*) qui, au cours de leurs tournées aux limites du territoire, consacraient des stèles dans tel ou tel sanctuaire (86).

Mais il y a plus. Quelques épitaphes de femmes ou d'hommes montrent qu'il existait ce que nous appelons des mariages mixtes: ainsi cette femme de Gonnoi Σακόνδα Λαιλία γυνὴ δὲ Ἀντιγόνου [code 1473]. On s'explique bien, dans ces conditions, le mélange d'onomastique que révèlent dès cette époque certains documents:
- Γαεία Μετώπου
- Ἀλεξάνδρα Σέξστου
- Σύμμαχος Ποπιλίου.

---

(85) Cf. par exemple les observations de D. Knoepfler, *BCH*, 1979, *Contributions à l'épigraphie de Chalcis*, pp. 179-180: participation de Ῥωμαῖοι aux concours locaux. Selon D. Knoepfler, il s'agit de *negotiatores* installés à Chalcis depuis le milieu ou la fin du IIe s. av. J.-C..

(86) Cf. *IG*, IX, 2, 1057 et la série mentionnée ci-dessus, note 69.

Il en est de même avec l'utilisation des *cognomina* grecs pour des personnages dont le prénom et le nom sont latins. Autrefois, au vu de ces *cognomina,* on aurait supposé d'abord que la citoyenneté romaine a été donnée à tel ou tel personnage d'origine grecque. Mais est-ce possible dès le 1ᵉʳ s. av. J.-C. en Thessalie? Cela ne semble pas s'être rencontré fréquemment: nous connaissons l'exemple de ce Petraios, partisan de César, qui reçut la qualité de *civis Romanus* (87). Mais, dans les inscriptions, aucun magistrat fédéral, aucun des membres des grandes familles que nous pouvons identifier à Larisa, à Gonnoi, ailleurs encore, n'est mentionné avec la citoyenneté romaine, encore moins avec des noms latins.

Pour cette époque, 1ᵉʳ s. av. J.-C. et tout début de l'Empire, il me paraît probable de considérer, d'après notre documentation, que la plupart, sinon la totalité, de ceux qui portent un nom latin sont des Italiens vivant en pays grec, et dont certains ont pris ou reçu un surnom grec. Tel est le cas, je crois, pour:

- Μᾶρκος Ὀκτάβιος Φιλάδελφος [code 1710]
- Λούκιος Λουκίλιος Εὔτυχος [code 1081]
- Λεύκιος Ἀκούτιος Ἵλαρος [code 1576]
- Λεύκιος Κορνήλιος Ἐλευθέριος [code 1463]
- Κοίντα Στατία Ἐπιγονή [code 1506]

Les listes de concours et les affranchissements éclairent aussi quelque peu la situation juridique de ces Italiens en Thessalie. L'un des catalogues des Stena révèle qu'un Italien fut agonothète du concours. Il s'agit là d'une magistrature officielle, marquée d'évergétisme, et qui montre quelle pouvait être la capacité financière personnelle de certains membres de la communauté italienne. Parallèlement, les documents qui se rapportent aux affranchis montrent que les Italiens usaient, selon les règles de la législation thessalienne, des droits des propriétaires d'esclaves, comme les autres propriétaires d'esclaves d'origine grecque installés en Thessalie (88).

Les stèles funéraires, une fois encore, sont d'excellents témoins de certains traits de mentalité, pour les Italiens qui nous intéressent comme pour les Thessaliens eux-mêmes. C'est ainsi que deux stèles appartenant à la série à couronnement ogival avec rosaces portent aussi la représentation du sistre isiaque, symbole de la dévotion exprimée par le défunt (89). Les cultes égyptiens ont connu une certaine diffusion en Thessalie (90), et donc aussi chez les Italiens résidents (91): les deux stèles évoquées ici marquent certaines convergences. Dans une autre direction, il ne semble pas relever du

(87) Cf. *B.C.,* III, 35, 2 et Cicéron, *Phil.,* XIII, 33, mes observations dans *Rev. Num.,* 1966, p. 11 et celles de H. Kramolisch, *Die Strategen...,* 1978, pp. 115-116. On doit mentionner aussi, pour les relations des Thessaliens à Rome, deux personnages: Hégésarétos de Larisa (sur lequel je reviens ci-dessous, p. 376) et Philon de Larisa.

(88) On pourrait croire que ces affranchissements ont été accomplis selon un statut spécial, par exemple, si l'on suit certaines interprétations du terme ξενικῇ, selon le droit des étrangers. Mais il est remarquable que presque tous ces affranchis de patrons romains ne bénéficient pas de la mention ξενικῇ. Celle-ci, selon une interprétation que je crois pouvoir défendre avec de bons arguments, ne renvoie nullement au statut du propriétaire (étranger résident, non Thessalien), mais au statut de l'esclave, qui n'est pas astreint à résidence, à une *paramoné* de quelque durée que ce soit.

(89) Stèles code 1506 (Κοίντα Στατία Ἐπιγονή) et 1605 (Ἄκουτε Λυκίσκου ἀπελεύθερε ξενικῇ) avec, dans les deux cas une représentation accompagnant le symbole isiaque: un portrait de femme tête voilée pour la première, sculptée directement sur la face, un artisan assis et travaillant avec un instrument (herminette? ascia?) une pièce allongée (de bois), sculptée dans un champ réservé. Pour la représentation du sistre, cf. M. Malaise, *Les conditions de pénétration et de diffusion des cultes égyptiens en Italie,* 1972, p. 123; pour la Thessalie, *ibid.,* p. 266-267, où nos deux stèles funéraires du 1ᵉʳ s. av. J.-C. ne sont pas utilisées.

(90) Cf. L. Widmann, *Sylloge inscriptionum religionis Isiacae et Sarapiacae,* 1969, n° 91-106 (nos deux stèles sous les n° 97 et 98, datées de l'époque impériale, trop vaguement à mon sens). Cf. aussi Apulée, *Métamorphoses,* II 28: *propheta primarius* (à Larisa); cf. F. Dunand, *Le culte d'Isis dans le bassin oriental de la Méditerranée,* tome II, EPRO, 26, 1973, pp. 46 sq.

(91 Cf. M. Malaise, *o.l.,* p. 259: «les commerçants romains ont ramené dans leur pays les dieux égyptiens rencontrés dans la sphère grecque».

hasard de voir apparaître à ce point d'évolution dans la tradition des stèles à anthemion, déjà signalée ci-dessus avec des épitaphes d'Italiens, un matériau inattendu et apparemment inusité dans les périodes antérieures: le «marbre» vert provenant des carrières de Chasambali, proches de Larisa (92). Il me paraît que la mise en exploitation et l'utilisation de cette pierre colorée relève bien davantage du goût italien, que de celui des Thessaliens (93).

Les épitaphes, quant à elles, disent peu sur la situation personnelle des Italiens: on se limite, dans la rédaction, à la formule ἥρως χρηστὲ χαῖρε. Hors la précision obligatoire sur la condition d'esclave ou d'affranchi, une seule indication se rencontre dans la série, mais elle est très intéressante. Une stèle publiée par A. S. Arvanitopoulos (94) porte l'épitaphe suivante:

Σπένδοντι
ὀρχηστῇ
Ῥεπεντινός
προμισθωτής

Speudon, qualifié d'ὀρχηστής, est un pantomime: il entre dans une série bien mise en lumière par les études de L. Robert depuis longtemps (95). L'épitaphe et la stèle ont été préparées pour lui par un personnage qui porte un nom latin, Repentinus, et dont la qualité est clairement exprimée: προμισθωτής, l'équivalent de *locator scaenicorum* (96). Il me paraît qu'il s'agit bien d'un Italien, homme libre plutôt qu'affranchi ou esclave, chargé de recruter des acteurs pour des *ludi scaenici* qui se déroulaient sans doute à Larisa, peut-être aussi pour ceux d'Italie et de Rome même.

La date de la stèle est établie à partir de l'écriture, mais surtout de la typologie: elle appartient à la série des stèles à couronnement ogival, avec rosette et représentation d'Hermès Chthonios. Cette série de monuments est caractéristique du 1er s. av. J.-C. et du début de l'époque impériale; je ne pense pas qu'on puisse la voir se prolonger au delà des règnes d'Auguste ou de Tibère (97). L. Robert, dans ses études sur les pantomimes, a insisté sur l'origine grecque de ces spectacles, et leur développement dès l'époque hellénistique: un des témoignages les plus anciens, sinon le plus ancien, vient d'un décret de Priène, daté des années 80, peu après les guerres mithridatiques (98). Sans vouloir presser absolument la chronologie de l'épitaphe trouvée à Larisa, il me paraît que le document thessalien se place à la suite de ce témoignage, dans le courant du 1er s. av. J.-C. Il atteste que les spectacles de pantomimes existaient en Thessalie à cette époque, et que les Italiens résidents s'y intéressaient de près, à l'époque même où ils se développaient à Rome (99).

Pour tout le reste, cependant, la série des stèles qui portent des noms romains ne se distingue nullement par la typologie, le style, le caractère religieux ou personnel, des autres monuments de la série, utilisés par les Thessaliens eux-mêmes. Bien plus, on peut être frappé du caractère «banal», parfois même très modeste de la plupart de ces stèles funéraires. Certes plusieurs d'entre elles sont

---

(92) Sur ce «marbre vert», en réalité une brèche à inclusions, cf. J.E. Papageorgakis, *Praktika Akad. Ath.*, 1963, pp. 564-572.

(93) Une de ces stèles porte d'ailleurs des noms latins, Ῥεπεντεινὸς Ῥεπεντεινοῦ.

(94) *Arch. Eph.*, 1910, col. 370-371, n° 16; cf. Th. A. Arvanitopoulos, *Polemon*, 2, 19, parartema, p. 9.

(95) L. Robert, *Hermes*, 1930, pp. 106-122, *Pantomimen in griechischen Orient* (= OMS 1, pp. 654-670); *REG*, 1936, pp. 235-254, Archaiologos (= *OMS*, 1, pp. 671-690; *REG*, 1966, pp. 756-759).

(96) Le terme est attesté à Philippe dans une épitaphe latine, *promisthota* pour un archimimus, T. Uttiedius Venerianus (ép. impériale) Dessau, 5208. Le rapprochement et l'explication déjà chez A.S. Arvanitopoulos qui a publié l'inscription de Larisa. Une étude plus récente a été faite par M. Bonaria qui a rédigé la notice correspondante dans *RE*, Suppl. X, col. 670, s.v. (1965), où l'on trouvera la bibliographie complète. Il convient de rapprocher le mot des expressions citées et étudiées par L. Robert dans les articles mentionnés ci-dessus, avec le verbe μισθώσασαι, etc., cf. OMS, 1, pp. 663-664 et 678, 684.

(97) Ci-dessus, pp. 366-367.

(98) *I. v. Priene*, 113, cf. L. Robert, *ibid.*, pp. 662-665.

(99) Cf. *RE*, s.v. *Ludi* (scaenici).

illustrées d'un portrait, dont la réalisation n'était sans doute pas à la portée de toutes les bourses; mais pour la plupart, les stèles ne sont ornées que d'une simple rosace et ne comportaient peut-être même pas de représentation peinte, certains types de stèles, certaines préparations de la surface ne s'y prêtant manifestement pas (100). Il me semble ainsi que, dans beaucoup de cas, nous avons affaire à une population très modeste, à de petites gens installées en Thessalie pour de petites affaires et que l'on doit se représenter avec une image bien différente de celle que l'on a d'ordinaire des Romains *negotiatores,* grands commerçants de Délos, de Chalcis et de Grèce centrale que les inscriptions et les fouilles, à Délos tout au moins, nous font connaître.

Ce regroupement d'observations sur l'activité des Italiens en Thessalie, participation aux concours, utilisation des droits prévus par la loi pour le mariage, les rites funéraires et l'accès aux nécropoles, l'affranchissement, l'accès même à certaines magistratures, montre à quel point les Italiens étaient insérés dans la communauté des Grecs. En quelques mots, la capacité juridique, l'éducation grecque, les habitudes des éleveurs thessaliens, les us et coutumes en matière de sépulture, les Italiens résidant en Thessalie les ont reçus et adoptés, mais les ont en retour influencés également, dans leur mode de vie quotidien.

Est-il pour autant question d'une intégration des Italiens à la *polis* grecque? Cela est apparu comme peu probable. On peut penser, avec Hatzfeld, que les Italiens de Thessalie étaient organisés en *conventus.* C'est ce que ce savant a déduit de l'inscription de Larisa qui mentionne des τηβεννοφοροῦντες, en supposant que cette organisation a existé aussi au Iᵉʳ s. av. J.-C. Mais nous n'en avons aucune preuve. A la suite de J. Hatzfeld, on considère en tout cas que les Italiens attestés dans les cités grecques, à Délos, à Chalcis et en Grèce Centrale, dans les îles ou en Asie Mineure, possèdent le statut de ξένοι παροικοῦντες (101), lesquels avaient accès, comme les citoyens, à certaines fêtes ou concours, au gymnase, à beaucoup d'autres manifestations de la vie sociale. En était-il de même en Thessalie?

Pour répondre avec assez de précision à cette question, il faut revenir, à mon sens, à la distinction chronologique qui est apparue dans le classement des documents: une première période correspond au IIᵉ s., une autre au Iᵉʳ s. av. J.-C.. Considérant la définition rappelée ci-dessus du statut des Italiens dans les états grecs, il m'apparaît que seuls peuvent y répondre les témoignages du IIᵉ s. av. J.-C., les décrets de proxénie par exemple.

Pour la période suivante, le Iᵉʳ s., les inscriptions font apparaître une situation plus complexe. A s'en tenir aux témoignages sur les concours et les consécrations des *phrouroi,* la situation des Romains résidents paraît identique à celle que l'on constate ailleurs, dans les cités de Grèce Centrale par exemple. Pourtant les stèles funéraires, et certaines autres inscriptions, nous poussent à considérer que l'intégration à la cité des Italiens résidents en Thessalie était déjà bien avancée, et qu'elle a trouvé pleine réalisation, si elle n'était déjà acquise, dès le début du règne d'Auguste.

C'est encore une fois l'examen des catalogues agonistiques et des listes d'affranchissements qui autorise cette conclusion. On connaît la série des inscriptions se rapportant aux vainqueurs des concours thessaliens - non panhelléniques - organisés en l'honneur des héros morts à la bataille des Stena en 171 av. J.-C. pour sauver l'armée romaine en déroute. Plusieurs citoyens romains ont participé à ces concours et y ont remporté des victoires, nous l'avons vu. S'il convient pourtant d'examiner les listes des vainqueurs, la mention d'un agonothète italien, il faut aussi contrôler l'intitulé qui définit la nature du concours.

---

(100) C'est le cas d'environ 50% des stèles recensées ici avec des noms italiens: dans le groupe des stèles ogivales avec rosette et hermès, il n'y a pas de moulure sous le couronnement et le champ disponible est entièrement occupé par l'inscription; dans le petit lot des stèles en brèche verte, la surface à inclusions ne permet probablement pas une représentation peinte.

(101) Cf. pour Chalcis, les observations de D. Knoepfler, citées ci-dessus; pour Thespies, cf. P. Roesch, *Etudes béotiennes,* 1982, p. 171; pour Amorgos, Ph. Gautier, *BCH*, 104, 1980, pp. 218-219.

Le concours est organisé par la cité de Larisa, et c'est par un décret de la cité qu'il a été transformé, renouvelé, sans doute, comme il est normal dans un tel cas, après une certaine interruption ou décadence. On a distingué en effet deux «types» dans l'organisation du concours (102), mais c'est en réalité trois périodes qui constituent les étapes de son histoire. Pour la première période, la définition du concours est la suivante:

IG, IX, 2, 533 Δημητρίου τοῦ Αἰσχίνου
τίθεντος τὸν ἀγῶνα τοῖς
π[ροκιν]δυνεύσασιν ἐπὶ
[τῶν στε]ν[ῶν] ὅν τίθησιν ἡ
[πόλις ἡ Λαρισαί]ω[ν · οἱ νενικη]κότες.

On constate que le concours est organisé par la cité de Larisa, la charge en revenant comme il est normal à un agonothète. Mais il n'est pas fait mention des tages de Larisa dans cet intitulé.

C'est un deuxième moment dans l'histoire du concours que représente l'intitulé d'une autre liste, plus tardive, et comportant des noms italiens:

Arch. Deltion, 16, 1960, p. 360

Π(όπλιος) Οὐέττιος Σέξ-
του υἱὸς ταγεύοντος τὴν
πρώτην χώραν καὶ τίθεντος
τὸν ἀγῶνα τοῖς προκινδυνεύσασιν ἐπὶ τῶν στενῶν ὅν τίθησι ἡ πό-
λις ἡ Λαρεισαίων στρατηγοῦντος
Μονίμου οἱ νενικηκότες.

Il s'agit bien d'une définition du concours différente de la première. Certes la ville reste responsable, mais l'organisateur, l'agonothète, un Italien, possède une qualification principale, il est appelé ταγεύων τὴν πρώτην χώραν. On a pensé à interpréter cette expression comme s'il y avait τοῦ πρώτου τόπου, et à identifier le personnage comme magistrat de Larisa (103). C'est impossible, je pense: d'une part χώρα n'a pas en grec un emploi caractérisé comme abstrait signifiant «rang», place dans une série, τάξις, mais un sens exclusivement local, géographique, celui de territoire. C'est le terme ordinairement employé pour désigner le territoire d'une cité grecque, mais tel n'est pas le cas ici, à cause de l'ordinal: on pense plutôt au sens de district (*regio, ager* peut-être), partie d'un territoire plus petit ou plus vaste que celui de la cité.

De fait, on a constaté que le concours, même s'il était organisé par la cité de Larisa, avait en réalité une clientèle plus large que celle des citoyens de cette seule ville. Les héros qu'il célébrait n'étaient pas seulement des Lariséens: c'étaient les cavaliers thessaliens, les troupes de la confédération thessalienne. La participation au concours était donc ouverte de droit aux habitants des cités, en tant que Thessaliens (104). D'après cette définition, on comprendra aussi du même coup la participation des Italiens résidents: ils sont présents aux concours non tant parce qu'ils résident en Thessalie que par droit, celui de représenter les combattants romains à la bataille des Stena.

Le troisième moment important de l'histoire du concours se caractérise par l'ἀνανέωσις. Deux inscriptions en témoignent:

IG, IX, 2, 531 Φίλωνος τοῦ Φίλωνος
τοῦ ταγεύοντος τὴν

---

(102) Cf. la discussion d'H. Kramolisch, *Die Strategen,* 1978, Annexe I, pp. 135-136.

(103) C'est l'interprétation de E. Preuner, *Griechischen Siegerliste, AM,* 3, 1903, pp. 370-382 et W. Kroog, *De foederis Thessalorum praetoribus,* 1908, p. 12. On assimile l'expression à celle qu'atteste un décret de Larisa, πρωτοστάτου ταγοῦ, cf. A. Axenidis, *Pelasgis Larisa,* 1949, vol. II, p. 103.

(104) Cf. H. Kramolisch, *ibid.*

πρώτην χώραν ἐν στρα-
τηγῷ Ἡγησίᾳ τίθεντος
τὸν ἀγῶνα τοῖς προκε-
κινδυνευκόσιν κατὰ τὸ
γενόμενον ὑπὸ τοῦ δή-
μου ψήφ[ισμα] περὶ τῆς
ἀνανεω[σέω]ς τοῦ ἀγῶ-
νος, οἱ νενικηκότες.

Le même texte est utilisé pour la liste *IG,* 532; seuls les noms changent. On constate que le concours est toujours sous la même responsabilité: celle de la cité de Larisa, celle de l'agonothète, tage de la πρώτη χώρα. L'organisation du concours n'a donc pas été modifiée par l'ἀνανέωσις, qui ne correspond, selon la définition classique, qu'à une restauration après une période d'interruption plus ou moins longue (105).

Il reste à dater, si faire se peut, les trois étapes de cette histoire du concours. Pour la première liste, *IG,* 533, il n'y a pas de difficultés: on s'accordera avec H. Kramolisch à dater cette inscription de la fin du IIᵉ s. av. J.-C. (106). Pour les autres listes, il y a flottement. On ne reprendra pas les datations proposées par les éditeurs des textes des *IG,* qui sont assurément trop tardives (107). Dans une étude consacrée aux listes agonistiques thessaliennes, E. Preuner proposait pour date de nos inscriptions le début de l'époque impériale. Il a été suivi par H. Kramolisch, pour les listes *Deltion,* 16, 1960, *IG,* 531 et 532. Les trois listes sont ainsi datées des débuts du règne d'Auguste, et l'on pense en trouver confirmation dans l'identification que l'on propose pour les stratèges Monimos, Hégésias et Kyllos (108). Mais on n'a tenu compte que de deux étapes dans la transformation du concours: parmi les trois que nous avons distinguées, les deux premières ont été confondues en une seule, d'une part, et la liste *Deltion,* 16, 1960, qui atteste une modification dans l'organisation du concours, a été raccrochée aux inscriptions témoignant de l'ἀνανέωσις, d'autre part.

Il y a là une contradiction, que soulignent encore deux éléments. Premièrement, l'ἀνανέωσις suppose une interruption dans la célébration du concours, interruption brève ou longue, mais réelle, explicable, comme souvent, par des désordres politiques, une période de trouble ou de guerre. Deuxièmement, on n'a pas porté assez d'attention à une modification du nombre des épreuves, qui a accompagné l'ἀνανέωσις: la course à cheval courue en l'honneur d'Hégésarétos, qui est mentionnée dans la liste *Deltion,* 16, et dans un fragment inédit de Larisa (code 3366) (109), avant la rénovation du concours, a disparu dans *IG,* 531, après cette rénovation. On peut accepter, je crois, l'identification de cet Hégésarétos comme le commandant des cavaliers qui ont combattu aux Stena, et le vainqueur de l'épreuve, Hégésarétos, fils de Képhalos, comme un de ses descendants (110). Mais on les rattache aussi l'un et l'autre à la famille d'un Lariséen éminent, cet Hégésarétos qui prit parti pour Pompée contre César (111). Il est attesté aussi par Cicéron, qui l'a connu dès son consulat, en 63 av. J.-C., et le recommande encore en 46 au nouveau gouverneur de la province d'Achaïe, Servius Sulpicius Rufus (112). Cet Hégésarétos a pu poursuivre sa carrière peut-être encore jusqu'en 44 av. J.-C., à l'époque

(105) Pour le sens d'ἀνανέωσις, cf. L. Robert, *Etudes anatoliennes,* pp. 426-429.

(106) H. Kramolisch, *Die Strategen,* p. 84.

(107) Le premier éditeur de *IG,* 531, F. Durrbach, proposait l'époque d'Hadrien.

(108) E. Preuner, *ibid.*; H. Kramolisch, *o.l.,* Annexe I et II (pp. 137-138).

(109) L'inscription *Deltion,* 16, 1960 mentionne l'épreuve par l'expression ἄλλην (προσδρομὴν ἵππων) Ἡγησαρέτῳ Ἡγησάρετος Κεφάλου; l'inédit de Larisa (code 3366) reprend par: [ἄλλην πρ]ὸς Ἡγησάρετον Κρατήσιππος | [Γλαυ]κέτου.

(110) Sur ces personnages, cf. H. Kramolisch, *Die Strategen,* pp. 100-102.

(111) César, *B.C.,* III, 35, 2.

(112) Cicéron, *ad. fam.,* XIII, 25.

où M. Brutus a rassemblé autour de lui les anciens adversaires de César, comme le propose H. Kramolisch.

Peut-être tenons-nous du même coup, avec l'histoire de ce personnage, un élément qui explique la disparition de l'épreuve «familiale» que comportait le concours de Larisa. Un choix politique malheureux, dans une période troublée, celle des guerres civiles jusqu'à l'avènement du principat, justifierait convenablement et la sorte de *damnatio memoriae* touchant l'épreuve en l'honneur d'Hégésarétos, et l'interruption du concours. Dans cette hypothèse, la chronologie de la liste *Deltion*, 16, 1960, serait plus nette, plus conforme à sa situation dans la série des inscriptions. Elle n'aurait contre elle qu'un argument prosopographique, l'identification du stratège Monimos de la liste avec un stratège Monimos connu au début du règne d'Auguste (113). Mais cet argument n'en est sans doute pas un, car il peut reposer sur une simple homonymie, à partir d'un nom banal et répandu. On sait d'ailleurs par l'étude des statères fédéraux, qu'un magistrat Monimos a signé une émission monétaire vers le milieu du Ier s. av. J.-C. (114). Cela donne au moins une possibilité de l'identifier comme le stratège de la liste *Deltion*, 16, 1960. Mais, comme l'indique aussi la prosopographie des vainqueurs nommés dans la liste, que l'on retrouve pour partie dans *IG*, 531 (115), l'intervalle de temps — correspondant à l'interruption du concours — entre les deux étapes distinguées ci-dessus ne peut pas être considérable. Pour conclure, je dirais que cette liste agonistique se place dans la seconde moitié du Ier s. av. J.-C., antérieurement au principat d'Auguste, et sans doute entre 46 et 31 av. J.-C.

Cette longue discussion était nécessaire, avant de revenir à la question des Italiens. De fait, parmi les trois ταγεύοντες τὴν πρώτην χώραν, figure un Italien P. Vettius Sexti f., dans la liste *Deltion*, 16, 1960 précisément. Grecs et Italiens se retrouvaient donc à égalité, non seulement pour l'agonothésie, mais plus encore pour la charge de cette πρώτη χώρα.

Il ne peut s'agir, nous l'avons dit, d'une charge municipale, dans la cité de Larisa. L'expression renvoie au contraire à une division territoriale. On peut avancer à ce sujet une hypothèse. Il faut tenir compte en effet de la nature propre du concours pour les héros des Stena, ouvert aux membres du Κοινόν fédéral, et à partir au moins de la liste *Deltion* 16, 1960, aux citoyens romains, honorant les uns et les autres, Thessaliens et Romains, qui avaient combattu aux Stena. Effectivement, la participation thessalienne est attestée, par des arguments prosopographiques, pour des cités de Pélasgiotide et d'Hestiaiotide (116). Dans tous les cas, le concours est organisé dans un cadre qui dépasse celui de la seule cité de Larisa. Il paraît donc normal d'accepter l'idée qu'une autorité territoriale plus vaste que celle de la cité ait pris le relais dans l'organisation du concours. Mais nous ne

---

(113) Cf. H. Kramolisch, pp. 107-110 et 137-138, qui oppose une objection principale aux propositions que j'ai faites à partir des monnaies, *Rev. Num.*, 1966, pp. 7-32: selon lui ces propositions aboutissent à un grand nombre de magistrats homonymes pour un intervalle de temps réduit, ce nombre d'homonyme paraît inhabituel, et par conséquent inadmissible (pp. 109-110). Pour Kramolisch, une solution peut éliminer ces doublets: admettre que les statères fédéraux ont été frappés pendant une plus longue période et encore sous le principat d'Auguste (p. 109). Une telle supposition n'est en aucun cas acceptable, car la conversion des monnaies par Auguste en 27 l'exclut formellement (cf. ci-dessous). Hors ce fait, on retiendra que les homonymies possibles sont au nombre de sept (Kyllos, Monimos, Alexandros, Ménécratès, Python, Eubiotos) pour une période de 18 ans (49-31 av. J.-C.) pour laquelle on connaîtrait en tout 13 noms, ceux-ci compris. Mais il existe une autre solution, déjà indiquée par H. Kramolisch et que, dans une étude inédite, je développe plus nettement: l'identification des noms figurant sur les monnaies comme ceux des stratèges n'est pas tenable. La conclusion de H. Kramolisch (p. 108) est ici pertinente: «pour nous il suffit ici de constater que les noms au nominatif ou au génitif sur ces monnaies peuvent être rattachés à des familles thessaliennes éminentes, qui ont fourni des stratèges (à la confédération)».

(114) Statères fédéraux avec le nom Monimos: cf. *Sylloge Num. Kopenhagen*, n° 283.

(115) Dans une étude à paraître, je détaille ces rapprochements (cf. H. Kramolisch, *o.l.*, p. 109) en tenant compte des fragments de liste inédits; il est certain que les listes *Deltion*, 16, 1960, *IG*, 531, 527 et 532 sont proches dans le temps.

(116) Cf. les observations de H. Kramolisch, *o.l.*, pp. 135-136: les rapprochements prosographiques se font avec des personnages de Gyrton, Gomphoi, Crannon.

pouvons définir exactement ce qu'a été cette πρώτη χώρα, ni à quelle date précise elle a été dotée de magistrats. Deux hypothèses sont possibles. Ou bien la χώρα est un district, dans le cadre de la confédération thessalienne: elle pourrait correspondre à une tétrade, la première, c'est-à-dire en ce cas la Pélasgiotide. On a l'exemple d'un tel découpage en Macédoine, avec certainement des institutions chargées de l'administration de chaque district (117). Ou bien cette χώρα est une circonscription territoriale où Grecs et Italiens, au moins en ce qui concerne l'institution agonistique, avaient mêmes capacités et mêmes droits: une *regio,* ou peut-être un *ager,* si l'on peut accepter que cette circonscription suppose un état de droit influencé par l'administration romaine. On reconnaîtrait alors dans cette χώρα un territoire dont l'exploitation est partagée entre Grecs et Italiens: on a quelques preuves de l'existence de domaines impériaux en Thessalie (118), dont peut-être cette χώρα est la dénomination ou la préfiguration. Dans l'une et l'autre hypothèse, la coexistence des Italiens et des Grecs dans l'administration de cette χώρα est certaine, et l'accès des uns et des autres aux mêmes magistratures ne fait aucun doute.

Il en va de même pour la chronologie. Il importe peu, pour l'étude que nous développons ici, que telle ou telle liste agonistique soit antérieure ou postérieure de quelques années à l'avènement d'Auguste. J'ai soutenu dans des publications précédentes une chronologie haute pour les listes *Deltion,* 16, 1960, *IG,* 531 et 532. Je me rallie aujourd'hui volontiers à la chronologie proposée par H. Kramolisch pour *IG,* 531 et 532. Pour la liste *Deltion,* 16, 1960, il me paraît plus convenable de soutenir une datation qui la place, comme je l'ai dit ci-dessus, dans la période antérieure à l'avènement d'Auguste et à la réorganisation que celui-ci a provoquée en Thessalie.

Les documents ci-dessus n'apportent cependant pas de réponse à une autre question: celle de la participation des Italiens aux charges dans les cités. Une inscription inédite au Musée de Larisa fournit à ce sujet du nouveau (119). Il s'agit de l'intitulé d'une liste d'affranchissements, dont la date est capitale: l'année même où Auguste fut désigné comme stratège fédéral des Thessaliens. Le texte se présente comme suit:

Musée de Larisa. Stèle de marbre blanc brisée en haut et en bas:

Inédit.

```
          [– – – – – – – –]–
          [τοῦ 'Αρ]ισστοκλέου[ς]
          [τ]αμιεύοντος τῆς πόλε–
          [ω]ς τὴν δευτέραν ἐξά–
    4     μηνον τὴν ἐπὶ ἔτους
          Καίσαρος, ταγευόντων
          δὲ 'Ασσκληπιοδώρου
          [τ]οῦ Μεγαλοκλέους, Ε[ὐ]–
    8     ρυλόχου τοῦ Δικαίου, Γν–
          [α]ίου 'Οκκίου τοῦ Γναίου,
          Διονυσίου τοῦ 'Ανδρο–
          μάχου, Εὐδήμου τοῦ
```

---

(117) Sur les *merides* de Macédoine et les monnaies marquées Μακεδονίας πρώτης, etc., cf. Gäbler, *Z. f. Num.,* 23, 1902, pp. 141-143.

(118) Cf. mon étude parue en grec dans *Historia tou Hellenikou Ethnous,* vol. 12, p. 179 et en français dans *Mémoires du Centre Jean-Palerne,* vol. II, 1980, pp. 41-42.

(119) Texte déjà utilisé par H. Kramolisch, *Die Strategen,* p. 128-129, avec une discussion sur la date (la stratégie d'Auguste ne peut qu'être postérieure à 27 et au *diorthoma*) que je réfute ci-dessous parce qu'elle ne peut, à mon sens, emporter l'adhésion.

12 Τειμασιθέου vac. Οἱ ἀπε–
λεύθερωμένοι ἐπ ᾿αὐτῶν
καὶ δεδωκότες τὰ γεινο–vac.
μένα τῇ πόλει δινάρια εἴκο[σι]
16 [δύο καὶ ἥμισυ]–
— — — — — — — — —

La date de l'inscription, selon H. Kramolisch, ne peut pas être fixée avec certitude: elle est, si l'on suit ses arguments, quelque peu postérieure à 27 av. J.-C., postérieure en tout cas au *diorthoma* qui fixe la conversion de la monnaie, en remplaçant les statères fédéraux par les deniers. Je considère cependant, en opposition avec H. Kramolisch sur ce point, que le *diorthoma* d'Auguste ne peut se situer qu'au tout début du règne, et qu'en tout cas la mesure est déjà prise lorsque sont publiées à Chyretiai les listes d'affranchissement de l'année 26/5 et des années suivantes (120): la mention de la seule monnaie qui a cours légal à cette date est bien celle du denier. Cette mesure de conversion n'exclut nullement que les statères fédéraux aient continué à circuler — un retrait progressif est plus vraisemblable qu'une soustraction immédiate de tout le numéraire en circulation. Mais elle exclut formellement la poursuite de frappe de ces statères, sous quelque forme que ce soit (121). Ainsi la date de 27 reste, à mon sens, la plus vraisemblable, comme date-pivot, à la fois du *diorthoma* sur la monnaie et de la stratégie confiée par les Thessaliens à Auguste.

La nouvelle inscription de Larisa lève en tout cas toute ambiguïté sur la participation des Italiens aux magistratures municipales: parmi les cinq tages dénommés, figure un Cn. Occius Cn. f. Le personnage se rattache presque certainement à la famille des Occii déjà connue par les listes agonistiques: Γάιος ῎Οκκιος Φρόντωνος υἱός de la liste *Deltion*, 16, 1960, 8 (vainqueur à la course des jeunes chevaux). Un autre membre de cette famille est encore attesté comme trésorier dans une autre liste d'affranchissements inédite de Larisa, [– – –] ῎Οκκιος Κοίντου ᾿Οκκίου Πείου υἱὸς, peu après 131/2 sous la 2ᵉ stratégie de L. Cocceius Lycos (122). L'histoire de ces citoyens romains de Larisa pendant l'époque impériale sort du cadre de cette étude et reste à faire. Mais, sur ce rapprochement, nous pouvons constater que l'installation de ces familles remonte assez loin, dès la fin de la période républicaine en tout cas.

A partir de ce constat, bien d'autres questions doivent être développées. En effet, tel qu'il nous apparaît désormais, le recensement des noms latins dans les inscriptions thessaliennes permet de dresser un tableau de la présence des Italiens qui paraît digne d'attention. Mais on souhaiterait mieux déterminer la provenance de toutes ces familles, les circonstances de leur installation: avons-nous vraiment affaire à des *gentes* riches et d'origine latine, ou plus souvent à des familles pauvres et obscures des provinces méridionales? Ces gens sont-ils des résidents civils ou des vétérans dotés de terre? Des agriculteurs plutôt que des commerçants? Devons-nous penser à des arrivées individuelles et successives ou à une installation collective et instantanée? Pour ma part, me référant à la relative dispersion géographique et sociale des gentilices, à l'étalement chronologique des documents — les listes de concours, même si elles sont légèrement postérieures à la période qui nous intéresse ici le plus, montrent que les participants italiens représentent au moins deux générations hellénisées —, j'inclinerai à définir ces Italiens comme des résidents civils, arrivés progressivement, installés sur les terres cultivables, pour exploiter, conformément à une constante de la géographie thessalienne, un

---

(120) *IG*, IX, 2, 349 = A.S. Arvanitopoulos, *Arch. Eph.*, 1917, p. 118, n° 331 et 332; sur les stratèges de ces listes, cf. H. Kramolisch, p. 132.

(121) Cf. ci-dessus note 113.

(122) La première stratégie de Cocceius Lycos est datée de 131/2 par la liste d'affranchissements *IG*, 546 (7ᵉ année d'Hadrien).

riche domaine agricole dont les productions, comme celles de tant d'autres régions, devenaient de plus en plus nécessaires à Rome. Mais tout ceci n'est qu'une impression de «provincial». Peut-être une étude plus poussée, en particulier dans le domaine prosopographique, sur les contextes italiens eux-mêmes, pourrait-elle, au moins pour quelques questions ou quelques cas, mieux éclairer ce que les seules inscriptions thessaliennes font apercevoir comme une situation historique intéressante.

BRUNO HELLY
C.N.R.S. - C.R.A.

PRESENTAZIONE D'UN PROGRAMMA DI DOCUMENTAZIONE SCIENTIFICA

Ringrazio la signora Cébeillac per la possibilità offertami di illustrare brevemente proprio in questa sede un programma di documentazione scientifica che si svolge a decorrere dal 1° agosto 1981 presso l'Istituto Archeologico Germanico di Roma.

Come già annunciato nel titolo si tratta di documentazione fotografica di materiali in pietra, di epoca romana, nell'Italia centro-meridionale.

Perché si è dato questo taglio al lavoro?

Proprio negli anni passati si è potuto constatare un sempre maggiore interesse per questioni che riguardano condizioni e sviluppo delle città del centro-Italia tra la fine della Repubblica e l'età imperiale. Al centro dell'interesse stanno il processo dell'urbanizzazione ed i rapporti con la capitale dei singoli centri. Un aspetto fondamentale per l'archeologia consiste nel definire la dipendenza di produzioni locali da esempi che ci offre Roma o al contrario il grado di autonomia di certe zone. Proprio la presentazione di nuovo materiale ha messo in evidenza quanto sia finora sconosciuto e quanto rimane stretta la nostra base di discussione. Solo una conoscenza più ampia possibile dei materiali in pietra, che in questo ambito sono di particolare importanza, rende possibile affermazioni su certi gruppi di monumenti o sulle condizioni di singoli centri, sulle particolarità di certe regioni, tanto per citare solo alcuni esempi.

Partendo da queste premesse l'Istituto Archeologico Germanico ha sviluppato un programma di documentazione fotografica da svolgere presso la propria fototeca come sede adatta ad una simile iniziativa. Il programma è stato accolto favorevolmente dalla fondazione Volkswagenwerk che ha aderito con il finanziamento del programma per la complessità di 3 anni mettendo a disposizione fondi per un archeologo che cura esclusivamente il programma e fondi per poter eseguire delle fotografie che saranno di ottima qualità.

Mi siano permesse due parole su questa fondazione Volkswagenwerk che forse è nota solo a pochi in Italia.

Si tratta di una fondazione di diritto privato per il sostegno di scienza e tecnica nel campo della ricerca e dell'insegnamento. È stata fondata nel 1961 dalla Repubblica Federale Tedesca e la regione della Bassa Sassonia. Ha la sede ad Hannover.

I mezzi di promozione provengono da tre fonti, in prima linea dal reddito del capitale della fondazione, poi dall'incasso dei dividendi delle azioni della Volkswagen S.p.A. da parte della Federazione e della regione ed infine da investimenti fruttiferi intermedi.

Una commissione composta da 14 membri amministra la fondazione e decide sulla aggiudicazione dei fondi che vengono assegnati ad istituzioni come università, biblioteche ed istituti. La gamma di promozione comprende attualmente 25 programmi chiave. Dal 1976 esiste un programma che si autonomina rilevamento, analisi e conservazione di beni culturali. Il programma del Germanico si innesta in questa fascia di attività promossa dalla fondazione che permette di conservare beni culturali in regioni scelte. Nel nostro caso si tratta di documentare materiali spesso sconosciuti che si trovano sparsi in depositi locali, musei mal conosciuti o conservati in collezioni private, comunque spesso chiusi al pubblico. In più molti materiali si trovano abbandonati nelle campagne. I materiali sono molto spesso insufficientemente conservati, spesso esposti ad influssi atmosferici e non sicuri dal furto, dall'abuso e dalla distruzione. La documentazione fotografica assicura alla scienza l'accesso a questi monumenti e costituisce un notevole accrescimento delle nostre conoscenze.

Il programma si concentra sulle regioni centrali d'Italia, all'incirca sulle regioni moderne delle Marche, dell'Umbria, del Lazio, degli Abruzzi, del Molise e della Campania. È di primaria importanza il rilevare sistematicamente i materiali in regioni confinanti tra loro. Infatti sono già state avviate delle campagne fotografiche nel Lazio e ve ne sono in programmazione per l'estate prossima delle altre nelle Marche e nell'Umbria. Si è rivelato opportuno incominciare da queste zone per integrare e completare la documentazione di zone dove si è lavorato già in precedenza.

È ovvio che un programma del genere richiede una collaborazione sia con vari enti statali, regionali, comunali ed ecclesiastici, ma anche contatti in loco con privati, associazioni locali ecc.

L'esperienza dei primi quattro mesi di lavoro rivela chiaramente, e mi dispiace doverlo dire, che mentre gli organismi comunali, ecclesiastici ed anche privati spesso si dichiarano favorevoli a tale iniziativa, gli organi statali, intendo dire le Soprintendenze, anche se molte volte comprensibilmente, si sottraggono ad una richiesta di facilitazione e di collaborazione.

Ma qui non è la sede per polemiche, conviene piuttosto spiegare brevemente come si pensa di mettere a disposizione di tutti gli studiosi i materiali raccolti per garantire l'utilizzazione.

La sede dell'archivio per l'Italia centrale è presso la fototeca dell'Istituto Archeologico Germanico. Nell'archivio, oltre alle fotografie che man mano saranno eseguite, confluiscono anche le foto già esistenti nella fototeca dell'Istituto per le zone sopra elencate.

Si pensa pure di poter acquistare in alcuni casi delle foto p. es. dal Gabinetto Fotografico Nazionale o dalle Soprintendenze. Si spera di poter in questa maniera offrire una visione d'insieme dei monumenti delle singole località. La disposizione delle fotografie in rispettive scatole come sono in uso da noi da sempre sarà in ordine alfabetico. In più è previsto di allestire uno schedario che comprenderà oltre le indicazioni di carattere tecnico e bibliografico (se esistente) anche una descrizione dei pezzi che comprende indicazioni antiquarie, ermeneutiche e storiche.

Per la suddivisione dello schedario è raccomandata una divisione topografica per regioni moderne, all'interno delle quali va seguita la sequenza alfabetica. Varie concordanze (luogo di rinvenimento, iscrizioni, temi, ecc.) dovrebbero alleggerire e favorire l'utilizzazione dello schedario e della documentazione fotografica.

Il programma è volutamente concentrato sul rilevamento del materiale, non sulla pubblicazione che, vista la mole, non sarebbe neanche possibile. È chiaro che il singolo che intende pubblicare dei materiali che riesce a conoscere tramite questo archivio è tenuto di chiederne l'autorizzazione al rispettivo ente, comunità ecc.

Ci impegnamo inoltre ad inviare una copia di ciascuna fotografia eseguita a chiunque abbia permesso o favorito il rilevamento del pezzo per garantire un certo controllo sul nostro lavoro da parte di chi dà i permessi ed anche per aiutare a creare una documentazione fotografica nel rispettivo museo o collezione, anche a fine di conservazione del patrimonio artistico.

Speriamo infine che questa iniziativa venga accolta positivamente e che l'archivio sarà frequentato e ci appelliamo ad una vivace collaborazione, consista essa in segnalazione di collezioni mal conosciute o di materiali sparsi o in una favorevole adesione da parte di chi sarà interpellato per concedere dei permessi.

SYLVIA DIEBNER

CHRONIQUE DES TRAVAUX ET DISCUSSION (1)
par
Mireille CÉBEILLAC-GERVASONI

Le matin du 7 décembre 1981, Monsieur Claude NICOLET, président de la première séance du colloque, a ouvert les travaux en mettant l'accent sur les problèmes qui dérivent de l'intitulé même du colloque; il souligne l'anachronisme de l'emploi du mot «bourgeoisies», même si, comme c'est le cas, le mot est accompagné de guillemets.

LA MATINÉE DU 7 DÉCEMBRE est consacrée aux questions économiques; ont présenté des rapports Andrea CARANDINI* (*Dimensioni della proprietà: agro Cosano e agro Veientano a confronto. Sfruttamento della proprietà: vino, maiali e schiavi*), Jean ANDREAU (*À propos de la vie financière à Pouzzoles: Cluvius et Vestorius*, pp. 9-20), Jean-Paul MOREL (*Les producteurs de biens artisanaux en Italie à la fin de la République*, pp. 21-39), Emilio GABBA (*I problemi della mano d'opera, particolarmente nel nord Italia*, pp. 41-45), Michael H. CRAWFORD (*Le monete romane delle regioni diverse dell'Italia*, pp. 47-50), Domenico MUSTI* (*Considérations sur le rôle des affranchis et aspects économiques généraux*).

Une discussion animée a suivi ces exposés. Sur le rapport de *A. CARANDINI* sont intervenus: M. TORELLI: «Volevo affrontare il discorso dal punto di vista che ci ha presentato l'amico Carandini con il confronto tra i due casi paradigmatici, mostrati come due estremi, risultato più da un problema di fonti che da una realtà effettiva.

Ora però potremo sottolineare un fatto: basta fare 15 Km. oltre Cosa che già questa realtà non c'è più.

La villa di Sestius è una realtà che si può pensare solo nella situazione di Cosa (sociale, economica, politica). Il territorio di Tarquinia, che ha tutt'altra posizione politica nei confronti di Roma, non presenta niente di simile: non è un caso, ma è la conseguenza d'una situazione con premesse (e conseguenze) politiche, sociali, economiche diverse di quelle di Cosa.

Se passiamo ad un'analisi prosopografica di Cosa dovremo concludere che Sestius non è di Cosa perché ha una tribù, la *Collina*, che non è quella di Cosa.

Supponiamo che egli sia un *eques* di Roma (come proponeva Gabba) che è riuscito a creare un sistema di *villae* (perché la *villa* di Settefinestre è una di 3 *villae* omogenee) munita di un territorio fatto per non superare le dimensioni di 500 jugeri per ciascuna villa; questo Sestius giunge comunque al Senato. Da Cosa tuttavia non troviamo nessun altro senatore. Forse è un caso; ma il confronto con altre città etrusche, ricche di senatori già da epoca molto anteriore, ci deve far riflettere.

Quando parliamo di borghesia (con tante virgolette), rischiamo di essere fortemente riduttivi. In Italia, credo, esiste una pluralità di strutture produttive, di condizioni economiche, ciascuna con una lunga storia alle spalle. Non possiamo dire che il Sannio o il Piceno o la Campania siano la stessa cosa; 10 secoli di storia hanno creato dei modi di produrre diversi. Borghesia si può intendere come livelli

---

(1) Nous avons intégralement reproduit entre guillemets les interventions corrigées par les auteurs; sinon nous donnons un résumé de ces interventions que nous espérons aussi fidèle que possible. D'autre part, dans cette chronique des travaux du colloque, on mentionne tous les participants qui ont présenté un rapport; un astérisque à côté de leur nom signifie que leur texte ne nous est pas parvenu à temps, (c'est-à-dire avant le 15 mai 1982) et qu'il n'a pu être, à notre grand regret, publié dans les Actes.

intermedi all'interno dello stato romano, ma che a livello locale non sono intermedi, ma dominanti; si configura così un vasto e complesso processo di integrazione dei ceti locali che hanno retroterra economici chiusi e che si organizzano intorno alla dominazione imperiale di Roma.

Sarei molto contento se dal nostro convegno emergesse una geografia di queste «borghesie»; nel recente lavoro dell'Istituto Gramsci c'era un capitolo dell'amico Lepore sulla geografia del modo di produzione schiavistica. Analogamente dobbiamo parlare di una geografia delle dominanze sociali che hanno alle spalle dei modi diversi di produrre.

Si deve dunque arrivare ad una tipologia organica, funzionale ad una gestione del modo dominante di produrre, che è quello di Roma, e al quale questi locali, tra loro assai diversi, sono subalterni, con un reciproco appoggiarsi di elites locali e centrali (come ci ricordava Gabba), operazione questa economica, prima ancora che sociale, raffinatissima».

E. GABBA: «La colonia latina di Cosa venne a inserirsi in un contesto agrario e sociale diverso, quello etrusco. Penso che questa sia la causa del rigetto che la colonizzazione romana ha subito in area etrusca. La colonia di Cosa è durata molto, anche perché aiutata dal grande supplemento. La struttura coloniaria è quella che alla fine del II secolo favorisce e condiziona l'impianto del sistema della villa».

E. LO CASCIO: «Volevo fare tre domande a Carandini, la prima delle quali tocca un problema che rientra nell'ambito tematico del Colloquio, mentre le altre due riguardano cose che qui Carandini ha precisato in merito a Settefinestre.

1) A proposito dell'*ager Veientanus*, Carandini corregge il quadro degli studiosi britannici e riconosce, nell'età tardo-repubblicana, una struttura per piccole fattorie e *villae*: desideravo sapere se ci sono indizi, e quali, del fatto che le fattorie siano testimonianze di insediamenti di *coloni*, dipendenti dalle unità produttive maggiori, e non già, per ipotesi, di piccola proprietà contadina.

2) A proposito della modificazione nell'utilizzazione economica, a Settefinestre, con l'abbandono o il ridimensionamento della viticultura e lo sviluppo di cerealicoltura e allevamento dei maiali, Carandini non ha mai avanzato, mi pare, negli scritti di questi ultimi anni (né lo ha fatto oggi), l'ipotesi di una connessione tra questo fenomeno a Settefinestre e il famoso editto di Domiziano, noto da Svetonio, Filostrato, Stazio, che limita la cultura nella vita delle province, ma anche in Italia: si comprende da Svetonio che l'editto era sollecitato da una crisi di sottoproduzione cerealicola, che aveva determinato difficoltà annonarie in molte città dell'Impero.

Volevo chiedere a Carandini se ritiene possibile l'esistenza di una tale connessione.

3) Quanto all'ultimo periodo di Settefinestre, quello del latifondo imperiale, desideravo sapere se le tracce di abbandono possono (o anzi debbano) spiegarsi come indicative di un forte decremento demografico, di uno spopolamento».

J.-M. FLAMBARD demande des précisions: «a) sulla struttura poligonale della villa di Settefinestre. *Ceporarium* e/o *pomarium*?. La prima ipotesi si accorderebbe meglio, a mio avviso, con i testi degli agronomi su questa fonte, particolarmente interessante, di reddito.

b) problema del cosiddetto «Belvedere» orientato verso il mare e l'Aurelia; funzione di *luxuria* (*triclinium* ecc.) o edificio «funzionale» nel senso tecnico? Sorveglianza degli accessi alla villa, posto di comunicazione con l'esterno (segnali luminosi ecc.)».

A. CARANDINI: répond que l'existence de ces *villae* après 70 correspond à la décadence de la ville de Cosa qui est devenue pratiquement inexistante.

La discussione continue sur le rapport de *J. ANDREAU* dont les thèses sont contestées par F. COARELLI.

J. ANDREAU lui répond: «Si je cherche à établir des typologies des activités financières extérieures au monde des métiers, c'est précisément pour éviter de raisonner en termes modernes. Ces typologies doivent prendre en compte à la fois le niveau des pratiques sociales et celui des représentations, s'appuyer sur les catégories fournies par les Romains eux-même, mais aussi sur une réflexion moderne à propos de ces catégories. L'historien est, dans le meilleur des cas, à mi-chemin entre la pensée ou la réalité antiques et le monde moderne; il n'a pas à se confondre avec son objet de recherche.

Quant au monde du commerce maritime, par exemple, la distinction esquissée par Cicéron entre ceux qui courent la mer, ceux qui se sont installés au port, et ceux qui ont transformé leurs profits commerciaux en propriétés foncières, me paraît opératoire. *Cluvius*, à mon avis, appartient en 45 à la troisième catégorie. Tout ce que nous savons alors de son patrimoine le rattache aux propriétaires fonciers, et c'est pourquoi Cicéron souhaite conserver pour son usage, sans les vendre, une partie de ses biens. Mais cela ne veut pas dire du tout qu'il n'ait pas conservé des intérêts liés au commerce: soit des intérêts financiers (créances sur des commerçants); soit des biens et activités proprement commerciales (bateaux, marchandises, etc.).

Quant au rôle des diverses cités d'Italie dans les grandes affaires financières (c'est-à-dire, avant tout, dans les opérations hors place), je n'exclus pas du tout que la situation ait évolué entre la deuxième moitié du IIe s. av. J.-C. et la fin de l'époque cicéronienne (c'est-à-dire les années 70-60 à 43 av. J.-C.). A la fin de l'époque cicéronienne, les textes disponibles (et surtout ceux de Cicéron) me montrent que ces grandes affaires financières se font à Rome, à Pouzzoles, dans quelque autre port d'Italie, mais guère ailleurs. J'utilise l'*argumentum ex silentio*, certes. Ce n'est pas F. Coarelli qui me le reprochera, lui qui en fait très souvent usage et dans des cas où la documentation est bien loin d'atteindre le volume des oeuvres de Cicéron».

AVEC L'APRÈS-MIDI DU 7, sous la présidence d'Andrea Carandini, commencent les rapports consacrés à la societé; quatre sont présentés: Mireille CÉBEILLAC-GERVASONI (*Le notable local dans l'épigraphie et les sources littéraires latines: problèmes et équivoques, supra,* pp. 51-58), Umberto LAFFI (*I senati locali nell'età repubblicana,* pp. 59-74), Cécile ANDREAU-KLEIN* (*Les magistratures municipales à Venosa*), Jean-Marc FLAMBARD (*Les collèges et les élites locales à l'époque républicaine d'après l'exemple de Capoue,* pp. 75-89).

La discussion continue ensuite; G. TRAINA apporte un exemple à l'appui de ce qu'a dit *E. GABBA*:

«Mi ricollego a quanto il prof. Gabba ha detto a proposito delle *enclaves* che si riscontrano nelle zone meno fertili dei territori delle comunità cittadine. Un ulteriore esempio può essere fornito dal *pagus Arusnatium* nel territorio di Verona, che coincide grosso modo con l'odierna Valpolicella. Le testimonianze scritte si riducono ad alcune epigrafi votive, che attestano culti di divinità, i cui nomi presentano varie difficoltà di lettura e di confronto. Il nome *Arusnates* ha fatto supporre una comunità etrusca, stanziatasi nella zona in seguito all'invasione gallica. Le testimonianze archeologiche mostrano la continuità, per la media e tarda età del ferro, di una cultura di castellieri. A partire dal I secolo a.C., si assiste a un periodo di semi-abbandono, che si interrompe con il III secolo d.C., in cui si riscontra una fase di ripopolamento piuttosto massiccia. Mentre quest'ultimo può essere spiegato dalla crisi dell'economia cittadina e dagli eventi bellici, l'abbandono del primo secolo a.C. presenta a prima vista una difficoltà di lettura, in quanto le testimonianze epigrafiche sopra accennate si possono datare al I secolo d.C.

Si può dedurre che il *pagus Arusnatium*, per quanto spopolato, abbia conservato la sua economia e la sua caratterizzazione etnica anche in età tardo-repubblicana e imperiale. Il semi-abbandono del territorio è verosimilmente conseguente al sorgere dell'importanza economica di *Verona*, con la sua elevazione a *municipium* intorno al 49 a.C., ma probabilmente già con la colonia latina dell'89 a.C.

La comunità degli *Arusnates* veniva allora a gravitare nell'orbita di *Verona* e può essere quindi considerata come una delle suddette *enclaves*, al pari dei *Dripsinates* nel territorio di *Vicetia*. Si spiega così la decadenza della zona a partire dal I secolo a.C., da quando cioè la romanizzazione di *Verona*, creando un ordinamento centralizzato, e controllando in modo più diretto il suo territorio, ruppe il persistente equilibrio economico di questa zona, rendendola un'area periferica a tutti gli effetti».

E. GABBA à son tour intervient brièvement sur la relation de *U. LAFFI*:

«Al di là della descrizione giuridico-costituzionale non è facile cogliere le realtà singole che saranno state varie, e che, specialmente a livello terminologico, si andavano uniformando nel corso del II secolo a.C. al modello romano. Il termine *cooptatio* allude a pratiche di autocomportamento. Nelle colonie latine insediate là dove esisteva già un insediamento urbano si doveva affrontare il problema dell'integrazione alla classe indigena filoromana; così a *Brundisium* e anche a *Venusia*, come ha indicato Mme Andreau - Klein».

Le rapport de *J.-M. FLAMBARD* a suscité plusieurs interventions: F. COARELLI: «L'analisi condotta da J.-M. Flambard sui *magistri* di Capua mi sembra molto convincente, e così pure la sua critica delle tesi Mommsen-Frederiksen, Schulten, Kornemann, ecc. La sua conclusione è che «ces groupements placés sous l'invocation d'une divinité devaient avoir un recrutement essentiellement géographique...: il s'agirait d'associations à dominante territoriale, de *quartiers (vici)* centrés autour d'un lieu de culte, où une certaine fraction de la population — liée peut-être par d'autres intérêts qu'on ne peut préciser — était organisée en *collegia* et, à côté d'autres activités probables, poursuivait une activité évergétique au sens plus large, le plus souvent éditilaire». Altra conclusione è quindi che «A Capoue, leur nature strictement professionnelle.. est très improbable».

Tutto ciò è molto giusto *a livello formale*, come pure la conclusione (che era già di M. Frederiksen) che i *collegia* sostituissero a Capua le strutture amministrative inesistenti. Ma *a livello sostanziale* questa conclusione non risolve alcuni gravi problemi:

1) se questa era effettivamente la natura dei *collegia* capuani, come mai questi appaiono solo molto tardi (documentatamente, dal 112 a.C.), e non prima?

2) Come si spiega la loro natura mista, con partecipazione di *ingenui* e di *liberti*, che doveva comunque provocare problemi, vista la funzione amministrativa (e il corrispondente potere) che essi detenevano?

3) Che origine aveva la notevole disponibilità economica che caratterizza questi gruppi, e perché questa si manifesta solo negli anni compresi tra la fine del II e gli inizi del I secolo a.C. (problema che si collega al n° 1)?

In realtà, la risposta è già implicita nell'analisi stessa del Flambard quando afferma che l'aspetto religioso è il meno significativo, e che esso non può dire nulla sulle funzioni dei *collegia*. Proprio nello spirito anticlassificatorio di questa relazione, mi sembra che si possa fare un passo più avanti, e riconoscere che anche l'aspetto geografico, territoriale che sicuramente caratterizza queste associazioni, è di per sé insufficiente a definirle *sul piano sostanziale*. È evidente infatti che nel mondo antico (e del resto fino all'età moderna) esiste spesso un legame strettissimo tra professione e luogo dove questa si esercita (si pensi nella Roma antica ai mercanti *de sacra via, de Velabro* ecc., e nella Roma moderna alle varie vie dei Sediari, dei Giubbonari, dei Chiavari nel quartiere del Rinascimento).

L'elemento territoriale, quindi, è di per sé insufficiente, come quello religioso, a caratterizzare la natura dei *collegia* se non si tien conto del fattore a mio avviso determinante *sul piano sostanziale*: quello professionale ed economico.

La prima domanda che ci siamo posti in precedenza non può trovar soluzione se non nell'ambito di un contesto più vasto, dove si riscontra l'esistenza di soluzioni parallele. A Delo, ad esempio — dove la preponderanza dell'elemento mercantile non potrà esser messa in dubbio — riscontriamo la presenza di simili collegi, composti allo stesso modo di *ingenui* e di *liberti*. Parallelamente, assistiamo alla dissoluzione della cleruchia, che probabilmente a partire dagli anni 30 del II secolo (e comunque tra il 145-4 e il 126-5 a.C.: P. Roussel, *Délos, Colonie Athénienne*, Paris, 1916, pp. 50-55) viene sostituita dalle assemblee dei residenti, tra i quali dominanti dovettero essere i *collegia* dei mercanti

Italici e Romani. In pratica, un potere *di fatto* sostituisce quello *di diritto*, ed il fenomeno è perfettamente parallelo e contemporaneo a quello che si verifica a Capua, dove tra l'altro i *magistri* sono talvolta identificabili fisicamente con mercanti di Delo.

Se anche la natura dei *collegia* di Capua non è esclusivamente mercantile, la loro grande disponibilità finanziaria, la composizione mista, con *ingenui* e *liberti*, la stessa cronologia depongono per una massiccia presenza in essi di *negotiatores*. In caso contrario, sarebbe difficilmente spiegabile la concentrazione di iscrizioni menzionanti *magistri* in grandi mercati ed empori, quali furono, oltre Capua, Delo e Minturno. Per quanto riguarda l'attività evergetica dei *collegia*, va sottolineato inoltre che almeno in un caso è possibile fissare il momento preciso in cui essa ebbe inizio. I lavori di ricostruzione monumentale del santuario di Diana Tifatina furono infatti avviati da un magistrato romano, il console del 135 a.C. Ser. Fulvius Flaccus (*CIL* I², 635 = *ILLRP*, 332): probabilmente un'attività spiegabile con rapporti di clientela, dal momento che si trattava del nipote di Q. Fulvius Flaccus, il console del 212, conquistatore di Capua. Solo più tardi nei lavori interverranno i *magistri campani*: nel 99 a.C. (*CIL* I², 680 = *ILLRP*, 717) e forse già nel 108 a.C. (se di questo anno, piuttosto che del 74 a.C., è l'iscrizione del pavimento musivo di S. Angelo in Formis = *ILLRP*, 721)».

Ensuite D. MUSTI: «Vorrei attirare l'attenzione su un aspetto di "statistica onomastica" delle iscrizioni dei *magistri* di Capua e rivolgere eventualmente una domanda sull'argomento dell'amico Flambard. Riguarda il rapporto tra i *nomina* dei *liberti* e quelli degli *ingenui* nelle liste miste (9, 10, 20 v. Frederiksen).

Ho notato che non c'è mai coincidenza tra i *nomina* degli *ingenui* e quelli dei *liberti* in 9 e in 20; in 10 *Fulvius* e *Pescennius* ricorrono sia nella colonna degli *ingenui* (sinistra) sia in quella dei *liberti* (destra), ma il *praenomen* del *patronus*, nel caso del *Pescennius* liberto e il *nomen* della *patrona*, nel caso del liberto *Fulvius*, sono diversi dai *praenomina* dei corrispondenti *ingenui*.

Si aggiunga inoltre che sulle iscrizioni 8 (del 106 a.C.) e 11 (del 104 a.C.) con comune riferimento a Cerere, e con analogo oggetto, ma diverse perché la 8 è di *liberti*, la 11 è di *ingenui* (e che quindi in qualche modo sono affiancabili fra loro, anche se non nello stesso grado delle due estreme di 9 o di 10, o delle tre di 20), almeno a quanto ci risulta dai nomi conservati (e quindi con qualche riserva), si può osservare che i *nomina* degli *ingenui* (11) non coincidono mai con quelli dei *liberti* (8).

Come è possibile senza una qualche intenzione, e perciò senza un qualche significato, questa "impermeabilità" tra *nomina* (o, in 10, di persone, v. sopra), questa "diversità" tra *nomina* di *liberti* e di *ingenui*, quando sono affiancati gli uni agli altri?

Statisticamente, la cosa non sembra così "innocente". In liste *omogenee* (e all'interno di ciascuna delle colonne affiancate, presa singolarmente per sé) sono invece frequenti le ripetizioni di *nomina*, e ciò dà il senso di quello che doveva accadere statisticamente, quando le cose non venivano governate, programmate, dirette diversamente. Si vedano: iscrizione 6 (tre *Helvii*, di cui due fratelli); 8 (due *Babrii*, due *Sextii*, con liberti entrambe le coppie); 13 (tre servi di un *Terentius*); 24 (due *Lolii*, due *Arrii*); la stessa 10, all'interno della colonna dei liberti (tre *Nerii*, di cui due con liberti). Così vanno le cose, statisticamente, quando non governate diversamente.

La domanda che io pongo è se questa distinzione tra *nomina* (cioè famiglie) di *liberti* e di *ingenui* (in un caso, 10, la distinzione almeno tra gli *ingenui* della I colonna, e i *patroni* con *nomen* uguale dei liberti della II colonna) non significhi che era *voluta* una compresenza (nei casi misti) di alcune famiglie di *ingenui*, e di famiglie distinte di *liberti*. Ciò ha un senso, se i *liberti* sono nelle liste miste non tanto, o non soltanto, per sé, ma anche in rappresentanza dei *patroni*, che non hanno la possibilità (o la *volontà*) di figurare fra gli *ingenui* presenti in quell'occasione nell'attività dei *collegia*. I liberti avrebbero una funzione (o *anche* una funzione) rappresentativa (e l'uguaglianza e l'associazione con gli ingenui avrebbe aspetti di forma più che sostanza). Dall'insieme, si avrebbe un criterio di rotazione. Una controprova si ha per i *Nerii*: in 3 (110 a.C.), vi figura un figlio di *M. Nerius* ma in 10

(105 a.C.) i *Nerii* non figurano nella colonna degli *ingenui* (la 1ª) ma, in numero di tre (e due *liberti* proprio di *M. Nerius!*) figurano nella colonna dei *liberti*.

Ora, M. Nerius potrà anche essere morto; ma il figlio o altri discendenti anche? (un *M. Nerius* figura anche in 24). Benché la statistica abbia i suoi limiti nella limitata quantità del materiale, mi pare che l'ipotesi dell'associazione programmatica, di famiglie diverse, in parte a livello di *ingenui*, in parte a livello di *liberti*, abbia qualche base».

G. GUADAGNO présente aussi certaines remarques à propos d'un possible *pagus Dianae Tifatinae*. «A mio avviso la relazione di Flambard è molto importante perché finalmente elimina quella infelice posizione di inferiorità cui era stato relegato l'insieme delle testimonianze epigrafiche dei *magistri campani*; comunque dopo la sua ricostruzione del loro ruolo resta il problema di discernere quali documenti siano riferibili ad una organizzazione paganica e quali ad un collegio vero e proprio.

Evito quindi in partenza l'espressione di Coarelli "corporazioni", che se è applicabile al caso della epigrafe n. 1, ove è evidentissima la presenza di un *collegium mercatorum*, già ha poco riferimento con la n. 13 *ministri Laribus*, riferibile ad un *collegium Compitalicium*.

Per gli altri testi il discorso si fa molto complesso; in alcuni casi infatti è palese il riferimento ad un *pagus*: non identificabile come nel caso del n. 20 (forse di *Iuno Gaura?*), chiaramente determinato colla appellazione *pagus Herculaneus* nel n. 17, facilmente riconoscibile nei nn. 12 e 19 dove si hanno *magistri* che usano somme *de stipe Dianae*, ed anche se questi operano nell'ambito del Tempio di Diana Tifatina (come forse fanno i *magistri* nel caso del n. 18 *Iovei de stipe*), sappiamo da altre testimonianze epigrafiche della esistenza, ancora in epoca più tarda, di una entità territoriale semi-autonoma il *vicus Dianae Tifatinae CIL* X, 3913 cui, da Capua evidentemente, viene messo a capo un *pr(aefectus) i(ure) d(icundo) montis Dianae Tifatinae CIL* X, 4564, che estende la sua giurisdizione a tutto il Monte Tifata, su cui erano i possedimenti del tempio nonché il tempio stesso, retto da *magistri fani* (Cf. A. De Franciscis, *Templum Dianae Tifatinae, Archivio Storico di Terra di Lavoro*, I, 1956, p. 301-355; ID., *Note sui "Praedia Dianae Tifatinae", Il contributo della archidiocesi di Capua alla vita religiosa e culturale del Meridione, Atti del Convegno 1966*, Roma, 1967, p. 271-274).

Le altre documentazioni restano invece indeterminate; tuttavia si può forse recuperare la testimonianza di un altro *pagus*; la n. 7, pubblicata dal De Franciscis, presenta una particolarità sfuggita al Frederiksen, che la cita solamente senza inserirne il testo nel suo studio (*Republican Capua, P.B.S.R.*, XXVII, 1959, dalla cui *Appendix* è riprodotta la documentazione epigrafica presentata): pur risultando il testo identico a quello della n. 6, ha il primo nome del secondo registro trasferito nella stessa posizione nel primo registro e viceversa (cf. A. Degrassi, *ILLRP*, II, p. 139).

A prima considerazione può apparire una cosa casuale, non lo è più invece quando si consideri che fino al XVIII sec. è testimoniato in Maddaloni (G. De Sivo, *Storia di Galazia campana e di Maddaloni*, Napoli, 1860-1865, p. 50) un frammento che praticamente è un duplicato del primo registro della n. 8, dove però si riscontra lo stesso fenomeno precedente: il Babrius L.l. senza prenome all'inizio del secondo registro è diventato primo del primo registro.

Il Mommsen che non aveva elementi di riscontro lo cita con dubbio (*CIL* X, 3779 note, cf. *ILLRP*, II, p. 143), noi invece per la sua denunciata analogia non solo possiamo ritenerlo autentico, ma non possiamo fare a meno di notare come questo nuovo documento sia stato sempre a poca distanza da un complesso: il Santuario di S. Lucia di Centurano di Caserta, che per tutta l'epoca medievale ha avuto un significato particolare; infatti i festeggiamenti ad esso collegati non si svolgono nel mese di dicembre (13, festività liturgica di S. Lucia), bensì la prima domenica di maggio ed i pellegrini tornavano con il mazzetto di biade fresche con evidente riferimento ad un antichissimo rito pagano, legato alle messi e quindi al culto di Cerere.

Esso ha svolto anche una funzione di polo di attrazione territoriale: infatti i centri medievali ai piedi dei Monti Tifatini Curti, Casapulla, Casanova/Casagiove, Torre di Caserta (odierna Caserta),

Ercole, Aldifreda, sono inseriti in una fascia delimitata da due cardini della centuriazione, che partendo dal perimetro murario della antica *Capua*, si attestavano ai piedi dell'altura su cui si erge il Tempio; in particolare i centri si organizzano con un asse intermedio che, come ha messo in evidenza uno scavo in tenimento di Curti, almeno nel suo tratto iniziale ricalca un tracciato preromano, passante nell'area del "Tempio Patturelli", obliterato poi dal tracciato degli assi di centuriazione.

Come nel caso del tempio di Diana Tifatina nn. 12 e 19, collegato con un *vicus*, e come quello di *Iuppiter Compagus* in relazione al *pagus Herculaneus* n. 17, si potrebbe ipotizzare un tempio extraurbano di Cerere collegato con un *pagus*, non necessariamente però *pagus Cererus*.

Sono perfettamente d'accordo con quanto Flambard ha detto circa l'aspetto di "funzionari", diciamo a livello locale, dove però non sono d'accordo è quando trova la giustificazione di questi *collegia* nel diritto privato: laddove i *magistri* si possono più direttamente collegare ad un *pagus*, all'interno della cui organizzazione svolgono le loro mansioni, questi sono di diritto pubblico: sono effettivamente lo strumento della organizzazione territoriale che sta sottoposta alla *Praefectura Capuam Cumas* (cf.: per Cuma il *Meddix Vereias*, P. Poccetti, *Nuovi documenti italici*, Pisa, p. 95-101).

Sono quelle forme di amministrazione che noi troviamo per tutta l'epoca posteriore in Campania, eredità della organizzazione cosiddetta "pagano-vicanica", cui troviamo ancora collegata una funzione "edilizia": alla fine del I sec. a.C. nel nolano *pagus Apollinaris* i *magistri pagi* provvedono alla nuova area cimiteriale coi soldi della comunità (cf.: P. Simonelli, *Nuovi ritrovamenti di iscrizioni in Nola*, *Acc. Pontaniana Napoli*, XXI, 1972, p. 393 tav. II) ed ancora un'inedita epigrafe dal lato destro del Garigliano ci fa sapere che due personaggi, forse i *magistri* del *pagus Vescinus* stabiliscono di costruire il teatro *ex pecunia Martis*, fondi forse del tesoro di un tempio di Marte, ed il restante viene versato dal *pagus* in proprio.

Quanto all'espressione *collegium seive magistrei Iovei Compagei* n. 17, a mio avviso il *collegium* si identifica con i *magistri* e viceversa questi si identificano con il *collegium* e sono un organismo diverso dai *magistri pagi* veri e propri; l'iscrizione in effetti riporta un *pagiscitum* con due decreti: l'uno che *collegium seive magistrei Iovei Compagei sunt* devono spendere una certa somma in *porticum paganam reficiendam*, l'altro *uteique ei conlegio seive magistrei sunt Iovei Compagei locus in theatro esset tam qua sei ludos fecissent.*

Il denaro cioè che viene consumato ha tutte le caratteristiche della *summa honoraria* che, come è noto, magistrati e sacerdoti cittadini dovevano versare alla cassa pubblica o direttamente o sotto forma di opere pubbliche e giochi: ai personaggi in questione viene riconosciuto il diritto di sedere in teatro come se avessero dato giochi con quella somma che in realtà, per decisione dei *pagani*, hanno consumato per costruire o riattare la *porticus pagana*, sotto il "controllo" di un personaggio, Cn. Laetorius Cn. f. *magister pagi* che non compare nella lista dei nomi a piè decreto.

Ora è inimmaginabile che, qualora *collegium* e *magistri Iovis Compagei* siano organismi diversi ed il *collegium* si riferisca ai *magistri pagi* veri e propri, lasciando al decreto possibilità operativa in alternativa all'uno od all'altro, i *magistri pagi* possono trovare come "controllore" del proprio operato uno di loro stessi.

Oltre a questo testo in altri casi si ha il ricordo dei giochi fatti dai *magistri* ed allora la questione mostra tutta la sua complicatezza nel discernere, come ho già detto, quali siano *collegia Compitalicia*, professionali ecc. e quali invece siano *collegia sive magistri pagi*».

J.-M. FLAMBARD répond donc aux demandes:

«1) risposta a F. Coarelli.

Assolutamente d'accordo per porre il parallelo con Delo. In tutti e due i casi siamo in presenza di comunità private di strutture di tipo civico; le strutture associative (*collegia* professionali, topografici, religiosi — con tutte le graduazioni possibili tra questi aspetti) hanno, a un certo momento, *sostituito* l'assenza di strutture di tipo civico. Gli Ἑρμασταί, ποσειδονιασταί, Ἀπολλονιασταί, deliaci sono, tutto sommato, paragonabili ai collegi capuani, (con base topografica, professionale, religiosa).

2) risposta a D. Musti.

L'inchiesta onomastica indispensabile è ancora, da parte mia, appena iniziata. Ci sono casi (4 su 28) che possono porre il problema, del rapporto *ingenui/liberti* in liste distinte o miste. Non ho per il momento, nessuna risposta precisa a questo problema.

3) risposta a Guadagno.

Accanto al *pagus Herculaneus*, solo attestato, sospetto pure io, l'esistenza di un *pagus Dianae Tifatinae*, di un *pagus Cereris* e forse (è una mia ipotesi) di un *pagus Veneris Ioviae*. Non sono in misura né di precisare la localizzazione precisa, né l'estensione territoriale di questi *pagi* (né di definire in termini di diritto pubblico lo statuto dei *magistri pagi*).

Mi sembra comunque sicuro che i *magistri collegiorum* (professionali come quelli dei *mercatores*; compitale come quello dei *ministri laribus* e locale/professionale/religioso come collegio dei *vici* (quartieri capuani) fanno parte del diritto privato (come tutti i collegi fino all'età imperiale).

L'interpretazione del *Seive* dell'epigrafe Frederiksen 17 mi sembra sicuramente *alternativa*; il *collegium* o i suoi *magistri*. Fatta l'inchiesta linguistica, non si può più pensare a un senso debole, esplicativo: il *collegium,* cioè e suoi *magistri*».

DANS LA JOURNÉE DE MARDI 8 DÉCEMBRE continue l'exposition des rapports et la discussion sur les problèmes de "société"; les présidents sont, le matin, M. Torelli, l'après-midi M.H. Crawford. Ont présenté des rapports dans la matinée Paavo CASTRÉN (*Cambiamenti nel gruppo dei notabili municipali dell'Italia centro-meridionale nel corso del I sec. a.C., supra*, pp. 91-97), Philippe MOREAU (*Structures de parenté et d'alliance à Larinum d'après le Pro Cluentio*, pp. 99-123), Giovanna MANCINETTI (*La concessione della cittadinanza a Greci e orientali nel II e I sec. a.C. (prima e dopo la guerra sociale),* pp. 125-136), Marcello GAGGIOTTI (*Il Sannio pentro*, pp. 137-149), Maria-José STRAZZULLA - Luigi SENSI (*Assisi: problemi urbanistici. Assisi: aspetti prosopografici*, pp. 151-173), Gino BANDELLI (*Per una storia della classe dirigente di Aquileia repubblicana*, pp. 175-203), Monika VERZÁR BASS (*Contributo alla storia sociale di Aquileia repubblicana; la documentazione archeologica*, pp. 205-215).

La communication de P. CASTRÉN provoque une série de demandes de la part de J.-M. FLAMBARD:

«— presenza di due *OVII* in *CIL* I², 1599 (Capua).

Qual'è la datazione approssimativa dell'epigrafe? Verso il 50 a.C. o prima? Nell'integrazione epigrafica della seconda riga, *patr.* è al nominativo o al dativo?

C. Ovius Surus è un *ingenuus* o un *libertus*?

Si può fare un collegamento con l'epigrafe *CIL* I², 2506 = Frederiksen, 15, dove compare un *P. Ovius P.l. Plut.* (l'integrazione è molto aperta: *cognomen* tipo *Plut*[*archus*] o *Plut*[*on*] o nome di mestiere *plut*[*earius*]). Ad una generazione di distanza (Fred., 15 è anteriore al 94), mi sembra che potrebbe trattarsi di un caso di promozione sociale (il discendente di un *libertus* diventato *patronus*)».

L'intervention de E. LEPORE concerne à la fois ce rapport et celui de *PH. MOREAU*: «Ringrazio Castrén per le sue citazioni, però molto di quello che ho detto nel 'fantomatico' articolo del volume *Pompei 79* è dovuto al suo libro *Senatus Populusque Pompeianus*, tanto importante.

Il problema di questi *cognomina* andrebbe affrontato con strumenti socio-linguistici. Si dovrebbero andare a vedere i repertori di questi *cognomina*, a certi livelli, con le funzioni e con le variabili che ci sono. Solo così noi riusciremo a capire quello che è un *Apotheca* ad Aquino.

Si dovrebbe conoscere la struttura economico-sociale e gli usi simbolici che possono avere questi *cognomina*. Stesso problema per *cognomina* ad Aquileia di Bandelli. Dunque si dovrebbero adoperare gli strumenti dei colleghi socio-linguisti, in situazioni geografiche particolari, come per esempio in Sicilia, per lingue a contatto. Credo che queste sarebbero delle cose utili.

Questo problema mi fa essere un po' restio nell'accettare incondizionatamente i modelli antropologici per le strutture di parentela dell'analisi di Moreau, molto raffinata. Fino a che punto questi modelli di analisi di strutture di parentela, quelli di Lévi-Strauss, possono calarsi in una realtà senza che ne sia chiaro l'uso simbolico, nell'immaginario che c'è dietro e nelle strutture coscienti e incoscienti che sono presupposte; quando dico strutture endogamiche o esogamiche, so se c'era l'intento endogamico o no, in una concreta situazione, nell'antichità? Se penso alle testimonianze sui Bacchiadi a Corinto, p. es., ne ho la certezza; ma in altri casi?

Sarebbe importante capire fino a che punto il modello costituito da noi dai dati impliciti, senza testimonianza di nessuna fonte cosciente, possa essere usato senza trasposizione meccanica all'evidenza antica».

CL. NICOLET, à ce point, présente des remarques plus générales qui marquent un temps d'arrêt et de réflexion dans le cours des travaux du colloque:

«Nous parlons d'hommes et de familles dans toutes sortes de régions de l'Italie. Nous apprenons les énormes lacunes de notre documentation épigraphique, mais ces lacunes se comblent, cependant, il y a 20 ans, il y avait déjà 500.000 inscriptions latines. Quand on faisait de l'onomastique, comme moi ou comme Wiseman, on rencontrait des problèmes non seulement pour des *cognomina* mais aussi pour les gentilices. Quand on fait des listes prosopographiques on fait forcément des dizaines de rapprochements. Mais pour ces rapprochements au niveau du gentilice, j'ai tendance à être très prudent, sauf quand on est sûr d'avoir fait une enquête absolument pertinente. Sans doute entre des marchands de Délos qui sont des Italiens et des Italiens ou des Romains, les rapprochements s'imposent-ils et Coarelli a raison de les faire. Mais lorsque, pour le 1er siècle av.J.-C., parce qu'on trouve en divers endroits un gentilice sans rapport de prénom et avec des variétés de *cognomina* différéntes, on établit un rapport et on dit: "c'est la même *gens*", qu'est-ce que cela signifie? Depuis le processus de colonisation en Italie, quand on pouvait inscrire dans une colonie latine des citoyens romains ou des *socii* ou des latins venant de toute l'Italie, pour devenir colons latins, il y a, à la fin du 1er s., un tel brassage démographique et géographique qu'une grande prudence s'impose. Je mets à part des cas probants, comme les Cossutii, parce que, dans ce cas, on peut suivre le détail des choses et nous avons des textes (sur la fiancée de César) qui nous donnent le statut de cette *gens*.

Les communications de Moreau et Andreau prouvent qu'il faut utiliser la documentation littéraire avec délicatesse et prudence pour déterminer la raison de la présence ou de l'absence ou d'un nom ou d'une qualification de type social ou économique dont parlait aussi Mireille Cébeillac-Gervasoni. Donc si on n'a pas sur ces points très précis des associations totalement probantes, si on n'a ni prénoms ni *cognomina* communs, on doit être très prudents. C'est Varron qui remarquait qu'il n'y avait pas tellement de gentilices dans l'onomastique romaine!».

M. TORELLI prend la parole après Cl. Nicolet et présente certaines remarques et demandes: «L'invito alla prudenza del Prof. Nicolet mi è gradito. Mi auguro che l'invito di Nicolet sia un invito anche ad un proseguimento di queste ricerche. Gradirei avere delle precisazioni, per esempio sugli *Ovii*.

Moreau ci ha presentato dei comportamenti di una aristocrazia locale sul piano "matrimonio/testamento" che si presentano come quelli dell'aristocrazia di Roma. Questa somiglianza di comportamenti donde nasce?

Moreau ha rivelato degli effetti, ma quali ne sono le cause?

Si possono formulare delle ipotesi di risposta, tutte storiograficamente certo di portata non trascurabile. Si può pensare al frutto di un desiderio cosciente del potere centrale, di assimilazione del diritto e di consuetudini locali ai propri; si può pensare anche ad una ben precisa iniziativa locale. Ecco ripresentarsi qui la vecchia antitesi Rosenberg/Rudolph (Roma tutto dà / Roma tutto riceve). Ma c'è anche una terza possibilità, quella della assimilazione non cosciente.

Posso chiamare il collega Moreau a rispondere alle domande di Lepore e mie?»

PH. MOREAU répond à la fois aux demandes de Lepore et de Torelli:

«La question de M. Lepore pose un problème méthodologique de fond: la légitimité de l'emploi, dans l'analyse des sociétés antiques, des concepts forgés par l'anthropologie sociale des XIXème et XXème siècles; ma réponse comprendra trois aspects.

1) Tout d'abord, les juriconsultes romains ont porté à un point d'élaboration très élevé des concepts (comme ceux de *gradus, lenea, stemmata, incestus,* sur lesquels nous vivons encore) que nous pouvons encore utiliser dans l'analyse des sociétés antiques. Quand on parle, en reprenant le vocabulaire des anthropologues, de «parenté bilatérale», on ne dit pas autre chose que ce que disaient les Romains en parlant de *cognatio*: dans un grand nombre de cas, le problème ne se pose donc pas réellement.

2) Si, d'autre part, nous transposons le problème dans le domaine de l'économie, il me semble que peu d'économistes des sociétés antiques se contenteront des seuls concepts élaborés par les Anciens et renonceront à utiliser les catégories de capital, circulation monétaire, accumulation, etc.

3) Enfin, ne pas utiliser les catégories élaborées par l'anthropologie sociale, c'est se condamner à utiliser, soit les seules catégories antiques (ce qui serait, à mon sens, un moindre mal), soit plutôt (et ceci, de manière inconsciente, ce qui ne manquerait pas d'être périlleux) les catégories empiriques de «famille» ou de «parenté», qui seraient en réalité celles de nos sociétés occidentales modernes. C'est alors, me semble-t-il, que nous risquerions de projeter sur les société antiques nos propres catégories.

La question de M. Torelli sur l'identité des comportements et des règles à Larinum me paraît appeler plusieurs réponses, selon les cas, et non pas une réponse unique.

S'agissant, par exemple, de l'identité des prohibitions matrimoniales pour cause de parenté ou d'alliance, j'aurais tendance à penser qu'elle ne s'explique pas par une assimilation, volontaire ou non, mais simplement par une identité originelle, celle, pourrait-on dire, qu'implique le substrat italique, tant à Rome qu'à Larinum. De même, peut-être, pour ce qui est de la *patria potestas*.

En revanche, s'agissant des successions, testamentaires ou non, il y a nettement, extension du droit privé romain aux nouveaux citoyens romains de Larinum».

P. CASTRÉN répond lui aussi à Flambard et à Lepore en renvoyant au texte définitif de son rapport, où il a amplement traité les questions soulevées (cf. *supra*, pp. 91-97).

E. GABBA demande la parole à propos du rapport de *G. MANCINETTI* pour apporter quelques autres preuves de la pénétration de Rome en milieu local.

F. COARELLI confirme par des exemples les théories de *G. MANCINETTI*: «Il Simalos di Salamina di Cipro, che diviene più tardi cittadino di Taranto, dovrebbe essere un mercante o un banchiere. La sua doppia nazionalità può forse trovare una spiegazione (naturalmente in via di ipotesi) proprio nel genere di attività commerciali che egli dovette svolgere. Se la concessione della cittadinanza tarentina ha un rapporto con queste attività, non si può non pensare al commercio della lana, della quale Taranto era uno dei principali mercati del Mediterraneo: mercato di lana grezza, non di lana lavorata, come ha mostrato recentemente J.-P. Morel (*Ktema,* 3, 1978, pp. 93-110).

Il collegamento tra Delo e la Puglia risulta tra l'altro dalle numerose anfore apule scoperte a Delo (J.-Y. Empereur, *BCH*, 106, 1982, p. 225). La provenienza cipriota di Simalos potrebbe far pensare a un'attività nel settore dei tessuti di porpora. Ora, è stato dimostrato recentemente (Ph. Bruneau, *BCH*, 93, 1969, pp. 759-791; 102, 1978, pp. 110-114; 103, 1979, pp. 83-88), che a Delo erano attive numerose officine purpurarie. La lana che queste utilizzavano non era certamente locale: l'intenso traffico delle navi dirette in Italia che vi portavano schiavi e ritornavano vuote, poteva rendere vantaggioso l'imbarco di carichi di ritorno dall'Italia (per l'olio ed il vino questo è dimostrato): la lana grezza tarentina poteva essere importata a Delo e qui lavorata, per essere di nuovo esportata sotto forma di tessuti di porpora».

F. REBECCHI demande si elle a étudié le problème des 500 grecs de Côme.

G. MANCINETTI répond aux trois:

«Ringrazio il prof. Gabba per le sue puntualizzazioni che mi trovano pienamente d'accordo. Senza dubbio dal *s.c. de Asclepiade* all'Editto III di Cirene si assiste ad una lenta graduale penetrazione di Roma in ambito locale. Probabilmente già alcune formule si ritrovano in decreti precedenti, prima ancora della guerra sociale.

Al dott. Rebecchi vorrei dire solo che non mi sono occupata dei 500 Greci di Como, proprio perché sono 500 e forse di più e quindi non rientravano in questa mia indagine, limitata anche per ragioni di tempo, alle concessioni *viritim* e *singillatim*. Sono attestati artisti di origine greca che commerciano il marmo, scultori ateniesi che commerciano opere d'arte, ma questo discorso porterebbe lontano.

Un grazie particolare al prof. Coarelli che ha fornito preziose conferme ai motivi e ai modi con cui gli orientali ottenevano la cittadinanza. Mi sembra di poter affermare, in base all'evidenza epigrafica, che non veniva concessa la cittadinanza romana nelle colonie, almeno da parte dei magistrati. L'unico che abbiamo, quello di *Gamala*, riguarda una concessione per manomissione o per adozione».

CL. NICOLET ajoute quelques remarques: «Sur Hatzfeld deux remarques:

— on attaque avec raison, depuis Wilson, ses conclusions qui sont énoncées sur ce qu'il appelle très vaguement et sans donner ses raisons "l'Italie Méridionale". Sa publication du *BCH* date de 1912 et son livre de 1919; il faut voir quels critères géographiques et onomastiques il avait alors.

— à propos du temple d'Hercule du *Forum Boarium*; ce temple est vraisemblement dû à Octavius Herennus; c'est le seul temple romain de cette origine à cette époque, me semble-t-il, or ce c'est pas un sénateur ou un homme apparenté à des sénateurs qui l'a offert, donc c'est (je crois) pour Rome une exception. Y en a-t-il d'autres à cette époque?

D'autre part ces *Octavii* qui font cette chose à Rome n'apparaissent-ils pas aussi à *Tibur*; cf. le texte de Macrobe qui fait d'Octavius Herennus aussi un juriste; si c'est bien la même famille il s'agit d'un niveau social un peu particulier, qui expliquerait que notre marchand d'huile soit le seul qui, à Rome, offre, par un acte d'évergétisme privé, un temple à Hercule, alors que les autres monuments sont offerts par des membres de la classe sénatoriale.

Même question pour les censeurs de 174 (cf. texte de Tite-Live): ils prirent eux-même l'initiative de faire des travaux dans les colonies latines, mais était-ce sur des fonds romains ou des fonds locaux?»

G. MANCINETTI répond qu'il s'agit bien de fonds romains.

F. COARELLI précise alors que nul ne saurait méconnaître la valeur et les mérites de Hatzfeld.

MARIA ANTONIETTA TOMEI souhaite apporter quelques précisions sur les fouilles qu'elle a dirigées récemment à Assise (cf. aussi pl.).

«Questo intervento vuole essere una breve aggiunta alla relazione Sensi-Strazzulla, e fornire alcuni dati di scavo che possono contribuire a datare le diverse fasi edilizie dell'area adiacente al cosiddetto Foro romano di Assisi.

Nel gennaio 1979 in via Arco dei Priori, in piena area urbana, circa 30 metri più in basso rispetto alla piazza del Tempio della Minerva (1), la Soprintendenza Archeologica per l'Umbria intervenne d'urgenza perché durante lavori di sbancamento per l'ingrandimento di una cantina, erano venute alla luce ed erano state danneggiate alcune strutture archeologiche.

I saggi effettuati a più riprese tra il '79 e l'81, sebbene condotti in condizioni difficili su una situazione già sconvolta, hanno tuttavia fornito dati abbastanza indicativi sulla cronologia di questa area.

L'esplorazione compiuta nella parte della cantina rimasta a livello originale ha rimesso in luce i resti di una vasca rettangolare in conglomerato cementizio (α nelle planimetrie; fig. 1); inoltre un muro ad andamento spezzato (β) costituito da filari di pietre calcaree di dimensioni variabili disposte a secco (2).

La presenza di una fistula acquaria e di una canaletta interrata, visibili nel taglio del muro, attestavano che le strutture rinvenute erano sotto l'antico piano di calpestio e che pertanto il muro era a livello di fondazione e la cisterna ipogea (3).

A qualche metro di distanza dalla vasca α, ad una quota leggermente superiore, era visibile, inglobata nelle murature posteriori, una gettata di opera cementizia (γ), probabilmente il fondo di un'altra cisterna, tagliata e pavimentata in mattoncini in epoca recente.

Tale cisterna γ poggiava su un profondo riempimento δ, lo stesso su cui era impostata la vasca α e il muro β. Il materiale recuperato dallo scavo di tale riempimento, in corso di studio, è costituito tra l'altro, di ceramica arcaica di impasto, con esemplari databili intorno alla fine del VI secolo a.C. (4); da impasto buccheroide; da anfore, di cui una rodia con ansa bollata (5) (fig. 2); da una base inscritta di calcare (6) (fig. 3); da un probabile elemento di decorazione architettonica, in calcare, raffigurante una figura anguiforme mutila (Scilla?); e soprattutto da una notevolissima quantità di ceramica a vernice nera che copre un arco cronologico che va dalla fine del IV al I secolo a.C. (predominanti le ciotole di forma Lamb. 27 a e b; attestate le forme Lamb. 5; Lamb. 24/25; piatti ad orlo svasato; piatti da pesce; lucerne del tipo dell'Esquilino; ricca la produzione dell'atelier des petites estampilles).

Nel vano seminterrato creato dalla ruspa, i saggi condotti, oltre ad aver evidenziato una serie di muretti a livello di fondazione (ε-η), hanno rimesso in luce un muro (ϑ) risparmiato in parte dalla ruspa, a causa della sua posizione più a valle rispetto agli altri. Tale muro, simile come tecnica ad altri muri di sostruzione di Assisi (cfr. quello in via S. Paolo), sembra essere sullo stesso allineamento, anche se più in basso, del lato breve est della soprastante terrazza del tempio della Minerva.

I dati di scavo hanno dimostrato che tale muro segnava il limite del riempimento δ che pertanto ne rimaneva fuori. Lo strato datante del muro, relativo alla risega di fondazione, ha restituito, insieme

---

(1) Sulla sistemazione architettonica della zona del Foro, si veda C. PIETRANGELI- U. CIOTTI, *Enc. A.A.*, I, 1958, s.v. *Assisi*, p. 741, a cui si rimanda per la bibliografia generale su Assisi; U. CIOTTI, *Umbria* (pubbl. Banca Naz. Lavoro), Venezia, 1970, p. 167, 182, 202.

(2) L'uso di questa tecnica edilizia nelle sottofondazioni sembra comune nella zona: si rinviene anche a Spello, nella zona del Foro e sotto la Porta Consolare. Devo l'informazione alla gentilezza della Dr. D. Manconi.

(3) Ad un livello superiore di circa un metro rispetto all'altezza del muro conservato sembra potersi individuare l'antico piano di calpestio, in base ad alcuni lastroni ben allineati, inglobati nelle murature del Palazzo.

(4) Alcune forme sono confrontabili con il materiale arcaico proveniente dall'area di S. Omobono: cfr. G. Colonna, *Bull. Com.*, 79, 1963-64, pp. 3-32.

(5) Si tratta di un bollo rettangolare su due righe impresso su un'ansa di anfora vinaria rodia: Ἐπὶ Ἀρχιλ]αίδα´ Καρνείου (Καρνεῖος è la denominazione di uno dei mesi rodi). Il bollo è databile tra il 180 e il 150 a.C. Cfr. V. GRACE, *Stamped Amphora Handles found in 1931-32*, Hesperia, 3, 1934, p. 230, n. 59. Cfr. anche a p. 307 l'elenco dei bolli rodi con la menzione del mese Καρνεῖος.

(6) Molto probabilmente si tratta di un frammento di urnetta di tipo «assisano». È su un registro unico. Misure: 43×16×26. Lettura: C(aius) VESPRIVS FELIX. Databile al II secolo a.C. I *Vesprii* sono attestati ad Assisi (*CIL* XI, 5561, 5562, 5563).

a pochi altri materiali, ancora frammenti di vernice nera, di forme che continuano nel primo secolo a.C., mentre è ancora completamente assente la sigillata italica.

Successivamente il muro fu riutilizzato, come documenta il pavimento in battuto, il resto di colonna ancora «in situ» e l'intonaco affrescato che copre parzialmente la sua faccia a vista (fig. 4).

Sintetizzando i dati di scavo in nostro possesso, possiamo formulare le seguenti deduzioni:

— il riempimento δ, che presenta strati cronologicamente omogenei, fu accumulato in un'unica volta, probabilmente in seguito ai lavori di spianamento e sistemazione dell'area del Foro. Considerando che il riempimento ha restituito materiale che arriva fino all'inizio del I secolo a.C., allora tali lavori di sistemazione si devono porre subito dopo tale data.

— il muro ϑ con faccia a vista costituiva con ogni probabilità il limite di una terrazza più bassa rispetto a quella del Foro, ma delle stesse dimensioni, almeno sul lato est. Al di fuori furono edificate le cisterne (α e γ) e la serie di costruzioni di cui ci restano solo i muri di fondazione (β - ε - η).

L'esame dei materiali relativi alla fase di impianto attesta che il muro ϑ fu edificato in un arco di tempo compreso tra i primi decenni del I secolo a.C. e l'età augustea, epoca a cui sembra risalire (in base alla poca sigillata italica rinvenuta, 3 soli frammenti di Goudin. 38) una ristrutturazione dell'area, testimoniata dal riutilizzo del muro, che fu intonacato per fungere da parete di un edificio, probabilmente pubblico.

In conclusione, i risultati dello scavo di Via Arco dei Priori, distante solo 25-30 metri dalla terrazza del Tempio della Minerva, hanno dato un contributo fondamentale alla individuazione e alla datazione di alcune fasi edilizie succedutesi in questa area.

Innanzitutto i materiali recuperati dal riempimento attestano una frequentazione della zona centrale di Assisi che inizia almeno dal VI secolo a.C. e che continua senza interruzione, con una fase particolarmente ricca nel III-II secolo a.C.

Questo dato è di grande importanza considerando che finora le scarsissime notizie su Assisi preromana non erano mai scaturite da dati di scavo.

La quantità di vernice nera raccolta (circa 2000 frammenti), con forme miniaturistiche (7) e presenza di graffiti (8) fa ipotizzare l'esistenza, localizzabile nella zona, di un'area sacra, forse collegabile con qualche divinità medica visto che ad Assisi sembra attestata un'utilizzazione su ampia scala di acque salutari, come testimonia anche il cospicuo numero di vasche, canalizzazioni e cisterne che si rinvengono nell'area urbana (cfr. cisterna sotto S. Rufino). Del resto ancor oggi viene imbottigliata ed utilizzata per cure idropiniche l'acqua della fonte Santureggio, in loc. Moiano, dove sono visibili i resti monumentali di vasche di età romana, costruite sicuramente per sfruttare le proprietà terapeutiche delle sorgenti della zona.

Infine le anfore egee rinvenute, di cui una rodia come attesta il bollo, confermano che Assisi già nel II secolo a.C. era coinvolta in un'ampia rete di traffici che non si limitava alla sola area peninsulare».

Le rapport de *G. BANDELLI* suscite divers commentaires.

E. GABBA précise que: «Le classi timocratiche alte della colonia latina di Aquileia erano all'origine concepite come "chiuse" anche in quanto i coloni della classe più bassa erano della più varia provenienza, anche da comunità alleate, e, perché no, forse anche da ambiti veneti. Soccorre il caso del supplemento di Cosa, organizzato dalla stessa colonia e del quale fecero parte anche Etruschi. Cittadini di Cosa si ritrovano nel II secolo a.C. in Spagna, proprio nel periodo della fioritura di Cosa.

---

(7) Confronti con materiali da Veio e da Roma: L. VAGNETTI, *Il deposito votivo di Campetti a Veio*, Firenze, 1971, tav. LXX, n. 189; *Roma Medio Repubblicana*, Catalogo Mostra, tav. LIX.

(8) *Roma Medio Repubblicana*. Catalogo Mostra, tav. CIV.

Qualche caso analogo può spiegare forse anche quello che Bandelli chiama l'abbandono sociale da parte di coloni aquileiesi».

U. LAFFI apporte aussi une contribution à propos d'un texte: «Vorrei svolgere alcune considerazioni a proposito dell'iscrizione *CIL* V, 713 = n. 26 della raccolta che ci è stata distribuita in xerocopia. L'integrazione [*lect*]*us*, accolta dal Bandelli al posto dell'integrazione [*adlect*]*us* proposta dal Degrassi e che in effetti non sembra possa essere contenuta nella lacuna, rende del tutto incerta l'inclusione di *Metellus Optatus* tra i decurioni (a cui faceva invece pensare il termine tecnico [*adlect*]*us*); non si specifica infatti a quale carica o funzione il personaggio in questione sia stato [*lect*]*us*, posto sempre che questa integrazione colga nel segno. Il problema è complicato dall'indicazione nella linea successiva dell'età del personaggio, che, se è in diretta connessione con [*lect*]*us*, appare eccezionalmente bassa in un'iscrizione datata all'età repubblicana».

M. TORELLI intervient et souligne: «Il mio intervento nasce dalla forte impressione delle liste aquileiesi. Innanzi tutto credo che il *Fruticius*, che Bandelli ci ha proposto come di possibile origine venetico, sia effettivamente un veneto, un gruppo etnico di civiltà molto avanzata; si sa che i romani sono intervenuti a favore dei Veneti contro i Carni, e dunque non ci meravigliamo se un veneto di nobiltà locale sia stato arruolato nella colonia di Aquileia accanto a latini e romani. Ma accanto a quelli venetici, ci devono essere degli elementi celtici, secondo linee politiche che vediamo in atto poco più tardi nella Narbonese. È giusto esercitare la prudenza di fronte a un cognomen come *Tappo*; ma siccome non siamo in una scienza esatta, ma in un scienza probabilistica, c'è una serie di probabilità che messe insieme permettono di costruire non una verità migliore, ma di aprire delle prospettive di una lettura più ampia dei fenomeni.

Alla luce di quanto si è detto ieri su Venusia, ci deve essere stato un arruolamento del personale indigeno nelle colonie a tutti i livelli, sia in Italia meridionale che in area venetica e celtica. Così, ad esempio, i Flaminii con il cognomen *Hister*, contestati tribuni militari, siano o meno istriani, vanno inquadrati nella prospettiva di clientele dei *tresviri coloniae deducendae*. Però uno di questi è *augur*, e tutti e tre sono *tribuni militum*. Quindi l'integrazione avviene a tutti i livelli e in tutte le forme possibili, che vanno dalla latinizzazione dei gentilizi fino all'acquisizione della cultura augurale romana.

Anche la lettura dei fatti archeologici è di immensa importanza per capire come sono avvenuti questi fenomeni. Si sono messi in evidenza il significato di Aquileia come grande porto, e l'interesse che varie *gentes* campane possano avere avuto per queste zone; ma esiste anche un rapporto tra la zona aquileiese (cfr. Wiseman) e gli scali intermedi (penso qui a rapporti con gentilizi adriatici e con forme culturali della Puglia settentrionale). C. Annius T.f. *Interamna* (da Teramo penso) va a saldarsi con un caso esaminato da Sensi, quello di Ollii che si trovano a Cupra (scalo fondamentale dal VII secolo a.C.) e con le urnette studiate dalla Diebner nella zona di Cupra, legatissime alla produzione di Aquileia».

M.J. STRAZZULLA voudrait connaître l'opinion de G. Bandelli à propos du début de la production des «manifatture» aquileiesi.

G. BANDELLI répond, point par point, à ces demandes: «Per quanto riguarda il primo punto toccato da Gabba, condivido l'idea che l'originaria classe dirigente di Aquileia sia rimasta stabile e chiusa a lungo, forse per tutto il periodo della colonia latina; ritengo però che lo sviluppo economico della città nella sua triplice dimensione agricola, "manifatturiera", commerciale non possa non aver avuto dei riflessi, a partire almeno dagli anni successivi alla crisi mitridatica (v. Baldacci, Panciera ecc.), sul suo assetto sociale e quindi anche sulla composizione della classe dirigente. Tale ipotesi deve essere naturalmente verificata sul piano prosopografico. Per quanto riguarda il secondo punto, ricordo che l'idea di una presenza di elementi venetici tra i coloni arruolati nel 181 e nel 169, o, comunque, quella di una loro precoce assimilazione, è condivisa da Silvio Panciera. Una verifica di tale ipotesi potrà venire naturalmente soltanto da un esame globale dell'onomastica aquileiese (*nomina e cognomina*). Mi trovano infine d'accordo anche le osservazioni relative al ruolo svolto da Aquileia rispetto alla Gallia Cisalpina. Si tratta, peraltro, ancora una volta, di un aspetto poco studiato, che, partendo da alcuni contributi preliminari (Baldacci, Buchi, ecc.), dovrebbe essere ripreso e approfondito. Venendo all'intervento di Laffi devo anzitutto precisare che i miei dubbi sull'opportunità di includere *CIL* V, 713 = *I.I.*, X, 4, n. 314, nelle appendici prosopografiche derivano dal fatto che è, a mio giudizio, incerto se il personaggio sia aquileiese o tergestino. Per quanto riguarda la datazione dell'epigrafe, mi sembra da escludere, in base a considerazioni paleografiche, che questa possa scendere oltre la fase iniziale del principato augusteo. Ciò premesso, ritengo che le osservazioni di Laffi sulla scarsa probabilità che Metellus Optatus sia stato un decurione siano convincenti, e ne prendo atto.

All'intervento di Torelli non ho nulla da replicare o da aggiungere. Desidero semplicemente ringraziarlo per il contributo di idee e di suggerimenti offertomi.

Per quanto riguarda infine le osservazioni di M.J. Strazzulla sono del tutto d'accordo, come lei sa, sul fatto che la storia delle "manifatture" aquileiesi è in parte da fare, in parte da rifare, o almeno da correggere. Sono in particolare d'accordo con la sua tesi che l'inizio della produzione nei settori da lei citati debba essere datato a un periodo alquanto precedente a quello finora comunemente accettato».

L'APRÈS-MIDI DU 8 DÉCEMBRE, sous la présidence de M.H. Crawford, est consacrée à des problèmes d'urbanisme, construction et production artistique. Des rapports ont été présentés par Filippo COARELLI (*I santuari del Lazio e della Campania tra i Gracchi e le guerre civili, supra* pp. 217-240), Fausto ZEVI* (*L'urbanismo a Pompei,*), Mario TORELLI (*Edilizia pubblica in Italia centrale tra guerra sociale ed età augustea: ideologie e classi sociali*, pp. 241-250), Paul ZANKER (*Zur Bildnisrepräsentation führender Männer in mittelitalischen und campanischen Städten zur Zeit der späten Republik und frühen Kaiserzeit*, pp. 251-266).

CL. NICOLET intervient le premier à propos du rapport de *F. COARELLI* et remarque: «Quand, dans son language, Comte parlait de la phase théologique de l'histoire de l'humanité qui est aussi l'histoire de chaque homme, il parle en fait en historien des sciences et c'est, au départ, une histoire épistémologique; puis il a tout de suite compris que cette histoire ne pouvait se terminer qu'en politique. Donc, c'est très intéressant d'entendre dire par un historien de l'Antiquité de la valeur de F. Coarelli qu'il n'y a pas d'histoire religieuse de la religion antique, isolable de tout le contexte économico-social et politique».

E. GABBA exprime certaines réserves: «Nel corso del II sec. a.C. le classi elevate romano-italiche andarono progressivamente accumulando mezzi economici, in misura molto varia e per diversi modi (prede belliche, commerci, sfruttamento provinciale). In ambito urbano si abbellirono templi e edifici pubblici e privati, dove non c'erano città si (ri)costruirono santuari etnici. Nei templi e nei santuari si depositarono ricchezze. Vi era stato un indubbio risveglio di religiosità, dimostrato anche dall'accoglimento di culti stranieri a livello popolare. La nuova edilizia sacra vuole forse anche incanalare questa esigenza nelle direzioni tradizionali. Non credo però che nella (ri)costruzione dei santuari etnici vi sia voluta contrapposizione a Roma; il processo di integrazione dell'Italia nel II secolo è largamente spontaneo. Resterà sempre il sentimento dell'individualità della propria città o della propria comunità.

Si sapeva bene che esisteva una potenziale carica autonomistica in questi centri culturali etnici: di qui la loro chiusura dopo la guerra sociale e, prima, il giuramento di Livio Druso».

CL. NICOLET remarque enfin combien il serait utile qu'avec des communications du type de celles de Coarelli ou Torelli soient élaborées des cartes géographiques et géo-politiques qui reproduisent ces plans.

MIREILLE CÉBEILLAC-GERVASONI

M. TORELLI souligne qu'il a tenté d'élaborer ces cartes pour «l'opera reticolata», mais qu'il est très difficile de réaliser des cartes à grande échelle car il s'agit du problème de la macro-histoire et de la micro-histoire. Il faudrait aussi le faire pour «l'opera incerta».

Il demande ensuite la parole à propos de la communication de *P. ZANKER*: «È inutile dire che la relazione dell'amico Zanker è stata un continuo richiamare i temi visti nei giorni passati, non soltanto sul piano della ascesa materiale di ceti intermedi a vario livello, urbano e periferico, ma anche e soprattutto per le loro posizioni, per così dire, ideologiche. Credo, fra parentesi, sia arrivato il momento di rifare il volume di Mechalowki sui ritratti di Delos, che una volta rivisitato, come si sta facendo da parte di molti, Coarelli ed altri, con il lavoro splendido di Hatzfeld, potrebbe dare risultati notevolissimi.

Volevo qui piuttosto segnalare degli altri fatti purtroppo molto impliciti, quasi fra parentesi, nella mia relazione. Esistono, e Zanker lo ha mostrato benissimo quando ha fatto comparire l'immagine dell'Arringatore, dei riflessi di questa forte pressione culturale romana sull'ambiente locale. La statua dell'Arringatore (lo dico qui per alcuni che forse non sono — e a ragione — a giorno con certe ricerche di carattere etruscologico) oggi con relativa tranquillità si può dire essere una statua eretta intorno al 100 a.C. da un personaggio che ha i suoi discendenti nella prima età augustea in posizione eminente a Cortona, *tribuni militum* di rango equestre, e tra i primi a rivestire la *praetura Etruriae*.

Sempre in zona etrusca ho segnalato questa persistenza di tradizioni locali; il ritratto onorario esisteva già in Etruria in una fase precedente certamente, e tra le 2000 statue razziate a Volsinii può darsi esistesse qualcosa di simile.

Nella tomba «Bruschi» c'è un *processus magistratualis* (del tipo noto nella tomba «del Convegno» e nella tomba «del Tifone»), dove appaiono due persone a cavallo. Questo va perfettamente d'accordo con la lista dei *summi haruspices* che ho ricostituito, dove abbiamo 4 personaggi (che coprono un arco di più di un secolo tra II e I sec. a.C.) e tutti hanno la carica di *tribunus militum*.

Questo è un indizio interessante per quanto riguarda un certo tipo di inserimento sociale e integrazione culturale tra ambiente romano e ambiente etrusco. Naturalmente ribadisco che l'ambiente etrusco è assai più reattivo di quanto non siano altri di fronte alla pressione culturale romana».

Les problèmes juridiques et les rapports de ces municipes avec l'extérieur, Rome ou d'autres cités, sont le centre d'intérêt de la *JOURNÉE DU 9 DÉCEMBRE* et de *LA MATINÉE DU 10*.

Le 9 au matin, sous la présidence de Filippo Coarelli, ont parlé Augusto FRASCHETTI* (*Les citoyennetés multiples*), Claude NICOLET* (*Les systèmes censitaires locaux*), Elizabeth DENIAUX (*Le passage des citoyennetés locales à la citoyenneté romaine et la constitution de clientèles*, pp. 267-277), Ségolène DEMOUGIN (*Notables municipaux et ordre équestre à l'époque des dernières guerres civiles*, pp. 279-298), T.P. WISEMAN (*Domi nobiles and the Roman cultural elite*, pp. 299-307).

John D'ARMS, retenu pour un motif de force majeure aux Etats-Unis, n'a pu présenter sa communication «*'Domi nobiles' and the Roman governing class: the case of Puteoli*».

G. Crifò, Cl. Nicolet et P. Castrén prennent la parole à propos du rapport présenté par *A. FRASCHETTI*.

G. CRIFÒ remarque: «Questo colloquio è importante anche perché consente la scissione e l'aggiornamento di taluni schemi ereditati dalla romanistica. Proprio per rendere possibile un apprezzamento delle novità sarebbe utile tener conto fin dall'inizio di queste categorie e concettualizzazioni dell'esperienza giuridica romana, che si fissasse polemicamente, ad esempio — pur essendo certo sottinteso — in modo esplicito che cosa si intende con il termine "cittadinanza" più o meno multipla: in senso politico, pieno, abilitante al *commercium*, all'utilizzazione del processo civile, ecc.

Questo è particolarmente importante quando, come nella relazione di Fraschetti, ci si riferisce a testimonianze specificatamente giuridiche che comunque, è giusto collocare nelle vicende del loro tempo. Questo vuol dire che il testo di Labeone, per esempio, non può essere contestato sulla base di un testo di Ulpiano. Del resto, c'è un frammento di Labeone, importante per la storia del *dominium*, che è stato riportato alle vicende delle vendite forzose di terre in rapporto al problema dei veterani (cf. De Vinclos). Quanto a *domicilium* e *origo*, verissimo (con D. Nörr) il punto della tarda formazione della teoria giuridica dell'*origo*; tuttavia l'*origo* precede tale teoria giuridica e, mentre il *domicilium* si riporta all'oicolato e in sostanza alla dimora, l'*origo* si ricollega alla possibilità di magistrature locali ecc. ben prima della teorizzazione e categorizzazione giuridica. Va anche ricordata comunque la distinzione, che non è solo del diritto italiano, tra domicilio e residenza (e, avrei voluto aggiungere, il fatto che è testo romano fino alla base della dottrina di Savigny)».

CL. NICOLET pense qu' «il faut le féliciter d'avoir posé le problème sur le plan juridique en citant des textes de Labeon et d'autres. Pour le milieu des magistrats et décurions les événements de 57 et le processus mis en branle pour le retour de Cicéron, il y a non seulement les lettres où Pompée utilise le patronat, il y a aussi une «tournée» de Pompée qui se déplace lui-même, et un senatus-consulte qui, pour le vote de la loi de rappel (cas unique), engage les magistrats à envoyer des lettres dans toutes les cités où ils sont patrons ou magistrats pour obtenir des votes de sénats municipaux; donc une intervention voulue pour raisons politiques. C'est la *tota Italia* des *comitia centuriata* que voulait avoir Cicéron et c'est le début d'un processus qui rappelle aussi bien la *coniuratio totius Italiae* d'avant Actium que les procédures inventées par Auguste pour essayer de faire participer au vote les municipes pour les comices à Rome».

P. CASTRÉN intervient à la suite: «Il collega Fraschetti ci ha presentato degli esempi molto interessanti delle persone che sono state magistrati municipali in più località. Io mi chiedo comunque se non sarebbe possibile trovare altre soluzioni per spiegare almeno una parte dei casi citati da Fraschetti, molti dei quali sono in qualche modo eccezionali.

Faccio un esempio: Fraschetti ha citato Quinzio Valgo come patrono e quattuorviro a Aeclanum. Comunque Quinzio Valgo è attestato a Aeclanum soltanto come *patronus municipii* e ovviamente non doveva abitare nella città del suo patronato.

A Frigento egli è attestato come *quattuorvir quinquennalis*, ma probabilmente nel periodo tra il 90 e l'80, forse proprio nell'86, durante il *census* generale e prima quindi della colonizzazione sillana di Pompei dove egli sembra arrivare avendo un legame speciale con il governo centrale».

La contribution de *CL. NICOLET* n'a pas été publiée car elle fera l'objet d'une publication ultérieure, plus ample; nous publions cependant les trois interventions faites à son propos.

La première est celle de T.P. WISEMAN: «In congratulating Professor Nicolet on his splendid contribution, I think it is right to say at once that the argument I put forward in *JRS*, 1969, about the personal appearance of Roman citizens at the census, is no longer valid: he has convinced me that local census returns could be used, and no doubt were used, by the Roman censors long before the time of Caesar. As Filippo Coarelli observed yersterday, progress can be made only by putting forward hypothesis and seeing if they survive criticism. My hypothesis of twelve years ago has not survived it and I am very happy to accept Prof. Nicolet's brilliant reconstruction.»

E. GABBA prend ensuite la parole: «Cl. Nicolet ha mirabilmente posto l'operazione del censo, con quanto essa implica nel campo politico e sociale, e con quanto presuppone sul piano economico, al centro della strutturazione dell'Italia romana del II sec. a.C., non esclusa l'Etruria che forse proprio per fronteggiare i suoi impegni con Roma può aver sviluppato sistemi in certo senso «classisti» e «censitari» nel corso del II sec. a.C., come potrebbe testimoniare la modifica in certe aree del sistema onomastico-anagrafico. La proposta a proposito del passo della *pro Archia* sul *tabularium* incendiato e riferito a Roma anziché ad Eraclea è suggestiva».

La troisième intervention est celle de U. LAFFI: «Il prof. Nicolet, nella sua splendida relazione, ha riproposto il problema della datazione della *lex Osca tabulae Bantinae*. L'argomento a favore di una datazione anteriore alla guerra sociale, che egli trae dall'esame della clausola relativa al censo e alle punizioni che vengono previste per chi si sottrae ad esso, rafforza i dubbi, che io pure ora condivido, sulla datazione, che sembra prevalere sugli studiosi dopo la scoperta del nuovo frammento opistografo, all'età sillana o immediatamente post-sillana. Non disconosco gli argomenti, anche forti, a favore di questa datazione: le disposizioni che prescrivono una successione obbligatoria delle magistrature, la subordinazione nella quale i tribuni della plebe sembrano trovarsi rispetto al senato, ecc.

Ma vorrei richiamare l'attenzione su una circostanza che milita decisamente contro questa datazione. Tutti i municipi costituiti dopo la guerra sociale da comunità ex-latine ed ex-alleate, di una settantina circa dei quali conosciamo i magistrati, presentano una costituzione quattuorvirale (il duovirato rappresentano l'eccezione di fronte alla regola). La costituzione di Bantia, quale appare dalla lex Osca, è del tutto anomala. Come si spiega questa anomalia, se datiamo l'iscrizione all'età sillana e post-sillana? Perché soltanto a Bantia non si sarebbe applicato lo schema uniforme del quattuorvirato (o eventualmente, del duovirato)? Nessun problema, sotto questo aspetto, se datiamo la lex Osca ad un periodo anteriore alla guerra sociale, tenendo conto, in tutti i casi, che essa è posteriore, come il nuovo frammento dimostra, alla lex latina».

G. CRIFÒ fait une remarque à propos du texte de *E. DENIAUX*:

«Nel riassunto si parla di una *lex Papia* del 65 (?) che avrebbe inflitto l'esilio agli stranieri che usurpavano la cittadinanza. Mi parrebbe che un tale provvedimento d'espulsione di non cittadini non dovrebbe qualificarsi come esilio. Ma naturalmente occorrerebbe vedere le testimonianze relative».

CL. NICOLET remarque que: «Elle a insisté, et elle a eu raison, sur l'aspect réel et les possibilités concrètes dans l'application des décisions juridiques dans ces questions où les problèmes de clientèles sont essentiels. Pour les colonies ou pour les distributions internes, les membres des commissions avaient droit à des *agri*, en dehors des distributions, pour eux ou leurs amis. Il faudrait une étude prosopographique très fine sur la répartition des gentilices des fondateurs de colonies ou des membres de commissions agraires, pour voir si on a l'installation de clientèles. Un Américain avait annoncé cette enquête, mais il ne l'a pas continuée. Je compte la présenter un jour...

A propos de Côme, le texte de Strabon est très lumineux si on ne le corrige pas; cette correction ne se trouve dans aucun manuscrit et grâce à elle on fait dire au texte le contraire de ce qu'il dit réellement! En réalité il s'agissait pour César de donner la *civitas romana* à des Siciliens grâce à des subterfuges, malgré l'opposition de ses ennemis».

A propos de l'analyse de *S. DEMOUGIN*, Cl. NICOLET souhaite faire noter qu'«elle repose sur une enquête prosopographique très dense, très «pflaumienne», des *equites* attestés à cette époque; je voudrais insister sur l'importance de ce tribunat militaire. Il faut compter tous les tribuns militaires comme chevaliers, oui, car ou bien ce grade prouve qu'on était déjà chevalier ou sénateur ou bien l'octroi de ce grade par un *imperator* permettait de «faire» un chevalier.

L'armée au IIe siècle reste le moyen essentiel pour entrer dans le *secundus ordo*».

E. GABBA souligne ensuite que la communication de *T.P. WISEMAN*: «prospetta molto bene il problema della storiografia locale italica, specie nel II secolo a.C., e dei suoi rapporti con l'opera di

Catone da un lato, e con le tradizioni familiari e locali, dall'altro. Ne viene una panoramica sulla cultura italica, che sembra confermare la validità e l'individualità delle singole comunità italiche, pur nel momento della progressiva assimilazione a Roma delle classi alte italiche. Particolarmente importante la possibilità che l'annalista Gelius fosse tiburtino».

Au cours de *L'APRÈS-MIDI DU 9*, sous la présidence de E. Gabba, parlent Jean-Michel DAVID (*Les orateurs des municipes à Rome: intégration, réticences et snobismes*, pp. 309-323), Jean MAURIN* (*Les tribuns de la plèbe originaires des municipes*), François HINARD (*La proscription de 82 et les Italiens*, pp. 325-331), Jean Christian DUMONT (*Les gens de théâtre originaires des municipes*, pp. 333-345).

CL. NICOLET demande à *J.-CH. DUMONT* le sens du mot *Sannio*; ce dernier répond que: «Sannio est attesté en latin, chez Cicéron, avec le sens de bouffon. Diodore a pu se tromper, ou encore son acteur a pu donner son nom à un genre de comique, ou encore prendre pour nom celui d'un type comique».

La relation de *F. HINARD* provoque quelques réactions.
CL. NICOLET lui demande ce qui permet à Cicéron de dire que Sylla avait une haine de classe contre les chevaliers.
Selon E. GABBA: «La relazione Hinard distingue molto opportunamente la vera e propria persecuzione che colpiva le classi alte romane, dai molti provvedimenti epurativi che vennero a colpire gli avversari di Silla nelle città italiche. Punto di partenza è sempre Appiano, *BC*, I, 441, con la «data» di partenza politica dei provvedimenti contro la classe politica. Anche la notizia che, in realtà, le proscrizioni avevano un intento restrittivo di fronte a massacri indiscriminati, mi pare attendibile. Il mito antisillano, e l'interpretazione sempre più ostile verso Silla, si accrebbero nei decenni successivi».
J.-M. FLAMBARD intervient: «Je m'accorde avec Hinard sur la volonté de «camouflage» idéologique du *bellum civile* (phénomène traumatique pour la conscience romaine). Il y a donc une tendance nette à transposer dans le *bellum civile* les procédures utilisées pour les *bella externa* (en sens large — le cas de Capoue en 211 était un cas d'espèce; mais il faut rappeler le cas de *Volsinii* en 265 (cf. le texte de Zonara) et de diverses cités d'Italie centro-méridionale (*Falerii*, etc.) où l'on voit la population repartie en groupes (les uns étant massacrés, les autres épargnés, les derniers déportés), comme dans le cas de *Praeneste* (texte Hinard 5, Orose; Hinard 6, Appien, *BC*, 1, 94, 436-438; Plut., *Sulla*, 32, 1)».

F. HINARD répond à la demande de Cl. Nicolet: «Ce qui permet à Cicéron de dire que Sylla avait une haine de classe à l'égard des chevaliers est peut-être la composition même des listes qui peut nous permettre de la déterminer. Les noms des personnages que l'orateur évoque dans le *pro Cluentio* comme *principes* des chevaliers ont probablement été les premiers proscrits comme j'aurai sans doute l'occasion d'essayer de le démontrer ailleurs».
CL. NICOLET conclut: «Il nous a présenté de façon un peu synthétique sa prosopographie des proscrits et nous sommes un peu sur notre faim. Mais nous l'aurons bientôt; on jugera donc sur pièces».

LE MATIN DU 10, sous la présidence de Jean Andreau, continuent les rapports sur les municipes et le monde extérieur: Ettore LEPORE (*Roma e le città greche o ellenizzate nell'Italia meridionale*, pp. 347-354) et Bruno HELLY(*Les Italiens en Thessalie au IIe et Ier s. av. J.-C.*, pp. 355-380).
La discussion s'ouvre et E. GABBA note que: «*E. LEPORE* ha prospettato in modo eccellente la situazione delle città greche del sud nel corso del II sec. a.C. e ha giustamente invitato alla cautela di

fronte a recenti interpretazioni troppo ottimistiche. Molto giusti sono i suoi rilievi sull'atteggiamento in molti casi per niente filoromano delle classi elevate locali in questa area; non va dimenticato che proprio a questi elementi più o meno apertamente filocartaginesi si rivolgeva la storiografia romana in lingua greca nella sua prima fase. Di questo atteggiamento sono sicuramente echi le proteste in ambito greco fra III e II sec. a.C. sul trattamento riservato da Roma alle città greche di Sicilia e di Magna Grecia. Non sarà mai a sufficienza rilevato l'effetto gravemente negativo che devono aver avuto su un tessuto economico e sociale già compromesso e in crisi le grandi confische romane postannibaliche. La colonizzazione romana in questa area ebbe precipuamente lo scopo di controllare militarmente tanto le coste italiche di fronte a temute possibilità di invasioni dal mare, quanto le comunità alleate, appena ricondotte all'obbedienza, e delle quali dichiaratamente non ci si fidava».

M. TORELLI ajoute quelques remarques à la relation de E. Lepore: «Due parole per aggiungere poche notazioni alla bellissima comunicazione di Lepore. C'è una notevole differenza tra Nord e Sud nell'impianto di colonie romane nel corso del II sec., soprattutto alla luce delle possibilità di sussistenza di coloni che questo tipo di assegnazione ha avuto in una realtà già sviluppata, dove il modello arcaico coloniale veniva ad inserirsi molto male, soprattutto in vista dell'esistenza (a Sud) di realtà proprietarie già precostituite. Al contrario nella Cisalpina, era tutto da creare, era il Far West. Non è inutile ricordare al riguardo l'incidente di Siponto, trovata deserta pochi anni dopo la fondazione.

Forse sono maturi i tempi per riconsiderare le assegnazioni graccane in una prospettiva diversa, usando contemporaneamente indagini di tipo prosopografico. Ad esempio, mentre a Cerveteri c'è una fortissima persistenza dei gentilizi tra l'età etrusca e quella romana, a Tarquinia c'è un rovesciamento radicale, al punto che l'onomastica ha solo 14 su 90 gentilizi attribuibili ad area etrusca (di cui solo 7 su 14 sono inseribili nella tradizione onomastica dei *nobiles* della Tarquinia etrusca).

Il fatto si viene direttamente a saldare con la tradizione del *Liber Coloniarum* dove si parla di una assegnazione a Tarquinia *lege Sempronia*. E così in una tomba di Falerii Novi, in una grande tomba gentilizia, una iscrizione in latino di un membro della famiglia di origine falisca, lo ricorda come *praetor duovir*; dunque siamo di fronte a una possibile conferma della nota *colonia Iunonia* citata dalle fonti. In alcune zone, come in Etruria, questo modello sembra aver funzionato.

Quando si parla di colonizzazione graccana, si vuole fare troppo di tutte le erbe un fascio, mentre tutto va visto caso per caso.

A proposito di Copia-Thurii l'indagine archeologica ha permesso di mettere in luce una grande colonia nel sud-Italia offrendo il quadro d'una relativa vitalità di questo centro con una funzione molto precisa, messa bene in evidenza il porto (la grande zona pavimentata con le mura che arrivano ad abbracciarlo) con il più grande *horreum* conosciuto a sud dell'area campana costruito nella tecnica urbana dell'opera reticolata. È interessante perciò vedere che queste zone vengono rivitalizzate in funzione di probabili distribuzioni granarie».

CL. NICOLET intervient après Lepore et Torelli: «Je constate deux choses qui me réjouissent:

1 — on doit expulser définitivement de l'histoire le mythe d'un Hannibal "roi hellénistique" qui a voulu soulever les plèbes contre les aristocraties locales.

Il faudrait faire d'ailleurs une historiographie de cette vision "franco-tunisienne" d'Hannibal.

2 — pour l'*ager publicus*: on doit souligner (et je crois qu'on le fait) l'importance des confiscations dans cette zone, confiscations surtout postérieures à la guerre d'Hannibal; mais on oublie peut-être que dans une recherche non directement archéologique, fondée sur les textes, nous ignorons le détail des procédures réelles, des assignations, des constitutions des *possessiones* sur le terrain, malgré l'abondance d'une littérature répétitive sur ce problème; on a en fait plus de détails sur les *locations* ou les *vectigalia* ou les travaux publics.

Or on pourrait peut-être en trouver dans les textes techniques (cf. des *agri mensores*). Mais il est évident de toutes façons que pour des terrains confisqués dans ces conditions il s'agissait d'une rupture. Et je suis bien d'accord avec ce que vient de dire admirablement Torelli: entre le système avant la double tentative (la première, qui a échoué, et la deuxième, gracchane, qui a pu réussir) il y a une rupture évidente dans la volonté politique: on a essayé de casser quelque chose; volonté liée à un changement complet d'exploitation agricole (d'ailleurs il est très possible que la première phase n'ait pas été agricole: cf. solitudo, *pastores*... laine). La région redeviendrait agricole (cf. nouvelle d'un *horreum* de Sybaris) à fin République.

Déjà le réexamen des textes m'avait rendu prudent sur le soi-disant échec de la colonisation gracchane, thème historiographique; mais désormais je vois qu'on ne peut pas parler d'échec effectivement...».

F. Cantarelli réfute l'idée de l'existence d'une "Ecole de Milan".

E. Lepore répond: «Ho soprattutto da ringraziare e rassicurare: da ringraziare tutti quelli che sono intervenuti a completare, e naturalmente non avevo insistito sulla confisca di territori perché la davo come sottintesa nel dopoguerra annibalico; sono anch'io d'accordo con Brunt e anche con tutte quelle osservazioni che fin dal libro di Toynbee son venute fuori su questo problema. Quindi sono perfettamente d'accordo, e anzi direi che il tono di certe fonti della tradizione straboniana con l'insistenza sull'*esychia* ci conferma proprio il tipo di ottica cui ha accennato Gabba; cioè di una difesa, di una prevenzione, di una serie di misure che più che tradursi in una facciata di produttività o anche di ridistribuzione agraria ecc., sono soprattutto in funzione di questa "tranquillità" che naturalmente può diventare un "sonno" come quello del poeta Sanzio per Neapolis; a un certo momento questa *esychia* conduce a un buon sonno. E così son d'accordo con quanto Torelli osservava sulle distinzioni da fare per la colonizzazione graccana; appunto la fonte insiste anche per quella colonizzazione sull'*esychia*, ma indubbiamente tutto il problema andrebbe ripreso; non l'ho voluto toccare in particolare dopo la bella, vecchia relazione di Frederiksen a Pontignano; però forse oggi quella relazione andrebbe ripresa e discussa, e dei sintomi si vedono già nella bibliografia in margine al cippo dauno che è venuto fuori, e che ha già acceso delle discussioni anche sull'interpretazione più ampia di certi fenomeni. Restava un po' eccentrico rispetto a quello che io stavo facendo e quindi io l'ho tenuto da canto. Quanto Torelli dice su questo *horreum* conferma la funzione che assegnavo a certe notizie tipo l'*emporium* metapontino; mi pare anche molto interessante la datazione proposta perché in fondo direi che essa non è lontana dalla generazione del padre di Augusto, riverito per repressioni di *servitia* nell'*ager Thurinus* (Suet., *Oct. Aug.*, 3), e quindi testimonia con quell'episodio quali operazioni di polizia "schiavista" bisognasse condurre per ottenere rendimenti che servivano a scopi annonari. In fondo tutta questa storia dell'Italia meridionale è sotto il segno dell'annona e dell'esigenza militare, logistica, che serve anche l'annona.

Volevo poi rassicurare la Cantarelli, perché se avesse avuto la pazienza di attendere le note del testo avrebbe trovato i "distinguo" che lei desiderava; io non ho creduto, benché sia un grande estimatore di Namier e di Stone di fare della prosopografia moderna in questa sede. Certo quando poi si vada a fare questa prosopografia moderna e si trovino documenti come gli "Atti CeSDIR", sarà anche difficile dire che non esiste una scuola milanese, perché lo storico prosopografico che si mette a studiare i documenti allora poi individua, prosopograficamente, le componenti di un certo gruppo e, quindi gli pare difficile che si possa negare questa esistenza. Comunque non voglio polemizzare, ho annunciato che avrei fatto dei "distinguo", delle note in calce. E soprattutto l'interpretazione di Arslan, che non mi ha mai persuaso e con cui ho polemizzato nel V Convegno Storico Calabrese (1973), perché appunto essa risponde ad un'ottica "terziarizzante" che vuole giustificare delle ricostruzioni fortemente influenzate dall'ideologia. Non c'è niente di male a parlare di ideologia, perché se uno sforzo dobbiamo fare come storici è la deideologizzazione che dobbiamo attuare sull'uso di strumenti, sull'uso di evidenze, perché purtroppo l'ideologia è in continua tensione con il nostro lavoro, quindi quando ci si può sorvegliare e criticare, la cosa è positiva, perfettamente normale.

Ringrazio tutti i partecipanti, Nicolet in particolare, perché ci ha dato un bell'esempio di deideologizzazione con il dissolvere il mito "franco-tunisino" di Annibale. Nicolet ha fatto bene a insistere su questi dettagli delle assegnazioni, delle *possessiones*; effettivamente speriamo di avere sempre più delle "cose" dai dati, dai testi come quelli ciceroniano, che ho tentato di tirar fuori, ma che del resto erano noti da altri lavori».

L'APRÈS-MIDI DU 10, sous la présidence de Ettore Lepore, est donc consacré à un bilan historique du Colloque dressé par Claude NICOLET (pp. 407-409), à une intervention complémentaire (Sylvia DIEBNER, *Programma di documentazione scientifica sotto l'egida dell'Istituto Archeologico Germanico di Roma*, pp. 381-382) et aux discussions générales.

E. GABBA remarque que: «dall'insieme delle relazioni e degli interventi di questo convegno mi sembra emergere un quadro vivacemente complesso e articolato delle forze sociali, economiche, politiche e ideali che hanno agito variamente nelle società romane e italiche, fra III e I sec. a.C. Vi è indubbiamente una tendenza che si potrebbe definire "unificante", che spinge verso l'integrazione. Essa è dovuta in larga misura a esigenze spontanee delle classi elevate, che suggeriscono un'assimilazione culturale, religiosa e linguistica con Roma, che può anche tradursi in prese di posizione da parte di intellettuali "italici" contro la politica repressiva romana in fatti di religione (Dumont). Tale spinta è favorita (e quindi intimamente connessa) da fattori unificanti di ordine politico-amministrativo, come il censo (Nicolet), le istituzioni politiche (Laffi), la moneta e l'esercito (Crawford), l'estendersi dell'*ager publicus p.R.* a seguito delle confische, un comune atteggiamento dei ceti alti romano-italici di fronte a fenomeni di natura politico-religiosa ecc. Sul versante opposto; per altro, permangono assolutamente distinte (e condizionanti in senso di disunione) le situazioni economiche e sociali, che avevano da sempre caratterizzato le varie aree italiche e specialmente il differente sfruttamento del suolo e le differenti conduzioni agricole. Condizioni locali e regionali diverse, ma tutte, se pur in vario modo, modificate e compromesse dall'intervento dirompente del predominio romano (come la più attenta tradizione antica aveva notato). In talune aree permangono ancora nel I sec. a.C. strutture sociali e economiche che trovavano difficoltà ad inserirsi nella realtà romana: per es. in Cisalpina (Gabba). Del pari il processo di progressiva latinizzazione e romanizzazione non significò affatto l'annullamento delle tradizioni locali e delle storie delle singole città e comunità, che anzi i ceti elevati cercarono di mantenere vive e di trasmettere anche storiograficamente, perché non andasse persa l'identità delle realtà singole (Wiseman).

Di nuovo, e per converso, è fuori di Italia che meglio si realizzò una "fusione" fra Roma e stati italici a livello sia di classi elevate, sia di ceti bassi. Le attività commerciali furono un potente veicolo di "unità", e non meno i fenomeni emigratori (di varia natura e di varia causa), specialmente verso le regioni settentrionali della penisola, e poi nelle province di Spagna e della Gallia Narbonense. Ora è stato mostrato (Helly) come questo fenomeno sia andato svolgendosi anche in Tessalia fra II e I sec. a.C. ed è certamente superfluo far notare la grande differenza fra l'insediamento di coloni in aree culturalmente e socialmente arretrate e invece l'inserzione di emigranti di élite in un contesto già tradizionalmente bene strutturato. I riflessi, nelle due differenti situazioni, sulle condizioni di origine devono essere valutate con molta attenzione».

M.H. CRAWFORD émet quelques doutes quant au sens à donner à la fréquentation des divers sanctuaires; il souligne aussi que l'évergétisme n'était pas représenté seulement par la construction d'édifices.

J.M. FLAMBARD approuve et ajoute: «on ne sait pas quel sens donner, pour un Romain, au fait de fréquenter des sanctuaires tels que ceux de Fortuna Primigenia, d'Hercules Victor, de Diana Tifatina. Le problème est que ces énormes complexes cultuels existent (le pactole vient de l'Orient) et qu'on ne peut séparer le phénomène d'un autre qui est celui des processus d'*acculturation*. On rencontre des Romains établis en Thessalie (B. Helly), engagés dan un processus d'hellénisation. Inversement, la série de reliefs et surtout des peintures liturgiques de Délos (scènes compitalices) jointe au fait de la pratique, par ces grecs, du culte, par exemple, de *Dea Roma* ou de *Fides* (Διστις) montre des *Grecs* impliqués dans un processus de romanisation. Dans le deux cas, ces gens (Romains et Grecs) étaient insérés dans des réseaux de relations sociales (rapports de clientèle, de patronage, etc.) qui fait qu'on doit se poser la question du sens de circulation de l'acculturation: du haut vers le bas ou du bas vers le haut?

Ce serait le sujet d'un autre colloque».

CL. NICOLET demande la parole car: «C'est par distraction que j'ai oublié de terminer sur une question posée par tout le monde.

Nous avons pour thème: histoire sociale... Mais il va sans dire (et ce fut explicitement dit tout au long du colloque) que s'il faut plonger dans l'économique pour comprendre le social, on ne peut comprendre le reste si on oublie le politique!

Les questions explicites de Crawford et de Gabba (sur formes politiques, militaires, fiscales d'intégration) furent abordées tout au long du colloque.

Problèmes de communication, donc c'est un fait fascinant: comment s'expriment les besoins, les demandes (pour s'intégrer ou se distinguer). Je pense à un projet qui va se réaliser à Paris, un centre de recherches. Modestement, nous allons nous interroger sur les problèmes de l'élaboration, de la préparation et de la réception des décisions politiques dans l'Antiquité sous tous ses aspects. C'est une des questions que je me suis toujours posées...».

E. LEPORE conclut et déclare clos le colloque, en remarquant qu'il faudrait réfléchir sur un problème intéressant: le topos «*tota Italia*»; quelle a été sa signification en tant qu'instrument de communication? Syme en voyait l'aspect de communauté, mais il faudrait savoir ce qu'il représente en tant que tradition plus précise.

CONCLUSIONS GÉNÉRALES:
BILAN SCIENTIFIQUE DU COLLOQUE

J'ai été le scribe fidèle et j'ai écouté avec passion et profit toutes les excellentes communications que nous avons entendues. Nous devons nous adresser des remerciements à nous-mêmes, car je repars de ce colloque beaucoup plus riche que je n'y suis venu, et je pense que c'est le cas de tous. J'ai appris de tous mes collègues et amis (y compris des orateurs parisiens dont certains sont mes élèves) beaucoup de choses. Ce colloque a été très utile; remercions l'instigatrice, Mireille Cébeillac-Gervasoni, et les institutions française et italienne qui en ont permis la réalisation, ainsi que les institutions qui nous ont offert l'hospitalité.

Je n'essaierai pas d'esquisser un bilan scientifique: il est prématuré, mais je voudrais suggérer peut-être comme une sorte de cadre de réflexion, dégager quelques-uns de ces enrichissements qui, à mon avis, en ressortent.

1) J'ai écouté 30 communications, plus les interventions, j'ai eu le plaisir suivant: écoutant des archéologues, des épigraphistes, des professeurs de spécialités différentes, je n'ai jamais entendu que de l'histoire. L'oeuvre commune que nous avons faite, par delà toutes nos formations diverses et les situations concrètes de chacun de nous, c'est d'avoir posé des problèmes d'histoire.

2) Il y avait aussi un objet de cette histoire: une histoire ancienne qui a sa réalité. C'était l'étude de ces "bourgeoisies" municipales; donc de l'histoire sociale, puisqu'il s'agissait de parler de groupes sociaux en des endroits divers, et connus sur la courte période.

3) De ce colloque, sont sortis de grands progrès pour l'étude des classes ou groupes sociaux.

Le premier progrès est "factuel"; il y a désormais des masses de faits, des mises en place qu'il n'est pas prématuré de vouloir exprimer.On peut citer par exemple d'abord cette diversité des "moments" de développement, avec tous ses aspects, sur laquelle tout le monde est d'accord. Ce qui se marque par des contrastes géographiques, chronologiques et donc sociaux. Pour cette mise en place, il y a un équilibre pour lequel chacun implicitement a plaidé; même ceux qui ont fait part de découvertes locales ou "micro"-historiques, ont éprouvé le besoin d'élargir leur propos vers une plus grosse histoire, au moins à l'échelle de zones, et même de cette Italie toute entière qui devient formellement romaine au Ier s.av. J.-C.

Je citerai ensuite cette mise en rapport entre un développement "latial", d'Italie centrale, et la présence des *negotiatores* qui sont arrivés en Orient à la suite de la conquête. Peut-être pourrons-nous avoir très vite des chronologies très fines; mais c'est en tout cas au IIe s. av. J.-C. donc antérieurement à ce que l'on pensait jusqu'ici.

On pourrait prendre d'autres exemples, par exemple l'utilisation que nous avons faite des aspects culturels de l'histoire (intégration de la religion, de l'art, sous ses diverses formes, les divers types de littérature).

Pour organiser le débat (car il reste des problèmes ouverts), je suggérais un inventaire de quelques questions implicitement abordées mais auxquelles on n'a pas encore répondu, me semble-t-il, de manière assez précise:

407

CLAUDE NICOLET

1) la question initiale: celle de la définition de ces groupes sociaux; au début du colloque on a parlé de guillemets à mettre autour du mot "bourgeoisies". Mais en fait, quant à moi, à la fin du colloque, je n'en mettrais plus! Cela ne veut pas dire que le mot "bourgeoisie" soit devenu plus univoque. On a parlé de "notabilités", de décurions; aussi de *negotiatores* — qu'ils sont sans doute aussi. Tous ces mots ont été utilisés, mais ne faudrait-il pas tenter de reprendre la question de méthodologie posée par Lepore à propos de la communication sur les groupes de parenté? Il est indispensable d'avoir la double typologie:

celle chronologiquement pertinente, tirée de typologies vécues par les contemporains, attestées par les textes;

celle de type moderne, que nous avons le devoir d'employer, à condition de le faire de manière consciente, et bien entendu critique et prudente.

Les deux modes de typologies sont indispensables.

2) Outre ces questions préliminaires, il reste des problèmes nombreux:

a) La notion de *domi nobiles,* qui est un quasi-monopole cicéronien, implicite quand on parle de notabilité: elle n'apparaît jamais dans aucune inscription. Que signifie une telle documentation? Est-ce opératoire? Est-ce transposer dans l'Italie des "municipes", arbitrairement, ce que signifiait à Rome *nobilis?* mais *nobilis* a-t-il une valeur juridique totale? Il y a certes une réalité de la *nobilitas* (l'exercice de certains types de fonctions sur plusieurs générations); est-ce transposable en milieu municipal? d'autres exemples sont possibles.

b) autre problème socialement très important: par exemple ce contraste entre des séries prosopographiques bien au point: une à Tarquinia, une à Cerveteri qui furent présentées ce matin. Dans l'une, il y a continuité, dans l'autre rupture: c'est-à-dire renouvellement à un niveau très précis des fonctions publiques par la disparition de certaines familles. Pourquoi? Cela reste à expliquer. Mais cette question peut être étendue aux évergètes (quelle que soit l'origine de leur fortune). Ces séries de noms qui apparaissent à la fin du II s. av. J.-C. ont-elles des racines plus lointaines? s'agit-il d'un milieu déjà dominant qui transforme ses activités? ou est-ce l'irruption de nouvelles familles enrichies (grâce à la conquête) qui permet l'ascension de gens d'origine plus humble?

Par exemple, prenons des cités sans vocation maritime qui ont connu l'apparition de *negotiatores;* ces gens sont-ils des descendants de familles aristocratiques déjà là, ou des descendants de soldats qui sont revenus (je pense au texte de Tite-Live à propos des événements de 196, à propos de l'armée de Flamininus en Thessalie; déjà chaque soldat se transformait en trafiquant, usurier... et on les tuait au coin des chemins pour vider leurs bourses).

La réponse n'est sans doute pas univoque, selon les lieux et selon les régions, et là nous retrouvons ces villes où il y a une volonté de se replonger dans une tradition gentilice, de "race", même si ces "races" ont exercé des magistratures; on parle de races et de lignées dans l'Etrurie, mais aussi ailleurs. Peut-on déceler, pour certaines de ces familles, une tradition qui remonterait au Ve-IVe av. J.-C.? ou bien (pour le cas de Délos cf. Coarelli et Zanker), c'est une adoption provocante ou inconsciente, avec un jeu: si un marchand d'esclaves se fait représenter par un artiste grec comme un roi évergète, est-ce que l'artiste grec ne se moque pas de lui?

Donc, est-ce un phénomène récent que cette recherche d'une noblesse ancienne de la part d'une couche parvenue? Ou bien est-ce que, dans certains cas, il y a effectivement changement d'activités d'antiques lignées locales?

Pouvons-nous grâce à la micro-histoire déterminer de tels phénomènes?

c) Dernier point: j'ai l'impression que nous sommes tous insconsciemment fascinés par l'Est comme les Romains (le luxe asiatique etc...); mais Gabba nous a rappelé qu'il y a un peuplement romain en Narbonnaise: pourquoi ne fait-on pas une étude aussi précise, prosopographique, pour ces régions? Sans doute faudrait-il revoir ce que Gabba a écrit, il y a longtemps, sur l'Espagne? N'y aurait-il pas des enquêtes à faire du côté de l'Ouest? Ce fut fait pour les amphores vinaires (= apport des familles de Cosa), mais pour d'autres aspects?

Donc, j'ouvre le débat. Si tous repartent de Naples aussi contents et aussi fatigués que moi, avec autant d'enrichissements, alors nous n'avons perdu ni notre temps ni notre fatigue.

CLAUDE NICOLET

LUCANI E ROMANI NELLA VALLE DEL TANAGRO*

Le conseguenze della guerra annibalica furono anche in Lucania di grande rilievo. I profondi cambiamenti nelle strutture dell'economia dell'Italia meridionale, un fatto storico incontestabile, hanno spesso condotto gli studiosi a tracciare dell'intera Lucania un quadro di desolazione simile a quello che si è abituati ad attribuire alla Magna Grecia. Ma la storia dell'area della Valle del Tanagro non è molto ben conosciuta, le conseguenze causate dalla guerra e poi dalla resa dei Lucani nel 206 non sono meglio note per la nostra zona, come anche quelle causate dalla crisi sociale connessa alle riforme graccane sono nei dettagli poco chiare. Certamente la Lucania interna dovette sottoporsi a pesanti confische, ma le interazioni fra l'estensione delle confische in varie parti della Lucania e in genere lo sviluppo politico, amministrativo ed economico restano abbastanza oscure in più d'un punto.

I problemi attinenti alla romanizzazione della valle in quest'epoca non trovano, come è ben comprensibile, alcuna corrispondenza nella tradizione, ed i resti epigrafici (intendo qui soprattutto il miliario di Polla ed i termini graccani) hanno una portata ben limitata; specialmente magre sono, per mancanza di scavi sistematici, le fonti archeologiche.

Si cita spesso in proposito il noto passo del *Liber coloniarum* (p. 209) *Vulcentana, Pestana, Potentina, Atenas et Consiline, Tegenensis. quadrate centuriae in iugera n. CC*, e lo si mette in rapporto con l'estensione dell'ager publicus. Si è fatto richiamo all'inattendibilità delle notizie fornite dal *Liber coloniarum*, ma di solito si ammette l'esistenza di queste singolari prefetture lucane, che, come si suole sottolineare, sono sconosciute altrove. Sul loro carattere e sulla loro fine le opinioni differiscono. Mentre per molti, come Pais e Magaldi, le città della Valle del Tanagro, cioè Volcei, Atina, Cosilinum e Tegianum, sarebbero rimaste, contrariamente a quanto accadde per Paestum, in condizioni di prefettura (1), altri vedono in queste prefetture distretti rustici nei territori adiacenti (2). È indubbiamente esclusa la prima alternativa, non solo per il riferimento testuale (il *Liber coloniarum* elenca queste quattro città in un tratto con Paestum, ed anche con Velia, menzionata poco dopo), ma anche — e soprattutto — per ragioni politiche e amministrative — le ex-prefetture dovrebbero essere state rette, dopo la loro incorporazione nello stato romano, da duoviri, mentre in realtà hanno una costituzione municipale quattuorvirale.

Stando alla notizia tramandata dal *Liber coloniarum*, queste prefetture non possono essere spiegate in altro modo se non come denominazione di distretti rustici — oppure si deve ammettere nel *Liber coloniarum* un errore terminologico per municipi o colonie, una scappatoia che tuttavia eviterei. Se diamo ragione al *Liber coloniarum*, allora le prefetture ivi elencate sono state denominate in base alle città dove si trovava la sede amministrativa della rispettiva prefettura; e, anche se queste prefetture furono incorporate nel territorio dei municipi più tardi dopo la guerra sociale, la vecchia denominazione persisté nel *Liber coloniarum*. Infine si suole far risalire la riduzione ad *ager publicus*

(*) Cette contribution adressée manuscrite et non présentée lors du colloque n'a pu être objet d'une éventuelle discussion. [N.R.].

(1) E. Pais, *Storia della colonizzazione di Roma antica*, Roma, 1923, pp. 150 sgg. E. Magaldi, *Lucania romana* I, Roma, 1948, p. 232. Anche E. Ciaceri, *Storia della Magna Grecia*, III, Milano, 1932, 231 ed altri.

(2) Beloch, *Römische Geschichte*, p. 593. U. Kahrstedt, *Historia*, VIII, 1959, p. 177. P.A. Brunt, *Italian Manpower*, Oxford, 1971, pp. 280 sg. M. Humbert, *Municipium et civitas sine suffragio*, Roma, 1978, p. 385. Solin, *Zu lukanischen Inschriften*, Helsinki, 1981, p. 15.

della Valle del Tanagro, con il resto della Lucania e Bruzio, alla fine del II secolo (si tratterebbe in sostanza dell'intera Valle) (3), nonché gli inizi delle prefetture al tempo graccano (4).

Lo scopo di questa breve nota è di dimostrare che tale opinione preconcetta, che mette la Valle del Tanagro, per questo riguardo, sullo stesso piano del resto della Lucania e del Bruzio, non concorda con quel poco che sappiamo della peculiarità di questa zona. Ora, oltre all'elenco del *Liber coloniarum* e la notizia pliniana (*Nat.*, III, 98) che conosce Volcei, Atina e Tegianum come comunità autonome (5), la tradizione letteraria non ricorda. le vicende della nostra area in modo più differenziato. Già per questo si dovrebbe essere cauti nell'attribuire senza scrupoli l'intera valle all'ager publicus. In ogni caso le città esistevano ed esistevano forme amministrative locali, in parte influenzate dalla costituzione romana, come mostra l'iscrizione osca di Atina, databile alla metà del III secolo (*Inscr. It.*, III, 1, 122). Quanto poi alle prefetture ed alle assegnazioni graccane, tra le quali il Pais vede una stretta relazione (6), non sopravvaluterei né la portata della notizia del *Liber coloniarum* né quella dei termini graccani. Bene, ci sono vari cippi graccani, finora ne sono noti sei, dai territori di Volcei e di Atina (7), ma in fondo questi cippi ci dicono poco del reale stato delle cose: a) in realtà ai decreti di confisca emanati dopo la guerra annibalica in danno delle popolazioni ribelli dell'Italia meridionale non si accompagnarono sempre i decreti esecutori, come si vede dal caso dell'ager Campanus (8); b) se i cippi graccani ritrovati nella Valle del Tanagro dimostrano che là era agro demaniale o almeno terreno giudicato come tale in occasione delle assegnazioni, d'altra parte il noto caso dell'ager Campanus, già menzionato, richiama alla prudenza: là, infatti sono stati trovati dei cippi graccani (*CIL* I², 640, 641), mentre d'altra parte ai Campani, in teoria snazionalizzati, era stato concesso di continuare ad abitare e coltivare le proprie fertili terre (9). Se per l'ager Campanus, la perla del demanio romano, la realtà era questa, perché la fertile valle del Tanagro non poteva essere stata trattata in modo più o meno simile?

Su questo sfondo storico sembra sia da ridimensionare il significato sia dell'agro demaniale che delle prefetture in questa parte della Lucania. Se anche è esatta la notizia del *Liber coloniarum* e se i territori di Volcei, Atina, Cosilinum e Tegianum sono stati davvero prefetture, la loro portata e durata sono state piuttosto esigue; non molto dopo la loro fondazione saranno state incorporate nelle rispettive città vicine (10). In ogni caso, l'affermazione generalizzante del Pais, che queste prefetture sarebbero «assegnazioni di terreno fatte al proletariato Romano» (11), è certamente, oltre che indimostrabile, esagerata; anzi, queste città ed i loro territori sembra siano stati molto «lucani». Abbiamo ora a nostra disposizione l'abbondante materiale epigrafico dell'area della Valle del Tanagro, così bene raccolto da Vittorio Bracco nel quadro delle *Inscriptiones Italiae* (12). Da questo corpus sembra emergere il ruolo secondario avuto dai Romani nell'urbanizzazione della valle e nella coltivazione delle sue terre. Anche considerazioni storiche generali porterebbero a conclusioni simili.

---

(3) Beloch, *Röm. Gesch.*, p. 582. De Sanctis, *Storia dei Romani*, IV, p. 561. Magaldi, o.c. p. 205 ed altri.

(4) Questa è la communis opinio; espressamente per es. Pais, o.c. pp. 333 sg., 345 sg. Magaldi, o.c. p. 231. A. Bernardi, *Athenaeum*, XVI, 1938, pp. 274 sgg.

(5) Anche Tegianum, nonostante Kahrstedt, *Historia*, VIII, 1959, p. 177, 22; cfr. Solin, o.c. p. 14.

(6) Pais, o.c. p. 346.

(7) L'edizione più recente: *Inscr. It.*, III, 1, 275-279. Un testo è stato di recente pubblicato da V. Bracco, *RSA*, IX, 1979, pp. 29-37.

(8) Per questo cfr. l'eccellente contributo di G. Tibiletti, *Lo sviluppo del latifondo in Italia dall'epoca graccana al principio dell'Impero, Relazioni del X Congresso Internazionale di Scienze Storiche*, II, Firenze, 1955, pp. 259 sgg. Ulteriore letteratura in Fr. De Martino, *Storia della costituzione romana*, II², Napoli, 1973, pp. 478 sg.

(9) Per le fonti rimando alla discussione del Tibiletti.

(10) In principio sarebbe anche possibile, che le prefetture stesse si fossero trasformate in municipi, ma per la nostra zona è da preferire la prima alternativa.

(11) Pais, o.c. pp. 333 sg.

(12) *Inscriptiones Italiae*, III, 1: *Civitates Vallium Silari et Tanagri*, Roma, 1974. E attendiamo ora un supplemento dello stesso Bracco nel III volume della nuova serie dei *Supplementa Italica*.

LUCANI E ROMANI NELLA VALLE DEL TANAGRO

Le città della valle erano adiacenti l'una all'altra, e non erano insignificanti già nel II secolo; esse avevano bisogno dei territori fertili adiacenti, essendo per lo più città agricole. Si potrebbe quindi ipotizzare l'usufruizione degli agri soprattutto da parte degli abitanti delle città. Questa ipotesi sembra concordare con l'informazione, pur esigua, offerta dall'analisi del materiale epigrafico. Ho contato dalla zona (eccettuati l'elogio di Polla ed i termini graccani) circa 30 iscrizioni che sembrano databili all'epoca repubblicana o augustea. Queste iscrizioni, che sono sparse un po' dappertutto nel territorio e non solo nell'ambito urbano e che per una gran parte ricordano persone di elevata posizione municipale, ci danno la chiave per tentare di risolvere il problema. Le trenta iscrizioni ricordano circa 45 gentilizi, per lo più caratteristici delle aree lucane. Nomi tipicamente romani sembrano mancare (13); la presenza di nomi campani è da aspettarsi (tale ad es. *Vinucius* in *Inscr. It.*, III, 1, 161 dell'età repubblicana (14), tanto più se essi appaiono in grafie oscizzanti (come *Sadria* in *Inscr. It.*, III, 1, 108 dell'inizio del I secolo a.C.).

Senza dare un elenco completo dei gentilizi tipici delle aree lucane o della stessa valle del Tanagro ricordo i seguenti: *Alponius* nell'iscrizione osca *Inscr. It.*, III, 1, 241 (15); *Dinius* 93. 117 (nella forma geminata *Dinnius*); *Dirius* nell'iscrizione osca 122; *Lucius* 134 (16); *Luxilius* 226. 250. 267 (ricorre spesso anche nell'età post-augustea: 143. 165. 187. 196); *Minatius* 206. 213; *Ovilonius* 214; *Samius* 253. 254; *Vesonius* 104 (dell'età repubblicana); *Vibius* 104. Interessante è *N. Hercleidius Pac. f.* graffito prima della cottura in un dolio ritrovato negli scavi americani della villa rustica di Vittimose a Buccino (17); se Hercleidius è, come pensano gli editori, il proprietario del dolio, ci troviamo davanti ad una testimonianza di elementi lucani quali proprietari terrieri nell'epoca repubblicana successiva ai Gracchi — purtroppo il documento non consente una datazione più precisa al tempo anteriore alla guerra sociale (18). Istruttivo è l'elenco dei nomi nell'iscrizione 242 dell'età repubblicana: accanto a nomi neutri (*Attius, Caius, Decumius, Lucretius*) si trovano altri di indiscussa impronta campano-lucana, quali *Aesqullius, Oppius, Satrius, Teltonius*.

Particolare interesse riveste il caso di *M. Minatius M.f. Pom. Sabinus*, il quale *turrem de sua pequnia, murum de pequnia conlata faciund(os) coeravit idemque probavit* (206). Bracco riferisce l'iscrizione ad un magistrato locale, mentre Gabba preferisce intendere Minatius come uno dei personaggi autorevoli che furono incaricati di organizzare anche urbanisticamente le nuove comunità dopo la guerra sociale (19). Ma si tratta senza dubbio di una persona di origine locale, come dimostrano il suo gentilizio e la sua tribù, per cui, nonostante qualche difficoltà, riterrei Minatius un magistrato cosilinate (20). Purtroppo l'iscrizione è andata perduta e non è possibile datarla con maggiore esattezza, e così il suo rapporto con i provvedimenti presi dopo la guerra sociale rimane aperto. Personalmente lo riterrei il padre dell'omonimo proquestore di Pompeo in Spagna nel 45 a.C. (non sarebbe però da scartare una parentela in linea collaterale o anche l'identità con il proquestore.

---

(13) I gentilizi dei tre quattuorviri volceiani nell'iscrizione 51 *Dexius, Villius* e *Accius* non sono propriamente di sapore campano-lucano. *Villius* è un vecchio nome plebeo, ma compare in *CIL* X, 503 in un contesto chiaramente locale, come nome di un esponente dell'aristocrazia municipale. *Balbius* in 193 può essere ricondotto al noto cognome patrizio *Balbus*, difatti compare spesso a Roma, ma non può dirsi nome strettamente romano.

(14) Un altro nome campano è *Suettius* in 134 dell'età augustea. Parimenti *Ansius* in 207, nome della figlia di un *Tarvius Ansius*, indubbiamente membro dell'aristocrazia locale, databile all'ultimo mezzo secolo della repubblica.

(15) Male l'editore, cfr. Solin, o.c. p. 50 e P. Poccetti, *Nuovi documenti italici*, Pisa, 1979, pp. 111 sg. n. 149.

(16) Questa grafia in luogo di *Luccius* è influenzata dall'osco, cfr. il gentilizio osco *lúvkiis*.

(17) S.L. Dyson - R.R. Holloway, *AJA*, LXXV, pp. 152 sg. Bracco, *Volcei, Forma Italiae, Regio III*, vol. II, Roma, 1978, pp. 31, 67.

(18) Gli editori americani datano l'iscrizione al II secolo, ma la forma delle lettere non milita in favore di una datazione molto alta.

(19) E. Gabba, *Athenaeum*, LIII, 1975, p. 381. Un po' diversamente *SCO*, XXI, 1972, pp. 100 sg.

(20) Sull'esegesi dell'iscrizione Solin, o.c. pp. 44 sg., ove ulteriore letteratura; in tal senso, anche G. Camodeca, Atti Conv. AIEGL, *Epigrafia e ordine senatorio*, Roma, 1981.

A queste brevi osservazioni sono da aggiungere quattro considerazioni: a) accanto a gentilizi lucani o campano-lucani troviamo anche molti prenomi osci che si usano solo in maniera ridotta fuori dalla zona campano-lucana (*Maraeus, Paquius, Tarvius, Tr(ebius)* o *Tr(ebatus)*); b) già nelle iscrizioni repubblicane i gentilizi sono alle volte accompagnati da cognomi, un distintivo dell'aristocrazia locale municipale; esclusi praticamente ceti inferiori e soprattutto rappresentanti della classe romana non senatoria che non portava ancora cognomi; c) le iscrizioni che riportano nomi di sapore lucano si trovano disperse su tutto il territorio e non solo nell'ambito urbano; d) colpisce la persistenza dei vecchi gentilizi locali nell'età imperiale avanzata (*Luxilius* non è l'unico esempio) e la esigua presenza di gentilizi favoriti dell'età imperiale, soprattutto di gentilizi imperiali, di cui risulta la mancanza assoluta (21).

Infine l'elogio di Polla, il cui autore non esiterei ad identificare con P. Popillius Laenas, cos. 132. Ma il suo testo ci dice in fondo ben poco dell'organizzazione amministrativo-sociale della valle e dell'estensione dell'*ager publicus* intorno a Volcei ed Atina (22).

Pur tenendo conto della esiguità del materiale epigrafico rilevante e della casualità delle notizie da esso offerte, dalle nostre considerazioni sembra emergere:

a) che Volcei, Atina, Cosilinum e Tegianum siano rimaste fino alla guerra sociale città federate; se la notizia data dal *Liber coloniarum* sulle prefetture in questa zona coglie il vero, si deve trattare di prefetture in distretti rustici che non molto dopo la loro fondazione sono state incorporate nelle città vicine.

b) che i Romani non hanno avuto un ruolo considerevole nella colonizzazione della Valle del Tanagro, né dopo la guerra annibalica né in altre occasioni. La fertile valle fu sempre popolata, con città una accanto all'altra e con terreni adiacenti usufruiti soprattutto dagli abitanti cittadini. Un continuo abbandono per le crisi belliche da Annibale fino a Spartaco, idea infelice lanciata dal Pais (23), non trova appoggio nei fatti reali. La Valle era e restava molto «lucana».

HEIKKI SOLIN

---

(21) Cfr. Solin, o.c. p. 16. *Iulius, Claudius* ed *Aelius* si registrano un paio di volte, ma *Ulpius* ed *Aurelius* mancano completamente (su un presunto *Ulpius* in 87 cfr. Solin, o.c. p. 16, 7). Come eccezione si trova attestato con una certa frequenza un solo gentilizio romano comune: *Antonius*; sui motivi Solin, o.c. p. 16.

(22) Sulla famosa iscrizione cfr. oltre alle edizioni del Mommsen nel *CIL* X, 6950 e del Bracco nelle *Iscr. It.*, III, 1, 272, le nostre osservazioni in Solin, o.c. pp. 55-57, ove una completa bibliografia aggiornata. Non si sa neppure se il famoso passo *ut pastores cederent aratoribus* si riferisca proprio alla valle del Tanagro; A. Burdese, *Studi sull'ager publicus, Memorie dell'Istituto giuridico*, Universtità di Torino, ser. 2, 76, 1952, p. 99 ed altri riferiscono queste parole ai provvedimenti presi da Popillio in Sicilia durante la sua pretura. È anche importante notare il totale silenzio delle fonti letterarie sull'attività agraria del personaggio di Polla. Le opere di prosciugamento che egli possibilmente realizzò non sembrano di grande portata.

(23) Pais, o.c. 346. Ma un tempo il Pais aveva accennato al predominare dell'elemento indigeno: *Il «Liber coloniarum»*, *Mem. Acc. Lincei*, XVI, 1920, p. 56.

INDEX

1) INDEX GÉOGRAPHIQUE

Madrague de Giens 236 et n. 138.
Magalas 33 n. 92.
Magdalensberg 31 n. 82, 179 n. 28.
Mallos 301.
Mantoue 42, 299 n. 9, 302 n. 33, 306 n. 57.
Marpessos 227.
Marsi Marruvium 79, 248.
Mazara 238 n. 162, 239 n. 173.
Méditerranée 30, 131, 392.
Méliteia 359.
Messapie 304.
Messine 29 et n. 61.
Methone 359 n. 35.
Métropolis 356 et n. 11.
Mevania 33, 171 n. 59, 247 n. 39.
Milet 208 et n. 26.
Minturnae 25 n. 34, 27 n. 46, 75, 78 et n. 22, 79, 229 n. 92, 238 et n. 160, 304 n. 44, 305 et n. 45, 387.
Misène 133 n. 66.
Monte Iato 29 et n. 61.
Monterinaldo 209 et n. 41 et n. 42, 245 et n. 28.
Monte Vairano 49, 138 n. 7.
Montlaurès 33 n. 92.
Mopsion 365.
Morano 351 n. 11.
Murecine (*ager*) 17.
Muscoli 207 n. 17.
Mylasa 14.
Mytilène 130, 135.

Naples 37, 62 n. 13, 68, 126, 129, 131, 132, 136, 238 et n. 161, 260, 275 et n. 50, 347, 348, 353, 402, 403.
Narbonne 33 n. 92, 294 n. 128.
Narnia 247 n. 38.
Narthakion 359.
Neptunia (*colonia*) 349 et n. 5.
Nole 17, 55 n. 21 et n. 22, 66, 70, 93 n. 26, 141, 330.
Nomentum 296.
Norba 235, 237, 239, 330 et n. 26.
Novum Comum 273 et n. 34.
Nuceria Alfaterna 66, 93 n. 26, 95, 260, 261, 304.
Nuceria Camellaria 151.
Nursia 50 n. 10, 170 et n. 51, 246 et n. 36, 311.

Ocriclo 33.
Olosson 360 et n. 50.
Ombrie 132, 246, 247, 249, 311 et n. 6.
Osimo, voir Auximum.
Ospedalicchio 151, 173.

2) INDEX ONOMASTIQUE*

* Les mots en italique indiquent des gentilices ou des *cognomina*; les mots en caractère romain indiquent des individus.

ONOMASTIQUE

Aelii Paeti 312 n. 7.
Aelii Tuberones 116 n. 134 bis.
Aelius 414 n. 21.
Aelius 310.
L. Aelius 299 et n. 7, 302.
Aelius Lama 55 et n. 25.
L. Aelius Lamia 305, 316 et n. 36, 317, 318.
C. Aelius Staienus 310, 313 n. 14.
L. Aemilius 280, 281 et n. 13 et n. 15.
M. Aemilius Lepidus 293.
M. Aemilius Lepidus (*cens.* 179 av. J.-C.) 206, 207 n. 15, 236 et n. 132.
L. Aemilius Paullus 44, 206, 358.
M. Aemilius Scaurus 179 et n. 29.
Aeschylus 335, 337.
Aesquillius 413.
Q. Af. 34 n. 98.
Afinii 142.
Afranii 248.
L. Afranius 50 n. 10, 310.
Agrippa 215 et n. 86, 294 n. 127.
Agrippa Postumus 21 et n. 1.
Agrippina 101 n. 21.
C. Agrius C.f. Agrius 287 n. 78.
(Domitius) Ahenobarbus 304 n. 44.
Ti. Alb. 23 n. 15.
Ti. Alb. [---] 24 n. 28.
L. Alba 35 n. 103.
L. Alba [---] 24.
Ti. Alba 35 n. 103.
Ti. Alba [---] 24.
Albius 319.
C. Albius 211 n. 57.
Alexander Polyhstor 304.
Alexandros 377 n. 113.
Alexandros (père de Sarapion) 129 n. 38.
Alfeius 370.
Alfenius 365 n. 72, 370.
Alfius 181, 370.
M. Alfius M.f. 181, 196.
Alfius Plocamus 185 n. 59.
(Cincius) Alimentus 304 n. 40.
Allii 166 et n. 14, 194.
M. Allius P.f. 194.
Alponius 413.
Amometos (fils de Philoxenidas) 365 n. 68.
Amphiaraos (fils de) 301 et n. 25.
Amphicrates 300.

(T. Quinctius T.f.) Flamininus 360.

Flaminius 181.

L. Flaminius L.f. Hister 181, 188, 199.

Q. Flaminius L.f. Hister, 188, 199.

Sex. Flaminius L.f. Hister, 188, 199.

Flavii 304.

Flavius 360 et n. 48, 370.

C. Flavius 285 et n. 47.

G. Flavius Apollonius (père de G. Flavius Bucco) 360.

G. Flavius Bucco (fils de G. Flavius Apollonius) 360.

T. Flavius Petro (gran-père de Vespasien) 282 et n. 26.

(C. Rustius C.f.) Flavos 229 et n. 92, 230.

Florus 326.

Frentio 97.

Fronto 95.

Fruticii 185 n. 60, 189 et n. 94, 196.

Fruticius 181, 183.

Fruticius 214 et n. 81, 396.

[-] Fruticius M.f. 196.

L. [Fruticius] L.f. 200.

L. [Fruticius] M.f. 200.

L. [Fruticius] Q.f. 200.

M. Fruticius M.f. 189 et n. 88 et n. 89, 190, 191, 200.

M. [Fruticius] M.f. 200.

M. Fruticius Q.f. 196, 200.

(P. Maccius Mamianus) Fubzanus 93.

Fufius 334 n. 11.

Fulvii 267.

Fulvius 387.

M. Fulvius Flaccus 44.

Q. Fulvius Flaccus (le censeur) 28, 244.

Q. Fulvius Flaccus M.f. A.n. (*cos* 212 av. J.-C.) 239 et n. 178, 387.

Ser. Fulvius Flaccus (*cos* 135 av. J.-C.) 239 et n. 177, 387.

M. Fulvius Nobilior (*cos* 189 av. J.-C.) 206, 267, 357.

M. Fulvius Nobilior (*cos* 159 av. J.-C.) 268 n. 7.

Q. Fulvius Nobilior 206, 268 et n. 7, 343 n. 87, 344.

P. Gabinius 228 n. 78.

C. Gabinius [---] T.n. Calenus 23.

(Retus) Gabinius C.s. Calebus 23.

Gaetulicus 131 et n. 51.

Gaetulus 131 et n. 51.

(L. Plotius) Gailus 320.

Gaius 118 et n. 150.

(Ser. Sulpicius) Galba (*cos* 108 av. J.-C.) 233 et n. 115.

Galba (mère de) 305 et n. 50.

(Sulpicii Galbae) 236 et n. 133.

Gordien III 159.

Gracchi 132 n. 57, 322.

Ti. Gracchus 44.

(T. Sempronius) Gracchus 357.

(C. Octavius C.f.) Graechinus 96, 230 et n. 94, 231 et n. 101 et n. 103.

(C. Helvius) Graecus 96.

Graiena 181.

Graiena 183 n. 49.

Graieni 199.

Graienus 181, 182.

Q. Graienus Eucharistus 183 n. 49.

Q. Granius 314, 315, 318, 319 et n. 57 et n. 69, 320, 321, 322.

Granius Cordus (*cos* 122 ap. J.-C.) 248.

Granius Licinianus 330.

(M. Marius) Gratidianus 310, 316 n. 36.

M. Gratidius 310, 311, 313 et n. 12.

Grattius 275.

C.P.H. 23 n. 15.

L.H. 23 n. 15.

(A. Cluentius) Habitus (époux de Sassia) 102, 103 n. 34, 104, 106, 114 et n. 116, 115 et n. 121 et n. 125 et n. 126, 116 n. 134, 119, 120, 121, 122.

(A. Cluentius) Habitus 102, 103, 105 et n. 49, 107, 111, 112, 115 n. 125, 119, 122, 123, 276, 277, 310, 313 n. 15, 385.

(A. Vibius) Habitus (*cos* 8 ap. J.-C.) 106 et n. 60, 107.

Hannibal 49, 65, 303, 348, 353, 402, 404, 414.

Haterius 34 n. 97.

Hegesaretos (de Larisa) 372 n. 87, 376, 377.

Hegesaretos (fils de Kephalos) 376.

Hegesaretos 376.

Hegesias 364, 376.

Hellanicus 301.

(C. Lucretius) Helvianus 185 n. 58.

Helvidii Prisci 248, 249.

Helvii 387.

Helvius 76, 141.

C. Helvius Graecus 96.

Helvius Mancia 316 et n. 37, 317 et n. 40 et n. 43, 318.

(Cassius) Hemina 302 et n. 27.

Heracleides 33.

N. Hercleidius Pac. f. 413.

Herennii 248.

Herennius 357 n. 19.

(Octavius) Herennius 393.

N. Herennius Celsus 94.

M. Herennius Picens 50 n. 10, 209 n. 42, 282 et n. 23.

Herius Asinius 282 et n. 23.

Nonius Gallus 93.
(Cn. Gavillius) Novellus 175 et n. 3, 195.
(L. Gavillius) Novellus 175 et n. 3, 195.
Novia 111 et n. 98, 113, 115 n. 123 et n. 124.
Novios Plautios 24.
L. Numisius 35.

C. Obirius Cn.f. (lanio) 26 n. 40.
Occii 379.
Occius 370.
Cn. Occius Cn. f. 379.
Octavia, gens 230, 231.
Octavia (épouse de Gamala) 119 n. 157, 129 et n. 40.
Octavianus 14, 19, 43, 93, 133 et n. 66, 134, 179, 191, 215 et n. 87, 258, 259.
Octavianus (empereur Auguste) 93, 94, 136.
Octavii 199, 232 et n. 107, 393.
Octavii Ligures 129 et n. 40.
Octavii (Rusones?) 183.
Octavius 181, 182, 370.
Octavius 214 et n. 81, 231, 318 n. 51.
C. Octavius 15.
C. Octavius (futur Auguste) 281, 283, 284 et n. 33 et n. 38, 285 et n. 48, 286 et n. 58, 290 et n. 107, 293, 360
Cn. Octavius 209 et n. 37, 228 et n. 88.
Cn. Octavius Q.f. 190, 191, 199.
Cn. Octavius Cn. f. Cn. nep. 358.
L. Octavius 310, 311, 314.
Octavius C.f. Cam[ilia] Macra 231 et n. 102.
C. Octavius C.f. Cam[ilia] Vecula 231 et n. 102.
Cn. Octavius C.f. Cornicla 197.
Cn. Octavius C.f. Cornicula 197.
Octavius Graechinus 96, 230 et n. 94, 231 et n. 101 et n. 103.
Octavius Herennius 393.
M. Octavius Herennus 230, 231 et n. 99, 232 n. 107.
Octavius Laenas 248.
Cn. Octavius Q.f. [Ruso] 189, 199.
Octavius Sagitta 248.
L. Octavius L.f. Vitulus 229 et n. 92, 230 et n. 98.
(Q. Lucretius) Ofella 329.
Ofellii 253.
Ofellius 76.
C. Ofellius Ferus 252, 253, 254, 255.
Offonius 370.
Ofilius 288 et n. 81, 293.
Ofonius 370.
Olii 166 et n. 14, 167.
C. Olius 161.

Pacuvius 299 et n. 4, 334 et n. 11, 343, 344 et n. 8.

Pacuvius Calavius 61 et n. 12.

(Aelii) Paeti 312 n. 7.

Paetus 318, 320.

L. Pakkulis 23 n. 14.

(Q. Remnius) Palaemo 32 n. 84.

(Lollius) Palicanus (*tr. pl.* 71 av. J.-C.) 220.

(M. Hirtius) Pamphilus 220 et n. 23.

(Corellius) Pansa (*cos ord.* 122 ap. J.-C.) 141.

(Naevius) Pansa 248.

(C. Vibius C.f.) Pansa 191 et n. 106.

(Vibii) Pansae 248.

Papia 111 et n. 96, 112 n. 106 et n. 108, 113, 115 n. 121, et n. 124, 117, 119 et n. 158.

Papii 119 n. 158, 140.

Papii Mutili 248.

L. Papirius 309, 310, 311.

C. Papirius Carbo (*cos* 120 av. J.-C.) 226.

Cn. Papirius Carbo 112 n. 105.

Papius 119.

Papius Mutilus 282 n. 23.

C. Papius Mutilus 139, 141.

M. Papius Mutilus 50.

Paquii Scaevae 100 n. 8.

Paquius 414.

(Galeo Tettienus) Pardalas 156, 160.

(Diodoros) Pasparos 262 n. 69.

C. Passennus C.f. Serg. Paullus Propertius Blaesus 171 n. 59.

A. Patlacius 95.

(L. Aemilius) Paullus 44, 206, 358.

(C. Passennus C.f. Serg.) Paullus Propertius Blaesus 171 n. 59.

L. Paulus 352.

S. Pe 34 n. 98.

(Lucceius) Peculiaris 34.

Sex. Pedius Lusianus Hirrutus 248.

Sex. Peducaeus 50 n. 10.

P. Peilius L.f. 238 et n. 152.

Peissaretos 358.

M. Perpenna L.f. 358.

M. Perperna 120.

Perpernae 248.

Perseus 357, 358, 359.

Pescennius 387.

Petraios 372.

(T. Flavius) Petro (grand-père de Vespasien) 282 et n. 26.

Petronia, gens 151 n. 9, 181.

Petronia C.f. 181, 197.

Petronii 182, 199.

T. Plausurnius T.f. 182 n. 40, 194.

Q. Plausurnius C.f. Varus 230 et n. 94.

Plaute 26, 299 et n. 2, 334, 336, 337, 338, 339 et n. 58, 340, 341, 342, 343, 344.

(Novios) Plautios 24.

(Alfius) Plocamus 185 n. 59.

Plosurnii 182 n. 40.

C. Plos[urnius] 185 n. 59.

T. Plosurnius 211 et n. 58.

Plotius 10, 11.

Plotius Gailus 320.

(Vespasia) Polla 282 et n. 26.

Pollio 95.

(Asinius) Pollio (*cos* 40 av. J.C.) 31 et n. 81, 248.

(Postumius) Pollio 35 n. 104.

(Vedius) Pollio 283 et n. 32, 287 n. 73.

(Vespasius) Pollio (grand-père de Vespasien) 282 et n. 26.

Polybius 42, 301 et n. 23, 351 n. 11.

Polykles 253.

Polystratos (de Poliarte) 134 n. 72.

Pompeii 95.

Cn Pompeius 14, 15, 16, 56 et n. 31, 104 n. 46, (*cos* 88 av. J.-C.) 109 n. 76, 130, 133, 135, 228, 256 n. 26, 285 et n. 54, 291 et n. 110, 311 n. 5, 320, 330 et n. 32, 356, 359, 376, 399, 413.

Sex. Pompeius Menas 259, 286 et n. 71, 287 n. 73, 289, 293.

Cn. Pompeius Strabo 44, 190, 191 et n. 103, 199, 226, 228, 267 n. 3.

Pompeius Trogus 303.

Pompilius (pour Pomponius) 333 n. 7.

Pomponii 140.

L. Pomponius 299 et n. 4.

C. Pontidius 282 n. 23.

Pontii 140.

(Telesinus) Pontius 282 n. 23.

Popellius 367 n. 78.

Popidii 95.

Popilius 370.

Popilius 351 n. 11, 414 n. 22.

C. Popilius 33.

M. Popilius 358.

M. Popilius C.f. 358.

P. Popilius 358.

M. Popilius Laenas 357, 358.

Popillii 185 n. 57.

Popillius 367 n. 78.

P. Popillius Laenas (*cos* 132 av. J.-C.) 414.

(C. Cartilius) Poplicola 214 n. 79, 258 et n. 40, 259.

(L. Gellius L.f.) Poplicola (*cos* 72 av. J.-C.) 226 et n. 65 et n. 66, 227, 228, 229.

Poppaea Sabina (épouse du q. de 31 av. J.-C., T. Ollius) 167.

Poppaea Sabina (2ème épouse de Néron) 167.

P. Quinctius P.f. Rom. 296.
C. Quinctius Valgus 92, 95, 249, 399.
M. Quintilianus 118, 317 et n. 42, 318.
(Sulpicius) Quirinius 294 n. 127.

C. Rabirius Postumus 13, 14, 15.
Raia 181.
Raia M.f. 198.
Raienus 183 n. 49.
Raius 181, 182, 183 et n. 49, 198.
Rakoi 198.
L. Rammius Brundisinus 357.
P. Ram[m]ius P.f. Nic[e]p[h]or[u]s 357 et n. 21.
(L. [Antistius]) Reginus 271 n. 22.
Q. Remnius Palaemo 32 n. 84.
Repentinus 373.
Retus Gabinius C.s. Calebus 23.
Roscius 368 n. 78, 370.
Q. Roscius Gallus 334.
C. Rosius (père de C. Rosius C.f.f.) 288.
C. Rosius C.f.f. (fils de C. Rosius et père de C. Rosius C.f.f. Arn. Sabinus) 288.
C. Rosius C.f.f. Arn. 287 n. 78.
C. Rosius C.f.f. Arn. Sabinus (fils de C. Rosius C.f.f.) 288, 296.
M. Rubrius Varro 311 n. 4.
Q. Rubrius Varro 310, 311, 312, 313 et n. 11.
(Ansia Tarvi f.) Rufa 53.
(T.T. Memmii) Rufi 236 n. 134.
Rufio 33 n. 93.
T. Rufrenus 34.
Rufus 95, 368 n. 78.
(M. Caelius) Rufus 19, 50 n. 10, 112 n. 105.
(Q. Cornelius P.f.) Rufus 26 n. 40.
(Curtius) Rufus 283 n. 31.
(L. Egnatius) Rufus 13, 15 et n. 23.
(M. Holconius) Rufus 259 et n. 47.
(M. Lucretius Decidianus) Rufus 93, 94.
(L. Mescinius) Rufus 288 et n. 84.
(M. Minucius) Rufus 358 et n. 31.
(T. Minucius) Rufus 358.
(Salvidienus) Rufus (*cos*) 292 et n. 118 et n. 119.
(Q. Salvidienus) Rufus 50 n. 10.
(C. Sempronius) Rufus 16, 19.
(Ser. Sulpicius) Rufus 376.
(L. Tarius) Rufus (*cos suff.* 16 av. J.-C.) 292 et n. 120 et n. 121.
(C. Tillius C.f. Cor.) Rufus (père)93, 289.
(C. Tillius C.f. Cor.) Rufus (fils) 93, 289.
(C. Titius C.f.) Rufus 185 n. 58.

C. Tillius L.f. Cor. 93.
C. Tillius C.f. Cor. Rufus (père) 93, 289.
C. Tillius C.f. Cor. Rufus (fils) 93, 289.
Timarchides 253.
Timarchides I 206, 253.
Timarchides I (fils de) 253.
Timarchos Salaminios 127 n. 21.
Timarchos Simalou Phlyeus 127 n. 21.
Timarchos Timarchou Salaminios 127 n. 21.
Timokles 253.
T. Tinca 311, 314, 315 et n. 31, 318 n. 53, 319 et n. 69.
Tineius (= Tinius) 370.
Tinius (= Tineius) 370.
(Cn. Caesius) Tiro 171 n. 56.
Tite Live 55, 61, 299.
Titia 181.
Titia P.f. 181, 199.
Titii 185 n. 57 et n. 60.
Titii Muttones 176, 186, 200.
Titii [Muttones?] 183.
(Mutinus) Titinus 187, 189.
Titirus 43.
Titius 181, 182, 370.
C. Titius 309, 310 et n. 3, 319 n. 69, 320 n. 73.
L. Titius M.f. 196.
M'. Titius M'.f. Fab. 296.
Q. Titius 186, 189, 190, 191 et n. 106.
Q. Titius Mutto 175, 189 et n. 88 et n. 89, 190 n. 97.
Q. Titius [Mutto?] 187.
C. Tit[ius] [Mutto?] 200.
C. Titius C.f. Rufus 185 n. 58.
Titus (l'empereur) 266.
Tongilia, gens 247 n. 38.
Trebatius Testa 290 n. 103.
Tr(ebatus) 414.
Trebii 95.
Tr(ebius) 414.
Trebius (de Compsa) 55 n. 22.
Trebius Losius 31.
Trimalchion 249.
(Pompeius) Trogus 303.
(Aelii) Tuberones 116 n. 134 bis.
Tuccius (= M. Tuccius Galeo?) 317 et n. 46.
M. Tuccius 317 n. 46.
M. Tuccius Galeo 31, 35 n. 105, 317 n. 46.
(C. Sempronius) Tuditanus (*cos*) 179 et n. 29, 186, 187 n. 70, 211 et n. 59.
Tullii 316 n. 36.

(Midas) Zenonos 129.

[-] f. Pap. [-] us 298.
[--] N.f. faber 26 n. 40.
St. [---] 145.
[---] c̣ịa 181.
[--] c̣ịus 181.
[---] natius P.f. gla [---] (= gla[diarius]?) 26 n. 40.

TABLE DES MATIÈRES

PLANCHES

Fig. 1

Fig. 2

Fig. 1

Fig. 2

Fig. 1

Fig. 2

Fig. 1

Fig. 1

Fig. 2

Fig. 3

Fig. 4

Fig. 1

Fig. 2

Fig. 3

Fig. 4

Fig. 5

Fig. 6

Fig. 7

Fig. 8

Fig. 9

Fig. 10

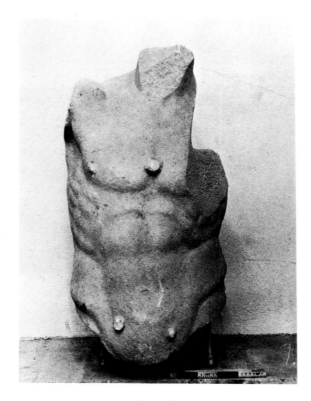

Fig. 17

Fig. 18

Fig. 19

Fig. 20

Fig. 21

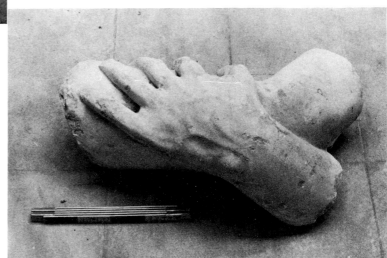

Fig. 22

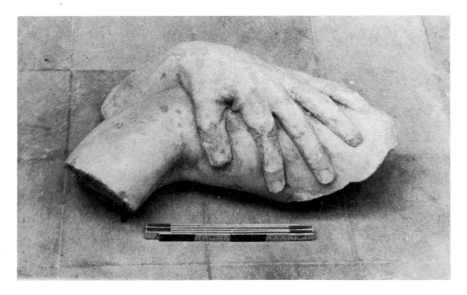

Fig. 23

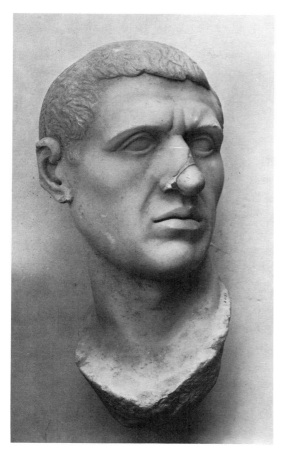

1. Delos, Museum A 4186. Deutsches Arch. Institut Athen Neg. Nr. 70/972. Hier Anm. 27.

2. Delos, Museum A 2912. Inst. Neg. Nr. 70/976

3. Athen, Nationalmuseum 362 (aus Smyrna). Inst. Neg. Athen N.M. 144. ABr 883/4. G. Hafner, Späthellenistische Bildnisplastik (1954) 38 MK 10

4. Athen, Nationalmuseum Inv. 4101. Inst. Neg. Athen N.M. 5462. - RM 49, 1934, 135 Abb. 13. Hafner a.O.42 MK 23

5. Delos, Museum. Hier Anm. 9

6. Benevent, Museo del Sannio. Inst. Neg. Rom 68.319

7. Benevent, Museo del Sannio. Inst. Neg. Rom 68.484

8. Chiusi, Museo Civico. Inst. Neg. Rom 76.150. - O. Vessberg, Studien zur Kunstgeschichte der römischen Republik (1941) 240f. Taf. 85,2.

9. Chiusi, Museo Civico. Inst. Neg. Rom 76.153

10. Capua, Museo Campano. Inst. Neg. Rom. Hier Anm. 39

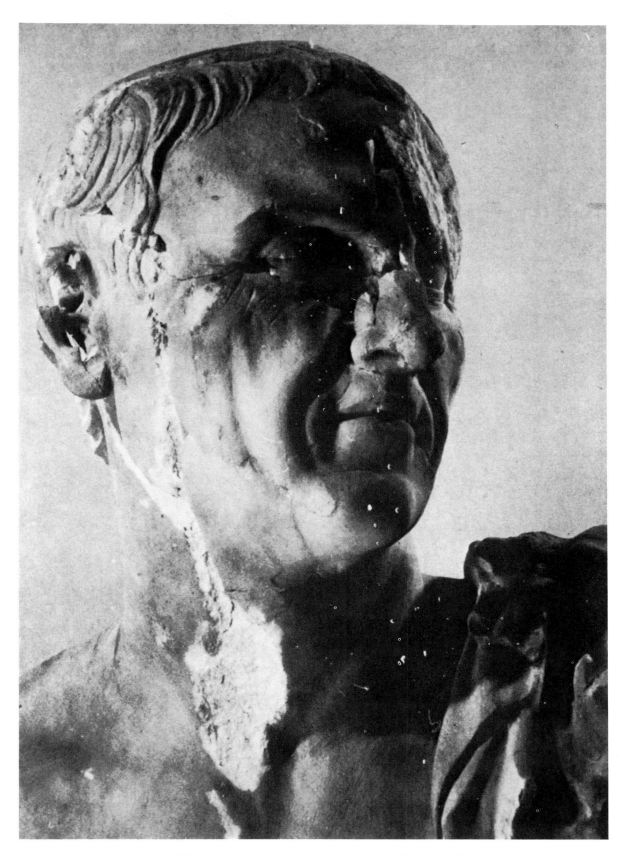

11/12. Formia, Museo. Antiquarium di Formia. Hier Anm. 46

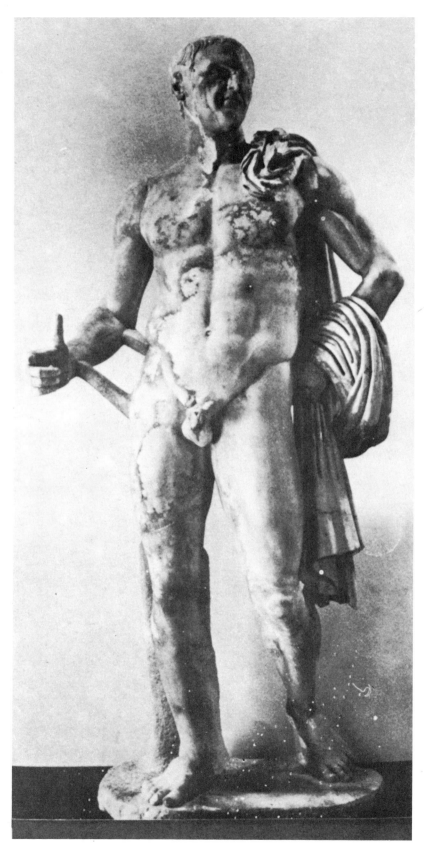

11/12. Formia, Museo Antiquarium di Formia. Hier Anm. 46

15/16. Kopf der Togastatue Neapel, Mus. Naz. Inv. 6246.
Inst. Neg. Rom 76.1099/1101. Hier Anm. 65

13/14. Kopf einer Panzerstatue des Balbus.
Den Aufbewahrungsort konnte ich nicht eruieren.
Reproduktion nach Maiuri (siehe Anm. 55) Taf. II

17/18. Moderner Kopf der Reiterstatue Neapel, Mus. Naz. 6104. Inst. Neg. Rom 76.1123/26

19/20. Kopf der Statue der Viciria. Neapel, Mus. Naz. Inv. 6168. Inst. Neg. Rom 76.1103/5. Hier Anm. 68

21. Detail der Reiterstatue Neapel, Mus. Naz. Inv. 6104.
Inst. Neg. Rom 76.1124. Hier Anm. 58

22. Dasselbe Inst. Neg. Rom 76.1125

23. Detail der Reiterstatue Neapel, Mus. Naz.
Inv. 6211. Inst. Neg. Rom 76.1129. - Hier Anm. 58

24. Dasselbe. Inst. Neg. Rom 76.1128

25. Postum errichtete Ara mit Ehreninschrift für M. Nonius Balbus und Statuenpodest vor den Terme suburbane in Herculaneum. Inst. Neg. Rom 80.2962. = hier Anm. 54,55,71.

26. Detail des Ornament-Rahmens der Ara Abb. 25. Inst. Neg. Rom 80.2958.

27. Osimo, Comune. Zimmer des Bürgermeisters.
Inst. Neg. Rom 75.1051. - P. Marconi, Bd'A 29, 1935/6, 301

28. Chieti, Mus. Naz. Nach V. Cianfarani, Schede del Museo Naz. 3. Serie
(Chieti 1972). - Ehemals Ancona: Vessberg a.O Taf. 84,3-4

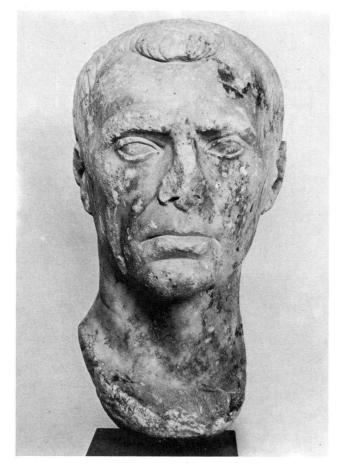

29. Terracina, Museo Archeologico. Gab. Fot. Naz. E 54892

30. Perugia, Museo Archeologico. Inst. Neg. Rom 82.1193

Code 1260

Code 1856

Code 1473

Code 1604

Code 1736

Code 1588

Code 1605

Code 1506